Anne Perry

Schw[illegible] Themse

Roman

Aus dem Englischen
von Elvira Willems

GOLDMANN

Die Originalausgabe erschien 2004
unter dem Titel »The Shifting Tide«
bei Ballantine Books, New York.

Verlagsgruppe Random House FSC-DEU-0100
Das FSC-zertifizierte Papier *München Super* für Taschenbücher
aus dem Goldmann Verlag liefert Mochenwangen Papier.

1. Auflage
Taschenbuchausgabe Juli 2006

Published by arrangement with Anne Perry
Dieses Werk wurde vermittelt durch
die Literarische Agentur Thomas Schlück GmbH,
30827 Garbsen
Umschlaggestaltung: Design Team München
Umschlagfoto: Corbis/Fine Art Photography Library
Redaktion: Ilse Wagner
BH · Herstellung: Str.
Druck und Bindung: GGP Media GmbH, Pößneck
Printed in Germany
ISBN-10: 3-442-46199-5
ISBN-13: 978-3-442-46199-8

www.goldmann-verlag.de

1

»Der Mord interessiert mich nicht«, sagte Louvain schroff und beugte sich ein wenig über den Tisch. Sie standen in dem großen Büro, dessen Fenster auf den Pool of London blickten mit seinem Wald aus Masten, die vor dem zerrissenen Herbsthimmel auf dem Wasser schaukelten. Da lagen Klipper und Schoner aller seefahrenden Nationen der Welt, Barkassen, die den Fluss hinauf- und hinunterfuhren, ein Vergnügungsdampfer schob sich vorbei, Schlepper, Fähren und Tender waren bei der Arbeit. »Ich muss das Elfenbein wiederhaben!«, stieß Louvain hervor. »Ich habe keine Zeit, auf die Polizei zu warten.«

Monk blickte ihn erstaunt an und versuchte, eine Erwiderung zu formulieren. Er brauchte diesen Auftrag, sonst wäre er nicht in das Büro der Louvain'schen Reederei gekommen, bereit, eine Aufgabe zu übernehmen, die abseits seines üblichen Betätigungsfelds lag. In der Stadt war er ein hervorragender Ermittler, das hatte er sowohl bei der Polizei als auch später als Privatdetektiv wiederholt unter Beweis gestellt. Er kannte die herrschaftlichen Wohnhäuser der Wohlhabenden und die schäbigen Seitenstraßen der Armen. Er kannte die kleinen Diebe und Spitzel, die Händler von Diebesgut, die Bordellbetreiber, die Fälscher und viele von denen, die sich anheuern ließen. Aber der Fluss, die »längste Straße Londons«, mit seinem veränderlichen Wasserstand, den ständigen Schiffsbewegungen und den Männern, die viele fremde Sprachen sprachen, war unbekanntes Terrain für ihn. Die Frage, die ihm, beharrlich wie ein Pulsschlag, im Kopf herumspukte, war: Warum hatte Clement Louvain nach ihm geschickt und nicht nach jemandem, der mit den Docks und dem Wasser vertraut war? Die Wasserpolizei war älter als Peels Stadtpolizei, sie war 1798 gegründet worden, vor fast einem Dreivierteljahrhundert. Durchaus möglich, dass die Männer zu beschäftigt waren, um Louvains Elfenbein die Aufmerksamkeit zu widmen, die er sich wünschte, aber war das wirklich der Grund gewesen, warum er nach Monk geschickt hatte?

Louvain stand auf der anderen Seite des großen polierten Mahagonitischs, blickte ihn abschätzend an und wartete.

»Der Mord hängt mit dem Diebstahl zusammen«, erwiderte Monk. »Wenn wir wüssten, wer Hodge umgebracht hat, wüssten wir auch, wer das Elfenbein gestohlen hat, und wenn wir wüssten, wann das geschah, wären wir der Lösung der Frage ein gutes Stück näher.«

Louvains Gesichtszüge verhärteten sich. Er war ein von Wind und Wetter gegerbter Mann Anfang vierzig mit schmalen Hüften, doch seine Muskeln waren ebenso hart wie die der Matrosen, die er anheuerte, damit sie seine Schiffe an die Küste Ostafrikas brachten, um mit Elfenbein, Bauholz, Gewürzen und Fellen zurückzukommen. Sein hellbraunes Haar war dick und aus der Stirn zurückgekämmt, sein Gesicht breit.

»Auf dem Fluss bei Nacht spielt die Uhrzeit keine Rolle«, sagte er knapp. »Die ganze Zeit sind überall leichte Kavalleristen, schwere Kavalleristen und nächtliche Plünderer unterwegs. Niemand wird etwas über irgendjemanden sagen, erst recht nicht zur Wasserpolizei. Darum brauche ich meinen eigenen Mann, jemanden mit Ihren Fähigkeiten.« Sein Blick streifte Monk, und er betrachtete den Mann, der in dem Ruf stand, ebenso unbarmherzig zu sein wie er selbst, ein paar Zentimeter größer, mit hohen Wangenknochen und einem schmalen Gesicht. »Ich muss dieses Elfenbein wiederhaben«, wiederholte Louvain. »Ich habe bereits einen Käufer dafür, der darauf wartet, und ich habe Außenstände. Suchen Sie nicht nach dem Mörder, um den Dieb zu finden. Das funktioniert vielleicht an Land. Auf dem Fluss finden Sie den Dieb, und das wird Sie zu dem Mörder führen.«

Monk hätte den Fall liebend gerne abgelehnt. Es wäre leicht gewesen, allein sein geringes Wissen wäre Grund genug. Es fiel ihm tatsächlich immer schwerer einzusehen, warum Louvain nach ihm geschickt hatte und nicht nach einem der vielen Männer, die sich zumindest auf dem Fluss und den Docks auskannten. Es gab immer jemanden, der für entsprechendes Honorar eine private Ermittlung übernahm.

Aber Monk konnte es sich nicht leisten, Louvain darauf hinzuweisen. Er musste der bitteren Tatsache ins Auge sehen, dass er auf Louvains Auftrag angewiesen war und – gegen seine Überzeugung – vorgeben musste, dass er sehr wohl in der Lage war, das Elfenbein zu finden und zu ihm zurückzubringen, und zwar schneller und diskreter als die Wasserpolizei.

Die Not zwang ihn dazu, die zahllosen banalen Fälle, die in letzter Zeit zu wenig eingebracht hatten. Er wagte es nicht, Schulden zu machen, und da Hester ihre ganze Kraft der Klinik in der Portpool Lane widmete, die eine Wohltätigkeitseinrichtung war, trug sie nicht zum Familieneinkommen bei. Doch ein Mann sollte nicht erwarten, dass eine Frau ihren eigenen Lebensunterhalt verdient. Sie verlangte wenig genug – keinen Luxus, keinen eitlen Tand –, sie wollte nur die Arbeit tun dürfen, die sie liebte. Monk hätte sich jedem Mann angedient, um ihr das bieten zu können. Er ärgerte sich über Louvain, denn der hatte die Macht, ihm heftigen Verdruss zu bereiten, aber noch mehr Sorgen bereitete ihm, dass Louvain mehr Interesse daran zeigte, den Dieb aufzuspüren, der ihn beraubt hatte, als einen Mörder, der Hodge das Leben genommen hatte.

»Und wenn wir ihn nicht finden«, sagte er laut, »und Hodge wird beerdigt, welche Beweise haben wir dann noch? Dann haben wir geholfen, das Verbrechen zu verschleiern.«

Louvain schürzte die Lippen. »Ich kann es mir nicht leisten, dass der Diebstahl bekannt wird, es würde meinen Ruin bedeuten. Reicht es nicht, wenn ich in einer Zeugenaussage beschwöre, wo genau ich die Leiche gefunden habe, wie und wann? Der Arzt kann die Verletzungen des Mannes bezeugen, und Sie selbst können sie sich ansehen. Ich setze es schriftlich auf und unterzeichne es, und Sie können die Papiere haben.«

»Wie wollen Sie der Polizei erklären, dass Sie ein Verbrechen verheimlicht haben?«, fragte Monk.

»Ich übergebe den Mörder der Polizei samt Beweisen. Was soll sie noch wollen?«, antwortete Louvain.

»Und wenn ich ihn nicht finde?«

Louvain schaute ihn mit einem schiefen sarkastischen Lächeln an. »Sie erwischen ihn«, sagte er einfach.

Monk konnte es sich nicht erlauben, mit ihm zu streiten. Moralisch fand er es unbefriedigend, aber in praktischer Hinsicht hatte Louvain Recht. Er musste einfach erfolgreich sein, und wenn es ihm nicht gelang, waren die Chancen der Wasserpolizei noch geringer.

»Erzählen Sie mir alles, was Sie wissen«, sagte er.

Louvain setzte sich und machte es sich auf dem gepolsterten Stuhl mit der runden Rückenlehne bequem. Er bedeutete Monk, ebenfalls Platz zu nehmen, und richtete den Blick fest auf Monks Gesicht.

»Die ›Maude Idris‹ ist in Sansibar ausgelaufen, voll beladen mit Ebenholz, Gewürzen und vierzehn Elfenbeinstoßzähnen, und um das Kap der Guten Hoffnung herum nach Hause gesegelt, ein Viermaster mit neun Mann Besatzung: Kapitän, Maat, Bootsmann, Koch, Schiffsjunge und vier tüchtige Matrosen, einen für jeden Mast. Das ist bei ihrer Tonnage Standard.« Er blickte Monk immer noch direkt ins Gesicht. »Sie hatte den größten Teil des Weges beständiges Wetter und hat an der Westküste Afrikas mehrere Häfen angelaufen, um Proviant und frisches Wasser an Bord zu nehmen. Vor fünf Tagen hat sie Vizcaya angelaufen, vorgestern Spithead, die letzten Meilen den Fluss hinauf hat sie dann mit Rückenwind laviert. Östlich vom Pool hat sie gestern, am zwanzigsten Oktober, Anker geworfen.«

Monk hörte zu, und er würde die Fakten nicht vergessen,

auch wenn sie ihm nicht viel sagten. Er war sich sicher, dass Louvain sich dessen bewusst war, dennoch fuhren beide mit der Scharade fort.

»Die Mannschaft hat abgemustert«, fuhr Louvain fort. »Das ist normal. Die Leute waren lange weg, fast ein halbes Jahr hin und zurück. Ich habe den Bootsmann und drei tüchtige Matrosen an Bord behalten, um die Waren zu sichern. Einer von ihnen war der Tote, Hodge.« Ein Zucken huschte über sein Gesicht. Es konnte alle möglichen Gefühle bedeuten: Wut, Bedauern, sogar Schuld.

»Vier der neun blieben also?«, hakte Monk noch einmal nach.

Als würde er seine Gedanken lesen, schürzte Louvain die Lippen. »Ich weiß, dass der Fluss gefährlich ist, besonders für ein erst kürzlich eingelaufenes Schiff. Die Bootsleute wissen, dass die Ladung noch an Bord ist. Auf dem Fluss bleibt nichts lange geheim, aber das hätte jeder Idiot herausfinden können. Wenn ein Schiff leer ist, kommt es nicht so weit hinauf. Man lädt oder entlädt. Ich dachte, vier bewaffnete Männer würden ausreichen, aber ich habe mich getäuscht.« Sein Gesicht verriet Gefühle, die nicht zu deuten waren.

»Wie waren sie bewaffnet?«, fragte Monk.

»Mit Pistolen und Entermessern«, antwortete Louvain.

Monk runzelte die Stirn. »Das sind Waffen für den Kampf Mann gegen Mann. Ist das alles, was sie haben?«

Louvains Augen weiteten sich fast unmerklich. »Es gibt vier Kanonen auf Deck«, antwortete er vorsichtig. »Aber die sollen vor einem Angriff von Piraten auf See schützen. Auf einem Fluss kann man die nicht abfeuern!« Ein leichtes Grinsen zuckte um seine Lippen und verschwand wieder. »Sie wollten nur das Elfenbein, nicht das ganze verdammte Schiff!«

»Wurde abgesehen von Hodge noch jemand verletzt?« Monk verbarg seine Verärgerung nur mit Mühe. Schließlich war es nicht Louvains Schuld, dass er gezwungen war, sich eines Auftrags auf unbekanntem Terrain anzunehmen.

»Nein«, sagte Louvain. »Flussdiebe wissen, wie sie leise längsseits anlegen und an Bord kommen. Hodge war der Einzige, der ihnen begegnet ist, und sie haben ihn umgebracht, ohne sonst jemanden zu wecken.«

Monk versuchte, sich die Szene vorzustellen: die engen Räume im Innern des Schiffes, der Boden, der im Tidenstrom schwankte und schaukelte, das Knarren der Schiffsplanken. Und dann plötzlich das Wissen, dass da Schritte waren, dann der Schrecken, der Kampf und schließlich lähmender Schmerz, als sie ihn niederschlugen.

»Wer hat ihn gefunden?«, fragte er leise. »Und wann?«

Louvains Miene war düster, sein Mund eine starre Linie. »Der Mann, der ihn um acht Uhr ablösen wollte. Er hat mir eine Nachricht geschickt.«

»Bevor er gesehen hat, dass das Elfenbein fehlte, oder hinterher?«

Louvain zögerte nur eine Sekunde. Es war kaum wahrnehmbar, und Monk überlegte, ob er es sich nur eingebildet hatte. »Hinterher.«

Hätte er »vorher« gesagt, Monk hätte ihm nicht geglaubt. Aus reiner Selbsterhaltung musste der Mann wissen wollen, womit er es zu tun hatte, bevor er Louvain irgendetwas sagte. Und wenn er kein Vollidiot war, hatte er sich als Erstes darum gekümmert, ob der Mörder noch an Bord war. Hätte er sagen können, er habe ihn gefangen genommen und das Elfenbein beschützt, hätte er eine ganz andere Geschichte erzählen können. Außer natürlich, er war daran beteiligt und wusste bereits alles.

»Wo waren Sie, als die Nachricht Sie erreichte?«

Louvain blickte ihn starr an. »Hier. Es war inzwischen fast halb neun.«

»Wie lange waren Sie da schon hier?«

»Seit sieben.«

»Wusste er das?« Monk beobachtete Louvains Gesicht aufmerksam. Eine der Möglichkeiten, sich ein Bild von den Männern zu machen, die auf dem Schiff geblieben waren, bestand darin herauszufinden, wie sehr Louvain ihnen vertraute. Ein Mann in seiner Position konnte es sich nicht leisten, über einen Fehler hinwegzusehen, ganz zu schweigen von jeglicher Form von Illoyalität.

»Ja«, antwortete Louvain mit amüsiertem Flackern in den Augen. »Jeder Matrose würde das erwarten. Das sagt Ihnen nicht das, was Sie glauben.«

Monk spürte die Hitze in seinem Innern entflammen. Er suchte sich mühselig Antworten zusammen und bekam sie nicht zu packen wie sonst immer. Dies war nicht der richtige Zeitpunkt, um mit Louvain intellektuelle Spielchen zu spielen. Er musste entweder offener agieren oder sehr viel spitzfindiger vorgehen.

»Dann sind alle Schiffseigner um diese Zeit in ihren Büros?«, schlussfolgerte er laut.

Louvain entspannte sich ein wenig. »Ja. Er kam hierher und sagte, Hodge sei umgebracht und das Elfenbein gestohlen worden. Ich bin sofort mit ihm …« Er unterbrach sich, als Monk aufstand.

»Können Sie Ihre Wege noch einmal nachvollziehen, und ich schließe mich Ihnen einfach an?«, bat Monk ihn.

Louvain erhob sich schwungvoll. »Selbstverständlich.« Er sagte nichts weiter und führte Monk über den ziemlich abgenutzten Teppich zu der schweren Tür. Diese öffnete er, verschloss sie hinter ihnen und steckte den Schlüssel in die Innentasche seiner Weste. Er nahm eine schwere Jacke von einem Garderobenständer und warf einen Blick auf Monk, um abzuschätzen, ob dessen Kleidung für einen Ausflug auf den Fluss taugte.

Monk war stolz auf seine Kleidung. Selbst in Zeiten, in denen er sich finanziell hatte einschränken müssen, hatte er sich stets gut gekleidet. Er besaß eine natürliche Eleganz, und der Stolz gebot ihm, dass die Schneiderrechnung vor derjenigen des Metzgers bezahlt wurde. Aber damals war er noch unverheiratet gewesen. Jetzt würde er diese Reihenfolge wohl umkehren müssen, und das lastete bereits schwer auf ihm. Es war eine Art Niederlage. Aber er hatte damit gerechnet, dass ein Mann wie Louvain, der mit der Seefahrt zu tun hatte, ein Anliegen haben konnte, welches es erforderlich machte, dass sie beide sich aufs Wasser begaben, und so hatte er sich entsprechend gekleidet. Seine Stiefel waren schwer und gut besohlt, sein Mantel war bequem geschnitten und würde gegen den Wind schützen.

Er folgte Louvain die Treppe hinunter und durch das Vorzimmer, wo Schreiber auf hohen Bürostühlen saßen und sich, Federn in der Hand, über die Hauptbücher beugten. In der Luft lag der Geruch von Tinte und Staub, und als Monk an dem eisernen Ofen vorbeikam, öffnete gerade jemand die Klappe, um Kohlen nachzulegen, sodass auch noch der beißende Rauch dazukam.

Draußen auf der Straße zum Dock wurden sie sofort von dem Wind gepackt, der scharf vom Fluss herüberblies, auf der Haut brannte, ihnen das Haar aus dem Gesicht wehte und mit dem salzigen Geschmack der hereinkommenden Flut in die Kehle drang. Die Luft roch nach Fisch, Teer und nach dem sauren, durchdringenden Schmutzwasser in den Abflüssen jenseits der Kais.

Das Wasser schlug in endlosen Bewegungen gegen die Pfosten des Piers, sein Rhythmus wurde nur ab und zu vom Kielwasser der schwer beladenen, tief im Wasser liegenden Barkassen unterbrochen. Sie bewegten sich langsam den Fluss hinauf in Richtung London Bridge und weiter. Das Kreischen der Seemöwen war schrill, und doch rief es Monk bedeutungsvolle Erinnerungen ins Gedächtnis, kurze Bilder seines Lebens als Junge in Northumberland. Ein Kutschenunfall vor sieben Jahren, im Jahre 1856, hatte ihn der meisten bunten Erinnerungsfetzen, aus denen sich die Vergangenheit zusammensetzt und die das Bild dessen formen, der wir sind, beraubt. Durch Schlussfolgerungen hatte er etliches davon wieder zusammengesetzt, und ab und zu öffnete sich plötzlich ein Fenster und gestattete ihm einen kurzen Blick auf eine ganze Landschaft. Wie jetzt beim Schrei der Möwen.

Louvain ging über das Pflaster auf den Kai zu und daran entlang, ohne nach rechts oder links zu blicken. Die Docks mit ihren riesigen Speichern, den Kränen und Ladebäumen waren ihm vertraut. Er war es gewöhnt, die Arbeiter und Bootsleute und die kleinen Handwerker kommen und gehen zu sehen.

Monk folgte ihm bis zum Ende des Kais, wo das mit Schaum und treibenden Abfällen bedeckte, dunkle Wasser im Schatten wirbelte und klatschte. Am anderen Ufer lag unterhalb der Gezeitenlinie ein Streifen Schlamm, in dem drei Kinder, fast bis zu den Knien eingesunken, herumwateten. Sie bückten sich und suchten mit geschickten Händen nach allem, was sie finden konnten. Ein Erinnerungsblitz sagte Monk, dass sie wahrscheinlich nach Kohlestücken suchten, die zufällig von einer Barkasse gefallen waren oder ab und an auch absichtlich heruntergeschoben wurden, damit die Dreckspatzen etwas fanden.

Louvain winkte und rief etwas übers Wasser. Innerhalb weniger Augenblicke glitt ein leichtes, dreieinhalb bis viereinhalb Meter langes Boot an die Stufen heran. Der Mann an den Riemen hatte ein wettergegerbtes Gesicht, dessen Farbe an altes Holz erinnerte, sein grauer Bart bestand nur aus Stoppeln, und der Hut, den er über die Ohren gezogen hatte, verbarg das wenige Haar, das ihm noch geblieben war. Er grüßte kurz, halb salutierend, und wartete auf Louvains Anweisungen.

»Bringen Sie uns zur ›Maude Idris‹«, sagte Louvain, sprang in das Boot und verstand es mühelos, das Gleichgewicht zu halten, als dieses schwankte und schaukelte. Er bot Monk, der hinter ihm herkam, keine Hilfe an – entweder nahm er an, dieser sei an Boote gewöhnt, oder es war ihm egal, ob Monk sich zum Narren machte oder nicht.

Monk spürte einen Augenblick Angst und Verlegenheit darüber, dass er eventuell unbeholfen wirkte. Er stellte sich steifbeinig hin, doch sein Instinkt sagte ihm, dass das falsch war, und er entspannte sich und balancierte mit einer Anmut, die sie beide überraschte.

Der Fährmann schlängelte sich mit viel Geschick zwischen den Barkassen hindurch und fuhr um einen Dreimaster herum, dessen Segeltuch festgezurrt und dessen Spantenwerk verschmutzt war und von langen Tagen unter tropischer Sonne und im Salzwasser abblätterte. Monks Blick folgte dem Schiffskörper, und er sah unterhalb der Wasserlinie die Schalen von Rankenfußkrebsen.

Er schaute schnell hinauf, als der Schatten eines sehr viel größeren Schiffs auf sie fiel, und hielt in plötzlicher Erregung die Luft an, als die reine Schönheit des Schiffs ihn ergriff. Drei ungeheure Masten mit vierundzwanzig oder siebenundzwanzig Meter langen Rahen, die sich dunkel vor den grauen Wolken abhoben, ragten in den Himmel, die Segel waren aufgerollt und in ordentlichen Reihen aufgetakelt wie eine Radierung am Himmel. Es war einer der großen Klipper, die um die Welt segelten und sich vielleicht mit Tee, Seide und Gewürzen aus dem Fernen Osten von China nach London ein Rennen lieferten. Das erste Schiff, das entladen werden konnte, gewann den gewaltigen Preis, das zweite bekam nur, was noch übrig war. Monk stellte sich tosende Stürme und Meere vor, Himmelswelten, geblähte Segel, Spieren, die im wilden Tanz der Elemente knüppelten. Und dann ruhigere Meere, flammende Sonnenuntergänge, glasklare Wasser, in denen Myriaden verschiedenartigster Kreaturen wimmelten, und windstille Tage, wenn Zeit und Raum sich in die Ewigkeit ausdehnten.

Er zwang sich zurück in die Gegenwart und zu dem lauten, geschäftigen Fluss, dessen kalte Gischt ihm ins Gesicht schlug. Vor ihnen lag ein Viermaster vor Anker und rollte leicht im Kielwasser einer Reihe von Barkassen. Er war breit und hatte ziemlich viel Tiefgang, ein hochseetüchtiges Schiff, das schwere Frachten transportierte, und unter vollen Segeln trotzdem wendig und leicht zu manövrieren war. Aus dieser

Nähe waren die Kanonenpforten auf dem Vorderdeck deutlich zu sehen. Der Schoner war weder leicht einzuholen noch aufzubringen.

Doch hier im Heimathafen war er ein leichtes Ziel für zwei oder drei Männer, die sich in der Nacht über das Wasser näherten, seitlich aufs Deck schlichen und eine unaufmerksame Wache überrumpelten.

Sie waren fast längsseits, und Louvain glich mit einem leichten Schwanken des Körpers die Bewegung des Flusses aus.

»Ahoi! ›Maude Idris‹! Louvain kommt an Bord!«

Ein Mann erschien an der Reling und blickte zu ihnen herunter. Er war breitschultrig, kurzbeinig und kräftig. »In Ordnung, Sir, Mr. Louvain!«, rief er zurück, und einen Augenblick später polterte eine Strickleiter über die Reling und entrollte sich. Der Fährmann manövrierte das Boot darunter, und Louvain griff nach der untersten Sprosse. Er zögerte einen Augenblick, als wollte er Monk fragen, ob dieser es schaffen würde, nach ihm hinaufzuklettern. Dann überlegte er es sich anders und stieg, ohne sich noch einmal umzudrehen, hinauf. Geübt ergriff er eine Sprosse nach der anderen, bis er oben ankam und sich über die Reling an Deck schwang, wo er auf Monk wartete.

Monk verschaffte sich einen sicheren Stand, griff nach der Strickleiter, hielt sie fest, hob dann den Fuß, wie er es Louvain hatte tun sehen, streckte die Hand aus, um die dritte Sprosse zu packen, und zog sich hinauf. Einen Augenblick schwebte er gefährlich in der Luft, hatte weder richtig Halt auf dem Boot noch auf der Leiter. Unter ihm schäumte das Wasser. Der Schoner schlingerte, Monk schwang weit hinaus, dann schlug er gegen den Rumpf, wo er sich die Fingerknöchel aufriss. Er drückte sein Gewicht nach oben und nahm die nächste Sprosse und dann die nächste, bis auch er über die Reling kletterte und neben Louvain stand. Keiner von ihnen hatte einen Laut von sich gegeben.

Monks keuchender Atem beruhigte sich. »Und wie hätten

sie das machen sollen, wenn niemand ihnen eine Leiter runterwarf?«, fragte er.

»Die Diebe?«, meinte Louvain. »Es müssen mindestens zwei gewesen sein, und ein Komplize, den sie vielleicht für den Job angeheuert haben, blieb im Boot.« Er schaute noch einmal auf die Reling und die Wasseroberfläche. Die Sonne sank bereits, und die Schatten waren lang, obwohl das bei dem grauen Himmel schwer zu erkennen war. »Sie sind an Tauen raufgeklettert«, beantwortete er Monks Frage. »Werfen sie von unten mit Enterhaken hoch, verankern sie an der Reling. Ziemlich einfach.« Ein hartes Lächeln zuckte einen Augenblick um seine Lippen. »Leitern sind was für Landratten.«

Monk betrachtete Louvains muskulöse Schultern und wie mühelos er das Gleichgewicht hielt, und war sich ziemlich sicher, dass eine fehlende Leiter ihn nicht daran gehindert hätte, an Bord zu gelangen. »Würde ein solcher Enterhaken nicht Spuren am Holz hinterlassen?«, fragte er laut.

Louvain zog scharf die Luft ein, dann stieß er sie langsam aus, als er allmählich begriff. »Sie glauben, die Mannschaft hat mit ihnen unter einer Decke gesteckt?«

»Was meinen Sie?«, fragte Monk. »Kennen Sie jeden Einzelnen gut genug, um sich ganz sicher zu sein?«

Louvain dachte nach, bevor er etwas sagte. Er wog seine Meinung im Geiste ab, seine Augen verrieten es ebenso wie den Augenblick, in dem er sein Urteil fällte. »Ja«, sagte er schließlich. Er führte es nicht weiter aus und fügte auch keine weiteren Versicherungen hinzu. Er war es nicht gewöhnt, sich zu erklären, sein Wort genügte.

Monk sah sich auf Deck um. Es war breit und offen und sauber geschrubbt, und doch war es gemessen an der Weite der Ozeane klein. Die Luken waren geschlossen, aber nicht verschalkt. Das Holz war kräftig und in gutem Zustand, aber die Gebrauchsspuren waren unübersehbar. Dies war ein Arbeitsschiff, selbst bei flüchtiger Betrachtung ließen sich die tief eingegrabenen Spuren der Hände um die Luken herum erkennen, die Abdrücke der Füße auf den Wegen nach unten und hinauf. Nichts war neu, außer ein Stück Want, das den Fockmast hoch und hinauf in die Takelage führte, um dort oben irgendwo im Gewirr zu verschwinden. Es hob sich durch seine helle Farbe deutlich ab.

In der Achterluke, die offen stand, tauchte eine Hand auf, und dann ein riesiger Körper. Der Mann, der herauskletterte, war gut über ein Meter achtzig groß, seinen runden Kopf bedeckten Stoppeln aus graubraunem Haar, sein Kinn ebenfalls. Er hatte ein derbes, aber intelligentes Gesicht, und es war offensichtlich, dass er keine Bewegung machte, ohne vorher nachzudenken. Jetzt kam er langsam zu Louvain herüber, blieb kurz vor ihm stehen und wartete auf dessen Anweisungen.

»Das ist der Bootsmann des Schiffes, Newbolt«, sagte Louvain. »Er kann Ihnen alles erzählen, was er über den Diebstahl weiß.«

Monk atmete einmal tief durch, um sich zu entspannen. Er betrachtete Newbolt sorgfältig: die ungeheure körperliche Kraft des Mannes, seine schwieligen Hände, die abgewetzten Kleider, die dunkelblaue Hose, abgetragen und formlos, aber solide genug, um ihn gegen die Kälte oder ein umherpeitschendes loses Tauende zu schützen. Er trug eine dicke Jacke, und am Hals waren die kunstvollen Maschen eines Wollpullovers zu sehen. Monk erinnerte sich, dass es eine alte Seefahrertradition war, ein solches Kleidungsstück zu tragen. Die verschiedenen Strickmuster identifizierten einen Mann als Angehörigen einer bestimmten Familie und eines bestimmten Clans, auch wenn sein toter Körper seit Tagen oder Wochen im Meer getrieben hatte.

»Drei von Ihnen hier und der tote Mann?«, begann Monk die Befragung.

»Ja.« Newbolt rührte sich keinen Zentimeter, nicht einmal sein Kopf bewegte sich. Seine klugen Augen, die fest auf Monk gerichtet waren, gaben nichts preis.

»Wer hatte die letzte Wache, bevor er gefunden wurde?«

»Ich. Von acht bis Mitternacht«, sagte Newbolt.

»Und wo haben Sie Hodges Leiche gefunden?«, fragte Monk weiter.

Newbolts Kopf wies kaum merklich zu einer Seite, eine winzige Bestätigung. »Am Fuß des Niedergangs, die Achterluke runter zum Laderaum.«

»Was hat er dort Ihrer Meinung nach wohl gemacht?«

»Keine Ahnung. Vielleicht hat er was gehört«, antwortete Newbolt mit kaum verhohlener Überheblichkeit.

»Und warum hat er dann nicht Alarm geschlagen?«, forschte Monk weiter. »Wie hätte er das gemacht?«

Newbolt öffnete den Mund und holte tief Luft, seine breite Brust schwoll an. Seine Miene veränderte sich. Plötzlich betrachtete er Monk ganz anders und mit sehr viel mehr Wachsamkeit. »Er hätte gerufen«, antwortete er. »Hier kann man schließlich kein Gewehr abfeuern. Könnte jemanden treffen.«

»Sie könnten in die Luft schießen«, meinte Monk.

»Falls er das getan hat, hat ihn niemand gehört«, entgegnete Newbolt. »Ich würde vermuten, sie haben sich an ihn rangeschlichen. Vielleicht hat einer von ihnen ein Geräusch gemacht, und als er sich umdrehte, um nachzusehen, gab ihm ein anderer eins über den Kopf. Er wurde ja am Fuß des Niedergangs, der von der Luke runterführt, gefunden, da haben sie ihn reingeworfen. Wenn sie ihn an Deck liegen lassen hätten, hätte jemand anders ihn sehen können und gewusst, dass was nicht stimmt. Diebe sind nicht dumm. Zumindest nicht alle.«

Es klang durchaus plausibel. Genau das hätte Monk auch gemacht, und genauso hätte er eine solche Frage beantwortet. »Vielen Dank.« Er wandte sich an Louvain. »Kann ich jetzt sehen, wo er gefunden wurde?«

Louvain wandte sich ab und ging zur Achterluke. Monk und Newbolt folgten ihm.

Louvain nahm die Laterne, die Newbolt ihm reichte, und stieg durch die Luke den Niedergang hinunter. Dabei drehte er schwungvoll seinen Körper. Er stieg nach unten und verschwand im dichten Schatten des Schiffsbauches, nur der Raum um ihn herum wurde von der Flamme erhellt.

Monk folgte ihm weniger elegant, er tastete sich mehr von einer Sprosse zur nächsten. Vor ihm waren Dielenbretter und Schotte zu sehen, dahinter gähnte der dunkle, offene Rachen des Laderaums. Als seine Augen sich an das trübe Licht gewöhnt hatten, erkannte er die Umrisse der Fracht. Er konnte gestapeltes und festgezurrtes Bauholz ausmachen und stellte sich vor, welche zerstörende Kraft es entfaltete, wenn es sich bei schwerer See losriss. Wenn das Wetter stürmisch genug war, konnte es den Rumpf durchstoßen, und dann würde das Schiff binnen Minuten sinken. Trotz der Verpackung aus Wachstuch und Leinwand roch er unbekannte Gewürze, aber ihr Aroma war nicht stark genug, um die muffige Luft und den bitteren Gestank aus der Bilge zu überdecken. All dies rief keinerlei Erinnerungen in Monk wach. Wenn er auf einem Schiff gewesen war, dann an Deck, wo Wind und See offenen Zugang hatten. Er kannte die Küste, nicht die Ozeane und ganz sicher nicht Afrika, wo diese Fracht ihre Reise angetreten hatte.

»Da.« Louvain senkte die Laterne, bis das Licht auf einen Balken bei den Stufen unten auf dem Boden des Laderaums fiel. Es war hell genug, um die Blutflecken zu erkennen.

Monk nahm Louvain die Lampe ab und bückte sich, um sie genauer zu betrachten. Sie waren verschmiert, nicht die fest umrissenen feuchten Pfützen, die er erwartet hätte, wenn ein Mann, der an einer tödlichen Kopfverletzung gestorben war, entweder hier umgebracht oder kurz nach dem tödlichen Schlag hier abgelegt worden war. Er blickte auf. »Was hat er auf dem Kopf getragen?«, fragte er.

Louvains Gesicht wurde von unten beleuchtet, wodurch es einer unheimlichen Maske ähnelte, was seine Überraschung über die Frage noch verstärkte. »Einen … einen Hut, glaube ich«, antwortete er.

»Was für eine Art Hut?«

»Warum? Was hat das damit zu tun, wer ihn umgebracht hat oder wo mein Elfenbein ist?« Seine Stimme verriet Anspannung, aber bislang noch keine Verärgerung.

»Wenn ein Mann einen so harten Schlag auf den Kopf bekommt, dass dieser tödlich ist, dann tritt normalerweise sehr viel Blut aus der Wunde aus«, antwortete Monk und stand auf, um sich auf gleiche Höhe mit Louvain zu begeben. »Selbst wenn Sie sich beim Rasieren verletzten, blutet es kräftig.«

Begreifen flackerte in Louvains Augen auf. »Einen Wollhut«, antwortete er. »Nachts wird es an Deck ziemlich kalt. Die kalte Luft vom Fluss kriecht einem in die Knochen.« Er holte Luft. »Aber ich glaube, dass Sie Recht haben, dass er wahrscheinlich dort oben umgebracht wurde.« Er zuckte leicht die Schulter und warf einen Blick den Niedergang hinauf in Richtung des Quadrats über der Luke. »Wie Newbolt gesagt hat, sie haben ihn hier runtergeworfen, damit er nicht von einem vorbeifahrenden Boot gesehen wird und man Alarm schlägt.« Er nickte leicht, eine knappe Bewegung, die nichtsdestotrotz Anerkennung ausdrückte.

Monk drehte sich zu der Luke um und hob die Laterne höher, um sie besser sehen zu können. »Wie wird das Bauholz gelöscht?«, fragte er. »Gibt es eine Hauptluke, die sich abnehmen lässt?«

»Ja, aber das hat damit nichts zu tun. Sie ist fest verschlossen«, antwortete Louvain.

»Haben sie deswegen das Elfenbein ausgewählt? Weil es den Niedergang hinaufgetragen und durch diese Luke rausgeschafft werden kann?«

»Möglich. Aber das trifft auch auf die Gewürze zu.«

»Was wiegt ein Stoßzahn?«

»Kommt darauf an – achtzig oder neunzig Pfund. Ein Mann könnte ihn tragen, immer einen auf einmal. Sie denken an einen zufälligen Diebstahl?«

»Ein Gelegenheitsdieb«, antwortete Monk. »Warum? Was glauben Sie?«

Louvain erwog seine Antwort sorgfältig. »Es gibt viele Diebstähle auf dem Fluss, alles, von der Piraterie bis zu den Dreckspatzen, und die Leute wissen, wann ein Schiff einläuft und vor Anker liegen muss, bevor es an einem Kai anlegen und entladen kann. Das kann Wochen dauern, wenn man Pech hat ... oder nicht die richtigen Leute kennt.«

Monk war überrascht. »Wochen? Verderben da nicht einige Frachtgüter?«

Louvain verzog das Gesicht zu einem höhnischen Grinsen. »Natürlich. Verschiffung ist kein leichtes Geschäft, Mr. Monk. Die Einsätze sind hoch, man kann ein Vermögen gewinnen oder verlieren. Fehler sind unverzeihlich, und niemand erwartet oder hofft auf Gnade. Es ist wie das Meer. Nur ein Narr kämpft dagegen an. Man lernt seine Lektion, und wenn man überleben will, hält man sich daran.«

Monk glaubte ihm. Er musste mehr über Verbrechen auf dem Fluss in Erfahrung bringen, aber er konnte es sich nicht erlauben, Louvain seine Unwissenheit zu zeigen. Er verabscheute es, dass er gezwungen war, einen Auftrag anzunehmen und bezüglich seiner Fähigkeiten Ausflüchte machen zu müssen, um ihn ausführen zu können.

»Könnte jeder davon ausgehen, dass Sie mehrere Tage hier vor Anker liegen, bevor Ihre Ladung gelöscht werden kann?«, fragte er.

»Ja. Das ist der einzige Grund, mit dem ich meine Abnehmer vertrösten kann«, antwortete Louvain. »Also haben Sie höchstens acht oder neun Tage, um mein Elfenbein zu finden, ob Sie den Dieb fangen oder nicht. Seine Schuld können wir später beweisen.«

Monk zog die Augenbrauen hoch. »Aber es war Mord? Hodge gehörte doch zu Ihren Leuten?«

Louvains Gesichtszüge verhärteten sich, seine Augen waren kalt und leer wie der Winterhimmel. »Wie ich mit meinen Männern umgehe, muss nicht Ihre Sorge sein, Monk. Sie täten gut daran, das nicht zu vergessen. Ich bezahle Sie mehr als anständig, und ich erwarte, dass die Sache auf meine Weise erledigt wird. Wenn Sie den Mann erwischen, der Hodge umgebracht hat, umso besser, aber ich sorge mich darum, die Lebenden zu füttern, nicht Rache für die Toten zu nehmen. Sie können mit Ihren Beweisen zur Wasserpolizei gehen, und die werden denjenigen hängen, der verantwortlich ist. Ich nehme doch an, dass es das ist, was Sie wollen?«

Eine heftige Antwort lag Monk auf der Zunge, aber er verkniff sie sich und nickte. »Wo ist Hodges Leiche jetzt?«, fragte er stattdessen.

»Im Leichenschauhaus«, antwortete Louvain. »Ich habe Vorkehrungen für seine Beerdigung getroffen. Er ist in meinen Diensten gestorben.« Sein Mund bildete eine dünne Linie, als würde ihm die Tatsache Schmerz bereiten, aber es lag auch ein harter, zorniger Ausdruck darin. Für Monk war dies der erste sympathische Zug, den er an Louvain entdeckte. Er musste nicht länger fürchten, dass Hodges Mörder für seine Tat nicht zur Verantwortung gezogen werden würde. Es mochte nach Flussrecht geschehen, sodass Monks Verantwortung, dafür zu sorgen, dass er den richtigen Mann fand, noch größer war, aber das hätte er erwarten müssen. Er hatte es mit Seeleuten zu tun, hier musste ein Urteil beim ersten Mal das Richtige sein, denn es gab weder Gnade noch Berufung.

»Ich muss ihn mir ansehen«, sagte Monk. Er ließ es mehr wie einen Befehl klingen und nicht wie einen Vorschlag. Einen Mann, den er dominieren konnte, würde Louvain nicht respektieren, und Monk konnte sich seine Verachtung ebenso wenig leisten wie sein Magen.

Wortlos nahm Louvain ihm die Laterne ab und wandte sich ab, um erneut den Niedergang hochzusteigen, durch die Luke und hinaus aufs Deck. Monk folgte ihm. Oben an Deck blies der Wind mit der hereinkommenden Flut scharf wie eine geschliffene Messerklinge. Durch den schweren grauen Himmel entstand der Eindruck, es sei bereits Abend, und in der Luft lag der Geruch nach Regen. Das Kielwasser einiger vorbeifahrender Barkassen ließ das Schiff am Anker zerren und das Boot, das ein Stück abseits auf sie wartete, schaukeln.

Newbolt wartete auf sie. Die Arme über seinem breiten, gewölbten Brustkorb verschränkt, wiegte er sich leicht, um das Gleichgewicht zu halten.

»Danke«, sagte Monk zu Louvain, dann blickte er Newbolt an. »Gab es während der Nacht einen Wachwechsel?«, fragte er.

»Ja. Atkinson von Mitternacht bis vier, Hodge von vier bis acht«, antwortete er. »Dann ich.«

»Und vor acht Uhr am Morgen, als Sie Hodge fanden, kam niemand an Deck?« Monk ließ Überraschung erkennen und einen gewissen Grad an Verachtung, als hielte er Newbolt für unfähig.

»Klar war jemand an Deck!«, brummte Newbolt. »Es ging nur niemand durch die Luke runter, und deswegen hat auch keiner Hodges Leiche gefunden.« Sein Blick war steinern und wütend, der Blick eines Mannes, der gerade zu Unrecht beschuldigt wurde – oder log.

Monk lächelte und entblößte dabei seine Zähne ein wenig. »Um welche Zeit?«

»Kurz nach sechs«, antwortete Newbolt, aber sein Gesicht verriet, dass er begriff. »Ja … die Diebe kamen nach vier und vor sechs, das wäre gerade noch zu schaffen.«

»Warum nicht zwischen Mitternacht und vier?«, fragte Monk ihn, indem er Louvain vorübergehend ignorierte. »Würden Sie … wenn Sie ein Dieb wären …?«

Newbolt versteifte sich, sein gewaltiger Körper war völlig reglos. »Was wollen Sie damit sagen, Mister? Was genau!«

Monk zuckte nicht mit der Wimper und hielt seinen Blick fest auf ihn gerichtet. »Entweder stimmen die Fakten nicht, oder wir haben es mit einem sehr ungewöhnlichen Dieb zu tun, der es entweder vorzieht oder gezwungen ist, seine Diebstähle auf dem Fluss in den letzten Stunden vor der Morgendämmerung durchzuführen, statt während der Nachtwache. Sind Sie anderer Meinung?«

»Nein …«, gab Newbolt zögernd zu. »Vielleicht hat er es auf anderen Schiffen versucht, und entweder war die Wache zu aufmerksam, oder sie hatten nichts geladen, was er haben wollte oder was sich leicht von Bord schaffen ließ. Wir waren seine letzte Chance für die Nacht.«

»Vielleicht«, stimmte Monk ihm zu. »Oder er hat aus irgendeinem Grund Hodges Wache gewählt?«

Newbolt verstand ihn sofort. »Sie wollen behaupten, Hodge habe mit ihm unter einer Decke gesteckt? Da irren Sie sich. Hodge war ein guter Mann. Ich kenne ihn seit Jahren. Und wie kommt es, wenn er daran beteiligt gewesen wäre, dass man dem armen Kerl den Schädel eingeschlagen hat? Klingt mir nach einem Handel, auf den sich nicht mal ein Idiot einlassen würde!« Er grinste Monk an und entblößte dabei starke, gelblich weiße Zähne.

»Nein, Hodge sicher nicht«, meinte Monk.

Zornige Röte überzog Newbolts Gesicht. »Also, ich, verdammt noch mal, auch nicht, Sie Scheißkerl! Hodge ist … war ein Mitglied meiner Familie! Ich kenne ihn seit zwanzig Jahren, und er war mit meiner Schwester verheiratet!«

Bedauern überkam Monk. Bis zu diesem Augenblick hatte er nicht an persönlichen Verlust gedacht. »Es tut mir Leid«, versicherte er schnell.

Newbolt nickte.

Monk dachte über das Gehörte nach. Möglich, dass alles der Wahrheit entsprach, ein Teil oder auch nur sehr wenig. Atkinson hatte womöglich mit den Dieben gemeinsame Sache gemacht und war irgendwann zwischen Mitternacht und vier Uhr oder womöglich noch später von Hodge erwischt worden. Er drehte sich zu Louvain um. »Bringen Sie mir Atkinson«, bat er.

Atkinson war groß und schlank. Die Narbe, die sich von der Augenbraue über die Wange zum Kinn zog, schimmerte bläulich durch die Bartstoppeln. Er bewegte sich leicht und mit einer katzenhaften Anmut und betrachtete Monk mit leichtem

Misstrauen. Er blickte Louvain an und wartete auf Anordnungen.

Louvain nickte ihm zu.

»Wann kam Hodge, um Sie von Ihrer Wache abzulösen?«, fragte Monk, obwohl er wusste, dass die Antwort von geringem Nutzen sein würde, denn er hatte keine Ahnung, ob der Mann die Wahrheit sagte oder nicht.

»Gegen halb vier«, antwortete Atkinson. »Er konnte nicht schlafen, und ich war froh, dass er meine letzte halbe Stunde mit übernahm. Ich ging zu Bett.«

»Beschreiben Sie, wie es war, als Sie ihn verließen«, bat Monk ihn.

Atkinson war überrascht. »Da gibt's nichts zu beschreiben. Alles war ruhig. Außer mir und Hodge war niemand an Deck. Auch niemand in der Nähe auf dem Wasser, zumindest nicht, soweit ich sehen konnte. Hätte natürlich jemand ohne Beleuchtung unterwegs sein können, wenn er blöd genug war.«

»Hat Hodge irgendetwas zu Ihnen gesagt? Wie sah er aus, gesund?«

Newbolt beobachtete ihn mit wütendem Blick.

»Wie immer«, antwortete Atkinson. »Sie würden sicher auch so aussehen, wenn sie um halb vier aufstehen würden, um auf einem eisigen Deck zu stehen und Ebbe und Flut zuzusehen.«

»Verschlafen? Wütend? Gelangweilt?«, bohrte Monk nach.

»Er war nicht wütend, aber, ja, er sah angeschlagen aus, der arme Kerl.«

»Vielen Dank.« Dann wandte Monk sich an Louvain: »Kann ich jetzt Hodges Leiche sehen?«

»Natürlich, wenn Sie meinen, dass das etwas bringt«, sagte Louvain bemüht geduldig. Er ging hinüber zur Reling, rief nach dem Fährmann und wartete auf ihn. Er schwang sich über die Reling, packte die Taue der Strickleiter, nickte Newbolt zu und verschwand nach unten.

Monk folgte ihm, sehr viel vorsichtiger, riss sich auf dem Weg nach unten wieder die Fingerknöchel auf und quetschte sich die Finger, als er durch die Bewegungen des Wassers gegen den Schiffsbauch geschleudert wurde.

Sobald er im Boot war, setzte er sich, und er und Louvain wurden wortlos zurück zum Kai gerudert.

Am oberen Ende der Treppe, die jetzt nicht mehr so lang war, weil Hochwasser herrschte, blies der Wind schärfer und trug Regen mit sich, der in Graupel überging.

Louvain schlug den Kragen hoch und zog die Schultern zusammen. »Ich zahle Ihnen ein Pfund pro Tag und alle angemessenen Spesen«, erklärte er. »Sie haben zehn Tage, um mein Elfenbein zu finden. Falls Ihnen das gelingt, lege ich noch zwanzig Pfund drauf.« Sein Tonfall ließ erkennen, dass er nicht verhandeln würde. Aber ein Constable bei der Polizei bekam schließlich nur knapp ein Pfund pro Woche. Und Louvain bot ihm siebenmal so viel an, dazu eine Belohnung, falls Monk den Fall erfolgreich abschloss. Es war viel Geld, zu viel, um es abzulehnen. Selbst wenn er das Elfenbein nicht fand, war es mehr, als man bei den meisten Aufträgen verdienen konnte, obwohl ein Scheitern seinem Ruf teuer zu stehen kommen würde. Aber er konnte es sich auch nicht leisten, über die Zukunft nachzudenken, wenn es keine Gegenwart gab.

Er nickte. »Ich erstatte Ihnen Bericht, wenn es Fortschritte gibt oder ich mehr Informationen brauche.«

»Sie berichten mir auf jeden Fall in zwei Tagen«, antwortete Louvain. »Und jetzt werfen Sie einen Blick auf Hodge.« Er drehte sich auf dem Absatz um und marschierte den Kai entlang in Richtung Straße, ohne einen Blick zurückzuwerfen. Als Monk ihn eingeholt hatte, gingen sie zusammen weiter und suchten sich zwischen den rumpelnden Wagen ihren Weg. Es war fast dunkel, und Straßenlaternen bildeten ausgefranste Lichtinseln, während Nebel hereintrieb und sich schimmernd auf die Pflastersteine unter ihren Füßen senkte.

Monk war froh, der Kälte zu entkommen, auch wenn es das Leichenschauhaus war, mit seinem Geruch nach Karbol und Tod. Der Aufseher war noch da, vielleicht war so nah am Fluss stets jemand anwesend. Er war ein älterer Mann mit einem geschrubbten, rosafarbenen Gesicht und freundlicher Miene. Er erkannte Louvain sofort wieder.

»'n Abend, Sir. Sie kommen wegen Mr. Hodge. Seine Witwe ist hier, die arme Seele. Hat keinen Sinn, dass Sie warten. Sie könnte noch 'ne Weile brauchen. Sie wird wohl ihren Frieden machen, schätze ich.«

»Vielen Dank«, erwiderte Louvain. »Mr. Monk begleitet mich.« Und ohne darauf zu warten, dass der Bedienstete ihm den Weg zeigte, ging er voraus in einen Raum, in dem eine große, knochige Frau mit grauem Haar und zarter, blasser Haut schweigend dastand, die Hände gefaltet, und den Mann anschaute, der auf einer Bank lag. Er war bis zum Hals mit einem Laken zugedeckt, das fleckig war und an den Kanten ein wenig fadenscheinig. Sein Gesicht hatte die Blässe des Todes und den merkwürdig eingesunkenen, abwesenden Ausdruck einer Hülle, die nicht mehr vom Geist bewohnt wird. Er war wohl sehr groß gewesen – das ließ der Knochenbau erkennen –, aber jetzt wirkte er kleiner. Es erforderte viel Phantasie, sich vorzustellen, dass er sich bewegt und gesprochen hatte, dass er einen Willen, ja, sogar Leidenschaft besessen hatte.

Die Frau blickte kurz auf Louvain, dann auf Monk.

Monk sprach sie zuerst an. »Es tut mir sehr Leid um Ihren Verlust, Mrs. Hodge. Ich bin William Monk. Mr. Louvain hat mich beauftragt herauszufinden, wer Ihren Mann umgebracht hat, und dafür zu sorgen, dass er dafür zur Rechenschaft gezogen wird.«

Sie blickte ihn mit stumpfen Augen an. »Vielleicht«, antwortete sie. »Für mich und meine Kinder spielt das kaum noch eine Rolle. Hilft uns weder, die Miete zu zahlen, noch, etwas zu essen zu kaufen. Ich nehme an, er sollte trotzdem baumeln.« Sie wandte sich wieder der reglosen Gestalt auf dem Tisch zu. »Dummer Kerl!«, rief sie plötzlich wütend. »Aber er war nicht schlecht. Hat mir das letzte Mal aus Afrika ein Stück Holz mitgebracht, wie ein Tier geschnitzt. Hübsch. Ich hab's bislang noch nicht verscherbelt. Jetzt muss ich's wohl tun.« Sie blickte auf den Leichnam. »Du dummer Kerl!«, wiederholte sie hilflos.

Monks Zorn auf den Dieb war keine Sache des Gesetzes mehr, irgendeinem unbeseelten Gefühl für Gerechtigkeit entsprungen, er schlug plötzlich in einen sehr persönlichen Hass um. Hodge konnte nichts mehr passieren, anders als dieser Frau und ihren Kindern. Aber er konnte nichts Nützliches sagen, nichts, was jetzt helfen würde, und er konnte ihr auch in ihrer Armut nicht beistehen.

Stattdessen betrachtete er den toten Mann. Er hatte dickes Haar und ruhte mit dem Hinterkopf auf dem Tisch. Monk hob den Kopf des Toten leicht an und tastete nach der Verletzung. Auf dem obersten Tritt des Niedergangs von der Luke runter hatte er kein Blut gesehen, und auch nicht auf Deck. Schädelverletzungen bluteten.

Monks Finger ertasteten die weiche, gebrochene Schädeldecke unter dem Haar. Es war ein extrem harter Schlag gewesen. Man hatte etwas Schweres und Breites benutzt, und entweder war der Täter ziemlich groß gewesen oder hatte etwas oberhalb von Hodge gestanden. Monk blickte den Leichenschauhauswärter an. »Sie haben ihn sauber gemacht? Das Blut abgewaschen?«

»Ein wenig«, antwortete der Mann von der Tür aus. »War nicht viel. Hab ihn nur präsentabel gemacht.« Seine Miene verriet nicht, ob er wusste, dass der Mann das Opfer eines Mordes oder eines Unfalls war. Unfälle gab es auf Schiffen sicher öfter, besonders auf den Docks, wo schwere Lasten bewegt wurden und sich manchmal lösten.

»Nicht viel Blut?«, fragte Monk.

»Er trug einen Wollhut«, erklärte Louvain. »Ich fürchte, der ging unterwegs verloren, als wir ihn hierher brachten. Ich kann ihn beschreiben, wenn Sie das wichtig finden.«

»Auf Deck war kein Blut«, führte Monk aus. »Und da, wo er gefunden wurde, nur sehr wenig. Es könnte hilfreich sein, aber vielleicht ist es auch nicht wichtig. Ich habe alles gesehen, was ich sehen muss.« Er dankte Mrs. Hodge noch einmal und ging dann vor Louvain hinaus in den vorderen Raum. »Ich möchte die Zeugenaussage des Aufsehers schriftlich und Ihre auch.«

Ein kurzes Lächeln huschte über Louvains Gesicht, eine versteckte, innere Belustigung, die er für sich behielt. »Ich habe es nicht vergessen. Sie bekommen Ihr Papier. Dawson!«, rief er den Bediensteten. »Mr. Monk möchte unsere Aussage über Hodges Tod schriftlich für seine Arbeit. Wären Sie bitte so freundlich?«

Dawson sah ein wenig verdutzt aus, aber er holte Papier, Feder und Tinte herbei. Er und Louvain schrieben ihre Aussagen nieder, unterzeichneten sie und bezeugten sie wechselseitig. Monk steckte die Papiere in die Tasche.

»Hat es Ihnen weitergeholfen?«, fragte Louvain, als sie wieder auf der Straße standen. Der Regen hatte inzwischen nachgelassen, auch der Wind, sodass der Nebel vom Wasser herübertreiben, die Laternen einhüllen und die Dächer einiger Gebäude in der Nähe verbergen konnte.

Monk wusste nun sicher, dass irgendjemand log. Hodge war nicht auf Deck niedergeschlagen und dann von einem einzelnen Dieb nach unten geschafft worden. Auf den Planken des Decks waren keinerlei Spuren von Blut. Entweder war Hodge nicht dort gestorben, oder es gab mehr als zwei Diebe, einen im Boot und zwei an Deck, aber vermutlich war einer aus der Mannschaft darin verwickelt. Monk beschloss, Louvain seine Überlegungen nicht anzuvertrauen. »Es zeigt verschiedene Möglichkeiten«, antwortete er. »Morgen früh fange ich noch einmal an.«

»Erstatten Sie mir in zwei Tagen Bericht, egal, was Sie bis dahin haben«, erinnerte Louvain ihn. »Wenn Sie das Elfenbein finden, natürlich früher. Ich zahle Ihnen fünf Pfund extra für jeden Tag, den Sie es schneller finden als in zehn Tagen.«

»Gut«, sagte Monk ruhig, aber als er durch die Dunkelheit ging und überlegte, wie weit er wohl gehen musste, um einen Omnibus zu finden, der ihn nach Hause brachte, hatte er das

Gefühl, das Geld gleite ihm aus den Händen. Er würde keinen Penny mehr für einen Hansom ausgeben.

Es war fast sieben Uhr, als er aus dem Pferdeomnibus stieg. Die zwei Pfund, die Louvain ihm gegeben hatte, hatte er noch nicht angebrochen. Er befand sich in der Tottenham Court Road und musste nur noch rund hundert Meter zu Fuß gehen. Der Nebel hatte sich in die Straßen gelegt und schränkte die Sicht ein. Es roch nach Ruß aus den Schornsteinen und nach dem Pferdedung vom Tag, der noch nicht aufgekehrt worden war, aber Monk wusste, dass er bald zu Hause war. Drinnen würde es warm sein.

Wenn Hester zu Hause war, würde es auch etwas zu essen geben. Er versuchte, nicht allzu sehr darauf zu hoffen. Ihre Arbeit in der Klinik war ihr sehr wichtig. Bevor sie sich vor sieben Jahren kennen gelernt hatten, war sie zusammen mit Florence Nightingale auf der Krim als Krankenschwester tätig gewesen. Nach ihrer Rückkehr nach England hatte sie gelegentlich in Krankenhäusern gearbeitet, aber die verantwortungsvolle Arbeit auf dem Schlachtfeld hatte dazu geführt, dass sie es nicht mehr aushielt, nur putzen, den Ofen schüren und Verbände aufrollen zu dürfen. Ihr Temperament hatte sie mehr als eine Stelle gekostet.

Als private Krankenpflegerin, die sich um einzelne Patientinnen kümmerte, war sie sehr viel erfolgreicher gewesen. Aber jetzt, da sie mit Monk verheiratet war, war es für keinen von beiden akzeptabel, dass sie im Haus des oder der Kranken wohnte, was oft notwendig war. Sie hatte sich stattdessen der Aufgabe zugewandt, Prostituierten zu helfen, die bei der Ausübung ihres Gewerbes verletzt wurden und sich nirgendwohin wenden konnten. Hester hatte die Klinik zuerst fast im Schatten des Coldbath-Gefängnisses eingerichtet und war dann – als sich die einmalige Gelegenheit bot – in ein großes Haus in der Nähe der Portpool Lane gezogen. Monks einziger Einwand war, dass die große Not, die einen solchen Ort notwendig machte, bedeutete, dass Hester dort mehr Stunden verbrachte, als Monk lieb sein konnte. Und wenn sie einen schweren Fall hatten, war sie noch länger dort.

Er griff nach dem Knauf der Haustür und schob den Schlüssel ins Schloss. Die Lichter brannten, wenn auch nur schwach, aber das bedeutete, dass sie zu Hause war. Sie hätte sie sonst nie brennen lassen.

Sie saß im Wohnzimmer, das stets sauber und warm war, denn dort empfing er seine Mandanten. Hester hatte, Jahre bevor sie geheiratet hatten, darauf bestanden, es so zu handhaben. Sie hatte links und rechts vom Kamin Stühle aufgestellt und die Schale mit Blumen auf den Tisch gestellt.

Jetzt legte sie ihr Buch zur Seite und stand auf. Sie kam freudestrahlend auf ihn zu und erwartete, dass er sie umarmte und küsste. Dass sie sich so sicher war, dass er das tun würde, war fast so reizend wie die Geste an sich. Er drückte sie an sich und küsste sie auf Mund, Wangen und Augenlider. Ihr Haar war unordentlich, aber sie scherte sich kaum darum. Sie roch leicht nach Karbol aus der Klinik. Egal, wie viel sie schrubbte, der Geruch ging nie ganz weg. Um fraulich zu sein, war sie ein wenig zu dünn. Er hatte immer geglaubt, das nicht zu mögen, und doch hätte er ihre schlaksige Anmut oder ihre starken zärtlichen Gefühle nicht gegen die schönste Frau, die er je gesehen oder von der er je geträumt hatte, eintauschen wollen. Die Wirklichkeit war immer besser, deutlicher, überraschender. Seit er sie liebte, hatte er in sich ein Feuer und ein Zartgefühl entdeckt, von deren Existenz er bis dahin nichts geahnt hatte. Gelegentlich machte sie ihn wütend, ärgerte ihn und regte ihn auf, aber sie langweilte ihn keinen einzigen Augenblick. Vor allem aber – das war kostbarer als alles andere: In ihrer Gegenwart konnte er nicht einsam sein.

»Der Schiffseigner hat mir den Auftrag gegeben«, sagte er, während er sie noch in den Armen hielt. »Er heißt Louvain. Ihm wurde eine Ladung Elfenbein gestohlen, und die Diebe haben die Wache ermordet, um es in ihren Besitz zu bringen.«

Sie zog sich zurück, um ihn anzusehen. »Und warum ruft er nicht die Wasserpolizei? Ist das überhaupt rechtens?«

Er sah die Sorge in ihren Augen. Und verstand sie beunruhigend gut.

»Er braucht das Elfenbein schneller zurück, als sie es wiederbeschaffen könnten«, erklärte er. »Auf dem Fluss sind ständig überall Diebe unterwegs.«

»Und Mörder?«, fragte sie. Es lag keine Kritik in ihrer Stimme, aber Angst. Wusste sie, wie schlecht es im Augenblick um ihre finanzielle Lage stand? Die Rechnungen dieser Woche waren bezahlt, aber was war nächste Woche und übernächste?

Die Klinik bedeutete ihr sehr viel. Wenn sie die Arbeit dort aufgeben müsste, um wieder als bezahlte Krankenschwester Geld zu verdienen, wäre dies ein Scheitern all dessen, was sie gewollt hatten. Und die Klinik würde ohne Hester nicht weiterbestehen. Sie war nicht nur die einzig verlässliche Person dort, die über medizinische Erfahrung verfügte, sie hatte auch den Willen und den Mut, um das ganze Unternehmen zu leiten.

Früher, in härteren Zeiten, hatten sie finanzielle Unterstützung von Lady Callandra Daviot erhalten, die viele Jahre mit Hester und lange vor ihrer Heirat mit ihnen beiden befreundet gewesen war. Und doch hätte er den Schritt, jetzt zu ihr gehen zu müssen, um sie um Geld zu bitten, von dem er genau wusste, dass er es nicht zurückzahlen konnte, nur sehr ungern getan, zumal sie nicht mehr aktiv mit seinen Fällen zu tun hatte und bei diesem hier gewiss nichts tun konnte. Auch wusste er nicht, ob Hester das je akzeptieren könnte.

Er fuhr ihr sanft über das Haar. »Ja, natürlich auch Mörder«, antwortete er. »Und Tod durch Unfall. Die Behörden gehen im Augenblick davon aus, dass dieser Tod hier auch ein Unfalltod war, und Louvain hat ihnen nichts anderes gesagt. Wenn ich den Dieb erwische und seine Schuld beweisen kann, kann ich auch den Mord beweisen. Die Aussagen von Louvain und dem Leichenhallenwärter habe ich mir schriftlich geben lassen.« Er verabscheute den Gedanken, seine Ermittlungen vor der Wasserpolizei geheim halten zu müssen. Er war kein Freund der Obrigkeit und hatte seine Mühe damit, Befehle entgegenzunehmen, aber er war als Polizist ausgebildet worden, und selbst wenn er einige seiner ehemaligen Kollegen wegen ihres Mangels an Phantasie und Intelligenz verachtete, so bejahte er doch die Existenz einer organisierten Polizei, um Verbrechen zu verhindern und aufzudecken. Sie zu täuschen, selbst indirekt oder durch Unterlassung, gefiel ihm gar nicht.

Hester stritt nicht mit ihm. Das allein verriet ihm, dass sie um ihre finanziellen Nöte wusste. Er wünschte, dass es nicht so wäre, und fürchtete, sie würde ihre Klinik aufgeben. Aber er wusste nicht, was er sagen sollte, ohne das Thema allzu offen anzuschneiden. Er wollte nicht in eine Situation kommen, in der er entweder lügen oder ihr eine Wahrheit sagen musste, die er lieber vor ihr verbergen wollte, bis es unvermeidlich war – über den Fluss und dass er kaum etwas darüber wusste und über seine Angst, dass er das Elfenbein womöglich niemals finden würde.

»Ich habe Hunger«, sagte er lächelnd. »Gibt es was zu essen?«

2

Am Morgen hatte der Nebel sich verzogen. Monk verließ das Haus gegen sieben, um mit seinen Nachforschungen zu beginnen und etwas über die Welt des Flusses in Erfahrung zu bringen. Hester schlief ein wenig länger, aber gegen acht machte sie sich auf den Weg in das Haus in der Portpool Lane, das fast im Schatten von Reids Brauerei lag. Es waren knapp fünf Kilometer, und sie musste zwei Omnibusse nehmen und dann noch ein Stück gehen, aber sie wusste sehr wohl, dass sie kein Geld für einen Hansom vergeuden konnte, allenfalls mitten in der Nacht.

Hester trat kurz vor neun ein und stellte fest, dass Margaret bereits dort war. Sie hatte notiert, was in der Nacht passiert war, und überlegte eifrig, was tagsüber am dringendsten zu erledigen war. Margaret war eine schlanke Frau Ende zwanzig und besaß das Selbstvertrauen, das mit einem gewissen Maß an Geld und Bildung einhergeht, sowie die gesellschaftliche Verletzlichkeit einer Frau, die noch nicht verheiratet war. Damit hatte sie weder die Ambitionen ihrer Mutter erfüllt, noch ihre eigenen, was ihr soziales und finanzielles Überleben betraf.

Sie trug einen einfachen Wollrock und eine Bluse und hielt einen Zettel in der Hand. Ihr Gesicht strahlte, als sie Hester sah.

»Nur einen Neuzugang in der Nacht«, sagte sie. »Eine Frau mit starken Bauchschmerzen. Ich glaube, es ist größtenteils Hunger. Wir haben ihr Porridge und ein Bett gegeben, und heute Morgen sieht sie schon besser aus.« Trotz der harmlosen Nachricht lag ein Schatten auf ihrem Gesicht.

Seit sie vom Coldbath Square hierher gezogen waren, mussten sie keine Miete mehr zahlen, also wusste Hester, dass es nicht das war, was Margaret Sorgen bereitete. Dieses Gebäude gehörte ihnen – genauer gesagt, Squeaky Robinson, der unter der Voraussetzung, dass sie allein es nutzen konnten, solange sie wollten, vor dem Gefängnis verschont blieb und ein Dach über dem Kopf hatte. Die größeren Räumlichkeiten hatten ihnen erlaubt, ihre Arbeit auszudehnen, und jetzt war es in weiten Teilen von London bekannt, dass Prostituierte, die verletzt oder krank waren, hier Hilfe fanden, ohne moralische Vorhaltungen oder Befragungen durch die Polizei befürchten zu müssen.

Das Gebäude war ein Labyrinth aus Zimmern und Fluren. Ursprünglich waren es zwei große Häuser gewesen, die entsprechenden Türen und Wände waren eingerissen worden, um eines daraus zu machen. Es hatte eine geeignete Küche und eine ausgezeichnete Wäscherei. Zu Squeaky Robinsons

Zeiten war es als Bordell genutzt worden, insbesondere die Wäscherei war ein Relikt aus dieser Zeit. Idealerweise hätten noch mehr Wände herausgerissen werden müssen, um aus den Zimmern richtige Stationen zu machen, was ihnen die Aufgabe erleichtert hätte, sich um die Patientinnen zu kümmern, aber dazu fehlten ihnen die finanziellen Mittel.

Es war ohnehin schon schwierig, sich das Notwendigste leisten zu können: Kohle, das, was sie zum Waschen, Putzen und für die Beleuchtung brauchten, und Lebensmittel. Für Medikamente schien immer zu wenig Geld zur Verfügung zu stehen.

»Wo haben Sie sie untergebracht?«, fragte Hester.

»Zimmer drei«, antwortete Margaret. »Ich habe vor einer halben Stunde nach ihr geschaut, da hat sie geschlafen.«

Hester ging trotzdem, um nach ihr zu sehen. Sie drehte geräuschlos den Knauf, öffnete leise die Tür und trat ein. Die Möblierung des Raums entsprach noch seinem ursprünglichen Zweck, dem er bis vor ein paar Monaten gedient hatte. Der Boden war von einem ziemlich guten Teppich bedeckt, der, obgleich er aus bunten Lumpen gemacht war, die Wärme im Raum hielt, und an den Wänden hingen alte Tapeten, was besser war als nackter Putz. Das Bett war mit Laken und Decken ausgestattet, und eine junge Frau lag darin, die tief und fest schlief, zur Seite gerollt, das Haar locker im Nacken zusammengesteckt. Die dünnen Schultern unter dem Baumwollnachthemd, das der Klinik gehörte, waren gut zu erkennen. Sie war wahrscheinlich in ihrem bunten Straßenkleid hereingekommen, das zu viel Haut zeigte und zu wenig Schutz vor der Kälte bot.

Hester fühlte an dem dünnen Hals nach dem Puls. Die junge Frau rührte sich nicht. Sie sah aus wie achtzehn, aber wahrscheinlich war sie viel jünger. Ihr Schlüsselbein stach hervor, und ihre Haut schimmerte weiß, aber ihr Puls war einigermaßen stabil. Margaret hatte wahrscheinlich Recht, und es waren nur chronischer Hunger und Erschöpfung. Wenn sie aufwachte, würden sie ihr noch etwas zu essen geben, aber danach würde sie wohl gehen müssen. Sie konnten es sich nicht leisten, sie mit durchzufüttern.

Hester überlegte, wer sie wohl war: eine Prostituierte, die entweder nicht geschickt oder nicht hübsch genug war, um sich ihren Lebensunterhalt zu verdienen, eine Hausangestellte, die man hinausgeworfen hatte, weil sie sich entweder willentlich oder unwillentlich mit einem der Männer im Haus eingelassen hatte, ein Mädchen, das ein Baby bekommen und es vielleicht verloren hatte, eine verlassene Frau, eine kleine Diebin – es gab unzählige Möglichkeiten.

Sie verließ das Zimmer, schloss die Tür und ging zurück in den Hauptraum, der vor ein paar Monaten in ziemlich primitiver Handwerksarbeit aus zwei kleineren Räumen geschaffen worden war. Margaret saß am Tisch, und Bessie trug aus der Küche ein Tablett mit einer Teekanne und zwei Tassen herein. Bessie war eine große Frau mit grimmiger Miene, die ihr Haar straff nach hinten kämmte und am Hinterkopf zu einem festen Knoten drehte. Sie würde es niemals laut aussprechen – denn das wäre ein Zeichen unverzeihlicher Gefühlsduselei –, aber sie verehrte Hester geradezu, und selbst Margaret fand Gnade vor ihren Augen.

»Tee«, sagte sie überflüssigerweise und stellte das Tablett mitten auf den Tisch. »Und Toast«, fügte sie hinzu und zeigte auf das Gestell, in dem die fünf Scheiben aufgestellt waren, damit sie knusprig blieben. »Wir haben nicht mehr viel Marmelade, und ich weiß nicht, wo wir noch welche bekommen sollen, wenn wir keine geschenkt bekommen! Und wer soll unsereinem schon Marmelade schenken? Verzeihen Sie bitte, Mrs. Monk!« Ohne eine Antwort zu erwarten, rauschte sie hinaus.

»Haben wir wirklich keine Marmelade mehr?«, fragte Hester unglücklich. »Und so wenig Geld, dass wir uns keine mehr leisten können?« Sie hätte gerne welche von zu Hause mitgebracht, aber sie wusste sehr viel genauer, dass sie sparen mussten, als sie Monk gezeigt hatte. Sie hatte bereits weniger

Fleisch und billigere Stücke gekauft und öfter Heringe als Kabeljau oder Schellfisch. Und die Frau, die das Haus putzte, hatte sie entlassen; sie wollte es selbst machen, wenn sie die Zeit dazu fand.

Bevor Margaret antworten konnte, ertönte ein heftiges Klopfen an der Tür, und einen Augenblick später kam, ohne auf eine Antwort zu warten, Squeaky Robinson herein. Er war dünn, vertrocknet und ging vornübergebeugt. Die ursprüngliche Farbe seiner sehr alten Samtjacke war nicht einmal mehr zu erahnen, seine Hose war dick und grau, und an den Füßen trug er Pantoffeln. In der Hand hielt er ein in Leder gebundenes Kassenbuch. Er legte es auf den Tisch, warf einen Blick auf den Tee und den Toast und setzte sich auf den dritten Stuhl, Hester gegenüber.

»Wir haben uns eingeschränkt«, sagte er zufrieden. »Aber Sie müssen noch sparsamer sein.« Er hatte etwas von einem Schulmeister an sich, der einem viel versprechenden Schüler gegenübersaß, der unerklärlicherweise die Erwartungen nicht erfüllte. »Sie können nicht mehr ausgeben, als Sie bekommen.«

Hester blickte ihn geduldig an, was sie einige Mühe kostete. »Sie haben die Bücher abgeschlossen, Squeaky. Was haben wir übrig?«

»Natürlich habe ich die Bücher abgeschlossen!«, sagte er zufrieden, auch wenn er dies dadurch zu verbergen suchte, dass er sich beleidigt gab. »Dafür bin ich hier!« Er knirschte ständig mit den Zähnen, denn als Hester und Margaret seinem schändlichen Bordellgeschäft mit einem hübschen kleinen Trick ein Ende bereitet und das Gebäude mit einem Streich zur Klinik umfunktioniert hatten, hatte er zuerst nichts gehabt, wo er hätte hingehen können. Aber dann hatte er kleine Aufgaben im Haus übernommen und hatte daraus sogar ein gewisses Vergnügen gezogen, selbst wenn er sich eher die Zunge abgebissen hätte, als das zuzugeben.

»Also, wie viel haben wir noch?«, wiederholte sie.

Er schaute sie kummervoll an. »Zu wenig, Mrs. Monk, zu

wenig. Wir können noch für fünf oder sechs Tage Lebensmittel kaufen, wenn Sie achtsam sind. Keine Marmelade!« Er zog die Mundwinkel nach unten. »Außer vielleicht für Sie selbst und Miss Ballinger. Keine Marmelade für diese Frauen! Und Zurückhaltung mit Seife, Essig und so weiter.« Er holte Luft. »Und sagen Sie mir nicht, Sie müssten schrubben! Ich weiß das, schrubben Sie einfach vorsichtig. Und kochen Sie die Verbände aus, und verwenden Sie sie ein zweites Mal«, fügte er überflüssigerweise hinzu. Er nickte, zufrieden mit sich. Jedes Mal, wenn sie über das Thema sprachen, wurde er mehr zum Eigentümer. Hierher kamen dieselben Frauen, die er kein Jahr zuvor durch Erpressung gegen ihren Willen zur Prostitution gezwungen hatte. Jetzt empfand er eine heimliche Freude – und sie war wirklich heimlich –, mit Halfpennies zu knausern, wenn es darum ging, ihnen etwas zu essen zu kaufen und ihre Verletzungen zu behandeln. Er sprach über sie, als wären sie sowohl nutzlos als auch nichtswürdig, aber Hester hatte ihn mehr als einmal dabei erwischt, dass er einem Botenjungen die Ohren lang zog, wenn der das Gleiche wagte. Er hatte sich verteidigt, indem er behauptete, der Junge sei unverschämt zu ihm gewesen. Aber Hester hatte verstanden. »Karbol?«, fragte sie.

»Oh … ein wenig«, räumte er ein. »Aber wir brauchen mehr Geld, und ich weiß nicht, woher wir es bekommen sollen, wenn Sie mir nicht erlauben, ein paar eigenen Ideen nachzugehen.«

Margaret hob ihre Tasse, um dahinter ihr Lächeln zu verstecken.

Hester ahnte, was Squeaky vorhatte. »Noch nicht«, sagte sie entschlossen. »Wir sollten keine Aufmerksamkeit auf uns ziehen, solange wir dies vermeiden können. Geben Sie Bessie, was sie für Lebensmittel braucht, aber behalten Sie wenigstens zwei Pfund zurück. Sagen Sie mir Bescheid, wenn nichts mehr da ist.«

»Das kann ich Ihnen jetzt schon sagen«, sagte Squeaky kopfschüttelnd. »Übermorgen.« Er schniefte. »Manchmal glaube ich, Sie leben in einer Traumwelt. Sie brauchen mich, damit ich Sie aufwecke, Tatsache.« Er stand langsam auf und griff nach dem Buch. Er war von einer Aura tiefster Genugtuung umgeben – sein entspannter Körper, der selbstgefällige Zug um seinen Mund, die Art, wie sich seine Hände über dem Hauptbuch schlossen.

Eingedenk seiner vorherigen Beschäftigung und seiner Schmach, als er durch eine List dazu gezwungen worden war, das Haus, das sein ganzes Auskommen war, samt Inventar herzugeben, lächelte Hester ihn an. »Natürlich«, stimmte sie ihm zu. »Deshalb brauche ich Sie.«

Seine Genugtuung verflüchtigte sich. Er schluckte schwer. »Ich weiß!«

»Ich bin froh, dass Sie so gewissenhaft sind«, fügte sie hinzu.

Besänftigt drehte er sich um, ging hinaus und ließ die Tür hinter sich zufallen.

Margaret stellte ihre Tasse ab, ihr Gesicht war ernst. »Wir brauchen mehr Geld«, sagte sie zustimmend. »Ich habe es bei unseren üblichen Quellen versucht, aber es wird immer schwieriger.« Sie sah kläglich drein. »Sie sind großzügig, wenn sie glauben, es sei für Missionsarbeit in Afrika oder irgendwo sonst. Man braucht nur das Wort Lepra in den Mund zu nehmen, und sie spenden bereitwillig. Vor zwei Tagen auf einer abendlichen Soiree habe ich angefangen. Ich war mit« – sie errötete leicht – »mit Sir Oliver dort, und die Gelegenheit schien günstig zu sein, ohne die geringste Peinlichkeit auf das Thema Wohltätigkeit zu sprechen zu kommen.«

Hester biss sich auf die Lippen, um ein Lächeln zu verbergen. Oliver Rathbone war einer der brillantesten – und erfolgreichsten – Anwälte Londons. Vor noch nicht allzu langer Zeit war er in Hester verliebt gewesen, aber die Angst vor dem unwiderruflichen Schritt in die Ehe und dann noch mit einer Frau, die in ihrer Offenheit so unschicklich war wie Hester, hatte ihn zögern lassen, um ihre Hand anzuhalten. Hester wiederum hätte niemals jemanden so lieben können, wie sie Monk liebte, trotz ihrer fortwährenden Streitereien, seines unregelmäßigen Einkommens und seiner ungewissen Zukunft, ganz zu schweigen von dem Gedächtnisverlust, der wie ein dunkler Schatten auf seiner Vergangenheit lag. Ihn zu heiraten war ein Risiko gewesen, einen anderen zu erhören hätte bedeutet, Sicherheit zu akzeptieren und die Fülle des Lebens, die Höhen und Tiefen der Gefühle und das damit einhergehende Glück zu verleugnen.

Hester war überzeugt, dass Rathbone das gleiche Glück mit Margaret finden würde. Und so stark ihre Freundschaft zu ihm immer noch war, als Frau fühlte sie mit Margaret und durchschaute sie mit einer Leichtigkeit, die sie niemals verraten hätte.

»Aber in dem Augenblick, in dem sie hörten, es sei für eine Klinik für Prostituierte hier in London«, fuhr Margaret fort, »sträubten sie sich.« Sie biss sich auf die Lippen. »Sie haben mich richtig wütend gemacht! Ich stehe da wie ein Idiot, weil ich voller Hoffnung bin, dass sie diesmal etwas geben. Ich weiß, dass man es mir ansieht, dagegen kann ich nichts tun. Ich versuche, höflich zu sein, aber innerlich schwanke ich heftig zwischen inständigem Bitten und übermäßigem Danken, als wäre ich ein Bettler und das Geld wäre für mich, und dem Zorn, wenn sie mich abweisen, hin und her.«

Sie fügte nicht hinzu, dass sie sich Rathbones Gegenwart äußerst bewusst gewesen war. Was dachte er wohl über ihr Betragen, ihre Schicklichkeit, ihre Eignung als seine Frau. Andererseits, würde er nicht jeden Respekt vor ihr verlieren – und sie vor sich selbst –, wenn sie weniger als ihr Bestes für eine Sache gäbe, an die sie leidenschaftlich glaubte?

»Und sie sagten ›Nein‹?«, fragte Hester leise, obwohl auch ihrer Stimme die Wut anzuhören war. Feigheit und Heuchelei waren die beiden Untugenden, die sie am meisten verabscheute, vielleicht, weil daraus so viele andere erwuchsen, besonders Grausamkeit. Sie waren eng miteinander verwoben. Hester hatte erfahren, wie viele Männer sich Prostituierter bedienten, und sie sah davon ab, darüber zu urteilen. Sie wusste auch, dass die Frauen dieser Männer recht häufig davon wussten, wenn auch nur durch Schlussfolgerungen. Was Hester verabscheute, war die Heuchelei, sich abzuwenden und diese Frauen zu verurteilen. Vielleicht war es deren Unabhängigkeit, die diese Leute ängstigte, oder das Wissen, dass das, was sie trennte, oft nur zufällige Umstände waren und selten moralische Überlegenheit.

Wo es wirklich Ehre und Moral gab, eine Reinheit des Geistes, dort gab es, wie sie festgestellt hatte, meist auch Leidenschaft. Margaret war ein Beispiel für genau diese bewusste Ehelosigkeit.

»Und dann fühle ich mich lächerlich und bin enttäuscht«, antwortete Margaret, blickte Hester an und lächelte reumütig über sich selbst. »Und ärgere mich, dass ich so verletzlich bin.« Sie erwähnte Rathbones Namen nicht, aber Hester wusste, was sie dachte. Margaret begegnete ihrem Blick und errötete. »Ist es so offensichtlich?«, fragte sie leise.

»Nur für mich«, antwortete Hester. »Weil ich genauso empfinde.« Sie trank ihren Tee aus. »Aber wir brauchen mehr Geld, also lassen Sie bitte in Ihren Bemühungen nicht nach. Sie kennen mich gut genug, um zu wissen, was für eine Katastrophe es wäre, würde ich es an Ihrer Stelle versuchen!«

Margaret musste unwillkürlich lachen. Als Hester ihre Belustigung sah, schoss ihr der Gedanke durch den Kopf, ob Rathbone Margaret wohl je von einigen der gesellschaftlichen Katastrophen erzählt hatte, die Hester als unverheiratete Frau heraufbeschworen hatte, nachdem sie von den Schlachtfeldern auf der Krim zurückgekehrt war. Sie war immer noch voller Empörung über die Ignoranz gewesen und vom Glauben an ihre Macht erfüllt, sie könnte Menschen dazu bringen, sich zu verändern und sich zu bessern. Sie hatte persönliche Interessen beiseite schieben und Erkenntnis und Wahrheit folgen wollen. Niemand war vor ihrer spitzen Zunge sicher gewesen, doch letztendlich hatte sie nur sehr wenige ihrer Träume verwirklichen können.

»Vermutlich«, räumte Margaret ein. »Ich weiß meine Zunge

weit besser im Zaum zu halten als Sie. Auch wenn ich darüber nicht besonders begeistert bin. Ich denke genauso wie Sie, ich bin es nur allzu gewöhnt, es nicht laut auszusprechen.«

»Damit erreicht man auch nichts«, räumte Hester ein. »Letztendlich ist es nur mangelnde Beherrschung. Ein paar Minuten lang fühlt man sich richtig gut, und dann begreift man, was man verloren hat.«

Margaret fuhr sich mit der Hand über die Stirn. »Ich verabscheue es, meine Überzeugung zu verschweigen und nur, weil ich ihr Geld brauche, höflich zu Leuten zu sein!«

»Die Frauen brauchen ihr Geld«, korrigierte Hester sie. Sie beugte sich leidenschaftlich vor und griff nach Margarets Hand. »Seien Sie nicht so offen, wie ich es zuweilen war – es hat Oliver entsetzt.« Die Erinnerung stand ihr deutlich vor Augen, und fast hätte sie gelacht. »Vor einem Jahr war er wie gelähmt bei der Vorstellung, was wir Squeaky angetan haben, um dieses Haus zu bekommen – aber wenn Sie ehrlich sind, hat er es doch ziemlich genossen!«

Ein Lächeln erhellte Margarets Gesicht und ließ ihre Augen leuchten. »Ja, nicht wahr?«, erinnerte sie sich.

Bessie kam wie gewöhnlich, ohne anzuklopfen, herein, um Bescheid zu sagen, dass eine junge Frau gekommen war, die Hilfe brauchte. »Wie ein mageres Kaninchen sieht sie aus«, sagte sie müde. »Nur Haut und Knochen. So verdient sie sich nie ihren Lebensunterhalt! Würde mich nicht wundern, wenn sie seit Wochen keine anständige Mahlzeit mehr bekommen hätte. Weiß wie ein Fischbauch und schnauft wie ein Zug.«

Hester stand auf. »Ich komme«, sagte sie. Sie warf noch einen Blick auf Margaret und sah, dass diese zum Medikamentenschrank ging und ihn aufschloss, um nachzusehen, was sie noch dahatten.

Hester folgte Bessie. Das Mädchen stand zitternd im Wartezimmer, war aber zu schlecht dran, um noch Angst zu empfinden. Sie sah so aus, wie Bessie sie beschrieben hatte. Hester schätzte sie auf sechzehn.

Hester stellte ihr die üblichen Fragen und untersuchte sie, während sie antwortete. Sie hatte leichtes Fieber und eine schwere Stauung in der Lunge, aber ihr Hauptproblem waren Erschöpfung und Hunger und jetzt auch noch die Kälte. Ihr dünnes Kleid und ihre Jacke schützten nicht gegen den Oktoberregen, ganz zu schweigen von dem eisigen Nebel, der bald fast jede Nacht vom Fluss aufsteigen würde. Hätten sie doch nur das Geld, ihr ein heißes Bad einlaufen zu lassen und anständige Kleider zu geben! Aber das Wenige, was da war, würde nicht mehr lange reichen. Hester wünschte sich innig, Margaret möge Rathbone heiraten, aber wenn sie das tat, würde sie womöglich nicht mehr hier arbeiten können. Bestenfalls würde sie nicht mehr so viel Zeit haben. Als Lady Rathbone konnte sie kaum so viele Stunden hier verbringen wie jetzt. Sie hätte gesellschaftliche Verpflichtungen und natürlich Vergnügungen, die sie zweifellos verdient hatte. Rathbone hatte mehr als ausreichende finanzielle Mittel, um ihr die Stellung und den Komfort zu bieten, die sie sich wünschen konnte. Anders als Monk, der sowohl Not als auch Arbeit nur zu genau kannte.

Und warum sollten sie keine Kinder bekommen? Das würde ihrer Verbindung mit der Klinik ein für alle Mal ein Ende setzen.

Aber dagegen konnte Hester nichts tun, und das hätte sie auch nicht gewollt, selbst wenn es möglich gewesen wäre.

Sie bat Bessie, den Kessel wieder aufzusetzen und mit den Wärmflaschen ein Bett für das Mädchen zu erwärmen. Sie konnte zumindest hier bleiben und schlafen, bis das Bett für einen schwereren Fall gebraucht wurde. Ein wenig heißes Wasser mit Honig würde ihrer Brust gut tun und ein paar Scheiben Brot ihrem Bauch. Mit leerem Magen schläft es sich nicht gut.

»Wir haben nicht mehr viel Honig«, sagte Bessie warnend, auch wenn sie schon auf dem Weg war, Hesters Anweisung auszuführen. Dieser jungen Frau hier konnte sie wenigstens noch helfen.

Um die Zeit, als Hester am späten Nachmittag das Haus verließ, um nach Hause zu gehen, hatte der Straßenhändler Toddy wie gewöhnlich hereingeschaut, um ihr Äpfel zu geben, die er nicht verkaufen konnte, und das schwerere Gemüse, bei dem es sich nicht lohnte, dass er es den ganzen Weg wieder nach Hause schleppte. Er hatte sie wegen seines Hustens, seiner entzündeten Fußballen und einer Pustel an der Hand um Rat gefragt. Sie hatte sich alles angeschaut und ihm versichert, es sei nichts Ernstes. Sie empfahl Honig für seinen Hals, und er ging glücklich davon. Effie, wie sich die neue Patientin nannte, schlief immer noch tief und fest, aber ihr Atem rasselte nicht mehr so laut, und ihr weißes Gesicht sprach von tiefem Frieden. Den anderen Frauen ging es einigermaßen gut, und Margaret war in ihrer Entschlossenheit bestärkt worden, bei gesellschaftlichen Ereignissen ihre Zunge zu hüten, so schwer es ihr auch fiel und so sehr sie sich auch empörte. Squeaky murrte immer noch über die Verantwortung, die Bücher abzuschließen, aber wenn es einen Mann in London gab, der das konnte, dann war er es.

Hester war froh, nach Hause zu kommen, obwohl sie wusste, dass Monk womöglich nicht da war. Wenigstens hatte er einen Fall, statt voller Hoffnung nach einem Auftrag Ausschau zu halten und keinen zu bekommen. Als sie den Rost sauber machte, um ein kleines Feuer zu entfachen, wobei sie aus Gewohnheit sorgfältig darauf achtete, nicht mehr Kohlen zu verbrauchen als notwendig, dachte sie trotz ihrer plötzlich besser gewordenen Lage darüber nach, welche Probleme Monk ein so wenig vertrautes Gebiet bereitete.

Sie entzündete das Feuer und sah zu, wie die kleinen Flammen sich auf dem Anmachholz ausbreiteten und dann die kleineren Kohlestückchen erfassten. Es bestand die Gefahr, dass er scheiterte. Er kannte nicht die besondere Art der auf dem Fluss verübten Verbrechen, was bedeuten konnte, dass es Dinge gab, die er nicht sah oder zwar sah, aber nicht verstand.

Größere Gefahr drohte durch Gewalt und die Tatsache, dass er dort mehr auf sich gestellt war als in der Stadt. Das Wenige, was er ihr erzählt hatte, wies darauf hin, dass er nicht direkt gegen die Wasserpolizei arbeitete, aber zumindest doch ohne deren Wissen, und das an einem Fall, den eigentlich sie bearbeiten sollte. War es treulos, Angst um ihn zu haben? Zweifelte sie an seinen Fähigkeiten?

Das Feuer brannte nicht recht. Die Flammen waren zu einem Schwelen geworden. Sie ließ sich auf Hände und Knie nieder, um auf die kleine Stelle zu pusten, wo sie noch flackerten. Sie kannte den Trick, eine offene Zeitung vor den Kamin zu legen, damit der Schornstein besser zog, aber sie hatte keine Zeitung. Eine solche zusätzliche Ausgabe war im Augenblick nicht notwendig. Außerdem war sie viel zu beschäftigt, um sich für die Welt und ihre Probleme zu interessieren. Sie hatte keine Zeit zu lesen.

Die Flammen loderten wieder auf.

Wenn Monk kam, wollte sie ihm nicht zeigen, dass sie besorgt war. Das Letzte, was er jetzt brauchte, war, dass sein Selbstvertrauen untergraben wurde. Sie musste sich so verhalten, als glaubte sie an ihn, ohne es direkt zu behaupten. Sie würde sich der Katastrophe erst stellen, wenn sie da war.

Es war die Jahreszeit, in der man sehr gerne Eintöpfe aß, und wenn der große Topf hinten auf dem Herd stehen blieb, konnte sie jeden Tag frisches Gemüse hinzufügen, sodass das Essen stets schmeckte. Das hieß auch, dass etwas Warmes auf Monk wartete, egal, um welche Zeit er nach Hause kam. Diesmal fühlte sie sich so frei, einen guten Batzen frisches Fleisch hineinzutun, und als sie kurz nach sieben seinen Schlüssel im Schloss hörte, war das Essen fertig.

»Und?«, fragte sie, als sie am Tisch saßen und das Essen vor ihnen dampfte.

Er dachte nach, bevor er antwortete, und beobachtete ihre Reaktion. »Ich habe noch nie im Leben so gefroren!«, antwortete er und lächelte breit. »Zumindest kann ich mich nicht erinnern ...« Seit er bei seinem letzten Fall, einer Eisenbahngeschichte, einen Großteil seiner Vergangenheit wieder ausgegraben hatte, quälte ihn die Tatsache seines Gedächtnisverlusts nicht mehr so sehr wie in der Zeit nach seinem Kutschenunfall, der einen oder zwei Monate bevor sie sich kennen gelernt hatten, den Gedächtnisverlust zur Folge gehabt hatte, vor inzwischen fast sieben Jahren. Es war, als wären die Geister besänftigt, jetzt, da das Schlimmste aufgedeckt war und er sich damit auseinander gesetzt hatte. Es waren keine Ungeheuerlichkeiten gewesen, sondern im Grunde ganz gewöhnliche Schwächen, Fehler, die man verstehen, bedauern und korrigieren konnte. Der Schrecken war auf menschliche Proportionen geschrumpft, zu einer Tragödie statt zu Schlechtigkeit. Jetzt konnte er darüber scherzen.

Sie erwiderte sein Lächeln. Eine lange getragene Last war von ihnen genommen. »Unterscheidet der Fluss sich sehr von den Straßen?«, fragte sie.

»Fühlt sich anders an«, antwortete er, nahm noch einen Bissen und ließ sich das im Vergleich zu den Mahlzeiten der letzten Wochen nahrhafte Essen schmecken. »Alles wird von den Gezeiten bestimmt; das ganze Leben scheint sich darum zu drehen. Schiffe fahren mit Ebbe und Flut den Fluss hinauf und hinunter. Erwischt man Niedrigwasser, läuft man auf Grund, versucht man, bei Hochwasser unter den Brücken durchzukommen, brechen die Masten. Die Leute am Fluss kennen ihn in- und auswendig.« Er dachte einen Augenblick nach. »Aber das Wasser hat eine ganz eigene Schönheit, die den Straßen nicht eigen ist. Ein Gefühl der Weite, und Licht und Schatten ändern sich andauernd.«

Sie schaute ihm ins Gesicht und erkannte darin die Ehrfurcht vor dem Fluss, der ihn bereits gefangen genommen hatte. Wieder beschlich sie die Angst, dass er den Boden unter den Füßen verlor. Wenn er sich zu sehr von den Elementen der Natur einnehmen ließ, achtete er vielleicht zu wenig auf die unterschiedlichen Geisteshaltungen von Dieben und Hehlern, die Feinheiten von Betrug und Gewalt, deren Warnsignale er womöglich auch nicht erkannte, weil sie ihm nicht vertraut waren.

»Du hörst mir nicht zu«, warf er ihr vor.

»Ich versuche gerade, es mir bildlich vorzustellen«, sagte sie schnell und schaute ihm wieder in die Augen. »Klingt überhaupt nicht so wie in der Stadt. Wo willst du anfangen, nach dem Elfenbein zu suchen? Kannst du nachvollziehen, wohin die Diebe gegangen sind, wenn es keine Spuren, keine Fußspuren gibt?« Sie wünschte, sie hätte nicht danach gefragt, denn woher sollte er das wissen? Es war zu früh.

Er machte ein reumütiges Gesicht. »Das habe ich heute herausgefunden. Ich bin fast den ganzen Tag auf den Docks herumgelaufen. Ich wohne inzwischen seit mindestens fünfzehn Jahren in London, aber ich hatte keine Ahnung, welch eigene Welt die Docks sind. Da werden jede Woche Tausende Tonnen Ladung durchgeschleust aus allen Teilen der Welt. Erstaunlich, dass nicht mehr verloren geht.« Er beugte sich ein wenig über den Tisch – das Essen hatte er vorübergehend vergessen – und hob eindringlich die Stimme. »Es ist das Tor zur Welt, rein und raus. Die Schiffe müssen mit dem Löschen ihrer Fracht warten, bis sie einen Platz an einem der Kais bekommen. Manchmal Tage, manchmal Wochen, nachdem sie Anker geworfen haben. Die ganze Zeit sind Leute auf dem Wasser, kleine Boote, Fähren, Schlepper und natürlich die Barkassen.«

»Wie willst du herausfinden, wer das Elfenbein gestohlen hat?«, unterbrach sie ihn.

Er nahm noch einen Bissen. »Ich bin mir nicht sicher, dass ich damit anfangen kann«, antwortete er. »Ich glaube, ich muss es von der anderen Seite her angehen, herausfinden, wohin es gegangen ist, um dann von dort die Spur zurückzuverfolgen zu dem, der es gestohlen hat. Ich brauche den Dieb, denn der hat Hodge umgebracht, sonst würde ich mich nicht um ihn kümmern. Aber er hat das Elfenbein bereits an jemanden verkauft oder wird es noch tun. Alles, was gestohlen wird, wird früher oder später verkauft, wenn man es nicht essen, verbrennen oder tragen kann.«

»Verbrennen?«, sagte sie überrascht.

»Kohle«, erklärte er mit einem Lächeln. »Die meisten Dreckspatzen an den Ufern sind hinter Kohle her. Einige suchen natürlich nach Nägeln oder anderen nützlichen Dingen.«

»Oh ... ja.« Sie hätte selbst darauf kommen müssen. Sie versuchte, sich vorzustellen, im Winter bis zu den Knien im Fluss zu waten und sich zu bücken, um irgendetwas zu suchen, was ein anderer einem abkaufen würde. Aber vielleicht war es auch nicht schlimmer, als nachts im Regen durch die Gassen zu streifen und darauf zu hoffen, für eine halbe Stunde seinen Körper verkaufen zu können. Armut und die schiere Notwendigkeit zu überleben, konnten die Sicht auf vieles verändern. Dem Himmel sei Dank, dass sie sich, falls Monk das Elfenbein nicht fand, an Callandra Daviot wenden konnten, die ihnen sicher vorübergehend helfen würde. Falls Monk es über sich brachte, sie um Hilfe zu bitten.

Vielleicht sollte Hester zu ihr gehen und sie um eine Spende für die Klinik bitten. Gerade Callandra würde sie verstehen. Sie hatte unaufhörlich zum Wohle des Krankenhauses gearbeitet und war nie davor zurückgeschreckt, jemanden um Geld, Zeit oder sonst irgendetwas zu bitten, was sie brauchten. Manche Dame der feinen Gesellschaft hatte sie so beschämt, dass sie weit mehr gab, als sie je vorgehabt hatte.

Hester stand auf und räumte die Teller ab. Im Herd stand ein süßer Brotauflauf, den sie jetzt herausholte und mit beträchtlichem Stolz servierte. Erst seit kurzem bekam sie ihn so gut hin. Sie beobachtete, wie Monk ihn aß, und bemerkte sein Vergnügen, das er ohne großen Erfolg zu verbergen trachtete. Er lächelte, und sie zuckte ein wenig verlegen die Schultern.

Sie saßen noch bei Tisch, als es laut an der Haustür klopfte.

Monk stand sofort auf, aber auch er wirkte überrascht. Es war zu spät, um einen Besuch zu machen, und er erwartete bei seinem Fall für Louvain noch keine Informationen. Entweder war der Besuch für Hester und hatte mit einem Notfall in der Portpool Lane zu tun, oder es war ein neuer Fall für ihn.

Hester nahm das schmutzige Geschirr und trug es hinaus in die Küche. Als sie zurückkam, stand Callandra Daviot im Wohnzimmer. Ihr Hut saß schief, und ihr Haar war so unordentlich wie stets, es lockte sich in der feuchten Luft und löste sich aus den Nadeln, was ihr allerdings nicht das Geringste ausmachte. Ihre Augen strahlten, und ihre Wangen waren gerötet. Einen Handschuh hielt sie in der Hand, der andere war nirgends zu sehen. Sie glühte vor Glück.

Hester war hocherfreut, sie zu sehen. Sie trat vor und nahm sie in die Arme und spürte, dass Callandra es ihr nachtat.

»Guten Abend, meine Liebe«, sagte Callandra herzlich.

»Ich freue mich sehr, Sie zu sehen«, antwortete Hester und ließ sie los, um einen Schritt zurückzutreten. »Möchten Sie eine Tasse Tee?«

Callandra sah überrascht aus. »Oh, nein, vielen Dank, meine Liebe.« Sie stand immer noch mitten im Zimmer, als könnte sie es nicht über sich bringen, sich hinzusetzen, und strahlte über das ganze Gesicht. »Wie geht es Ihnen beiden?«

Hester erwog, eine höfliche Lüge vorzubringen, aber dafür kannten Callandra und sie sich zu lange und zu gut. Der Altersunterschied von einer Generation berührte ihre Freundschaft nicht im Geringsten. Hester und nicht jemand ihres Alters oder ihrer sozialen Klasse war Zeugin ihrer herzzerreißenden Liebe zu Kristian Beck geworden und hatte sie verstanden. An Hester und Monk hatte Callandra sich auch gewandt, als Kristian des Mordes angeklagt worden war, nicht nur wegen Monks Fähigkeiten, sondern weil sie Freunde waren, die sich nicht über ihre Loyalität lustig machen oder sich in ihren Kummer einmischen würden.

Hester konnte ihr nichts vormachen. »In der Klinik kämpfen wir ziemlich darum, über die Runden zu kommen«, antwortete sie. »Opfer unseres Erfolges, nehme ich an.« Wie tief ihre Freundschaft auch war, sie würde ihr nicht sagen, dass Monk in letzter Zeit nur wenige Fälle gehabt hatte. Er konnte das tun, wenn er wollte, hätte sie es getan, wäre es Verrat gewesen.

Callandra griff das Thema sofort auf.

»Geld aufzutreiben ist immer schwierig«, meinte sie zustimmend. »Besonders wenn es nicht um eine Wohltätigkeit geht, mit der die Leute sich gerne brüsten. Es ist das eine, allen am Esstisch zu erzählen, dass man gerade den Ärzten oder Missionaren irgendwo im Empire etwas gespendet hat. Aber zu äußern, man versuche, die örtlichen Prostituierten zu retten, kann manches Tischgespräch vollständig verstummen lassen.«

Hester musste lachen, und selbst Monk schmunzelte.

»Haben Sie noch die hervorragende Margaret Ballinger an Ihrer Seite?«, fragte Callandra hoffnungsvoll.

»O ja«, sagte Hester begeistert.

»Gut.« Callandra hob die Hand, als müsste sich darin ein Schirm befinden, und erinnerte sich dann daran, dass sie ihn irgendwo vergessen hatte. »Ich kann ihr ein paar vertrauenswürdige Namen nennen, wo Spenden aufzutreiben sind. Aber nicht Sie sollten darum bitten.« Ein Lächeln voll tiefer Zuneigung ließ ihre Züge weich werden. »Ich kenne Sie zu gut, um mir vorzumachen, Sie wären taktvoll. Eine abschlägige Antwort, und Sie würden ihnen dermaßen die Meinung sagen, dass zukünftig jeglicher Versuch zwecklos wäre.«

»Vielen Dank«, sagte Hester mit gespielter Höflichkeit, aber etwas an Callandras Worten störte sie. Warum bot Callandra nicht selbst ihre Hilfe an? Früher hatte sie nicht gezögert, und sicher sah sie Hester an, dass sie bereits mehr zu tun hatte, als sie schaffen konnte.

Callandra stand immer noch mitten im Raum, als sei sie zu aufgeregt, um sich hinzusetzen. Jetzt suchte sie in ihrem Ridikül nach etwas, aber da es ungewöhnlich groß war und offensichtlich voll gestopft bis oben hin und in großer Unordnung, hatte sie Probleme. Sie gab auf. »Haben Sie ein Blatt Papier, William? Vielleicht könnten Sie die Namen für mich aufschreiben?«

»Natürlich«, sagte er, warf aber einen raschen Blick auf Hester, bevor er hinausging, um Callandras Bitte nachzukommen.

Hester hätte Callandra beinahe gefragt, was sie unangemeldet zu ihnen geführt hatte und offensichtlich so bedeutsam für sie war, dass sie ihre übliche Sorgfalt vollkommen hatte fahren lassen. Aber das wäre aufdringlich gewesen. Sie war eine gute Freundin, aber das gab Hester nicht das Recht, in ihre Privatsphäre einzudringen.

Monk brachte Feder, Papier und Tintenfass und stellte es auf den Tisch. Callandra setzte sich und schrieb die Namen und Adressen selbst auf, und nach kurzem Überlegen fügte sie schwungvoll die Summen hinzu, welche sie ihrer Meinung nach ohne Probleme spenden konnten. Sie hielt das Blatt in die Höhe und wedelte es durch die Luft, damit die Tinte trocknete, denn Monk hatte kein Löschpapier mitgebracht. Dann reichte sie es Hester. »Verlieren Sie es nicht«, gebot sie ihr. »Ich kann es womöglich nicht noch einmal aufschreiben.«

Monk stutzte.

Hester blickte langsam zu ihm auf, sie wagte kaum zu atmen.

Callandras Augen strahlten. Freude und Tränen standen darin, als wäre sie kurz davor, einen bedeutsamen Schritt zu tun, und halte sich an dem letzten Augenblick des Vertrauten fest, weil es ihr zu lieb war und sie es nicht ohne Schmerz verlassen konnte.

»Ich fahre nach Wien«, sagte sie mit einem leichten Zittern in der Stimme. »Um dort zu leben.«

»Wien!«, wiederholte Hester, als könnte sie es kaum glauben, und doch ergab es auf niederschmetternde Weise Sinn. Wien war die Heimat von Kristian Beck, bevor er mit seiner ersten Frau nach London gezogen war, wo er Callandra kennen gelernt hatte. Seine Frau war ermordet worden, und eine Zeit voller Trauer und schmerzlicher Enthüllungen war gefolgt. Vielleicht ebenso schwer wie die Erkenntnis des wahren Charakters seiner Frau war für Kristian die Entdeckung seiner Abstammung gewesen. Alles, woran er zuvor geglaubt hatte, war dadurch auf den Kopf gestellt worden. Ging Callandra nach Wien, weil Kristian beschlossen hatte, dorthin zurückzukehren? Was für eine Rolle spielte er bei ihrer Entscheidung? Hester hatte einen ganz trockenen Mund vor lauter Angst, Callandra würde wieder verletzt werden, hatte sie doch schon so viel ertragen.

Aber Callandras Augen strahlten, und sie verrieten keine wilden Hoffnungen, sondern eher ein tiefes Einvernehmen. »Kristian und ich werden heiraten«, sagte sie leise. Ihre Stimme klang zärtlich und vollkommen sicher. »Er hat beschlossen, sich der Vergangenheit zu stellen, sie offen zu betrachten und die Antworten aufzudecken, wo immer sie auch begraben sind.«

Sie wandte sich von Hester an Monk. »Es tut mir Leid, William. Mit Ihnen an verschiedenen Fällen zu arbeiten hat mir viele Jahre lang, in denen ich ohne Sie nichts gehabt hätte, Bedeutung und ein Ziel gegeben. Noch mehr hat mir Ihre Freundschaft bedeutet, auf ihre eigene Weise genauso viel wie die zu Hester. Aber Kristian wird mein Mann werden.« Sie wurde ein wenig rot, senkte die Augen und blickte dann wieder auf. »Ich möchte mit ihm zusammen sein, und wenn ich mein Zuhause und meine liebsten Freunde hier dafür verlassen muss, ist das der Preis, den ich bereitwillig zahle. Ich danke Ihnen von ganzem Herzen für die Zuneigung, die Sie mir stets entgegengebracht haben, und für Ihre Fähigkeiten und Ihre Loyalität bei Kristians … und meiner Verteidigung. Ich weiß, was wir ohne Sie erlitten hätten.«

Hester trat einen Schritt vor, nahm Callandra in die Arme und hielt sie fest. Sie spürte, dass Callandra sie ebenso umklammerte. »Ich freue mich sehr für Sie«, sagte sie von ganzem Herzen. »Gehen Sie nach Wien und werden Sie glücklich. Was auch immer Kristian dort findet, erinnern Sie ihn stets daran, dass er nicht für die Sünden oder die Beschränktheit seiner Vorfahren verantwortlich ist. Unsere Vergangenheit können wir niemals ungeschehen machen, erst recht nicht die eines anderen. Aber uns gehört die Zukunft, und ich freue mich sehr, dass Sie die Ihre mit Kristian teilen. Es könnte nicht besser sein.« Sie gab Callandra einen Kuss auf die Wange, drückte sie noch einen Moment fest an sich und trat dann zurück.

Callandra wandte sich Monk zu, das Gesicht immer noch voller Unsicherheit.

Er tat genau das Gleiche wie Hester. »Gehen Sie, und seien Sie glücklich«, wünschte er ihr aufrichtig. »Ich wüsste nicht, wer es mehr verdiente als Sie beide. Und wenn Sie die Probleme der Vergangenheit gelöst haben, wird es andere gute Gründe geben, für die zu kämpfen lohnt. Wenn irgendjemand das weiß, dann ich.«

Callandra schniefte laut, schluckte und gab den Kampf schließlich auf. Sie ließ den Tränen freien Lauf, stand ganz still da und lächelte. Als Monk ein Taschentuch hervorholte, dankte sie ihm und schnäuzte sich.

»Vielen Dank«, sagte sie und reichte es Hester. »Ich bitte um Verzeihung. Aber ich kann, wenn ich Ihnen schon abtrünnig werde, nicht auch noch Ihre Taschentücher stehlen. Meine Kutsche wartet. Werden Sie mir erlauben, mich mit dem Rest meiner Würde zurückzuziehen?«

»Natürlich«, sagte Hester mit belegter Stimme. »Abschiede sind lächerlich. Einer reicht völlig aus.«

»Ich bin Ihnen sehr dankbar«, sagte Callandra, und ihre Augen liefen schon wieder über.

Sie griff in ihr Ridikül, und diesmal fand sie sehr schnell das, was sie suchte. Sie holte zwei kleine Päckchen hervor, hübsch eingepackt und verschnürt. Sie warf einen raschen Blick darauf und reichte dann eines Hester und eines Monk. Ihre erwartungsvolle Miene verriet, dass sie offensichtlich darauf wartete, dass sie ihre Geschenke gleich auspackten.

Hester fing mit ihrem an, löste vorsichtig den Knoten und wickelte das Papier von der Schachtel ab. Darin befand sich eine äußerst kunstvoll gestaltete Kamee, kein Frauenkopf wie gewöhnlich, sondern ein Mann mit sorgfältig ausgeführtem

Helm und wallendem Haar, in reiche Filigranarbeit aus Weiß- und Gelbgold gefasst.

Hester keuchte entzückt, dann schaute sie Callandra an und sah die Freude in deren Augen.

Monk wickelte sein Päckchen ungeduldiger aus und zerriss das Papier. Sein Geschenk war eine goldene Uhr, ein vollkommenes Stück, künstlerisch wie handwerklich. Seine Freude war ihm deutlich ins Gesicht geschrieben, noch bevor er den Mund aufmachte, um ihr zu danken.

»Damit Sie mich nicht nur nicht vergessen, sondern auch immer daran erinnert werden, wie sehr Sie mir am Herzen liegen«, sagte Callandra ein wenig heiser. »Und jetzt muss ich gehen. Ich bin schon viel zu lange hier. Ich mag Menschen nicht, die auf Wiedersehen sagen und es dann nicht fertig bringen, auch wirklich zu gehen.« Sie lächelte noch einmal und trat dann zur Tür hinaus, die Monk ihr aufhielt. Ihre Röcke hingen schief, ihre Jacke passte nicht ganz, und ihr Hut war ein wenig zu einer Seite gerutscht, aber sie hielt den Kopf hoch und schaute sich nicht mehr um.

Monk machte die Tür zu und kehrte zum Feuer zurück, die Uhr noch in der Hand. Hester umklammerte die Kamee. Sie freute sich unbändig für Callandra. Ihre Freundin hatte Kristian seit langem so hoffnungslos und von ganzem Herzen geliebt, dass es undenkbar war, ihr etwas anderes zu wünschen als Glück. Die Kälte von draußen hing noch in der Luft, und Hester war sich bewusst, dass sie beide allein zurückblieben. Sie wusste nicht, was sie sagen sollte. Das Bewusstsein, dass es sie gerade jetzt besonders traf, stand wie eine dritte Person im Raum zwischen ihnen.

»Es musste so kommen«, sagte sie und hob langsam den Blick, um Monk anzusehen. »Wir hätten uns nichts anderes für sie wünschen können. Wenn es andersherum wäre, und wir beide an ihrer Stelle wären und sie an unserer, würde ich auch nach Wien gehen oder irgendwo anders hin, wenn du mich bräuchtest – oder mich bei dir haben wolltest.«

Er lächelte. »Ja?«

Sie wusste, dass er Spaß machte, die Angst bekämpfte, damit sie sie nicht sah. Sie tat, als bemerkte sie es nicht. »Ich hätte gerne Tee«, sagte sie. »Soll ich welchen machen?«

Um zehn Uhr am nächsten Morgen war Monk wieder auf den Docks, und Hester durchforschte die Schränke im Hauptraum in der Portpool Lane. Es war von allem deutlich weniger vorhanden als am Tag zuvor. Spätestens morgen würden sie zumindest etwas Desinfektionsmittel, Karbol, Lauge, Essig und Kerzen kaufen müssen. Es wäre gut, auch etwas Brandy dazuhaben und mit Alkohol verstärkten Wein, um ihn der Kraftbrühe zuzufügen. Sie hätte leicht ein weiteres Dutzend nützlicher Dinge aufzählen können, die ihnen fehlten.

Das Mädchen, das tags zuvor gekommen war, schlief immer noch tief und fest, aber es atmete leichter und hatte bereits ein wenig Farbe bekommen. Wenn sie es sich leisten könnten, sie eine oder zwei Wochen lang zu füttern, würde sie sich wahrscheinlich völlig erholen.

Hester wandte sich vom Schrank ab und öffnete eben die Tischschublade, als Bessie hereinkam. Sie hatte die Ärmel aufgerollt und eine Schürze umgebunden, auf der alte Blutflecken prangten.

»Da ist noch eine gekommen, die kaum Luft kriegt«, sagte sie müde, das Gesicht voller Sorgenfalten, denn die Arbeit war zu viel. Sie hatte, solange sie denken konnte, versucht, damit zurechtzukommen, doch sobald sie eine Frau wieder auf die Beine gestellt hatten, kam schon die nächste durch die Tür, wenn nicht gleich zwei. »Warum hat der Herr uns nicht besser geschaffen?«, fügte sie in scharfem Ton hinzu. »Oder den Winter weggelassen. Das muss er doch vorhergesehen haben! Jedes Jahr das Gleiche!«

Hester machte sich nicht die Mühe, ihr zu antworten, denn sie hatte keine Antwort darauf, es war eine rhetorische Frage. Sie ließ von dem ab, was sie hatte tun wollen, und folgte Bessie in den Empfangsraum, wo eine braun gekleidete Frau mittleren Alters zusammengekauert auf der alten Couch saß, die Arme schützend vor der Brust verschränkt. Sie atmete langsam und offensichtlich mit Mühe. Im Kerzenlicht wirkte ihr Gesicht farblos; ihr blondes, reichlich von grauen Strähnen durchzogenes Haar war auf ihrem Kopf aufgetürmt wie ein Haufen altes Stroh.

Hester betrachtete ihr zusammengekniffenes Gesicht sorgfältiger und bemerkte, wie weiß sie um Mund und Augen herum war und dass eine leichte Röte ihre Wangen überzog. Wahrscheinlich eine Bronchitis, die sich zu einer Lungenentzündung auswachsen konnte. »Wie heißen Sie?«

»Molly Struther«, antwortete die Frau, ohne aufzusehen.

»Wie geht es Ihnen?«

»Müde genug, um zu sterben«, antwortete die Frau. »Weiß nicht, warum ich überhaupt noch hergekommen bin, außer dass Flo es mir gesagt hat. Hat gesagt, Sie würden mir helfen. Das nenn ich bekloppt. Was können Sie schon tun? Verändern Sie die Welt?« In ihrer Stimme lag kein Hohn, dazu hatte sie keine Kraft.

»Ihnen ein warmes, trockenes Bett geben, wo Sie größtenteils ungestört sind, und etwas zu essen«, antwortete Hester. »Viel heißen Tee, vielleicht mit einem Schlückchen Brandy, jedenfalls, solange noch welcher da ist.«

Molly schnappte verblüfft nach Luft und bekam einen Hustenanfall, bis sie nur noch würgte. Hester holte warmes Wasser aus dem Kessel, tat einen Löffel Honig hinein und reichte es ihr. Molly trank es dankbar, aber es dauerte ein paar Minuten, bis sie wieder ein Wort herausbrachte.

»Danke«, sagte sie schließlich.

Hester half ihr in eines der Zimmer mit zwei Betten, während Bessie sich daran machte, eine Wärmflasche zu erhitzen. Eine halbe Stunde später lag Molly im Bett, die Decken bis zum Kinn hochgezogen, die Augen weit aufgerissen vor Überraschung, weil sie das einfach nicht gewöhnt war.

»Wir brauchen Geld!«, sagte Bessie zu Hester, als sie wieder in der Küche waren. Sie schürte vorsichtig den Herd und überlegte, wie lange er wohl noch brannte, ohne Kohle nachzulegen. Es war eine schwierige Balance, nur so viel aufzulegen, dass es weiterbrannte, ohne auszugehen.

»Ich weiß«, räumte Hester ein. »Margaret bemüht sich, und ich habe eine Liste mit Namen, bei denen wir es versuchen können, aber die Leute geben nur ungern, weil die Frauen Prostituierte sind. Sie fühlen sich wohler, wenn ihre Spenden nach Afrika oder sonst wohin geschickt werden.«

Bessie stieß tief in ihrer Kehle ein Knurren aus, das deutlich von ihrer Verachtung sprach. »Dann finden sie also, Afrika ist besser als wir?«, wollte sie wissen. »Oder frieren sie da mehr, haben mehr Hunger oder sind vielleicht kränker?«

»Ich glaube nicht, dass es etwas damit zu tun hat«, antwortete Hester und wärmte sich die Hände an der schmiedeeisernen Wand des Herds.

»Natürlich nicht!«, stieß Bessie hervor, füllte den Kessel wieder aus dem Wasserkrug in der hinteren Ecke neben dem steinernen Ausguss und stellte ihn zurück auf die Kochstelle. »Es hat was mit Gewissen zu tun, damit hat's zu tun! Es ist nicht unsere Schuld, wenn Afrikaner verhungern oder sterben, es ist zu weit weg, als dass es uns etwas ausmacht. Aber wenn unsere eignen Leute erfrieren und verhungern, dann fühlen wir uns schlecht deswegen. Wir sollten vielleicht nicht vergessen, dass es manchen Leuten schon besser gegangen ist.«

Hester antwortete nicht.

»Vielleicht werfen wir ihnen auch vor, dass sie nicht besser sind, als sie sind«, fuhr Bessie fort und trocknete sich die Hände an der Schürze ab. »Sie verkaufen sich auf der Straße, was eine Sünde ist, oder? Und wir könnten uns die Hände schmutzig machen, wenn wir etwas mit ihresgleichen zu tun haben! Spielt keine Rolle, dass unsere Männer zu ihnen gehen, um was zu kriegen, was wir ihnen nicht geben wollen – weil wir Kopfschmerzen haben oder weil es sich nicht gehört oder weil wir keine Kinder mehr wollen!« Sie schlug die Herdklappe zu. »Es gehört sich nicht, über so etwas Bescheid zu wissen, also tun wir so, als wüssten wir von nichts! Und deshalb wollen wir auch nicht, dass sie was zu essen bekommen und gepflegt werden, wir tun lieber so, als wäre es nicht wahr. Gott steh uns bei, dass es nicht unsere Tochter, unsere Schwester oder gar unser Mann ist!«

»Halte ich auch für wahrscheinlicher«, stimmte Hester ihr zu und hoffte, dass das Wasser bald kochte. Eine heiße Tasse Tee würde sie wärmen, bevor sie durchs Haus ging und die Bettwäsche zum Waschen einsammelte und ihre Gedanken der Frage zuwandte, worauf sie zurückgreifen konnten, wenn Margaret keinen Erfolg hatte. Sie wollte ihren Kopf beschäftigen, denn sonst wäre sie in Gedanken schnell bei dem Thema, wie Monk wohl in dem tosenden Regen auf den Docks zurechtkam, wo er nach Beweisen suchte, die er womöglich nicht einmal als solche erkannte, wenn er sie in Händen hielt.

»Natürlich«, erwiderte Bessie. »Stecken den Kopf in den Kohlenkeller und erzählen der Welt, es sei niemand da, nur weil sie nichts sehen können! Du meine Güte! Sind sie dumm, oder haben sie vor Angst den Verstand verloren?«

Hester erwiderte nichts darauf.

Sie war oben und bezog die Betten frisch, um sich gleich ans Waschen der Bettwäsche zu machen, als Bessie etwa zwei Stunden später wieder heraufgestampft kam.

»Ich bin hier!«, rief Hester und ging zur Tür.

»Noch eine Kranke, noch so ein armes Huhn«, sagte Bessie freundlich. »Sieht aus wie der Tod an einem schlechten Tag. Sie zu erschießen wär 'n Akt der Gnade.« Sie ergriff eine Haarsträhne, die sich gelöst hatte, und steckte sie hinters Ohr. »Ich hab mich wohlgemerkt zeitweise auch schon so gefühlt. Es dauert nicht ewig, es fühlt sich nur so an. Aber sie hat einen Burschen dabei, der sehr nett gefragt hat, gut angezogen und alles. Und er sagt, er zahlt uns, was es kostet, wenn wir uns um sie kümmern, und legt noch was drauf.« Sie lauerte erwartungsvoll auf Hesters Billigung.

Hester hatte Mitleid mit der Frau, aber unwillkürlich empfand sie eine Welle der Erleichterung, dass in dieser Minute jemand mit Geld im Haus war – kein Versprechen, sondern richtiges Geld. »Gut!«, sagte sie begeistert. »Gehen wir zu ihm. Wer immer er auch ist, er ist an den richtigen Ort gekommen!« Damit folgte sie Bessie die Treppe hinunter ins Vorderzimmer.

Der Mann stand da und blickte ihnen entgegen. Er war ziemlich groß, nicht ungewöhnlich breit, aber stark und geschmeidig. Sein hellbraunes Haar war dick und leicht gewellt, aber kürzer geschnitten als bei den meisten Männern und aus der Stirn gekämmt. Seine Haut war wettergegerbt, die blauen Augen kniff er wie zum Schutz gegen das grelle Licht zusammen.

»Mrs. Monk?« Er trat vor. »Ich heiße Clement Louvain. Ich habe gehört, dass Sie hier großartige Arbeit leisten für Straßenmädchen, die krank geworden sind. Bin ich richtig unterrichtet?«

Louvain! Sie war sich nicht sicher, ob sie zeigen sollte, dass ihr der Name etwas sagte. »Sie sind richtig unterrichtet worden«, antwortete sie, äußerst neugierig, warum er mit einer Frau hierher gekommen war, die offensichtlich sehr krank war. Selbst bei dem flüchtigen Blick, den Hester ihr bisher hatte zuwerfen können, sah sie fürchterlich aus. Sie war einer Ohnmacht nahe, wie sie da so auf der Couch saß, und hatte nicht einmal den Kopf gehoben, um Hester oder Bessie anzuschauen. »Wir helfen allen, denen wir helfen können, insbesondere wenn sie kein Geld haben, um einen Arzt zu bezahlen«, erklärte sie Louvain.

»Geld ist kein Problem«, entgegnete er. »Ich zahle gerne alles, was Sie angemessen finden, wie ich bereits sagte. Und eine Spende, damit Sie sich auch um andere kümmern können. Ich vermute, so etwas wäre sehr willkommen? Die Menschen sind schwer zu überzeugen, wenn sie sich mit einem hübschen moralischen Urteil entschuldigen können.« In seinen Augen flackerte bitterer Sarkasmus auf, und er wusste, dass Hester genau verstand, was er meinte. Er sprach mit ihr wie mit seinesgleichen, zumindest was die Ironie anging.

»Es wäre willkommen«, sagte sie und erwärmte sich für seine Klugheit und seinen trockenen Witz. »Ohne Geld können wir niemandem helfen.«

Er nickte. »Was wäre angemessen?«

Sie dachte schnell nach. Sie durfte es nicht zu hoch veranschlagen, sonst würde er sich ärgern und sich weigern, überhaupt etwas zu zahlen, aber sie wollte so viel wie möglich, zumindest genug, damit sie sich gut um die Frau kümmern konnten, sie ordentlich ernähren, ihr saubere Laken und die Medikamente geben, die ihr Erleichterung brachten. »Zwei Schillinge pro Tag«, antwortete sie.

Er schien erfreut. »Gut. Ich gebe Ihnen vierzehn Schillinge und komme in einer Woche wieder, obwohl ich vermute, dass das nicht notwendig ist. Sie hat Familienangehörige, die vorher kommen werden. Es ist nur notwendig, dass sich in der Zwischenzeit jemand um sie kümmert. Und ich spende fünf Pfund, sodass Sie sich auch um andere Frauen kümmern können.«

Das war eine riesige Summe. Argwohn blitzte in ihr auf. Warum gab er so viel, und wer war die Frau eigentlich. Aber das Geld würde sie mindestens eine Woche über Wasser halten, und sie konnte es sich nicht leisten, es abzulehnen. Bis dahin war es Margaret sicher gelungen, wenigstens einen Wohltäter von Callandras Liste davon zu überzeugen, etwas zu geben. »Vielen Dank«, sagte sie. Ausflüchte oder eine Weigerung aus Höflichkeit wären absurd gewesen. »Was können Sie uns über sie sagen, sodass wir unser Bestmögliches für sie tun können?«

»Sie heißt Ruth Clark«, antwortete er. »Sie ist … war … die Geliebte eines Freundes von mir. Sie ist krank geworden, und er interessiert sich nicht mehr für sie.« Seine Stimme war voller Gefühle, aber nicht Wut, soweit Hester das beurteilen konnte. Einen Augenblick zeigte er starkes Mitleid, dann bemerkte er, dass sie ihn beobachtete, und brachte seine Gefühle unter Kontrolle. Er war kein Mann, der wollte, dass man seine Weichheit sah, nicht einmal hier. »Er hat sie rausgeworfen«, fügte er hinzu. »Ich habe Briefe an ihre Familie gesandt, aber es könnte ein paar Tage dauern, bis jemand nach ihr schicken kann. Sie leben im Norden. Und im Augenblick ist sie zu krank zum Reisen.«

Er richtete den Blick wieder auf die Frau. Ihr Gesicht war tiefrot, und es schien ihr so schlecht zu gehen, dass sie ihre Umgebung kaum wahrnahm.

»Können Sie mir etwas über den Verlauf ihrer Krankheit sagen?«, fragte Hester leise. Auch wenn die Frau ihr nicht zuhörte, sprach sie nicht gerne über jemanden, als wäre er nicht im Raum. »Alles, was Sie mir sagen können, kann hilfreich sein.«

»Ich weiß nicht, wann es angefangen hat«, antwortete er. »Und ob es langsam oder schnell ging. Sie scheint zu fiebern, kann kaum aufrecht stehen, und seit letzter Nacht, als ich sie aus seiner Wohnung holte, hat sie nicht den Wunsch gehabt, etwas zu essen.«

»Ist ihr übel? Muss sie sich übergeben?«, fragte Hester.

Er sah sie fest an. »Nein. Es scheint eine Sache von Fieber und Benommenheit zu sein und Probleme mit dem Atmen. Ich würde sagen Lungenentzündung oder etwas Ähnliches.« Er zögerte. »Ich möchte nicht, dass sie in ein Krankenhaus mit seinen strengen moralischen Regeln kommt. Dort würde man sie wegen ihres Lebenswandels verachten und jeglicher Privatsphäre berauben.«

Hester verstand. Sie hatte auf Krankenhausstationen gearbeitet und kannte die seitenlangen Anweisungen, was Patienten zu tun und zu lassen hatten, wollten sie keine Vergünstigungen oder Freiheiten einbüßen. Vieles hatte mit Sittlichkeit zu tun.

»Wir werden alles für sie tun, was in unserer Macht steht«, versprach sie. »Ruhe und Wärme und die heißen Getränke, zu denen wir sie überreden können, werden ihr Werk tun. Aber wenn es eine Lungenentzündung ist, wird es seine Zeit dauern, bis das Fieber abklingt. Niemand kann sagen, ob das gut oder schlecht ist, aber wir werden alles tun, was getan werden kann. Und ich kann Ihnen versprechen, dass sie zumindest Erleichterung von ihrer Pein finden wird.«

»Vielen Dank«, sagte er leise und plötzlich mit viel Gefühl. »Sie sind eine gute Frau.« Er schob die Hand in die Innentasche seiner Jacke und zog eine Hand voll Geld heraus. Er legte fünf goldene Sovereigns auf die Rückenlehne der Couch und zählte dann vier halbe Kronen und vier Schillinge ab. »Unsere Abmachung«, sagte er. »Ich komme in einer Woche wieder. Vielen Dank, Mrs. Monk. Einen guten Tag noch.«

»Auf Wiedersehen, Mr. Louvain«, antwortete sie, doch ihre Aufmerksamkeit hatte sie bereits der kranken Frau zugewandt. Sie nahm das Geld und steckte es in die Tasche ihres Kleides, dann strich sie die Schürze darüber wieder glatt. »Bessie, Sie helfen mir am besten, Miss Clark in ein Zimmer und ins Bett zu bringen. Die arme Seele sieht aus, als würde sie jeden Augenblick ohnmächtig.«

Ruth Clark schien tatsächlich so sehr zu leiden, dass sie sich nicht mehr selbst helfen konnte. Als Hester sich über sie beugte, um ihr auf der einen Seite aufzuhelfen und Bessie auf der anderen, konnten sie nicht mehr tun, als sie ins erste Schlafzimmer zu bringen. Bessie stützte sie, halb an den Türrahmen gelehnt, während Hester eine Hand brauchte, um die Tür zu öffnen. Zusammen zogen und schleiften sie sie zum Bett hinüber. Sie plumpste schwer darauf. Ihre Augen standen offen, schienen jedoch nichts wahrzunehmen, und sie sagte auch kein Wort.

Sie war schwer wie Blei, und obwohl Hester einige Übung darin hatte, bereitete es ihr beträchtliche Mühe, ihr die Kleider auszuziehen, während Bessie eine halbe Tasse heißen Tee mit einem Tropfen Brandy holen ging.

Als Hester die Frau bis auf die Unterwäsche ausgezogen, sie

ins Bett gesteckt und die Decke über sie gebreitet hatte, nahm sie ihr die Nadeln aus dem Haar, damit sie es bequemer hatte. Sie berührte ihre Stirn. Sie war sehr heiß und die Haut trocken. Sie musterte eine Weile ihr Gesicht und versuchte einzuschätzen, was für eine Frau sie wohl war und wie lange ihre Krankheit schon dauerte.

Sie musste sehr plötzlich gekommen sein. Hätte sie sich langsam entwickelt – Halsentzündung, enge Brust, dann Fieber –, hätte Louvain sie sicher früher gebracht. Sie sah nicht aus wie eine Frau von schwächlicher Konstitution oder als würde sie zu Infektionen neigen. Die Haut an Armen und Körper war fest, und ihr Hals und ihre Schultern waren von guter Statur, nicht dünn und leicht bläulich wie bei jemandem, der häufig krank ist. Ihr Haar war dick, im Grunde ziemlich hübsch, mit schweren Locken, und wenn es ihr gut ging, schimmerte es wahrscheinlich. Ihre Züge waren regelmäßig und gefällig. Was war das für ein Mann, der sie einfach so vor die Tür warf, nur weil sie krank wurde? Es war bestimmt nicht chronisch! Wenn sie sich erholte, würde sie wieder eine gesunde, vitale Frau sein, und sie war nicht älter als Mitte dreißig.

Handelte es sich um die Geliebte eines Schiffseigners, dessen Lebensumstände es ihm unmöglich machten, sich richtig um sie zu kümmern? Hatte er Angst, sie könnte sterben, und er würde die Anwesenheit ihres Leichnams in seinem Haus nicht erklären können?

Oder war sie gar Louvains Geliebte, und er wollte das aus irgendeinem Grund verheimlichen?

Hatte sich der Ruf der Klinik so weit verbreitet, dass Louvain sogar auf den Docks davon gehört hatte? Oder hatte Monk etwas erwähnt, als er den neuen Auftrag angenommen hatte?

Im Grunde spielte das alles keine Rolle. Sie stellte auch den anderen Frauen keine Fragen. Alles, um was sie sich kümmerte, war, dass die Frauen wieder auf die Beine kamen. Warum sollte das bei dieser Frau anders sein?

Bessie kam mit dem Tee, und sie stützten Ruth gemeinsam und konnten sie dazu überreden, einen Teelöffel voll Tee nach dem anderen zu schlucken. Schließlich legten sie sie wieder hin, zogen ihr die Decke bis zum Kinn hoch und ließen sie in einen Schlaf sinken, der so tief war, dass er einer Ohnmacht glich.

Draußen vor dem Zimmer griff Hester in ihre Tasche und holte das Geld heraus. Einen Souvereign und die vierzehn Schillinge gab sie Bessie. »Gehen Sie und kaufen Sie Essen, Karbol, Essig, Brandy und Chinin«, wies sie sie an. Sie legte noch einen Souvereign dazu. »Genug für den Rest der Woche. Gott sei Dank, müssen wir nicht auch noch Miete zahlen! Den Rest gebe ich Squeaky. Das sollte ihm ein Lächeln entlocken!« Und mit neuer Zuversicht folgte sie Bessie den Flur hinunter.

3

Am zweiten Tag, an dem Monk sich mit dem Fall Louvain befasste, verließ er das Haus vor Tagesanbruch, sodass er kurz vor acht Uhr bei Sonnenaufgang auf den Kais eintraf. Es würde ein strahlender, schneidend kalter Tag werden. Mit der schnell fließenden Tide wehte ein stürmischer Wind herein, und das Licht glitzerte in schartigen Mustern auf den Wellen. Die Barkassen, die langsam den Fluss hinauffuhren, waren dunkel, die sich ausbreitende Morgendämmerung zauberte noch keine Farben hervor. Grau, Silber und bedrohliche Schatten wurden von pechschwarzen Masten durchschnitten, die träge über den Himmel strichen und sich kaum bewegten, die Rahnocken klumpig, denn die Segel waren daran festgebunden. Die Rümpfe der Schiffe waren nicht zu unterscheiden, außer durch ihre Größe, alles andere blieb undeutlich und war kaum mehr als Schemen: keine Schießscharte, keine Galionsfiguren, kein Spantenwerk.

Monk hatte tags zuvor einiges erfahren, aber das meiste hatte nur unterstrichen, wie sehr sich der Fluss von der Stadt unterschied und dass Monk ein Fremder war, dem niemand etwas schuldete, sodass er sich jetzt auf nichts berufen konnte.

Gestohlen wurde aus vielerlei Gründen: Weil die Menschen die Dinge für sich selbst haben wollten, weil sie sie an andere weiterverkaufen konnten, um den Besitzer zu berauben, auch, um etwas zu vernichten, was gefährlich war – etwa Briefe oder Schuldscheine –, oder einfach nur aus Hass oder um jemanden zu bestrafen. Nur zwei dieser Gründe schienen ihm im Fall von Louvains Elfenbein in Frage zu kommen. Der Dieb konnte es verkaufen, um Gewinn zu machen, oder er lag in Streit mit Louvain und hatte es gestohlen, um diesem das Leben schwer zu machen. Womöglich wusste er, dass Louvain es bereits einem bestimmten Käufer versprochen hatte.

Monk musste mehr über die Hehlerei mit Diebesgut auf dem Fluss herausfinden und – fast noch dringender – über Louvain selbst, seine Freunde, seine Feinde, seine Schuldner und Gläubiger, seine Konkurrenten.

Am Tag zuvor war ihm auch klar geworden, dass er sich nicht einfach ohne einen triftigen Grund, der keinen Anlass zu Gerede bot, auf den Docks herumtreiben konnte. Also hatte er sich wie ein besser gestellter Mann gekleidet, der so harte Zeiten durchmachte, dass er hierher gekommen war, um Arbeit zu suchen. Er hatte am Tag zuvor mehrere solche Männer bemerkt und deren Verhalten und Sprache eindringlich genug studiert, um sie nachzuahmen. Er trug gute Stiefel, die seine Füße trocken hielten, eine alte Hose und eine schwere Jacke gegen den Wind. Um seinen Kopf zu schützen und sein Auftreten zu maskieren, hatte er sich eine gebrauchte Mütze gekauft und einen Wollschal und Fausthandschuhe, in denen er bei der Arbeit seine Finger bewegen konnte.

Er fand einen Karren, an dem heißer Tee verkauft wurde, und erstand einen Becher. Es gelang ihm, mit ein paar anderen Männern ins Gespräch zu kommen, die auf einen Tag Arbeit zu hoffen schienen, wenn in Kürze mit dem Löschen begonnen wurde. Sorgsam achtete er darauf, nicht den Eindruck zu vermitteln, er würde ihren Platz in der Schlange einnehmen wollen.

»Was für eine Fracht gibt es heute?«, fragte er, trank einen Schluck heißen Tee und spürte, wie dieser die Kehle hinunterrann und ihn von innen wärmte.

Der größere der beiden Männer wies aufs Wasser. »Die ›Cardiff Bay‹ da unten«, antwortete er und zeigte auf einen Fünfmaster, fünfzig Meter den Fluss hinunter. »Kommt vom Chinesischen Meer. Weiß nicht, was sie geladen haben, aber sie sind sicher wild drauf, es an Land zu schaffen.«

Der andere Mann zuckte die Schultern. »Könnte Teakholz aus Burma sein«, sagte er unglücklich. »Verdammt schweres Zeug und überhaupt. Oder Gummi, Gewürze, vielleicht auch Seide.«

Monk blickte weiter hinaus, wo ein weiterer Schoner vor Anker lag, ein Sechsmaster.

»Die ›Liza Jones‹?« Der erste Mann zog die Augenbrauen hoch. »Südamerika, hab ich gehört, Brasilien. Weiß nicht, ob's stimmt. Könnte auch 'ne Ladung Schweinefutter sein. Was bringen sie von Brasilien, Bert?«

»Keine Ahnung«, antwortete Bert. »Holz, Kaffee? Vielleicht Schokolade? Für uns macht's keinen Unterschied. Ist alles schwer und unhandlich. Jeden Tag sage ich mir, nie mehr im Leben schleppe ich das verdammte Zeug, und jede Nacht friere ich dermaßen, dass ich den Teufel huckepack tragen würde nur für ein Feuer und ein Dach über dem Kopf.«

»Ja … und überhaupt«, stimmte sein Freund ihm zu. Er warf Monk einen warnenden Blick zu. »Wer zuerst kommt, mahlt zuerst, ja? Vergessen Sie das nicht, dann passiert Ihnen auch nichts. Außer, Sie fallen ins Wasser, oder irgendein Idiot lässt Ihnen 'ne Fuhre auf den Fuß fallen.« Die Drohung in seinen Worten war so deutlich wie das grelle Licht auf dem Wasser.

In Wahrheit hatte Monk nicht den Wunsch, beim Löschen

Knochenarbeit zu leisten, aber er durfte nicht unglaubwürdig erscheinen, sonst erregte er Misstrauen. »Das wäre sehr dumm«, bemerkte er.

Sie setzten ihr Gespräch fort, unterhielten sich über Waren aus der ganzen Welt: Indien, Australien, Argentinien, die wilden Küsten Kanadas, wo die Tide, wie berichtet wurde, innerhalb weniger Stunden um vierzehn Meter stieg oder fiel.

»Je zur See gewesen?«, fragte Bert neugierig.

»Ne«, antwortete Monk.

»Dachte ich mir.« Seine Miene zeigte wohlwollende Geringschätzung. »Ich schon. Hab die Fieberdschungel Mittelamerikas gesehen, und im Leben würde ich da nicht mehr hingehen. Hat mich zu Tode geängstigt. Würde mir eher die Mitternachtssonne oben in Norwegen und in der Arktis anschauen. Erfrieren geht schnell. Hab da oben mal 'nen Typen über Bord gehen sehen. Haben ihn rausgezogen, aber da war er schon tot. Die Kälte. Schneller und sauberer als Fieber. Wenn ich mir Gelbfieber einfangen würde, täte ich mir eher die Kehle durchschneiden, als darauf zu warten, dass ich daran sterbe.«

»Das kannste laut sagen«, stimmte sein Freund ihm zu.

Sie plauderten noch eine Weile. Monk hätte gerne nach Diebesgut gefragt und wo es verkauft wurde, aber er durfte keinen Verdacht erregen. Sie blickten aufs Wasser, als eine Barkasse vorbeifuhr, und es war nicht zu übersehen, dass die Stauer ein paar Kohlestücke in das Wasser stießen, das bei der nächsten Ebbe flach genug sein würde, dass die Dreckspatzen sie fanden und aufhoben. Niemand machte eine Bemerkung. So war das Leben. Aber in Monks Kopf rührte es einen Gedanken auf. Konnte das Elfenbein auf diese Weise fortgeschafft worden sein, indem man es im Dunkeln einfach von der »Maude Idris« auf die Barkassen, die flussauf- oder flussabwärts unterwegs waren, gestoßen hatte? Es würde nur ein paar Augenblicke dauern, die Beute unter Segeltuch zu verbergen. Er musste herausfinden, welche Flussschiffer in der Nacht draußen gewesen waren, und der Spur folgen.

Der Vorarbeiter eines der Löschtrupps kam und suchte zwei Männer. Monk war unglaublich erleichtert, dass er nicht drei suchte, aber er trug Enttäuschung zur Schau – wenn auch nicht so große, dass die Männer anfingen, darüber nachzudenken, ob er nicht auf einem anderen Schiff gebraucht werden könnte.

Einen kleinen Botengang zu erledigen konnte er nicht abschlagen, wofür man ihm einen halben Schilling zahlte. In den nächsten zwei Stunden forschte er danach, welche Barkassen nachts unterwegs waren, und erfuhr, dass es nur sehr wenige waren und nur mit der Tide, die um die Zeit von Hodges Tod flussaufwärts geflossen war, auf das morgendliche Hochwasser zu. Gewissenhaft holte er Erkundigungen über sie ein.

Zum Mittagessen kaufte er sich ein Stück heiße Pastete, ein Stück Kuchen und noch einen Becher Tee. Es war spät, nach ein Uhr, und er hatte noch nie im Leben dermaßen gefroren. Keine Gasse in der Stadt, egal, wie frostig oder windig, konnte so ungemütlich sein wie der scharfe Wind, der vom Wasser kam, und das brennende Salz. Seine letzten Fälle, kleinere Diebstähle, bei denen er seine Zeit in Büros und in den Unterkünften der Hausangestellten fremder Leute verbracht hatte, hatten ihn verweichlicht. Das wurde ihm jetzt mit großem Verdruss klar.

Er setzte sich auf einen Stoß aus Bauholz und alten Tauen, der ein wenig windgeschützt lag, und begann zu essen.

Er ließ sich die warme Mahlzeit schmecken und hatte die Pastete halb aufgegessen, als er den Schatten neben dem Kistenstapel zu seiner Linken bemerkte, einen kleinen Jungen in einem zerlumpten Mantel und einer über die Ohren gezogenen Tuchmütze. Seine Füße waren nackt, schmutzig und blau vor Kälte. Der Junge konnte kaum älter als neun oder zehn Jahre sein. Monk fühlte sich verpflichtet, seine Mahlzeit mit ihm zu teilen. Schließlich würde er etwas zu essen bekommen, wenn er nach Hause kam, und er hatte ein warmes Bett.

»Möchtest du ein Stück Pastete?«, fragte er laut. »Die Hälfte?«

Der Junge sah ihn argwöhnisch an. »Wofür?«

»Also, wenn ich du wäre, würde ich sie essen!«, stieß Monk hervor. »Oder soll ich sie an die Möwen verfüttern?«

»Wenn Sie sie nicht wollen, ess ich sie«, antwortete der Junge schnell, streckte die Hand aus und zog sie rasch wieder zurück, als wäre der Gedanke zu schön, um wahr zu sein.

Monk biss ein letztes Mal in die Pastete und reichte sie dem Jungen. Er trank den Rest seines Tees, bevor ihn sein besseres Ich auch den noch verschenken ließ.

Der Junge setzte sich neben ihn auf einen Holzstumpf und aß die Pastete feierlich und konzentriert, dann fragte er: »Sie suchen Arbeit?«, und beobachtete Monks Miene. »Oder sind Sie ein Dieb?« In seiner Stimme lag weder Bosheit noch Geringschätzung, nur die Neugier eines Menschen, der einen Fremden trifft und ihn kennen lernen möchte.

»Ich suche Arbeit«, antwortete Monk. Dann fügte er hinzu: »Bin mir bloß nicht sicher, ob ich auch welche finden will.«

»Wenn Sie nicht arbeiten und kein Dieb sind, woher haben Sie dann die Pastete?«, fragte der Junge. »Und den Kuchen?«, fügte er hinzu.

»Möchtest du die Hälfte?«, fragte Monk. »Wenn ich sage, dass ich nicht arbeiten will, meine ich damit, dass ich keine Lust habe, Ladung auf- oder abzuladen«, erklärte er. »Ab und zu einen Botengang zu erledigen macht mir nichts aus.«

»Oh.« Der Junge dachte nach. »Schätze, dass ich Ihnen da helfen kann, ab und zu«, sagte er großzügig. »Ja, ich nehm ein Stück von Ihrem Kuchen. Gern.« Er streckte die Hand aus.

Monk teilte den Kuchen vorsichtig und gab ihm die Hälfte. »Wie heißt du?«, fragte er.

»Scuff«, sagte der Junge. »Und Sie?«

»Monk.«

»Freut mich, Sie kennen zu lernen«, versicherte Scuff ernst. Er blickte Monk an und runzelte ein wenig die Stirn. »Sie waren noch nie hier, nicht wahr?«

Monk beschloss, ihm die Wahrheit zu sagen. »Nein. Wie kommst du darauf?«

Scuff verdrehte die Augen, aber ein Rest von Höflichkeit hinderte ihn daran, eine Antwort zu geben. »Sie müssen vorsichtig sein«, sagte er und schürzte die Lippen. »Ich bringe Ihnen ein paar Dinge bei, sonst enden Sie noch im Wasser. Zunächst mal müssen Sie wissen, mit wem Sie reden können und von wem Sie sich besser fern halten.«

Monk hörte ihm aufmerksam zu. Im Augenblick war jede Information wertvoll, vor allem aber wollte er zu diesem Jungen nicht unfreundlich sein.

Scuff hielt seine schmutzige Hand hoch, die nur halb so groß war wie Monks. »Die richtigen Halunken wollen Sie auch gar nicht kennen lernen, und vor allem wollen Sie nicht, dass die Sie kennen. Die nächtlichen Plünderer.«

»Was?«

»Nächtliche Plünderer«, wiederholte Scuff. »Sind Sie schwerhörig? Sie sollten aufpassen! Sie müssen einen klaren Kopf behalten, sonst enden Sie wirklich noch im Wasser! Die nächtlichen Plünderer sind die, die nachts auf dem Fluss arbeiten.« Seine Miene trug unendliche Geduld zur Schau, als hätte er es mit einem Kleinkind zu tun, auf das man unaufhörlich Acht geben muss. »Wenn Sie denen im Weg sind, bringen die Sie für 'n Sixpence um. Wie die Flusspiraten, bevor es die Wasserpolizei gab.«

Einige weitere Kohlenbarkassen fuhren vorbei, und ihr Kielwasser klatschte gegen die Stufen.

»Verstehe«, antwortete Monk, dessen Interesse geweckt war.

Scuff schüttelte den Kopf und schluckte den letzten Bissen Kuchen runter. »Nein, tun Sie nicht. Sie verstehen noch gar nichts. Aber wenn Sie lange genug leben, werden Sie's vielleicht.«

»Gibt es viele nächtliche Plünderer?«, fragte Monk. »Arbeiten sie auf eigene Faust oder für andere? Was für Sachen stehlen sie, und was machen sie damit?«

Scuff machte große Augen. »Was schert Sie das? Wenn Sie 'n bisschen Verstand besitzen, kriegen Sie nie einen von denen zu sehen. Halten Sie sich bloß aus solchen Sachen raus! Dafür haben Sie nicht genug Grips und auch nicht genug Mut! Halten Sie sich an das, was Sie können – was auch immer das ist!« Er schien sichtlich daran zu zweifeln, dass es da überhaupt etwas gab.

Monk verbiss sich die Antwort, die ihm auf der Zunge lag. Es ärgerte ihn überraschend heftig, dass dieser Junge eine so geringe Meinung von ihm hatte, und es kostete ihn Mühe, sich nicht zu rechtfertigen, aber er brauchte die Informationen. Der Diebstahl auf der »Maude Idris« schien genau das zu sein, was solche Männer taten.

»Ich bin nur neugierig«, antwortete er. »Und ja, ich habe vor, ihnen aus dem Weg zu gehen.«

»Dann machen Sie in der Nacht Ihre Augen – und Ihren Mund – zu«, entgegnete Scuff. »Besser, Sie halten den Mund auch tagsüber, sowieso.«

»Und was stehlen sie?«, hakte Monk nach.

»Alles, was sie kriegen können, natürlich!«, stieß Scuff hervor. »Warum auch nicht? Die klauen Ihr ganzes verfluchtes Schiff, wenn Sie schludrig sind und nicht aufpassen.«

»Und was machen sie mit dem Zeug, das sie stehlen?« Monk ließ sich nicht abschrecken. Dies war nicht der Zeitpunkt, sich zu zieren.

»Verkaufen's natürlich.« Scuff betrachtete ihn eindringlich, um zu sehen, ob er wirklich so dumm sein konnte, wie er den Eindruck erweckte.

»An wen?«, fragte Monk, der Mühe hatte, ruhig zu bleiben. »Hier auf dem Fluss oder in der Stadt? Oder an ein anderes Schiff?«

Scuff verdrehte die Augen. »An Hehler«, antwortete er. »Kommt drauf an, was es ist. Wenn's gutes Zeug ist, an die Raffsäcke, wenn's schlecht ist, an die Scheelaugen, die nehmen den Rest mit. Oder die Leute vom Zoll, natürlich. Aber die verlangen meistens nur einen Anteil. Ist nicht so leicht, was zu verkaufen, wenn man nicht weiß, an wen, und nicht die entsprechenden Verbindungen hat.« Er schüttelte den Kopf. »Sie schaffen's hier im Leben nicht, Mister. Sie hier zu lassen ist so, als würde man ein Baby sich selbst überlassen.«

»Bis heute bin ich ganz gut zurechtgekommen!«, verteidigte Monk sich.

»Ja?«, fragte Scuff ungläubig. »Und seit wann? Ich kenn jeden hier, und Sie hab ich hier noch nie gesehen. Wo wollen Sie schlafen, he? Haben Sie darüber schon mal nachgedacht? Wenn's regnet und dann früher oder später friert, ist man ohne ein Dach überm Kopf leicht tot, wenn man morgens aufwacht!«

»Ich habe ein paar Kontakte«, improvisierte Monk hastig. »Vielleicht verleg ich mich auf Hehlerei. Ich kann gute Sachen von schlechten unterscheiden, Gewürze, Elfenbein, Seide und so weiter.«

Jetzt war Scuff wirklich entsetzt. »So bekloppt können Sie doch nicht sein!« Seine Stimme überschlug sich. »Glauben Sie etwa, das ist ein Kampf jeder gegen jeden oder was? Wenn Sie sich in die Angelegenheiten der Scheelaugen einmischen, lässt Fat Man aus Ihren Füßen Türstopper machen. Und wenn Sie den Raffsäcken ins Gehege kommen, wird Mr. Weskit Sie für den Rest Ihres Lebens übel zurichten. Sie wachen mit gespaltenem Kopf im Laderaum eines Schiffes auf, das in Richtung der Fieberdschungel von Panama oder sonst wohin unterwegs ist, und kein Mensch wird Sie je wieder zu Gesicht bekommen! Bleiben Sie mal lieber bei ihren Betrügereien auf Papier, oder was immer Sie vorher gemacht haben. Hier sind Sie nicht sicher!«

»Bis jetzt habe ich es auch geschafft!«, konterte Monk schließlich. Er war wütend auf sich selbst, dass er sich um das scherte, was dieses Kind dachte, und es reichte ihm, für einen solchen Dummkopf gehalten zu werden. »Wir treffen uns morgen hier wieder. Ich bringe dir ein verdammt gutes Mittagessen mit!« Es war eine Herausforderung. »Eine ganze warme Pastete für dich allein, Tee und Rosinenkuchen.«

Scuff schüttelte ungläubig den Kopf. »Sie sind bekloppt«, sagte er bedauernd. »Lassen Sie sich nicht erwischen. Im Gefängnis ist es auch nicht besser als hier, Regen hin oder her.«

»Woher weißt du das?«

»Weil ich die Ohren offen halte und den Mund zu!«, erwiderte Scuff. »Und jetzt muss ich, anders als Sie, was arbeiten! Die Stauer haben Kohlen über Bord geschmissen. Die liegt nicht den ganzen verdammten Tag da rum. Ich muss sie auffischen.« Damit stand er auf, warf kopfschüttelnd noch einen Blick auf Monk und verschwand dann so schnell, dass Monk sich nicht mal sicher war, welche Richtung er eingeschlagen hatte. Aber er war entschlossen, sein Wort zu halten, wie lästig es auch werden konnte, und am nächsten Tag da zu sein und mitzubringen, was er versprochen hatte.

Den Nachmittag verbrachte er auf den Docks nördlich von Louvains Büro, wo mit der morgendlichen Flut vielleicht Barkassen eingelaufen waren. Er versuchte, mit den anderen Arbeitern, Müßiggängern, Dieben und Bettlern, die die Gegend bevölkerten, zu verschmelzen. Denn er nahm Scuffs Warnung sehr ernst.

Er stand halb geschützt hinter einem Stoß Holz, das verladen werden sollte, sowohl, um seine Gestalt zu verbergen, als auch, um sich vor dem schlimmsten Wind zu schützen. Er sah den Männern zu, die unter dem Gewicht von Kohlesäcken den Rücken krümmten, und hoffte zutiefst, dass er nicht zu einer solchen Arbeit Zuflucht suchen musste, um seine Anonymität zu wahren. Er sah die verworrenen Umrisse von Winden und Auslegern, die aus den Frachträumen der Schiffe längsseits der Kais schwerere Lasten bargen. Überall Rufe, das Kreischen der Möwen und das Klatschen des Wassers. Barkassen fuhren in langen Reihen, hoch beladen mit Kohle oder Bauholz. Ein Dreimaster kreuzte zur Brücke hoch. Fähren eilten hin und her wie Weberschiffchen, die Ruder blitzten auf, wenn sie aus dem Wasser kamen und wieder eintauchten.

Monk sah der Wasserpolizei zu, die so nah am Ufer entlang patrouillierte, dass er die Gesichter der Männer erkennen konnte, als einer sich zu seinem Kollegen herumdrehte und einen Witz erzählte. Beide lachten. Ein Dritter machte eine Bemerkung, und sie riefen ihm etwas zu, was durch das Geplätscher der Wellen nicht zu verstehen war, offensichtlich waren es aber freundliche Worte gewesen.

Plötzlich fühlte Monk sich auf den Docks isoliert, als spielte das Leben, warm und voller Bedeutung, sich da draußen auf dem Wasser ab, in der Kameradschaft und einem gemeinsamen Ziel. Sie waren bei der Polizei viel mit Warten beschäftigt gewesen, was ihn rasend gemacht hatte, genauso wie die Einschränkungen, die Verantwortlichkeit von Männern mit beschränktem Vorstellungsvermögen und grenzenloser Eitelkeit, manchmal auch die Monotonie. Aber genau diese Grenzen gaben auch Halt und Disziplin. Die Schwäche eines Mannes, die seine Freiheit einschränkte, gab ihm auch Rückendeckung, wenn er verwundbar war, und deckte manchmal seine Fehler. Damals war er intolerant gewesen, jetzt zahlte er den Preis dafür. Er stand auf den Docks und musste alles ganz allein neu lernen, in einer neuen, fremden und bitterkalten Welt, wo nur wenige der ihm vertrauten Regeln galten.

Am Nachmittag, als seine Beine festgefroren schienen und er merkte, dass er zitterte und sein ganzer Körper völlig verkrampft war, sah er, wie ein Mann auf einen zweiten zutrat und ihn offensichtlich schlecht gelaunt ansprach. Der erste Mann antwortete ihm wütend. Innerhalb weniger Augenblicke brüllten sie sich an. Zwei oder drei Zuschauer gesellten sich dazu und ergriffen entweder für die eine oder für die andere Seite Partei. Der Streit ging hin und her, und es sah aus, als würde er sich zu einem hässlichen Zwischenfall entwickeln. Mehr als ein halbes Dutzend Männer waren inzwischen daran beteiligt, und die aufgeregte Menge drängte sich um eine Gruppe Arbeiter, die Messinggegenstände entluden.

Monk trat vor, hauptsächlich, um sich die Beine zu vertreten und wieder ein Gefühl in die Zehen zu bekommen. Niemand achtete auf ihn, alle waren mit dem Streit beschäftigt. Ein Mann holte zu einem ordentlichen Schlag aus und traf einen anderen am Kinn, wodurch dieser rückwärts taumelte und einen dritten Mann umwarf. Ein vierter landete ebenfalls einen Schlag, und schon war ein Handgemenge im Gange. Nur zufällig sah Monk, dass zwei Männer sich daraus lösten und sich mit bemerkenswerter Geschwindigkeit und Gewandtheit vier der Messinggegenstände schnappten und diese seitwärts an einen jungen Mann und eine alte Frau, die sich unter den Zuschauern befanden, weiterreichten. Beide gingen schnell fort.

Monk ging ebenfalls weg, bevor die Polizei kam, die Streithähne trennte und wieder Frieden herstellte. Er konnte es sich nicht erlauben, inmitten der Menge erwischt zu werden. Solche Diebstähle durch Hafenratten hatte er schon hundertmal zuvor beobachtet, und das Messing würde nie mehr auftauchen. Aber als er am Kai entlang zurück zu Louvains Büro ging, ärgerte er sich über die Tatsache, dass er praktisch vor den Männern davonlief, zu denen er einst gehört hatte. Daran hatte er bitter zu schlucken.

Er dachte daran, dass er Louvain heute Bericht erstatten musste, und er hatte nichts auch nur annähernd Brauchbares vorzubringen. Die Suche nach Beweisen dafür, dass heimlich Barkassen entladen worden waren, war ergebnislos verlaufen. Er hatte keinerlei Fakten und kaum Schlussfolgerungen zu bieten. Langsam ging er weiter und dachte darüber nach. Überall um ihn herum erklangen die für den Fluss typischen Geräusche, das Klirren von Metall, das Knarren von Holz, das Zischen und Gurgeln des Wassers. Die Tide drehte sich, schwappte wieder herein, den Fluss hinauf, scheuchte die Dreckspatzen ans Ufer und hob die Schiffe, die vor Anker lagen, höher. Die Dämmerung schien an diesem Nachmittag spät hereinzubrechen. Im Westen standen klare, blasse Streifen am Himmel, und das Wasser war grau und silbern und mit tanzenden gelben Lichtern gesprenkelt.

Was hatte er in Erfahrung gebracht? Dass das Elfenbein von irgendeinem der Diebe auf dem Fluss gestohlen worden sein konnte und mit großer Wahrscheinlichkeit bei einem der Raffsäcke landete, der es weiterverkaufte. Aber an wen? Wer kaufte Elfenbein? Ein Händler, der es an Juweliere, Schnitzer von Ziergegenständen und Schachfiguren, Hersteller von Klaviertasten und ein Dutzend weitere Künstler und Kunsthandwerker weiterverkaufte.

Diese Überlegungen führten ihn zum springenden Punkt. Handelte es sich um einen Gelegenheitsdiebstahl oder um ein geplantes Verbrechen mit Blick auf einen bestimmten Hehler? Die Zeit, in der es, nach Hodges Tod zu schlussfolgern, passiert war, deutete auf Ersteres hin. Wenn die zweite Vermutung zutraf, waren Monks Chancen, das Elfenbein wiederzufinden, gering, denn dann befand es sich inzwischen mit Sicherheit längst nicht mehr in der Nähe des Flusses.

Er überquerte die Straße und folgte einem schmalen Bürgersteig, als ein Karren über das Kopfsteinpflaster holperte. Der Laternenanzünder hantierte fleißig mit seiner langen Stange, um die Dochte zu berühren und der Welt Helligkeit und die Illusion von Wärme zu schenken. Es lag kein Nebel über dem Wasser, nur der saubere Wind und die feinen Nebelschleier, die immer da waren. Im Osten, wo es am dunkelsten war und der Fluss sich über Greenwich und die Mündung der Themse Richtung Meer schlängelte, glitzerten ein paar Sterne scharf und kalt.

Monk bog um die Ecke, wo der Wind heftiger wehte, schlug den Mantelkragen hoch und zog ihn fester um den Hals und beschleunigte auf dem Weg zu Louvains Büro seine Schritte. Er musste eine Viertelstunde im Foyer warten, wo er auf dem blanken Fußboden hin und her ging, bevor Louvain nach ihm schickte, der vermutlich wusste, dass es noch keine Neuigkeiten gab. Andernfalls wäre Monk schon früher gekommen.

In dem Büro war es warm, aber Monk konnte sich nicht entspannen. Louvain dominierte mit seiner Persönlichkeit den

Raum, auch wenn er müde aussah. Die Falten in seinem Gesicht hatten sich tiefer eingegraben, und seine Augen waren rot gerändert.

»Ich bin nur hier, weil Sie es verlangt haben«, sagte Monk. »Eigentlich müsste ich mich jetzt um meine Kontakte kümmern …«

»Ist das Ihre Art, mir zu sagen, dass Sie mehr Geld wollen?« Louvain betrachtete ihn mit unverhohlener Geringschätzung.

»Nein«, antwortete Monk kalt. »Wenn dem so wäre, würde ich es Ihnen offen sagen.« Er betrachtete Louvain eingehender. Er wäre ein Narr gewesen, hätte er eine solche Gelegenheit, ihn zu beobachten, nicht genutzt. Der Diebstahl war vielleicht zufällig geschehen, aber die Wahrscheinlichkeit, dass das Elfenbein gezielt gestohlen worden war, war genauso groß. Er durfte nichts übersehen. Louvain stand jetzt vor seinem Schreibtisch, mit dem Rücken zu der Gaslampe an der Wand. Eine bequeme und vollkommen natürliche Position, aber je nachdem, wie er den Kopf hielt, verbarg er seinen Gesichtsausdruck, was seine Züge unnatürlich düster wirken ließ.

»Und wie lange dauert das?«, fragte er. Seine Stimme war scharf, Angst und vielleicht auch Müdigkeit machten sie rau. Er arbeitete viele Stunden. Möglich, dass sein Schicksal noch enger mit der Wiederbeschaffung des Elfenbeins verknüpft war, als er Monk gesagt hatte.

»Morgen werde ich wohl die ersten Informationen bekommen«, antwortete Monk überstürzt.

»Haben Sie einen Plan?«, wollte Louvain wissen. Jetzt war sein Gesicht weicher und verriet so etwas wie wachsende Hoffnung. Vielleicht sollte seine Geringschätzung die Tatsache verbergen, dass die Sache ihm ungeheuer wichtig und er auf Monk angewiesen war. Er hatte ihn beauftragt und konnte ihn bezahlen oder auch nicht, aber ohne Hilfe würde er sein Elfenbein niemals wiedersehen, und das wussten sie beide.

Monk dachte sorgfältig über seine Antwort nach. Die Spannung im Raum schien zu knistern, während sie einander musterten, abschätzten, beurteilten. Wer besaß die Willensstärke, den anderen zu unterwerfen? Wer konnte seine Verwundbarkeit nutzbar machen und sie als Waffe tarnen?

»Ich muss die Hehler ausfindig machen, die mit einer solchen Fracht umzugehen wissen«, sagte er ruhig. »Einen Mann mit den Kontakten, sie weiterzuverkaufen.«

»Oder eine Frau«, fügte Louvain hinzu. »Einige Bordellbesitzerinnen betätigen sich auch als Hehlerinnen. Aber seien Sie vorsichtig. Nur weil sie Frauen sind, bedeutet das nicht, dass sie Ihnen nicht die Kehle aufschlitzen würden, wenn Sie ihnen in die Quere kommen.« Ein unbestimmtes Lächeln zuckte um seinen Mund und verschwand wieder. »Tot nützen Sie mir nichts.«

Wenn es doch passierte, würde es ihn ärgern, aber es würde nicht auf seinem Gewissen lasten. Er zeigte einen gewissen Respekt vor Monk, eine Ruhe im Blick, eine Offenheit, die er einem unbedeutenderen Mann gegenüber nicht an den Tag gelegt hätte, obwohl man es auch nicht Wärme nennen konnte.

Monk wollte sich nicht aus der Fassung bringen lassen. Er sah sich im Büro um und betrachtete die Bilder an den Wänden. Es waren keine Schiffe, wie er erwartet hatte, sondern wilde Landschaften von einer packenden fremden Schönheit, kahle Berge, die sich über tosendem Wasser erhoben oder unfruchtbar waren wie die Vulkane auf dem Mond.

»Kap Hoorn«, sagte Louvain, der seinem Blick gefolgt war. »Und Patagonien. Ich habe sie aufgehängt, um mich daran zu erinnern, wer ich bin. Jeder Mann sollte wenigstens einmal im Leben einen solchen Ort sehen, die Gewalt und Ungeheuerlichkeit spüren, das Tosen von Wind und Wasser hören, das niemals aufhört, und auf einer solchen Ebene stehen, wo die Stille niemals gestört wird. Es gibt einem ein Gefühl für Proportionen.« Er zog die Schultern hoch und steckte die Hände in die Taschen, ohne den Blick von den Bildern abzuwenden. »Es misst Sie an den Umständen, sodass Sie wissen, was Sie tun müssen und was es bedeutet zu scheitern.«

Monk überlegte einen Augenblick, ob das eine Warnung sein sollte, aber als er die Konzentration in Louvains Miene sah, wusste er, dass dieser mehr zu sich selbst sprach.

»Es ist eine raue Schönheit«, fuhr Louvain fort, die Stimme von Ehrfurcht erfüllt. »In ihr liegt keine Gnade, aber sie bedeutet auch Freiheit, weil sie ehrlich ist.« Als ob ihm plötzlich wieder einfiele, dass Monk quasi ein Lohnarbeiter war und nicht seinesgleichen oder ein Freund, versteifte er sich, und die Gefühle verschwanden aus seiner Miene. »Bringen Sie mir mein Elfenbein zurück«, befahl er. »Die Zeit drängt. Vergeuden Sie sie nicht damit, dass Sie herkommen und mir erzählen, Sie hätten nichts.«

Monk schluckte die Erwiderung herunter, die ihm auf der Zunge lag. »Guten Abend«, sagte er, drehte sich um, bevor Louvain antwortete, und ging hinaus.

Auf der Straße zögerte er. Es war bitterkalt, der Wind blies scharf, und über dem Wasser stieg die Mondsichel auf. Auf dem Kopfsteinpflaster bildete sich Eis und machte es rutschig, und Monks Atem hing in der Luft wie eine feuchte Wolke. Der Gedanke, nach Hause zu gehen, war verlockend wie ein warmes Feuer in seinem Innern, aber es war noch zu früh, um den Tag schon verloren zu geben. Es war erst kurz nach sechs, und er konnte wenigstens noch zwei oder drei Stunden weitermachen. Inzwischen waren die Diebe das Elfenbein sicher schon losgeworden, und der Hehler suchte nach einem Abnehmer. Er musste ihn vorher finden.

Er ging zurück die Straße entlang bis zu einer Gastwirtschaft, stieß die Tür auf und trat ein. Drinnen war es warm und laut, voller Rufe, Gelächter und Gläserklirren. Der Boden war mit schmutzigem Stroh bedeckt. Die Leute schubsten einander, um im gelben Laternenlicht näher an die Bar zu kommen, und das Gesicht des Schankkellners über den vollen Humpen glänzte vor Schweiß. Es roch nach Ale, den Ausdünstungen warmer, müder Körper, nassen Kleidern, Schlamm und Pferdedung, der an den Stiefeln klebte.

Monk wurde langsam vorwärts geschoben und hielt Augen und Ohren offen. Unter die Männer mischten sich aufdringliche Straßenmädchen in roten und rosafarbenen Kleidern, die die Schultern frei ließen, die Gesichter mit falscher Fröhlichkeit bemalt. Sie lachten gezwungen, und ihre Augen waren müde.

Er lauschte Gesprächsfetzen, immer bemüht, sie miteinander zu verbinden und ihnen einen Sinn abzuringen. Er arbeitete schon viele Jahre in der Stadt, Hehler erkannte er instinktiv, allerdings weniger an ihrer Erscheinung als aufgrund ihres Verhaltens. Manche waren herzlich, andere verstohlen, einige sprachen ziemlich viel, andere waren kurz angebunden. Einige boten großartige Preise und hielten Lobreden auf ihre Großzügigkeit und dass diese sie ruinieren würde, andere feilschten um jeden Halfpenny. Aber alle hatten eine gewisse Wachsamkeit an sich, sie bekamen jede Geste und jedes Wort um sie herum mit, und sie konnten den Geldwert jedes Stückes in Sekunden schätzen.

Zu erkennen waren sie auch an dem Trotz, der vorsichtigen Distanziertheit, mit der andere Leute sich ihnen näherten, nicht als Freunde, sondern stets ein Geschäft im Hinterkopf.

Er wurde Zeuge mehrerer Transaktionen, bei einigen wanderte diskret etwas von einer Tasche in die andere, ein Stück echter Schmuck oder irgendein Modeschmuck wurde hervorgeholt, einiges wurde auch nur mündlich verhandelt. Falls es in irgendeinem der Gespräche um Louvains Elfenbein gegangen war, hatte Monk es nicht mitbekommen. Das hielt er aber für unwahrscheinlich, denn nur ein Dummkopf würde etwas kaufen, was er nicht gesehen hat, und Dummköpfe überleben in so einem Gewerbe nicht lange.

Er war an der Bar angekommen und bestellte sich ein Ale. Neben einem Mann, über dessen Wange sich eine lange Narbe zog und dessen linker Ärmel leer herabhing, fand er einen Platz, um sich hinzusetzen und zu trinken.

Monk ergriff die Gelegenheit, ein Gespräch anzuknüpfen. Innerhalb einer halben Stunde hatte er sein eigenes und das

Glas des Mannes wieder füllen lassen und dabei noch Schweinefleischpastete bestellt. Diese Ausgaben würde er Louvain auf die Rechnung setzen.

»Sicher gibt es noch welche«, sagte der Matrose, und nahm seinen Bericht da wieder auf, wo er sich unterbrochen hatte, als Monk aufgestanden war. »Aber nicht wie in den alten Tagen. Das waren noch Piraten.« Seine tränenden Augen strahlten bei der Erinnerung. »Mein Großvater war einer der ersten Wasserpolizisten. Siebzehnhundertachtundneunzig war das. Damals gab es Verbrechen auf dem Fluss, Sie würden es nicht glauben!« Er nickte. »Jetzt nicht mehr, jetzt ist alles zahm und anständig. Damals war die Hälfte der Männer auf den Docks Diebe.« Er hielt den Finger in die Luft. »Zwei Männer waren es, John Harriott und Patrick Colquhoun, die die Polizeistation gegründet haben. Haben achtundneunzig von hundert Diebstählen aufgeklärt, jawohl, in nur einem Jahr!« Er blickte Monk herausfordernd an. »Stellen Sie sich das vor! Zerreißt Ihnen das nicht das Herz? Das waren noch Männer.« Er sagte es mit einem grimmigen, glücklichen Gefühl des Stolzes.

»Waren Sie bei der Wasserpolizei?«, fragte Monk voller Interesse.

Der Mann lachte so laut, dass er fast sein Bier umstieß. »Nein! Nein, ich war keiner von denen, Gott bewahre. Ich bin den größten Teil meines Lebens zur See gefahren, bis ich den Arm verlor. Aber das waren Flusspiraten! Wir kamen aus Indien.« Er beugte sich vertraulich vor und sprach, als die Erinnerungen ihn überkamen, leiser und drängender. »Über Java. Das Chinesische Meer ist schrecklich bei schlechtem Wetter, und überall Piraten.« Er trank einen kräftigen Schluck Ale und fuhr sich mit dem Handrücken über den Mund. »Vertrauten niemandem. Haben Tag und Nacht eine Wache auf Deck gehabt und dafür gesorgt, dass immer eine Kanone geladen und das Pulver trocken war. Aber wir schafften es den ganzen Weg durch den Indischen Ozean nach Hause.« Er zog mit dem Finger einen Kreis. »Um das Kap der Guten Hoffnung herum, den Atlantik hinauf an der Skelettküste von Afrika entlang, über Vizcaya, können Sie mir folgen?«

»Ja, natürlich.«

»Und nach Hause nach Spithead«, sagte er triumphierend. »Ein Fünfmaster war das, mit einem guten Satz Kanonen. Wir passierten Gravesend und kreuzten an Fiddler's Reach und den Marschen links und rechts vorbei, so sicher wie Häuser. Am Gallion's Reach vorbei rauf nach Woolwich.« Er schniefte schwermütig. »Konnte die Heimat riechen, als wir so nah waren. Sind für die Nacht vor Bugsby's March vor Anker gegangen, um die Isle of Dogs und den Pool am nächsten Tag zu machen. Ich will verflucht sein, wenn nicht während der Mittelwache ein halbes Dutzend Flusspiraten an Bord gekommen wären, die die Taue kappten.« Er schlug mit der Faust auf den Tisch. »Die Tide trug uns auf die Sandbänke, und als es dämmerte, war kein einziges verdammtes bewegliches Stück Ladung mehr an Bord. Die Hurensöhne. Die Wache schlug Alarm, der arme Kerl. Hat ihn das Leben gekostet. Und wir stürzten alle an Deck mit Pistolen und Entermessern, es gab einen richtigen Kampf. Aber man kann nicht gegen die Halunken und den Wind und die Tide auf einmal kämpfen.«

Monk sah es bildlich vor sich, das treibende Schiff, das mit dem Strom immer schneller wurde, die Männer, die auf Deck verzweifelt kämpften, auf dem engen Raum versuchten, ihre Entermesser zu schwingen und trotz der Bewegung zu schießen, unstete Ziele im schwankenden Laternenlicht, Gewalt, Angst, Schmerz.

»Was ist passiert?« Er musste sein Interesse nicht heucheln.

»Drei von ihnen haben wir umgebracht«, antwortete der Mann zufrieden und leckte sich nach dem letzten Bissen Schweinefleischpastete die Lippen. »Aber auch zwei von uns verloren. Zwei weitere von ihnen haben wir schwer verletzt über Bord gestoßen. Sind ertrunken.«

»Und dann?«

»Ein halbes Dutzend, mehr waren es gar nicht!«, sagte er erbittert. »Mein Arm hatte eine so tiefe klaffende Wunde, dass ich geblutet habe wie ein abgestochenes Schwein. Bekam's genäht, aber dann kriegte ich Wundbrand. Haben ihn mir abgenommen. Mussten, um mein verdammtes Leben zu retten!« Er sagte es ironisch, als wäre es lange her und spielte kaum noch eine Rolle, aber Monk sah den Schmerz in seinen Augen und die Erinnerung daran, was für ein Kerl er einst gewesen war. Den körperlichen Schmerz des Messers konnte er nicht spüren, aber den Schrei, als man ihn seiner Unversehrtheit beraubt hatte, die Verstümmelung, die immer noch an ihm nagte.

Monk wusste nicht, wie er reagieren sollte. Sollte er versuchen, Verständnis für den Schmerz, dessen Zeuge er geworden war, anzudeuten, oder tat er besser so, als hätte er ihn nicht bemerkt?

»Gibt es heute auch noch Piraten auf dem Fluss?«, fragte er. Es war eine Ausflucht, aber etwas Besseres fiel ihm im Augenblick nicht ein.

»Ein paar«, sagte der Mann, und das Brennen des Schmerzes in seinen Augen erlosch. »Die Blauen sind ziemlich gut, aber nicht einmal sie sind allmächtig.«

»Gibt es Piraten so weit rauf?«

»Wahrscheinlich nicht. Draußen bei Limehouse und in die Richtung sind's Opiumfresser und solche. Aber man weiß nie. Abgesehen von mir gibt's noch andere, die ein paar Zusammenstöße mit ihnen hatten.«

»Louvain?« In dem Augenblick, in dem Monk es ausgesprochen hatte, fragte er sich, ob das klug gewesen war.

Das Gesicht des Mannes strahlte vor Vergnügen. »Clem Louvain? Sie haben verdammt Recht! Den Tag, an dem sie sich mit ihm angelegt haben, haben sie wirklich bereut!« Er schniefte freudig. »Das ist wohl schon ein paar Jahre her, aber das ist egal. So was vergisst man nicht. Den lassen sie immer noch in Ruhe!«

Monk wählte seine Worte mit Bedacht. »Es wundert mich, dass sie nicht auf Rache aus sind«, sagte er und tat absichtlich neugierig.

Der Mann grinste und entblößte dabei seine Zahnlücken. »Sie glauben wohl, die kommen dafür aus der Hölle zurück?«

»Tot?« Monk war überrascht.

»Natürlich tot!«, sagte der Mann geringschätzig. »Zwei direkt auf Deck der ›Mary Walsh‹ getötet, und zwei auf dem Hinrichtungsdock gehängt. Hab's mit eigenen Augen gesehen. Bin extra hingegangen. Seltener Anblick.«

»Niemand blieb übrig, um … Vergeltung dafür zu üben?«, hakte Monk nach.

»Nicht für die verdammten Mistkerle.« Der Mann hob das Glas, um den letzten Schluck Bier zu trinken. »Schätze, in der Nacht hat man in vielen Häusern den Fluss hinauf und hinunter auf Mr. Louvains Wohl getrunken.« Er nahm seinen Krug und schob ihn einige Zentimeter näher an Monk, ohne ihn anzusehen. »Der Fluss ist voller Geschichten«, fügte er hinzu.

Monk verstand den Hinweis und holte zwei weitere Pints, obwohl er nicht den Wunsch verspürte, noch mehr zu trinken, und sicher nichts mehr runterbrachte. Er wollte aber zumindest noch eine Stunde zuhören.

Sein Begleiter machte es sich gemütlich, um weitere Geschichten über Gewalt, Spaß und ungeheuren Wohlstand, fehlgeschlagene und erfolgreiche Diebereien und exzentrische Charaktere der letzten fünfzig Jahre aus seiner Erinnerung zu kramen.

»Damals jedenfalls«, sagte er schadenfroh und fuhr sich mit dem Handrücken über den Mund. Monk hatte ihm noch eine Pastete gekauft. Die Farben, mit denen er das Flussleben malte, enthielten viele Warnungen, die sich als nützlich herausstellen konnten, und Monk bekam ein viel tieferes Verständnis für die Verwicklungen des Schwarzhandels, für leichte und schwere Kavallerie, Stauer, Plünderer und bestochene Zollleute. Monk hörte Geschichten über legendäre Hehler, auch über den heute noch tätigen Fat Man, den berühmtesten Raffsack in diesem Abschnitt des Flusses.

Erst nach neun kam Monk nach Hause, Hester hatte sich

schon Sorgen gemacht. Das Abendessen war längst verkocht und kaum noch genießbar.

»Ich brauche nichts!«, versicherte er ihr und hielt sie fest umschlungen, bis sie ihn wegschob, um ihm ins Gesicht zu schauen. »Wirklich!«, wiederholte er. »Ich war in einem Gasthaus unten bei den Docks und habe den Geschichten eines alten Matrosen zugehört.«

Ihre Miene war sehr ernst. »Mr. Louvain war heute in der Klinik ...«

»Was?« Er wollte es nicht glauben. »Clement Louvain? Bist du dir sicher? Warum?« Es beunruhigte ihn, obwohl er nicht wusste, warum. Er wollte Louvain nicht in Hesters Nähe wissen. Der Gedanke war absurd. Hester gab sich jeden Tag mit den hässlichsten und tragischsten Aspekten des Lebens ab. »Was wollte er?«, fragte er, zog seinen Mantel aus und hängte ihn auf.

Sie runzelte die Stirn. »Er hat eine kranke Frau gebracht.« Sie sagte es, als wäre es ganz normal und selbstverständlich. »Er sagte, sie sei die Geliebte eines Freundes gewesen, der sie fallen lassen habe, aber ihre Familie komme sie in ein paar Tagen holen. Er hat für sie bezahlt und dazu noch großzügig gespendet.« Sie biss sich auf die Lippen. »Es ist schwer, die Leute zum Spenden zu bewegen.«

Er hörte die Empörung in ihrer Stimme und verstand sie. »Warum hat er sie nicht in ein Krankenhaus gebracht?«

»Dort würde er sie registrieren lassen und auch seinen eigenen Namen nennen müssen. Womöglich würde man ihn dort auch kennen. Er ist ein wichtiger Mann. Sie würden fragen, wer sie ist, und ihm womöglich nicht glauben, dass er sie im Auftrag eines anderen Mannes gebracht hat.«

Er lächelte und berührte zärtlich ihre Wange. »Hast du ihm das geglaubt?«

Sie zuckte die Schultern. »Mir ist es gleich. Und ich erzähle es niemandem außer dir. Hast du irgendetwas über das Elfenbein in Erfahrung gebracht?«

»Nicht konkret, aber ich habe einen Informanten gewonnen.«
»Gut. Du frierst. Hast du wirklich keinen Hunger?«
»Nein, aber ich hätte gerne etwas Tee.«

Er folgte ihr in die Küche und erzählte ihr von Scuff, während sie den Kessel füllte und auf den Herd setzte, Milch aus der Vorratskammer holte und Teekanne und Tassen auf ein Tablett stellte. Er erzählte ihr vieles von dem, was er gesehen und gehört hatte, aber nicht von Louvain und den Flusspiraten. Er wollte keine Ängste in ihr wecken, gegen die sie machtlos war.

Bei einigen Beschreibungen lachte sie: über die Verschrobenheit, den Einfallsreichtum und den Überlebenswillen. Sie gingen, müde von der Arbeit des Tages, zu Bett und genossen es, sich nicht nur geistig nahe zu sein, sondern auch in der Wärme der Berührung.

Am Morgen wachte Monk vor Hester auf. Er verließ das Bett, wusch sich und zog sich an, ohne sie zu stören. Auf das Rasieren verzichtete er, um auf den Docks seine Tarnung besser zu wahren. Unten schüttelte er den Rost und trug die Asche hinaus. Er war an diese Arbeit nicht gewöhnt, aber es war schwere Arbeit, und er wusste, dass Hester der Haushaltshilfe gekündigt hatte. Louvains Bezahlung war großzügig, aber sie mussten so lange wie möglich damit haushalten. Er hatte keine Ahnung, woher die nächste leidlich große Summe kommen sollte. Die Entlohnung für die Lösung häuslicher Angelegenheiten und kleinerer Diebstähle wurde in Schillingen bemessen, nicht in Pfund, und manchmal wurde er nur entlohnt, wenn er erfolgreich war. Misslingen brachte nichts ein. Was das anging, würde er auch den Großteil von Louvains Lohn nur dann bekommen, wenn er das Elfenbein fand. Vielleicht hingen zukünftige Aufträge am Fluss ebenfalls davon ab.

Er füllte den Kessel und setzte ihn auf die Kochstelle, dann ging er wieder hinauf, um Hester zu wecken und sich von ihr zu verabschieden. Er hatte lange und gründlich darüber nachgedacht, wie er weiter vorgehen sollte, und war immer wieder auf die gleiche Antwort gekommen. Er musste den Hehler finden. Zögernd ging er zu der Schublade seiner Kommode, nahm die goldene Uhr heraus, die Callandra ihm geschenkt hatte, und steckte sie in die oberste Innentasche seiner Jacke.

Zehn Minuten später stand er im grauen Oktoberlicht draußen auf der Straße, und eine halbe Stunde später befand er sich wieder auf den Docks. Die Luft war ruhig, fast windstill, aber die Feuchtigkeit kroch unter die Haut, dass es sich anfühlte, als würde sie bis in die Knochen vordringen. Er fröstelte, kuschelte sich in seinen Mantel und schlug den Kragen hoch. Er schob die Hände tief in die Taschen und wich den Pfützen vom nächtlichen Regen aus. Es war eine Weile her, dass er sich neue Stiefel gekauft hatte, und es mochte noch länger dauern, bis er sich wieder welche leisten konnte. Er musste gut auf diese achten.

Je länger Monk über das Elfenbein nachdachte, desto mehr glaubte er, dass die Diebe es zu einem bestimmten Raffsack gebracht hatten, der es auf dem spezialisierten Markt verkaufen konnte, wo es gebraucht wurde. Es gab entlang des Flusses nur eine begrenzte Anzahl solcher Leute. Das Hauptproblem bestand nicht darin, sie zu finden, sondern zu beweisen, dass sie wussten, wo das Elfenbein war, und seine Chancen auf Erfolg wurden mit jedem Tag geringer.

Er fing in einem der besseren Pfandhäuser an, nahm die goldene Uhr heraus und fragte, was sie ihm dafür geben würden.

»Fünf Guineen«, lautete die Antwort.

»Und wenn ich mehr habe?«, fragte er.

Der Pfandleiher machte große Augen. »Mehr davon?«

»Natürlich.«

»Woher haben Sie sie?« Seine Miene verriet skeptische Ungläubigkeit.

Monk sah ihn geringschätzig an. »Was kümmert Sie das? Können Sie damit was anfangen oder nicht?«

»Nein! Nein, solche Geschäfte mache ich nicht. Bringen Sie sie woandershin«, erwiderte der Pfandleiher energisch.

Monk schob die Uhr wieder in seine Tasche und trat hinaus auf die Straße. Er ging schnellen Schrittes, hielt sich von den

Mauern fern und machte einen weiten Bogen um die Eingänge schmaler Gassen. Er fürchtete, dass es sich herumsprach und er ausgeraubt oder sogar umgebracht werden könnte, und bei dieser Vorstellung spürte er einen eisigen Knoten im Magen, kälter noch als der nasskalte Wind. Aber er wusste nicht, wie er sonst die Aufmerksamkeit eines Hehlers auf sich ziehen sollte. Er hatte keine Zeit, sich langsam vorzutasten, und kein Polizeiwissen, das ihm half oder ihn leitete. Instinktiv hätte er sich zuerst an die Polizei gewandt, aber in diesem Fall war er ja verpflichtet, sich von ihr fern zu halten, sie zu beobachten und ihr aus dem Weg zu gehen, als wäre er selbst ein Dieb. Wieder einmal verfluchte er Louvain dafür, dass er sich nicht der normalen Mittel bedienen konnte.

Wie er Scuff versprochen hatte, fand er sich mit heißen Pasteten, Tee und Früchtekuchen zur selben Zeit am selben Ort auf den Docks ein. Er war lächerlich enttäuscht, dass dort niemand auf ihn wartete, als er auf der grauen, farblosen freien Stelle zwischen den alten Kisten stand. Bis auf die verlorenen Schreie der Seemöwen am Himmel und das Klagen des Nebelhorns, als Nebel vom Wasser aufstieg und Licht und Geräusche dämpfte, konnte er nichts hören. Die steigende Flut klatschte gegen die Pfähle des Piers, und in der Ferne riefen sich Männer etwas zu, in Sprachen, die er nicht verstand.

Das Kielwasser einiger Barkassen schlug kräftig gegen das Ufer und erstarb wieder.

»Scuff!«, rief er.

Keine Antwort, keine Bewegung, nur eine Ratte flitzte zwanzig Meter weiter in einen Abfallhaufen.

Wenn Scuff nicht bald kam, waren die Pasteten kalt. Aber er hatte natürlich keine Möglichkeit, die genaue Uhrzeit zu wissen! Und selbst wenn? Es war dumm zu erwarten, dass er da sein würde. Er war ein Bengel, genau wie die kleinen Diebe, die durch die Gassen der Stadt stromerten, Taschendiebstähle begingen oder für Fälscher, Falschspieler und Bordellbesitzer Botengänge erledigten.

Unglücklich setzte Monk sich und begann, seine Pastete zu essen. Es hatte keinen Sinn, sie kalt werden zu lassen.

Er hatte sie zur Hälfte aufgegessen, als er eine Bewegung wahrnahm.

»Haben Sie meine Pastete gegessen?«, sagte eine Stimme empört.

Er schaute auf. Vor ihm stand Scuff, das schmutzige Gesicht ein einziger Vorwurf. »Das hätten Sie nicht tun sollen!«, schimpfte er.

»Wenn du deine kalt essen willst, ist das deine Sache«, sagte Monk, überwältigt vor Erleichterung, die er keinesfalls zeigen wollte. Er hielt ihm die andere Pastete hin, die doppelt so groß war wie die vom Vortag.

Scuff nahm sie feierlich, setzte sich und hielt die Pastete mit beiden Händen, während er sie aß. Er schwieg, bis der letzte Bissen verputzt war, dann griff er nach dem Tee und dem Kuchen. Er sprach erst, als er fertig war.

»Das war gut«, meinte er zufrieden und wischte sich mit dem Handrücken den Mund ab.

»Du bist spät dran«, bemerkte Monk. »Woher weißt du überhaupt, wie spät es ist?«

»Ebbe und Flut natürlich«, antwortete Scuff mit übertriebener Geduld wegen Monks Dummheit. »Ich kenn mich aus mit dem Wasser.«

Monk sagte nichts. Daran hätte er denken sollen. Wenn es etwas gab, worüber ein Dreckspatz Bescheid wusste, dann über das Steigen und Fallen des Wassers.

Scuff nickte. »Haben Sie noch mehr Botengänge erledigt?«, fragte er und schaute auf die Becher, in denen der Tee gewesen war.

»Heute nicht. Ich suche einen Hehler, der mit guten Waren handelt, Gold vielleicht oder Elfenbein.«

»Mit Gold handeln viele«, sagte Scuff nachdenklich. »Weiß keinen, der Elfenbein hat. Ziemlich viel wert, was?«

»Ja.«

»Fat Man. Er weiß fast alles, was vor sich geht. Aber dem gehen Sie besser aus dem Weg. Das ist ein wirklich übler Bursche, dem sind Sie nicht gewachsen.« Es lag ein wenig Mitleid in seiner Stimme, und Monk war sich fast sicher, in seinen Augen Besorgnis zu erkennen.

»Ich suche nach Elfenbein«, sagte Monk. Er wusste, dass es unklug war, diesem jungen Dreckspatz etwas zu erzählen, was besser nicht überall die Runde machte, aber seine Verzweiflung wuchs. Seine Bemühungen am Vormittag hatten ihn bislang nicht zu einem einzigen Hehler geführt. »Wer verkauft so was?«

»Sie meinen billig?«

»Natürlich meine ich billig!«, sagte Monk mit einem vernichtenden Blick. »Wenn ich mich nicht an Fat Man wenden kann, an wen dann?«

Scuff dachte ein paar Augenblicke nach. »Ich könnte Sie zu Little Lil bringen. Sie weiß meist, wer was verkauft. Aber das geht nicht einfach so. Ich muss Vorkehrungen treffen.«

»Wie viel?«

Scuff war beleidigt. »Das ist nicht nett. Ich vertraue Ihnen wie einem Freund, und Sie beleidigen mich!«

»Es tut mir Leid«, entschuldigte Monk sich ehrlich zerknirscht. »Ich dachte, es würde dich was kosten!«

»Ich esse gerne morgen wieder ein Stück Pastete. Ein Stück Pastete als Mittagessen ist wirklich gut. Kommen Sie wieder, wenn die Flut da ist.«

»Danke. Ich werde da sein.«

Scuff nickte zufrieden und war einen Augenblick später verschwunden.

Monk setzte seine Runde durch die Pfandläden fort und stieß schließlich auf drei, bei denen er sich sicher war, dass sie auch Hehlerei betrieben, allerdings nur mit unbedeutenden Waren. Er wurde fast anderthalb Kilometer von zwei Jugendlichen verfolgt, die ihn vermutlich ausgeraubt hätten, wenn sie ihn alleine in einer der schmalen Gassen erwischt hätten, aber er achtete sorgsam darauf, dass es dazu nicht kam. Zugleich gab er Acht, den Polizeipatrouillen, die er gelegentlich sah, aus dem Weg zu gehen. Er ärgerte sich darüber, aber er hatte keine Wahl.

Gegen vier Uhr war er wieder auf den Docks, wo Scuff auf ihn wartete. Wortlos führte der Junge ihn die breite Straße hinunter, die parallel zum Fluss lief, eine Steintreppe hinauf und durch eine Gasse, die so eng war, dass Monk instinktiv die Ellenbogen einzog. Abgestandener Essensgeruch, Abwasser und Ruß ließen ihn würgen. Sie waren zwanzig Meter vom Fluss entfernt, und schon schien die Feuchtigkeit von den Steinen aufgesogen und in einem Nebel wieder ausgeatmet zu werden, als die Abenddämmerung hereinbrach und die wenigen Straßenlaternen in der Dunkelheit gelbe Inseln schufen. Außer dem stetigen Tropfen von den Dachgesimsen war nichts zu hören.

Schließlich kamen sie zu einer Türöffnung, über die ein Zeichen gemalt war, und Scuff klopfte. Monk bemerkte, dass seine schmutzige Faust zitterte, und erkannte plötzlich verwundert, dass Scuff Angst hatte. Wovor? Verriet er Monk, damit dieser ausgeraubt werden konnte? Der Gedanke, Callandras Uhr zu verlieren, erschien ihm plötzlich äußerst schmerzlich. Er machte ihn so wütend, dass er nach jedem ausgeholt hätte, der so etwas versucht hätte. Das Geschenk war unermesslich kostbar, Unterpfand einer Freundschaft, die wichtiger war als jede andere, außer die zu Hester. Zugleich symbolisierte es auch Erfolg und Eleganz und machte ihn zu einem Mann, wie er gerne einer sein wollte und der Oliver Rathbone wie seinesgleichen begegnen konnte. Er stand kerzengerade da, jederzeit bereit, sich zu wehren.

Oder hatte Scuff Angst um sich selbst? Tat er etwas Gefährliches, um seine neue Freundschaft zu festigen? Vielleicht trieb ihn auch eine obskure Art von Ehre, um dem Mann, der ihm heiße Pasteten zu essen gegeben hatte, etwas zu vergelten? Oder einfach nur, um Wort zu halten?

Die Tür ging auf, und eine große Frau stand vor ihnen, die Hände in die Hüften gestemmt. Ihr rotes Kleid leuchtete im Licht, das aus dem Haus fiel, und auf Lippen und Wangen trug sie rote Farbe.

»Bist du dafür nicht 'n bisschen jung?«, fragte sie und beäugte Scuff müde. »Und wenn du deine Schwester verkaufen willst, dann bring sie her, und ich werfe einen Blick auf sie, aber versprechen tu ich nichts.«

»Ich habe keine Schwester«, sagte Scuff sofort mit piepsender Stimme und verzog das Gesicht vor Ärger über sich selbst. »Und wenn ich eine hätte …«, fügte er hinzu. »Es geht um Miss Lil, ich will sie sehen. Ich habe einen Gentleman dabei, der etwas kaufen will.« Er wies auf Monk, der halb verborgen im Schatten hinter ihm stand.

Die große Frau starrte ihn an und verzog dabei das Gesicht.

Monk trat vor. Er überlegte, ob er sie anlächeln sollte, entschied sich aber dagegen.

»Ich suche nach bestimmten Waren«, sagte er übertrieben höflich mit leiser, ruhiger Stimme. Seinen unverwandten Blick ließ er ein wenig bedrohlich wirken.

Sie regte sich nicht, wollte zunächst etwas sagen, schwieg dann jedoch und wartete.

Scuffs Gesicht war sehr blass, und er sagte nichts.

Monk sagte ebenfalls nichts.

»Kommen Sie rein«, sagte die Frau schließlich.

Ohne eine Vorstellung, was ihn erwartete, folgte Monk ihrer Aufforderung. Scuff blieb auf der Straße zurück. Monk trat durch die Tür in einen schmalen Gang, ging dann eine knarrende Treppe hinauf, an einem Treppenabsatz vorbei, wo Bilder hingen, und betrat einen Raum mit rotem Teppich und tapezierten Wänden. Im Kamin brannte ein munteres Feuer. In einem der weichen roten Lehnstühle saß eine winzige Frau mit einer Stickerei auf dem Schoß, als habe sie daran gearbeitet. Die Arbeit war zu mehr als drei Viertel fertig, und eine Nadel mit einem gelben Seidenfaden steckte darin. Ein Fingerhut steckte auf ihrem Finger, und die Schere lag neben ihr auf einem Korb mit Seidenknäueln.

»Miss Lil«, sagte die Frau leise. »Da ist jemand für Sie.« Sie trat einen Schritt zurück und ließ ihre Herrin einen Blick auf Monk werfen, damit sie sich ihr eigenes Bild machen konnte.

Little Lil war mindestens Mitte vierzig und mit Sicherheit einst sehr schön gewesen. Ihre Züge waren immer noch hübsch und regelmäßig. Sie hatte große Augen von einem unbestimmten Braun, aber ihre Kinnlinie war unscharf, und die Haut am Hals hing lose herunter. Ihre kleinen Hände mit den langen Fingernägeln sahen aus wie Klauen. Sie betrachtete Monk mit gründlichem Interesse.

»Kommen Sie rein«, wies sie ihn an. »Sagen Sie mir, ob Sie was haben, was mir gefallen könnte?«

»Goldene Uhren«, antwortete Monk folgsam, denn ihm blieb nun keine Wahl mehr.

Sie streckte in einer gierigen Geste die Hand aus.

Er zögerte. Auch wenn es irgendeine goldene Uhr gewesen wäre, hätte es ihm Sorgen bereitet, aber Callandras Uhr war auf andere, unersetzliche Weise kostbar. Er nahm sie langsam aus der Tasche und hielt sie hoch, knapp außer Reichweite ihrer Hand.

Sie fixierte ihn mit ihren großen Augen. »Vertrauen Sie mir etwa nicht?«, sagte sie mit einem Lächeln, das spitze, unerwartet weiße Zähne entblößte.

»Vertraue niemandem«, antwortete er, ihr Lächeln erwidernd.

Er spürte, dass sich irgendetwas verändert hatte, vielleicht eine Spur Anerkennung. »Setzen Sie sich«, forderte sie ihn auf.

Ihm war unbehaglich zumute, aber er tat, wie ihm geheißen.

Sie warf einen weiteren Blick auf die Uhr. »Machen Sie sie auf«, befahl sie ihm.

Er gehorchte ihr und drehte die Uhr so, damit sie sie mustern konnte, behielt sie aber fest in der Hand.

»Hübsch«, sagte sie. »Wie viele?«

»Ungefähr ein Dutzend«, antwortete er.

»Ungefähr?«, fragte sie. »Können Sie nicht zählen?«

»Kommt auf Ihr Angebot an.« Er machte Ausflüchte.

Sie lachte glucksend, es klang wie das Lachen eines kleinen Mädchens.

»Wollen Sie sie?«

»Ich mag Sie«, sagte sie frei heraus. »Wir können Geschäfte machen.«

»Wie viel?«

Sie dachte ein paar Sekunden nach, betrachtete sein Gesicht, obwohl sie den Anschein erweckte, als tue sie es jetzt mehr um des Vergnügens willen, als um Zeit zum Nachdenken zu gewinnen.

Monk wollte zur Sache kommen und dann gehen. »Ich habe einen Kunden, der nach Elfenbein sucht«, sagte er zusammenhanglos. »Haben Sie in der Hinsicht einen Rat?«

»Ich will mich erkundigen«, sagte sie flüsternd und unerwartet freundlich. »Kommen Sie in zwei Tagen wieder. Und bringen Sie mir ein paar von den Uhren, ich bezahle Sie gut.«

»Wie viel?«, fragte er. Sie erwartete sicher, dass er feilschte, und Callandras Uhr hatte bestimmt mindestens dreißig Pfund gekostet.

»Wie die? Zwölf Pfund zehn«, antwortete sie.

»Zwölf Pfund zehn!«, sagte er entsetzt. »Sie ist mehr als das Doppelte wert! Zwanzig, mindestens.«

Sie dachte einen Augenblick nach und betrachtete ihn durch die Wimpern. »Fünfzehn«, bot sie.

»Zwanzig?« Er konnte es sich nicht leisten, sie zu verlieren oder den Eindruck zu erwecken, zu schnell nachzugeben.

Diesmal überlegte sie länger.

Monk spürte, wie ihm in dem warmen Zimmer der Schweiß ausbrach. Er hatte einen Fehler gemacht. Er hatte sich von seiner Verzweiflung dazu drängen lassen, zu weit zu gehen. Jetzt gab es kein Zurück mehr.

»Siebzehn«, sagte sie schließlich.

»Einverstanden«, murmelte er mit trockenem Mund. Er wollte nur aus diesem stickigen Haus entkommen und draußen auf der Straße sein, allein, um nachzudenken, wie er da wieder herauskam und trotzdem alle Informationen bekam, die Little Lil ihm geben konnte. »Vielen Dank.« Er neigte leicht den Kopf und sah die Anerkennung und ein leichtes Schimmern von Genugtuung in ihrer Miene. Sie mochte ihn. Er verachtete sich dafür, dass er darauf spekulierte, und wusste doch gleichzeitig, dass er keine Wahl hatte.

Auf der Straße war er kaum aus dem kreisrunden Lampenlicht heraus, als Scuff aus der Dunkelheit auftauchte.

»Haben Sie was bekommen?«, fragte er begierig.

Monk fluchte leise.

Scuff kicherte zufrieden. »Sie mag Sie, nicht wahr?«, fragte er.

Monk verstand, dass Scuff es gewissermaßen erwartet hatte, und er wollte ihm dafür, dass er ihn in eine derart peinliche Situation gebracht hatte, eine hinters Ohr geben, aber Scuff duckte sich zur Seite, und Monks Hand verfehlte ihr Ziel. Nicht, dass er ihm wirklich wehgetan hätte, er lachte immer noch.

Sie erreichten die Hauptstraße, die parallel zu den Docks verlief, und traten in das hellere Licht. Monk drehte sich noch einmal zu Scuff um und musste feststellen, dass der verschwunden war. Vor sich sah er einen Schatten, an einem dunklen Jackett schimmerte eine Reihe Knöpfe. Ein bekannter, Vertrauen erweckender Anblick.

»Hat seine fünf Sinne besser beisammen als Sie, Mr. Monk«, bemerkte der Mann.

Monk erstarrte. Der Mann gehörte zur Wasserpolizei, Monk war sich ganz sicher. Mehr noch als die Uniform verriet ihn seine ruhige Autorität, das Gefühl von Stolz auf seinen Beruf. Er musste weder drohen noch die Stimme erheben. Er war das Gesetz, und er begriff dessen Wert. Besäße Monk doch nur die gleiche Würde, die Kameradschaft all der anderen gelassenen Männer, die am Fluss für Ruhe und Ordnung sorgten. Plötzlich fand er seine Einsamkeit unerträglich.

»Sie sind mir gegenüber im Vorteil«, sagte er steif, mit mehr Höflichkeit als notwendig.

»Durban«, antwortete der Mann. »Inspector Durban von der Wasserpolizei. Ich beobachte Sie erst seit ein paar Tagen hier am Fluss. Sie behaupten, Arbeit zu suchen, aber mir scheint nicht, als suchten Sie wirklich welche. Warum, Mr. Monk?«

Monk hätte ihm nur allzu gerne die Wahrheit erzählt, aber er wagte es nicht. Er war Clement Louvain verpflichtet, und er brauchte das Geld.

»Ich arbeite lieber mit dem Kopf, als den Rücken krumm zu machen«, antwortete er und legte eine Aufsässigkeit in seine Stimme, die er gar nicht empfand.

»Hier unten auf den Docks wird selten ein Kopfarbeiter gebraucht«, meinte Durban. »Zumindest nicht legal. Illegale Arbeit gibt's, wie Sie sicher wissen, jede Menge. Aber ich frage mich, ob Sie wirklich wissen, wie gefährlich das ist? Sie würden nicht glauben, wie viele Leichen wir aus dem Wasser fischen, und niemand verrät uns, wie sie da reingekommen sind. Ich würde ungern erleben, dass Sie eine von ihnen sind, Mr. Monk. Seien Sie einfach ein bisschen vorsichtig, ja? Geben Sie sich nicht mit solchen Leuten wie Little Lil Fosdyke, Fat Man oder Mr. Weskit ab. Für mehr Raffsäcke, als wir schon haben, ist kein Platz mehr. Haben Sie mich verstanden?«

»Ich bin mir sicher, dass Sie Recht haben«, antwortete Monk, der das Lügen verabscheute. »Ich würde gerne Botengänge ausführen und Menschen zu Diensten sein, die ihre Arbeit nicht alleine schaffen. Ich kaufe oder verkaufe nichts.«

»Wirklich …«, sagte Durban ungläubig. Seine Miene war in der schlechten Beleuchtung nicht zu deuten, aber seine Stimme klang traurig, als hätte er eine bessere oder doch zumindest nicht so dicke Lüge erwartet.

Monk erinnerte sich mit einer schmerzlichen Eindringlichkeit daran, dass er einmal in exakt der gleichen Situation gewesen war – er war auf einen gut gekleideten, redegewandten Mann gestoßen, von dem er hoffte, dass er nur zufällig durch die heruntergekommene Gasse lief, hatte jedoch innerhalb weniger Minuten erkennen müssen, dass der Mann ein Dieb war. Er erinnerte sich, wie enttäuscht er gewesen war. Er holte Luft, um sich Durban zu erklären, und stieß einen Seufzer aus. Erst, wenn er sich Louvains Geld verdient hatte.

»Ja, wirklich«, sagte er ärgerlich. »Guten Abend, Officer.« Damit ging er die Straße hinunter zu der hell erleuchteten Durchgangsstraße, wo er einen Omnibus nehmen würde. Er musste noch einmal umsteigen, aber dann war er zu Hause.

4

Oliver Rathbone saß in einem Hansom, der sich zügig durch den Londoner Verkehr von seinem Haus zu dem von Margaret Ballinger bewegte. Sie würde ihn als sein Gast zu einem Abendkonzert eines herausragenden Geigers begleiten. Das Konzert wurde zugunsten einer achtbaren Wohltätigkeitseinrichtung gegeben, und es würden viele gesellschaftlich wichtige Leute dort sein. Rathbone war nach der neuesten Mode gekleidet, elegant genug, um Bewunderung zu erregen, und doch nicht so elegant, dass er den Eindruck erweckte, er lege es darauf an. Ein wahrer Gentleman musste sich keine Mühe geben, um zu gefallen, das war ihm in die Wiege gelegt worden.

Und doch fühlte Rathbone sich nicht ganz wohl. Er saß ziemlich aufrecht und nicht gerade entspannt auf dem Sitzpolster. Er hatte viel Zeit, aber er konnte nicht anders, als ständig aus dem Fenster zu schauen und das gelbe Glitzern der Straßenlaternen, das sich in den Regenböen auf der nassen Straße spiegelten, und die vertrauten Ecken zu betrachten.

Es war ein eilige Einladung gewesen, die er ihr tags zuvor etwas impulsiv gemacht hatte. Er wusste nicht mehr genau, worum sich das Gespräch gedreht hatte, aber es hatte sicher etwas mit der Portpool Lane zu tun – wie so oft. Wäre eine andere Frau so zielstrebig gewesen, hätte es ihn sicher gelangweilt, aber er erfreute sich immer noch an der Begeisterung in ihrer Miene, wenn sie von der Arbeit dort sprach. Er interessierte sich sogar für das Wohlergehen einiger Patientinnen, von denen sie erzählte, sorgte sich um ihre Gesundung, empörte sich über die erlittene Ungerechtigkeit, freute sich über den Erfolg. So etwas war ihm noch nie passiert. Er unterwarf sein Berufsleben strenger emotionaler Disziplin. Seine außergewöhnlichen Fähigkeiten stellte er in den Dienst derer, die ihn brauchten, naturgemäß Menschen, die eines Verbrechens beschuldigt wurden, doch seine persönlichen Gefühle hielt er davon streng getrennt.

Andererseits, hätte irgendjemand ihm vor ein paar Monaten den Plan auseinander gesetzt, mit dem Hester die Umwandlung von Squeaky Robinsons Etablissement in eine Klinik erreichen würde, wäre er entsetzt gewesen. Weit davon entfernt, sich daran zu beteiligen oder ihnen in irgendeiner Weise behilflich zu sein, hätte er mit seinem Gewissen gerungen, ob er sie nicht bei der Polizei anzeigen sollte.

Selbst jetzt noch, da er isoliert von dem Lärm und der Geschäftigkeit des anonymen Verkehrs draußen allein im Dunkeln saß, errötete er bei dem Gedanken daran. Außer Hester, Margaret, Squeaky Robinson und vielleicht noch Monk wusste niemand, was sich abgespielt hatte. Aber es hatte eine hehre Art von Gerechtigkeit darin gelegen! Er merkte nicht, dass er lächelte, als er sich Squeakys Miene in Erinnerung rief, sein Entsetzen darüber, dass er so dermaßen brillant und vollständig ausmanövriert worden war. Und es war Rathbone gewesen, und nicht etwa Hester, der ihm das Ultimatum gestellt und ihn so in Bedrängnis gebracht hatte, dass er nicht entkommen konnte. Es war äußerst befriedigend gewesen, auch wenn er zutiefst empört darüber war, dass er sich in eine solche Angelegenheit hatte hineinziehen lassen. Würde einer seiner Kollegen je davon erfahren, müsste er sich schämen. Und doch war er insgeheim auch stolz darauf. Das war überhaupt das Bemerkenswerteste, Unbegreiflichste. Wie er sich verändert hatte! Er hatte nichts mehr mit dem Mann gemein, der er noch vor wenigen Monaten gewesen war.

Schon trafen sie beim Haus der Ballingers ein, und der Hansom fuhr vor. Aber Rathbone war noch nicht bereit, er hatte sich noch kein Gesprächsthema für Mrs. Ballinger zurechtgelegt. Frauen wie ihr war er schon zahllose Male begegnet. Schließlich war er ein äußerst akzeptabler Anwalt, und sie hatte eine unverheiratete Tochter. Ihr Ehrgeiz war so unverhüllt, dass er jenseits aller Peinlichkeit lag. Nicht dass es irgendeine Matrone der Londoner Gesellschaft gegeben hätte, deren Ambitionen sich von den ihren unterscheiden würden, also war es wirklich nicht nötig, sie zu verhehlen oder hinter einer Maske der Schicklichkeit zu verbergen.

Als er aus der Kutsche auf den glänzenden Bürgersteig trat und die kalte Luft auf dem Gesicht spürte, erinnerte sich Rathbone daran, wie wütend er um Margarets willen gewesen war, als sie sich kennen gelernt hatten. Es war auf einem Gesellschaftsball gewesen, und Mrs. Ballinger hatte Margarets Tugenden in einem Grad gepriesen, der diese dermaßen demütigte, dass sie sich beinahe geweigert hätte, mit ihm zu tanzen, als Rathbone sie darum bat. Er erinnerte sich jetzt noch an ihre steife Unterhaltung, während sie durch den Saal gewirbelt waren, die Köpfe hoch erhoben, die Füße in perfektem Rhythmus, als Worte nicht mehr waren als die banalen Höflichkeiten, die auch andere Tänzer murmelnd austauschten. Er wusste nicht mehr, was er gesagt hatte, aber er sah immer noch ihre Augen vor sich, von einem dunklen Graublau und dermaßen kühl und wütend, voller Kränkung, vorgeführt zu werden wie ein Stück Ware, das übermäßig angepriesen wurde, um es schnell an den Mann zu bringen. Er war um ihretwillen zornig geworden.

Er trat die Stufen hinauf und betätigte die Türglocke. Einen Augenblick später öffnete der Diener die Tür und führte ihn durch die Halle in den üppigen dunklen Salon, wo Mrs. Ballinger auf ihn wartete.

»Guten Abend, Sir Oliver«, sagte sie mit weniger Begeisterung als bei früheren Begegnungen, da er ihre Erwartungen bezüglich ihrer Tochter nicht erfüllt hatte, obwohl er mehr als eine passende Gelegenheit dazu gehabt hatte. Dennoch war ein Strahlen in ihren Augen, eine beharrliche Konzentration. Sie verlor ihr Ziel nie aus den Augen.

»Guten Abend, Mrs. Ballinger«, antwortete er mit einem Lächeln. »Wie geht es Ihnen?«

»Ich erfreue mich ausgezeichneter Gesundheit, vielen Dank«, antwortete sie. »Ich bin in der Beziehung sehr glücklich, wofür ich Gott jeden Tag danke. Ich sehe Freunde und Bekannte um mich herum, die an dieser und jener Malaise leiden.« Sie zog die Augenbrauen hoch. »So ermüdend, denke ich immer, nicht wahr? Kopfschmerzen und Kurzatmigkeit, Erschöpfung, ja sogar Herzrasen. Solche Schwierigkeiten, finden Sie nicht?«

Er wollte eben antworten, er habe nie unter derartigen Beschwerden gelitten, als ihm der Hintersinn ihrer Worte aufging. Sie sprach nicht von sich selbst, ebenso wenig wie von der Langweiligkeit der vielen Frauen, die damit geplagt waren. Sie sagte ihm auf ihre Weise, dass Margaret aus einem guten Stall kam und nicht nur von Natur aus gesund war, sondern auch dazu erzogen, sich nicht irgendwelchen eingebildeten Krankheiten hinzugeben.

Er verbiss sich die Bemerkung, die ihm auf der Zunge lag. »Ja«, stimmte er ihr zu. »Man sollte dankbar sein, wenn man so gesund ist. Unglücklicherweise genießen nicht alle dieses Glück. Aber ich freue mich sehr für Sie.«

»Wie großzügig Sie stets sind«, sagte sie, ohne zu zögern. »Ich finde Grobheit sehr wenig anziehend, meinen Sie nicht auch? Ich denke immer, es verrät einen selbstsüchtigen Charakter.

Bitte setzen Sie sich doch, Sir Oliver.« Sie wies auf den Sessel nahe am Feuer mit bestickten Armlehnen und Sofaschonern über der Rückenlehne, um ihn vor dem Haaröl der Gentlemen zu schützen. »Margaret kommt in ein paar Minuten. Sie sind erfreulich pünktlich.« Sie breitete ihre weiten Röcke aus Seide und Spitze um sich herum aus.

Es wäre unhöflich gewesen abzulehnen. Er saß ihr gegenüber und war bereit, so lange zu plaudern, bis Margaret auftauchte. Er war daran gewöhnt, auf der Hut zu sein, und sagte selten etwas, ohne vorher nachzudenken. Schließlich bestand sein Beruf, deren befähigtester Vertreter seiner Generation er war, darin, die Sache derjenigen zu vertreten, die eines Verbrechens angeklagt worden waren und gegen die es ausreichende Beweise gab, um sie vor Gericht zu bringen. Von einer Dame der Gesellschaft würde er sich weder in Verlegenheit bringen noch austricksen lassen.

»Margaret hat mir erzählt, es sei ein äußerst bezauberndes Ereignis, zu dem Sie sie heute Abend eingeladen haben«, bemerkte Mrs. Ballinger. »Musik ist zivilisiert und spricht doch zugleich unsere romantische Seite an.«

Er merkte, dass er sich bereits ärgerte und in der Defensive war. »Es ist ein festlicher Anlass, bei dem beträchtliche Spenden für die Wohltätigkeitsarbeit gesammelt werden«, antwortete er.

Sie lächelte, wobei sie ausgezeichnete Zähne zeigte. »Wie ich es bewundere, dass Sie Ihre Zeit einer solchen Sache widmen. Ich weiß, dass das eine Eigenschaft ist, die Margaret an einem Mann sehr schätzt. Viele Menschen, die im Leben erfolgreich sind, vergessen diejenigen, die weniger Glück haben. Ich bin sehr erfreut, dass Sie nicht zu diesen gehören.«

Sie hatte ihn in eine unmögliche Situation hineinmanövriert. Was, um alles auf der Welt, sollte er dazu sagen. Jede Antwort würde lächerlich klingen.

Sie nickte. »Margaret besitzt ein edles Herz. Aber ich bin mir sicher, das wissen Sie bereits. Gute Werke haben Sie beide schon oft zusammengebracht.« Sie stellte es hin, als habe er Ränke geschmiedet, um Margaret bei jeder Gelegenheit zu sehen. Das hatte er nicht! Er traf sich sogar mit verschiedenen anderen Damen, von denen zumindest zwei als Ehefrau in Frage kamen, auch wenn sie verwitwet waren.

Plötzlich fragte er sich, warum er das eigentlich tat! Er hatte nicht die geringste Absicht, eine von ihnen zu heiraten. Sie waren liebenswürdige Freundinnen, mehr nicht. Er hatte ihre Ehemänner oder Brüder gekannt, oder irgendeine andere Angelegenheit hatte sie zusammengebracht. Und natürlich sah er Hester und Monk gelegentlich. Sie würde stets die Freundschaft verbinden, die in dem gemeinsamen Kampf um das Streben nach Gerechtigkeit entstanden war.

Verteilte er seine Aufmerksamkeiten, um sich vor genau der Falle zu hüten, die Mrs. Ballinger in just diesem Augenblick zuschnappen lassen wollte?

Sie wartete auf eine Antwort. Sein Schweigen wurde allmählich zum Widerspruch.

»Ein gutes Herz hat sie in der Tat«, sagte er mit mehr Leidenschaft als beabsichtigt. »Und was noch ungewöhnlicher ist, sie verfügt über den Mut und die Selbstlosigkeit, ihm zu folgen und Bedeutsames zu schaffen.«

Ein Schatten flog über Mrs. Ballingers Miene. »Ich bin so froh, dass Sie es erwähnen, Sir Oliver.« Sie beugte sich zu ihm vor. »Natürlich bin ich glücklich, dass Margaret ihre Zeit verdienstvollen Angelegenheiten widmet, statt ihre Stunden mit bloßer Belustigung zu vergeuden wie so viele junge Frauen, aber diese letzte Sache beunruhigt mich doch ein wenig. Ich bin mir sicher, es ist sehr großmütig, sich um die moralisch Unglücklichen zu kümmern, aber ich finde, sie sollte ihre Sorge mit größerem Nutzen lieber etwas ... Zuträglicherem widmen. Vielleicht könnten Sie Ihren Einfluss geltend machen und ihr andere Wege aufzeigen? Ich nehme an, Sie kennen viele Damen, die ...«

Plötzlich war Rathbone wütend. Er wusste genau, was sie im

Sinn hatte. Auf einen Streich manipulierte sie ihn dahingehend, mehr Zeit mit Margaret zu verbringen, und zwar nicht, weil er dies wünschte, sondern aus moralischer Verpflichtung ihrer Mutter gegenüber, und zum anderen erinnerte sie ihn an den sozialen Druck und allgemeine Pflichten. Dies war unglaublich herablassend gegenüber Margaret. Er spürte, dass ihm das Blut ins Gesicht schoss und sein Körper sich anspannte, sodass seine Hände sich förmlich um seine Knie krallten.

»Ich bin hier, um Margaret zu sehen, weil ich ihre Gesellschaft genieße, Mrs. Ballinger«, sagte er mit so viel Selbstbeherrschung, wie er aufbrachte. Er sah, dass ihre Augen vor Zufriedenheit glühten, und war plötzlich bestürzt über das, was er da gesagt hatte, aber er wusste nicht, wie er da herauskommen sollte. »Ich würde mich nicht erdreisten, sie in der Wahl ihres Engagements zu beeinflussen. Die Klinik ist ihr sehr wichtig, und ich glaube, sie würde jegliche Einmischung meinerseits als unangebracht empfinden, wodurch ich ihre Freundschaft verlieren würde.« Er wusste nicht, ob das stimmte, aber der Gedanke daran war ihm äußerst unangenehm, was ihn überraschte.

»Oh, so dumm wäre sie nicht!« Mrs. Ballinger wies den Gedanken mit einem leichten Lachen von sich. »Ihre Achtung vor Ihnen ist viel zu hoch, um nicht auf Sie zu hören, Sir Oliver.« Ihre Stimme war voller Zuversicht, als sei er ihr ebenso teuer.

Er wünschte, das wäre wahr. Oder hatte er Recht? Hester wäre wütend auf ihn, wenn er versucht hätte, sie in Gewissensangelegenheiten zu bevormunden. Das würde sie nicht einmal von Monk dulden. Er konnte sich in der Tat an eine ganze Reihe von Gelegenheiten erinnern, bei denen Monk so unklug gewesen war, es zu versuchen!

»Ich empfinde zu viel Respekt für Margaret, um den Versuch zu wagen, sie gegen ihre Überzeugung zu beeinflussen, Mrs. Ballinger«, antwortete er. Der Zorn um Margarets willen ließ ihn Dinge sagen, die weit über das hinausgingen, wozu er sich hatte bekennen wollen. Und doch entsprach es der Wahrheit, und er sagte es mit einer Gewissheit, die er nicht hätte zurücknehmen können.

Mrs. Ballinger sah gleichermaßen erschreckt und aufgeregt aus, als hätte sie die Angel ausgeworfen und einen Wal gefangen, von dem sie nicht wusste, wie sie ihn an Land bringen sollte, den sie aber auch nicht mehr vom Haken lassen wollte. Sie wollte etwas sagen, besann sich jedoch und saß, die Lippen ein wenig geöffnet, vorne auf der Kante ihres Sessels.

»Kommt noch hinzu«, fuhr Rathbone fort, der das Schweigen nicht ertrug, »dass die Klinik von einer meiner teuersten Freundinnen geleitet wird, und ich würde nicht im Traum wagen, diese ihrer treuesten Hilfe zu berauben. Es war durch die Jahrhunderte die Berufung großartiger Frauen, sich um die weniger Glücklichen zu kümmern, und zwar voller Mitleid und ohne zu urteilen. Kein Arzt hat je danach gefragt, ob sein Patient es wert ist, geheilt zu werden, sondern nur, ob er eine Behandlung braucht. Das Gleiche gilt für jene, welche die Kranken pflegen.«

»Meine Güte!«, sagte sie verblüfft. »Ich hatte keine Ahnung, dass Sie sich so stark engagieren, Sir Oliver! Es muss ein sehr viel edleres Bestreben sein, als ich angenommen habe. Dann arbeiten Sie also eng mit ihnen zusammen? Margaret hat das mir gegenüber nie erwähnt.« Bei dem Gedanken stockte ihr der Atem.

Rathbone fluchte innerlich. Warum, um alles in der Welt, war er so ungeschickt? Vor Gericht sah er eine Fallgrube auf hundert Meter und umging sie mit solcher Eleganz, dass es seine Gegner zur Weißglut trieb. Und er hatte seit sicher zwanzig Jahren ehestiftende Mütter ausgetrickst, zugegebenermaßen nicht immer mit Charme, aber er war im Laufe der Zeit besser geworden.

»Ich arbeite keineswegs mit ihnen zusammen«, sagte er bestimmt. »Aber wegen meiner langen Freundschaft mit Mr. Monk habe ich ihnen gelegentlich mit Rat zur Seite gestanden.« Sobald die Worte heraus waren, schämte er sich dafür. Es war feige. Er war die treibende Kraft gewesen, als sie die Voraussetzungen für ihre Arbeit geschaffen hatten, auch wenn Hester ihm die Worte in den Mund gelegt hatte. Und um Margarets willen hatte er dabei seine Vorsicht, die ihm zur Lebensregel geworden war, beiseite geschoben. Und wäre er wahrhaftig und unbedingt auf Ehrlichkeit bedacht, würde er auch zugeben, dass er ein paar berauschende Augenblicke lang sogar durch und durch begeistert bei der Sache gewesen war. Er hatte oft sagen hören, ein guter Anwalt müsse etwas von einem Schauspieler an sich haben. Vielleicht war daran mehr, als er geglaubt hatte.

»Dadurch weiß ich, was dort geleistet wird«, fügte er rechtfertigend hinzu. »Und natürlich hat Margaret mir auch von Zeit zu Zeit etwas erzählt. Ich hege tiefe Bewunderung für sie.« Das stimmte. Er erinnerte sich an Hester, nicht nur in der Klinik, die zuerst am Coldbath Square gelegen hatte, sondern auch bei all den anderen Kämpfen, die sie aus allen möglichen Gründen gemeinsam ausgefochten hatten. Sie ging Risiken ein, um mit einer Leidenschaft gegen Ungerechtigkeit zu kämpfen, die er noch nie bei jemand anderem erlebt hatte. Sie war ungeheuer mutig, nichts schüchterte sie ein, obwohl sie gelegentlich auch Angst gehabt haben musste. Er hatte sie erschöpft, entmutigt, frierend und hungrig erlebt, und auch so wütend, dass sie kaum ein Wort herausbrachte, aber nie hatte er Selbstmitleid in ihrer Stimme gehört oder in ihren Augen gesehen.

Natürlich hatte sie ein paar grobe Fehler begangen. Er erschauderte bei dem Gedanken an die Schnitzer, deren Zeuge er geworden war. Und sie war alles andere als taktvoll! Er hatte sie geliebt und hatte doch gezögert, um ihre Hand anzuhalten. Konnte er in seinem Leben wirklich eine solchermaßen eigenwillige Gefährtin brauchen, eine Frau mit unvernünftigen, unumkehrbaren Überzeugungen, einem solchen grimmigen Hunger der Seele?

Mrs. Ballinger starrte ihn an, verwirrt durch seine Worte

und doch zufrieden. Auch wenn sie sie nicht verstand, spürte sie doch die Leidenschaft in ihm und interpretierte sie auf ihre Weise.

Die Tür ging leise auf, und Margaret kam herein. Er stand auf und wandte sich zu ihr um. Sie trug ein Kleid in einem tiefen Pflaumenblau, einer Farbe, die er noch nie an ihr gesehen hatte. Sie schmeichelte ihr außerordentlich, ließ ihre Haut glühen und verstärkte das Blau ihrer Augen. Er hatte sie bislang nie für hübsch gehalten, aber ganz plötzlich erkannte er, dass sie es war. Es bereitete ihm außerordentliches Vergnügen, sie zu sehen, mehr als er je für möglich gehalten hätte. Sie strahlte Sanftheit und Würde aus, wie sie da stand und auf ihn wartete, selbstsicher und doch nicht eifrig. Sie würde nicht zulassen, dass die Ambitionen ihrer Mutter ihm peinlich waren oder sie dazu brachten, sich zu wehren und sich zurückzuziehen. Sie hatte einen Ruhepunkt in sich, was sie auch von Hester unterschied, und es war genau diese Gelassenheit, die er liebte. Sie war einzigartig.

»Guten Abend, Miss Ballinger«, sagte er mit einem Lächeln. »Es wäre überflüssig, Sie zu fragen, wie es Ihnen geht.«

Sie erwiderte sein Lächeln, und ihre Wangen färbten sich unmerklich röter. »Guten Abend, Sir Oliver. Ja, mir geht es tatsächlich gut. Und ich bin bereit, den Gebietern über musikalischen und wohltätigen Geschmack gegenüberzutreten.«

»Ich ebenfalls«, stimmte er ihr zu. Er verneigte sich leicht vor Mrs. Ballinger, die aufstand, um sie nach draußen zu bringen, Besitz ergreifend und im Bewusstsein eines nahe bevorstehenden Sieges strahlend.

»Es tut mir Leid«, murmelte Margaret, als sie die Halle durchquerten und der Diener ihr in den Mantel half und ihnen die Haustür öffnete.

Rathbone wusste genau, was sie meinte. »Reine Gewohnheit«, versicherte er ihr gleichermaßen leise. »Ich achte gar nicht mehr drauf.«

Sie schien etwas antworten zu wollen, vielleicht sogar sagen zu wollen, dass sie wusste, dass er log, um sie zu trösten, aber der Diener hatte sie zu dem wartenden Hansom begleitet und war noch in Hörweite.

Sobald sie saßen und die Kutsche sich in Bewegung setzte, schien es lächerlich, das fortzusetzen, was schließlich nicht mehr gewesen war als eine Höflichkeit. Rathbone nahm einen ganz leichten Rosenduft wahr, vielleicht war das auch der Duft ihrer warmen Haut. Das war eines der vielen Dinge, die ihm an ihr gefielen.

Er wollte sich mit ihr unterhalten. Sie hatten nur wenig Zeit allein, in Gesellschaft würden sie sich, wenn sie nicht unhöflich sein wollten, immer wieder unterbrechen lassen müssen, aber er war sich Mrs. Ballingers Erwartungen und der Empfindungen, die in ihm aufstiegen, nur allzu deutlich bewusst. Die Macht seiner Gefühle brachte ihn aus der Fassung. Wenn er offen sprach, verriet er sich womöglich, und dann gab es kein Zurück mehr.

»Wie geht es Hester?«, fragte er.

»Sie arbeitet sehr hart«, antwortete Margaret. »Und sorgt sich um die Finanzierung der Klinik. Obwohl wir gerade eine Frau aufgenommen haben, die eine sehr schlimme Lungenentzündung zu haben scheint, und der Mann, der sie gebracht hat, uns eine äußerst großzügige Spende überlassen hat und dafür zahlt, dass wir uns um sie kümmern. Das versetzt uns in die Lage, zumindest vierzehn Tage weiterzumachen.« Ihr Tonfall war höflich und besorgt, ihr Gesicht konnte er in dem wechselnden Licht der Straßenlaternen und der Kutschen, an denen sie vorbeifuhren, nur gelegentlich erkennen. Es war taktlos von ihm, gleich nach Hester zu fragen, fast als ginge es ihm eigentlich um sie und nicht um Margaret.

»Zwei Wochen?«, sagte er. »Das ist nicht sehr lange.« Er war besorgt um sie, und er war bestürzt, als ihm klar wurde, dass er sich auch um die Existenz der Klinik sorgte. »Ich wusste nicht, dass der Spielraum so … so eng ist.«

»Die Leute geben lieber für andere Dinge Geld«, erklärte sie.

»Ich habe es bei den meisten, die ich kenne, versucht, aber Hester hat eine Liste von Lady Callandra, und da werden wir es noch einmal probieren.«

»Wir?«, fragte er schnell. »Es wäre weitaus besser, wenn Sie es alleine täten. Hester ist ...«

»Ich weiß.« Sie lächelte sowohl aus Belustigung als auch aus Zuneigung. Das Lächeln erhellte ihr Gesicht, bis die Sanftheit in ihr so mächtig zu sein schien, dass er beinahe die Hand ausstrecken und ihre Wärme spüren konnte. »Ich habe den Plural nur im weiteren Sinne gebraucht«, fuhr sie fort. »Hester hat mir die Namen gegeben, und ich soll an die Leute herantreten, sobald sich die Gelegenheit ergibt.«

»Warum macht Lady Callandra es nicht selbst?«

»Oh! Sie wissen es noch nicht?« Sie wirkte überrascht. »Sie verlässt England, um in Wien zu leben. Sie wird Dr. Beck heiraten. Ich nehme an, Hester wird es Ihnen bei nächster Gelegenheit erzählen. Sie freut sich natürlich für die beiden, aber es bedeutet, dass wir keine Lady Callandra mehr haben, an die wir uns wenden können. Sie war beim Spendensammeln wirklich einzigartig. Von jetzt an sind wir auf uns selbst angewiesen.« Sie wandte den Blick von ihm ab, schaute nach vorne aus dem Fenster, als sei der vorbeifahrende Verkehr von Interesse.

War sie befangen, weil sie von Heirat gesprochen hatte? Dachte sie darüber nach? War es das, was in den Köpfen aller jungen Frauen herumspukte? Wenn er sie fragen würde, ob sie ihn heiraten wolle, würde sie zweifellos Ja sagen. Ihre Wertschätzung für ihn war nicht zu übersehen. Das hieß natürlich nicht unbedingt, dass sie ihn liebte, nur, dass ihr die Zeit im Nacken saß und die Gesellschaft eine Heirat erwartete.

Mit einer Plötzlichkeit, die ihn völlig unvermittelt überfiel, wurde ihm klar, dass er erst dann heiraten wollte, wenn er so sehr liebte, wie er überhaupt lieben konnte. Und wenn das so war und er nicht umgekehrt mit der gleichen Leidenschaft geliebt wurde, würde er furchtbar leiden.

War er dazu bereit? Wollte er sein sehr erfolgreiches und befriedigendes Leben aufgeben, um sich auf etwas einzulassen, das solche schmerzhaften Möglichkeiten barg? Womöglich konnte er mit den Schmerzen, die jeden Teil seines Daseins durchdringen und aller Wahrscheinlichkeit nach auch seine Fähigkeit zum logischen Denken lähmen würden, gar nicht umgehen?

»Ich bin mir sicher, dass Sie Erfolg haben werden«, sagte er ziemlich steif. »Ich muss Callandra sofort schreiben und sie beglückwünschen. Ich hoffe, ich bin nicht zu spät. Doch ihr Haushalt weiß sicher, wohin der Brief nachzusenden ist.«

»Vermutlich«, antwortete sie und blickte weiterhin aus dem Fenster.

Zehn Minuten später stiegen sie aus der Kutsche und wurden bei der Abendgesellschaft willkommen geheißen. Der große Salon war bereits voller Menschen: Männer in traditionellem Schwarz und Weiß, ältere Frauen in satten Farben wie Herbstblumen, die Jüngeren in Weiß, Creme und zartblassem Rosa. Schmuck glitzerte im Licht der Kronleuchter. Überall um sie herum das Summen der Gespräche, das gelegentliche Klirren von Gläsern und das Trillern gezwungenen Lachens.

Rathbone spürte Margarets plötzliche Anspannung – als müsste sie eine Feuerprobe überstehen. Er wünschte, er könnte es ihr leichter machen. Es verletzte ihn, dass sie böswilligen Unterstellungen ausgesetzt war, statt den Respekt entgegengebracht zu bekommen, den sie verdiente. Sie hatte weit mehr Mut und Freundlichkeit, als für das notwendig war, was hier als Maßstab für den Wert eines Menschen galt. Doch das zu sagen wäre lächerlich. Es wäre ganz offensichtlich eine Verteidigung, wo gar kein Angriff erfolgt war.

Lady Craven kam auf sie zu, um sie zu begrüßen.

»Entzückt, Sie zu sehen, Sir Oliver«, sagte sie charmant. »Ich bin sehr erfreut, dass Sie uns mit Ihrer Anwesenheit beehren. Wir sehen Sie viel zu selten. Und Miss ... Miss Ballinger, nicht wahr? Sie sind uns sehr willkommen. Ich hoffe, die Musik sagt Ihnen zu. Mr. Harding ist sehr talentiert.«

»Das habe ich gehört«, antwortete Rathbone. »Ich gehe davon aus, dass der Abend ein voller Erfolg wird. Es wird zweifellos viel Geld für die Wohltätigkeit gesammelt.«

Lady Craven war ein wenig verblüfft über seine Direktheit, aber sie war jeder gesellschaftlichen Situation gewachsen. »Das hoffen wir. Wir haben sehr genau geplant. Jede Einzelheit wurde mit größter Sorgfalt bedacht. Wohltätigkeit steht der Frömmigkeit sehr nah, nicht wahr?«

»Ich glaube schon«, stimmte Rathbone ihr herzlich zu. »Und es gibt sehr viele, die Ihre Großzügigkeit bitter nötig haben.«

»Oh, das will ich doch meinen! Aber wir denken an Afrika. Sehr hochherzig, nicht wahr? Lockt das Beste im Menschen hervor.« Damit schwebte sie hoch erhobenen Hauptes und mit einem Lächeln auf den Lippen davon.

»Afrika!«, zischte Margaret mit zusammengebissenen Zähnen. »Ich wünsche denen wirklich alles Gute für ihre Krankenhäuser, aber sie brauchen nicht alles!«

Sie steuerte einen Platz in der allerersten Reihe an.

»Ganz sicher?«, fragte Rathbone, der sich lieber weiter nach hinten gesetzt hätte.

»Vollkommen«, antwortete Margaret, ließ sich anmutig nieder und ordnete mit einer raschen Bewegung ihre Röcke. »Wenn ich hier mittendrin sitze, kann ich unmöglich mit jemandem sprechen, ohne gegenüber dem Künstler entsetzlich unhöflich zu sein. Ich werde ihm konzentriert zuhören müssen, und das ist genau das, was ich tun sollte. Selbst wenn mich jemand anspricht, werde ich einfach nicht antworten können. Ich werde ein verlegenes und bedauerndes Gesicht machen und schweigen.«

Vielleicht hätte er sein Lächeln verbergen sollen, schließlich wurde er beobachtet, aber das tat er nicht. »Bravo«, stimmte er ihr zu. »Ich werde neben Ihnen sitzen und verspreche, nichts zu sagen.«

Es war ein Versprechen, dass er nur allzu gerne hielt, denn die Musik war ausgezeichnet. Der Mann war jung, hatte einen wilden Haarschopf und ein exzentrisches Auftreten, aber er spielte sein Instrument, als wäre es ein Teil von ihm und enthalte die Töne seiner Träume.

Eine Stunde später, als sie in dem kurzen Augenblick, bevor der Applaus ausbrach, von Stille umgeben waren, wandte Rathbone sich zu Margaret um und sah, dass ihr Tränen über die Wange liefen. Er hob die Hand, um sie auf ihre zu legen, überlegte es sich jedoch. Er wollte den Augenblick in Erinnerung behalten, statt ihn zu zerstören. Das Staunen in ihren Augen, die Verwunderung und die Gefühle, die zu zeigen sie sich nicht schämte, würde er nicht vergessen. Ihm wurde bewusst, dass er noch nie gehört hatte, dass sie sich für Ehrlichkeit entschuldigt hatte oder so tat, als berührten Mitleid oder Wut sie nicht. Sie verspürte nicht das Bedürfnis, ihre Meinung zurückzuhalten oder so zu tun, als sei sie unverwundbar. Sie strahlte eine Reinheit aus, die ihn anzog wie ein Licht am sich verdunkelnden Himmel. Er hätte sie um jeden Preis verteidigt, weil er keinen Gedanken an sich selbst verschwenden, sondern nur das bewahren wollen würde, was nicht verloren gehen durfte.

Um sie herum brandete der Applaus auf, und er stimmte ein. Beeindrucktes Gemurmel wurde laut.

Der Künstler verbeugte sich, dankte und zog sich zurück. Für ihn war das Spiel der Zweck und die Erfüllung. Er brauchte das Lob nicht und wollte sich sicher nicht in noch so wohlmeinendes Geplauder verwickeln lassen.

Lady Craven nahm den Platz des Künstlers ein und trug ihre Bitte um großzügige Spenden für die medizinische Versorgung und die Christianisierung in Afrika vor. Man applaudierte ihr.

Rathbone spürte Margaret neben sich und glaubte sicher zu wissen, was sie dachte.

Die Leute schlenderten umher. Natürlich würde niemand etwas so Geschmackloses tun, wie die Hand in die Tasche zu stecken und Geld herauszuziehen, aber es wurden Versprechungen gemacht, Bankiers wurden benachrichtigt, und morgen früh würden Diener dringende Botengänge zu erledigen haben. Geld würde den Besitzer wechseln. Kreditbriefe würden auf Konten in London oder Afrika oder in beiden Orten gesandt werden.

Margaret war sehr still, sie beteiligte sich kaum an dem Gespräch um sie herum.

»Eine sehr achtbare Sache«, sagte Mrs. Thwaite glücklich und griff nach den Diamanten an ihrem Hals. Sie war eine füllige, hübsche Frau, die in ihrer Jugend bezaubernd gewesen sein musste. »Wir sind so vom Glück gesegnet, dass ich immer finde, wir sollten großzügig geben, nicht wahr?«

Ihr Mann stimmte ihr zu, obwohl er ihr gar nicht zuzuhören schien. Er langweilte sich dermaßen, dass seine Augen ganz glasig wurden.

»Durchaus«, sagte eine große Dame in Grün salbungsvoll. »Es ist nicht weniger als unsere Pflicht.«

»Ich denke, unsere Enkelkinder werden es zukünftig als unsere größte Errungenschaft betrachten, dass wir das Christentum und die Reinlichkeit auf den Schwarzen Kontinent gebracht haben«, sagte ein anderer Gentleman voller Überzeugung.

»Falls uns das gelingen würde, wäre dem sicher so«, warf Rathbone ein. »Solange wir dabei nicht riskieren, unsere eigene zu verlieren.« Er hätte sich auf die Zunge beißen können. Genau so etwas hätte auch Hester gesagt.

Einen Augenblick schwiegen alle entsetzt.

»Verzeihung?« Die Frau in Grün zog die Augenbrauen so hoch, dass ihre Stirn fast verschwand.

»Vielleicht möchten Sie noch einen Drink, Mr. ...« Der gelangweilte Ehemann erwachte plötzlich zum Leben. »Vielleicht doch lieber nicht«, fügte er mit Bedacht hinzu.

»Rathbone«, ergänzte Rathbone. »Sir Oliver. Ich bin entzückt, Sie kennen zu lernen, aber noch einen Drink kann ich erst nehmen, wenn ich bereits einen hatte. Ich denke, Champagner wäre ausgezeichnet. Und auch einen für Miss Ballinger, wenn Sie so freundlich wären, einen Diener herbeizuwinken. Vielen Dank. Ich erwähne den Verlust dieser großartigen Wohltätigkeit, weil wir auch hier zu Hause eine große Anzahl karitativer Einrichtungen haben, die unsere Unterstützung brauchen. Bedauerlicherweise sind Krankheiten nicht auf Afrika beschränkt.«

»Krankheiten?« Der gelangweilte Ehemann dirigierte den Diener zu Rathbone, der ein Glas Champagner für Margaret nahm und dann eines für sich selbst. »Was für Krankheiten?«, hakte er nach.

»Lungenentzündung«, ergänzte Margaret und nutzte die Eröffnung, die Rathbone ihr gegeben hatte. »Und natürlich Tuberkulose, Rachitis, gelegentlich auch Cholera oder Typhus und schrecklich häufig Bronchitis.«

Rathbone stieß die Luft aus. Er hatte nicht gemerkt, dass er sie angehalten hatte, aus Furcht, sie werde auch Syphilis mit aufzählen.

Der gelangweilte Ehemann sah verdutzt aus. »Aber wir haben Krankenhäuser, meine liebe Miss …«

»Ballinger«, sagte Margaret mit einem, wie Rathbone wusste, gezwungenen Lächeln. »Unglücklicherweise nicht genug, und zu viele Arme haben nicht die finanziellen Mittel, sie sich leisten zu können.«

Die hübsche Frau sah besorgt aus. »Ich dachte, dafür gäbe es Wohltätigkeitseinrichtungen. Ist das nicht so, Walter?«

»Natürlich, meine Liebe. Aber ich bin sicher, ihr weiches Herz ehrt Miss …«, sagte Walter eilig.

Margaret würde sich nicht mundtot machen lassen. »Ich arbeite in einer Klinik in der Portpool Lane, die sich speziell um die armen Frauen in der Gegend kümmert, und wir brauchen ständig Geld. Selbst die kleinste Spende würde für Lebensmittel oder ein wenig Kohle reichen. Medikamente können teuer sein, aber Essig und Lauge sind billig.«

Walter hakte an dem einen Punkt nach, den er nicht verstanden hatte und bei dem er glaubte, sich auf eine Diskussion einlassen zu können. »Sicher ist Essig nicht nötig, Miss Ballinger.

Können Sie ihnen nicht einfacheres Essen geben? Wenn sie krank sind, Haferschleim oder etwas Ähnliches?«

Rathbone merkte, dass Margaret zögerte, und wusste, dass sie in diesem Augenblick ihren Unmut zügelte. Hesters Antwort wäre so spitz ausgefallen, dass Walter sich noch wochenlang an den Schmerz erinnert hätte. Erleichtert darüber, dass Margaret ein sanfteres Naturell besaß, atmete Rathbone aus und lächelte, ohne es zu merken.

»Der Essig dient nicht als Nahrungsmittel«, antwortete Margaret und zwang sich, mit sanfter Stimme zu sprechen. »Wir brauchen ihn zum Saubermachen. Wir geben den Leuten sehr viel Haferschleim und denen, die ein wenig besser dran sind oder die verletzt sind und nicht krank, auch Hafergrütze.«

Walter war völlig aus der Fassung gebracht. »Verletzt?«

»Ja. Frauen sind oft in Unfälle oder Überfälle verwickelt. Wir tun für sie, was wir können.«

Seine Miene verriet tiefe Abscheu. »Wirklich? Wie ... äußerst unerfreulich. Ich ziehe es vor, meine Spende denen zu geben, die das Licht des Christentums den armen Seelen bringen, die noch nicht die Gelegenheit hatten, sie zurückzuweisen! Man darf kostbare Mittel nicht vergeuden.« Er neigte den Kopf, als wollte er sich verabschieden.

Margaret erstarrte.

Rathbone legte ihr die Hand auf den Arm und drückte sie ein wenig, um sie zu warnen, lieber auf eine Antwort zu verzichten.

»Ich weiß«, flüsterte sie. Und sobald Walter sich zu einer anderen Gruppe gesellt hatte, wo er nicht mit so unerfreulichen Dingen konfrontiert werden würde, fügte sie hinzu: »Ich würde ihm nur allzu gerne sagen, was ich glaube, aber es würde all unsere zukünftigen Aussichten auf Hilfe zunichte machen. Machen Sie sich keine Sorgen, ich beiße mir auf die Zunge.« Aber sie lächelte nicht und wandte sich auch nicht zu ihm um.

Bei ihrem nächsten Versuch ging es ein wenig besser. Sie waren in ein höfliches, aber oberflächliches Gespräch mit Mr. und Mrs. Taverner, Lady Hordern und dem Ehrenwerten John Wills verwickelt.

»Was für ein wundervoller Mann«, sagte Lady Hordern begeistert über einen Arzt in Afrika. »Bereit, sein Leben zu opfern, um Körper und Seelen von Menschen zu retten, die er nicht einmal kennt. Wahrlich christlich.«

»Die meisten Ärzte retten Menschen, die sie nicht kennen«, führte Rathbone aus.

Lady Hordern schaute ein wenig bestürzt drein.

»Zumindest wissen sie, wer sie sind!«, meinte Wills. »Und natürlich werden sie dafür bezahlt.«

»Manchmal«, sagte Rathbone. »In Wohltätigkeitseinrichtungen nicht.«

»Der Arzt muss nur wissen, dass sie krank sind und in Not«, ergänzte Margaret mit einem Lächeln.

»Ganz recht!«, stimmte Wills ihr zu, als spräche sie ihm aus der Seele.

Rathbone verbarg ein Lächeln. »Ich glaube, was Miss Ballinger meint, ist, dass wir auch für andere gute Werke großzügig spenden sollten.«

Lady Hordern blinzelte. »Wessen gute Werke?«

»Ich dachte an diejenigen, die an solchen Orten arbeiten wie die Klinik, die von meiner Freundin, Mrs. Monk, geleitet wird. Sie behandelt Menschen hier in London«, antwortete Margaret.

»Aber wir haben Krankenhäuser«, wandte Mr. Taverner ein. »Und wir sind bereits Christen. Das ist etwas ganz anderes, wissen Sie.«

Margaret biss sich auf die Lippen. »Es ist ein großer Unterschied, etwas von Christus gehört zu haben oder ein Christ zu sein.«

»Ja, anzunehmen.« Er war offenkundig nicht ganz überzeugt.

Margaret witterte eine Chance. »Sicher ist doch eine Seele genauso wertvoll wie die andere? Und die Seelen in unserer eigenen Gemeinschaft zu retten kann wunderbare Auswirkungen auf uns alle haben.«

»Retten?«, fragte seine Frau misstrauisch. »Wovor, Miss Ballinger?«

Rathbone spürte, wie angespannt Margarets Arm war, und hörte, wie sie Luft holte. Würde sie einen taktischen Fehler begehen?

»Vor eines Christen unwertem Verhalten«, antwortete Margaret freundlich.

Rathbone atmete erleichtert seufzend aus.

Lady Horderns blasse Augenbrauen fuhren in die Höhe. »Sprechen Sie von dem Ort, an dem Straßenmädchen geholfen wird?«, fragte sie ungläubig. »Ich kann mir kaum vorstellen, dass Sie um Geld bitten um ... Prostituierten zu helfen?«

Mr. Taverner errötete leicht, ob aus Zorn oder Verlegenheit war jedoch unmöglich zu sagen.

»Ich glaube, dass sie sich größtenteils selbst helfen, Lady Hordern«, warf Rathbone ein und hörte im Geiste Hesters Stimme, als hätte sie ihm die Worte vorgesagt. »Was, wie ich mir einbilde, der Kern des Problems ist. Die Klinik, von der Sie sprechen, hilft Frauen, die verletzt oder krank sind und daher ihrer gewöhnlichen Beschäftigung nicht nachgehen können.«

»Was nur inständig zu wünschen ist!«, stieß Mrs. Taverner hervor.

»Wirklich?«, fragte Rathbone unschuldig. »Ich schätze das Gewerbe nicht hoch, ebenso wenig wie die Tatsache, dass viele Männer es regelmäßig in Anspruch nehmen, aber ich glaube nicht, dass seine Abschaffung eine praktikable Lösung wäre. Solange es solche Menschen gibt, schickt es sich für uns, ihre Krankheiten so wirkungsvoll wie möglich zu behandeln.«

»Ich finde Ihre Meinung außerordentlich, Sir Oliver«, antwortete Mrs. Taverner eisig. »Insbesondere, da Sie sie vor Miss Ballinger äußern, die schließlich unverheiratet ist und die Sie, wie ich annehme, als Dame betrachten?«

Zu seiner Verwunderung machte die Äußerung Rathbone nicht wütend, er empfand vielmehr plötzlich großen Stolz. »Miss Ballinger arbeitet in dieser Klinik«, sagte er deutlich. Er hätte es gerne noch einmal gesagt, lauter, damit alle es hörten. »Sie weiß mehr über das Leben dieser Frauen als wir alle zusammen. Sie kennt die Schläge und Stichverletzungen, die sie erleiden, die Entbehrung durch unzureichendes Essen und schlechte Behausungen und Krankheiten.«

Mrs. Taverner war zutiefst schockiert und beleidigt.

»Der Unterschied ...«, sagte Rathbone zum Schluss und staunte über die Leidenschaft in seinen Worten, »... der Unterschied ist der, dass sie beschlossen hat, etwas zu tun, um zu helfen, und wir müssen sie dabei nur unterstützen.« Er spürte den Griff von Margarets Hand fest auf seinem Arm und war lächerlich stolz.

»Ich ziehe es vor, die Spenden, die ich leiste, achtbareren Einrichtungen zu widmen«, sagte Lady Hordern steif.

»Sind die Afrikaner achtbarer?«, fragte Rathbone.

»Sie sind unschuldiger!«, gab sie zurück. »Ich nehme an, das bezweifeln Sie nicht?«

»Da ich nicht mit ihnen bekannt bin, kann ich das nicht«, antwortete er.

Wills zog sein Taschentuch aus der Tasche und vergrub das Gesicht darin. Seine Schultern zuckten, offensichtlich wurde er von einem unkontrollierbaren Lachanfall geschüttelt.

Lady Hordern blickte Margaret unverwandt an. »Ich kann nur annehmen, Miss Ballinger, dass Ihre Mutter nichts von Ihren gegenwärtigen Neigungen weiß, sowohl von den persönlichen« – sie warf einen kurzen Blick auf Rathborne – »als auch von den beruflichen. Ich denke, im Interesse Ihrer Zukunft wäre es ein Freundschaftsdienst, sie in Kenntnis zu setzen. Ich möchte nicht, dass Sie mehr leiden, als bereits unvermeidlich ist. Ich werde sie morgen früh aufsuchen.« Und damit schwebte sie, umgeben vom Rascheln ihrer steifen Taftröcke, von dannen.

Mr. Taverner war immer noch scharlachrot im Gesicht. Mrs. Taverner wünschte einen guten Abend, wandte sich ab und überließ es ihrem Mann, ihr zu folgen.

»Sie sind ja noch schlimmer als Hester!«, sagte Margaret mit zusammengebissenen Zähnen, aber es war kein Lachen, was sie unterdrückte, sondern Angst. Wenn ihre Mutter einschritt, würde es sehr schwer werden, Rathbone zu treffen, und vielleicht unmöglich, in der Klinik zu arbeiten. Sie hatte keine Mittel, nicht einmal ein eigenes Zuhause außer dem ihrer Eltern.

Er blickte sie an und bemerkte die Veränderung, die in ihr vorgegangen war. »Es tut mir Leid«, sagte er freundlich. »Ich habe auf Ihre Kosten meiner Empörung freien Lauf gelassen, und die Situation für Sie unmöglich gemacht.« Es war ein Eingeständnis der Tatsachen, keine Frage.

»Unmöglich war sie vorher schon«, räumte sie ein und weigerte sich, darüber nachzudenken, dass dieser Satz eine sehr viel tiefere Bedeutung hatte als der Verlust der Spenden am heutigen Abend. »Ich habe das starke Gefühl, dass Mr. Taverner womöglich bereits seinen Beitrag zum Unterhalt der Klinik leistet und dass Mrs. Taverner davon weiß.«

»Ich wage zu behaupten, dass es ihre Art der Zustimmung ist, dass sie am heftigsten widerspricht«, stimmte er ihr zu. Dann zögerte er. »Margaret, wird Ihre Mutter auf Lady Hordern hören und ihr glauben? Muss ich in ihren Augen um einiges ehrbarer werden, damit sie mir erlaubt, Sie wiederzusehen? Sollte ich« – er schluckte – »mich entschuldigen?«

»Wagen Sie es nicht!« Sie hob den Kopf ein wenig höher. »Ich werde selbst mit Mama sprechen.«

Es war genau das, was Hester auch gesagt hätte, mutig, wütend und unklug, aber aus dem Herzen gesprochen. Hatte Margaret das Gefühl, dass sie Hester für ihn doubelte, dass sie quasi als Ersatz hier war und nicht um ihrer selbst willen? Denn dem war nicht so. Das wusste er mit überwältigender Sicherheit. Er liebte Margarets Mut und ihre Ehrlichkeit, die ihn an Hester erinnerten, aber sie hatte auch noch andere Qualitäten, etwa Sanftheit und Ehre, Bescheidenheit und eine innere Liebenswürdigkeit, die nichts mit irgendjemandem sonst zu tun hatten. Man liebte nicht jemanden, weil er einen an jemand anderen erinnerte!

»Sicher«, antwortete er. »Daran hatte ich nicht gedacht. Hätten Sie nicht das Gleiche gesagt?«

Sie drehte sich mit weit aufgerissenen, fragenden Augen zu ihm um.

»Hätten Sie?«, wiederholte er. »Mir ist nur wichtig, was Sie sagen.«

»Tatsächlich?«

»Ja, natürlich.« Eine leise Angst überkam ihn, wie weit er sich verpflichtete.

Sie wandte den Blick wieder ab und lächelte mit strahlenden Augen. »Ich fürchte, wir waren bislang noch nicht sehr erfolgreich darin, Spender zu ermuntern, nicht wahr?«

»Bisher war ich nur eine Belastung«, räumte er ein. »Ich werde mich bemühen, es besser zu machen.« Er bot ihr seinen Arm, und sie hakte sich unter. Zusammen gingen sie auf eine große Gruppe zu, bereit, es erneut zu versuchen.

5

Hester kam gegen halb neun in die Portpool Lane, es war der dritte Morgen, seit Monk den Auftrag von Clement Louvain angenommen hatte. Als Erstes setzte sie sich mit Bessie in die Küche und nahm eine heiße Tasse Tee und eine Scheibe Toast zu sich, während sie sich anhörte, was in der Nacht passiert war.

Als es noch ein Bordell war, war hier nur sehr selten gekocht worden. Die meisten Prostituierten, die es bewohnt hatten, hatten sich auf der Straße irgendetwas zu essen gekauft, bevor die Arbeitsstunden begannen. Selten waren mehr als drei oder vier Personen zur gleichen Zeit zu versorgen gewesen: nur Squeaky Robinson selbst, ein paar Frauen, die kamen, um zu putzen und zu waschen, und ein paar Männer, die sich um Freier kümmerten, die grob wurden und rausgeworfen werden mussten oder ihre Rechnungen nur zögerlich bezahlten. Es war nie notwendig gewesen, das, was einst eine Familienküche gewesen war, zu vergrößern. Mit der Wäscherei verhielt es sich anders, die war riesig und gut ausgestattet; es gab zwei Waschkessel, um die unzähligen Laken zu kochen, und einen separaten Raum zum Trocknen.

Bessie sah sehr müde aus. Sie hatte das Haar so fest aus dem Gesicht gekämmt, dass es wehtun musste, aber einige lange Strähnen waren nachlässig festgesteckt, als habe sie sie gereizt nach hinten geschoben, damit sie aus dem Weg waren. Ihre Haut war blass, und ab und zu konnte sie ein Gähnen nicht unterdrücken.

»Die ganze Nacht auf gewesen?«, bemerkte Hester, mehr als Feststellung denn als Frage.

Bessie trank mit einem zufriedenen Seufzer einen dritten Schluck Tee. »Den beiden von vor ein paar Nächten geht's allmählich besser«, antwortete sie. »Ein armes Huhn, sie braucht nur ein bisschen Essen und ein paar Nächte anständigen Schlaf. Kann sie morgen wieder wegschicken. Die Stichwunden heilen gut.«

»Gut.« Hester nickte. Sie erwartete jedoch, dass es der Frau, die Louvain gebracht hatte, schlechter ging, fürchtete sogar, dass sie zu denjenigen gehörte, für die sie nicht mehr tun konnten, als ihnen in ihren letzten Stunden so viel Trost zu geben wie möglich. Zumindest mussten sie nicht einsam sterben.

»Aber wir haben ein Dutzend hier, und es gibt jede Menge Wäsche zu waschen«, antwortete Bessie. »Ich war die ganze Nacht mit dieser Clark-Frau auf. Man kann nicht viel für sie tun, außer kalte Wickel, wie Sie gesagt haben, aber es scheint zu helfen. Sie sieht immer noch aus, als sollte der Leichenbestatter sich um sie kümmern, aber das Fieber ist nicht mehr so hoch, also ist sie wohl auf dem Weg der Besserung. Meine Güte, hat die ein Temperament! Der Name Ruth ist viel zu gut für sie. Wenn's an mir läge, ich würde sie Mona nennen.«

Hester lächelte. »Ich nehme an, sie wurde getauft, lange bevor sie sprechen konnte.«

»Eine Schande, dass wir sie nicht in den Zustand zurückversetzen können«, murrte Bessie.

»Sie ent-taufen?«

»Nein … nur dass sie den Mund hält!«

»Beenden Sie Ihr Frühstück und gönnen Sie sich 'ne Mütze Schlaf«, sagte Hester. »Ich mache die Wäsche.«

»Das schaffen Sie nicht allein!«

»Muss ich auch nicht, Margaret kommt später noch. Ich fange nur schon mal an.«

»Ja? Und wer soll Ihnen das Wasser holen?«, fragte Bessie.

Hesters Lächeln wurde breiter. »Squeaky. Wird ihm gut tun. Ein bisschen frische Luft und Bewegung.«

Bessie lachte. »Dann sagen Sie ihm, wenn er zetert, komme ich und gebe ihm eins mit der Pfanne über den Kopf!«

Als Hester zehn Minuten später mit Squeaky sprach, war er entsetzt.

»Ich?«, sagte er ungläubig. »Ich bin Buchhalter! Ich hole kein Wasser!«

»O doch«, sagte sie und reichte ihm zwei Kübel.

»Aber man muss zehnmal laufen, um den verdammten Kessel zu füllen!«, sagte er wütend.

»Mindestens«, meinte sie. »Und weitere zehn Mal für den zweiten Kessel, also sollten Sie besser schon mal anfangen. Wir müssen heute waschen, damit die Sachen bis morgen oder spätestens übermorgen wieder trocken sind.«

»Ich bin kein verfluchter Wasserträger!« Er stand da wie angewurzelt, die Empörung war ihm deutlich ins Gesicht geschrieben.

»Gut, dann hole ich das Wasser«, sagte Hester. »Und Sie beziehen die Betten. Denken Sie dran, die Laken glatt und stramm zu ziehen und nur die Enden einzustecken. Sie müssen um die kranken Frauen herumarbeiten, aber ich nehme an, Sie wissen, wie man das macht. Dann können Sie Lauge und Pottasche mischen und …«

»Schon gut!«, sagte er wütend. »Ich hole das Wasser. Ich gebe mich doch nicht mit kranken Frauen ab, die im Bett liegen!«

»Sind Sie nicht ein bisschen prüde für einen Bordellbesitzer?«, fragte sie spöttisch.

Er warf ihr einen mürrischen Blick zu, nahm die zwei Kübel und stürmte hinaus.

Hester lächelte in sich hinein und ging mit einem Stapel sauberer Laken und Bettbezüge nach oben, um die Betten frisch zu beziehen. Bei Fieber schwitzte man, und es war unvermeidlich, dass das Leinen schnell schmutzig wurde.

Sie fing bei dem Mädchen an, das völlig erschöpft zu ihnen gekommen war und dem es bereits so viel besser ging, dass man es heute oder morgen wieder entlassen konnte.

»Ich helfe Ihnen«, bot sie sofort an, drehte sich zur Seite und stand auf. Sie hielt sich mit einer Hand am Bettpfosten fest, wickelte sich einen Schal um die Schultern und machte sich an die Arbeit.

Hester ließ sie gewähren, denn die Arbeit ging zu zweit sehr viel leichter von der Hand. Sie wechselten die Laken auf diesem Bett und gingen dann ins nächste Zimmer, wo die Frau lag, die eine schwere Blutstauung hatte. Sie fieberte, und es ging ihr ziemlich schlecht. Sie nahmen die feuchten, zerknitterten Laken von ihrem Bett, halfen ihr, sich ein wenig zu drehen, und legten frische Laken auf. Es war eine schwierige Angelegenheit, und als die Frau am Ende schwindlig und nach Luft schnappend wieder in die Kissen sank, waren Hester und das Mädchen froh, einen Augenblick verschnaufen zu können.

Hester half der kranken Frau, ein paar Schlucke Wasser aus dem Becher auf dem Tisch zu nehmen, das heiß gewesen, inzwischen aber nur noch lauwarm war. Dann ließen sie sie allein und gingen ins nächste Zimmer und so weiter, bis sie fertig waren.

»Kann ich beim Waschen helfen?«, fragte das Mädchen und zeigte auf die Laken.

Hester betrachtete ihr blasses Gesicht und den leichten Schweißfilm über ihren Augenbrauen. »Nein, vielen Dank. Gehen Sie noch ein Weilchen ins Bett. Das schafft eine allein.«

Das war nicht ganz die Wahrheit – es wäre sehr viel leichter gewesen, wenn ihr jemand geholfen hätte –, aber sie stopfte die Laken in zwei Bettbezüge, hängte sich diese über die Schulter und trug sie nach unten.

In der Waschküche sah sie nach den Kesseln und fand den ersten mehr als halb voll. Squeaky hatte wohl trotz seiner Einwände flott gearbeitet. Sie holte die Laken aus den Bezügen, warf sie in den Kupferkessel und rührte sie so lange mit einem langen hölzernen Wäschestampfer, bis sie völlig durchweicht waren. Dann holte sie einen weiteren Korb Kohlen, tat diese in den Waschkessel und trug den flachen Kohlenkorb anschließend zurück.

Als Nächstes fügte sie dem Wasser im Kessel die letzte Seife hinzu und machte sich an eine der Arbeiten, die sie am wenigsten mochte, das Seifemachen. Die Aufgabe war nicht schwierig, aber anstrengend und langweilig. Pottasche kauften sie bei einem Händler ein paar hundert Meter die Straße hinunter in der Farringdon Road. Sie wurde aus verbrannten Kartoffelstielen gemacht, was nicht unbedingt die beste, aber die billigste Methode war, denn sie ergab ein Dutzend mal so viel Pottasche wie aus der gleichen Menge Holz. Aus einem Pfund Pottasche und fünf Pfund klarem Schmalz konnte man fünf Gallonen flüssige Seife gewinnen. Für ihren Bedarf war der Geruch unwichtig, und das Geld reichte nicht, um noch Parfümstoffe hinzuzufügen.

Während sie bei der Arbeit war, kam Squeaky mit zwei weiteren Kübeln Wasser herein, wobei er so finster dreinblickte, dass Hester sich wunderte, dass er noch sehen konnte, wohin er ging. »Ich verabscheue das Zeug!«, sagte er und zog die Nase kraus. »Als wir noch ein ordentliches Bordell waren, haben wir Seife gekauft!«

»Ich wäre entzückt, wenn Sie Geld übrig hätten«, antwortete sie.

»Geld! Woher soll ich Geld haben?«, wollte er wissen. »Niemand hier verdient etwas! Sie geben nur alles aus!« Und bevor sie noch antworten konnte, kippte er die Kübel in den zweiten Kessel und marschierte wieder hinaus.

Um die Mittagszeit nahmen sie zwei weitere Frauen auf, und am frühen Nachmittag kam Margaret, die bereitwillig half, den Küchenboden mit heißem Wasser und Essig zu schrubben. Später nahm sie zwei Pfund und ging, um die Rechnung des Kohlenhändlers zu bezahlen und ein Pfund Tee und ein Glas Honig zu kaufen.

Eine Frau mit zwei gebrochenen Fingern an der rechten Hand kam, und Hester brauchte ihr ganzes Geschick, um sie zu fixieren. Die Frau war erschöpft vor Schmerzen, und es dauerte ein Weilchen, bis sie sich so weit gefasst hatte, dass sie wieder gehen konnte.

Um Viertel vor sechs ging Margaret nach Hause. Hester wollte ein paar Minuten schlafen, zum letzten Mal für heute nach Ruth Clark sehen und dann nach Hause gehen, aber sie wachte mit einem Ruck auf und stellte fest, dass es draußen vollkommen dunkel war und Bessie mit einer Kerze in der Hand über ihr stand, das Gesicht vor Sorge voller Falten.

Hester strich sich das Haar aus den Augen und setzte sich auf. »Was ist los?«, fragte sie erschrocken. »Eine Neuaufnahme?«

»Nein.« Bessie schüttelte den Kopf. »Es geht um diese Clark-Frau. Ist wirklich ein elendes Stück Arbeit, worauf Sie sich verlassen können! Aber sie ist wirklich schlecht dran. Ich denke, Sie sollten besser mal nach ihr schauen.«

Hester gehorchte wortlos. Ohne sich die Mühe zu machen, das Haar aufzustecken, zog sie ihre Stiefel an und folgte Bessie zu Ruth Clarks Zimmer.

Die Frau lag halb auf dem Rücken, das Gesicht gerötet, das Haar zerzaust. Da, wo sie es mit ihren Fäusten gepackt hatte, war das Laken zerknittert. Ihre Augen waren halb geöffnet, aber sie schien kaum mitzubekommen, dass außer ihr noch jemand im Raum war.

Hester ging hinüber und befühlte ihre Stirn. Sie glühte.

»Ruth?«, fragte sie leise.

Die Frau gab keine Antwort, außer dass sie eine gereizte Handbewegung machte, als quälte die Berührung sie.

»Bringen Sie mir eine frische Schüssel kaltes Wasser«, wies Hester Bessie an. Der Zustand der Frau war ernst. Wenn sie das Fieber nicht wenigstens um ein oder zwei Grad herunterbekamen, konnte sie leicht ins Delirium fallen und sterben.

Bessie machte sich gleich auf den Weg, und Hester nahm die Kerze vom Nachttisch, um Ruth Clark näher zu betrachten. Sie atmete unregelmäßig, und ihre Brust schien zu rasseln, als sei die Lunge angefüllt mit Flüssigkeit. Lungenentzündung. Die Krise kam womöglich heute Nacht. Hester konnte nicht nach Hause gehen. Wenn sie ihr ganzes Können einsetzte, konnte sie die Frau vielleicht retten. Sie sah kräftig aus und war zweifellos die Geliebte eines Mannes und nicht eine von den Frauen, die auf der Straße standen und ihren Körper an jeden verkauften, der sich ihre Dienste leisten konnte. Letztere verbrachten die Nächte oft frierend und hungrig und bei schlechtem Wetter mit nassen Füßen und womöglich auch noch nassen Kleidern. Hester stellte die Kerze zurück.

Bessie kam mit dem Wasser und den Tüchern herein und stellte alles auf den Boden.

Hester dankte ihr und bat sie, nach den anderen Patientinnen zu schauen und dann die Gelegenheit zu nutzen und ein wenig zu schlafen.

»Nicht, wenn Sie sich ganz allein um sie kümmern!«, sagte Bessie entrüstet.

»Das ist keine Arbeit für zwei«, antwortete Hester, lächelte aber über Bessies Loyalität. »Wenn Sie sich jetzt ausruhen, können Sie mich morgen früh ablösen. Ich rufe Sie, wenn ich Sie brauche, versprochen.«

Bessie wich nicht von der Stelle. »Ich hör Sie doch im Leben nicht!«

»Legen Sie sich ins Zimmer gegenüber, dann hören Sie mich schon.«

»Und Sie rufen auch wirklich?«, hakte Bessie nach.

»Ja! Und jetzt gehen Sie mir aus dem Weg!«

Bessie gehorchte, und Hester tauchte ein Tuch in das kalte Wasser, wrang es aus und legte es der kranken Frau auf die Stirn. Zuerst schien es sie zu stören, und sie versuchte, es wegzuschieben. Hester nahm das Tuch und strich damit über ihren Hals. Dann wrang sie es noch einmal aus und versuchte es ein zweites Mal auf der Stirn.

Ruth stöhnte, und ihre Augenlider flackerten.

Immer wieder tunkte Hester das Tuch ins Wasser, wrang es aus und wusch die Frau damit ab, zuerst nur Gesicht und Hals. Als das kaum Wirkung zeigte, schlug sie die Bettdecke zurück und legte der Frau das Tuch auch auf die Brust.

Die Zeit schlich dahin. Hester schaute auf die Uhr, es war zehn.

Um Mitternacht herum merkte sie, dass Ruth sich eine Weile nicht bewegt hatte, vielleicht zehn oder fünfzehn Minuten. Hester beugte sich vor. Sie konnte das Heben und Senken der Brust nicht sehen. Sie war mit dem Tod zu sehr vertraut, um Angst vor ihm zu haben, aber traurig machte er sie immer. Sie streckte die Hand aus und tastete nach dem Hals der Frau, nur um sich zu vergewissern, dass es keinen Puls mehr gab. Ruth schlug die Augen auf. »Was ist los?«, flüsterte sie verärgert. Es war das erste Mal, dass Hester sie etwas sagen hörte, und ihre Stimme verblüffte sie. Sie war tief, weich und gefällig, die Stimme einer Frau mit einiger Bildung und Kultur. Hester erschrak dermaßen, dass sie zurückzuckte. »Es … es tut mir Leid«, sagte sie, als hätte sie nicht eine kranke Patientin versorgt, sondern sich in ein fremdes Schlafzimmer geschlichen.

»Ich wollte sehen, ob Sie noch Fieber haben. Fühlen Sie sich besser? Möchten Sie etwas trinken?«

»Ich fühle mich schrecklich«, antwortete Ruth, deren Stimme sich anhörte, als wäre ihre Kehle völlig ausgedörrt.

»Möchten Sie etwas Wasser?«, wiederholte Hester ihr Angebot. »Ich helfe Ihnen, sich aufzusetzen.«

Ruth blickte sie stirnrunzelnd an. »Wer sind Sie?« Sie schaute sich im Zimmer um, ohne den Kopf zu bewegen. »Was ist das für ein Ort? Sieht aus wie ein Bordell!«

Hester lächelte. »Das ist ... war es auch mal. Jetzt ist es eine Klinik. Erinnern Sie sich nicht, wie Sie hergekommen sind?«

Ruth schloss die Augen. »Wenn ich mich daran erinnern würde, würde ich nicht fragen!«

Hester war verblüfft. Schockiert erkannte sie, wie sehr sie sich an die Dankbarkeit der Kranken und Verletzten gewöhnt hatte, die hier immer wieder Zuflucht fanden. Sie betrachtete es inzwischen als selbstverständlich, doch diese Frau hier empfand keinerlei Bewunderung, kein Gefühl des Respekts vor ihrer Retterin.

Vielleicht, weil sie daran gewöhnt war, von den Dienstboten ihres Geliebten bedient zu werden? War sie in der Regel diejenige in der Beziehung, die die Macht hatte, und hatte sie womöglich im Fieber vorübergehend vergessen, dass ihr Geliebter sie rausgeworfen hatte? Oder erinnerte sie sich sehr wohl daran und richtete ihren Zorn darüber, zurückgewiesen worden zu sein, gegen Hester, einfach weil Hester zugegen war?

»Erinnern Sie sich daran, dass Mr. Louvain Sie hierher gebracht hat?«

Ruths Miene veränderte sich kaum merklich, so leicht, dass es auch nur die Anstrengung gewesen sein konnte, sich zu konzentrieren, oder die Angst, die Kontrolle über das zu verlieren, was mit ihr geschah.

Hester konnte nicht verhindern, dass ihre Gedanken sich der Frage zuwandten, wie aus dieser Frau eine abgelegte Geliebte geworden war, gerettet von einem Mann, den sie womöglich kaum kannte, und schrecklich krank in eine Wohltätigkeitsklinik für Prostituierte gebracht. Sie war offensichtlich gebildet, sie war gut aussehend, vielleicht sogar richtig hübsch, wenn es ihr besser ging. Hatte sie sich hoffnungslos in einen Mann verliebt, den sie nicht heiraten konnte? Oder wollte er sie nicht ehelichen? War sie adliger Armut entflohen, indem sie ein Leben akzeptierte, das viele als sündig betrachteten? Wie? Zufällig? Bewusst gewählt? Abenteuerin oder Opfer? Womöglich beides? Oder Louvains Geliebte?

»Er hat mich hergebracht?«, fragte Ruth leise.

»Ja.« Hester hätte noch einmal fragen sollen, ob Ruth Wasser trinken wollte, aber die Neugier ließ sie noch einen Augenblick warten.

Ein merkwürdiges Lächeln huschte über Ruths Lippen, voller Ironie, als läge darin ein furchtbarer Witz, den sie selbst in ihrem elenden Zustand noch anerkennen könnte. »Was hat er gesagt?« Sie blickte Hester hart und wütend in die Augen. Sie würde ihre Hilfe annehmen, aber sie würde ihr nicht dafür danken.

»Er sagte, Sie seien die Geliebte eines Freundes von ihm, der Sie wegen Ihrer Krankheit rausgeworfen habe«, antwortete Hester. Die Antwort war grausam, aber eine Frau, die – freiwillig oder unfreiwillig – einen solchen Weg gegangen war, musste daran gewöhnt sein, der Wahrheit ins Auge zu sehen.

Ruth schloss die Augen, als eine Welle des Schmerzes sie überkam, aber das Lächeln verschwand nicht ganz.

»Geliebte? Hat er das gesagt?«, flüsterte sie höhnisch.

»Ja.«

»Hat er Sie bezahlt? Sitzen Sie deswegen hier und kümmern sich um mich?«

»Er hat uns bezahlt, ja. Genauer gesagt, hat er mir eine Spende gegeben, die groß genug ist, um die Kosten für Ihre Behandlung und die einiger anderer Frauen zu decken. Aber wir hätten Sie auf jeden Fall aufgenommen. Wir haben viele hier, die uns nichts geben können.«

Ruth schwieg. Das Atmen strengte sie sehr an, und ihr Gesicht war gerötet. Hester stand auf und holte ein halbes Glas Wasser. »Sie sollten das trinken. Ich helfe Ihnen, sich aufzusetzen.«

»Lassen Sie mich in Ruhe«, sagte Ruth gereizt. »Sie werden bezahlt, damit Sie sich um mich kümmern, also betrachten Sie sich als entlassen.«

Hester zügelte ihre Zunge. »Sie fühlen sich besser, wenn Sie etwas Flüssigkeit zu sich nehmen. Sie haben hohes Fieber und müssen trinken.«

»Fieber! Ich fühle mich elender, als sich ein Mensch überhaupt fühlen kann …«

»Dann hören Sie auf, so launisch zu sein, und lassen Sie mich Ihnen helfen, etwas Wasser zu trinken«, drängte Hester.

»Gehen Sie … gehen Sie …« Mit scharlachrotem Gesicht rang Ruth nach Luft.

Hester stellte die Tasse weg, beugte sich vor, schlang die Arme um Ruths Schultern, hievte sie hoch und schob ihr ein zweites Kissen in den Rücken. Mit einiger Mühe hielt sie ihr die Tasse an die Lippen. Der erste Schluck ging daneben, floss ihr über den Hals auf die Brust, den zweiten schluckte sie wenigstens halb. Danach ergab sie sich und trank den Rest und lehnte sich dann erschöpft zurück.

Hester nahm das Kissen weg und half ihr, sich wieder hinzulegen, dann machte sie sich erneut an die Prozedur mit Tuch und kaltem Wasser.

Kurz nach zwei ließ sie sie eine Weile allein und schaute, nur um sicherzugehen, dass es allen entsprechend gut ging, nach den anderen Patientinnen, dann ging sie hinunter in die Küche, setzte den Kessel auf und machte sich eine Tasse Tee. Sie wollte ihn gerade trinken, da klopfte es an der Haustür. Hester stand auf, um zu öffnen.

Auf den Stufen standen zwei Frauen: Flo hatte Hester schon oft gesehen, und an ihr lehnte, mit kreidebleichem Gesicht und einen Arm mit dem anderen festhaltend, eine jüngere

Frau mit kastanienbraunem Haar und ängstlichen Augen. Die Ärmel ihres Kleids waren blutdurchtränkt, und es tropfte auf die Stufen.

»Kommen Sie herein«, sagte Hester sofort und trat einen Schritt zurück, um Platz zu machen. Dann schloss sie die Tür und schob wie stets in der Nacht den Riegel vor. Sie legte den Arm um die Verletzte und wandte sich an Flo. »Bessie schläft im Zimmer an der Treppe oben links«, sagte sie. »Bitte gehen Sie und wecken Sie sie auf. Sie soll mehr Wasser aufsetzen und den Brandy holen ...«

»Mehr Brandy braucht sie bestimmt nicht«, unterbrach Flo sie und warf einen ungehaltenen Blick auf die verletzte Frau.

»Nicht zum Trinken«, erklärte Hester. »Um die Nadel sauber zu machen, falls genäht werden muss. Und jetzt holen Sie bitte Bessie.«

Flo zuckte die Schultern und schürzte die Lippen. Sie war Mitte dreißig und dunkelhaarig und hatte unzählige Sommersprossen im Gesicht. Niemand hätte sie als hübsch bezeichnen können, aber sie war klug und hatte eine flinke Zunge, und wenn sie sich die Mühe gab, besaß sie einen gewissen Charme. Sie hatte eine ganze Reihe Frauen hierher geschickt oder selbst gebracht, ein- oder zweimal sogar eine mit Geld. Dafür war Hester ihr dankbar.

»Ich setz Wasser auf«, sagte sie barsch. »Sie glauben wohl, ich würd's nicht finden oder könnte keinen Topf nicht heben!«

Hester dankte ihr und half der anderen Frau, sich auf den Stuhl im Hauptraum zu setzen. Sie hielt immer noch ihren Arm, und ihr Gesicht wurde beim Anblick des vielen Blutes käseweiß.

Hester zündete weitere Kerzen an und machte sich an die Arbeit. Sie brauchte über eine Stunde, um die Blutung zu stillen, die Wunde zu säubern und zu nähen, der Frau, die Maisie hieß, ein sauberes Nachthemd anzuziehen und sie ins Bett zu stecken, wo sie wenigstens eine Weile im Warmen liegen konnte.

»Sie sehen schrecklich aus«, bemerkte Flo, als die beiden in der Küche allein waren. »Ich mache Ihnen eine Tasse Tee. Sie sind zum Umfallen müde, und wer soll sich dann um den Rest von uns kümmern, wenn Sie umkippen, hä?«

Hester wollte sich instinktiv weigern, aber dann wurde ihr klar, wie dumm das war. Sie war so müde, dass das Zimmer um sie herum zu wanken schien, als sähe sie es durch Wasser. Und sie wollte Bessie nicht stören, die ihren Schlaf mehr als verdient hatte. »Vielen Dank«, nahm sie Flos Angebot an.

»Dann sollten Sie 'n Nickerchen machen«, fügte Flo hinzu. »Ich halt Wache, falls was passiert.«

»Ich habe oben eine sehr kranke Frau, nach der ich sehen muss. Wir müssen das Fieber in Schach halten, wenn wir können.«

Flo stemmte die Hände in die Hüften. »Und wie wollen Sie das anstellen, hä? Ein verdammtes Wunder bewirken, was?«

»In kaltes Wasser getauchte Tücher«, sagte Hester müde. »Ich sehe nach ihr, und dann lege ich mich eine Stunde oder so hin. Vielen Dank, Flo.«

Aber es kam ganz anders. Hester trank ihren Tee, schaute zu Ruth Clark hinein, sah, dass sie schlief, und ging dann in ein Zimmer zwei Türen weiter, wo sie dankbar ins Bett sank. Sie zog die Decke hoch und ließ zu, dass das Vergessen sie überkam.

Als sie widerstrebend aufwachte – sie hatte keine Ahnung, wie lange sie geschlafen hatte –, hörte sie wütende Frauenstimmen. Eine ertönte lauter als die andere und war unverkennbar die von Flo. Die andere klang leiser und tiefer, und es dauerte einen Augenblick, bis Hester sie zuordnen konnte. Dann wurde es ihr staunend klar, und sie setzte sich auf. Im Zimmer war es dunkel, bis auf den schwachen Schimmer, den die Kerze im Gang ausstrahlte. Die andere Stimme war die von Ruth Clark, und beide bedienten sich einer kernigen, unverblümten Sprache. Worte wie »Hure« und »Kuh« wurden einige Male wiederholt.

Hester stand auf, immer noch benommen vor Müdigkeit,

und stolperte in den Gang. Sie blinzelte, als sie ins Helle kam. Der Lärm war stärker. Wie konnte Bessie bei dem Krach noch schlafen?

Er kam aus Ruths Zimmer – natürlich! Sie war viel zu krank, um das Bett zu verlassen. Hester trat näher und drückte die Tür weit auf. Hilfsbereitschaft hin oder her, hierfür würde sie Flo in Stücke reißen!

Die Szene, die sich ihr zeigte, war außerordentlich. Ruth saß, auf mehrere Kissen gestützt, im Bett, eine leere Tasse in der Hand. Ihr Haar stand nach allen Seiten ab, ihr Gesicht war bis auf die hektischen roten Flecken auf den Wangen blass, und ihr Gesichtsausdruck verriet ungeschmälerte Wut.

Ein paar Schritte vor ihr stand Flo, die Lippen zu einem Strich zusammengepresst. Ihr Haar hing halb herab, als hätte jemand daran gezogen, und ihr Kleid war vorne vollkommen nass.

»Aufhören!«, befahl Hester in einem Tonfall, den sie in ihrer Zeit auf den Schlachtfeldern auf der Krim in der Armee gehört hatte.

Die beiden Frauen starrten sie an. Ruth holte Luft und sprach als Erste. »Sie werden dafür bezahlt, sich um mich zu kümmern«, sagte sie krächzend. »Schaffen Sie diese Hure hier raus!«

»Wen nennen Sie hier 'ne Hure? Sie sind doch selbst nichts anderes als 'ne raffinierte Nutte, trotz Ihrem ganzen Getue!«, erwiderte Flo. »Glauben Sie etwa, nur weil Sie mit so 'nem feinen Pinkel schlafen, wär'n Sie was Besseres? Das sind Sie nicht. Sie sind 'ne Hure, genau wie wir andern auch. Sie sollten Ihre Zunge hüten und freundlich mit Mrs. Monk reden. Ohne sie würden Sie in der Gosse verrecken, wo Sie hingehören, sonst hol ich 'nen Eimer voll Spülwasser und kipp Ihnen den über, Sie gemeines Flittchen.«

»Ich bin mir sicher, dass Sie jede Menge Spülwasser übrig haben«, sagte Ruth eisig. »Sie riechen, als würden Sie darin baden.«

»Ruhe!«, erhob Hester die Stimme.

Aber es hatte keine Wirkung. Flo verlor die Beherrschung, warf sich auf Ruth und hob die Hand, um ihr eine zu verpassen.

Hester griff danach, bekam sie beinahe selbst ins Gesicht und wurde nach vorne gezogen. Sie verlor die Balance und stürzte zu Boden. Flo und Ruth beschimpften sich immer noch, aber Ruth hatte keine Kraft zurückzuschlagen.

In dem Augenblick stürmte Bessie herein, sah die Szene und eilte durchs Zimmer, um sich Flo zu schnappen, sie herumzuwirbeln und auf den Boden zu drücken.

»Was, zum Teufel, machst du hier, du verrücktes Miststück?«, schrie sie Flo an. Dann fuhr sie, an Ruth gewandt, fort: »Und was Sie angeht, Sie picklige Schlampe, Sie hüten Ihre Zunge, sonst schaff ich Sie in die Gosse, Geld hin oder her! Kein Wunder, dass Ihr Liebhaber Sie rausgeworfen hat, Sie ignorantes Miststück! Sie haben ein Maul wie ein Misthaufen! Noch ein Befehl aus Ihrem Mund, und ich werfe Sie eigenhändig raus. Halten Sie einfach die Klappe, verstanden?«

Es herrschte absolutes Schweigen.

Langsam stand Hester auf. »Vielen Dank, Bessie«, sagte sie ernst. Sie starrte die Frau im Bett an. Ruth hatte rote Wangen und war schwach, aber ihre Augen sprühten Gift. »Miss Clark, legen Sie sich wieder schlafen. Bessie wird bald nach Ihnen schauen. Flo! Sie kommen mit mir!« Sie fasste sie am Arm und zog sie halb hinter sich her nach draußen und die Treppe hinunter in die Küche, bevor sie etwas sagte. »Den Kessel!«, befahl sie. »Machen Sie Tee.«

»Bin gar nicht überrascht, dass er sie rausgeworfen hat, der Scheißkerl«, erwiderte Flo, aber sie tat, wie ihr geheißen. »Hat Ihnen nicht viel Schlaf nicht gegönnt! Undankbares Flittchen!« Sie nahm den Kessel vom Herd. »Bildet sich ein, nur weil 'n Mann sie aufnimmt und sie nicht zwanzig dienen muss, sie wär was Besonderes! Spricht, als wär sie mal 'ne Dame gewesen – dabei ist sie 'ne ganz gewöhnliche Nutte wie wir alle.«

»Vielleicht«, stimmte Hester ihr zu, die zu müde war, um sich im Augenblick darum zu kümmern. Es waren fünfunddreißig Minuten vergangen, seit sie sich ins Bett gelegt hatte. Sie fühlte sich, als könnte sie auf dem Küchentisch einschlafen – oder auch auf dem Fußboden.

»Und Sie haben Ratten«, rief Flo und füllte Wasser aus dem Kübel in den Kessel. »Sie müssen den Rattenfänger rufen. Kennen Sie einen?«

»Natürlich«, sagte Hester müde. »Ich schicke morgen früh eine Nachricht zu Sutton.«

»Das übernehm ich«, bot Flo an. »Sie wollen bestimmt nicht noch mehr Tee, sonst werden Sie die ganze Nacht herumhibbeln.«

»Welche Nacht?«, fragte Hester bitter.

Bessie kam herein, die Haare wieder zu einem festen Knoten am Hinterkopf festgesteckt, das Gesicht gewaschen und bereit für die Arbeit.

»Ich schau in ein paar Stunden noch mal nach ihr«, verkündete sie mit einem Blick auf Hester. »Ich und Flo passen den Rest der Nacht auf.« Sie starrte Flo wütend an. »Ist doch so, oder?«

»Ja«, stimmte Flo ihr zu und grinste Hester an, wobei sie mehrere Zahnlücken entblößte. »Ich bring sie schon nicht um, ehrlich! Ich schwör's beim Grab meiner Mutter!«

»Deine Mutter ist nicht tot!«, knurrte Bessie.

Flo zuckte die Schultern und setzte den Kessel auf, dann bückte sie sich, um den Herd zu öffnen und die Kohlen zu schüren, damit sie aufflammten. »Sie brauchen Kohlen«, sagte sie schniefend. »Nehm an, deswegen müssen Sie solche Schweine aufnehmen.«

Hester ging, zutiefst dankbar, wieder nach oben und sank bis kurz vor sieben in einen traumlosen Schlaf. Dann begannen die Pflichten des Tages. Als sie nach Ruth schaute, schien diese gnädigerweise ruhig zu schlafen, sie phantasierte nicht und atmete leicht.

Unten in der Küche machte Bessie gerade für die Frauen, denen es so gut ging, dass sie etwas essen konnten, Haferschleim, und Flo schlief, den Kopf auf den Tisch gelegt, auf einem Stuhl.

Als Margaret um kurz nach zehn kam, warf sie erst einen Blick in Hesters Gesicht und dann auf Bessie. »Was ist passiert?«, fragte sie, die Augen vor Schreck weit aufgerissen.

»Wir brauchen mehr Hilfe«, antwortete Bessie, bevor Hester etwas sagen konnte.

»Und den Rattenfänger«, fügte Hester hinzu. Flo holte bereits frisches Wasser vom Brunnen die Straße hinunter.

Margaret verzog ein wenig angeekelt das Gesicht, aber sie war nicht überrascht. An Orten wie der Portpool Lane gehörten Ratten zum Leben.

»Wie geht's Ruth Clark?«, fragte sie Hester.

»Sie wird's überleben, leider«, antwortete Bessie. Sie wies mit dem Kopf in Hesters Richtung. »War die meiste Zeit heute Nacht auf, zuerst mit Mylady Clark und dann mit einem armen Weibsstück, das mit einem Messerstich am Arm herkam. Was mich daran erinnert, dass ich ihr noch kein Frühstück gebracht hab.« Ihre Worte in die Tat umsetzend, füllte sie eine Schale mit Haferschleim, ging damit aus dem Raum und ließ Hester und Margaret allein.

»Wir brauchen wirklich mehr Hilfe«, gab Hester zu. »Aber wir haben kein Geld übrig, um jemanden zu bezahlen, also müsste es eine Freiwillige sein. Der Himmel weiß, dass es schon schwer genug ist, Geld aufzutreiben. Ich habe keine Ahnung, wie wir jemanden davon überzeugen sollen, einer Einrichtung wie dieser seine Zeit zu opfern.« Sie blickte in der von Kerzen erhellten Küche mit dem steinernen Ausguss, den Wassereimern und den Holzkästen mit Mehl und Hafermehl umher. »Unglücklicherweise sagt der Himmel es mir aber nicht!«

Margaret machte Tee für sie beide, schnitt ein Brot an, das

sie mitgebracht hatte, und machte Toast. Sie hatte sogar ein Glas Marmelade, das sie heimlich aus der Küche ihrer Mutter mitgenommen hatte. Sie hatte in der Speisekammer einen Zettel hinterlassen, damit nicht der Koch oder einer der Bediensteten für sein Verschwinden verantwortlich gemacht wurde.

»Ich bin mir nicht sicher, wen ich fragen soll«, sagte sie, als beide am Tisch saßen. »Aber ich habe zumindest ein oder zwei Ideen, wo ich anfangen kann. Es gibt Frauen, die haben kein Geld, über das sie ohne die Zustimmung ihres Ehemannes verfügen können, aber Zeit haben sie. Es ist durchaus möglich, ein behagliches Leben zu führen und sich zu Tode zu langweilen.«

Hester konnte keine Haarspaltereien betreiben. Sie wäre für jede Hilfe dankbar und sagte das auch.

Es war ein harter Tag. Zwei weitere Frauen mit schwerer Bronchitis wurden aufgenommen, und eine dritte mit einer ausgerenkten Schulter, die zu richten Hester und Bessie erhebliche Kraftanstrengung kostete und für die Patientin natürlich äußerst schmerzvoll war. Sie stieß einen ängstlichen Schrei aus, als Hester sie auf den Boden legte, den Fuß so vorsichtig wie möglich in ihre Achselhöhle stellte und dann fest an ihrem Arm zog.

Flo kam hereingestürzt und wollte wissen, was passiert sei. Als sie entdeckte, dass es nichts war, wobei sie zur Hand gehen konnte, war sie sichtlich enttäuscht. Die Frau, die keuchte, um ein Fluchen zu unterdrücken, kam unsicher auf die Füße und merkte, dass ihre Schulter wieder an Ort und Stelle saß.

Kurz vor fünf Uhr klopfte es an der Hintertür, und als Hester aufmachte, stand der Straßenhändler mit seinem Karren im Hof.

»Hallo, Toddy, wie geht's?«, fragte sie mit einem Lächeln.

»Nicht schlecht, Missus«, antwortete er mit einem schiefen Grinsen. »Hab nur das Übliche. Sie glauben doch nicht, dass das was Ernstes ist, oder?« Einen Augenblick flackerte Angst in seinen Augen auf.

Sie widmete seinen Schmerzen die gehörige Aufmerksamkeit. »Ich hole Ihnen etwas Salbe, mit der Sie sich einreiben können. Bessie schwört bei ihren Knien darauf.«

»Das ist sehr nett von Ihnen«, sagte er, offensichtlich getröstet. »Ich habe ein halbes Dutzend Pfund Äpfel, die es nicht mehr lohnt, mit nach Hause zu nehmen. Machen mehr Mühe, als sie wert sind. Möchten Sie die?«

»Das wäre sehr freundlich«, sagte Hester und ging hinein, um die Salbe zu holen. Als sie zurückkam, reichte sie ihm ein kleines Glas, und er hatte die Äpfel, einen kleinen Sack Kartoffeln, Möhren und Pastinaken für sie.

Margaret ging gegen acht Uhr nach Hause, und es schien eine lange Nacht zu werden. Hester bekam insgesamt nicht mehr als eine oder zwei Stunden Schlaf, immer nur hier und da wenige Minuten, wenn sich die Gelegenheit ergab. Flo ging ihr zur Hand, aber ihr Streit mit Ruth Clark schwelte weiter, und bei Tagesanbruch waren alle erschöpft. Das Beste, was man sagen konnte, war, dass keine Patientin Anlass zu ernsthafter Sorge gab.

Um halb elf kam Margaret und brachte zwei Frauen mit. Sie betraten hinter ihr die Klinik und standen im Hauptraum. Die erste schaute sich ziemlich unverhohlen mit hochmütiger Miene um. Sie war groß, recht dünn, an den Hüften um einiges breiter als an den Schultern und hatte dunkles Haar. In ihrer Jugend war ihr Gesicht attraktiv gewesen, aber jetzt, mit Mitte vierzig, trug es entstellende Zeichen der Unzufriedenheit. Ihre Kleider waren gepflegt und teuer, obwohl sie eindeutig ihren ältesten Rock und eine abgelegte Wolljacke ausgewählt hatte, um hierher zu kommen. Hester sah auf einen Blick, dass sie elegant geschnitten und aus gutem Stoff waren, vor fünf Jahren die neueste Mode.

Die Frau dahinter unterschied sich in fast jeder Hinsicht deutlich von ihr. Sie war mindestens fünf Zentimeter kleiner und hatte weiche Gesichtszüge, auch wenn die breiten Wangenknochen und das Kinn große Kraft verrieten. Auch ihre Kleider waren von guter Qualität, aber nicht so modisch geschnitten, und sahen aus wie der Schick des vergangenen Winters. Sie schien nervöser zu sein. Ihr Gesicht zeigte keine Unzufriedenheit, sondern eine tiefe Besorgnis, als fürchtete sie, der Ort hätte etwas Gefährliches oder gar Tragisches an sich.

»Dies ist Mrs. Claudine Burroughs«, stellte Margaret Hester die ältere Frau vor. »Sie hat sehr großzügig angeboten, uns mindestens zwei Tage die Woche zu helfen.«

»Guten Tag, Mrs. Burroughs«, antwortete Hester. »Wir sind Ihnen sehr dankbar.«

Mrs. Burroughs sah sie mit wachsendem Missfallen an. Sie musste die Erschöpfung in ihrer Miene bemerken, ihr unordentlich hochgestecktes Haar und ihre vom Schrubben der Fußböden und vom Mangeln der heißen, nassen Laken roten Hände. Als Hester versucht hatte, an die Winde zu kommen, um das Trockengestell hochzukurbeln, damit die Laken trockneten, bevor sie das nächste Mal gebraucht wurden, war auch noch der Ärmel ihrer Bluse an der Schulter gerissen.

»Ist nicht gerade die Art von Wohltätigkeitsarbeit, die ich normalerweise leiste«, sagte Mrs. Burroughs kalt.

»Sie werden nie irgendetwas tun, was mehr Anerkennung findet«, antwortete Hester mit so viel Wärme, wie sie aufbrachte. Sie konnte es sich nicht leisten, die Frau zu kränken, obwohl sie böse Vorahnungen hegte.

»Und dies ist Miss Mercy Louvain«, stellte Margaret nun auch die jüngere Frau vor. »Sie hat angeboten, hier zu bleiben, so lange wir sie brauchen. Sie wird sogar hier schlafen, um da zu sein, wenn sie gebraucht wird.« Sie lächelte und suchte Hesters Blick, in dem sie Anerkennung zu finden hoffte.

»Louvain!« Hester wollte es nicht glauben. War sie mit Clement Louvain verwandt? Sicher. Es war kein sehr geläufiger Name. Kannte sie möglicherweise Ruth Clark? Wenn ja, konnte es zu einer peinlichen Situation kommen, besonders falls Ruth in Wahrheit Louvains Geliebte war und nicht die eines fiktiven Freundes.

Sie lächelte zurück, zuerst in Margarets Richtung, dann in

die von Mercy Louvain. »Vielen Dank, das ist außerordentlich freundlich von Ihnen. Nachts kann es anstrengend sein. Wir wissen Ihre Hilfe wirklich sehr zu schätzen.« Mercy hatte sich nicht im Raum umgesehen wie Mrs. Burroughs. Sie wirkte fast, als interessierte es sie nicht.

Hester drückte ihre Dankbarkeit gegenüber Margaret nicht in Worten aus, um die beiden neuen freiwilligen Helferinnen nicht mit der Tiefe ihrer Gefühle zu erschrecken, aber sie legte sie in ihren Blick, als sie sich einen Augenblick lang anschauten. Dann zeigte Hester den Frauen das Haus und wies sie in ihre ersten Aufgaben ein.

»Um Himmels willen, haben Sie hier denn gar keine Dienstboten?«, wollte Mrs. Burroughs wissen, als sie in der Waschküche standen. Sie starrte auf den Steinfußboden, den riesigen Haufen Bettwäsche, der darauf wartete, gewaschen zu werden, und dann auf den wuchtigen Kupferkessel, von dem Dampf aufstieg, und ihre Nasenlöcher bebten bei dem Geruch nach Essig und Ätzmittel, der in der Luft lag. Die Mangel zwischen den beiden tiefen Holzwannen beäugte sie wie ein obszönes Folterinstrument.

»Dafür haben wir kein Geld«, erklärte Hester. »Wir brauchen alles, was wir kriegen können, für Medikamente, Kohlen und Lebensmittel. Wegen des Gewerbes, dem unsere Patientinnen nachgehen, spenden die Leute nur ungern.«

Mrs. Burroughs schnaubte, verzichtete aber auf eine direkte Antwort. Ihr Blick wanderte weiter im Raum herum und betrachtete die Kübel, den Sack mit Pottasche, das Schmalzfass, die großen bauchigen Glasflaschen mit Essig, die Scheuerbürsten und die Lumpen zum Aufwischen.

»Wo kriegen Sie das Wasser her?«, fragte sie. »Ich sehe keine Wasserhähne.«

»Aus dem Brunnen die Straße hinunter«, antwortete Hester.

»Gütiger Himmel, Frau! Sie wollen wohl ein Zugpferd, das hier arbeiten soll«, wetterte Mrs. Burroughs.

»Ich möchte viele Dinge«, sagte Hester kläglich. »Und ich

nehme, was ich kriegen kann, und bin äußerst dankbar dafür. Das Wasser holt normalerweise Bessie. Damit brauchen Sie sich nicht abzugeben.«

»Bessie? Ist das die große Frau, die ich auf dem Treppenabsatz gesehen habe?«

»Ja. Normalerweise würde sie den Großteil der Wäsche erledigen, aber wir haben im Augenblick viele Patientinnen hier, und sie hat ein wenig Krankenpflege gelernt, sodass ich sie dort gut einsetzen kann.«

»Was gibt's denn da zu lernen?«, fragte Mrs. Burroughs abfällig.

»So manches«, antwortete Hester, der es auch diesmal schwer fiel, höflich zu bleiben. »Einiges braucht man auch nicht zu lernen, wie etwas Blut oder Erbrochenes aufzuwischen, Spülwasser wegzuschütten und so weiter.«

Mrs. Burroughs reckte das Kinn vor. »Ich mache die Wäsche«, erklärte sie.

Hester lächelte. »Vielen Dank«, sagte sie freundlich.

Falls Mercy Louvain sich über Mrs. Burroughs Reaktion amüsierte, dann verriet ihr ernstes Gesicht dies nicht. Hester zeigte Mrs. Burroughs, wo alles war und in welchem Verhältnis die Komponenten gemischt und in die Kessel getan werden mussten. Sie führte ihr vor, wie man die Bettwäsche mit dem hölzernen Wäschestampfer rührte, und erklärte ihr, wie lange und bei welcher Temperatur sie gekocht werden musste. Sie würde zurückkommen müssen, um ihr dabei zu helfen, die Wäsche zu spülen und zu mangeln, sie anschließend zu falten und nebenan das Trockengestell herunterzuholen, die Wäsche aufzuhängen, es wieder hochzuwinden und festzubinden. Es war offensichtlich, dass Mrs. Burroughs noch nie in ihrem Leben auch nur ein Taschentuch gewaschen hatte. Wenn sie sich wirklich nützlich machen wollte, musste sie noch viel lernen.

Mercy Louvain war von vollkommen anderem Charakter, aber es dauerte nicht lange, um zu erkennen, dass auch sie keinerlei Erfahrung mit Hausarbeit hatte. Sie hatte selten eine

Küche besucht, aber als Hester ihr die Kochtöpfe, das Hafermehl, Salz, Weizenmehl, getrocknete Erbsen und Gemüse zeigte, schien sie zumindest das Wesentliche verstanden zu haben, auch wenn sie ziemlich viele Fragen stellen musste. Als Hester schließlich nach oben ging, überlegte sie, ob es nicht leichter wäre, alles selbst zu machen, statt solche unerfahrenen Hilfskräfte einzuweisen.

Wie auch immer, am Nachmittag überließ sie es dankbar Bessie, Mrs. Burroughs zu zeigen, wie man das Geschirr abwusch, und Flo, Mercy Louvain eine Lektion im Kartoffelschälen zu geben, und ging nach oben, um sich ein paar Stunden hinzulegen.

Die Dunkelheit brach jeden Tag etwas früher herein, denn der Herbst ging allmählich in den Winter über, und gegen sechs Uhr war es sowohl dunkel als auch kalt. Gegen acht legten sie die Riegel an den Türen vor, und Hester dachte mit einem Frösteln an all jene, die durch die Straßen liefen und auf ein Geschäft hofften, das sie am Leben hielt.

Sie ging nach oben, um zu schauen, wie es Ruth Clark ging.

Sie war kräftig genug gewesen, um ein klein wenig dünne Suppe zu sich zu nehmen, und hatte über deren Qualität gemurrt. Hester fragte sich wieder, wie viel von ihrer Gereiztheit eigentlich dem Mann galt, der sie offensichtlich geliebt oder doch zumindest begehrt hatte und sie dann, als sie krank wurde, auf die Straße gesetzt hatte. Wäre sie an ihrer Stelle, hätte sie die Hilfe womöglich genauso und mit ebenso unfreundlichem Gerede abgelehnt. Hatte sie den Mann geliebt? Oder war er nicht mehr gewesen als der Zugang zu ein bisschen Wohlstand? Wenn ihr etwas an ihm gelegen hatte, wenn sie vielleicht gehofft hatte, ihre Beziehung würde Bestand haben, war es nicht verwunderlich, dass sie solchen Schmerz empfand.

Dann hörte sie Flo wieder kreischen, und als sie mit großen Schritten die Treppe hinauflief, fand sie sie über Ruths Bett gebeugt auf diese einschimpfend. Ruths Augen glitzerten, und ihre Faust war um Flos langes schwarzes Haar geballt.

Jetzt verlor auch Hester die Beherrschung. »Aufhören!«, schrie sie, und Erschöpfung verzerrte ihre Stimme, sodass diese scharf und hoch war. »Sofort aufhören! Wir sind ein Krankenhaus und kein Freudenhaus!«

»Natürlich ist es ein Freudenhaus!«, fuhr Ruth sie an. »Ein Haus voller Huren – und Diebinnen!«

»Ich bin keine Diebin nicht!«, schrie Flo wütend und zitternd vor Empörung. »Ich hab mein ganzes Leben lang noch nie nichts gestohlen! Und Sie haben kein Recht, so was zu behaupten! Ich hab Ihren verdammten Ring nicht gesehen! Wir haben Sie aufgenommen, weil Ihr Kerl Sie rausgeworfen hat, und Sie sollten verdammt dankbar sein, dass Sie hier sind!«

»Statt wo? In der Jauchegrube?«, erwiderte Ruth und richtete sich in den Kissen auf. »Und Sie sind doch eine Diebin!«

An der Tür war ein leises Geräusch zu hören, und Hester wandte sich um. Hinter ihr stand Mercy Louvain.

»Sie hatten nie keinen verdammten Ring nicht!«, schrie Flo mit hochrotem Gesicht. »Das ganze affektierte Getue, Sie sind keinen Deut besser als wir anderen. Von mir aus können Sie aufstehen und rausgehen!«, fuhr sie gehässig fort. »Nur dass Sie's nicht können! Ihr Kerl hat Sie rausgeworfen, und Sie haben keinen andern Ort, wo Sie hinkönnen! Wir sind die Letzten, die Sie aufnehmen, Sie räudige Stute!«

»Und wer hat Sie je gewollt, Sie ungebildetes, pockennarbiges Flittchen?«, wollte Ruth wissen.

Flo wollte sich auf sie stürzen, doch da trat Mercy Louvain an Hester vorbei und stellte sich zwischen die beiden Frauen, das Gesicht Ruth zugewandt. Flo stürzte fast über sie, wich zur Seite aus und stieß mit Hester zusammen, die sie an den Armen packte und festhielt.

»Halten Sie den Mund!«, sagte Mercy mit harter, leiser Stimme. »Sie sind krank und brauchen Hilfe. Diese Frauen haben Sie aufgenommen, um Sie zu pflegen. Sie schulden Ihnen gar nichts. Sie müssen nicht die ganze Nacht an Ihrem Bett sitzen und Sie versorgen, das sollten Sie nicht vergessen. Sie können

Sie auch auf die Straße setzen, wo Sie allein sind, und es ist einzig und allein ihre Güte, die diese Frauen daran hindert, genau das zu tun. Wenn Sie dieses Bett, an dem sich jemand um Sie kümmert und Ihnen etwas zu essen bringt, also nicht mit der nächsten Straßenecke tauschen möchten, sollten Sie Ihre Zunge im Zaun halten.«

Ruth starrte sie ungläubig an. Sie begriff kaum, was geschah.

»Haben Sie mich verstanden?«, fragte Mercy scharf.

»Ja … natürlich«, antwortete Ruth. »Ich …«

»Gut«, schnitt Mercy ihr das Wort ab. »Dann benehmen Sie sich entsprechend.« Sie wandte sich ab, offensichtlich erstaunt und auch unsicher über ihre Worte, und blickte Hester etwas verlegen an. »Es tut mir Leid. Vielleicht …«

Hester lächelte sie an. »Vielen Dank«, sagte sie leise. »Das war sehr eindrucksvoll. Flo, Sie sollten besser nach den anderen Frauen schauen und sich hier fern halten.«

Flo warf ihr einen wütenden Blick zu. Sie fasste es als Tadel auf, als Eingeständnis gegenüber Ruths Wünschen. »Ich bin keine Diebin nich!«, rief sie erhitzt. »Bin ich nich!«

»Das weiß ich«, sagte Hester. »Glauben Sie, Sie wären hier willkommen, wenn Sie das wären?« Sie konnte nicht zulassen, dass Flo ging.

Ein wenig beschwichtigt warf Flo noch einen letzten Blick auf Ruth und fegte dann mit wirbelnden Röcken hinaus. Hester und Mercy machten sich daran, die Laken auf Ruths Bett zu wechseln und es ihr so bequem wie möglich zu machen, schließlich war sie immer noch sehr krank und hatte hohe Temperatur.

6

Allmählich gewöhnte Monk sich an die Feuchtigkeit in der Luft und an den Geruch der Tide, an die Bewegung und das unaufhörliche Plätschern und Gurgeln des Wassers. Es hatte etwas unbestimmt Tröstliches, wie das unentwegte Schlagen eines Herzens. Das Licht leuchtete anders als in den Straßen, es war schärfer, sauberer, voller Winkel und Spiegelungen. In der Morgen- und Abenddämmerung brach es sich in rosafarbenen und blassgelben Blitzen auf der polierten Wasseroberfläche. Und es wurde sehr viel langsamer dunkel als in den engen Straßen der Stadt.

Er hatte etwas Dringendes zu erledigen. Inzwischen war ihm klar geworden, dass es sinnlos war, den Dieb direkt zu suchen. Er musste dessen Schritte vorhersehen und ihm voraus sein, sobald er das Elfenbein verkaufen wollte. Falls es nicht schon zu spät war. Doch über ein Scheitern nachzudenken konnte er sich nicht erlauben, es lähmte ihn und raubte ihm die Energie, es überhaupt zu versuchen. Falls das Elfenbein von jemandem gestohlen worden war, der davon wusste und bereits einen Käufer dafür hatte, bestand nicht die geringste Chance, dass Monk es wiederbeschaffte. Wenn es jedoch ein Gelegenheitsverbrechen gewesen war, dann war es sehr viel schwerer zu verkaufen und wahrscheinlich nicht mehr bewegt worden, als nötig war, um es irgendwo zu verstecken.

Little Lil hatte ihn für morgen zu sich bestellt. Was würde sie zu sagen haben? Der Gedanke war nicht gerade erfreulich.

Der erste Hoffnungsschimmer tat sich am Vormittag auf, als er sich zusammen mit einem Mann, den er in der Bande von Hafenratten gesehen hatte, in einem Winkel vor dem feuchten Wind schützte. Er hatte eben Louvains Namen erwähnt.

Der Mann warf den Kopf herum, Wut und Angst im Gesicht. »Arbeiten Sie etwa für ihn?«, knurrte er.

Monk war sich nicht sicher, ob er es zugeben oder abstreiten sollte. »Warum?«, fragte er.

»Hat nichts mit mir zu tun!«, sagte der Mann schnell.

»Was?«, wollte Monk wissen und trat einen Schritt näher.

»Lassen Sie mich in Ruhe!« Der Mann hob den Arm, als wollte er sich schützen, und machte einen schnellen, unsicheren Schritt zur Seite und nach hinten. »Ich weiß nichts!«

Monk folgte ihm. »Worüber?«

»Clem Louvain! Ich fass nichts an, was ihm gehört. Lassen Sie mich in Ruhe!«

Monk packte den Mann am Arm und hielt ihn fest. »Warum nicht? Warum nichts von Louvain?«

Der Mann hatte Angst. Er fletschte zwar die Zähne, aber er zitterte am ganzen Leib. In seinen Augen glomm Hass. Er starrte Monk einen Augenblick wütend an, dann schob er die freie Hand in die Tasche. Noch bevor er das Messer sah, spürte Monk einen stechenden Schmerz am Oberarm. Zum Teil, um sich zu verteidigen, aber zum größeren Teil aus schierer Angst hob er das Knie und stieß den Mann nach hinten, hielt sich den Arm und schrie auf. Tränen liefen ihm über die Wangen.

Monk besah sich den Arm. Das Jackett war aufgeschlitzt, und auf dem Hemd und dem Stoff der Jacke breitete sich Blut aus. »Verdammter Idiot!«, fluchte er und sah den Mann an, der sich vor ihm krümmte. »Du dämlicher Kerl! Ich hab doch nur gefragt.« Er drehte sich um und ging so schnell wie möglich davon, wusste er doch, dass er seinen Arm behandeln lassen musste, bevor er zu viel Blut verlor oder sich infizierte.

Er war etwa hundert Meter weit gegangen, als ihm klar wurde, dass er keine Ahnung hatte, wohin er ging.

Einen Augenblick blieb er stehen. Sein Arm schmerzte, und er machte sich Sorgen, ob die Verletzung ihn bei seinen weiteren Ermittlungen einschränken würde. Einarmig war er im Nachteil, was er sich kaum leisten konnte. Wo fand er einen Arzt, der ihm die Wunde verband und falls nötig nähte?

Würden sie ihm in der Klinik in der Portpool Lane helfen? Oder wurden dort nur Straßenmädchen behandelt? Schade, dass es so weit weg war. Instinktiv drückte er den Arm an den Körper, das Blut sickerte ihm klebrig durch die Finger. Er brauchte dringend einen Arzt.

Also drehte er sich um und ging in den nächsten Laden. Metallwaren aller Art waren bis zur Decke gestapelt: Töpfe, Pfannen, Küchenmaschinen, Gartenwerkzeuge, aber hauptsächlich Schiffsausrüstung. In der Luft lag der Geruch nach Hanfseilen, Talg, Staub und Segeltuch.

Ein kleiner Mann mit einer Brille auf der Nase schaute hinter einem Stapel Laternen auf. »Du meine Güte, was ist denn mit Ihnen passiert?«, fragte er und schaute auf Monks Arm.

»Ein Dieb«, antwortete Monk. »Ich hätte nicht mit ihm kämpfen sollen. Er hatte ein Messer.«

Der Mann richtete sich auf.

»Du meine Güte. Hat er Ihr Geld?«

»Nein. Ich kann einen Arzt bezahlen, wenn ich einen finde.«

»Kommen Sie, setzen Sie sich, bevor Sie mir umkippen. Sie sehen ein wenig käsig aus.« Er kam hinter seinen Laternen hervor und führte Monk zu einem kleinen Stuhl mit gerader Lehne. »Ein Schlückchen Rum würde Ihrem Arm sicher nicht schaden.« Er drehte sich zur Hintertür des Ladens um.

»Madge! Geh und hol die Krähe! Beeil dich. Keine Zeit zu vergeuden!«

Von irgendwo her erklang ein zustimmendes Rufen, und dann hörte man eilige Schritte und eine Tür zuschlagen.

Monk war froh, sich setzen zu können, obwohl er sich nicht so schlecht fühlte, wie der Ladenbesitzer zu glauben schien.

»Sie bleiben einfach hier sitzen«, sagte der Mann besorgt und eilte davon, um einem Kunden in einer Pijacke eine Rolle Tau und zwei Schachteln Nägel zu verkaufen, dann einem Matrosen mit blondem Bart ein Paket Nadeln zum Flicken von Segeln, ein paar hölzerne Klampen und eine Kohlenschütte.

Monk saß da und dachte darüber nach, wie der Mann auf dem Dock auf die Erwähnung von Louvains Namen reagiert hatte. Er war wütend gewesen, aber vor allem hatte er zutiefst verängstigt gewirkt. Warum? Warum sollte eine Hafenratte Angst vor einem mächtigen Mann haben? Louvains Einfluss konnte sicher vielen schaden oder nützen, die er kaum kannte. Als er noch bei der Polizei war, war Monk diese Art von Angst schon begegnet, und zwar bei kleinen schutzlosen Männern, die ihn hassten und fürchteten, weil er Macht über sie hatte und sie das auch wissen ließ. Er hatte geglaubt, es sei die einzige Art, den Beruf auszuüben, aber der Preis war hoch gewesen. Traf das auch auf Louvain zu, kannte er dieses Wissen und diese Verantwortung, wusste auch er, wie man Macht ausspielte? Wie hätten sich – angesichts von Louvains Position – die Wege der beiden je kreuzen sollen?

Es gab vieles über Louvain, was er nicht wusste – Fakten, die er sowohl aus praktischen als auch aus moralischen Erwägungen heraus in Erfahrung bringen musste. Unwissenheit war gefährlich, und er taumelte durch unbekanntes Gelände, bewegte sich unter Dieben, mit denen er keine Verbindung und auf die er keinen Einfluss hatte. Auf gewisse Weise war es wie in den ersten Monaten nach seinem Unfall, als ihm alles fremd gewesen war. Er hatte Freund von Feind nicht unterscheiden können und schien immer im Nachteil zu sein.

Irgendwie war es beim zweiten Mal jedoch schwerer. Damals war seine Unwissenheit eine Art Schutz gewesen. Jetzt fühlte er sich müde und verletzbar. War es Mut oder Dummheit gewesen zuzulassen, dass ihm so vieles am Herzen lag, das zu verlieren unerträglich wehtun und sogar das Licht in ihm zerstören würde?

Der Geruch nach Tauen, Öl und Talg war überwältigend. Wie lange saß er schon hier? Hatte er überhaupt die geringste Chance, Louvains Elfenbein zu finden? Gab es, was das anging, überhaupt den geringsten Beweis dafür, dass dieses Elfenbein wirklich existierte? Er hatte nur Louvains Wort. Vielleicht hatte er es längst woanders an Land gebracht und verkauft und Monk nur angeheuert, um den Londoner Käufer hinters Licht zu führen?

»Hier ist er«, riss eine schwache, hohe Stimme ihn aus seinen Gedanken.

Er schaute auf und sah ein Mädchen von acht oder neun Jahren, das Haar mit einem Stück Kordel zusammengebunden, das Gesicht schmuddelig. Die Röcke hingen ihr bis auf die Stiefel. Aber die Tatsache, dass sie überhaupt Stiefel besaß, war ungewöhnlich für die Gegend. Das musste Madge sein.

Hinter ihr stand ein Mann um die Dreißig mit glattem, schwarzem Haar, das ihm fast bis auf die Schultern reichte, und einem breiten Lächeln. Er sah erbarmungslos fröhlich aus.

»Ich bin die Krähe«, verkündete er, indem er sich des Wortes aus der Gaunersprache für Arzt – oder für den, der für einen Dieb Schmiere steht – bediente. »Waren wohl in einen Kampf verwickelt, was? Dann lassen Sie mich mal sehen. Durch den ganzen Stoff kann ich nichts ausrichten.« Er betrachtete Monks Jackett. »Eine Schande, kein schlechter Stoff. Wir müssen Sie Ihnen trotzdem ausziehen.« Er half Monk, sich der Jacke zu entledigen, und nahm sie ihm ab. Monk zuckte zusammen, als er seinen verletzten Arm bewegte. Madge drehte sich um und lief davon, um ein paar Sekunden später mit einer Flasche Brandy wieder aufzutauchen, die sie fest in den Armen hielt wie eine Puppe.

Die »Krähe« bewies einiges Geschick. Der Mann zog den Stoff des Hemds von der Wunde weg und verzog das Gesicht, als er einen Blick darauf warf.

Monk versuchte, nicht darüber nachzudenken, welche Ausbildung der Mann wohl hatte oder wie hoch seine Rechnung ausfallen mochte. Vielleicht wäre es klüger gewesen, einen Hansom in die Portpool Lane zu nehmen, trotz der Zeit und der damit verbunden Ausgaben. Am Ende wäre es sicherer gewesen und hätte vielleicht auch nicht mehr gekostet. Aber jetzt war es zu spät. Der Mann griff bereits nach dem Brandy und einem Stück Stoff, um das Blut abzuwaschen.

Der Alkohol brannte so schmerzlich in der Wunde, dass Monk sich auf die Lippen biss, um nicht aufzuschreien.

»Tut mir Leid«, murmelte der Arzt mit einem breiten Lächeln, das beruhigend wirken sollte. »Hätte noch schlimmer kommen können.« Er sah sich die immer noch heftig blutende Wunde genauer an. »Was haben Sie denn, was es wert ist, sich auf so einen Kampf einzulassen, hä?« Sein Geplauder diente einzig dazu, Monk von den Schmerzen und wahrscheinlich auch von dem Blut abzulenken.

Monk dachte an Callandras Uhr und war froh, dass er sie wieder in die oberste Schublade der hohen Kommode im Schlafzimmer gelegt hatte. Er erwiderte das Lächeln des Arztes, obwohl ihm nicht nach Lächeln zumute war und er im Grunde nur die Zähne entblößte. »Nichts«, antwortete er. »Ich habe ihn geärgert.«

Der Arzt schaute auf und begegnete seinem Blick, Neugier sprach aus seinem Gesicht. »Das sollten Sie sich zur Gewohnheit machen. Ich könnte mir meinen Lebensunterhalt mit Ihnen verdienen, keinen Zweifel. Natürlich nur, wenn Sie mir nicht wegsterben. Machen Sie bloß niemanden so wütend, dass er Ihnen beim nächsten Mal die Kehle durchschneidet.« Er drückte, während er sprach, fest auf die Wunde, um die Blutung zu stoppen. »Halten Sie das mit der anderen Hand hier drauf.« Er zeigte auf das Stück Stoff, das er auf die Wunde gelegt hatte. »Gut festhalten.« Aus der Tasche zog er eine dünne Nadel mit einem Katgutfaden. Dann wusch er beides in dem Brandy und sagte Monk, er solle den Tupfer wegnehmen. Schnell und geschickt nähte er die Wunde, erst innen und dann die Haut obendrüber. Zufrieden betrachtete er das Ergebnis, bevor er einen Verband darum wickelte und die Enden verknotete. »Den müssen Sie ab morgen jeden Tag wechseln lassen, bis es verheilt ist«, sagte er. »Aber es wird schon heilen.«

»Meine Frau kann das machen«, antwortete Monk, der inzwischen ein wenig fröstelte. »Vielen Dank.«

»Sie wird doch nicht in Ohnmacht fallen, wenn sie Blut sieht?«

»Sie war als Krankenschwester auf der Krim«, antwortete Monk mächtig stolz. »Im Notfall könnte sie sogar ein Bein amputieren.«

»Heiliger Strohsack! Aber nicht mein verdammtes Bein!«,

sagte der Arzt, auch wenn er vor Bewunderung große Augen machte. »Wirklich? Sie nehmen mich auf den Arm!«

»Nein, ehrlich nicht. Ich habe sie auf einem Schlachtfeld im Krieg in Amerika etwas Ähnliches tun sehen.«

Der Arzt verzog das Gesicht. »Arme Kerle«, sagte er einfach. »Wem sind Sie denn über den Weg gelaufen? Sie müssen sich geschickt angestellt haben, dass er Ihnen so was antut.«

»Ich weiß nicht. Irgend so eine Hafenratte.«

Der Arzt schaute argwöhnisch und musterte ihn interessiert. »Sie sind nicht von hier.« Es war eine Feststellung. »Pech gehabt, was? Sie sprechen, als kämen Sie aus dem Nordwesten, als hätten Sie 'ne Pflaume im Mund.« Er begutachtete Monks Hemd, ohne den zerrissenen und blutbefleckten Ärmel zu beachten. »Falschspieler, was? Ein Hehler sind Sie nicht, dafür sind Sie längst nicht gerissen genug. Ziemlich dämlich, sich dermaßen aufschlitzen zu lassen.«

»Nein«, sagte Monk steif. Die Wunde schmerzte, und er fror. Mit Zurückhaltung kam er hier nicht weiter. »Der Mann, der mich verletzt hat, hat das getan, weil ich ihn nach Clement Louvain gefragt habe.«

Der Arzt riss die Augen noch weiter auf. »Tatsächlich?«, sagte er und stieß einen leisen Pfiff durch die Zähne. »Das würde ich lieber nicht tun, wenn ich Sie wäre. Mit Mr. Louvain sollte man sich nicht einlassen. Jede Wette, dass Sie ihm nicht zweimal in die Quere kämen!«

»Aber er muss doch Freunde haben?«

»Vielleicht. Die meisten hassen ihn, andere fürchten ihn, und manche tun beides.« Er griff nach der Brandyflasche und bot sie Monk an. »Nicht mehr als einen oder zwei Schlucke, sonst fühlen Sie sich noch elender, aber das bringt Sie wieder auf die Beine. Und noch was kriegen Sie von mir umsonst: Geben Sie sich nicht mit Clement Louvain ab. Jeder hintergeht ihn, und er ist wie ein Pitbull mit Zahnschmerzen. Wenn Sie Ihren anderen Arm behalten wollen, dann gehen Sie ihm aus dem Weg.

Monk trank einen Schluck Brandy, der ihm im Magen brannte wie Feuer.

»Wer sich mit Louvain einlässt, ist also entweder sehr mutig oder sehr dumm?«, fragte Monk und sah dem Arzt ins Gesicht.

Der Arzt lehnte sich zurück und machte es sich an einem Stapel Tauen bequem.

»Haben Sie?«, fragte er freimütig.

»Nein. Es war ein Dieb, und ich versuche, das Diebesgut wiederzufinden.«

»Für Louvain?«

»Natürlich.«

»Von einem seiner Schiffe? Wahrscheinlich von der ›Maude Idris‹?«

»Ja. Warum?«

»Was war's?«

»Elfenbein.«

Der Arzt stieß einen weiteren schrillen Pfiff durch die Zähne.

Monk überlegte, ob der Blutverlust seinen Verstand beeinträchtigte. Er hätte nicht so viel sagen sollen. Die Verzweiflung machte ihn unvorsichtig. »Entweder hockt also jemand auf einem Stapel Elfenbein und überlegt, wie, um alles in der Welt, er es wieder loswerden soll, ohne sich zu verraten und Louvains Rache auf sich zu ziehen«, sagte er sehr leise. »Oder jemand mit sehr viel Einfluss, so viel, dass er sich nicht davor fürchten muss, was Louvain ihm antun könnte, ist sehr zufrieden mit sich und vielleicht auch sehr reich.«

»Oder sehr glücklich, Louvain eins ausgewischt zu haben«, fügte der Arzt hinzu.

»Wer könnte das sein?«

Der Arzt grinste. »Suchen Sie sich einen aus – Culpepper, Cobbs, Newman. Jeder der Größen am Hafen oder am Westindiendock oder sogar runter Richtung Limehouse. Wenn ich Sie wäre, würde ich nach Hause gehen. Das ist nichts für Sie. Der Fluss ist kein Ort für einen Gentleman. Halsabschneider gibt's zwei für einen Penny, wenn Sie wissen, wo sie zu finden sind.«

Monk biss die Zähne zusammen, als ihn eine Schmerzwelle überkam.

»Lassen Sie Louvain selbst seinen Dreck wegfegen«, fügte der Arzt hinzu.

»Was schulde ich Ihnen«, fragte Monk und erhob sich ein wenig unsicher auf die Füße.

»Also, Herbert hier schulden Sie vielleicht was für den Brandy, aber ich kriege nichts. Ich betrachte es mit Ihrer interessanten Geschichte als abgegolten. Krim, hä? Ehrlich?«

»Ja.«

»Kennt sie Florence Nightingale?«

»Ja.«

»Sie haben sie kennen gelernt?«

»Ja. Sie hat auch 'ne ganz schön spitze Zunge.« Monk lächelte und zuckte bei der Erinnerung zusammen.

Der Arzt schob mit strahlenden Augen die Hand in die Tasche.

Monk überlegte, ob er ihm von der Klinik in der Portpool Lane erzählen sollte, ließ es aber. Er hätte es nur aus Stolz getan. Zumindest diesmal wollte er verschwiegen sein. »Wie heißen Sie?« Er würde sich irgendwann revanchieren.

»Crow«, sagte der Arzt mit einem breiten Lächeln. »Zumindest nennt man mich so. Passt zu meinem Beruf. Und Sie?«

Monk erwiderte sein Lächeln. »Monk ...«

Crow brüllte vor Lachen, was Monk merkwürdig unsicher machte. Er spürte doch tatsächlich, dass er rot anlief, wandte sich ab und suchte in seiner Tasche, um Mr. Herbert den Brandy zu bezahlen.

Herbert wollte sein Geld nicht, also gab Monk stattdessen Madge einen Sixpence und einen zweiten dafür, dass sie ihm Wasser und Seife brachte, um seine Jacke sauber zu machen, bevor er hinausging. Vom Fluss wehte ein eisiger Wind herüber, aber die Kälte belebte ihn auch.

Doch je klarer sein Kopf wurde, desto deutlicher wurde ihm auch bewusst, dass er, wenn er Little Lil wieder aufsuchen wollte, mindestens zwei oder drei goldene Uhren mitnehmen musste. Nicht einmal, um Louvains Geld zu verdienen, würde er sich von Callandras Uhr trennen. Der Einzige, den er jetzt um Hilfe bitten konnte, war Louvain selbst. Der Gedanke schnürte ihm die Kehle zu, aber es gab keine Alternative. Je schneller er zu ihm ging, desto schneller hatte er es hinter sich.

»Was?«, fragte Louvain ungläubig, als Monk sich ihm erklärt hatte.

Monk spürte die Hitze in seinem Gesicht. Er stand vor Louvains Tisch, und Louvain saß auf dem großen geschnitzten und gepolsterten Stuhl dahinter. Louvain hatte Monks zerrissenen Ärmel bereits bemerkt, aber Monk hatte die Sache heruntergespielt.

»Ich muss sie davon überzeugen, dass ich Diebesgut zu verkaufen habe«, wiederholte Monk und starrte sein Gegenüber unverwandt an. Er wusste genau, was Louvain mit seinem Verhalten zu erreichen versuchte, denn er hatte genau dieselbe Herrschaft des Willens über andere ausgeübt, als er bei der Polizei gewesen war und die Macht dazu hatte. Er ließ sich jedoch nicht einschüchtern.

»Worte gelten nichts«, antwortete er. »Ich muss was vorzeigen können.«

»Und Sie glauben, ich bin so dumm und gebe es Ihnen?« Bitterer Hohn schwang in Louvains Stimme mit und vielleicht auch Enttäuschung. »Ich spendiere Ihnen vier oder fünf goldene Uhren, und warum sollte ich Sie jemals wiedersehen, ganz zu schweigen von meinen Uhren? Für was für einen Idioten halten Sie mich?«

»Für einen, der nicht einen Mann anheuert, um seine gestohlenen Waren wiederzubeschaffen, ohne zuerst so viel über ihn in Erfahrung zu bringen, dass er weiß, ob er ihm vertrauen kann oder nicht«, antwortete Monk unverzüglich.

Louvain lächelte und entblößte dabei seine Zähne. In seinen Augen flackerte kurz Respekt auf, aber keine Wärme. »Ich weiß einiges mehr über Sie als Sie über mich«, räumte er mit einem Hauch von Arroganz ein.

Monk lächelte zurück, aber sein Blick war hart, als wüsste auch er insgeheim etwas, was ihn amüsierte.

Louvain bemerkte es, und seine Augen veränderten sich leicht.

Monks Lächeln wurde breiter.

Plötzlich wirkte Louvain unsicher. »Was wissen Sie über mich?«, fragte er, und weder das Timbre noch ein Anheben der Stimme verriet, ob die Antwort ihm wichtig war oder nicht.

»Ich kümmere mich nur um das, was mit dem Elfenbein zu tun hat«, erklärte Monk ihm. »Aber ich muss Ihre Feinde kennen, Rivalen, Menschen, die Ihnen etwas schulden oder denen Sie etwas schulden, Menschen, die glauben, Sie hätten ihnen Unrecht getan.«

»Und was haben Sie herausgefunden?« Louvain zog die Augenbrauen hoch, sein Interesse wuchs.

Vielleicht dachte Louvain, er müsste, um in dem harten und gefährlichen Geschäft des Handels erfolgreich zu sein, als Mann auftreten, dem niemand in die Quere zu kommen wagte, aber was steckte hinter der Maske? Ein liebenswerter Mann? War er auch zu sanfteren Leidenschaften fähig – Liebe, Verletzbarkeit, Träume? War die Frau, die er in die Portpool Lane gebracht hatte, die Geliebte eines Freundes, dem er einen solchen Dienst erweisen würde? Oder war sie vielleicht seine eigene Geliebte gewesen, und er musste seine Familie schützen, Frau, Kinder, Eltern?

»Was haben Sie erfahren?«, wiederholte Louvain.

»Wissen Sie das nicht?«, fragte Monk zurück.

Louvain nickte sehr langsam. »Dann wissen Sie, dass, wenn ich Ihnen die Uhren gebe und Sie sie stehlen, England nicht groß genug ist, um sich vor mir zu verstecken, von London ganz zu schweigen.«

»Ich werde sie nicht stehlen, denn ich bin kein Dieb«, fuhr Monk ihn an. Er war sich nur zu bewusst, dass Louvain um einiges wohlhabender war als er. Monk lebte von einer Woche zur nächsten, und Louvain wusste das, während Louvain Schiffe besaß, Lagerhäuser, ein Stadthaus in London mit Kutschen und Pferden und möglicherweise sogar ein Haus irgendwo auf dem Land. Er hatte Dienstboten, Besitztümer, eine sichere Zukunft, so sicher, wie ein Leben sein konnte. »Vielleicht war noch niemand so unbesonnen, Ihnen goldene Uhren zu überlassen.«

»Ich habe noch nie für jemanden gearbeitet, dem eine Ladung Elfenbein abhanden gekommen ist«, herrschte Monk ihn an. »Ich bin auf Morde spezialisiert.«

»Und kleine Diebstähle«, fügte Louvain unbarmherzig hinzu. »In letzter Zeit haben Sie ein paar Broschen, ein Violoncello, ein seltenes Buch und drei Vasen wiederbeschafft. Es ist Ihnen nicht gelungen, einem silbernen Tablett, einer roten Lackschachtel und einem Kutschpferd auf die Spur zu kommen.«

Monk kochte. Nur das Wissen darum, dass er auf das Geld für diesen Auftrag angewiesen war, hielt ihn noch in diesem Raum. »Was die Frage aufwirft, warum Sie mich gebeten haben, Ihr Elfenbein zu finden, und nicht die Wasserpolizei, so wie jedes andere Opfer eines Verbrechens!«, sagte er bitter.

Louvains Gesicht zeigte viele heftige, einander widerstreitende Gefühle – Wut, Angst, einen Hauch von Respekt und wachsende Enttäuschung. Er bemerkte, dass Monk ihn immer noch anstarrte und dass seine Augen viel zu viel verrieten. »Ich gebe Ihnen vierzig Guineen«, sagte er schroff. »Kaufen Sie, was Sie dafür kriegen. Aber wenn Sie sie in der Gegend hier verkaufen wollen, gehen Sie besser auf die südliche Seite des Flusses, um sie zu kaufen. Die Pfandleiher und Hehler auf dieser Seite hier kennen sich zu gut. Und jetzt machen Sie schon. Die Zeit ist knapp. Es nützt mir nichts, wenn Sie rausfinden, wer mein Elfenbein gestohlen hat, wenn derjenige es bereits weiterverkauft hat!«

Er stand auf und ging zu dem Tresor in der anderen Ecke, schloss ihn auf, den Rücken Monk zugewandt, nahm das Geld heraus und verschloss ihn wieder. Er drehte sich um und zählte die Münzen ab. Seine Augen waren hart wie der Winter an der Themse, aber er wiederholte seine Warnung nicht.

»Vielen Dank«, sagte Monk, drehte sich auf dem Absatz um und ging.

Louvain hatte Recht, dass sie keine Zeit zu verlieren hatten, und auch damit, dass es sehr viel klüger war, die Uhren südlich des Flusses zu kaufen, vielleicht unten in Deptford, gegenüber der Isle of Dogs. Er eilte das Dock entlang, wobei er, so gut es ging, seinen verletzten Arm schonte. Er musste einen Schneider finden, der ihm den Riss in der Jacke nähte, aber dafür hatte er jetzt keine Zeit. Verglichen mit den Schmerzen, die das Messer ihm zugefügt hatten, war der Schnitt überraschend klein.

Es dämmerte bereits, obwohl es erst mitten am Nachmittag war. Monk hatte das Mittagessen verpasst, also kaufte er sich bei einem Hausierer am Straßenrand eine Aalpastete. Erst als er den ersten Bissen verzehrte, merkte er, wie hungrig er war. Er stand an der gemauerten Uferstraße in der Nähe der Stufen, die zum Wasser führten, und wartete, bis er eine Fähre sah, die ihn hinüberbringen würde. Es war Niedrigwasser, und der Schlamm roch sauer. Der Geruch schien an Haut, Haaren und Kleidern zu haften und ihn noch zu begleiten, wenn er dem Fluss den Rücken zukehrte und nach Hause ging.

Die Luft war feucht, das Wasser klatschte so rhythmisch gegen die Steine wie das Pochen des Blutes in einem lebendigen Wesen. Dünne Nebelschleier hingen über dem glatten Wasserspiegel, doch noch tanzten silberne Strahlen darauf. Weit unten im Süden, hinter der Biegung nach Limehouse Reach, erklang ein Nebelhorn wie der Schrei eines Verlorenen.

Monk zitterte. Sobald der Wind nachließ, würde der Nebel sich verdichten. Er wollte nicht mitten auf dem Fluss sein, wenn er dick wie Erbsensuppe war, also musste er sich beeilen.

Ohne darüber nachzudenken, ob es sinnvoll war, ging er zum Rand der Treppe und trat die ersten zwei oder drei Stufen hinunter, die ohne Geländer parallel zur Mauer liefen, während dreieinhalb Meter unter ihm das schwarze Wasser wirbelte und gurgelte.

Zwanzig Meter weiter saß ein Mann untätig an den Rudern. Monk formte mit den Händen einen Trichter um den Mund und rief ihn.

Der Mann drehte sich halb um, entdeckte Monk und tauchte die Ruder tief ein.

»Übers Wasser?«, fragte er, als er in Hörweite war.

»Ja«, rief Monk.

Der Mann ruderte näher, und Monk ging die restlichen Stufen hinunter. Mit einem steifen Arm war das gar nicht so einfach, und er musste ihn bewegen, um das Gleichgewicht zu halten. Der Mann beobachtete ihn mit einer gewissen Teilnahme, musste aber beide Hände an den Rudern lassen, um die Kontrolle über das Boot nicht zu verlieren.

»Wohin wollen Sie?«, fragte er, sobald Monk sich gesetzt hatte und den Kragen bis zu den Ohren hochschlug.

»Nur auf die andere Seite«, antwortete Monk.

Der Mann tauchte die Ruder wieder ins Wasser und krümmte den Rücken. Er sah aus, als wäre er um die dreißig, und hatte ein sanftes, angenehmes Gesicht, die Haut vom Wetter ein wenig aufgesprungen, blonde Augenbrauen und ein paar Sommersprossen auf den Wangen. Er ruderte das Boot mit großem Geschick, als wäre es seine zweite Natur.

»Sind Sie schon Ihr Leben lang auf dem Fluss?«, fragte Monk. Ein Mann wie dieser hatte vielleicht etwas gesehen, was nützlich für ihn war, solange seine Fragen nicht so eindeutig waren, dass er sich verriet. »Die meiste Zeit.« Der Mann lächelte, wobei er einen abgebrochenen Vorderzahn entblößte. »Aber Sie sind neu hier. Hab Sie jedenfalls noch nie gesehen.«

»Nicht auf diesem Streifen«, verdrehte Monk die Wahrheit ein wenig. »Wie heißen Sie?«

»Gould.«

»Und wie lange arbeiten Sie?«

Gould zuckte die Schultern. »In schlechten Nächten gehe ich früh nach Hause. Wenn ich ’nen guten Job hab, bleib ich. Warum? Wollen Sie später wieder übersetzen?«

»Vielleicht. Wenn ich Glück habe, brauche ich nicht lange.« Er musste seine Fragen so formulieren, dass er kein Misstrauen erregte, denn es durfte sich nicht herumsprechen, dass er allzu neugierig war. Einen Feind hatte er sich in der Hafenratte bereits gemacht, und über Bord in das eisige Wasser geworfen zu werden war wirklich das Letzte, was er wollte. Aus der Themse wurden zu viele Leichen gefischt, und nur Gott wusste, wie viele gar nicht gefunden wurden.

»Ist es nachts gefährlich?«, fragte er.

Gould brummte. »Kann sein.« Er nickte in Richtung eines Vergnügungsdampfers, dessen Lichter auf dem Wasser schimmerten. Gelächter drang über das Wasser zu ihnen. »Nicht für die da, aber in den kleinen Booten hier kann’s schon mal heikel werden. Wenn man sich um seine eigenen Angelegenheiten kümmert, passiert einem nichts.«

Monk hörte die Warnung, doch er sah sich gezwungen, sie zu ignorieren. »Sie meinen, Flusspiraten benutzen kleine Boote?«, fragte er.

Gould tippte sich an den Nasenflügel. »Noch nie davon gehört. Auf der Themse gibt’s keine Piraten. Gelegenheitsdiebe und so schon, aber die bringen niemanden um.«

»Manchmal doch«, entgegnete Monk. Sie waren halb übers Wasser, und Gould lenkte das Boot mit beträchtlichem Geschick um die Schiffe, die vor Anker lagen, herum. Das Boot glitt fast lautlos durchs Wasser, das Eintauchen der Ruder war von den Geräuschen des Wassers um sie herum nicht zu unterscheiden. Der Nebel trieb, und die meisten Lichter wurden von einem dichten erstickenden grauen Brei gedämpft, der im Hals kratzte. Die Schiffsrümpfe ragten in der Nebelnacht auf wie dunklere graue Massen, in einem Augenblick deutlich auszumachen, im nächsten nur noch Schatten. Nebelhörner hallten und hallten wieder, bis kaum noch zu sagen war, aus welcher Richtung sie kamen.

Wie war es in der Nacht des Diebstahls gewesen? Hatte jemand das Wetter geschickt zu seinem Vorteil genutzt? Oder versehentlich sogar das falsche Schiff angesteuert?

»Könnten Sie bei der Suppe ein bestimmtes Schiff finden?«, fragte er und wies mit dem Kopf auf den Nebel, der sich immer dichter um sie schloss.

»Klar!«, sagte Gould fröhlich. »Kenne die Schiffe auf dem Fluss wie mein eigenes Boot.« Er nickte zur einen Seite. »Das da drüben ist die ›City of Leeds‹, ein Viermaster, ist von Bombay gekommen. Zwanzig Meter dahinter die ›Liverpool Pride‹, kommt vom Kap der Guten Hoffnung, liegt schon drei Wochen vor Anker und wartet auf einen Liegeplatz. Auf der anderen Seite die ›Sonora‹, fremdes Schiff aus Indien. Ich muss sie bis auf einen Meter oder so kennen, sonst würde ich bei so 'nem Wetter direkt draufknallen.«

»Ja … natürlich.« Monks Gedanken überschlugen sich. Er stellte sich vor, wie die Diebe sich durch die feuchten Schwaden der »Maude Idris« näherten, deren Position sie im hellen Tageslicht sorgfältig bestimmt hatten. Hatten sie ein größeres Boot als dieses gebraucht, um zwei oder sogar drei Männer und die Stoßzähne zu transportieren? Er betrachtete Goulds kräftige Schultern, als er an den Riemen zog, wie flink er plötzlich eine Wende machte und das Ruderblatt drehte, damit das Boot den Kurs änderte. Er wäre stark genug, um an einem Schiff hinaufzuklettern und das Elfenbein zu tragen. Er wäre auch stark genug, um einem Mann den Kopf einzuschlagen, wie Hodge geschehen.

»Wo wollen Sie hin?«, fragte Gould.

Monk konnte am dunklen Ufer kaum etwas erkennen. Was er brauchte, war ein guter Pfandleiher, der keine Fragen stellte und bereit war, sich hinterher nicht an ihn zu erinnern, aber falls er je etwas über die Gegend südlich des Flusses gewusst hatte, hatte er es vergessen. Er konnte genauso gut Gould um Hilfe bitten.

»Pfandleiher«, antwortete er. »Einen, der gute Waren hat, aber nicht zu speziell.«

Gould kicherte ausgelassen. »Sie wollen einen südlich des Flusses, hä? Nördlich könnte ich Ihnen ein paar gute nennen. Gibt keinen besseren als Old Pa Weston. Egal, was es ist, der gibt Ihnen 'nen fairen Preis und fragt nicht danach, wo die Sachen herkommen. Sagen Sie ihm, Ihre Tante Annie hätte es Ihnen hinterlassen, und er blickt sie ernst wie 'ne Eule an und schwört, dass er Ihnen glaubt.«

Monk machte sich in Gedanken eine Notiz, dass Gould es mit Sicherheit auch schon ein paarmal versucht hatte. Vielleicht war er zusätzlich auch noch bei der schweren Kavallerie, mit all den extra eingenähten Taschen in den Kleidern, oder einfach eine Hafenratte, wie der Mann, der ihn verletzt hatte. Monk war froh, dass er Callandras Uhr nicht bei sich trug.

»Lieber im Süden«, antwortete er. »Ist im Augenblick besser für mich.«

»Verstehe«, meinte Gould. »Gibt halt Sachen, die man nicht so einfach los wird.« Er machte eine reumütige Geste, und als er sich vorbeugte, traf das Licht der Ankerlaterne eines Schiffes einen Augenblick auf sein Gesicht, in dem Monk Enttäuschung und eine sarkastische, verzweifelte Selbstironie sah. Er fragte sich, was Gould wohl zu verpfänden versucht hatte. Wahrscheinlich lag die Beschreibung der Polizei bereits vor.

Sie waren jetzt nur noch ein paar Meter vom Ufer entfernt, und Monk sah es steil über ihnen aufragen und hörte das Wasser an die Stufen klatschen. Einen Augenblick später gingen sie längsseits, und mit einem geschickten Drehen des Ruders stieß Gould das Boot sacht gegen die Steine, sodass Monk aussteigen konnte.

»Was haben Sie mit Ihrem Arm gemacht«, fragte Gould neugierig, als er sah, wie Monk zusammenzuckte, als er in seiner Tasche nach Geld suchte, um die Überfahrt zu bezahlen.

Monk hob den Kopf und sah Gould an. »Messerkampf«, sagte er freimütig, dann reichte er ihm das Geld und einen Sixpence extra. »Das Gleiche noch mal für den Rückweg, wenn Sie in zwei Stunden hier sind.«

Gould grinste. »Schneiden Sie nur niemandem die Kehle durch«, sagte er fröhlich.

Monk stieg die Treppe hinauf, wobei er Mühe hatte, auf den nassen Steinen die Balance zu halten. Sobald er die Uferstraße erreicht hatte, ging er zur nächsten Straßenlaterne und sah sich um. Er hatte nicht die Zeit, die Gegend zu erkunden, er musste jemanden fragen, was ihm auch innerhalb weniger Minuten gelang. Jeder musste ab und zu irgendetwas versetzen, und die Frage nach einem Pfandleiher erregte kein Aufsehen.

Eindreiviertel Stunden später trat er wieder auf die Treppe, und zehn Minuten danach sah er Goulds Boot aus dem Nebel und der Dunkelheit über dem Fluss auftauchen. Erst jetzt, als er mit drei goldenen Uhren in der Tasche in dem leise auf dem Wasser schaukelnden Boot saß, merkte er, wie erleichtert er war.

»Haben Sie bekommen, was Sie wollten?«, fragte Gould und tauchte die Ruder ein, um das Boot wieder in die Strömung zu manövrieren. Der Nebel schloss sich um sie und verschluckte das Ufer. Innerhalb weniger Minuten verschwand auch der Rest der Welt, und Monk konnte nichts mehr sehen außer Goulds Gesicht und die Umrisse seines Körpers vor der dunklen Nebelwand. Er hörte das Wasser und ab und an ein Nebelhorn und roch das Salz und den Schlamm der schnell strömenden Tide. Es war, als wären Gould und er die einzigen Menschen auf der Welt. Wenn Gould ihn ausraubte und über Bord warf, würde kein Mensch es je erfahren. Es wäre das endgültige Vergessen.

»Ich habe jemandem gegenüber mein Wort gehalten«, antwortete er. Er schaute Gould direkt an, mit der harten, ruhigen Eiseskälte, die sich zu seiner Zeit als Polizist gefühllose Constables, ja sogar Sergeants zu Eigen gemacht hatten – seine einzige Waffe.

Womöglich hatte Gould genickt, aber im Dunkeln konnte Monk kaum seine Gestalt ausmachen. Nur an dem gleichmäßigen Vorwärtskommen des Boots war zu merken, dass er noch ruderte. Einige Minuten lang glitten sie schweigend weiter, nur das Plätschern des Wassers war zu hören und in der Ferne ein Nebelhorn.

Aber Gould kannte den Fluss, und Monk wollte die Gelegenheit, etwas von ihm zu erfahren, nicht verstreichen lassen. »Liegen die Boote die ganze Nacht an der Mauer, auch kurz vor Tagesanbruch noch?«, fragte er.

Gould zögerte mit seiner Antwort. »Es sind immer Diebe unterwegs, die auf eine Gelegenheit hoffen«, antwortete er. »Aber wenn Sie nicht wissen, wonach Sie suchen, und gut auf sich aufpassen können, bleiben Sie um die Stunde besser im Bett.«

»Woher wissen Sie das?«, fragte Monk schnell.

Gould kicherte tief in der Kehle. »Vom Hörensagen«, antwortete er, aber das Lachen in seiner Stimme verriet Monk, was er eigentlich meinte.

»Diebe? Gefährlich«, sagte Monk nachdenklich.

Gould amüsierte sich immer noch über Monks Naivität.

»Mit eigenen Booten oder gemieteten?«, fuhr Monk fort. »Oder für eine Nacht gestohlen? Hat jemand mal Ihr Boot gestohlen?«

»Nein!« Gould war empört. Die Frage war beleidigend und kränkte ihn in seiner Ehre als Mann, der auf dem Fluss arbeitete.

»Woher wissen Sie, ob nicht jemand um, sagen wir … drei oder vier Uhr früh Ihr Boot genommen hat?«, fragte Monk zweifelnd.

»Ich weiß jederzeit, ob jemand mein Boot hat«, sagte Gould vollkommen überzeugt. »Ich vertäue es mit einem speziellen Knoten, aber um vier Uhr früh bin ich selbst damit unterwegs.«

»Tatsächlich.« Es war weniger eine Frage, als Anerkennung. »Jeden Morgen?«

»Ja … in etwa. Warum? Denken Sie an einen bestimmten Morgen?«

Monk wusste, dass er weit genug gegangen war. Gould kannte wahrscheinlich viele Flussdiebe, womöglich gehörte er sogar als Komplize zu ihnen. Die Frage war, ob Monk wollte, dass seine Suche sich bis zu den Leuten herumsprach, die das Elfenbein gestohlen hatten? Aber wahrscheinlich wussten sie es längst.

Der riesige Rumpf eines Schoners ragte über ihnen auf. Gould machte rasch eine Bewegung mit den Ruder und warf sich mit seinem Gewicht dagegen, um das Boot zu drehen. Monk hielt sich an den Seiten fest und hoffte, dass Gould es im Dunkeln nicht sah. Halb erwartete er, dass ihm jeden Moment kaltes Wasser ins Gesicht spritzte.

Vielleicht war es das Risiko wert. Er konnte sich wochenlang hier herumtreiben und das Thema stets umkreisen, doch wenn er dann endlich dahinter kam, was passiert war, war es zu spät. Wie sollte er überleben, wenn sein Ruf ruiniert war? Er lebte davon, dass andere in ihm den harten Mann sahen, unbarmherzig, erfolgreich, der sich nichts vormachen ließ.

»Zwanzigster Oktober«, antwortete er. Und passen Sie auf, wo Sie hinrudern!, wollte er hinzufügen, aber sein Taktgefühl hieß ihn schweigen.

Gould schwieg ebenfalls.

Monk starrte angestrengt nach vorn, konnte das gegenüberliegende Ufer in dieser Nebelwand aber noch nicht sehen, obwohl es nur zwanzig Meter weit weg sein konnte.

»Weiß nicht«, antwortete Gould schließlich. »Um die Zeit war ich unten in Greenwich. Nicht hier oben. Wenn ich's also recht bedenke, kann niemand mein Boot gehabt haben. Was auch immer gemacht wurde, es wurde nicht mit meinem Boot gemacht.« Er hob vergnügt die Stimme. »Tut mir Leid, da kann ich Ihnen nicht helfen.« Im nächsten Augenblick stieg die dunkle Mauer der Uferstraße vor ihnen auf, und der Rumpf des Bootes kratzte sanft gegen die Treppenstufen. »Da sind wir, Mister, heil und gesund.«

Monk dankte ihm, bezahlte die zweite Hälfte seines Fahrgeldes und stieg aus.

Es war wieder eine miserable Nacht, denn Hester war nicht zu Hause. Monk wusste, dass es daran lag, dass in der Portpool Lane jemand schwer krank war – Menschen, die Hester nicht alleine lassen konnte, weil sonst niemand da war, der sich um sie kümmerte –, aber das tröstete ihn nicht in seiner Einsamkeit.

Er schlief nicht viel, denn sein Arm hielt ihn bis lange nach Mitternacht wach und weckte ihn auch danach immer wieder. Er war unentschlossen, an wen er sich wegen des Verbandswechsels wenden sollte. Er sagte sich immer wieder, dass er zurückgehen und Crow ausfindig machen sollte. Vielleicht erfuhr er von ihm noch etwas. Aber gleichzeitig zog er seine Jacke, Halbhandschuhe und Schal an und ging zu der Bushaltestelle in Richtung Portpool Lane.

Es regnete, ein ausdauernder, alles durchnässender Regen, der sich seinen Weg überallhin bahnte und das Wasser tief in den Rinnsteinen gurgeln ließ. Trotzdem ging Monk mit leichtem Schritt den Bürgersteig im Schatten der Brauerei entlang, als wäre er nach langer Abwesenheit auf dem Weg nach Hause.

Er betrat die Klinik und traf auf Bessie, die im Hauptraum den Fußboden putzte. Sie schaute auf und wollte ihn schon ausschimpfen, doch dann erkannte sie ihn. Ihr Mund verzog sich zu einem Lächeln.

»Ich hol sie, Sir«, sagte sie sofort. »Sie wird sich freuen, Sie zu sehen. Schuftet wie ein Kanalarbeiter.« Sie schüttelte den Kopf. »Wir haben mehr Kranke hier als je zuvor. Ist wohl die Jahreszeit. Und Sie sehen auch aus, als würden Sie gleich erfrieren. Möchten Sie eine Tasse Tee?«

»Ja, bitte«, sagte er und setzte sich, während sie durch die Tür verschwand, den Besen immer noch wie ein Bajonett in der Hand.

Er hatte kaum Zeit, sich umzusehen und zu schauen, wie sich alles verändert hatte, seit er das letzte Mal hier gewesen war – ein neuer Schrank, ein paar irgendwo gerettete Matten –, bevor Hester hereinkam. Sie strahlte, als sie ihn sah, aber das Strahlen konnte nicht über ihre Müdigkeit hinwegtäuschen. Die Blässe ihrer Haut und die feinen Falten um ihre Augen erschreckten ihn. Er empfand große Zärtlichkeit für sie, als ihm klar wurde, wie viel Zeit sie damit verbrachte, sich um andere zu kümmern.

Er stand auf, um sie zu begrüßen, und hielt dabei den verletzten linken Arm etwas vom Körper ab, damit sie nicht aus Versehen die Wunde berührte.

Sie bemerkte es sofort. »Was hast du gemacht?«, wollte sie wissen, die Stimme schrill vor Angst.

»Ein kleiner Schnitt«, antwortete er und sah ihren Unglauben. »Ein Arzt hat ihn genäht, aber es sollte noch mal jemand danach sehen. Wärst du bitte so nett?«

»Natürlich. Zieh die Jacke aus, und setz dich.« Sie nahm ihm die Jacke ab. »Sieh dir das an!«, sagte sie verärgert. »Der Ärmel ist auch kaputt! Wie soll ich das denn nähen?« Ihre Stimme brach, und er merkte, dass sie den Tränen nahe war. Es hatte nichts mit der Jacke zu tun, sondern nur mit ihm, aber das würde sie nicht zugeben. Sie wusste, dass er keine Wahl hatte.

»Kommt schon wieder in Ordnung«, antwortete er ruhig, wobei er sich nicht auf die Jacke bezog, sondern auf seinen Arm.

Sie atmete tief und zitternd ein und ging, den Rücken ihm zugewandt, zum Herd, um Wasser zu holen. Aus dem Schrank nahm sie saubere Verbände und machte sich dann an die Arbeit.

Es war früher Nachmittag, als Monk ein zweites Mal in Little Lils Etablissement eingelassen wurde. Seinem Arm ging es sehr viel besser. Er hatte nicht mehr geblutet, schmerzte ein wenig und war steifer als normal, aber abgesehen davon schränkte er Monk nicht ein. Hester hatte gesagt, der Schnitt sei nicht sehr tief und Crow habe ihrer Meinung nach gute Arbeit geleistet. Vor allem war die Wunde sauber.

Lil saß genau am gleichen Platz wie beim ersten Mal und hielt die gleiche Stickerei auf dem Schoß. Das Feuer brannte, und der düstere, voll gestopfte Raum glühte rot. Lil sah aus wie eine alte, edle zierliche Katze, die darauf wartet, dass man ihr noch eine Portion Sahne serviert. Oder einen Kanarienvogel. Louvain hatte ihn gewarnt, die Gewalttätigkeit eines Raffsacks nicht zu unterschätzen, nur weil es sich um eine Frau handelte.

Lil schaute zu ihm auf, und ihre großen Augen strahlten vor Erwartung. Sie betrachtete sein Haar, sein Gesicht und die Art, wie er dastand, und registrierte, dass er Schal und Handschuhe abgelegt hatte, bevor er näher getreten war. Das gefiel ihr. »Kommen Sie herein«, befahl sie ihm. »Setzen Sie sich.« Ihr Blick wies auf den Stuhl gegenüber, einen guten Meter von ihrem entfernt.

Er gehorchte und dankte ihr leise. Sie wandte sich nicht gleich dem Geschäft zu, und er spürte die Hitze des Feuers deutlicher, als ihm klar wurde, was sie tat.

»Hab gehört, Sie wurden mit 'm Messer verletzt«, sagte sie kopfschüttelnd. »Sie müssen auf sich aufpassen. Ein Mann ohne Arm ist eine Gefahr für sich selbst.«

»Kein tiefer Schnitt«, antwortete er. »Ist in ein paar Tagen wieder geheilt.«

Sie wandte den Blick nicht von seinem Gesicht ab. »Vielleicht sollten Sie nicht allein arbeiten?«

Er wusste, was sie als Nächstes sagen würde. Noch bevor die Worte ausgesprochen wurden, sah er es in dem Appetit, den ihre Miene verriet. Aber er hatte es herausgefordert, und jetzt gab es kein Entrinnen mehr.

»Der Fluss ist ein harter Ort«, fuhr sie fort. »Sie sollten überlegen, ob Sie sich nicht mit jemandem zusammentun, der Ihnen den Rücken freihält.«

Er musste so tun, als würde er darüber nachdenken. Vor allem aber musste er ihr ein paar Informationen aus der Nase ziehen. Wenn sie auf Schmeichelei, Aufmerksamkeit und auf weiß der Himmel was noch aus war, dann war das eben der Preis, den er zahlen musste.

»Ich weiß, dass der Fluss gefährlich ist«, stimmte er ihr zögernd zu.

Sie beugte sich ein wenig vor.

Er fühlte sich äußerst unwohl, wagte es aber nicht, den Eindruck zu erwecken, er würde sich zurückziehen.

»Sie sollten darüber nachdenken. Überlegen Sie es sich gut«, drängte sie ihn.

»O ja«, erwiderte er heftiger, als sie verstehen konnte. »Es gibt an diesem Flussabschnitt ziemlich viele Menschen, denen ich ungern im Weg stehen würde.«

Sie zögerte und erwog ihre nächsten Worte sorgfältig. »Dazu haben Sie keine Lust, was?«, provozierte sie ihn.

Er lächelte breit, denn er wusste, dass ihr das gefallen würde. Er sah das Schimmern in ihren Augen und verbarg ein Frösteln. »Oh, ich mag es, wenn man viel von mir hält«, sagte er, »aber ich möchte es auch erleben.«

Sie kicherte vor Vergnügen. Es war nur ein leises Geräusch in ihrer Kehle, wie jemand, der einen Katarrh hat, aber ihre Augen sprachen deutlich von ihrer Belustigung.

»Von wem soll ich mich fern halten?«, fragte er schnell.

Sie zählte mit leiser verschwörerischer Stimme ein halbes Dutzend Namen auf. Zweifellos ihre Konkurrenten. Es würde nicht ausreichen, so zu tun, als glaubte er ihr blind, davor hätte sie keinen Respekt. Er fragte sie also, warum, als brauchte er Beweise.

Sie umriss ihre Aktivitäten in scheußlichen und malerischen Einzelheiten. Er fragte sich unwillkürlich, ob die Wasserpolizei auch nur annähernd so viel über sie wusste.

»Ich muss Ihnen danken«, sagte er, als er sicher war, dass sie geendet hatte. »Aber man sollte sich nicht nur vor Hehlern in

Acht nehmen. Es gibt auch ein oder zwei Schiffseigner, denen ich nicht über den Weg laufen möchte.«

Ihre großen Augen blinzelten langsam. »Haben Sie Angst vor ihnen?«, fragte sie.

»Ich würde lieber mit dem Strom schwimmen als dagegen«, antwortete er besonnen.

Wieder stieß sie ihr merkwürdig tiefes Kichern aus. »Dann gehen Sie Clem Louvain aus dem Weg«, sagte sie. »Und Bert Culpepper. Zumindest so lange, bis klar ist, wer gewinnt.«

Er spürte ein Prickeln im Nacken. Jetzt durfte er ihr nicht seine Unwissenheit verraten. »Ich setze auf Louvain«, sagte er.

Sie verzog den Mund zu einem dünnen Strich. »Dann wissen Sie etwas, was ich nicht weiß. Zum Beispiel, wohin sein Elfenbein verschwunden ist? Denn wenn er das nicht vor Ende Oktober zurückbekommt, hat er kein Geld, um seine Schulden zu begleichen. Er wird sein Lagerhaus verlieren und den verdammt großen Klipper nicht bezahlen können, der zum Verkauf kommt, sobald er in den Hafen einläuft. Und dann kriegt der alte Bert Culpepper ihn, so sicher wie Gott kleine Fische erschaffen hat. Und wie steht Clem Louvain dann da, hä? Ich sag's Ihnen, eine Woche hintendran, für den Rest seiner Tage. Sie und ich wissen, was eine Ladung Fracht wert ist, wenn sie eine Woche zu spät kommt! Setzen Sie ruhig Ihr Geld auf Clem Louvain, wenn Sie wollen, aber ich behalte meines in der Tasche, bis ich sehe, wohin der Hase läuft.«

Monk lächelte sie ganz langsam an. »Dann werde ich das auch tun«, sagte er leise. Endlich hatte er, was er wollte.

Sie war sich noch nicht ganz sicher, wie tief ihr Einverständnis ging. Sie wollte alles, aber sie wusste, dass sie langsam spielen musste. Sie hatte in ihrem Leben so manchen Fisch an Land gezogen, und der hier war besonders zart.

Monk lehnte sich wieder zurück, ohne den Blick von ihr abzuwenden. »Sie haben von Uhren gesprochen?«

Sie fuhr zart mit den Fingern über den Stoff ihrer Stickerei. »Sie haben Uhren?«

»Drei … fürs Erste.«

Sie streckte die Hand aus.

Er ließ sie eine Uhr sehen und hoffte, dass sie ihm annähernd das zahlte, was sie wert war. Wenn nicht, war die Information zu einem zu hohen Preis erkauft.

Er feilschte fast eine ganze Stunde mit ihr, und sie genoss jeden Augenblick wie ein Spiel. Sie schickte nach einer Flasche Gin, die von einem dünnen Mann gebracht wurde, dessen Muskeln sich am Hals wie Schnüre abzeichneten und dem eine Messernarbe quer über den rasierten Schädel lief. Er brachte ihn widerwillig, und Lil würdigte ihn kaum eines Blickes. Er langweilte sie, doch auf Monk hatte sie großen Appetit.

Sie saßen vor dem Feuer, tranken Gin und stritten. Sie beugte sich vor und kam ihm dabei so nah, dass er ihren warmen, schalen Atem riechen konnte, aber er wagte nicht, es sich anmerken zu lassen. Er spürte, dass ihm der Schweiß am Körper herunterlief, und wusste, dass er ebenso sehr vor Abscheu wie wegen der Hitze im Zimmer schwitzte. Er war, indem er das ausnutzte, was er in ihrem Gesicht gelesen hatte, sehenden Auges in die Situation hineingegangen, und jetzt wusste er nicht, wie er weitermachen sollte. Er war versucht, sich auf weniger zu einigen, als die Uhren wert waren – nur um wegzukommen. Aber wenn er das tat, wusste sie, warum, und würde ihn nicht nur dafür verachten, sondern wäre auch beleidigt, was sehr gefährlich werden konnte. Alle Instinkte warnten ihn davor, sich eine abgewiesene Frau zum Feind zu machen. Besser, er ließ sich all seiner Besitztümer berauben oder in seiner Ehre beleidigen.

Die Minuten verstrichen. Sie schickte erneut nach dem Mann mit dem sehnigen Hals, damit er mehr Kohle holte. Offensichtlich hieß er Ollie.

Er brachte sie herein. Sie wies ihn an, das Feuer zu schüren, und er tat, wie ihm geheißen. Dann entließ sie ihn.

»Vierzig Pfund«, sagte sie, als Ollie die Tür hinter sich schloss. »Mein letztes Angebot.«

Er tat, als überlegte er sorgfältig. Er hatte fünfundvierzig gefordert, drei Pfund mehr als die vierzig Guineen, die Louvain ihm gegeben hatte, da er davon ausgegangen war, dass sie ihn herunterhandeln würde. Das würde bedeuten, dass er zwei Pfund verlor, aber mehr würde er nicht herausschlagen. »Also ... ich vermute, der Preis besteht nicht nur aus Geld«, sagte er schließlich.

Sie nickte zufrieden. »Her damit.«

Er reichte ihr die Uhren, und sie stand auf und ging zu einer verschlossenen Truhe in einer entfernteren Ecke des Raums. Sie schloss sie auf, holte vierzig Sovereigns heraus und zählte sie ihm in die Hand.

Monk nahm das Geld und steckte es in seine Innentasche, doch er war klug genug, nicht gleich aufzubrechen. Erst fünf Minuten später erhob er sich, dankte ihr für ihre Gastfreundschaft und sagte, er werde wiederkommen, wenn er noch einmal ähnliche Geschäfte zu machen habe.

Mit energischen Schritten ging er zu Louvains Büro, die ganze Zeit angespannt, weil er Schritte hinter sich zu hören glaubte. Wenn ihm bloß jetzt niemand das Geld raubte. Als er eintrat, überwältigte ihn eine derartige Erleichterung, dass er plötzlich völlig erschöpft war. Er bat, sofort zu Louvain geführt zu werden, und wurde innerhalb von zehn Minuten vorgelassen.

»Und?«, wollte Louvain mit vor Zorn und Ungeduld düsterer Miene wissen.

Monk war froh, dass er etwas Positives zu berichten hatte und dass die Münzen in seiner Tasche waren. Er holte sie heraus und legte sie auf den Tisch. »Vierzig Pfund«, sagte er. »Ich schulde Ihnen noch zwei. Damit habe ich Informationen gekauft, die Sie mir gleich bei unserem ersten Treffen hätten geben sollen.«

Louvain blickte einen Augenblick auf das Geld, dann griff er danach, kratzte mit dem Fingernagel über eine Münze und schob sie in seine Tasche. »Welche Informationen?«, fragte er leise. Seine Stimme klang rau und gefährlich, und seine Augen glitzerten kalt, aber er bat nicht um die anderen zwei Pfund.

»Dass Ihr Lagerhaus als Sicherheit für einen Kredit von Culpepper dient und Sie, wenn Sie den nicht zurückzahlen, keine Möglichkeit haben, den Klipper zu kaufen, wenn er zur Versteigerung kommt«, sagte Monk.

Louvain stieß langsam die Luft aus, die Zähne so fest zusammengebissen, dass die Wangenmuskeln deutlich hervortraten. »Wer hat Ihnen das erzählt? Außerdem sollte das, was Sie sagen, der Wahrheit entsprechen.«

»Ein Raffsack«, antwortete Monk. »Wenn Sie wissen wollen, wer es sonst noch weiß, kann ich Ihnen das nicht sagen, denn das weiß ich nicht.«

»Dann wissen die jetzt, dass Sie mein Mann sind!«

»Ich bin nicht Ihr Mann! Und, nein, das wissen die nicht.«

»Sie sind so lange mein Mann, wie ich es sage.« Louvain beugte sich über den Tisch, die von Tauen schwieligen und verkratzten Hände breit auf dem polierten Holz aufgestützt. »Was nützt Ihnen das Wissen um Culpepper und den Klipper? Ich habe Ihnen gesagt, dass ich das Elfenbein liefern muss, weil ich es zugesagt habe. Ich hatte nicht die Zeit, Ihnen all meine Feinde am Fluss aufzuzählen. Ich bin jedem irgendwann mal in die Quere gekommen. Und sie mir. Das ist kein Geschäft für Zartbesaitete.«

»Wenn Sie mir von Culpepper erzählt hätten, hätte ich die Suche nach dem Elfenbein am anderen Ende aufnehmen können!«, antwortete Monk gleichermaßen bitter. »Wenn ich der Spur des Elfenbeins vom Schiff aus nachgehe, hinke ich immer mindestens zwei Tage hinterher.«

Eine zornige Röte überzog Louvains Wangen. »Dann sehen Sie sich bei Culpepper um, aber seien Sie um Gottes willen vorsichtig! Wenn Sie mit durchgeschnittener Kehle auf dem Grund des Flusses liegen, nützen Sie mir nichts mehr.«

»Vielen Dank«, erwiderte Monk sarkastisch, drehte sich auf dem Absatz um und ging. Jetzt, da er nur noch ein paar Silber-

und Kupfermünzen in den Taschen hatte, fühlte er sich sicherer, aber er hielt sich auf dem Weg zur Bushaltestelle trotzdem mitten auf der Straße.

Die Schultern gegen den Wind hochgezogen, wartete er, als noch ein Mann auftauchte, der wahrscheinlich ebenfalls den Pferdeomnibus nehmen wollte. Erst als der Mann neben ihm stand, spürte Monk plötzlich, dass er sich an ihn lehnte. Er wandte sich um, um eine Bemerkung zu machen, und sah den Hass in den Augen des Mannes. Er trug einen Hut auf seinem rasierten Kopf, der auch den merkwürdig muskulösen Nacken bedeckte, aber Monk erkannte sein Kinn und seinen Mund. Es war Ollie, der ihn bei Little Lil bedient hatte.

»Sie können noch nicht nach Hause fahren, Mr. Wichtigtuer«, zischte Ollie leise. »Sie bilden sich was ein, ja? Glauben, unsere Lil würde Ihnen mehr geben als tagsüber ein bisschen Zeit, was? Also, die Gelegenheit werden Sie nicht mehr kriegen, denn Sie kommen mit mir auf eine kleine Reise Richtung Limehouse.« Er stieß Monk die Klinge des Messers ein wenig fester in die Rippen. »Keiner kann Sie hören, also machen Sie sich erst gar nicht die Mühe zu schreien. Und glauben Sie nicht, ich würde nicht zustechen, denn das werde ich.«

Daran zweifelte Monk nicht. Vielleicht bekam er später eine Gelegenheit, ihn zu überwältigen, jetzt war das sicher unmöglich. Zu gut erinnerte er sich noch an das Messer in seinem Arm, an den Schmerz, der wie ein Schrei durch die Luft fuhr. Fügsam wandte er sich von der Bushaltestelle ab und ging durch die dunkle Straße, den böigen Wind im Gesicht, die Steine glitschig unter seinen Füßen.

Sie waren allein, Ollie ging halb neben, halb hinter ihm, das Messer stets in Monks Rücken. Er musste so etwas schon des Öfteren gemacht haben, denn den ganzen Weg durch den dunklen Einlass zu den Shadwell Docks und weiter in Richtung der Biegung südwärts von Limehouse Reach ließ er nicht ein Mal zu, dass Monk so viel Abstand bekam, um sich umzudrehen oder der Klinge zu entfliehen.

Vor sich sah Monk die Kräne und Lagerhäuser des Westindiendocks. Der Regen schlug ihnen ins Gesicht, und in der Luft lag beißender Fisch- und Teergeruch. Ollie befahl ihm, stehen zu bleiben. »Sie werden jetzt 'ne hübsche Runde schwimmen«, sagte er mit gehässigem Vergnügen. »Vielleicht findet unsere Lil nicht mehr so viel Gefallen an Ihnen, wenn sie Sie rausfischen.« Er lachte in sich hinein, was fast wie ein Räuspern klang. »Falls man Sie rausfischt! Manchmal verfangen sich die Leichen zwischen den Pfeilern, dann findet kein Mensch sie mehr. Die bleiben für immer da unten!«

»Ich werde, verdammt noch mal, dafür sorgen, dass Sie mich begleiten!«, erwiderte Monk. »Ist es das, was Lil will?«

»Reden Sie nicht über sie, Sie ...« Ollies Stimme zitterte vor Wut.

Monk spürte, wie die Messerspitze sich härter in seine Seite bohrte. Er ging auf den breiten Pier zu, der sich zehn oder zwölf Meter weit in das dunkle Wasser erstreckte, bevor er jäh endete, darunter nichts als die knarrenden, tropfenden Stümpfe, die hoch aufragten wie die Knochen toter Menschen. Der Modergeruch des Holzes stieg ihm in die Nase. Bis auf die Ankerlichter eines Schiffes, das zwanzig Meter weiter vor Anker lag, war es dunkel.

»Los!«, drängte Ollie und schob Monk mit der Messerspitze vorwärts. Er war immer noch zu nah hinter Monk, als dass dieser sich hätte umdrehen und auf ihn stürzen können. Monk ging weiter, wie ihm gesagt wurde, und spürte die glatten Bohlen unter seinen Füßen. Das Holz war voller Vertiefungen und glitschig vom Alter. Er konnte den Fluss jetzt direkt unter ihm um die Pfähle herumwirbeln und gluckern hören. Ob er die geringste Chance hatte, in dieser Strömung zu schwimmen? Konnte er sich am nächsten Pfahl festhalten, gegen den er geschwemmt wurde? Aber wenn es so einfach wäre, würden doch nicht so viele Menschen ertrinken, oder? Die Strömung war stark, und die Strudel rissen einen fort. Die Kleider würden sich mit Wasser voll saugen und zu schwer werden, um sich darin zu bewegen, und ihn nach unten ziehen, egal, was er tat.

Er musste jetzt kämpfen oder aufgeben. Und Ollie wusste das allzu gut. Er stieß Monk ein weiteres Mal, und dieser stolperte und fiel auf die Knie. In dem Augenblick, in dem Ollie sich dorthin warf, wo eben noch Monk gelegen hatte, rollte der sich in einer einzigen Bewegung rasch zur Seite. Das Messer fuhr in hohem Bogen durch die Luft und stieß zu.

Monk kämpfte sich auf die Füße, als unter seinem Gewicht eine Bohle durchbrach, einen Augenblick in der Luft schwang und dann ins Wasser stürzte.

Ollie war wieder auf den Füßen. Er grunzte zufrieden. Er kannte das Pier und wusste, wo die verrotteten Bohlen waren, und er hatte das Messer. Er schnitt Monk den Rückweg ab, aber zumindest war jetzt ein gewisser Abstand zwischen ihnen, und Monk konnte Ollies Umrisse im Dunkeln erkennen. Würde das reichen? Es war lange her, dass er um sein Leben gekämpft hatte – in jener furchtbaren Nacht auf dem Mecklenburgh Square, vor seinem Kutschenunfall –, und er erinnerte sich nur bruchstückhaft daran.

Ollie balancierte auf den Fußballen und bereitete sich auf einen Sprung vor.

Das Ganze war lächerlich! Hätte Monk nicht dem Tod ins Auge geblickt, hätte er darüber gelacht. Er kämpfte gegen einen Mann, den er nicht kannte, um die Gunst einer Frau, die er nicht für Geld und gute Worte anfassen würde! Und wenn er Ollie das sagte, wäre dieser um Lils wegen so beleidigt, dass er Monk vor Wut umbringen würde.

Monk stieß wegen des Irrsinns der ganzen Situation ein bellendes Lachen aus.

Ollie zögerte. Er war zum ersten Mal im Leben mit etwas konfrontiert, was er nicht verstand.

Monk trat einen Schritt zur Seite, weg von der verrotteten Bohle, näher zum Rückweg.

Ollie blickte an Monk vorbei und erstarrte.

Da drehte Monk sich um und sah die andere Gestalt im Dunkeln – massiv, drohend, groß – vor den Ankerlichtern. Monk brach vor Panik der Schweiß aus – doch als sich die Gestalt im nächsten Augenblick bewegte, wurde ihm klar, dass es der leicht wiegenden Gang von Durban, dem Wasserpolizisten, war.

»Na, Ollie«, sagte Durban bestimmt. »Sie können uns nicht beide überwältigen, und sie wollen doch nicht am Ende eines Stricks baumeln. Eine unschöne Art zu sterben.«

Ollie blieb regungslos stehen, sein Mund stand offen.

»Tun Sie das weg und gehen Sie nach Hause«, fuhr Durban fort und trat einen Schritt näher an Monk. Seine Stimme war von solcher Bestimmtheit, als wäre es keine Frage, dass Ollie ihm gehorchen würde.

Ollie stand still.

Monk wartete.

Unter ihnen wirbelte gluckernd und rülpsend das Wasser um die Pfähle des Piers, und irgendwo wurde etwas abgerissen und fiel klatschend ins Wasser.

Monk zitterte vor Kälte und Erleichterung.

Ollie fasste einen Entschluss. Er ließ die Hand mit dem Messer sinken.

»Ins Wasser«, befahl Durban.

Ollie zeterte vor Empörung, die Stimme hoch und barsch.

»Das Messer!«, sagte Durban geduldig. »Nicht Sie.«

Ollie fluchte und warf das Messer weg. Es versank mit einem leisen Platschen im Wasser.

Monk unterdrückte ein Lachen, das fast an Hysterie grenzte.

Ollie drehte sich um, stolperte in Richtung Straße und wurde von der Dunkelheit verschluckt.

Hinter Durban tauchte eine zweite, schmächtigere Gestalt auf, die Leichtigkeit, mit der er sich bewegte, deutete darauf hin, dass der Mann jünger war.

»Alles in Ordnung mit Ihnen, Sir?« Seine Stimme klang besorgt.

»Ja, vielen Dank, Sergeant Orme«, antwortete Durban. »Nur

Ollie Jenkins, der sich mal wieder ein bisschen aufgespielt hat. Glaubt, Mr. Monk hier hat Absichten auf Little Lil.« In seiner Stimme lag Belustigung, amüsiert und indirekt.

Sergeant Orme war zufrieden. Er entspannte sich, aber er blieb.

»Was genau machen Sie hier, Mr. Monk?«, fragte Durban. »Wonach suchen Sie?«

»Vielen Dank«, sagte Monk aus tiefstem Herzen. Es war ihm peinlich, von der Wasserpolizei gerettet zu werden. Er war es gewöhnt, derjenige zu sein, der anderen half, ihnen einen Gefallen tat und Lösungen fand. Umso mehr, als er Durban respektierte und es verabscheute, ihm gegenüber nicht ehrlich sein zu können. Es war eine Erniedrigung, die er sich gerne erspart hätte.

»Wonach suchen Sie?«, wiederholte Durban. Das Wasser gurgelte um das Pier; das Kielwasser von etwas, was im Dunkeln vorüberglitt, schwappte gegen die Pfähle, und das Holz knarrte und gab zur Seite nach. »Ich weiß, dass Sie Privatermittler sind«, sagte Durban mit ausdrucksloser Stimme. Was er von solch einer Beschäftigung hielt, war nur zu vermuten. Dachte er, Monk sei ein Aasfresser, einer, der sich von anderer Menschen Not nährte, oder ein Gewinnler ihrer Verbrechen?

»Diebesgut«, antwortete er auf die Frage. »Damit ich sie dem Besitzer zurückgeben kann.«

Durban regte sich immer noch nicht. »Was?«

»Etwas, das einem Mann gehört und von einem anderen entwendet wurde.«

»Sie spielen mit dem Feuer, Mr. Monk, und Ihre Fähigkeiten reichen nicht aus, zumindest nicht hier unten am Fluss«, sagte Durban leise. »Sie verbrennen sich die Finger, und ich habe auch ohne Sie schon genug Morde in meinem Abschnitt. Gehen Sie zurück in die Stadt und machen Sie das, wovon Sie was verstehen.«

»Ich muss diesen Auftrag zu Ende bringen.«

Durban seufzte. »Ich nehme an, Sie tun, was Sie wollen, und

ich kann Sie nicht daran hindern«, schloss er müde. »Sie kommen besser mit uns rüber. Ich kann Sie unmöglich hier in der Gegend allein lassen, sonst verletzt Ihnen jemand auch noch den anderen Arm.« Er drehte sich um und ging auf die dem Wasser zugewandte Seite des Kais zu, wo das Boot der Wasserpolizei wartete. Bei dem hohen Wasserstand lag es nah genug am Ufer, sodass man einfach hineinspringen konnte.

Monk folgte, und Sergeant Orme bot ihm eine Hand, damit er im Dunkeln leichter das Gleichgewicht hielt. Er landete einigermaßen gut im Boot, zumindest fiel er nicht über einen der Ruderer oder stürzte ins Wasser.

Er setzte sich ruhig hin und sah zu, wie Orme, der offensichtlich verantwortlich war, den Befehl gab, wieder abzulegen und den Fluss hinauf in Richtung Hafen zu fahren. Sie bewegten sich rasch auf der immer noch steigenden Tide, die Männer ruderten den geschmeidigen Rhythmus einer besonderen Eintracht, die aus Übung und einem gemeinsamen Ziel entsteht.

Sie manövrierten geschickt, ohne viel Aufhebens um die Kunst und das Wissen zu machen, das man brauchte, um sich den Weg zwischen den vor Anker liegenden Schiffen zu bahnen, ohne mit einem Boot zusammenzustoßen. Ab und an riss einer einen Witz, und Gelächter folgte, tröstlich in dem Wind und der stürmischen Dunkelheit, die nur von dem Schimmern der Ankerlichter erhellt wurde.

Sie riefen sich bei ihren Spitznamen, die oft abfällig waren, aber ihre Verbundenheit war zu offensichtlich, als dass sie sie hätten zeigen müssen. Die Neckerei war ihre Art, der Angst vor der Wirklichkeit aus Gewalt und Not zu begegnen. Monk wusste es und erinnerte sich, während er ihnen zuhörte, umso deutlicher an manche Dinge aus seinen eigenen Tagen bei der Polizei, die er bis dato vergessen hatte und von denen er sich vorgemacht hatte, er vermisse sie nicht.

Sie setzten ihn an der London Bridge ab, und er dankte ihnen, stieg mit steifen Gliedern aus und ging zur nächsten Bushaltestelle.

Er war froh, festen Boden unter den Füßen zu haben, aber seine Gedanken rasten wild durcheinander, und seine Gefühle brannten wie eine offene Wunde. Er verabscheute es, vor Durban dagestanden zu haben wie ein Narr. Selbst wenn der Zeitpunkt kam, an dem er ihm die Wahrheit sagen konnte, würde es nicht sehr viel besser klingen, obwohl die ganze Sache gedanklich allmählich Form annahm. Er musste einigen losen Fäden folgen und etwas Bestimmtes erledigen.

7

Für den Rest der Nacht ging Monk nach Hause, aber Hester war nicht da. Das leere Haus bedrückte ihn, und er war besorgt um sie und dachte daran, wie müde sie sein musste. Aber sie war nicht in Gefahr, und Margaret Ballinger und Bessie würden sich, so gut es ging, um sie kümmern.

Als er sich am Morgen anzog, wählte er eine andere Jacke ohne Riss, dann ging er nach unten und bereitete sich zum Frühstück Bücklinge und Toast zu. Um acht Uhr machte er sich auf den Weg, um die Schlussfolgerungen, die er aus den tags zuvor in Erfahrung gebrachten Fakten gezogen hatte, zu überprüfen. Er fing mit den Nachforschungen nach der genauen Lage von Culpeppers Lagerhaus an, dann nahm er ein Boot den Fluss hinunter nach Deptford Creek, kurz vor Greenwich. Er stieg am südlichen Ufer an Land und schlenderte durch die Straßen, an Eisenwarenhändlern, Schiffsausrüstern, Segelmachern und Gemischtwarenhandlungen vorbei, merkte sich, wo das Gasthaus lag, und ging dann zum Dock und blieb dort stehen, als wartete er auf jemanden. Nachdem er eine Weile die Arbeiter kommen und gehen gesehen hatte, konnte er in etwa einschätzen, wie viele Männer für Culpepper arbeiteten. Er war offensichtlich ein ehrgeiziger Mann.

Zur Mittagszeit betrat er das Gasthaus und hörte den Männern zu, und als er genug gehört hatte, unterhielt er sich mit einem knurrigen Dockarbeiter, der sagte, er heiße Duff.

»Ganz schön hart«, meinte Monk voller Mitgefühl. »Gute Arbeit ist nicht leicht zu kriegen.«

»Gute Arbeit!«, fuhr Duff auf. »Das ist eine Horde von Halsabschneidern, die ganze runtergekommene Bande.«

»Zu schade, dass sie sich nicht gegenseitig den Hals durchschneiden und uns von allem Ärger befreien«, stimmte Monk ihm zu.

»Könnte schon passieren.« Der Gedanke schien Duff aufzuheitern. »Culpepper und Louvain auf irgendeiner Straße. Wäre 'n Anfang.«

»Das habe ich auch gehört«, sagte Monk. Er beugte sich vertraulich vor.

»Ich habe Beteiligungen. Ich muss sichergehen, auf den richtigen Mann zu setzen. Kann's mir nicht leisten, einen Verlierer zu unterstützen.«

Duffs Augen blitzten auf, und er rutschte etwas vor. »Gewillt, was für ein paar Informationen zu zahlen?«

»Wenn sie verlässlich sind«, antwortete Monk. Er drohte nicht gleich, was passieren würde, wenn nicht, aber er schaute unverwandt in Duffs schmales Gesicht und hielt dessen Blick stand. »Und ich halte meine Versprechungen, gute wie schlechte.«

Duff schluckte. »Was wollen Sie wissen?«

»Ich frage ein bisschen und teste es«, antwortete Monk. »Und wenn es wahr ist, bezahle ich in Gold, wenn es falsch ist, bezahlen Sie mit Blut. Wie wär's?«

Duff schluckte erneut. »Ich habe auch Freunde. Wenn Ihr Gold nicht echt ist, werden Sie es nicht wagen, noch einmal einen Fuß hierher zu setzen. Der Fluss hat schon mehr als einen verschluckt, der sich für wer weiß wie schlau hielt.«

»Keine Frage. Lassen Sie uns damit anfangen, mir ein wenig Zeit zu sparen. Wie viele Besitztümer hat Culpepper, wo liegen sie, und was will er als Nächstes kaufen?«

»Das ist leicht!« Duff zählte drei Kais auf, zwei Lagerhäuser und eine Pension sowie ein einigermaßen großes Wohnhaus. »Und er will den Klipper, die ›Eliza May‹, sobald sie zum Verkauf kommt.« Er grinste. »Und Clem Louvain ebenfalls. Werden sehen, wer an dem Tag das Geld beisammen hat, was? Eine Schönheit! Hat die Segelzeit von Indien hierher um eine Woche verkürzt. Bei einer guten Ladung ist das Tausende von Pfund wert. Wer zuerst da ist, macht ein Vermögen, der Zweite bekommt nichts, höchstens ein paar Hundert.«

Das wusste Monk bereits. Er musste in Erfahrung bringen, ob Culpepper entweder die Elfenbeindiebe angeheuert hatte oder ob er ihnen das Elfenbein hinterher abgekauft hatte, weil er wusste, dass das der Anfang von Louvains Untergang sein würde.

Er stellte Duff noch eine halbe Stunde Fragen, von denen die meisten nur dazu dienten, sein wahres Interesse zu verschleiern. Dann gab er ihm eine Goldguinee und schickte ihn los, um mehr über das Frachtgut der letzten Zeit herauszufinden.

Den Nachmittag verbrachte er weiter flussabwärts damit zu beobachten. Er machte sich Notizen über Frachtgüter und darüber, wer wann kam und ging, und sammelte allmählich genug Informationen, um zu ermessen, wie weit sich Culpeppers Reich erstreckte.

Am folgenden Tag kehrte er mit mehr Geld zurück, um Duff zu entlohnen. Inzwischen hatte Monk genug über Culpeppers Geschäfte herausgefunden, um zu erkennen, wie wichtig es für sein zukünftiges Vorankommen war, dass er die »Eliza May« bekam und nicht Louvain.

»Klar will er sie!«, sagte Duff bitter. »Sonst wäre er hier nicht mehr der King! Und Louvain auch nicht.«

»Aber es wird doch andere Schiffe geben?«, fragte Monk, der sich an das Geländer des Piers lehnte und in das dunkle, schäumende Wasser unter ihnen blickte. Die Barkassen, die dem Tidenstrom folgend vorbeifuhren, waren so schwer beladen, dass die Decks an einigen Stellen überspült wurden.

»Klar, aber Verlieren zählt«, antwortete Duff, zog eine Tonpfeife aus der Manteltasche, klopfte die Tabakreste heraus, zerriss dann mit der anderen Hand Tabak und stopfte ihn in den Pfeifenkopf. »Wer einen Kampf verliert, startet beim nächsten Mal gleich zwei Schritte hintendran. Die Leute unterstützen einen nicht mehr. Menschen, die es gewöhnt sind, Angst vor einem zu haben, stellen plötzlich fest, dass sie mehr Angst vor jemand anderem haben.« Er steckte die Pfeife in den Mund, zündete ein Streichholz an und schmauchte gemächlich. »Gewinnen und Verlieren folgt seinen eigenen Regeln«, fuhr er fort. »Je mehr es nach der einen Seite ausschlägt, desto mehr Leute folgen dem Strom. Wenn sich das Geschick wendet, war's das. Keiner will verlieren, Mister. Die sind wie Ratten. Die Feiglinge verlassen dich, die Schlechten wenden sich mit Zähnen und Klauen gegen dich. Wer sich Feinde gemacht hat, für den ist das Verlieren der Anfang vom Ende. Die großen Scheißkerle können es sich nicht leisten zu verlieren. Für solche wie Sie und mich ist es egal, wenn wir was vergeigen, sind wir 'ne Weile unten und rappeln uns dann wieder hoch.«

Monk sah ein, wie Recht der Junge hatte. Kein Wunder, dass Louvain sein Elfenbein zurückhaben wollte. Das erklärte auch, warum nirgends am Fluss auch nur ein Sterbenswörtchen darüber zu erfahren war. Es war nicht verkauft worden, es wurde irgendwo versteckt. Der Verlust sollte Louvain in den Ruin treiben.

Er dankte Duff und ging. Um sagen zu können, wo sich das Elfenbein befand, musste er noch mehr über Culpepper herausfinden. Das würde zahllose kleine Fragen bedeuten. Seine Neugier würde er verbergen müssen, sie würde Culpepper sonst rasch zu Ohren kommen. Bestenfalls würde er das Elfenbein woandershin schaffen lassen, und Monk würde wieder von vorne anfangen müssen. Wenn er nervös oder wütend genug war, würde er es womöglich im Schlamm der Themse versenken, und dann war es für immer verschwunden. Es bestand die Möglichkeit, dass er das bereits getan hatte, aber auf eine so wertvolle Fracht würde er doch nicht bereitwillig verzichten?

Monk versuchte es mit mehreren erfundenen Geschichten, hauptsächlich über eine Erbin, die durchgebrannt war, wenn er die Männer am Fluss fragte, ob und was sie am Morgen des einundzwanzigsten Oktober in der Nähe von Culpeppers Kais auf dem Fluss beobachtet hatten. Zwei Tage stand er in der Kälte und stellte eifrig Fragen. Die notierten Antworten waren fast unleserlich, denn seine Hände waren steif gefroren, und er zitterte am ganzen Körper. Die Stufen waren glitschig von Salz und Algen, hölzerne Piers knarrten und senkten sich unter dem Gewicht der Jahre. Der Wind fegte vom Fluss herein, manchmal voller Nebelschwaden, am frühen Morgen stets messerscharf, das Licht wechselte ständig von Blau zu Grau, von silbernen Pfeilen durchbohrt. Dann wusste er schließlich genug.

Es war der Abend des neunundzwanzigsten Oktober, als er sich zu Hause hinsetzte, den Küchenherd öffnete, das Feuer schürte und den Kessel aufstellte. Dann setzte er alle Einzelteile zusammen, sodass sie ein logisches Ganzes ergaben.

Der Fährmann Gould hatte ihm gesagt, dass er in den frühen Morgenstunden des einundzwanzigsten Oktober nicht hatte sehen können, ob jemand die »Maude Idris« ausraubte. Monk hatte nachgeforscht, Gould war tatsächlich in Greenwich gewesen. Aber erst als er die Fähren und Flussschiffer in Greenwich überprüft hatte, war Monk aufgefallen, dass Gould an dem Tag keine Passagiere gerudert hatte. Sicher, sein Boot war in Greenwich gewesen, aber er hatte nicht gearbeitet! Welcher Fährmann konnte sich das leisten, wenn er nicht noch für ein kleines Nebengeschäft bezahlt wurde?

Das Boot war am Morgen bei Culpeppers Kai gewesen und dann ohne Passagiere verschwunden. Tags darauf war es wie gewöhnlich im Pool of London gesehen worden. Wenn es sein Boot war, mit dem die Diebe die »Maude Idris« angesteuert hatten, um das Elfenbein zu stehlen und es dann hinunter nach

Greenwich zu Culpepper zu bringen, beantwortete das alle Fragen. Ob sie dies auf Bestellung getan oder nur eine ausgezeichnete Gelegenheit genutzt hatten, spielte kaum eine Rolle. Wenn einer von Louvains Leuten die Fracht an Culpepper verraten hatte, war das Louvains Problem, um das er sich selbst kümmern musste. Sobald Monk das Elfenbein gefunden und zurückgebracht hatte, waren seine Verpflichtungen erfüllt. Er stellte sich seine Erleichterung vor, fast so, als könnte er endlich wieder frei atmen, die Schultern straffen und aufrecht stehen.

Er ging früh zu Bett, lag jedoch wach und starrte auf das schwache Licht, das die Straßenlaternen ein paar Meter weiter an die Decke warfen. Er hatte ziemlich viele Decken auf dem Bett, aber ohne Hester war da eine Kälte, die er nicht vertreiben konnte. Vor seiner Heirat hatte er Angst gehabt, seine Intimsphäre zu verlieren, Angst, die unbarmherzige Gegenwart eines anderen Menschen würde ihn daran hindern, spontan zu handeln, und seine Freiheit einschränken. Jetzt kroch ihm die Einsamkeit wie Eiseskälte in die Knochen. Wenn er die Luft anhielt, war es vollkommen still im Raum, jegliches Leben erlosch.

Vielleicht hätte er sie nicht einmal gefragt, wie sein nächster Schritt aussehen sollte, vielleicht sogar kaum etwas über den Fluss erzählt, um sie nicht noch zusätzlich zu ängstigen, wo sie doch schon so viele Sorgen hatte. Aber er ärgerte sich darüber, dass er nicht einmal die Wahl hatte.

Es schmerzte ihn auch, dass Gould, den er gut leiden konnte, sich an dem Überfall beteiligt hatte, bei dem der Wachmann erschlagen worden war. Der Elfenbeindiebstahl war etwas ganz anderes. Damit konnte Louvain machen, was er wollte, aber der Mord an Hodge musste gesetzlich verfolgt werden. Und es war Monks Aufgabe, dafür zu sorgen.

Er würde vorsichtig sein müssen, um Gould zu überführen. Ihn erwartete der Strick, und er würde bis aufs Messer kämpfen, schließlich hatte er nichts zu verlieren. Durban konnte

Monk nicht um Hilfe bitten, bevor er Gould nicht dazu gebracht hatte, ihm zu sagen, wo sich das Elfenbein befand, und er es zurück zu Louvain geschafft hatte. Danach musste er Gould der Polizei übergeben.

Wen konnte er um Hilfe bitten? Crow? Scuff? Er wälzte die verschiedenen Möglichkeiten im Kopf herum, aber keine ergab so recht Sinn. Irgendwann schlief er ein. Seine Träume waren voller dunkler Gewässer, beengter Räume, wechselnder Lichter und dem Aufblitzen einer Messerklinge, was die Schmerzen aufflammen ließ, als er sich auf seine verletzte Schulter drehte.

Bei Tagesanbruch erreichte er die Docks. Die Flut lief rasch ein, füllte die Senken im Schlamm, kroch an den Mauern hoch und überflutete die abgebrochenen Pfosten des Piers. Die Luft war rau. Das anbrechende Tageslicht besaß die Klarheit von Eis, und die harten weißen Finger der aufsteigenden Morgensonne fanden jede noch so kleine Welle. Die Spanne und das Takelwerk der Schiffe zeichneten komplizierte rabenschwarze Linien in den Himmel, und der Wind schmeckte salzig.

Monk stand allein da und schaute in die Sonne, als diese sich hinter dem Horizont erhob, um dem Tag die wärmeren Farben zu verleihen. Vielleicht hatte er heute Abend schon alles erledigt, was er hier zu tun hatte. Dann würde er sein Geld bekommen haben und konnte sich wieder in den gewohnten Straßen, wo er die Diebe, die Informanten, die Pfandleiher und Hehler kannte, ja sogar die Polizisten, bewegen. Er würde nicht mehr verdeckt arbeiten müssen, selbst wenn es sich hauptsächlich um kleinere Fälle handelte.

Er genoss die eisige Luft, die er einatmete, und sah zu, wie das Sonnenlicht sich auf dem Wasser ausbreitete. Das würde er vermissen. Auf der Straße war man nie allein, um die Schönheit zu genießen.

Auf dem Fluss herrschte bereits reges Leben. Die ersten Barkassen lagen schwer beladen tief im Wasser. Ein Fährmann war fleißig, die Ruder bewegten sich rhythmisch, und von den ostwärts gerichteten Ruderblättern tropften, wenn sie sich aus dem Wasser hoben, Diamanten.

Als Monk den Fluss hinunterschaute, fiel sein Blick auf das Schiff. Zuerst war es nur ein weißes Aufblitzen, aber je näher es kam, desto größer wurde es, bis er an den fünf hoch aufragenden Masten die Segel erkennen konnte. Großsegel, untere Großsegel, untere Marssegel, obere Marssegel, Bramsegel und Oberbramsegel flatterten im unbeständigen Wind. Eine strahlende Erscheinung, ein Traumgeschöpf, ganz Macht und Grazie.

Monk stand wie gebannt da, alles andere war vergessen: der Rest des Flusses, der übrige Verkehr, die Leute um ihn herum auf den Docks. Erst als die Sonne ganz aufgegangen war und Licht in jede Ecke strömte und sowohl das Schäbige als auch das Neue zeigte, die Faulen und die Fleißigen und der Klipper schließlich vor Anker lag, bemerkte Monk, dass Scuff mit verklärter Miene neben ihm stand.

»Meine Güte!«, seufzte er mit großen Augen. »Das reicht, um einen an Engel glauben zu lassen, was?«

»Ja«, antwortete Monk in Ermangelung einer besseren Beschreibung. Dann fand er, dass sie ziemlich gut passte. In dieser Mischung aus Macht, Schönheit und Wirkung lag wahrlich etwas Göttliches. »Ja«, sagte er noch einmal.

Scuff war noch voller Ehrfurcht in dem Augenblick gefangen.

Es widerstrebte Monk, aber er verstand, warum Louvain von der Leidenschaft besessen war, ein solches Schiff zu besitzen. Es bedeutete viel mehr als Geld oder Erfolg, es war eine Art Zauber, es verkörperte die Herrlichkeit eines Traums. Es weckte einen Hunger nach Weite und Licht, ein Ausmaß an Freiheit, das auf andere Weise nicht zu erlangen war.

Monk riss sich mit Mühe davon los. Er konnte sich nicht länger darin verlieren. »Ich muss jemanden finden, der mir hilft, umsonst«, sagte er laut.

»Ich helfe Ihnen.« Scuff löste den Blick widerstrebend vom

Fluss. In seiner rauen Wirklichkeit gab es nur selten Augenblicke, in denen er sich so gehen lassen konnte. »Was wollen Sie?«

»Leider brauche ich einen Erwachsenen.«

»Ich kann vieles, was Sie nicht glauben würden. Und ich bin fast elf – glaube ich jedenfalls.«

Monk schätzte ihn eher auf neun, sagte aber nichts. »Ich brauche sowohl Größe als auch Verstand«, schwächte er die Ablehnung ab. »Ich dachte, ein Mann namens Crow könnte mir vielleicht helfen. Weißt du, wo ich ihn finden kann ... ohne dass sonst jemand davon erfährt?«

»Den Arzt? Klar, schätze schon. Sie bringen ihn doch nicht in Schwierigkeiten, oder?«, fragte Scuff ängstlich. »Ich glaube, er ist kein Kämpfertyp.«

»Ich will auch nicht, dass er kämpft, er soll nur anbieten, etwas zu kaufen.«

»Ich weiß, wo er wohnt.« Er schien verschiedene Dinge abzuwägen. Loyalitäten lagen miteinander im Konflikt, neue Freunde gegen alte, Gewohnheit gegen Abenteuer, jemand, der ihm half, wenn er krank war, gegen jemanden, der ihm zu essen gab.

»Sag ihm, ich bin hier und würde ihn gerne dringend sprechen«, bat Monk ihn. »Dann frühstücken wir, bevor wir uns auf den Weg machen. Ich hole uns ein paar Schinkensandwiches und Tee. Sei in einer Stunde wieder da. Weißt du, wie lang eine Stunde ist?«

Scuff warf ihm einen verächtlichen Blick zu, dann drehte er sich herum und lief davon.

Fünfzig Minuten später war er zurück, einen äußerst neugierigen Crow im Schlepptau. Er trug eine schwere Jacke, hatte das schwarze Haar unter einer Mütze versteckt, und seine Hände steckten in Halbhandschuhen. Monk hatte Sandwiches besorgt, aber mit dem Tee noch gewartet, damit der frisch und heiß war. Er gab Scuff das Geld dafür und schickte ihn los.

Crow betrachtete ihn mit strahlenden Augen interessiert von oben bis unten. »Wie geht's dem Arm?«, fragte er. »Sie sind nicht zurückgekommen, um den Verband wechseln zu lassen.«

»Ich habe meine Frau darum gebeten«, antwortete Monk. »Er ist in Ordnung, nur ein wenig steif, mehr nicht.«

Crow schürzte die Lippen. Im klaren, blendend hellen Morgenlicht waren die winzigen Falten seiner Haut gut zu erkennen. Er sah älter aus, als Monk ursprünglich gedacht hatte, eher wie Anfang vierzig, aber in seiner Miene lag immer noch ein Feuer der Begeisterung, das ihn einzigartig lebendig machte. »Und was wollen Sie von mir?«, fragte er.

Monk hatte darüber nachgedacht, wie er das Thema anschneiden und wie viel er ihm sagen sollte. Er wusste nichts über diesen Mann, seine Entscheidung war aus einer Mischung von Instinkt und Verzweiflung gefallen. Würde er Vorsicht als Beleidigung oder als Zeichen von Intelligenz auffassen?

»Ich brauche jemanden, der für mich ein Angebot abgibt«, antwortete er und behielt Crows Miene im Auge. »Ich kann es nicht selbst machen, denn mir würden sie nicht glauben.«

Crow zog eine Augenbraue hoch. »Sollten sie?«

»Nein. Was ich suche, wurde einem ... Kollegen von mir gestohlen.« Louvain einen Freund zu nennen brachte er nicht über sich, und er war noch nicht bereit, Crow wissen zu lassen, dass es ein Mandant war. Das würde zu viele weitere Fragen aufwerfen.

»Kollege«, griff Crow das Wort auf und dachte darüber nach. »Und Sie wollen es zurückkaufen? Was für eine Art von Ding würden Sie zurückkaufen, wenn es eigentlich Ihnen gehört? Und was für Leute sind Ihre ›Kollegen‹, dass sie bereitwillig etwas zurückkaufen, was ihnen gestohlen wurde? Und warum durch Sie? Sie tun's doch nicht umsonst, oder?«

Monk grinste. »Nein. Und nein, ich werde es natürlich nicht zurückkaufen. Wenn ich weiß, wo der Dieb es lagert, werde ich es mir nehmen, aber er hat es gut versteckt. Ich brauche Sie. Sie sollen ein Angebot machen, einen Teil davon zu kaufen, damit er uns zu dem Versteck führt.«

Crow sah zweifelnd drein. »Hat er denn selbst keinen Hehler?

Wenn Sie einem der Hehler hier in die Quere zu kommen drohen, sind Sie bekloppt, denn das überleben Sie nicht lange.«

»Ich gehe davon aus, dass die Waren gestohlen wurden, damit der Besitzer sie nicht veräußern kann, und nicht, um sie zu verkaufen«, erklärte Monk zögernd. »Ich will nur ein Angebot für einen Stoßzahn machen.«

Crow machte große Augen. »Stoßzahn? Elfenbein?«

»Ganz richtig. Wollen Sie's machen?«

Crow dachte einen Augenblick nach. Er war damit noch beschäftigt, als Scuff mit dem Tee zurückkam, die drei Becher sorgfältig balancierend.

Crow nahm einen, wärmte sich die Hände daran und blies in den Dampf, der daraus aufstieg. »Ja«, sagte er schließlich. »Jemand muss sich um Sie kümmern, sonst fischen wir Sie noch aus dem Wasser und müssen der Polizei sagen, wer Sie sind.«

»Ja«, fügte Scuff mit verständiger Besorgnis hinzu.

Monk fühlte sich sowohl umsorgt als auch herabgesetzt, aber den Luxus, gekränkt zu sein, konnte er sich nicht leisten. Abgesehen davon hatten die beiden Recht. »Vielen Dank«, sagte er ein wenig scharf.

»Jederzeit«, tat Scuff es großzügig ab und biss hungrig in sein Schinkensandwich.

»Und wen soll ich nach dem Stoßzahn fragen?«, wollte Crow wissen.

»Gould, den Fährmann.«

»Der hier an der Treppe arbeitet?«, fragte Crow überrascht. »Wusste natürlich, dass er ein Dieb ist, aber Elfenbein ist 'ne Nummer zu groß für ihn. Sind Sie sicher?«

»Nein, aber ich vermute es.«

»Gut.« Crow aß sein Sandwich auf, trank seinen Tee und rieb anschließend die Hände aneinander, um anzudeuten, dass er bereit war.

Monk blickte auf Scuff, der erwartungsvoll dreinschaute. »Kommst du mit und bringst, sobald ich mir sicher bin, wohin

Gould uns führt, eine Nachricht zu Mr. Louvain, wo wir sind? Und dann gehst du Mr. Durban von der Wasserpolizei holen, damit wir Gould verhaften lassen können und das Elfenbein zurückbekommen?«

Crow riss die Augen auf. »Louvain?«, fragte er in schrillem Tonfall mit einer plötzlichen Vorsicht, als würde das die Sache für ihn ändern.

»Es ist sein Elfenbein«, antwortete Monk. »Ich beschaffe es ihm wieder. Dafür hat er mich angeheuert.«

Crow pfiff durch die Zähne. »Tatsächlich? Machen Sie so was oft?«

»Die ganze Zeit, nur am Fluss arbeite ich zum ersten Mal.« Er versuchte einzuschätzen, ob Crow es als Kompliment oder als Beleidigung auffassen würde, wenn er ihm Geld anbot. Er fuhr sich mit der Hand über das Gesicht und hatte keine Ahnung.

Dann grinste Crow breit und zeigte dabei prächtige Zähne. »Gut!« Er rieb seine behandschuhten Hände aneinander. »Gehen wir los und suchen wir Mr. Gould. Ich bin bereit! Wie soll ich übrigens davon erfahren haben, dass er das Elfenbein hat?«

»Von einem Informanten, der ungewöhnlich aufmerksam ist und den zu nennen Sie mit Ihrem Leben bezahlen müssten!«, sagte Monk und lächelte ebenfalls.

»Ja! Gut.« Crow schob die Hände in die Taschen. »Aber wenn Sie mir folgen, wäre es mir lieber, Sie würden dafür einen Fährmann nehmen, dem ich vertrauen kann. Ich hole Jimmy Corbett. Der lässt Sie nicht im Stich.« Ohne auf Monks Zustimmung zu warten, ging er zum Kai hinüber und schlenderte dort entlang und hielt auf dem Wasser Ausschau nach ihm.

Scuff nahm die Becher und rannte los, um sie zurückzubringen, und dann gingen er und Monk in einigem Abstand hinter Crow her, der zuerst Jimmy Corbett suchte und dann Gould.

Sie brauchten fast eine Stunde, bevor sie ihr Ziel erreicht hatten. Doch schließlich sahen Monk und Scuff Crows schlaksige Gestalt östlich der Wapping New Stairs in Goulds Boot steigen und dann stromaufwärts rudern, nicht stromabwärts, wie sie erwartet hatten. Sie stiegen rasch in Jimmy Corbetts wartendes Boot, legten ab und mischten sich, ebenfalls in westlicher Richtung, unter den Verkehr. Dies würde ein teures Unternehmen werden.

»Ich dachte, Sie hätten Greenwich gesagt!«, sagte Scuff drängend.

»Habe ich auch«, räumte Monk ein, der gleichermaßen erstaunt war.

Ein Vergnügungsboot fuhr schnell an ihnen vorbei. Menschen säumten das Deck, Schals und Bänder flatterten. Musik von der Band an Deck trieb über das Wasser. Einige Passagiere winkten mit ihren Hüten und riefen.

Auf dem Wasser waren Fähren, Leichter, alle möglichen Gewerbetreibende gingen ihren Geschäften nach. Es war schwierig, Gould nicht aus den Augen zu verlieren, aber die hohe Gestalt von Crow im Heck half ihnen.

Monk und Scuff saßen schweigend da, als das Boot sich zwischen den vor Anker liegenden Schiffen durchschlängelte, und Monk überlegte, wohin sie wohl fuhren. Was lag stromaufwärts, worin Gould eine Bootsladung Elfenbein versteckt haben konnte? Warum hatte er es nicht in der Nähe von Culpeppers Lagerhäusern verwahrt, wenn nicht gar in einem von ihnen?

Jimmy ruderte sie immer weiter in die Mitte des Flusses und dann in Richtung südliches Ufer. Inzwischen waren sie sicher schon auf der Höhe von Bermondsey.

»Ich weiß, wohin wir fahren!«, sagte Scuff plötzlich mit ernster, angespannter Stimme. »Jacob's Island! Ein schrecklicher Ort, Mister! Ich war noch nie da, aber ich hab davon gehört.«

Monk drehte sich zu ihm um und sah die Angst in seinem Gesicht. Vor ihnen fuhr Goulds Boot in einem Bogen aufs Ufer zu, wo zerfallene Gebäude sich ins Wasser lehnten, das an ihren Grundmauern leckte. Die Keller mussten überflutet sein, das Holz war dunkel von jahrzehntelanger Feuchtigkeit, die unaufhörlich einsickerte. Monk, der über das graue Wasser hinüberschaute, konnte sich den Geruch des Verfalls vorstellen, die Kälte, die sich in die Knochen fraß. Selbst in der Stadt hatte sich der Ruf dieses Ortes verbreitet.

Er schaute noch einmal in Scuffs Gesicht. »Wenn das Boot mich absetzt, gehst du zurück und sagst Mr. Louvain, er soll sofort kommen«, sagte er. »Sag ihm, ich habe sein Elfenbein, und wenn er nicht will, dass die Polizei es als Beweismittel beschlagnahmt, soll er kommen und es holen, bevor sie es tut. Hast du verstanden?«

»Dann weiß er doch nicht, wo!«, widersprach Scuff. »Ich folge Ihnen, bis ich weiß, wohin Sie gehen.« Er presste angsterfüllt die Lippen zusammen.

Monk schaute in sein eigensinniges Gesicht und auf die Schatten in seinen Augen. »Danke«, sagte er aufrichtig.

Sie waren inzwischen nah am Ufer. Gould würde gleich an einem niedrigen, fast gänzlich vom Wasser verschluckten Pier anlanden. Er erreichte es und ging an Land, vertäute das Boot an einem verrotteten Pfosten und wartete auf Crow, der nach ihm ausstieg. Seine Bewegungen verrieten Monk, dass er nervös war. Seine Beine bewegten sich ungeschickt, sein Rücken war steif, als würde er insgeheim erwarten, dass er sich jeden Augenblick verteidigen müsste. War es irrsinnig gewesen, allein hierher zu kommen?

Doch jetzt war es zu spät, um die Pläne zu ändern. Monk bat Jimmy, ihn bei den nächsten Landungsstufen weiter vorn, um die vorspringenden Stützen des Lagerhauses herum und außer Sichtweite von Gould an Land zu setzen. »Geh und hol Louvain!«, zischte er Scuff zu, der sich daran machte, ihm zu folgen. »Sofort! Und dann hol Durban!«

Scuff zögerte, warf einen Blick auf die dunklen Haufen Bauholz vor ihm, die Gassen, schief hängenden Fenster und Türen, den Abfall und das Wasser, das an allem leckte.

Monk weigerte sich, Scuffs Blick zu folgen oder sich in seiner Phantasie auszumalen, was ihm bevorstand. »Fahren Sie!«, wies er Jimmy an und schob Scuff an seinen schmalen Schultern vorwärts, bis der wieder ins Boot stolperte und es ablegte.

Er wandte sich wieder Jacob's Island zu, gerade rechtzeitig, um zu sehen, wie Crow Gould zwischen zwei Gebäuden hindurch folgte und verschwand. Er eilte ihnen nach, versuchte, sich auf dem schwammigen Holz geräuschlos zu bewegen, und war bei jedem Schritt besorgt, es könnte unter ihm nachgeben.

Sobald er im Schatten war, blieb er wieder stehen, um seine Augen an die Düsternis zu gewöhnen. Vor sich hörte er Bewegungen, bevor er Crows Rücken um eine weitere Ecke verschwinden sah. Modergeruch erfüllte die Luft wie eine Krankheit, als er unter einem kaputten Bogen hindurch in ein Haus ging, und überall um ihn herum knarrte und tropfte es. Es schien, als wäre das Gebäude lebendig, Balken senkten sich, und er hörte das Schlurfen und Kratzen von kleinen Klauen und stellte sich winzige rote Augen vor.

Er ging den Schritten nach, die er vor sich hörte, und ab und zu sah er, wenn er Stufen hinauf- oder hinunterging oder um eine Ecke bog, Crows Rücken oder seinen schwarzen Kopf mit dem langen Haar unter dem Hut, dann wusste er, dass er ihnen noch auf der Spur war.

War Crow ein Narr, darauf zu vertrauen, dass Monk ihn rettete, falls Gould der Verdacht kam, dass er ausgetrickst werden sollte? Hier würde Louvain sie im Leben nicht finden! Oder war Monk der Narr, und Crow hatte Gould längst erzählt, warum er eigentlich hier war? Sollte er verschwinden, solange er noch konnte, um zumindest lebend aus der Sache rauszukommen?

Dann würde er nie wieder am Fluss arbeiten können. Sein Name würde zum Gespött. Und wenn er hiervor davonlief, welcher Herausforderung würde er künftig standhalten? Würde er das nächste Mal auch davonlaufen? Diese Gedanken wirbelten durch seinen Kopf, aber seine Füße trugen ihn immer weiter voran. Trübes Licht schien durch zerbrochene Fenster und hier und da durch Löcher in den Wänden. Er konnte die

Gestalten von Gould und Crow kaum unterscheiden, die am Ende des Flurs durch eine Tür gingen.

Monk zögerte, und trotz der Kälte lief ihm der Schweiß über den Rücken. Dann folgte er ihnen. Er drückte die Tür auf und blickte in einen kleinen Raum, der von dem grauen Licht eines Fensters nur schwach erleuchtet war. Gould zog einen Sack von etwas weg, was auf dem Boden lag. Ein langer weißer Stoßzahn ragte heraus. Die Umrisse der anderen waren darunter deutlich zu erkennen. Einen Augenblick dachte Monk an die Geschöpfe, die abgemetzelt worden waren, um ihre Kadaver auszuschlachten, dann erinnerte er sich an die Gefahr, in der er schwebte, und konzentrierte sich wieder auf die Gegenwart.

Aber es war zu spät. Gould hatte eine Bewegung in der Tür bemerkt und riss den Kopf hoch. Sein Gesicht erstarrte.

Langsam trat Monk näher. »Sie sollten besser gehen«, sagte er zu Crow. »Ich spreche mit Mr. Gould über das Elfenbein und darüber, was damit passieren soll.«

Crow zuckte die Schultern. Seine Erleichterung war fast greifbar, und doch blieben seine Augen dunkel. Er schaute Monk an, als versuchte er, etwas zu übermitteln, was er nicht in Worten ausdrücken konnte. Vielleicht eine Warnung – aber wovor? Dass sie beobachtet wurden? Dass Gould bewaffnet war? Die Zeit war knapp – gab es keinen Weg zurück? Gab es womöglich auch keinen Weg voran?

Hilfe würde nur vom Fluss kommen, wenn Scuff Louvain holte.

»Wer sind Sie?«, wollte Gould wissen und starrte Monk wütend an. »Ich verkaufe jedem von ihnen einen Stoßzahn, aber wenn Sie glauben, Sie könnten mich bestehlen, sind Sie dümmer, als der liebe Gott erlaubt, und werden das nicht überleben.« Seine Augen huschten nervös von einem zum anderen.

»Wer ich bin?« Monk ließ sich Zeit. »Ich bin jemand, der an Elfenbein interessiert ist, besonders an der Ladung von der ›Maude Idris‹.«

Goulds Miene verriet nicht mehr Angst als vorher, keine plötzliche Veränderung bei der Erwähnung von dem, was, wie er wusste, ein Mord war. Monk empfand Bedauern, dass es ihm nichts bedeutete. Er dachte nur an das Geld. Monk blieb mit dem Rücken zur Tür stehen und spitzte die Ohren, ob zwischen dem Trippeln der Ratten, dem Tropfen auf dem Holz und dem langsamen Versinken der Gebäude in den Schlamm von Jacob's Island menschliche Schritte zu hören waren.

»Woher wissen Sie, dass es von der ›Maude Idris‹ stammt?«, fragte Gould, und verzog argwöhnisch das Gesicht.

»Gehen Sie!«, sagte Monk noch einmal zu Crow und hoffte, dass er jetzt ging und den nächstbesten Polizisten holte, egal, ob vom Land oder vom Fluss.

»Wer sind Sie, dass Sie ihn fortschicken?«, fragte Gould wütend. »Haben Sie genug Geld, den ganzen Haufen hier zu kaufen, hä? Und glauben Sie nicht, Sie könnten mich bestehlen. Ich bin nicht allein gekommen. So dämlich bin ich nicht!«

»Ich auch nicht«, sagte Monk mit einem leisen Auflachen, von dem er hoffte, dass es glaubwürdig war. »Und ich will nicht mehr als einen Stoßzahn, und nur, wenn der Preis stimmt.«

»O ja? Und welcher Preis wäre das?« Gould hatte immer noch Selbstvertrauen.

»Zwanzig Pfund«, sagte Monk hastig.

»Fünfzig!«, erwiderte Gould mit unverhülltem Hohn.

Monk schob die Hände in die Taschen und schaute nachdenklich auf den Haufen Stoßzähne, als würde er darüber nachdenken.

»Fünfundvierzig, weiter kann ich nicht runtergehen«, bot Gould an.

Monk war entrüstet, wagte aber nicht, es zu zeigen. Er dachte an Hodge, der auf dem Balken am Fuß des Niedergangs zum Laderaum gelegen hatte, mit eingeschlagenem Schädel und verletztem Gehirn.

»Fünfundzwanzig.«

Sie stritten hin und her, ein Pfund hinauf, ein Pfund hinunter. Monk bemerkte, dass Crow gegangen war – so Gott wollte, um Hilfe zu holen, obwohl er Monk weder Freundschaft noch Loyalität schuldete –, und er betete, dass es Scuff gelungen war, Louvain zu holen. Durban würde er nicht zweimal bitten müssen.

»Es ist viel mehr wert!«, sagte Gould wütend, als Monk sich weigerte, noch höher zu gehen. Monk hatte Angst vor einer Einigung, denn dann wäre das Gespräch zu Ende. »Ich habe verdammt hart dafür gearbeitet!«, fuhr Gould fort. »Haben Sie 'ne Ahnung, wie schwer die Dinger sind?«

»Zu schwer für einen Mann«, antwortete Monk. »Jemand hat Ihnen geholfen. Wo ist er? Hinter mir? Oder haben Sie vor, ihn nicht an dem Geschäft zu beteiligen?«

In dem Gang drei oder vier Meter jenseits der Türöffnung war ein leises Geräusch zu hören. Jetzt wünschte Monk sich, Crow wäre nicht gegangen – obwohl es keine Garantie dafür gab, auf welcher Seite er stand. Vielleicht war ein Streit unter den Dieben seine größte Chance. »Sind Sie derjenige, der in den Laderaum der ›Maude Idris‹ gestiegen ist?«, fragte er, wobei seine Stimme lauter klang als beabsichtigt und unsicher obendrein. Er wollte wissen, wer Hodge umgebracht hatte. Ihn träfe keine Schuld, wenn er ihn seinerseits umbrachte, falls er das musste, um selbst mit dem Leben davonzukommen. Wo, zum Teufel, blieb Louvain? Inzwischen hatte er genügend Zeit gehabt, hierher zu kommen.

»Was kümmert Sie das?« Goulds Augen wurden ganz schmal.

»Waren Sie's?«, fragte Monk noch einmal und trat einen Schritt vor.

»Ja. Na und?«, trotzte Gould ihm.

»Dann sind Sie auch derjenige, der Hodge umgebracht hat!«, sagte Monk. »Vielleicht ist Ihr Partner nicht allzu glücklich, gemeinsam mit Ihnen an dem Strick zu hängen, der zusammen mit dem Lohn für die Stoßzähne auf Sie wartet?«

Gould erstarrte. »Hodge? Ich hab niemanden umgebracht! Wer ist Hodge?« Er klang wirklich überrascht.

»Die Wache, der Sie den Kopf eingeschlagen haben«, sagte Monk bitter. »Haben Sie das schon vergessen?«

»Meine Güte! Ich habe ihm doch nicht den Schädel eingeschlagen!« Goulds Stimme wurde zu einem Krächzen. »Mit seinem Kopf war alles in Ordnung!« Sein Gesicht war grau, und er riss die Augen auf vor Entsetzen. Hätte Monk Hodge nicht mit eigenen Augen gesehen, hätte er geschworen, dass Gould die Wahrheit sagte.

»Unsinn!«, schnauzte er ihn an, und Zorn wallte in ihm auf, sowohl wegen der Lüge als auch wegen der Gewalttätigkeit. Seine Gefühle waren in Aufruhr, weil er ihm glauben wollte, aber das war unmöglich.

»So wahr mir Gott helfe, es ist die Wahrheit!« Gould achtete nicht mehr auf das Elfenbein und trat einen Schritt näher auf Monk zu, aber nicht, um ihm zu drohen, sondern aus Not. Er flehte Monk an: »Er lag da auf der Stufe. Zuerst dachte ich, er wäre total betrunken, bis ich ihn anfasste und sah, dass er wirklich tot war, aber mit seinem Kopf war alles in Ordnung! Er muss vom Mast gefallen sein und sich den Hals gebrochen haben.«

Monk zögerte. War das vorstellbar? Gould sah nicht nur verängstigt und entrüstet aus, sondern auch entsetzt. Für diesen Augenblick zumindest schien er das Elfenbein völlig vergessen zu haben. »Haben Sie sich seinen Hinterkopf angeschaut?«

»Mit dem war alles in Ordnung!«, wiederholte Gould beharrlich. »Er hat ihn sich vielleicht böse gestoßen, das weiß ich nicht, aber er war, soweit ich sehen konnte, nicht eingeschlagen. Woher wissen Sie das überhaupt?«

»Ich suche nach dem Elfenbein, weil ich dafür bezahlt werde«, sagte Monk bitter. »Aber ich suche auch nach dem, der Hodge umgebracht hat, weil ich will, dass er dafür zur Verantwortung gezogen wird.«

»Aber, das war ich nicht!«, sagte Gould verzweifelt. »Er war tot, als ich ihn fand, und ich hab ihn nicht angerührt, außer, um mich davon zu überzeugen, dass er nicht aufwacht und das restliche Schiff aufweckt und hinter mir herhetzt.«

Monk stand still, immer noch mit dem Rücken zur Tür. Es war bitterkalt hier drin, so kalt, dass seine Finger taub waren und seine Füße ganz starr. Die Feuchtigkeit kroch aus allen Ritzen, es stank nach Schlamm und Abwässern und süßlich nach Verwesung. Alles hing schief, überall tropfte es, aus allen Ecken drangen leise Geräusche wie sanfte Tritte von Pfoten, Rattenpfoten, menschlichen Füßen, ein Knarren, als verschiebe sich irgendwo ein Gewicht, und überall sickerte Wasser durch, das Land versank allmählich, und der Fluss stieg.

Monk versuchte, einen klaren Kopf zu bekommen. Er begann, Gould zu glauben, und doch ergab das Ganze keinen Sinn. Wer sollte einem Mann, der bereits tot war, den Schädel einschlagen?

Wieder war gut zehn Meter entfernt ganz deutlich etwas zu hören, zu laut für eine Ratte. Wer konnte das sein? Monk brach der Schweiß aus, und er zitterte am ganzen Leib. Er drehte sich halb um, ging weiter in den Raum hinein und blickte Gould dabei an. »Jemand wird dafür hängen«, sagte er leise. »Die Polizei kommt, die wird schon dafür sorgen. Erst Gefängnis, dann Prozess, dann drei Wochen warten, und eines Morgens holen sie Sie für den kurzen Gang und den langen Absturz – in die Ewigkeit, Dunkelheit …«

»Ich habe ihn nicht umgebracht!« Goulds Schrei blieb ihm im Hals stecken, als spürte er bereits den Strick.

In dem Augenblick trat der Mann in die Türöffnung. Monk sah es an Goulds Miene und sprang zur Seite, als der Mann sich nach vorne stürzte. Monk verpasste ihm einen heftigen Schlag seitlich am Kopf, wobei er sich die Hand verletzte.

Gould stand wie gebannt da und wusste offensichtlich nicht, was er tun sollte. War die Polizei wirklich unterwegs? Crow war weggegangen, er wusste, wohin er sie führen musste.

Monk wartete mit klopfendem Herzen.

Der Mann rappelte sich auf. Gould schwang den Arm

herum und traf den Mann so hart, dass er rückwärts taumelte, mit dem Kopf auf dem Boden aufschlug und liegen blieb. »Ich habe niemanden getötet!«, sagte Gould wieder. »Aber die bringen Sie um, wenn Sie nicht hier verschwinden! Kommen Sie!« Er wollte an Monk vorbeilaufen.

»Warten Sie!«, befahl Monk ihm. »Ich brauche einen Stoßzahn, um der Polizei zu beweisen, dass sie hier waren.« Er trat zurück und griff nach dem größten auf dem Stapel. Er war verblüffend schwer, kalt und glatt. Monk wuchtete ihn sich mühsam auf die Schulter, die Bewegung tat seinem verletzten Arm weh, dann stolperte er hinter Gould her. Der andere Mann blieb bewusstlos auf dem Boden zurück. Sie schlugen nicht den Weg ein, den sie gekommen waren, sondern gingen eine kurze Treppe hinauf. Monk schwankte unter der Last des Stoßzahns.

Oben lehnte er sich gegen die Wand, und die verfaulte Täfelung gab unter seinem Gewicht nach. Er ließ den Stoßzahn in die Öffnung gleiten. Während der Muskelkrampf in seiner Schulter sich löste, drehte er sich herum, um festzustellen, ob der Stoßzahn noch zu sehen war. War er nicht, auch wenn er sein Gewicht immer noch spürte. Er würde Durban zeigen können, wo er lag.

Monk eilte hinter Gould durch den Korridor. Zerbrochene Fenster ließen ein graues Licht herein. Er holte ihn ein, und sie hasteten eine andere Treppe mit eisernem Geländer hinunter, dann durch eine Tür auf einen Flecken Erde, der von Algen überwachsen war. In dem Augenblick trat Louvain mit vier Männern aus den Ruinen eines Lagerhauses auf der anderen Seite. Wettergegerbte, stämmige Männer in Matrosenjacken.

Monk und Gould blieben abrupt gut fünf Meter vor ihnen stehen.

»Und?«, sagte Louvain grimmig. »Was haben Sie? Ich sehe nichts!«

»Dreizehn Stoßzähne«, antwortete Monk. Er wies mit der

Hand zurück. »Dahinten. Sie müssen vielleicht um sie kämpfen.«

»Dreizehn?«, fragte Louvain, dessen Miene sich verfinsterte. »Wollen Sie etwa einen für sich behalten? Das war nicht abgemacht.«

»Einen für die Polizei, als Beweisstück«, antwortete Monk. »Oder wollen Sie etwa, dass die Diebe davonkommen?« Er gab seiner Stimme einen leicht feixenden Unterton. »Das ist nicht gut fürs Geschäft. Den letzten bekommen Sie zurück, wenn der Fall abgeschlossen ist. Behalten Sie ihn als Memento. Sie sind billig davongekommen. Um einiges billiger als Hodge.«

Louvain schaute einen Augenblick verwirrt drein, dann dämmerte ihm allmählich, was das bedeutete. »Wer ist das?«, wollte er, mit einer Kopfbewegung auf Gould zeigend, wissen.

Die Lüge kam Monk instinktiv über die Lippen. »Er gehört zu mir. Glauben Sie etwa, ich wäre allein hierher gekommen?«

Louvains Miene entspannte sich. Er fragte nicht, wer Hodge umgebracht hatte, und das erzürnte Monk. »Gut. Wir holen das Elfenbein. Ich will weg sein, bevor die Polizei kommt. Keine Fragen. Kommen Sie heute Abend in mein Büro, dann bezahle ich Sie.« Er war kurz angebunden, abweisend. Er ging an Monk vorbei und trat in den Schatten des Gebäudes. Seine Männer folgten ihm.

Durban musste jeden Augenblick hier sein. Monk warf Gould, der käseweiß war und von einem Fuß auf den anderen trat, einen Blick zu.

»Versuchen Sie es erst gar nicht«, warnte Monk ihn. »Man wird Sie jagen wie eine Ratte.«

»Ich hab ihn nicht umgebracht!« Goulds Stimme war heiser vor Angst, und seine Augen flehten darum, dass Monk ihm glaubte. »Ich schwöre es bei meinem Leben!«

»Sehr passend«, sagte Monk trocken. »Da Sie mit Ihrem Leben dafür bezahlen werden.« Aber er empfand Mitleid, was er nicht erwartet hatte. War es denn vorstellbar, dass einer aus der Mannschaft Hodge umgebracht hatte? Bei irgendeinem Streit?

Vielleicht war in der Mannschaft ja sogar ein Verräter gewesen, und Hodge hatte ihn gesehen und hätte es Louvain gesagt? Hatten Sie ihn zuerst bewusstlos geschlagen und ihn dann umgebracht, nachdem Gould weg war, weil er sie sonst verraten hätte?

Es hatte keinen Sinn, Gould danach zu fragen, es würde ihm einen zu offensichtlichen Ausweg bieten, den er sicher nur zu gerne einschlug. Und warum sollte Monk sich darum kümmern, die letzten Fetzen Wahrheit zu suchen und sie zu entwirren, um einen Dieb zu retten?

Weil der Mann womöglich kein Mörder war und niemand sonst sich die Mühe machen würde, ihm zu helfen.

»Jemand hat ihm den Schädel eingeschlagen«, sagte er laut. »Wenn Sie es nicht waren, dann war auf der ›Maude Idris‹ noch jemand.«

»Weiß ich nicht!« Gould war verzweifelt. »Sie können nicht ... Heiliger Bimbam!« Er schwieg.

Sie standen auf der feuchten, sauren Erde und warteten. Weder Louvain noch einer seiner Männer kam an ihnen vorbei. Sie hatten wohl einen anderen Weg eingeschlagen, um das Elfenbein rasch und ungesehen von hier wegzuschaffen, da sie zweifellos davon ausgingen, dass Durban von dieser Seite kommen würde.

Fünf Minuten später hörte Monk Gould aufkeuchen, als würde er ersticken, und dann aufschluchzen. Er schaute sich um und erkannte Durbans charakteristischen Gang, als dieser aus dem Schatten des Gebäudes vor ihnen trat, Sergeant Orme und einen Polizisten in seinem Gefolge.

»Gehen Sie mit ihm«, sagte Monk leise zu Gould. »Ich tue, was ich kann.«

»Guten Tag, Mr. Monk«, sagte Durban neugierig und blieb ein paar Schritte vor ihm stehen. »Was machen Sie hier?«

»Diebesgut«, antwortete Monk. »Ein sehr hübscher Stoßzahn, aber die Sache ist die, dass der Wachmann auf der ›Maude Idris‹ bei dem Diebstahl umgebracht wurde.«

In Durbans Gesicht mischten sich Begreifen und Skepsis. »Deshalb haben Sie nur einen Stoßzahn genommen, nicht wahr?«

Monk wusste ohne weitere Nachfrage, dass Durban ihm nicht glaubte. Er wusste genau, was Monk getan hatte. »Vermutlich«, antwortete Monk ruhig. »Vielleicht hat jemand ein falsches Spiel gespielt. Gould sagt, er habe Hodge nicht umgebracht, aber jemand hat es getan. Ich zeige Ihnen, wo der Stoßzahn ist.«

Durban bedeutete seinem Mann, Gould zu packen. Dieser stieß einen Schrei aus und wandte sich zu Monk um. Dann wurde er mit einem Ruck herumgedreht, und man legte ihm Handschellen an.

Monk führte Durban in das andere Gebäude. Er ging langsam, zum Teil, weil er unsicher war wegen des Weges, hauptsächlich aber, weil er sicher sein wollte, dass Louvain genug Zeit gehabt hatte, alle Stoßzähne wegzuschaffen und keine Spuren zu hinterlassen, die Durban zu ihm geführt hätten. Ihm ging auch der Gedanke durch den Kopf, ob Louvain ihn jetzt, wo er sein Elfenbein wiederhatte, bei der Bezahlung betrügen würde, aber darüber wollte er eigentlich nicht nachdenken. Falls Louvain das tat, würde Monk die ganze Angelegenheit ans Licht zerren, sodass Durban Louvain so lange belästigen würde, bis dieser sich wünschte, er hätte Monk erst gar nicht angeheuert. Aber noch während ihm dieser Gedanke durch den Kopf ging, wusste er, dass das ein sehr gefährliches Unternehmen wäre. Es war eine letzte Zuflucht, auf die er nur zurückgreifen würde, um seinen Ruf zu retten. Nicht um des Geldes willen, sondern wegen zukünftiger Aufträge.

Sie befanden sich jetzt wieder in dem langen Korridor, und Düsterkeit umgab sie. Monk ging langsam, ertastete sich seinen Weg und setzte die Füße vorsichtig auf, um nicht auf ein faules Brett zu treten oder auf den Abfall und die Algen, die durch die Dielenbretter gewachsen und abgestorben waren, denn sie waren glitschig.

Er erkannte den Platz, an dem er den Stoßzahn versteckt hatte, an der frischen Bruchstelle im Holz. Er zeigte darauf und überließ es Durban, ihn herauszuholen.

»Verstehe«, sagte Durban ausdruckslos. »Und wem gehört er, wenn wir damit fertig sind? Ich nehme an, der Besitzer wird – abgesehen von dem Mord an der Wache – Anzeige erstatten?«

»Clement Louvain«, antwortete Monk. Er wäre Durban gegenüber gerne offener gewesen. Jede Lüge kratzte an ihm wie eine Abschürfung der Haut, aber er hatte keine Wahl.

Auf Durbans Anweisung hin wuchtete sich Sergeant Orme den Stoßzahn auf die Schulter, und Durban wandte sich ab, um zurückzugehen. Monk folgte ihm. Er hätte gerne irgendetwas gesagt, damit Durban die ganze Geschichte begriff, wusste aber, dass er das nicht konnte.

Monk traf Louvain am Abend nach Einbruch der Dunkelheit in seinem Büro an. Im Kamin unter der verzierten Kamineinfassung brannte ein lustiges Feuer, das Licht der Flammen tanzte auf der polierten Tischplatte. Louvain stand am Fenster, der Aussicht auf den dunklen Fluss den Rücken zugekehrt. Es war zu düster, um etwas zu erkennen, außer die gelben Augen der anderen Fenster und die Ankerlaternen der Schiffe.

Er lächelte. Auf dem kleinen Tisch standen eine kleine Karaffe Brandy und zwei Gläser, die im Feuerschein wie Kristalle glühten. Daneben lag eine kleine lederne Geldbörse, deren Umrisse durch die schweren Münzen, die sich darin befanden, verformt waren.

»Setzen Sie sich«, lud er Monk ein, sobald dieser durch die Tür getreten war. »Trinken Sie einen Brandy. Sie haben gute Arbeit geleistet, Monk. Ich gebe zu, dass ich gelegentlich meine Zweifel hatte und dachte, Sie seien der Sache nicht gewachsen. Aber das war hervorragend. Ich habe mein Elfenbein wieder, abzüglich des einen Stoßzahns, der als Beweismittel herhalten muss, und wenn Gould vor Gericht kommt, wissen andere Diebe, dass sie die Finger von meinen Schiffen lassen sollen.« Er nickte und zeigte ein offenes, aufrichtiges Lächeln.

»Sie hätten es nicht besser machen können. Wenn ich mal wieder ein Problem habe, werde ich nach Ihnen schicken. Unter diesen Umständen werde ich Sie natürlich weiterempfehlen.« Sein Lächeln wurde breiter. »Und ich hoffe, meine Feinde finden Sie nicht.« Er schenkte Monk einen großzügigen Brandy ein und reichte ihm das Glas, dann füllte er ein zweites Glas und hob dieses. »In der Geldbörse sind noch zusätzliche zehn Guineen für Sie. Ich mag Sie, Monk. Sie sind ein Mann wie ich.«

Es war ein ehrlich gemeintes, großzügiges Kompliment.

»Vielen Dank.« Monk nahm die Börse und steckte sie in die Tasche. Abgesehen von dem Geld darin, war es auch eine hübsche Lederarbeit. Eine großzügige Geste. Er nahm sein Glas und trank einen Schluck. Der Brandy war vorzüglich, alt, weich und voller Feuer.

8

Squeaky Robinson betrat schwankend die Küche in der Portpool Lane und hievte zwei Körbe mit Einkäufen auf den Tisch. Seine Finger waren von dem Gewicht ganz steif und krumm.

»Haben Sie eine Vorstellung, wie schwer das ganze Zeug ist?«, wollte er wissen und blickte Hester ungehalten an.

»Selbstverständlich«, antwortete sie und wandte sich kaum vom Herd ab, wo sie gerade Bouillon abseihte. »Normalerweise trage ich die Einkäufe selbst. Ich hatte in den letzten Tagen nur keine Zeit, mich darum zu kümmern. Packen Sie doch bitte alles aus, ja? Und stellen es weg.«

»Ich weiß nicht, wo das Zeug hingehört!«, beschwerte er sich.

»Dann ist das eine ausgezeichnete Gelegenheit, es zu lernen«, meinte Hester. »Oder wollen Sie was anderes machen? Die Wäsche, zum Beispiel, oder den Fußboden wischen? Wir können auch jederzeit noch Wasser brauchen. Anscheinend verbrauchen wir im Augenblick recht viel.«

»Sie sind eine schrecklich harte Frau!«, schimpfte er und holte die Einkäufe einen nach dem anderen aus dem Korb.

Claudine Burroughs kam aus der Waschküche herein, das Gesicht voll Ekel wegen des Geruchs ganz verkniffen, die Ärmel bis über die Ellenbogen aufgerollt und die Hände und Unterarme dunkelrot.

»Ich habe nichts mehr von dem Zeug – Pottasche«, sagte sie zu Hester. »Ohne Nachschub kann ich nicht arbeiten.«

»Ich habe welche besorgt«, sagte Squeaky vergnügt. »Hier!« Er zeigte auf die Tüte auf dem Boden. »Ich bringe es für Sie hinunter. Wir müssen von allem ein bisschen weniger benutzen, zumindest bis wir ein bisschen mehr Geld bekommen. Ich weiß nicht, wo die Leute ihr Herz gelassen haben. Sie sind hart. Hart wie Flintstein. Kommen Sie, Missus, ich gehe Ihnen zur Hand.«

Claudine starrte ihn ungläubig an. Sie holte Luft, um ihm seinen familiären Tonfall auszutreiben, aber dafür war er taub. Er griff nach der großen Tüte Pottasche und hob sie mit einiger Mühe hoch, obwohl er sich den ganzen Weg vom nächsten Laden bis hierher nicht so hatte anstrengen müssen. Claudine stieß die Luft wieder aus, und mit ebenso großer Kraftanstrengung dankte sie ihm und folgte ihm in die Waschküche.

Flo kam herein, in den Händen den gefüllten Kohlenkasten, ein Grinsen im Gesicht.

»Bringen ihr wohl bei, wie die andere Hälfte der Menschheit lebt, was?«, sagte sie grinsend. »Wenn der alte Squeaky sie auf der Straße ansprechen würde, tät sie Zustände kriegen.«

»Wir brauchen sie«, betonte Hester noch einmal. »Vielen Dank, dass Sie die Kohle geholt haben. Wie viel haben wir noch?«

»Übermorgen brauchen wir wieder welche«, antwortete Flo. »Ich weiß, wo man sie billig bekommt. Soll ich mich darum kümmern?«

»Nein, vielen Dank. Ich kann es mir nicht erlauben, die Polizei im Haus zu haben.«

»Ich hab ›billig‹ gesagt!« Flo war beleidigt, nicht weil ihre Ehrbarkeit in Frage gestellt worden war, sondern ihre Intelligenz. »Nicht ›umsonst‹!«

»Tun Sie, was Sie tun können«, meinte Hester. »Es tut mir Leid.«

Flo lächelte geduldig. »Ist schon in Ordnung. Ich nehm's Ihnen nicht übel. Sie können nichts dafür.«

Hester machte die Bouillon fertig, füllte den Kessel wieder auf und stellte ihn auf den Herd, dann ging sie mit einer großen Tasse Brühe die Treppe hinauf, um zu schauen, wie es Ruth Clark heute Morgen ging. Bessie war den größten Teil der Nacht bei ihr gewesen und hatte berichtet, es schiene ihr im Augenblick nicht schlechter zu gehen als einigen der anderen Frauen, die Fieber und Bronchitis hatten.

»Wenn Sie mich fragen«, sagte Bessie energisch, »ist ihr größtes Problem, dass ihr Liebhaber sie rausgeschmissen hat! Hat sich 'ne andere mit 'ner sanfteren Zunge gesucht, würde ich sagen, die ihren Vorteil nutzt. Sie ist mürrischer als 'ne nasse Katze, dabei ist sie nicht kränker als die anderen auch.«

Hester hatte keine Zeit zum Streiten, zumal es keinen Sinn hatte. Am oberen Ende der Treppe traf sie Mercy Louvain mit einem Arm voll Schmutzwäsche.

»Das meiste habe ich zurückgelassen«, sagte sie mit einem Lächeln. »Dieser Agnes geht's ziemlich schlecht, ihr Bett habe ich frisch bezogen. Sie hat sehr hohes Fieber. Ich glaube, das arme Geschöpf hat seit Wochen, vielleicht gar Monaten keine anständige Mahlzeit mehr bekommen. Die bringe ich zu Claudine.« Ein amüsiertes Schmunzeln zuckte um ihren Mund. Sie sagte nichts, doch Hester wusste auch so genau, was ihr durch den Kopf ging.

»Vielleicht können Sie ihr ein wenig helfen?«, meinte sie. »Besonders beim Mangeln.«

»Das kann ich auch nicht besser«, gab Mercy zu. »Ich habe

mich gestern mit der Schürze darin verfangen. Hab mir die Schürzenbänder abgerissen und musste sie wieder annähen. Und das kann ich auch nicht besonders gut. Ich kann ziemlich gut malen, aber das nützt uns hier wohl nichts.«

»Alles, was schön ist, ist von Nutzen«, antwortete Hester. »Es gibt Zeiten, da ist es das Einzige, was hilft.«

Mercy lächelte. »Aber so eine Zeit ist im Augenblick sicher nicht. Ich bringe die hier runter und helfe Claudine, die letzte Ladung zu mangeln. Zusammen kriegen wir es wohl leidlich hin. Vielleicht bringe ich sie sogar zum Lachen, obwohl ich es bezweifle.« Ein Laken war heruntergefallen, und sie bückte sich, um es wieder aufzuheben. »Obwohl, wenn sie sich wieder in der Mangel verfängt, könnte mich das zum Lachen reizen! Und wenn Flo dabei ist, die hört gar nicht mehr auf!« Sie stieß ein kurzes Kichern aus, das jedoch erstarb, als sie vom Gang her jemanden rufen hörten, und Hester ging, um nach der Frau zu schauen.

Margaret kam kurz nach Mittag und brachte eine Tüte Kartoffeln mit, drei Laibe Brot, zwei sehr große Hammelknochen und drei Pfund, sechs Schilling und neun Pence. Sie war zur Arbeit angezogen und sah tatkräftig aus und bereit, alles anzugehen, und wirkte ungeheuer zufrieden mit sich.

Hester war so erleichtert, dass sie bei ihrem Anblick beinahe lachte.

»Ich habe Marmelade«, sagte Margaret verschwörerisch. »Und ich habe ein paar Scheiben kalten Hammelbraten für Sie zum Mittagessen besorgt. Essen Sie ihn schnell, es ist nicht genug da, um ihn zu teilen. Mehr konnte ich nicht nehmen, ohne den Koch in Schwierigkeiten zu bringen. Ich habe Ihnen ein Sandwich gemacht.« Sie wickelte es aus. »Wann waren Sie das letzte Mal zu Hause? Der arme William muss doch denken, Sie hätten ihn verlassen.« Sie reichte Hester das Sandwich. Es war ein wenig schief geschnitten, aber dick mit Butter, Minzgelee und viel Fleisch belegt. Hester wusste, dass Margaret es selbst gemacht hatte.

»Vielen Dank«, sagte sie von Herzen, biss hinein und ließ es sich schmecken.

Margaret machte frischen Tee, trug ihn zum Tisch hinüber und schenkte ihnen beiden eine Tasse ein. »Wie geht's den Frauen?«, fragte sie.

»Unverändert«, antwortete Hester mit vollem Mund. »Woher haben Sie das Geld?«

»Von einem Freund von Sir Oliver«, antwortete Margaret und wurde ein wenig rot. Sie blickte in ihren Tee. Sie ärgerte sich über sich selbst, dass sie ihre Gefühle so deutlich zeigte, und doch wollte sie Hester gerne daran teilhaben lassen. Sie hatte das Bedürfnis, in dem Tumult nicht allein zu sein, fühlte sie sich doch verletzbar und hatte große Angst, Lady Horden könnte ihre Drohung wahrmachen und Mrs. Ballinger aufsuchen und ihr von der Unterredung auf der Abendgesellschaft berichten. Sie hatte das Thema sogar schon selbst angeschnitten, um Schlimmerem vorzubeugen, aber sie war sich nicht sicher, ob ihr das gelungen war. »Ich glaube, er hat einen gewissen Druck auf den armen Mann ausgeübt, um ihn zum Spenden zu bewegen«, sagte sie und hob den Blick, um Hester anzusehen. Die Erinnerung war ihr ein wenig unangenehm. »Wissen Sie, er ist gegen seinen eigenen Willen schrecklich stolz auf Sie und auf das, was wir hier tun.« Sie biss sich auf die Lippen, nicht weil sie gesagt hatte, Rathbone sei stolz auf Hester, denn das stimmte, sondern weil sie zarte Gefühle füreinander hegten und Hester darüber Bescheid wusste. Es war unverkennbar gewesen, als er sich auf Margarets Bitte hin bereit erklärt hatte, dabei mitzuwirken, dass sie dieses Gebäude bekamen.

Müde, wie sie war, musste Hester doch feststellen, dass sie lächelte. Sie verstand die Mischung aus Schamgefühl, Hoffnung und Angst sehr gut, die Margaret zu dieser Formulierung bewogen hatte. »Wenn er bereit ist, es zuzugeben, dann wird es sicher so sein«, meinte sie. »Und ich bin dankbar für alles, was er den Leuten abnötigen kann. Ich nehme an, es ist die Jahreszeit, denn wir haben hier viel mehr Frauen mit Bronchitis und Lungenentzündung als noch vor einem oder zwei Monaten.«

»Ich bekäme auch Lungenentzündung, wenn ich nachts durch die Straßen gehen müsste«, sagte Margaret voller Mitgefühl. »Ich wünschte, ich könnte die Leute davon überzeugen, regelmäßig zu spenden, aber Sie sollten sehen, wie sie die Gesichter verziehen, wenn sie hören, dass ich nicht für die Missionsarbeit oder etwas Ähnliches sammle, sondern für Straßenmädchen. Ich war arg in Versuchung, die Wahrheit ein wenig auszuschmücken und das Geld einfach zu nehmen.«

»Ich glaube, es hat etwas mit dem großen Unbehagen darüber zu tun, dass wir überhaupt zulassen, dass solches Elend entsteht«, antwortete Hester. »Lepra ist nicht unsere Schuld, Tuberkulose oder Syphilis womöglich sehr wohl. Und dann ist da noch die andere Seite. Wir können uns gut mit Lepra beschäftigen, weil wir nicht davon ausgehen, dass das Risiko besteht, dass wir uns damit anstecken. Mit den anderen Krankheiten könnten wir uns sehr wohl anstecken, obwohl wir alles Mögliche tun, um das zu verhindern.«

»Syphilis?«, fragte Margaret.

»Insbesondere die«, sagte Hester. »Man nimmt allgemein an, dass sie von Straßenmädchen weitergegeben wird. Die Ehemänner bedienen sich ihrer, und die Ehefrauen bekommen die Krankheit.« Sie blickte zu Boden. »Man kann ihnen ihre Wut ... und ihre Angst nicht verübeln.«

»So habe ich es noch nie betrachtet«, räumte Margaret ein. »Nein, vielleicht wäre ich auch nicht so spendenfreudig, wenn ich das bedenke. Vielleicht habe ich ein wenig vorschnell geurteilt.«

Margaret blieb und arbeitete den ganzen Nachmittag. Sie half, als eine verletzte Frau mit mehreren gebrochenen Fingerknochen gebracht wurde, der aber Fieber und ein trockener, stoßweiser Husten noch größeres Unbehagen bereiteten. Sie sah abgespannt aus, als wären ihr Wille und ihre Kraft erschöpft, und als sie ihr nach oben halfen und sie in ein Bett legten, lag sie still und mit weißem Gesicht da und achtete kaum auf die Geschäftigkeit um sie herum.

Margaret ging kurz nach acht Uhr am Abend. Sie wollte mehr von den wichtigsten Vorräten kaufen, Chinin, zum Beispiel, das teuer und schwer zu bekommen war, und so einfache Dinge wie Verbände und gute chirurgische Seide und Katgut.

Hester schlief vier Stunden lang und fuhr kurz nach Mitternacht aus dem Schlaf hoch. Claudine Burroughs stand neben ihrem Bett, ihr langes Gesicht zeigte Besorgnis und Abscheu. Gleichzeitig wirkte sie auch verärgert.

»Was ist los?« Hester setzte sich langsam auf. Sie kam nur mühsam zu sich, ihr Kopf schmerzte, und ihre Augen waren heiß. Sie hätte fast alles dafür gegeben, sich wieder dem Schlaf überlassen zu können. Das Zimmer um sie herum schwankte. Die kalte Luft ließ sie frösteln. »Was ist passiert?«, fragte sie.

»Die Frau, die zuletzt gekommen ist«, sagte Claudine und wählte ihre Worte mit Bedacht, »ich glaube, sie hat … eine Krankheit … moralischer Natur.« Ihre Nasenflügel bebten, als könnte sie deren Geruch im Zimmer riechen.

Hester lag eine knappe Antwort auf der Zunge, dann besann sie sich darauf, wie sehr sie Claudines Hilfe brauchten, wenn sie sich auch ungeschickt anstellte. Sie beschwerte sich dauernd und missbilligte, was sie tat, aber sie arbeitete, und es erschien fast so, als fände sie eine perverse Befriedigung darin. Der Gedanke ging Hester durch den Kopf, was sie zu Hause wohl für ein Leben führen musste, dass sie hierher kam, um etwas Glück oder ein Ziel für sich zu finden. Aber sie hatte keine Zeit, den Überlegungen nachzugehen.

»Welche Symptome hat sie?«, fragte sie und schwang die Beine aus dem Bett.

»Ich weiß nicht viel über solche Sachen«, rechtfertigte Claudine sich. »Aber sie hat Narben wie von Pocken auf Armen und Schultern und anderes, was ich lieber nicht laut aussprechen möchte.« Sie stand sehr steif da, als wollte sie sich jeden Augenblick wieder zurückziehen. Ihr Gesicht war merkwürdig verkniffen. »Ich glaube, das arme Ding wird sterben«, fügte sie hinzu und hatte plötzlich ein schroffes Mitleid in der Stimme, das rasch wieder verschwand, als schämte sie sich dessen.

Zum ersten Mal fragte Hester sich, ob Claudine je einen Toten gesehen hatte und ob sie sich davor fürchtete. Bislang hatte sie noch gar nicht daran gedacht. Langsam stand sie auf. Sie war steif, weil sie vor Erschöpfung zu lange in einer Position gelegen hatte.

»Ich komme und sehe, was ich tun kann«, sagte sie. »Ist vielleicht nicht viel.«

»Ich helfe Ihnen«, meinte Claudine. »Sie ... Sie sehen müde aus.«

Hester nahm ihre Hilfe an und bat sie, eine Schüssel Wasser und ein Stück Stoff zu holen.

Claudine hatte Recht, die Frau sah wirklich sehr krank aus. Sie kam immer mal wieder zu Bewusstsein, ihr Haut war heiß und trocken, ihr Atem rasselte, und ihr Puls war schwach. Ab und zu schlug sie die Augen auf und wollte etwas sagen, aber was sie herausbrachte, war nicht zu verstehen.

Hester wachte bei ihr und überließ es Mercy Louvain, sich um Ruth Clark zu kümmern und deren Fieber in Schach zu halten. Claudine kam und ging, jedes Mal ängstlicher.

»Können Sie nichts für sie tun?«, fragte sie flüsternd aus Rücksicht darauf, dass die kranke Frau sie womöglich hören konnte.

»Nein. Ich bleibe einfach bei ihr, damit sie nicht allein ist«, antwortete Hester. Sie hielt die Hand der Frau mit leichtem Druck, gerade genug, um ihr zu zeigen, dass sie da war.

»So viele von ihnen ...« Claudine wollte nicht sagen »sterben wie diese«, aber es war an ihrem blassen Gesicht und ihren fest zusammengepressten Lippen deutlich abzulesen. Mit steifen, geröteten Händen strich sie die Schürze über dem Bauch glatt.

»Ja«, sagte Hester einfach. »Er ist ein Wagnis, dieser Beruf, aber er ist besser, als zu verhungern.«

»Der Beruf!« Claudine spuckte die Worte beinahe aus. »Aus Ihrem Mund klingt das so, als sei es eine anständige Arbeit! Haben Sie eine Vorstellung davon, welchen Kummer sie …« Sie hielt abrupt inne.

Hester hörte den Schmerz in Claudines Stimme und in den plötzlich unterdrückten Worten, als habe sie sich bereits verraten. Sie drehte sich um und schaute zu Claudine auf. Sie sah Scham in deren Augen und Angst, als wüsste Hester womöglich bereits mehr, als ihr lieb sein konnte.

»Der beste Weg«, sagte Hester leise, »damit umzugehen, ist meiner Erfahrung nach der, sich nicht die Einzelheiten des Lebens anderer Menschen auszumalen, besonders in jenen Bereichen, die privat sein sollten, und stattdessen etwas dazu beizutragen, den Schlamassel zu lindern. Ich habe selbst den dummen Fehler begangen.«

»Nun ja, wir sind alle keine Heiligen«, meinte Claudine unbeholfen.

Bevor Hester einen weiteren Gedanken fassen konnte, stieß die Frau im Bett ein trockenes, leises Husten aus und hörte auf zu atmen. Hester beugte sich über sie und tastete am Hals nach dem Puls. Nichts. Sie faltete ihr die Hände und stand langsam auf.

Claudine starrte sie mit aschfahlem Gesicht an. »Ist sie …?«

»Ja.«

»Oh …« Plötzlich fing sie ganz gegen ihren Willen an zu zittern, und Tränen stiegen ihr in die Augen. Sie drehte sich auf dem Absatz um und stürzte aus dem Zimmer. Hester hörte ihre Schritte den Gang hinunter verklingen.

Sie strich das Bett ein wenig glatt, dann ging sie hinaus und schloss die Tür. Auf dem Weg zu Ruth Clarks Zimmer hörte sie schon aus einigen Schritten Entfernung die Stimmen. Sie waren nicht laut, aber angespannt und voller Zorn. Die Worte klangen gedämpft und waren kaum zu verstehen. Hester meinte, das Wort »gehen« zu verstehen und eine Drohung zu hören, die so voller Gefühle ausgestoßen wurde, dass die einzelnen

Wörter nicht zu unterscheiden waren. Deutlich waren jedoch der Zorn und ein so intensiver, heftiger Schmerz, dass der Schweiß auf Hesters Haut kribbelte und ihr Herz klopfte, als könnte es zerspringen.

Sie verspürte den Drang, sich nicht einzumischen, sondern so zu tun, als hätte sie überhaupt nichts gehört, als wäre es ein Versehen, ein flüchtiger Albtraum, aus dem sie eben erwacht war.

Sie fühlte sich noch nicht dafür gewappnet und kämpfte noch mit sich, da ging die Tür auf, und Mercy kam heraus, eine Schüssel kaltes Wasser in den Händen und ein Stück Stoff über dem Arm. Sie sah wütend und erschrocken aus und blieb abrupt stehen, als sie Hesters ansichtig wurde. »Sie hält sich für was Besseres«, sagte sie heiser. »Sie will hier weg, vielleicht morgen schon. Es geht ihr noch nicht gut genug ... Ich ... Ich habe versucht, sie zu überreden.« Ihr Gesicht war blass, ihre Augen lagen vor Erschöpfung tief in den Höhlen, und sie sah aus, als würde sie gleich in Tränen ausbrechen.

»Man hat mir gesagt, ihre Familie käme sie bald holen«, antwortete Hester in dem Versuch, etwas Tröstliches zu sagen. »Wenn sie kommen, werden sie sich um sie kümmern. Ich vermute, dass sie das meint. Machen Sie sich keine Sorgen. Es geht ihr so schlecht, dass sie nicht gehen kann, wenn sie niemanden hat, der sich um sie kümmert. Das wird sie auch wissen.«

»Familie?«, fragte Mercy verwundert. »Wer?«

»Ich weiß nicht.« Hester wollte schon hinzufügen, dass Clement Louvain von der Familie gesprochen hatte, schwieg jedoch. Vielleicht wusste Mercy sehr wenig über das Privatleben ihres Bruders oder das seines Freundes, falls es ihn überhaupt gab. »Machen Sie sich keine Sorgen um sie«, sagte sie stattdessen. »Wir können sie nicht hier behalten, wenn sie gehen will, aber ich versuche, sie davon zu überzeugen, wie dumm das wäre.« Sie schaute in Mercys abgespanntes Gesicht. »Sie ist eine schwierige Frau. Sie streitet sich ständig mit Flo, hat sie sogar beschuldigt, eine Diebin zu sein, und sie damit wirklich gekränkt. Flo ist alles Mögliche, aber sie ist keine Diebin, und darauf legt sie auch viel Wert. Es wäre sehr gut, wenn jemand käme, der sich um Ruth kümmert.«

Mercy stand still da. »Es tut mir Leid«, sagte sie sehr leise.

»Gehen Sie eine Tasse Tee trinken«, sagte Hester. »Und etwas essen. Wann haben Sie sich das letzte Mal hingesetzt?« Sie berührte Mercy am Arm. »Wir können nicht allen helfen, manchen Menschen ist einfach nicht zu helfen. Wir müssen tun, was wir können, und uns dann dem nächsten Menschen zuwenden.«

Mercy wollte wohl etwas sagen, aber die Worte erstarben ihr auf den Lippen.

»Ich weiß, dass es schwer ist.« Hester lächelte ein wenig, herzlich, aber ohne jede Freude. »Aber es ist die einzige Möglichkeit zu überleben.«

Falls Mercy darin Trost fand, zeigte sich das nicht in ihrer Miene. Sie nickte, aber eher förmlich, denn aus wirklicher Zustimmung, und ging die Treppe hinunter.

Der Rest der Nacht verstrich relativ ereignislos, und Hester konnte noch ein paar Stunden schlafen. Am Morgen schickte sie Squeaky zum Leichenbestatter, damit dieser kam und den Leichnam der Frau wegbrachte, dann machte sie sich daran, für alle, die etwas zu sich nehmen konnten, Frühstück vorzubereiten.

Claudine war müde und verschlossen, führte aber die ihr übertragenen Aufgaben schon mit etwas mehr Geschick aus. Sie ging sogar mit einer Schale Haferschleim zu Ruth Clark hinauf und half ihr beim Essen.

»Ich mache mir Gedanken, ob es der Frau besser geht oder nicht«, sagte sie, als sie mit der Schale in die Küche zurückkam. »Eine Minute denke ich, es geht ihr besser, in der nächsten hat sie wieder Fieber und sieht aus, als würde sie es nicht bis zum Einbruch der Nacht schaffen.« Sie kippte den Rest Haferschleim in den Ausguss und stellte die Schale in das Waschbecken. »Ich gehe die Straße runter, Wasser holen«, fügte sie schmallippig hinzu. »Da draußen ist es kalt wie im Grab.«

Hester dankte ihr aufrichtig und beschloss, selbst nach oben zu gehen und nach Ruth zu schauen. Sie fand sie von Kissen gestützt, das Gesicht gerötet, die Augen blitzten wütend.

»Wie geht es Ihnen?«, fragte Hester forsch. »Claudine sagte, Sie hätten ein wenig essen können.«

Ein säuerliches Lächeln huschte über ihre Lippen. »Besser, es runterzuschlucken, als es rauszuwürgen. Sie hat Hände wie ein Pferd, Ihre verkniffene Mrs. Burroughs. Sie verachtet Ihre Hilfskräfte, aber ich würde behaupten, dass Sie das sehen können.« Ein halb neugieriger, halb wissender Ausdruck huschte über ihr Gesicht. »Selbst wenn Sie nicht so schlau sind zu verstehen, warum«, fügte sie noch hinzu.

Hester schauderte einen Augenblick, sie spürte etwas Hässliches im Raum, aber sie weigerte sich, näher darauf einzugehen. »Es geht mich nichts an, warum, Miss Clark«, antwortete sie in scharfem Ton. »Genauso wenig wie ich mir Gedanken darüber mache, warum Ihr Liebhaber es einem Freund überlassen hat, Sie in eine Wohltätigkeitsklinik zu bringen, damit man sich hier um sie kümmert. Sie sind krank, und wir können Ihnen helfen, das ist alles, was mich angeht. Ich bin froh, dass Sie ein wenig essen konnten.«

»Wohltätigkeitsklinik!«, sagte Ruth mit erstickter Stimme, als würde sie lachen, wenn sie die Kraft dazu hätte, aber in ihren Augen lag Hass.

Aber Hester sah auch die Angst. »Wir tun unser Bestes«, sagte sie etwas freundlicher. »Schauen Sie, ob Sie ein wenig ruhen können. Ich komme nachher wieder.«

Ruth antwortete nicht.

Der Leichenbestatter kam, und Squeaky kümmerte sich um die Einzelheiten, einschließlich der Bezahlung. Eine weitere Belastung für ihre schwindenden finanziellen Mittel, über die er sich lautstark bschwerte.

Kurz vor Mittag kam der Rattenfänger. Hester hatte vollkommen vergessen, dass sie nach ihm geschickt hatte, und einen Augenblick war sie so verdutzt, dass sie ihn nicht erkannte. Er war dünn, ein wenig breitschultrig und nur drei oder vier Zentimeter größer als sie. Dann trat er ins Licht, und sie sah sein schiefes, humorvolles Gesicht und den kleinen braunweißen Terrier, der um seine Füße herumlief.

»Mr. Sutton! Haben Sie mich erschreckt. Ich habe völlig vergessen, was für ein Tag heute ist. Es tut mir Leid.«

Er schenkte ihr ein schiefes Lächeln, denn sein Gesicht war angenehm unsymmetrisch, eine Augenbraue etwas höher als die andere. »Dann kann es mit den Ratten nicht allzu schlimm sein, sonst hätten Sie es kaum erwarten können, mich zu sehen. Aber Sie sehen ziemlich erschöpft aus, so wahr ich hier stehe.«

»Wir haben im Augenblick viele Kranke hier«, antwortete sie. »Die Jahreszeit, nehme ich an.«

»Da draußen bläst es dermaßen, dass es sicher bald schneit«, meinte er. »Ich schätze, dass es heute Nacht friert. Selbst die Ratten haben so viel Verstand, dass sie sich dann nicht da draußen rumtreiben. Haben Sie viele?« Er schaute sich in der Küche um, bemerkte die Kästen mit Lebensmitteln, den sauberen Fußboden, die Kübel mit Wasser. »Seien Sie nicht verstimmt, wenn dem so ist. Ratten macht es nichts aus, wenn's warm und sauber ist, auch nicht mehr als uns. Ein bisschen verschüttetes Mehl oder ein paar Krümel, und sie sind glücklich.«

»Eigentlich ist es gar nicht so schlimm«, antwortete sie. »Ich würde nur gerne die paar, die wir haben, auch noch loswerden.«

Er grinste breit. »Was kann ich für Sie tun, Miss? Ich könnte ihnen was vorsingen? Das würde jeden abschrecken. Ratten haben sehr gute Ohren. Ich singe mir 'ne halbe Stunde die Lunge aus dem Leib, dann betteln sie um Frieden. Ob Ihnen das gefiele oder nicht, die meisten würden in die nächste Straße fliehen. Und Ihre Helferinnen mit ihnen.«

Hester lächelte ihn an. »Wenn das genügen würde, Mr. Sutton, könnte ich das leicht selbst übernehmen. Meine Mutter hat immer gesagt, ich könnte mit dem Singen Geld verdienen – man würde mich bezahlen, damit ich aufhöre.«

»Ich dachte, alle jungen Damen könnten singen.« Er sah sie neugierig an.

»Die meisten können es wohl«, antwortete sie, holte einen Laib Brot aus dem Kasten und griff nach dem Messer mit der gezackten Klinge. »Von den wenigen, die es nicht können, besitzen einige auch Verstand genug, es gar nicht erst zu versuchen, andere nicht. Ich bin so klug, also brauche ich Ihre Hilfe bei den Ratten. Möchten Sie etwas zu Mittag essen?«

»Ja, das wäre sehr nett von Ihnen«, nahm er ihre Einladung an, setzte sich an den geschrubbten Holztisch und bedeutete dem Hund, sich ebenfalls niederzulassen.

Hester toastete ein bisschen Brot, indem sie es Scheibe für Scheibe mit der dreizinkigen Gabel vor die offene Ofenklappe hielt, und als es braun war, reichte sie es ihm, damit er es in das Gestell stellte. Dann holte sie Butter und Käse und eine frische Kanne Tee.

Sie saßen zusammen in der warmen, von Kerzenschein erhellten Küche und wurden über eine halbe Stunde lang von niemandem gestört. Hester mochte Sutton. Er verfügte über einen unermesslichen Vorrat an Abenteuergeschichten und beschrieb die Menschen und ihre Reaktionen auf die Ratten mit trockenem Humor. Es war das erste Mal seit Tagen, dass sie lachte, und sie spürte, dass sich aus Erleichterung darüber, über alltägliche Dinge nachzudenken, die nichts mit dem Leben und dem Tod in der Portpool Lane zu tun hatten, die Anspannung löste.

»Ich komme heute Abend zurück«, versprach Sutton, griff nach dem letzten Stück Toast und trank seinen Tee aus. »Ich habe Fallen und meinen Hund und das Ganze. Wir machen für Sie sauber – umsonst.«

»Umsonst?«, fragte Hester.

Er sah ein wenig befangen aus. »Ja, warum nicht? Sie haben kein Geld übrig. Geben Sie mir, wenn ich in der Gegend bin, ab und zu mal 'ne Tasse Tee, und wir sind quitt.«

»Vielen Dank, Mr. Sutton«, nahm sie sein Angebot an. »Das ist sehr großzügig von Ihnen.«

»Ich bin froh, dass Sie dazu nicht zu stolz sind.« Er sah erleichtert aus. »Ist blöde, wenn man was wirklich Gutes tun kann. Und ich schätze, das tun Sie.« Er stand auf und strich sich die Jacke glatt. Sie war tatsächlich richtig elegant. »Ich sehe Sie heute Abend. Guten Tag, Miss Hester.« Er gab dem Hund einen Wink. »Komm, Snoot.«

»Guten Tag, Mr. Sutton«, antwortete Hester.

Sie und die anderen verteilten Brot, Haferschleim, Kraftbrühe und was immer ihre Patientinnen sonst noch essen konnten. Mercy hatte Toddys Äpfel geschält und gekocht, das ergab eine sehr willkommene Beigabe.

Gegen drei schien alles ruhig zu sein. Hester beschloss, Ruth Clark noch einen Besuch abzustatten und sie davon zu überzeugen, dass es besser war, mindestens noch zwei Tage in der Klinik zu bleiben, um wieder zu Kräften zu kommen. Es ging ihr immer noch alles andere als gut, und der bittere Wind draußen konnte zu einem Rückfall führen, der sogar tödlich enden mochte.

Sie öffnete die Tür und betrat den Raum, wobei sie die Tür gleich wieder hinter sich schloss, weil sie eine Auseinandersetzung befürchtete und nicht wollte, dass sie den anderen zu Ohren kam, besonders Mercy nicht. Womöglich kamen dabei mehr Einzelheiten über Ruths Situation und ihre Beziehung zu Clement Louvain zu Tage, als sie wissen wollte, und sie wollte auch nicht, dass Ruths möglicherweise unfreundliche Bemerkungen von den anderen gehört wurden.

Ruth lag im Bett, den Kopf tiefer in den Kissen, als Hester sie normalerweise gebettet hätte. Zweifellos hatte jemand versucht, es ihr bequemer zu machen, und nicht gewusst, dass es bei Stauung in der Lunge besser war, wenn der Oberkörper etwas höher lag. Sie trat rasch ans Bett und schaute auf die schlafende Frau hinunter. Es war eine Schande, sie zu stören, sie ruhte in vollkommenem Frieden. Aber sie konnte aufwachen, wenn sie würgend husten musste.

»Ruth«, sagte Hester leise.

Sie bekam keine Antwort. Ihr Atem ging dermaßen flach, dass er überhaupt nicht zu hören war.

»Ruth«, sagte Hester noch einmal und legte die Hand leicht auf die Bettdecke. »Sie müssen sich ein bisschen aufsetzen, sonst geht's Ihnen schlechter.«

Keine Reaktion.

Hester tastete am Hals nach dem Puls. Nichts, und die Haut war ziemlich kalt. Sie tastete noch einmal und drückte dabei fester zu. Ruth war doch auf dem Weg der Besserung gewesen, es war ihr so gut gegangen, dass sie sogar mit Mercy und Flo streiten konnte.

Aber nicht einmal an der Halsschlagader war der geringste Puls zu spüren, und aus ihrer Nase und ihrem Mund kam kein Atem, als Hester die Kerze näher brachte und ihr dann auch noch den Deckel ihrer glänzenden Uhr vor die Lippen hielt. Ruth Clark war tot.

Hester richtete sich auf und stand still da. Sie war überrascht, wie tief der Tod dieser Frau sie berührte. Es war nicht so, als hätte Hester sie gemocht, sie war taktlos und anmaßend gewesen und hatte für die Menschen, die sich um sie kümmerten, nicht die geringste Dankbarkeit empfunden. Aber sie war so lebendig gewesen, dass man weder sie noch ihre Leidenschaft, die schiere Kraft ihrer Existenz ignorieren oder vergessen konnte. Und jetzt hatte sie ohne jede Vorwarnung aufgehört zu leben.

Warum war sie so plötzlich und ohne vorhergehende Verschlechterung gestorben? War es Hesters Schuld? Hatte sie etwas übersehen, was sie hätte behandeln müssen? Hätte sie sich besser um sie gekümmert, wenn sie ihr mehr zugetan gewesen wäre? Hätte sie dann mehr auf die Symptome geachtet und weniger auf ihren aggressiven Charakter?

Sie schaute auf das ruhige Gesicht der Toten hinunter und fragte sich, wie sie wohl gewesen war, bevor sie krank wurde, als sie glücklich war und glaubte, geliebt oder zumindest begehrt zu werden. War sie damals freundlicher gewesen, sanfter, als sie sich hier gezeigt hatte? Wie vielen Menschen gelang es, sich immer noch von ihrer besten Seite zu zeigen, wenn sie so wie sie abgewiesen worden waren?

Hester wollte ihr die Hände falten. Eine kleine Geste des Anstands, aus Achtung vor der Toten. Erst als sie die Finger berührte, spürte sie die eingerissenen Fingernägel und griff nach der Kerze, um sie sich genauer anzusehen. Sie stellte die Kerze auf den Tisch und untersuchte die Finger der anderen Hand. Auch hier waren Nägel abgebrochen. Es waren frische Risse, die abgerissenen Stücke lagen noch auf der Decke, während andere Nägel makellos waren – die Nägel einer Frau, die ihre Hände pflegt.

Unbehagen überkam sie, wenn auch noch keine Angst. Sie schaute Ruth noch einmal ins Gesicht. Auf der Oberlippe war ein wenig Blut, nur leicht verschmiert, und an der Nase fand sie eine Spur Schleim. Bei dem Fieber und der Stauung in der Lunge war das kaum überraschend. War sie vielleicht erstickt?

Hester schob die Lippen der Frau leicht auseinander und sah im Mund Bissverletzungen, als hätten die Zähne sich fest in die Schleimhaut gedrückt. Jetzt bekam sie wirklich Angst. Das durfte nicht sein. Sie packte das Kissen und zog es unter dem Kopf der Frau hervor. Sauber. Sie drehte es herum. Auf der Rückseite waren Blut und Schleim.

Hester zwang sich, die Augenlider der Frau langsam eines nach dem anderen hochzuziehen und sich die Augen anzusehen. Auch hier fand sie winzig kleine Blutungen, und ihr drehte sich der Magen um vor Kummer – und Angst. Ruth Clark war erstickt worden. Jemand hatte ihr das Kissen rasch und fest aufs Gesicht gepresst und mit seinem Körpergewicht heruntergedrückt.

Wer? Und warum, um Himmels willen? Es hatte Streitereien gegeben, aber das waren doch dumme Kleinigkeiten gewesen? Warum Mord?

Hester zog sich langsam zurück, vergewisserte sich, dass die Tür auch wirklich geschlossen war, und lehnte sich dagegen, als bräuchte sie einen festen Halt. Was sollte sie tun? Die Polizei rufen?

Wenn sie das tat, würden die ganz sicher als Erstes Flo verdächtigen, weil Ruth sie beschuldigt hatte, eine Diebin zu sein. Aber auch Mercy Louvain hatte sich mit Ruth gestritten, ebenso wie Claudine Burroughs. Das bewies nichts, außer dass Ruth eine sehr schwierige und undankbare Person gewesen war.

Würden sie die Klinik schließen? Was würde dann mit den kranken Frauen geschehen? Das war genau das, was die Behörden zum Anlass nehmen würden, um ihrer Arbeit hier ein Ende zu setzen. Aber selbst wenn sie die Polizei davon überzeugen konnte, die Einrichtung nicht zu schließen, wer würde noch kommen? An einen Ort, wo kranke, hilflose Frauen in ihren Betten ermordet wurden? Die Nachricht würde sich ausbreiten wie ein Feuer – schädlich, beängstigend und zerstörerisch – und Panik erzeugen.

Wenn Monk doch nur nicht mit der Lösung eines Falls beschäftigt wäre, dann hätte sie ihn so diskret hinzuziehen können, dass nur Margaret gewusst hätte, warum er da war. Aber Margaret war im Augenblick nicht hier. Bessie zu fragen hatte wenig Sinn, sie würde keinen Rat wissen und sich nur grundlos ängstigen.

Squeaky konnte sie sich nicht anvertrauen. Er war hilfsbereit, solange es ihm passte und er keine wirkliche Alternative hatte. Aber das hier konnte er als perfekte Gelegenheit nutzen, sein Bordell wieder an sich zu reißen und sie genauso raffiniert dranzukriegen, wie sie es mit ihm gemacht hatte. Hatte er Ruth deswegen umgebracht? Nein – das war absurd. Sie verlor schon vollkommen den Verstand.

Sutton würde wiederkommen. Er würde das Problem verstehen und fand vielleicht sogar einen Weg, ihr zu helfen. Es war auf jeden Fall gut, so viel wie möglich herauszufinden. Vielleicht entdeckte sie hier etwas, was ihr verriet, wer zuletzt im Zimmer gewesen war. Jeder machte die Betten auf eigene Weise, faltete Laken anders oder räumte Dinge unterschiedlich weg, bis hin zu den Kleidern der Kranken.

Hester richtete sich auf und trat wieder an das Bett. Gab es überhaupt etwas, was sie durch Beobachtung feststellen konnte? Das Bettzeug war zerknittert, aber Ruth hatte im Fieber die Laken stets zerwühlt. Das bedeutete nichts. Sie suchte den Boden ab und schaute nach den Laken, die fest am Fußende des Betts eingesteckt waren, links über rechts geschlagen. Wahrscheinlich Bessies Arbeit. Sie untersuchte alles, was ihr noch einfiel. Die Tasse Wasser stand auf einem kleinen Stück Pappe, so wie Claudine es gebracht hatte, damit auf dem Holz kein Ring zurückblieb. Daran hätte Flo nicht gedacht. All das sagte Hester jedoch nichts.

Sie musste den Leichnam waschen und ihn für den Leichenbestatter vorbereiten. Vielleicht sollte sie Clement Louvain Bescheid geben? Die Familie wollte sie sicher beerdigen, und er würde wissen, wie sie zu erreichen war. Mercy konnte ihm gewiss eine Nachricht überbringen? Wie es Mercy erging? Hester musste vorsichtig sein mit dem, was sie den anderen Frauen sagte und wie sie es formulierte.

Sie ging nach unten und holte eine Schüssel Wasser. Dass es ziemlich kalt war, spielte keine Rolle, Ruth würde es nichts ausmachen. Es ging nur darum, sie zu waschen und ihr ein wenig Würde zu geben, eine Geste der Menschlichkeit.

Sie tat es allein. Es war nicht notwendig, jemanden hinzuzuziehen, und sie wusste noch nicht, was sie den anderen sagen würde. Vorsichtig schlug sie die Bettdecke zurück und zog Ruth das Nachthemd aus. Eine schwierige Aufgabe, vielleicht hätte sie doch jemanden bitten sollen, ihr zu helfen. Bessie würde es nichts ausmachen, sie hatte schon andere tote Frauen gewaschen und dabei zwar Mitleid an den Tag gelegt, aber keine Angst.

Ruth hatte einen schönen Körper gehabt, durch die Krankheit ein wenig abgemagert, aber es war gut zu erkennen, wie sie einst ausgesehen hatte. Ihr Körper war immer noch fest und wohlgeformt, bis auf einen merkwürdig dunklen Schatten unter der rechten Achselhöhle, der ein wenig wie ein blauer Fleck aussah. Merkwürdig, dass sie nichts von einer Verletzung gesagt hatte. Vielleicht war es ihr peinlich gewesen.

Unter dem anderen Arm fand Hester noch einen, allerdings weniger ausgeprägt.

Hesters Herz pochte unregelmäßig, und das Zimmer schien zu schwanken. Sie bekam kaum Luft, und ihr Puls schlug so laut, dass ihr schwindlig wurde. Sie schob Ruth ein wenig zur Seite und sah, was sie mit so großer Angst befürchtet hatte, dass ihr fast übel wurde. Da war es, eine weitere dunkle Schwellung – in einem medizinischen Handbuch würde man »Bubo« dazu sagen. Ruth Clark hatte keine Lungenentzündung gehabt – sie hatte die Beulenpest, die Krankheit, die Mitte des vierzehnten Jahrhunderts ein Viertel der bekannten Menschheit umgebracht hatte und als »Schwarzer Tod« bekannt war.

Hester tauchte die Hände in das Waschwasser und zog sie schnell wieder raus. Sie zitterte am ganzen Körper. Sie klapperte sogar mit den Zähnen! Sie musste sich unter Kontrolle bekommen! Sie musste Entscheidungen treffen und tun, was getan werden musste. Außer ihr war niemand da, der das Ruder übernehmen konnte, niemand, der ihr sagen konnte, was richtig war.

Wann waren die Schwellungen aufgetreten? Wer hatte sie als Letzte gewaschen oder ihr das Nachthemd gewechselt? Das hatte immer Mercy gemacht. Vielleicht hatte Ruth sich geweigert, sich vor Mercy auszuziehen, oder Mercy hatte nicht erkannt, was die Beulen zu bedeuten hatten.

Und was war mit den anderen Frauen, die Stauungen in der Lunge hatten? Hatten sie Bronchitis oder Lungenentzündung … oder befanden sie sich im ersten Stadium der Lungenpest? Und würde diese sich, wenn sie nicht daran starben, bei ihnen dann auch zur richtigen Beulenpest entwickeln?

Sie wusste es nicht, aber sie musste wohl davon ausgehen. Also durfte niemand das Haus verlassen! Die Krankheit würde sich ausbreiten wie Flammen im Zunder. Wie viele Menschen hatten die Pest 1348 ins Land gebracht? Einer, ein Dutzend? Innerhalb von Wochen konnte sie sich durch halb London und im ganzen Land verbreiten! Bei den modernen Reisemöglichkeiten, Zügen, die das Land der Länge und der Breite nach durchfuhren, konnte sie am nächsten Tag in Schottland und Wales sein.

Und Margaret durfte nicht zurückkommen! Der Himmel wusste, dass sie Miss Margarets Hilfe, ihren Mut und ihre Kameradschaft vermissen würde! Aber niemand durfte ins Haus kommen oder es verlassen.

Wie sollte sie die Pest aufhalten? Sie würde Hilfe brauchen. Viel Hilfe. Aber wen? Was war, wenn sie es den anderen im Haus sagte und diese in Panik davonliefen? Sie hatte nicht die Macht, sie aufzuhalten. Was, um alles auf der Welt, sollte sie nur machen? Konnte sie überhaupt verhindern, dass sich jemand ansteckte?

Nein. Das war lächerlich. Alle waren mindestens einmal in diesem Zimmer gewesen. Es war durchaus möglich, dass sie sich schon angesteckt hatten, und es war zu spät, alle und alles zu retten. Sie würde zumindest dafür sorgen, dass niemand die Beulen zu sehen bekam und begriff, was sie bedeuteten. So konnte sie zumindest die Panik in Schach halten. Es gab ein Zimmer, dessen Tür man abschließen konnte. Sie musste den Leichnam fest in Tücher wickeln und Bessie bitten, ihr dabei zu helfen, ihn dort hineinzutragen und einzuschließen.

Sie deckte Ruths Leichnam wieder zu, steckte die Decke fest, damit nichts zu sehen war, ging hinaus und schloss hinter sich die Tür. Flo wollte eben die Treppe hinuntergehen, und Hester rief sie.

»Suchen Sie Bessie und schicken Sie sie rauf, ja. Sofort, bitte.«

Flo bemerkte die Anspannung in ihrer Stimme. »Stimmt mit der elenden Kuh schon wieder was nicht?«

»Tun Sie einfach, um was ich Sie gebeten habe!« Hesters Stimme klang hoch und spitz, aber sie konnte nichts dagegen tun. »Jetzt gleich!«

Flo zuckte die Schultern und ging davon, offensichtlich verärgert, dass Hester so mit ihr sprach, aber sie tat, wie ihr aufgetragen worden war, und drei oder vier Minuten später war Bessie zur Stelle.

»Ruth Clark ist tot«, sagte Hester, als Bessie vor ihr stand. »Ich möchte, dass Sie mir helfen, ihren Leichnam in das Zimmer am Ende des Flurs zu bringen, das man abschließen kann, damit Mercy und Claudine nicht in Panik geraten, dass wir so rasch eine zweite Tote haben. Ich ... ich will nicht, dass sie weglaufen, also sagen Sie bitte nichts. Es ist mir sehr wichtig!«

Bessie runzelte die Stirn. »Alles in Ordnung mit Ihnen, Miss Hester? Sie sehen schrecklich blass aus.«

»Ja, danke. Helfen Sie mir nur, Ruth in den anderen Raum zu bringen, bevor es jemand mitbekommt.«

Es war ein schwieriges Unterfangen. Ruth war schwer, ihr Körper noch schlaff. Sie konnten nur mit Mühe verhindern, dass sie ihnen aus den Händen glitt und auf dem Boden landete. Bessie war jedoch stark, und Hester hatte einige Erfahrung im Umgang mit Leichen. Nach fast fünfzehn Minuten verzweifelter Anstrengungen hatten sie es geschafft, und Bessie versprach, den anderen erst einmal nichts zu sagen. Das verschaffte Hester zumindest einen Aufschub, und sie schrubbte den Raum mit heißem Wasser und Essig, auch wenn sie die ganze Zeit wusste, dass es wahrscheinlich sinnlos war.

Um fünf Uhr kam Mercy, um ihr zu sagen, dass Sutton mit seinem Hund und seinen Fallen wieder da war.

»O ... Gott!« Hester war überwältigt vor Erleichterung.

»Ist es so schlimm?«, fragte Mercy überrascht. »Ich glaube nicht, dass ich schon eine gesehen habe. In der Waschküche war ein kleines Tier, aber ich glaube, das war eine Maus.«

»Babyratte«, sagte Hester schnell, obwohl sie keine Ahnung hatte, ob das stimmte oder nicht. »Manchmal bauen sie Nester. Ich kümmere mich dann mal um Sutton. Vielen Dank.« Damit eilte sie davon und ließ die verdutzte Mercy auf dem Treppenabsatz stehen.

Sie fand Sutton in der Küche. Snoot saß gehorsam zu seinen Füßen und wartete darauf, dass sie mit der Arbeit anfingen.

»Vielen Dank, dass Sie so schnell gekommen sind«, sagte Hester geradewegs. »Kann ich Ihnen die Waschküche zeigen? Da sind sie, glaube ich.«

Er spürte, dass etwas nicht stimmte. Seine Stirn zog sich besorgt in Falten. »Alles in Ordnung, Miss? Sie sehen hundsmiserabel aus. Haben Sie sich etwa angesteckt? Hier, setzen Sie sich, die Ratten finde ich auch alleine. Das ist mein Beruf. Meiner und Snoots.« Er wies auf den kleinen Hund. »Wir haben alles, was wir brauchen.«

»Ich ... ich weiß.« Hester fuhr sich mit der Hand über die Augen. Ihr Kopf pochte. »Ich muss mit Ihnen reden. Ich ...« Sie schluckte hart und spürte den Knoten in ihrem Magen.

Sutton machte einen Schritt auf sie zu. »Was ist los?«, fragte er freundlich. »Was ist passiert?«

Sie merkte, dass ihr die Tränen in die Augen stiegen. Sie wollte lachen und weinen, es war viel schlimmer als alles, was sie sich je vorgestellt hatte. Sie wünschte von ganzem Herzen, sie könnte ihm von irgendeinem Streit, einer häuslichen Tragödie oder Befürchtungen erzählen statt von dem, was wirklich passiert war. »Unten«, sagte sie. »In der Waschküche, bitte?«

»Wenn Sie möchten«, meinte er, verwirrt und besorgt. »Komm, Snoot.«

Hester ging voraus, Sutton und der Hund folgten ihr. Sie bat ihn, die Tür zu schließen, und er tat, wie ihm geheißen. Sie ließ die eine Kerze brennen und setzte sich auf den einzigen Stuhl, denn sie merkte, dass die Beine unter ihr nachgaben. Suttons Gesicht wirkte im flackernden Licht wie eine Maske.

»Sie jagen mir richtig Angst ein«, sagte er stirnrunzelnd. »Was ist los? Was kann so schlimm sein?«

Es ihm anzuvertrauen war eine solche Erleichterung, dass es fast wie eine Erlösung wirkte. »Ruth Clark ist tot«, sagte sie und begegnete seinem Blick. »Sie ist erstickt.«

Seine Züge verhärteten sich, aber in seiner Miene war kein Erschrecken, die Angst darin verschwand ein wenig, denn er hatte Schlimmeres erwartet. »So was passiert.« Er schürzte die Lippen. »Wollen Sie es den Polypen sagen oder sie im Stillen fortschaffen? Ich glaube, sie im Stillen fortzuschaffen wäre besser. Es ist nicht richtig, aber das ganze Haus voller Blauer wäre noch schlimmer. Ich könnte Ihnen helfen.«

»Sie wäre sowieso gestorben.« Hester hörte, dass ihre Stimme schwankte. »Sehen Sie, das ist nicht das eigentliche Problem ... ich meine, jemand hat sie erstickt.«

»Großer Gott! Ja, und? Wenn sie sowieso gestorben wäre?« Er war ganz durcheinander.

Hester holte tief Luft. »Ich dachte, sie hätte Lungenentzündung. Als ich sie waschen und für den Leichenbestatter vorbereiten wollte, habe ich ... habe ich entdeckt, was ihr wirklich fehlte.«

Er runzelte die Stirn. »Was kann so schlimm sein? Hatte sie Syphilis oder was in der Art? Behalten Sie es einfach für sich. Das haben viele, sogar einige, von denen man es nie denken würde. Wir sind alle Menschen.«

»Nein, das würde mir nichts ausmachen.« Plötzlich überlegte sie, ob sie es ihm wirklich erzählen sollte. Was würde er tun? Würde er in Panik geraten und rauslaufen und es überall verbreiten? Würde – wieder einmal – ein Viertel der englischen Bevölkerung sterben?

Er sah ihr Entsetzen. »Sie sollten es mir besser sagen, Miss Hester«, sagte er plötzlich in freundlichem, vertraulichem Ton.

Sie wusste nicht, was sie sonst tun sollte. Monk konnte sie nicht erreichen, Rathbone ebenso wenig. Selbst Callandra war fort. »Pest«, flüsterte sie.

Eine Sekunde lag Unverständnis in seiner Miene, dann lähmendes Entsetzen. »Grundgütiger! Sie meinen doch nicht …« Er wies auf seine Achselhöhle.

Hester nickte. »Beulen. Der schwarze Tod. Sutton, was soll ich nur tun?« Sie schloss die Augen und betete zu Gott, dass er nicht davonlief und sie allein ließ.

Er lehnte sich gegen den Holzzuber, auch ihm waren die Beine schwach geworden. Alle Farbe war aus seinem Gesicht gewichen, im Kerzenlicht wirkte es kränklich gelb, und er rutschte langsam nach unten, bis er auf dem Boden saß.

»Gott steh uns bei!«, hauchte er. »Also, erstens sollten wir es niemandem sagen, wirklich niemandem! Dann dürfen wir niemanden rauslassen. Es breitete sich aus wie« – er lächelte bitter, die Stimme blieb ihm fast im Hals stecken – »wie die Pest!«

Tränen liefen Hester über das Gesicht, und es dauerte mehrere Sekunden, bis sie versiegten und Hester ihre Atmung wieder so weit unter Kontrolle hatte, dass sie nicht mehr keuchte und japste. Er würde ihr helfen. Er hatte »wir« gesagt und nicht »Sie«. Sie nickte. »Ich möchte, dass sie eine anständige Beerdigung bekommt, aber es darf niemand ihren Leichnam sehen. Keine andere Krankheit führt zu solchen dunklen Schwellungen. Jeder, der sie sieht, würde es sofort wissen.«

Er rieb sich mit dem Handballen über die Wange. »Wir müssen es um jeden Preis geheim halten«, sagte er heiser. »Wenn die Leute es erfahren, werden sie das Haus stürmen, Fackeln reinwerfen und alles niederbrennen, das Haus mit allem und jedem darin! Nicht vorstellbar.«

»Es wäre besser, als dass sich die Pest überall in London ausbreitet«, meinte sie.

»Miss Hester …«

»Ich weiß! Ich habe nicht die Absicht, mich bei lebendigem Leib verbrennen zu lassen! Aber wie können wir die Leute daran hindern, das Haus zu verlassen? Wie soll ich Claudine aufhalten, wenn sie nach Hause gehen will, oder Ruby oder die anderen kranken Frauen, wenn es ihnen besser geht, falls …«

Ihre Stimme schwankte wieder. »Woher soll ich Essen kriegen, Wasser, Kohlen … und so weiter?«

Er schwieg mehrere Sekunden.

Hester wartete. In der Waschküche war es seltsam still. Es roch nach Fett und Pottasche und dem Dampf, der früher am Tag darin aufgestiegen war. Die eine Kerze mit ihrem gelben Kreis aus Licht ließ die Dunkelheit endlos erscheinen.

»Wir müssen sicherstellen, dass niemand das Haus verlässt«, sagte Sutton schließlich. »Ich habe Freunde, die helfen können, aber das wird kein Zuckerlecken.« Er schaute sie aufmerksam an. »Es ist ernst, Miss Hester. Niemand darf raus, um keinen Preis. Hier ist kein Platz für ›tut mir Leid‹. Wenn Sie Recht haben, und sie das wirklich hatte, dann riskieren wir besser, dass es hier ein paar Tote gibt, die raus wollten, als dass halb Europa stirbt, weil wir sie rauslassen.«

»Was können wir denn tun?«, fragte Hester.

»Ich habe Freunde mit Hunden, nicht so nette kleine Rattenfänger wie mein Snoot hier, sondern Pitbullterrier, die ihnen die Kehle zerreißen würden. Ich werde sie bitten, um das Haus zu patrouillieren, vorne und hinten. Die sorgen schon dafür, dass niemand das Haus verlässt. Und ich trommle natürlich Freunde zusammen, die Lebensmittel, Wasser und Kohle bringen. Und wir erzählen überall rum, die Klinik sei voll belegt, sodass Sie keine Frauen mehr aufnehmen können, egal, was ihnen zugestoßen ist.«

»Wir können niemanden bezahlen«, sagte sie. »Und wir können ihnen nicht sagen, warum!«

»Sie tun's, wenn ich sie darum bitte«, antwortete er. »Sie helfen den Leuten hier. Ich sage ihnen einfach, es sei Cholera. Das wird reichen.«

Sie nickte. »Würden … würden wir wirklich die Hunde auf jemanden hetzen? Ich meine … ich glaube nicht …«

»Das wird nicht nötig sein«, antwortete er. »Darum kümmere ich mich.«

»Wirklich?«, flüsterte sie mit enger Kehle.

»Muss sein«, antwortete er. »Ein grausamer, aber schneller Tod. Ist das nicht besser, als zuzulassen, dass es sich ausbreitet?«

Sie versuchte, ein Ja hervorzubringen, aber ihr Mund war so trocken, dass nur ein Krächzen herauskam.

Vor der Tür war ein Geräusch zu hören, und einen Moment später wurde sie geöffnet. Mercy Louvain stand, einen Kerzenleuchter in der Hand, auf der Schwelle.

»Tut mir Leid, Sie zu stören«, sagte sie ein wenig schüchtern. »Aber brauchen Sie Claudine heute Nacht?«

Hester warf einen Blick auf Sutton und sah dann wieder Mercy an. »Ja«, antwortete sie heiser und schluckte. »Es tut mir Leid, ich bin so müde, dass mir die Stimme wegbleibt. Ja, bitte. Lassen Sie sie nicht nach Hause gehen.«

»Das geht sicher in Ordnung«, antwortete Mercy. »Geht's Ihnen gut? Haben wir viele Ratten?«

»Nicht schlecht«, antwortete Sutton und stand auf. »Aber wir werden damit fertig, keine Sorge. Ich muss nur noch mal weg, einiges erledigen und ein paar Freunde aufsuchen, dann komme ich wieder. Machen Sie sich eine Tasse Tee oder so. Unternehmen Sie nichts, bis ich wieder da bin.« Letzteres sagte er mit fester Stimme, wie einen Befehl.

»Nein, natürlich nicht«, stimmte Hester ihm zu. »Wir … wir machen Abendessen für alle. Vielen Dank.«

Sutton ging, und Hester begann, das Essen vorzubereiten. Sie maß die Portionen sorgfältig ab, denn jetzt waren die Lebensmittel noch kostbarer als vorher. Ihr war bewusst, dass Claudine und Mercy sie überrascht und mit einem Anflug von Besorgnis beobachteten. Sie durfte ihnen nichts sagen. Sie täuschte sie durch ihr Schweigen, aber sie hatte keine Wahl. Trotzdem fühlte sie sich schuldig, war wütend und hatte vor allem entsetzliche Angst.

Es schienen Stunden zu vergehen, bis Sutton wiederkam. Hester wartete im vorderen Zimmer. Sie hatte sogar aufgegeben, so zu tun, als würde sie nicht auf ihn lauern. Alle anderen waren nach oben gegangen, um nach den Kranken zu sehen oder, in Bessies Fall, ein paar Stunden zu schlafen, bevor sie Claudine in den frühen Morgenstunden ablösen würde.

»Alles in Ordnung«, sagte Sutton einfach. »Sie sind draußen, mit Hunden und allem. Ich habe einen Sack Kartoffeln und Bohnen. Von Toddy bekomme ich wie immer Kohl und Zwiebeln und so weiter.«

»Vielen Dank.« Plötzlich wurde Hester bewusst, was die Gefangenschaft auch für sie bedeutete. Vielleicht würde sie dieses Haus nie wieder verlassen. Am schlimmsten war, dass sie Monk vielleicht nie mehr wiedersah. Es würde keine Möglichkeit geben, sich zu verabschieden oder ihm zu gestehen, wie viel Leidenschaft, Lachen und Freude er in ihr Leben gebracht hatte. In seiner Gesellschaft war sie der Mensch geworden, der sie hatte werden sollen. Das Beste in ihr und das Glücklichste war verwirklicht worden.

»Können Sie meinem Mann einen Brief bringen ... damit er weiß, warum ich nicht nach Hause komme? Und warum er nicht herkommen kann ...«

»Ich sag ihm Bescheid«, antwortete Sutton.

»Sie sollten auch Margaret, Miss Ballinger, Bescheid sagen. Sie darf nicht mehr herkommen. Es wird sowieso dringlicher sein als je, dass sie sich um Spendengelder kümmert. Machen Sie ihr das klar, ja!«

Er nickte. Sein Gesicht war traurig und düster. »Werden Sie's den Frauen hier sagen?«

Hester zögerte.

»Sie müssen«, sagte er einfach. »Sie können nicht weg. Wenn sie es versuchen, werde ich ihnen die Hunde auf den Hals hetzen. Einen solchen Tod wünscht man niemandem.«

»Nein ... ich weiß.«

»Nein, das wissen Sie nicht, Miss Hester, nicht bevor Sie jemanden gesehen haben, der von Hunden zerfleischt wurde.«

»Ich sage es ihnen!« Sie stand auf und ging langsam zur Tür, als müsste sie gegen einen reißenden Strom ankämpfen. Als sie an der Tür angekommen war, rief sie in den Flur: »Claudine! Mercy! Flo! Eine von Ihnen weckt bitte auch Bessie und Squeaky. Ich brauche Sie alle hier unten. Es tut mir Leid, aber Sie müssen runterkommen.«

Es dauerte zehn Minuten, bis alle versammelt waren, Bessie war noch benommen vom Schlaf. Mercy spürte als Erste, dass etwas Schreckliches passiert war. Sie ließ sich mit bleichem Gesicht auf einen Stuhl fallen. »Was ist passiert?«, fragte sie leise.

Es hatte keinen Sinn, die Angst, die sich bereits dumpf und lastend im Raum ausgebreitet hatte, noch zu vergrößern.

»Ruth Clark ist tot«, sagte Hester und sah das Unverständnis in den Gesichtern. Für die anderen war es nur ein kleiner Verlust unter vielen. Die meisten hatten sie nicht gemocht. Hester atmete zitternd ein. »Sie ist nicht an Lungenentzündung gestorben ... sondern an der Pest ...« Sie beobachtete ihre Mienen. Einer von ihnen wusste, dass das eine Lüge war. Hatte diese Person überhaupt eine Vorstellung davon, wie viel schlimmer das war als ein Mord? Sie entdeckte in ihren Gesichtern nichts als das Bemühen, das unglaublich Entsetzliche zu begreifen.

»Pest?«, sagte Claudine verwirrt. »Was für eine Art von Pest? Was soll das heißen?«

»Was, zum Teufel, reden Sie da?«, wollte Squeaky wissen.

»Beulenpest«, antwortete Hester. »In einigen Fällen fängt sie als Stauung in der Lunge an. Manche Menschen erholen sich, aber nicht viele. Einige sterben in diesem Stadium. Bei anderen entwickelt es sich zu Beulen – zu den Schwellungen in den Achselhöhlen und der Leistengegend, die dann schwarz werden. Man nennt die Krankheit auch den schwarzen Tod.«

Flo stand mit offenem Mund reglos da.

Squeaky wurde weiß wie eine Wand.

Claudine fiel in Ohnmacht.

Mercy fing sie auf, drückte ihr den Kopf zwischen die Knie und hielt sie so lange fest, bis sie keuchend und hustend wieder zu Bewusstsein kam.

»Niemand darf das Haus verlassen, wenn wir die Krankheit

nicht von hier aus in ganz London verbreiten wollen«, fuhr Hester fort. »Wirklich niemand, zu keiner Zeit und aus keinem Grund. Sutton hat sich bereits darum gekümmert, dass Freunde von ihm mit Pitbullterriern draußen patrouillieren. Wenn jemand das Haus verlässt, hetzen sie die Hunde auf ihn. Bitte glauben Sie mir, dass es ihnen ernst ist. Was auch immer geschieht, wir dürfen nicht zulassen, dass sich die Krankheit ausbreitet. Im vierzehnten Jahrhundert hat sie in Europa fast die Hälfte der Bevölkerung dahingerafft, Männer, Frauen und Kinder. Sie hat die Welt verändert. Unsere wenigen Leben sind nichts dagegen, wenn wir verhindern können, dass das noch einmal geschieht.«

»Wovon sollen wir leben?«, fragte Squeaky wütend, als wäre das ein Grund, das Ganze zu verleugnen.

»Essen, Wasser und Kohle wird man uns bringen«, antwortete Hester. »Die Sachen werden draußen deponiert, und wir holen sie dann rein. Wir werden uns nicht begegnen. Wir haben ihnen gesagt, es sei Cholera, und sie dürfen nichts anderes glauben.«

Mercy fuhr sich mit der Hand übers Gesicht und strich sich das Haar zur Seite. »Wenn draußen jemand davon erfährt ...«

»... dann brennen sie das Haus nieder!«, beendete Flo den Satz. »Mrs. Monk hat Recht. Wir müssen es vor allen geheim halten. Es ist unsere einzige Chance – Gott steh uns bei!«

»O Gott!«, sagte Bessie und schaukelte auf dem Stuhl vor und zurück. »O Gott!«

»Ich habe noch nie gebetet«, sagte Claudine mit bitterem Sarkasmus, »aber ich nehme an, das ist das Einzige, was uns bleibt!«

Hester schaute zu Sutton hinüber. Er war außer ihr – und noch jemandem – der Einzige, der wusste, dass unter ihnen ein Mörder war.

9

Monk versuchte, zu Hause ein Feuer zu entzünden und dem Haus die Wärme wiederzugeben, die daraus entschwunden war, seit Hester so viel Zeit in der Klinik verbrachte. Ihre Abwesenheit beraubte ihn eines Großteils des Vergnügens, das er empfunden hätte, wenn er seinen Sieg mit ihr hätte teilen können. Er war außerordentlich erfolgreich gewesen. Er hatte eine Meisterleistung vollbracht, das Elfenbein wiederzufinden und es – direkt unter der Nase der Diebe und von Culpepper, in dessen Auftrag es gestohlen worden war, und sogar der Polizei – Louvain wiederzugeben! Und Louvain hatte ihn ansehnlich bezahlt. Sein Ruf hätte im Augenblick nicht besser sein können, und daraus würden sich andere Aufträge ergeben!

Seine Arbeit war noch nicht beendet. Er musste noch herausfinden, wer Hodge umgebracht hatte. Es war entweder Goulds Partner gewesen, was sehr wahrscheinlich war, wenn er nach Gould an Bord gegangen war, festgestellt hatte, dass Hodge sich regte, und ihn umgebracht hatte. Dann war es eine Panikreaktion gewesen, völlig unnötig – außer, es war einer von Louvains Männern gewesen, der ihn auf diese Weise hintergangen hatte. Louvain würde dafür bittere Vergeltung üben, und das würde erklären, warum Hodge umgebracht und nicht nur bewusstlos geschlagen worden war.

Außerdem gab es noch die andere Möglichkeit, dass er von einem Mitglied der Mannschaft bei einer Streiterei umgebracht worden war, die gar nichts mit dem Diebstahl zu tun hatte.

Wenn Monk herausfand, wer Goulds Partner gewesen war, konnte er vielleicht beweisen, ob der Mann an Bord der »Maude Idris« gegangen war. Gould erinnerte sich sicher an die Einzelheiten. Stoßzähne waren schwer und unhandlich. Sicher wusste er noch, wo sich sein Partner aufgehalten hatte. Auf dem Niedergang zum Laderaum kam man nicht aneinander vorbei, ohne es zu merken. Zudem musste er jedes Mal, wenn er mit einem Stoßzahn nach oben kam oder wieder runterging, um den nächsten zu holen, an Hodges reglosem Körper vorbeigekommen sein. Die Frage war, ob Gould wirklich die Wahrheit sagte.

Louvain würde das nicht gefallen, womöglich würde er sogar versuchen, Monk an weiteren Nachforschungen zu hindern, aber darum hatte Monk sich schon gekümmert. Er hatte nicht die Absicht, Hodges Mörder davonkommen zu lassen. Er hatte Hodge nicht gekannt, vielleicht hätte er ihn nicht einmal gemocht, aber das spielte keine Rolle. Je weniger sich andere darum scherten, desto wichtiger war es, dass ihm Gerechtigkeit widerfuhr.

Er saß am Feuer und ihm wurde, ohne dass er es gemerkt hatte, fast zu heiß, als er plötzlich hörte, dass es an der Tür klopfte. Hester konnte es nicht sein, sie hatte einen Schlüssel. Ein neuer Mandant? Im Augenblick konnte er keinen annehmen, er würde warten müssen. Monk stand auf und ging zur Tür.

Der Mann auf der Schwelle war hager und ziemlich gut gekleidet, aber seine Schuhe waren abgetragen. Sein schiefes, intelligentes Gesicht war von Müdigkeit gezeichnet, und neben ihm stand ein kleiner braunweißer Terrier. Monk würde ihm leider eine abschlägige Antwort geben müssen.

»Mr. William Monk?«, fragte der Mann.

»Ja.«

»Ich habe eine Nachricht für Sie, Sir. Kann ich hereinkommen.«

Monk war verdutzt und gleichermaßen besorgt. Wer sollte ihm auf diese Art eine Nachricht senden? »Was ist los?«, fragte er ein wenig schroff. »Eine Nachricht von wem?«

»Von Mrs. Monk. Kann ich hereinkommen?« Der Mann strahlte eine gewisse Würde aus und hatte trotz seiner offensichtlich mangelnden Bildung ein sicheres Auftreten.

Monk machte die Tür auf und trat zur Seite, damit der Fremde, gefolgt von dem Hund, ins Warme treten konnte. Dann schloss Monk die Tür und drehte sich zu ihm um.

»Was gibt's?« Jetzt hatte seine Stimme einen scharfen Ton, die Angst war ihm deutlich anzuhören. Warum sollte Hester ihm durch einen solchen Mann eine Nachricht schicken? Warum nicht einen Zettel, wenn sie aufgehalten wurde und ihn das wissen lassen wollte? »Wer sind Sie?«, wollte er wissen.

»Sutton«, antwortete der Mann. »Ich bin Rattenfänger. Ich kenne Mrs. Monk inzwischen schon eine Weile.«

»Was hat sie gesagt?«, schnitt Monk ihm das Wort ab. »Geht es ihr gut?«

»Ja«, sagte Sutton ernst. »Sie arbeitet zu viel, wie meistens, aber es geht ihr gut.«

Monk schaute ihn an. In seiner Miene und seinem Betragen war nichts, was seine wachsende Besorgnis beschwichtigt hätte.

»Was ich Ihnen zu sagen habe, erfordert ein paar Minuten«, fuhr Sutton fort. »Sie sollten sich hinsetzen und mir zuhören. Sie können nichts tun, außer einen kühlen Kopf bewahren und den Mund halten.«

Monk spürte plötzlich, dass ihm die Beine schwach wurden und Panik in ihm aufwallte. Er war froh, sich setzen zu können.

Sutton ließ sich ihm gegenüber nieder. »Vielen Dank«, sagte er, als hätte Monk ihn aufgefordert, Platz zu nehmen. »Eine der Frauen, die in die Klinik gebracht wurden, ist heute gestorben. Als Miss Hester sie für den Leichenbestatter waschen wollte, hat sie gesehen, woran sie wirklich gestorben ist. Und das war nicht Lungenentzündung, wie sie angenommen hatte.« Er unterbrach sich, seine Augen waren umschattet, sein Gesicht sehr ernst.

Monk zog die Schlussfolgerung, die ihm am vertrautesten war. »Ermordet?« Er beugte sich vor, um aufzustehen. Er musste sofort in die Portpool Lane. Gould würde warten müssen. Er konnte ein paar Tage Verzögerung verkraften.

»Setzen Sie sich, Mr. Monk«, sagte Sutton leise, aber deutlich. »Die Probleme haben nichts mit Mord zu tun. Sie sind viel schrecklicher. Und Sie müssen das Richtige tun, sonst könnten Sie eine Katastrophe heraufbeschwören, wie die Welt sie in fünfhundert Jahren nicht erlebt hat.«

»Wovon, zum Teufel, reden Sie?«, wollte Monk wissen. War der Mann verrückt? Er machte einen vollkommen normalen Eindruck, er verfügte über eine ehrliche Ernsthaftigkeit, anders als etliche Männer, welche die Geschicke von Wirtschaft und Gesellschaft lenkten. »Was ist es?«

»Pest«, antwortete Sutton, die Augen fest auf Monk gerichtet. »Nicht Cholera oder Pocken oder eine der anderen Krankheiten, sondern die Katastrophe – der schwarze Tod.«

Monk begriff nicht, was der Mann gesagt hatte. Es besaß keine Realität, es waren nur große Worte, zu groß, um irgendetwas zu bedeuten.

»Deshalb wird niemand das Haus in der Portpool Lane betreten, und niemand wird es verlassen«, fuhr Sutton leise fort. »Es muss völlig abgeschottet sein, egal, was passiert.«

»Sie waren drin!«, sagte Monk sofort.

»Ich habe mich von Miss Hester und der Frau, die sich um die Kranke gekümmert hat, fern gehalten.«

»Ich gehe trotzdem rein«, beharrte Monk. Hester war dort allein. Sie war mit etwas konfrontiert, was schlimmer war als alle menschlichen Albträume. Wie konnte er hier bleiben, in Sicherheit, und nichts tun? »Sie braucht Hilfe. Und wie wollen Sie die Leute überhaupt am Verlassen des Hauses hindern? Ich meine ganz praktisch? Sie müssen es den Behörden sagen! Ärzte hinzurufen ...«

»Gegen den schwarzen Tod kann der beste Arzt nichts ausrichten«, sagte Sutton fast reglos. Sein Gesicht erschien ungerührt, jenseits jeglicher Gefühle. Es war, als hätte der Schrecken jeglichen Lebensfunken in ihm ausgelöscht. »Wenn er einen holt, dann holt er einen, und wenn er einen verschont, dann verschont er einen. Hat keinen Sinn, es den Behörden zu melden. Die können auch nichts tun. Und was meinen Sie, was dann passiert, hä?«

Allmählich dämmerte Monk, wie entsetzlich das Ganze war.

Er ahnte, auf was dieser merkwürdig gelassene Mann hinauswollte. »Wie hindern Sie die Leute daran, das Haus zu verlassen?«, fragte er.

»Mit Hunden«, sagte Sutton mit einem leichten Schulterzucken. »Ich habe Freunde mit Pitbulls. Sie patrouillieren ums Haus. Ich hoffe, es läuft niemand weg, aber, so wahr mir Gott helfe, sollte es einer versuchen, werden sie ihm die Hunde auf den Hals hetzen. Besser, einer wird zu Tode gebissen, als dass sich die Pest im ganzen Land ausbreitet oder sogar in der ganzen Welt.«

»Und wenn sie es herumerzählen?«

»Wir haben ihnen gesagt, es sei Cholera, und sie kennen den Unterschied nicht.«

Monk versuchte, nicht darüber nachzudenken, was seine Worte bedeuteten. »Ich muss trotzdem hingehen und ihr helfen. Ich kann sie da nicht allein lassen. Niemals.«

»Sie müssen ...«, setzte Sutton an.

»Ich bleibe drin!«

Suttons Züge wurden weicher. »Ich weiß. Und ich würde Sie auch nicht herauslassen, weder vorne, noch aus der Hintertür. Aber hier draußen können Sie mehr von Nutzen sein. Es gibt einiges zu erledigen.«

»Essen, Kohle und Medikamente besorgen. Ich weiß. Das kann jeder ...«

»Natürlich«, stimmte Sutton ihm zu. »Dafür sorge ich. Aber haben Sie noch nicht darüber nachgedacht, wo die Pest herkommen könnte? Wo die arme Frau sich angesteckt hat?«

Monk spürte, dass ihm am ganzen Körper der Schweiß ausbrach.

»Das müssen wir rausfinden«, sagte Sutton müde. »Und es gibt niemanden, der das so gut könnte wie Sie, ohne ganz London in Angst und Schrecken zu versetzen. Die Frau ist von irgendwoher gekommen, das arme Geschöpf. Wo hat sie es sich eingefangen, hä? Wer hat sich noch angesteckt? Sie sind als Mann bekannt, der weiß, wie man Fragen stellt, und der Antworten erhält, wo andere längst keine mehr bekommen. Miss Hester sagt, Sie seien der schlauste Mann, den sie je kennen gelernt hat, und der sturste obendrein. Hat sie Recht?«

Monk vergrub den Kopf in den Händen, seine Gedanken überschlugen sich, die verschiedensten Möglichkeiten rasten ihm durch den Kopf. Hester allein in der Klinik, mit der schlimmsten Krankheit konfrontiert, die der Menschheit überhaupt bekannt war. Er würde sie nie wiedersehen. Er konnte nichts tun, um ihr zu helfen. Er konnte sich im Augenblick nicht einmal mehr daran erinnern, welche Worte sie als Letztes miteinander gewechselt hatten! Wusste sie, wie sehr er sie liebte, als seine Frau, seine Freundin. Sie war der einzige Mensch, ohne den er kein Ziel und keine Freude hatte, der Mensch, dessen Glaube an ihn alles kostbar machte, dessen Anerkennung Belohnung an sich war, von dessen Glück das seine abhing?

Ganz Europa konnte durch die Krankheit entvölkert werden. Überall Tote, das Land selbst im Niedergang. Geschichtsbücher berichteten, dass sich die ganze Welt verändert hatte, dass die alte Lebensweise untergegangen war und eine neue Ordnung geschaffen worden war – geschaffen werden musste.

»Hat sie Recht?«, fragte Sutton noch einmal.

Monk hob den Kopf. Wusste Sutton, dass er es Monk mit dieser Frage unmöglich machte, Nein zu sagen? Ja, ganz sicher wusste er es.

»Ja«, antwortete er. »Was wissen Sie über die Frau, die gestorben ist?«

»Sie hieß Ruth Clark, und sie wurde von einem Schiffseigner gebracht, der Louvain heißt. Er sagte, sie wäre die Geliebte eines Freundes, was vielleicht stimmt, vielleicht aber auch nicht.«

»Louvain?« Monk erstarrte, seine Gedanken überschlugen sich.

»Ja.« Sutton stand auf. »Ich muss gehen. Ich kann Sie nicht mehr treffen. Sie müssen Ihr Bestes tun.« Er schien noch etwas hinzufügen zu wollen, aber es fielen ihm nicht die richtigen Worte ein.

»Ich weiß«, sagte Monk schnell. »Sagen Sie Hester …«

»Das spielt jetzt keine Rolle«, antwortete Sutton einfach. »Wenn sie es nicht weiß, helfen auch keine Worte mehr. Finden Sie raus, wo der Ansteckungsherd ist. Und behutsam … sehr, sehr behutsam.«

»Verstehe.« Auch Monk erhob sich, überrascht, dass das Zimmer sich nicht um ihn drehte. Er folgte Sutton und dem Hund zur Tür. »Auf Wiedersehen!«

Sutton trat hinaus auf die Straße. Regen trieb im Lampenschein und legte sich glänzend aufs Pflaster. »Gute Nacht«, antwortete er, bevor er sich umdrehte und mit einer eigentümlichen Ruhe und fast anmutigen Schrittes in die Dunkelheit hineinging, der Hund stets dicht auf seinen Fersen.

Monk schloss die Tür und ging zurück ins Wohnzimmer. Es wirkte stickig und unnatürlich still. Er setzte sich sehr langsam, denn er zitterte am ganzen Körper. Er musste seine Gedanken ordnen, und Denken war die einzige Möglichkeit, sich unter Kontrolle zu bringen.

Ruth Clark war an der Pest gestorben. Clement Louvain hatte sie in die Portpool Lane gebracht. Von wo? Wo war sie vorher gewesen? Er hatte behauptet, sie sei die abgelegte Geliebte eines Freundes. Stimmte das? War sie seine Geliebte gewesen? Er wusste, dass sie krank war, aber hatte er eine Ahnung, was ihr fehlte?

Wo hatte sie sich mit einer solchen Krankheit angesteckt? Nicht in London. Die »Maude Idris« war eben von Afrika zurückgekommen. War sie an Bord gewesen? Hatte sie sich dort angesteckt? Wusste oder ahnte Louvain etwas? Und ausgerechnet zu Hester hatte er sie gebracht!

Für einen Augenblick wurde Monk von flammender Wut übermannt, die ihn fast blind machte. Sein Körper zitterte noch heftiger, und seine Nägel gruben sich so fest in die Handballen, dass es blutete.

Er musste sich unter Kontrolle bekommen! Er hatte keine Ahnung, ob Louvain gewusst hatte, was der Frau fehlte. Aber das war eher unwahrscheinlich. Die Frau war krank. Das war auch alles, was Hester gewusst hatte, und sie war schließlich Krankenschwester und hatte sich Tag und Nacht um sie gekümmert.

Er schritt im Zimmer auf und ab. Sollte er zu Louvain gehen und es ihm sagen? Sollte er ihm sagen, dass Ruth tot war? Falls Louvain gewusst hatte, dass sie an der Pest erkrankt war, hatte er auch gewusst, dass sie sterben würde. Falls nicht, würde er dann jetzt in Panik geraten? Würde er den Albtraum auslösen, vor dem sie sich fürchteten? Und wenn sie seine Geliebte gewesen war? Hatte er sich um sie gesorgt? Warum hatte er keine Krankenschwester geholt, die sich um die Frau kümmerte, sondern sie in eine Klinik für Straßenmädchen gebracht, wo Fremde sie versorgten? Es war besser, er behielt sein Wissen für sich. Louvain würde es noch früh genug erfahren.

Dann schoss ihm ein anderer Gedanke durch den Kopf: Was war, wenn Gould die Wahrheit gesagt hatte und Hodge schon tot gewesen war, bis auf die bei einem Sturz zugezogenen leichten Prellungen jedoch ohne äußere Verletzungen, und man ihm erst später den Schädel eingeschlagen hatte, weil er an der Pest gestorben war? Wenn es kein Mord war, sondern der Versuch, einen Todesfall zu vertuschen, der mit der Vernichtung der halben Menschheit enden konnte?

Der halben Menschheit? Eine lächerliche Übertreibung? Albtraum und Hysterie? Was sagten die Geschichtsbücher?

1348 war England im Vergleich zu heute eine unwissende, isolierte ländliche Gemeinschaft gewesen. Wenn Menschen überhaupt reisten, dann zu Fuß oder auf dem Rücken eines Pferdes. Das Wissen um die Medizin war rudimentär und voller Aberglauben.

Er ging auf und ab und versuchte, sich die damalige Situation vorzustellen. Es war eine barbarische Zeit gewesen, lange vor der Renaissance. Wer hatte damals auf dem Thron gesessen? Einer der Plantagenet-Könige, lange vor der Renaissance. Erst hundertfünfzig Jahre später hatte die Menschheit erfahren, dass die Erde rund war!

In ganz England gab es noch Wälder mit wilden Tieren. Niemand hätte sich so etwas wie eine Eisenbahn vorstellen können!

Und doch hatte sich die Pest ausgebreitet wie ein Lauffeuer! Wie viel weiter würde sie sich heute verbreiten, da man von der Südküste Englands in einem Tag bis nach Schottland reisen konnte? London war die größte Stadt der Welt, in der fast fünf Millionen Menschen lebten wie die Sardinen in der Büchse. Er hatte kürzlich jemanden sagen hören, in London lebten mehr Schotten als in Edinburgh! Und mehr Iren als in Dublin und mehr Katholiken als in Rom!

Die Stadt würde zu einer Einöde der Toten und Sterbenden werden, die sich immer weiter ausbreitete, bis sie das ganze Land verseucht hatte. Es brauchte nur ein Schiff mit einem kranken Menschen an Bord Englands Küsten zu verlassen, und auch Europa wäre dem Untergang geweiht.

Er hatte keine Wahl. Es stand nicht in seiner Macht, Hodges Tod zu untersuchen. Er musste Durban aufsuchen und ihm die ganze Wahrheit erzählen. Den Preis dafür würde er später bezahlen. Alles, was jetzt noch zählte, war, die Spur der Krankheit zu finden sowie alle, die infiziert waren.

Er schlief unruhig, und als er verwirrt und mit brummendem Schädel aufwachte, überlegte er, was ihn beunruhigte. Dann kehrten die scheußlichen Erinnerungen zurück und erfüllten ihn mit einer Leere, die er kaum noch ertragen konnte. Er lag teilnahmslos da, als wäre die Zeit stehen geblieben, bis sein Verstand ihm schließlich sagte, dass die einzige Möglichkeit, weiterzuleben, darin bestand, etwas zu tun. Handeln würde den Schrecken zurückdrängen und einen Bruchteil seines Kopfes freihalten, in dem er leben konnte, zumindest so lange, bis Erschöpfung ihn zu sehr schwächte, um noch zu widerstehen.

Er zog sich rasch warm an, denn er ging davon aus, dass er wahrscheinlich einen Großteil des Tages auf dem Fluss verbringen würde. Dann verließ er das Haus und kaufte sich bei einem Straßenhändler Tee und ein Sandwich.

Er hatte mehr als ein Dutzend Möglichkeiten erwogen, wie er Durban die Wahrheit beibringen sollte, aber es gab keine gute, und es spielte kaum eine Rolle, wie er es formulierte. Alle persönlichen Bedürfnisse und Sorgen verflüchtigten sich angesichts der Ungeheuerlichkeit dieser neuen, schrecklichen Wahrheit, die alles andere verschlang.

Es war ein klarer Tag, knapp oberhalb des Gefrierpunkts, aber es wirkte weitaus kälter, denn der Wind fegte über die strahlende Wasseroberfläche. Über seinem Kopf zogen Möwen ihre Kreise wie weiße Blitze am Himmel, und die einlaufende Tide leckte an den Pfosten der Piers und an den nassen Steinen der Treppen.

Der Fluss war an diesem Morgen sehr belebt. Egal, wohin Monk schaute, überall nahmen Männer Lasten auf, karrten sie weg oder wankten unter dem Gewicht von Säcken und Ballen. Ihre Rufe wurden vom Wind erfasst und davongetragen. Leinwand flatterte lose und schlug gegen Planken. In der reinen Luft konnte er den Fluss hinauf- und hinuntersehen, bis dieser jeweils hinter einer Biegung verschwand, und Masten, Spiere und Takelwerk hoben sich scharf wie eine Radierung vom Himmel ab. Nur in der Ferne über der Stadt lag eine dünne Dunstglocke.

Durban war nicht in der Polizeiwache. Der Sergeant erklärte Monk, dass er bereits draußen auf dem Wasser sei, vielleicht im Süden, er wisse es nicht genau.

Monk dankte ihm und ging gleich wieder hinaus. Er konnte nur eines tun, sich ein Boot suchen und nach ihm Ausschau halten. Zu warten konnte er sich nicht erlauben.

Wenige Minuten später war er wieder unten am Wasser und suchte eilig nach einem Fährmann, der ihm bei seiner Suche behilflich sein würde. Zuerst hörte er die Stimme kaum, die nach ihm rief, und erst als jemand ihn am Ärmel packte, drehte er sich um.

»Alles in Ordnung mit Ihnen?«, fragte Scuff betont beifällig, aber er kniff die Augen zusammen, und in seiner Stimme schwang ein Hauch Angst mit.

Monk zwang sich, freundlicher zu sein, als ihm zumute war. »Ja. Der Mann mit dem Elfenbein ist sehr zufrieden.«

»Schon bezahlt worden?«, fragte Scuff nach dem wahren Maß des Erfolgs.

»O ja.«

»Warum machen Sie dann ein Gesicht, als hätten Sie Ihr Geld noch nicht bekommen?« Jetzt drückte seine Miene echte Besorgnis aus.

»Das hat nichts mit Geld zu tun. Jemand ist vielleicht krank. Kennst du Mr. Durban von der Wasserpolizei?«, fragte Monk.

»Der mit dem grauen Haar, der einen Gang hat wie ein Matrose? Klar kenne ich den. Warum?«

»Ich müsste dringend mit ihm sprechen.«

»Ich such ihn für Sie.« Scuff steckte zwei Finger in den Mund und stieß einen schrillen Pfiff aus, dann trat er an den Rand des Kais und pfiff erneut. Innerhalb von zwei Minuten lag ein Boot an der Treppe. Nach einem kurzen Wortwechsel kletterte Scuff hinein und winkte Monk, ihm zu folgen.

Monk wollte den Jungen nicht bei sich haben. Was er tun musste, war unerfreulich, möglicherweise sogar gefährlich. Und er konnte nicht zulassen, dass Scuff erfuhr, um was es ging.

»Jetzt kommen Sie doch!«, sagte Scuff scharf, das Gesicht verwirrt in Falten gezogen. »Wenn Sie da stehen bleiben, finden Sie ihn nie!«

Monk stieg ins Boot. »Danke«, sagte er höflich, aber seine Stimme war rau, als würde er zittern. »Du brauchst nicht mitzukommen. Geh wieder an deine Arbeit.« Er war unsicher, ob er ihm Geld anbieten sollte oder nicht, womöglich betrachtete Scuff es als Beleidigung ihrer Freundschaft.

Der verzog das Gesicht. »Falls Sie das noch nicht bemerkt haben, wir haben Hochwasser. Ich hab's ja schon mal gesagt, Sie sollten sich nicht allein hier rumtreiben, dazu taugen Sie nicht!« Er setzte sich ins Heck, ein selbst ernannter Wächter für jemanden, der seiner Meinung nach dringend eines Wächters bedurfte.

»Ich habe gehört, er sei runter nach Debtford Creek Way«, sagte der Fährmann freundlich. »Da unten gab's gestern ein bisschen Ärger. Möchten Sie jetzt dorthin oder nicht?«

Monk nahm das Angebot an. Wenn er Scuff gegen dessen Willen an Land setzte, würde er den Respekt des Fährmanns verlieren, möglicherweise sogar seine Hilfsbereitschaft. »Ja. So schnell Sie können, bitte.«

Sie scherten in den Hauptverkehrsstrom ein und fuhren südwärts an Limehouse Reach vorbei, schlängelten sich zwischen Barkassen hindurch, Schiffen, die vor Anker lagen und aufs Löschen der Ladung warteten, sowie einigen wenigen, die noch nach einem Ankerplatz suchten.

Sie brauchten fast eine Dreiviertelstunde, aber schließlich erkannte Monk Durbans Gestalt auf dem Kai oberhalb einer Treppe in der Nähe von Debtford Creek. Dann sah er darunter auf dem Wasser das Polizeiboot mit zwei Männern an den Riemen und Orme, der im Heck stand.

»Da drüben!«, sagte er zu seinem Fährmann. Sein rauer Tonfall verlieh seinen Worten die notwendige Dringlichkeit. »Wie viel?«

»Einen Schilling«, antwortete der Fährmann augenblicklich.

Monk angelte einen Schilling und ein Threepencestück aus seiner Tasche, und sobald sie an der Treppe anlangten, reichte er dem Mann das Geld und stand auf. Scuff erhob sich ebenfalls. »Nein!« Monk drehte sich schwungvoll um und verlor beinahe das Gleichgewicht. »Jetzt komme ich alleine klar.«

»Vielleicht brauchen Sie mich ja noch!«, sagte Scuff. »Ich kann alles Mögliche.«

Es war weder Zeit für Erklärungen noch für Höflichkeit.

»Ich weiß. Ich suche dich, wenn ich einen Auftrag für dich habe. Halt dich im Augenblick von den Polypen fern!«

Scuff setzte sich zögernd wieder hin, und Monk sprang auf die Treppe und ging hinauf, ohne sich noch einmal umzusehen.

Durban drehte sich um und sah, wie Monk oben ankam. Er war im Begriff, etwas zu sagen, als er Monks Gesicht erblickte. Stattdessen schaute er den anderen Mann an, ein mürrisches, müdes Geschöpf, dessen eine Schulter höher stand als die andere. »Noch einmal, und Sie sind dran. Und jetzt machen Sie, dass Sie wegkommen.«

Der Mann gehorchte und ließ Monk und Durban allein am oberen Ende der Treppe im eisigen Wind stehen.

»Was ist los?«, fragte Durban. »Sie sehen aus, als wäre der Teufel leibhaftig hinter Ihnen her.«

»Noch nicht, aber an Ihren Worten könnte mehr Wahrheit sein, als Sie glauben«, sagte Monk mit bitterem Humor. Wie sollte er im Augenblick über irgendetwas lachen können? Aber, verrückt, wie es schien, vielleicht war dies die einzige Reaktion, die noch möglich war. »Ich muss unter vier Augen mit Ihnen reden, und es ist wichtiger als alles andere.«

Durban schnappte nach Luft. Womöglich wollte er Monk sagen, er solle nicht übertreiben, doch dann stieß er die Luft wieder aus. »Was ist los? Wenn Sie mir sagen wollen, dass Sie in Bezug auf das Elfenbein gelogen haben und dass Gould Hodge nicht umgebracht hat: Ersteres weiß ich bereits, Letzteres bin ich bereit zu glauben, wenn Sie mir Beweise bringen. Haben Sie welche?«

Vielleicht war es gar nicht so schwierig, wie Monk geglaubt hatte, die Wahrheit zu sagen, doch umso schwerer würde es sein, Durbans Verachtung auszuhalten. Schon jetzt nagten Schuldgefühle an ihm. »Es mag Beweise geben, aber das ist im Augenblick nicht wichtig«, antwortete er. »Es ist nicht schnell oder leicht zu erzählen.«

Durban stand, die Hände in den Taschen, reglos da und

wartete. Er fragte nicht und drängte Monk auch nicht. Das machte die Sache für Monk nicht leichter. »Ursprünglich waren es vierzehn Stoßzähne«, begann er. »Ich habe sie alle auf Jacob's Island gefunden und einen als Beweis versteckt.«

»Und den Rest haben Sie Louvain gegeben, der, wie ich vermute, Ihr Auftraggeber war.« Durban nickte.

Monk hatte keine Zeit, sich in Entschuldigungen zu ergehen. Er war sich der Gegenwart der übrigen Polizisten in dem nur wenige Meter entfernt wartenden Boot bewusst und rechnete damit, dass Orme jeden Augenblick hochkommen konnte, um nachzusehen, was los war.

»Als Louvain mir von dem Diebstahl erzählt hat, habe ich es zur Bedingung gemacht, dass ich denjenigen, der Hodge auf dem Gewissen hat, finde und Ihnen übergebe«, antwortete er. »Ich habe Hodges Leiche gesehen, allerdings habe ich mir nur seinen Hinterkopf näher angeschaut, mehr nicht.«

Durban zog die Augenbrauen hoch, weil er keine Ahnung hatte, was das für eine Rolle spielte. Seine Miene verriet keine offene Geringschätzung, aber sie lag dicht unter der Oberfläche. »Spielt das eine Rolle, Mr. Monk? Man hat ihm den Schädel eingeschlagen. Haben Sie etwas gesehen, was Goulds Unschuld beweist? Oder jemand anderes?«

Monk verlor den roten Faden der Geschichte. Orme war aus dem Boot gestiegen und stand bereits auf der Treppe, und die wenige Geduld, die Durban aufgebracht hatte, war fast zu Ende. Zum ersten Mal, seit er dem Polizeidienst den Rücken zugekehrt hatte, fühlte Monk sich schäbig, weil er jetzt Verbrechen aufklärte, um sich seinen Lebensunterhalt zu verdienen, und nicht mehr, um Recht und Gesetz Geltung zu verschaffen. Das war nicht fair, denn er löste die Fälle, die andere Justizbeamte nicht lösten, und das hätte er Durban gerne gezeigt, aber jetzt hatte er dazu keine Zeit, und außerdem war das Motiv dafür nur Stolz.

»Meine Frau war als Krankenschwester auf der Krim«, sagte er grob. »Jetzt leitet sie in der Portpool Lane eine Klinik für kranke und verletzte Prostituierte.« Er sah, dass Durbans Geringschätzung wuchs. Monk musste sich zwingen, nicht die Hand auszustrecken und ihn daran zu hindern, dass er sich abwandte. »Vor ein paar Tagen hat Clement Louvain eine Frau zu ihr gebracht, die sehr krank war. Es sah nach Lungenentzündung aus. Gestern Nachmittag ist sie gestorben.«

Durban sah ihn inzwischen konzentriert an, aber seine Miene verriet immer noch eine gehörige Portion Skepsis. Er unterbrach Monk nicht.

»Als Hester ihren Leichnam waschen wollte« – Monk spürte, dass sein Atem rasselte, bitte, lieber Gott, lass Orme außer Hörweite stehen bleiben – »hat sie entdeckt, woran die Frau wirklich gestorben ist.« Er schluckte und musste beinahe würgen. Würde Durban die vernichtende Bedeutung dessen erkennen, was er sagte? Würde er begreifen?

Durban wartete mit zusammengezogenen Augenbrauen. Er hob eine Hand, um Orme, der die Treppe schon halb hinaufgekommen war, zu verstehen zu geben, er solle stehen bleiben.

Es war sinnlos, Ausflüchte zu machen. Wenn Monk die Sache nicht richtig anpackte, war es zu spät, es besser zu machen. »Pest«, flüsterte er, obwohl der Wind seine Worte Durban zutrug und nicht Orme. »Ich meine Beulenpest – den schwarzen Tod.«

Durban wollte etwas sagen, dann schwieg er jedoch. Er stand vollkommen reglos da, obwohl der Wind ihnen inzwischen wie Eis ins Gesicht blies. Die Luft um sie herum war immer noch klar. Über ihnen kreisten die Möwen, einige Barkassen fuhren mit der Tide langsam vorbei zum Pool hinauf.

»Pest?« Durbans Stimme klang heiser.

Monk nickte. »Der Rattenfänger hat mir gestern spätabends die Nachricht überbracht. Er kam zu mir nach Hause, und er wird es Margaret Ballinger sagen, die ebenfalls in der Klinik arbeitet, aber sonst niemandem. Wenn er dies täte, würde Panik ausbrechen. Die Leute würden möglicherweise sogar versuchen, sie auszuräuchern.«

Durban fuhr sich mit der Hand über das Gesicht. Plötzlich war er so blass, dass seine Haut fast grau aussah. »Wir dürfen sie nicht rauslassen!«

»Ich weiß«, sagte Monk leise. »Sutton hat seine Freunde bereits gebeten, die Zugänge zum Haus mit Pitbulls zu überwachen. Sie werden jeden zerfleischen, der versucht, das Gebäude zu verlassen.«

Durban rieb sich noch einmal mit dem Handballen über das Gesicht. »O Gott!«, flüsterte er. »Wer …«

»Niemand«, antwortete Monk. »Wir müssen selbst damit fertig werden. Margaret Ballinger wird draußen alles tun, was in ihrer Macht steht – ihnen Lebensmittel, Wasser, Kohle und Medikamente bringen und diese irgendwo abstellen, wo sie sie nach Einbruch der Dunkelheit holen können. Zumindest sind die Nächte um diese Jahreszeit lang, und die Portpool Lane ist gut beleuchtet. Hester und die Frauen, die dort sind, werden die Kranken pflegen … solange …« Er brachte es nicht über sich, den Satz zu vollenden, obwohl die Worte in seinem Kopf hämmerten: … solange sie noch leben.

Durban sagte nichts, aber in seinen Augen stand tiefes Mitleid.

Monk schluckte sein Entsetzen hinunter. Es war nicht die Angst vor der Krankheit, sondern davor, alles zu verlieren, was ihm lieb und teuer war. »Wir müssen herausfinden, woher es kommt«, fuhr er mit beinah fester Stimme fort. »Wir haben in England nicht die Pest. Die ›Maude Idris‹, auf der das Elfenbein hereinkam, ist eben von Afrika zurückgekehrt. Es ist Louvains Schiff. Louvain hat Ruth Clark in die Klinik gebracht.«

»Ja … verstehe«, antwortete Durban. »Sie kam womöglich von dem Schiff. Vielleicht wusste Hodge Bescheid, in dem Fall hätte sein Tod mehr mit der Pest zu tun als mit dem Diebstahl. Wie auch immer, wir müssen es herausfinden. Gütiger Himmel! Wenn die Pest sich einmal festsetzt, könnte sie das ganze Land überschwemmen! Die Frage ist, wer auf der ›Maude Idris‹ davon wusste? Und was ist mit Louvain?«

»Das weiß ich nicht«, räumte Monk ein. »Ich ... ich habe Gould versprochen, alles in meiner Macht Stehende zu tun, damit er nicht hängen muss, wenn er wirklich nichts mit Hodges Tod zu tun hat.«

»Hängen?«, sagte Durban ungläubig. »Allmächtiger Gott, Mann! Wenn das, was Sie sagen, stimmt, könnte die ganze Welt sterben, und zwar auf schlimmere Weise als am Strick – das ist ein brutaler, aber schneller Tod. Was bedeutet im Vergleich dazu das Leben eines Mannes?«

»Das werden wir nicht zulassen«, antwortete Monk mit zusammengebissenen Zähnen. Seine Stimme klang abgehackt, weil er anfing, am ganzen Körper zu zittern. »Hester wird mit ihnen in der Klinik bleiben. Niemand wird herauskommen, bevor nicht alles vorbei ist, falls dann noch jemand von ihnen lebt. Die Welt wird sich weiterdrehen, als wäre nichts geschehen. Und Gerechtigkeit wird immer noch eine Rolle spielen.«

Das Kielwasser der Barkassen klatschte gegen die Steine. »Sie und ich werden die Einzigen sein, die etwas mit Goulds Leben oder Tod zu tun haben und etwas darüber wissen«, fuhr Monk fort. »Hängen wir einen Unschuldigen? Wenn wir das tun, weil wir Todesangst haben, warum hängen wir dann nicht gleich zwei oder gar hundert? Wie viele unschuldige Menschen sind es wert, dass man versucht, sie zu retten?« Er hörte den deutlichen Zorn in seiner Stimme und wusste, dass dieser der Erleichterung entsprang, über etwas Erträgliches nachzudenken, etwas, was man begreifen konnte. »Wir müssen die Wahrheit auf jeden Fall herausfinden.«

Durban nickte sehr langsam mit düsterem Gesicht, dann ging er zu Orme und sprach mit ihm. Monk konnte nicht hören, was er sagte, aber er sah Ormes zustimmendes Nicken und sein besorgtes Stirnrunzeln, bevor er wieder zu den anderen Männern ins Boot stieg. Durban kam zurück.

»Was hat Louvain gesagt, wer die Frau ist?«, fragte er.

»Die abgelegte Geliebte eines Freundes.«

»Ist das wahr?« Durban sah Monk von der Seite an.

»Ich habe keine Ahnung. Könnte sein, könnte aber auch sein, dass sie seine Geliebte war.«

»Glauben Sie, dass er wusste, dass sie die Pest hatte?«

»Wenn sie die erste Pestkranke war, der er je begegnet ist, nicht. Als Hester sie aufnahm, dachte sie, es handle sich um Lungenentzündung.«

»Lungenentzündung ist tödlich«, meinte Durban.

»Ich weiß. Aber immer noch besser als die Pest.«

»Hören Sie auf, das Wort immer wieder in den Mund zu nehmen!«, fuhr Durban ihn an. »Sprechen Sie es nie wieder laut aus!«

Monk überhörte die Kritik. »Andererseits, wäre jemand auf seinem Schiff daran gestorben, hätte er es sicher gewusst«, fuhr er fort. »Aber wenn es auf See passiert wäre und die Mannschaft hätte diejenigen über Bord geworfen, ist nicht sicher, ob er es erfahren hätte. Gleiches gilt, wenn Hodge daran gestorben ist.«

Durban starrte Monk an. »Was sagen Sie da? Hodge hatte es im Stadium der Lungenpest, und jemand hat ihn umgebracht, damit er nicht an Land geht? Oder dass er daran gestorben ist und sie den Leichnam nicht über Bord werfen konnten, denn sie waren ja schon hier auf dem Fluss und haben ihm den Schädel eingeschlagen, damit sich niemand mehr so genau den restlichen Körper anschaut?«

»Möglicherweise Letzteres«, antwortete Monk. »Louvain kann gewusst haben, was passiert ist, oder auch nicht.«

»Wir müssen herausfinden, wessen Geliebte sie war.« Durbans Stimme klang drängend, scharf vor Angst. »Wer immer er auch ist, er könnte sich angesteckt haben. Aber was noch schlimmer ist, was ist mit der übrigen Mannschaft?«

»Louvain hat mir gesagt, dass er drei Leute abgemustert hat, und drei sind noch an Bord, jetzt, nachdem Hodge tot ist. Sie brauchen ein Boot mit Männern, um aufzupassen, dass die Matrosen auch an Bord bleiben. Erschießen Sie sie, falls notwendig«, antwortete Monk. »Es hat nicht viel Sinn, einen Arzt zu ihnen zu schicken, denn es gibt keine Heilung.«

»Wir dürfen sie auch nicht die Ladung löschen lassen«, meinte Durban gedankenvoll. Seine Gesichtsmuskeln spannten sich an, der Mund verzog sich zu einem dünnen Strich. »Ich lüge meine Männer nicht gerne an, aber ich kann ihnen unmöglich die Wahrheit sagen.« In seinen Augen lag eine Frage, kaum mehr als ein Flackern, als hoffte er noch, es gäbe noch eine andere Lösung und Monk würde sie ihm verraten.

»Sutton hat seinen Freunden erzählt, es sei Cholera«, antwortete Monk. »Vielleicht würden Ihre Leute das auch glauben?«

Durban nickte langsam. »Dann machen wir uns am besten gleich an die Arbeit. Wir dürfen keine Zeit vergeuden.« Er ging wieder zur Treppe hinüber und stieg hinunter, Monk folgte ihm dicht auf den Fersen.

Orme wartete auf sie. Er betrachtete Monk mit skeptischer Neugier, aber wenig Sympathie. Er wusste nicht, was er von der Sache halten sollte, doch er war misstrauisch.

Durban machte keine langen Ausflüchte. »Auf der ›Maude Idris‹ ist die Cholera«, erklärte er leise, ohne das geringste Zittern in der Stimme, als würde er ihnen tatsächlich die Wahrheit erzählen. »Wir müssen sie am Löschen der Ladung hindern, und von Bord darf niemand an Land, bis die Quarantäne wieder aufgehoben ist. Sie müssen die Mannschaft unter allen Umständen daran hindern, zur Not schießen Sie auch, aber so weit sollte es nicht kommen. Es dürfte nicht schwer fallen, dafür zu sorgen, dass sie keinen Platz am Kai bekommen. Darum kümmere ich mich. Wir fahren jetzt hinüber, um sie zu informieren. Danach bleiben Sie auf Distanz – verstanden?«

»Ja, Sir«, sagten die Männer.

»Sie werden abgelöst – acht Stunden im Dienst, acht Stunden frei. Lassen Sie sich durch nichts ablenken. Es ist äußerst wichtig, die Krankheit in Schach zu halten. Wenn Sie Zweifel haben, denken Sie einfach an Ihre Familien«, fuhr Durban fort. »Und jetzt lassen Sie uns den Fluss hinauffahren und uns an die Arbeit machen.« Er nahm seinen Platz im Boot ein und bedeutete Monk, ihm zu folgen. Die Ruderer bogen im gleichen Augenblick die Rücken durch und tauchten die Ruder tief ein.

Durban sagte nichts mehr, aber die anderen Männer verband eine Kameradschaft, und den ganzen Weg über wurden Witze und gutmütige Beleidigungen ausgetauscht. Aber als die »Maude Idris« in Sicht kam, konzentrierten sich plötzlich alle, als wären sie bereits mit der Krankheit konfrontiert.

Sie gingen längsseits, und Orme rief nach oben. Über der Reling tauchte Newbolts rasierter Kopf auf. »Wasserpolizei!«, rief Orme hinauf, und einen Augenblick später wurde die Strickleiter entrollt. Durban warf Monk einen Blick zu, dann stieg er hinauf. Monk folgte ihm und hörte, dass hinter ihm Orme ebenfalls hinaufkletterte.

Newbolt wartete an Deck auf sie. Er trug einen schweren Mantel, in dem er noch wuchtiger wirkte, aber sein Kopf war unbedeckt, und er trug auch keine Handschuhe.

»Was wollen Sie diesmal?«, fragte er ausdruckslos. Er suchte keine Entschuldigung und keine Erklärung, und Monk revidierte sofort sein Urteil über seine Intelligenz, womöglich auch über sein Wissen. Nur derjenige, der zu viel redete, lief Gefahr, sich zu verraten.

Durban stand reglos an Deck und glich die leichten Bewegungen des Schiffs mit natürlicher Anmut aus. »Wie viele Leute sind an Bord?«, fragte er.

»Drei«, antwortete Newbolt. Er schien noch etwas hinzufügen zu wollen, schwieg dann jedoch. In dem Augenblick war Monk sich sicher, dass er Recht hatte. Er schaute rasch zu Durban hinüber, um zu sehen, ob der es auch mitbekommen hatte, aber Durban hatte den Blick von Newbolt abgewandt.

»Drei«, wiederholte Durban. »Das wären mit Hodge also vier gewesen?«

»Richtig.«

»Wie groß ist die Mannschaftsstärke?«

»Sieben. Drei Männer wurden den Fluss runter abgemustert. Um hier aufzupassen, braucht es keine sieben Leute.« Er sagte nichts zu der Tatsache, dass das Elfenbein trotzdem gestohlen worden war und Hodge – auf welche Weise auch immer – den Tod gefunden hatte, und er fragte Durban auch nicht, warum er das wissen wollte. Der unerklärte Machtkampf war bereits in vollem Gange.

»Wer waren die drei, die abgemustert wurden?«, fragte Durban.

»Kapitän, Koch und Schiffsjunge«, antwortete Newbolt, ohne zu zögern.

»Namen?«

»Stope, Carter und Briggs«, sagte Newbolt. Er fragte auch diesmal nicht, warum Durban die Namen wissen wollte.

»Wo sind sie an Land gegangen?«

»In Gravesend.«

Es war Durban, der zögerte. »Kennen Sie ihre Vornamen?«

»Nein.« Newbolt blinzelte nicht und wandte sich auch nicht um, als der hagere Mann mit der Narbe in der Luke auftauchte. »Ich, Atkinson und McKeever sind noch an Bord.«

Durban fasste einen Entschluss. »Wir müssen mit Ihrem Kapitän sprechen.«

Newbolt zuckte die Schultern.

Durban blickte an ihm vorbei auf Atkinson. »War Stope Ihr Kapitän?«

»Ja«, antwortete Atkinson. »Er ist in Gravesend an Land gegangen. Kann inzwischen überall sein.«

»Hat er je erwähnt, wo er wohnt?«

»Nein«, mischte Newbolt sich wieder ein. »Kapitäne unterhalten sich nicht mit unseresgleichen, Kapitäne geben Befehle.«

»Und die anderen Männer?«, hakte Durban nach.

»Weiß nicht«, antwortete Newbolt. »Falls sie es mal erwähnt haben, habe ich es vergessen. Wahrscheinlich haben sie gar kein richtiges Zuhause. Sind doch die meiste Zeit auf See. Dachte doch, Sie von der Wasserpolizei wüssten das.«

»Kapitäne haben ein Zuhause«, antwortete Durban. »Manchmal sogar eine Frau und Familie. Wo ist McKeever?«

»Unten«, antwortete Newbolt. »Ihm geht's nicht gut. Wir hätten lieber ihn gehen lassen und den Koch dabehalten sollen!« Er grinste freudlos.

Durbans Miene erhellte sich. »Ich muss ihn sprechen.« Er schaute Atkinson an. »Bringen Sie mich runter.«

Monk trat vor, um ihn daran zu hindern, und Durban fuhr ihn an, er solle bleiben, wo er war. Atkinson warf Newbolt einen Blick zu und gehorchte dann. Orme und Newbolt blieben ebenfalls an Deck. Keiner sagte ein Wort.

Boote fuhren vorbei, am Himmel kreisten die Möwen. Sie hörten die Rufe der Männer, die am Ufer arbeiteten. Die Tide ging zurück, floss immer schneller an ihnen vorbei, Treibgut und Abfall mit sich spülend. Die Dreckspatzen versammelten sich an der Böschung. Orme warf Monk einen argwöhnischen Blick zu und schaute wieder weg.

Schließlich erschien Durban wieder in der Luke, Atkinson direkt hinter ihm. Durban ging mit leicht rollendem Gang und bleichem Gesicht zu Monk hinüber. »Nicht viel zu sehen«, sagte er knapp. »Wir könnten noch eine lange Suche vor uns haben.« Dann wandte er sich an Newbolt: »Man wird Ihnen einen Liegeplatz zuweisen. Bis dahin bleiben Sie an Bord.« Ohne weitere Erklärungen gab er Orme ein Zeichen und trat an die Reling.

Monk folgte ihm. Sie sprachen erst wieder, als das Boot sie an Land abgesetzt hatte und Orme und seine Männer zum Schiff zurückgekehrt waren, um Wache zu halten.

»Wenn Louvain sie in Gravesend abgemustert hat, können sie überall sein«, sagte Durban grimmig. »Wir haben viel Arbeit vor uns.«

»Er kann unmöglich gewusst haben, was es war«, sagte Monk. Sie gingen nebeneinander her zur Straße. »Kein vernünftiger Mann würde so etwas entfesseln, egal, wie hoch der Profit ist. Wenn die Krankheit sich ausbreitet, gibt es nichts mehr, keine Klipper, keine Fracht, keinen Handel und kein Leben. Louvain ist ein harter Mann, aber er ist nicht verrückt.«

»Er hat es nicht gewusst«, meinte auch Durban. »Jedenfalls nicht zu dem Zeitpunkt, als er die Männer abgemustert hat. Ich stimme Ihnen zu, dass er schlau ist, zeitweise auch brutal, aber er respektiert die Gesetze der See, er weiß, dass ein Mann gegen die Natur nicht gewinnen kann. Der Sieg wäre nur von kurzer Dauer, und Louvain hat mehr getan, als sich zu halten, er hat Gewinne gemacht und ein Imperium aufgebaut.« Er trat an den Bordstein, zögerte und ging über die Straße, indem er sich wieder südwärts wandte. »Er ist der Typ, der sich bereitwillig einer Geliebten entledigt, wenn sie ihn nicht mehr interessiert, was ich für wahrscheinlicher halte, als dass er sich um die abgelegte Freundin eines anderen Mannes kümmert. Aber ich würde trotzdem wetten, dass er nicht gewusst hat, was sie hatte, sonst hätte er etwas anderes getan, sie womöglich sogar umgebracht und sie mit ungelöschtem Kalk irgendwo beerdigt.«

Monk schauderte bei dem Gedanken, aber er glaubte dasselbe wie Durban. »Wir müssen diese Männer finden.«

»Ich weiß.«

»Wohin sind sie wohl?«

Durban warf ihm einen kühlen Blick zu. »Das ist zehn Tage her. Wo wären Sie, wenn Sie ein Jahr lang auf See gewesen wären?«

»Ich würde gut essen, mächtig viel trinken und mir eine Frau suchen«, antwortete Monk. »Außer wenn ich Familie hätte, dann würde ich nach Hause gehen.«

Durban kniff die Lippen fest zusammen. Er nickte, Wut und Kummer hielten ihn so fest im Griff, dass er kein Wort herausbrachte.

»Wie sollen wir das herausfinden?«, fuhr Monk fort. Sie hatten keine Zeit, Gefühlen nachzugeben, dafür war später Zeit – falls es ein Später gab.

»Wir besorgen uns ihre Namen«, antwortete Durban. »Das ist zumindest ein Anfang. Dann suchen wir sie.« Sein Gesicht war fast ausdruckslos, nur um den Mund herum lag eine schwache, fast verletzte Trauer, als begreife er, welches finstere Tal sie durchschreiten mussten.

Sie schwiegen auch, als sie sich auf dem schmalen Pflaster an Pfandleihern, Schiffszimmerleuten, Krämern, Seilern, Segelmachern, Metallwarenhändlern und Schmieden – all den Vertretern der Gewerbe am Ufer – vorbei ihren Weg bahnten. Sie waren gezwungen, stehen zu bleiben und zu warten, bis ein Mann vier prächtige schwere Zugpferde rückwärts durch eine enge Einfahrt manövriert hatte, wobei der Rollwagen, dessen Räder über die Pflastersteine holperten, in einem engen Bogen auf die Straße bog. Der Mann ging mit äußerster Konzentration vor und sprach die ganze Zeit mit seinen Tieren.

Ein Küfer beschwerte sich bitter über ein Fass, das nicht seinen Vorstellungen entsprach. Für Monk war der Zorn dieses Mannes wie ein winziger Funke Normalität, ein Aufblitzen der Welt, die ihm aus den Händen zu gleiten schien, egal, wie fest er sich auch an sie klammerte. Er stand am Rande eines Abgrunds, die Pest drohte, alles zu vernichten; ihre Verbreitung zu verhindern war alles, woran er denken konnte. In der Welt des Küfers war ein schlecht geratenes Fass schon eine Katastrophe.

Er warf Durban einen Blick zu und sah in dessen Augen einen Widerschein seiner eigenen Gedanken. Es war ein Augenblick vollkommenen Verstehens.

Dann hatte der Rollwagen das Tor passiert, und Durban schritt wieder aus, Monk dicht auf seinen Fersen.

Es war eine ermüdende Angelegenheit, die benötigten Informationen zu erfragen, ohne Verdacht zu erregen oder – was noch schlimmer gewesen wäre – das Misstrauen, ihre Nachforschungen stünden im Zusammenhang mit einem Verbrechen. Ein Hauch davon, und die Männer würden nicht nur verschwinden, sie würden auch am ganzen Fluss keine Hilfe mehr bekommen, alle Türen wären ihnen verschlossen.

Durban war unglaublich geduldig, schnappte hier und dort etwas auf, und so war es früher Nachmittag, als sie aus dem letzten Büro traten und alle Informationen hatten, derer sie habhaft werden würden: die Namen, Beschreibungen der drei Männer, die sie suchten, und was über ihre Herkunft, Lebensumstände und Vorlieben bekannt war.

Sie fingen in Gravesend an und arbeiteten sich den Fluss hinauf von einem Gasthaus zum nächsten vor, tranken hier ein halbes Pint Ale, aßen dort eine Pastete und mischten sich unter die Männer. Sie redeten über Schiffe, Reisen, die sie schon gemacht oder von denen sie gehört hatten, und hielten stets die Ohren offen, ob nicht einer der Namen fiel, und sie spähten umher, ob nicht einer der Männer den Beschreibungen entsprach. Durban hatte alles entfernt, was ihn als Polizisten auswies. Seine Mütze hatte er in die Tasche gestopft und den Kragen ein wenig schief hochgeschlagen. Er sah aus wie ein Schiffsoffizier, der schon ein paar Monate zu lange an Land war. Sie hörten nichts, was von Belang war. Niemand hatte einen der Männer von der »Maude Idris« gesehen.

Kurz nach fünf schwand das helle, strahlende Licht, und die Sonne ging in einem Meer aus Feuer über dem Wasser unter und blendete die Augen, dass es wehtat, nach Westen zu schauen. Kleine Wellen auf der Wasseroberfläche reflektierten silberne und goldene Blitze und bezeichneten das Kielwasser der Barkassen.

Monk und Durban betraten ein weiteres Gasthaus, um etwas zu essen und sich ein wenig zu wärmen, denn der Wind draußen nahm zu. Dass es notwendig war, weiter Ausschau zu halten, bedurfte keiner Verständigung. Kein Gedanke an zu Hause und ein warmes Bett, jede Stunde zählte, und noch hatten sie keine Spur.

Sie aßen schweigend, warfen sich ab und zu Blicke zu, lauschten den Gesprächen um sie herum, beobachteten, versuchten, kleine Bruchstückchen einer Unterhaltung aufzuschnappen, die sich namentlich auf einen Matrosen bezogen oder sich um jemanden drehte, der kürzlich von Afrika zurückgekommen war und ein neues Schiff suchte. Sie waren bereits eine Dreiviertelstunde dort und wollten allmählich wieder aufbrechen, als Monk einen Mann trocken und stoßweise husten hörte und merkte, dass er auch auf Gesprächsfetzen gelauscht hatte, in denen es um jemanden ging, der krank oder sogar gestorben war.

»Wohin gehen Männer, wenn sie krank sind?«, fragte er Durban kurz angebunden, als sie sich erhoben.

Durban drehte sich überrascht zu ihm um. »In ein Seemannsheim, wenn sie Glück haben, die anderen in irgendeine Absteige – wer Pech hat, sucht sich irgendeinen Schlupfwinkel.«

Monk wusste inzwischen, wie froh mancher über diese billigen Unterkünfte war, um aus dem Regen heraus zu sein und die Wärme anderer Körper zu spüren. Egal, wie schmutzig oder verlaust das Obdach war, es konnte den Unterschied zwischen Überleben und Erfrieren bedeuten.

Er gab keinen Kommentar dazu ab, Durban ebenso wenig. Für diese wenigen Stunden oder Tage waren sie beide Polizisten, die ein einziges Ziel verfolgten. Ihr Einvernehmen und ihr gemeinsames Vorhaben war ein Band, das stärker war als Bruderschaft.

Sie betraten die Seitengassen hinter den Docks und gingen von Haus zu Haus, fragten stets diskret, folgten jeder Auskunft über Männer, die krank waren oder womöglich mit Geld um sich schmissen. Sie nannten keine Namen, denn sie wollten niemanden warnen. Die Lügen gingen ihnen leicht und erfinderisch über die Lippen, weil die Notwendigkeit es gebot.

Gegen ein Uhr in der Nacht waren sie durchgefroren und erschöpft und hatten ein halbes Dutzend Spuren verfolgt, die im Nichts endeten. Durban stand in einer Gasse, in der der Wind durch die schmalen Schlitze zwischen den Häusern heulte, das Gesicht halb beleuchtet von einer Laterne, die an der Wand einer Absteige hing. Er zog die Schultern hoch und zitterte. Wortlos sah er Monk an.

»Eine noch?«, fragte Monk. »Wir könnten Glück haben. Irgendjemand muss sie gesehen haben.«

Durban bemühte sich, die Augen offen zu halten.

»Wir könnten auch hier schlafen.« Monk lächelte.

Durbans Miene entspannte sich, sein Blick wurde für einen Augenblick weicher. Er richtete sich auf, stampfte mit den Füßen auf, um den Kreislauf wieder in Gang zu bringen, und ging voran.

Die Besitzerin, eine dünne, hagere Frau mit müdem Gesicht und grauem Haar, das sich aus einem unordentlichen Knoten löste, wollte sie nicht hereinlassen. Dann sah sie das Geld in Monks Hand und änderte ihre Meinung.

»Sie müssen teilen!«, warnte sie die beiden. »Aber auf dem Boden ist sauberes Stroh, und sie sind aus dem Wind raus.« Sie nahm die paar Pence, steckte sie in eine tief in ihren voluminösen Röcken verborgene Tasche und führte sie dann in ein kleines Zimmer im hinteren Teil des Hauses. Es war so primitiv, wie sie es beschrieben hatte, und bereits von zwei Männern bewohnt, aber es war einigermaßen warm.

Monk suchte sich einen Platz auf dem Stroh, um sich hinzulegen, schob einiges davon zusammen, um eine Art Kissen zu haben, und versuchte zu schlafen. Müde genug war er, und vom Laufen durch endlose Gassen in der feuchten Luft und dem heftigen Wind, der vom Wasser her wehte, taten ihm sämtliche Muskeln weh. Er dachte frierend an sein Bett und daran, wie Hester neben ihm lag, nicht nur an ihren warmen Körper, sondern auch an die tiefere Wärme ihrer Gedanken, Träume, und diese Gedanken machten den stinkenden Raum mit seinen unruhigen, hoffnungslosen Männern zu einer regelrechten Hölle.

Er trieb in eine Art Halbschlaf, aber dieser dauerte nicht lange. Er fror zu sehr, und der Boden war zu kalt, um sich richtig zu entspannen. Er ertrug den Gedanken nicht, wo Hester jetzt war, wie viel schwerer sie es hatte, in wie viel größerer Gefahr sie schwebte. So lag er im Dunkeln, lauschte auf das Rascheln des Strohs und den schweren Atem der Männer und zwang sich, konzentriert nachzudenken.

Er setzte alles, was er wusste, zusammen und versuchte, einen Sinn darin zu finden. Wohin würde ein Matrose an Land gehen? In den Tavernen, Bordellen und Absteigen an diesem Flussabschnitt hatten sie es bereits versucht. Sie hatten eine Menge Männer getroffen, die denen von der »Maude Idris« ähnelten, aber nicht die Richtigen. War es eine aussichtslose Aufgabe, eine, der sich nur ein Verzweifelter oder ein Narr annahm?

Was waren ihre Alternativen? Überall Polizeikräfte mobilisieren und die Männer jagen, als wären sie Mörder, die frei herumliefen? Würde man sie so erwischen? Oder sie so weit in den Untergrund treiben, dass man sie niemals fand? Und wie viele Menschen würden sie inzwischen anstecken?

So trieben seine Gedanken dahin, als er plötzlich wieder wach war. Er hörte das Kratzen von Rattenpfoten und zuckte zusammen. Im Zimmer nebenan hustete jemand immer wieder rau und stoßweise. Sie suchten doch nach jemandem, der krank war! So fing die Pest doch an, oder nicht, in der Lunge, ähnlich wie Lungenentzündung? Ihm war zu kalt, um sich zu bewegen, aber eigentlich sollte er hinübergehen und nachsehen, ob das ein Mitglied der Mannschaft war oder womöglich sogar jemand, den sie bereits angesteckt hatten.

Zitternd und mit verspanntem Körper lag er zusammengerollt da, bis ein langer Hustenanfall von nebenan ihn zwang, sich herumzurollen und langsam aufzustehen. Er bahnte sich seinen Weg zwischen den schlafenden Männern hindurch zur Tür und trat in den schmalen Gang, der von einer Kerze auf einem Regal notdürftig beleuchtet wurde, damit die Männer, die sich erleichtern mussten, sich nicht verliefen oder stürzten und das ganze Haus weckten.

Monk trat an die Tür zum Zimmer nebenan, drehte sehr langsam den Türknauf und schob die Tür auf. Sie schwang leise knarrend weit auf. Er brauchte einen Augenblick, um sich an die Dunkelheit zu gewöhnen, dann ging er sehr leise um die schlafenden Männer herum, bis er zu dem kam, der sich mit hochgezogenen Schultern ruhelos hin und her warf und nur mit Mühe atmen konnte.

Monk beugte sich über den Mann und legte ihm die Hand auf die Schulter. Im nächsten Augenblick holte der Mann aus und langte Monk eine, dass dieser nach hinten stolperte und hart und unbeholfen auf dem Schlafenden hinter ihm landete. Der stieß einen wütenden Schrei aus, und im Nu war ein Tumult aus prügelnden Armen und Beinen entstanden. »Ein Dieb!«, rief jemand wütend.

Monk versuchte freizukommen, aber er war nur einer gegen ein halbes Dutzend. Er bekam im Großen und Ganzen das meiste ab und konnte seine Motive nicht erklären, und als eine Kerze in der Tür erschien, sah er Durbans gleichermaßen wütende wie amüsierte Miene. Im nächsten Augenblick wurde die Kerze auf einen Stuhl gestellt, und Durban schob sich mit Begeisterung zwischen die Streithähne und brüllte immer wieder: »Aufhören!« Er arbeitete sich zu der Stelle vor, wo Monk darum kämpfte, nicht bewusstlos geschlagen zu werden, ohne einem anderen das gleiche Schicksal angedeihen zu lassen.

Schließlich lehnte Monk sich gegen die Wand und versuchte, wieder zu Atem zu kommen, während der Mann mit dem Husten vornübergebeugt auf dem Boden saß und keuchte. Drei andere Männer warfen dem breit grinsenden Durban wütende Blicke zu.

»Ich will doch nur wissen …«, keuchte Monk, »… ob einer von Ihnen von der ›Maude Idris‹ kommt.«

»Und warum schleichen Sie sich dazu an wie ein verfluchter Dieb?«, wollte einer der Männer wissen.

»Ich wollte niemanden wecken!«, sagte Monk, der das ziemlich vernünftig fand.

Johlen und höhnische Spöttereien waren die Antwort.

»Und?«, rief Monk.

»Nie davon gehört«, antwortete ein anderer.

»Klar, hast du davon gehört, du Idiot!«, erwiderte der Mann

neben ihm. »Eines von Clem Louvains Schiffen. Ist gerade von Afrika zurückgekommen und noch nicht gelöscht.«

»Drei Männer haben sie in Gravesend abgemustert«, erklärte Durban ihm.

»Hab keinen von ihnen gesehen.« Der Mann schüttelte den Kopf.

»Stope, Carter und Briggs«, ergänzte Monk.

»Stope? Käpt'n Stope kenne ich, aber den hab ich schon über 'n Jahr nicht mehr gesehen. Verschwinden Sie jetzt, verdammt noch mal, hier, damit ich weiterschlafen kann!«

Monk warf noch einen Blick in die Gesichter der übrigen Männer, aber nichts deutete auf Schuld, Wiedererkennen oder irgendetwas anderes hin als Müdigkeit und Not. »Ja«, sagte er. »Natürlich.« Er nahm, als er an der Tür vorbeikam, die Kerze mit und folgte Durban nach draußen. Durch irgendein Wunder brannte sie immer noch, und Monk stellte sie wieder auf das Regal im Flur.

Er spürte, dass er mehrere Prellungen davongetragen hatte, aber dafür fror er nicht mehr. Durban lachte in sich hinein. Als sie an die Tür zu ihrem Zimmer kamen, warf er Monk einen Blick zu, und im flackernden Licht der Kerze strahlten seine Augen. Seine Miene sprach Bände.

Als Monk am Morgen aufwachte, war er steif, sämtliche Muskeln schmerzten. Er würde zweifellos überall blaue Flecken haben. Er blickte zu Durban hinüber und sah, dass dieser immer noch lächelte. Er zog die Schultern hoch und zuckte zusammen. Die ganze Episode war lächerlich, und sie hatten nichts erfahren, aber Monk spürte innerlich immer noch eine Wärme, die er vorher nicht empfunden hatte.

Das Frühstück bestand aus Porridge und Brot. Einzig Hunger hätte ihn dazu gebracht, es anzurühren. Aber im Tageslicht sahen sie ihre Zimmergenossen besser. Einer war ein stämmiger junger Mann mit grämlicher Miene. Der Ältere hatte eine pockennarbige Haut, und an einer Hand fehlten ihm zwei Finger. Er war ein großer Schwätzer, begierig, jedem von seinen

Abenteuern zu erzählen. Er war um Kap Hoorn gesegelt und öfter als ein Mal wegen seiner Erinnerungen an die Stürme an dieser berüchtigten Küste – das tobende Wetter, Wellen wie Berge, Winde, die einem die Luft aus den Lungen saugten, Küsten wie Albträume, die an Mondlandschaften erinnerten – zum Essen eingeladen worden. Er hatte Feuerland im tosenden Sturm umrundet, und dort hatte auch ein loses Fall seinen Arm zertrümmert. Der Schiffsarzt hatte den Knochen durchgesägt und den Stumpf kauterisiert, dabei hatte er nur eine halbe Flasche Rum zum Betäuben bekommen und ein Stück Leder zum Draufbeißen.

Monk beobachtete die Miene des Mannes und dann Durban, der ihm zuhörte. Er erkannte viele Gefühle: Respekt vor seinem Mut, Ehrfurcht vor der Größe und der Gewalt des Meeres, der Verwegenheit von Männern, die hölzerne Boote bauten und Segel setzten. Es schien eine unglaubliche Hybris zu sein – obwohl Durban das Wort womöglich nicht vertraut war, verstand er sicher die Vorstellung von Sterblichen, die den Göttern trotzten, um aus den Händen des Himmels Ruhm und Ehre zu erlangen. Monk sah auch eine Zärtlichkeit und eine bereitwillige Geduld, hinter der er eine tiefere Bedeutung vermutete.

Als sie das Haus verließen und an einem grauen, etwas milderen Morgen auf die Straße hinaustraten, stellte Monk die Frage, die ihm durch den Kopf ging.

»Ist Ihr Vater zur See gefahren?«

Durban schaute ihn zunächst überrascht und dann erfreut an. »Ziemlich deutlich, was?«

Monk erwiderte sein Lächeln. »Nur geraten.«

Durban sah nach vorn und wich Monks Blick aus, den er als zu bohrend empfand. »Fünfunddreißig in der Irischen See ertrunken. Ich erinnere mich heute noch an den Tag, an dem man uns die Nachricht brachte.« Er sprach leise, aber in seiner Stimme lagen eine Sanftheit und ein Schmerz, die er nicht verhehlen konnte. »Ich nehme an, Familien von Seeleuten rechnen immer halb damit, aber wenn man mit der Angst aufwächst und dann doch nichts passiert, braucht man lange, um zu glauben, dass es diesmal nicht nur ein Kratzer war. Die Angst ist zum Dauerzustand geworden, tagein, tagaus.« Er schob die Hände tiefer in die Taschen und ging schweigend weiter, denn er konnte davon ausgehen, dass Monk ihn ohne viele Worte und weitere Einzelheiten verstand.

Sie suchten weitere Absteigen auf, befragten Straßenhändler, besuchten Bordelle, Tavernen und Pfandleiher. Niemand konnte ihnen weiterhelfen. Einer kannte sogar die Familie des Schiffsjungen, und für anderthalb Stunden flammte Hoffnung auf, dass sie endlich doch einen Durchbruch erzielt hatten.

Aber er war nicht dort, und seine Familie hatte auch nichts von ihm gehört, seit das Schiff vor fast acht Monaten in Richtung Afrika in See gestochen war. Als Durban sagte, dass die »Maude Idris« vor Anker lag und die Leute abgemustert hatten, waren sie verwirrt und besorgt.

»Mach dir keine Sorgen, Mutter«, sagte sein älterer Bruder leise. »Er ist erwachsen. Er wird sich amüsieren. Wenn er davon genug hat, kommt er schon heim. Gewiss bringt er dir was Besonderes aus Afrika mit.«

Sie verließen die Familie in trüber Stimmung und wandten sich in südlicher Richtung den Fluss entlang. Der Druck und die Traurigkeit lasteten immer schwerer auf ihnen.

»Trafalgar«, sagte Durban, als er ein Schinkensandwich und ein Pint Ale in den Händen hielt. »Mein Großvater hat dort gekämpft. Nicht nur auf der ›HMS Victory‹, aber er erinnert sich an Nelson.« Er lächelte ein wenig befangen. »Da wollte ich zur See gehen.«

Monk wartete. Es wäre taktlos zu fragen, warum er es nicht getan hatte, denn die Erinnerung konnte schmerzlich sein. Durban würde darüber sprechen, wenn er das wollte.

Sie erreichten wieder das Wasser. Das klare Licht vom Vortag war grau verschleiert, in der Ferne schmutzig, als Regenschauer erst einen Teil des Horizonts verbargen, dann einen anderen. Es war nicht mehr so kalt, aber die Feuchtigkeit drang ihnen in die Knochen.

»Dann ist mein Bruder an Scharlachfieber gestorben«, sagte Durban einfach. »Also bin ich zu Hause geblieben.« Er richtete sich auf und ging zur Straße zurück, um ihre Suche fortzusetzen.

Monk folgte ihm. Er schwieg. Durban wollte kein Mitleid und keinen Kommentar, er hatte ihm einfach nur etwas aus seinem Leben erzählt, ein Akt des Vertrauens.

Sie suchten bis in die Nacht hinein, gelegentlich getrennt, meist aber zusammen, denn in dieser Gegend war es gut, jemanden dabeizuhaben, der einem den Rücken freihielt. Noch einmal wurden sie in einen kurzen Kampf verwickelt, und Monk war verdutzt, als er bemerkte, wie heftig er sich wehrte und dass er instinktiv mit dem vernichtenden Schlag rechnete.

Danach lehnten er und Durban sich schwer atmend in der Gasse an eine Mauer und lachten, aus keinem ersichtlichen Grund. Vielleicht wegen des unsinnigen Kampfes in der Absteige. Monk hatte weitere blaue Flecken und einen Schnitt in der Wange abbekommen, aber merkwürdigerweise hatten die Strapazen und sogar die körperlichen Schmerzen ihn belebt. Er schaute zu Durban hinüber und sah, dass sich in seinen Augen die gleiche Empfindung spiegelte.

Durban richtete sich auf, zog die Jacke glatt und fuhr sich mit den Fingern durch sein zerzaustes Haar. »Die Nächste?«, fragte er.

»Was Besseres fällt mir nicht ein«, antwortete Monk. »Glauben Sie, dass wir der Sache allmählich näher kommen?«

»Nein«, sagte Durban aufrichtig. »Sie scheinen verschwunden zu sein.« Er sprach nicht über seine Angst, dass sie direkt auf einem anderen Schiff angeheuert hatten oder womöglich bereits tot waren, aber auch Monk gingen diese Gedanken durch den Kopf.

»Wir haben die Todesfälle noch nicht überprüft«, sagte er.

»Ist schon erledigt«, antwortete Durban. »Als Sie mit den

Leuten in dem Bordell oben in der Thames Street gesprochen haben. Die Polizei hat alle identifiziert, auf die unsere Beschreibung passte.«

»Wie können Sie sich so sicher sein?«, zweifelte Monk.

»Weil sie ihre Toten kennen«, sagte Durban einfach. »Das heißt noch nicht, dass sie nicht tot sind, vielleicht sind sie bloß noch nicht gefunden und beerdigt worden.« Er schaute Monk mit kläglicher Miene an. »Kommen Sie, lassen Sie es uns beim Nächsten probieren.«

10

An dem Abend, an dem Monk Besuch von Sutton bekommen hatte, war Margaret in ihrem Schlafzimmer dabei, sich fertig zu machen, um wieder in die Klinik zu gehen. Sie wollte dafür sorgen, dass Hester wenigstens eine Nacht ungestört schlafen konnte. Sie saß an ihrer Frisierkommode, als ihre Mutter ganz kurz klopfte und, ohne zu warten, eintrat.

»Margaret, meine Liebe«, begann sie, während sie die Tür hinter sich schloss. »Du darfst die Hoffnung nicht aufgeben, weißt du. Du hast einen schwierigen Charakter und wahrlich eine unglückselige Zunge, aber du bist nicht unangenehm anzuschauen, und im Augenblick ist dein Ruf noch makellos.« Ihr Tonfall veränderte sich leicht. »Du stammst aus einer annehmbaren Familie mit unbefleckter Reputation. Nur ein wenig Sorgfalt und sehr viel mehr Diskretion, was deine Meinung angeht, ein Hauch mehr Sanftmut, und du könntest sehr glücklich werden. Deine Klugheit muss nicht dein Verderben sein, obwohl ich zugeben muss, dass ich mir Sorgen mache. Du scheinst ungewöhnlich wenig Sinn dafür zu haben, wo du sie entfaltest und bei welchem Thema!«

Margaret hätte gerne so getan, als wüsste sie nicht, wovon ihre Mutter sprach, aber da es schien, als habe Lady Horden ihre Drohung wahr gemacht, konnte sie nicht darauf hoffen, dass ihre Mutter ihr glaubte. Ihr wollte keine Antwort einfallen, die ihre Mutter zufrieden stellen würde, also sagte sie nichts, sondern fuhr fort, ihr Haar hochzustecken, ein wenig schief und am Hinterkopf zu stramm. Sie spürte, wie sich die Nadeln in ihren Kopf bohrten. Am Ende würde sie sie doch wieder herausnehmen müssen – was für eine Zeitvergeudung.

Der Tonfall ihrer Mutter wurde schärfer. »Aus der Tatsache, dass du schon wieder dieses schäbige blaue Kleid trägst, schließe ich, dass du vorhast, in diese jämmerliche Einrichtung im Elendsviertel zu gehen! Gute Taten sind sehr ehrenvoll, Margaret, aber sie sind kein Ersatz für ein gesellschaftliches Leben. Ich würde es sehr viel lieber sehen, wenn du dich in einer kirchlichen Einrichtung engagiertest. Dort gibt es viele angemessene Aufgaben, bei denen du mit Menschen arbeiten könntest, wohlerzogenen Menschen, deren Milieu und Interessen den deinen entsprechen.«

Wir diskutieren nicht darüber, dachte Margaret, du erklärst mir deine Ansichten, wie immer. Aber sie sagte nichts dergleichen. »Wir mögen aus dem gleichen Milieu stammen, Mama, aber wir haben nicht die gleichen Interessen. Und ich kümmere mich mehr darum, wohin ich gehe, als darum, woher ich komme.«

»Ich doch auch«, sagte Mrs. Ballinger in scharfem Ton und betrachtete sich im Spiegel. »Und wohin du steuerst, junge Dame, ist, dass du sitzen bleibst, wenn du nicht auf dein Betragen achtest und Sir Oliver dazu bringst, dass er dir bald einen Antrag macht. Er ist ganz besonders angenehm – meistens jedenfalls –, du könntest keinen Besseren kriegen, und er ist offensichtlich sehr angetan von dir. Aber es wird allmählich Zeit, dass er seine Absichten erklärt und mit deinem Vater spricht. Du musst nur weniger Zeit in dieser erbärmlichen Klinik verbringen und ihm mehr Aufmerksamkeit widmen. Und jetzt zieh diesen unkleidsamen Lumpen aus, nimm etwas in hübschen Farben, das dem Schnitt der Saison entspricht – dein

Vater stellt dir schließlich genügend Mittel zur Verfügung –, und geh zu einem gesellschaftlichen Ereignis, wo du gesehen wirst.« Sie holte tief Luft. »Nichts beschäftigt den Geist eines Mannes mehr als die Erkenntnis, dass er nicht der Einzige ist, der deine Qualitäten zu schätzen weiß.«

Margaret drehte sich um. Sie war dermaßen wütend, dass sie sich nur mit Mühe zurückhalten konnte, ihre Mutter anzufauchen. »Mama ...«

»Oh! Unten ist ein äußerst merkwürdiges Subjekt, das dich zu sprechen wünscht«, fuhr Mrs. Ballinger fort. »Ich ließ ihn in Mrs. Timpsons Wohnzimmer warten.« Mrs. Timpson war die Haushälterin. »Bitte sag ihm, er soll nicht noch einmal herkommen. Ich hätte auch diesmal nicht erlaubt, dass er hereinkommt, aber er bestand darauf. Er habe eine Nachricht von Mrs. Monk für dich. Ich finde, du solltest den Kontakt zu dieser Frau abbrechen. Sie ist nicht gänzlich achtbar. Dein Vater ist ganz meiner Meinung. Mr. ... wie immer er auch heißt ... wartet auf dich. Halte ihn nicht auf. Ich bin mir sicher, er muss noch Abflüsse sauber machen oder Ähnliches ...«

Margaret verspürte zu heftige Beklemmung, um sich die Zeit zu nehmen, auf die letzte Bemerkung näher einzugehen. Hester würde doch nur jemanden mit einer Nachricht zu ihr schicken, wenn etwas Schlimmes passiert war.

»Danke«, sagte sie schroff und eilte, ihre Mutter mitten im Schlafzimmer stehen lassend, mit schnellen Schritten hinaus. Sie ging durch die obere Tür in den Dienstbotenflügel und die Treppe hinunter zum Wohnzimmer der Haushälterin. Sie rechnete damit, dort auf Squeaky Robinson zu treffen, und war verdutzt, dass der Mann, der vor dem Feuer stand, nicht Squeaky war. Und doch hatte sie ihn schon einmal gesehen, sie konnte sich nur nicht erinnern, wann. Er war schlank, hatte breite Schultern und ein sehr müdes Gesicht, das von einer tief gehenden Besorgnis gezeichnet war.

»'n Abend, Miss«, sagte er, als sie die Tür hinter sich schloss. »Ich habe eine Nachricht für Sie, und sie ist nur für Sie und niemanden sonst bestimmt, was auch geschieht. Ich gebe zu, dass ich nur hier bin, weil ich muss, aber Miss Hester hat gesagt, ich müsste Ihnen die Wahrheit sagen und Ihnen in Gottes Namen das Versprechen abnehmen, dass Sie es niemandem sonst erzählen.«

Eine unbestimmte Furcht schnürte Margaret die Kehle zusammen. »Was ist los?« Jetzt wusste sie wieder, wer der Mann war: Sutton, der Rattenfänger. »Was ist passiert? Geht es Hester gut?«

»Ja, sozusagen«, antwortete er. »Aber in gewisser Weise geht's niemandem gut. Ich muss Ihnen etwas sagen, Miss, und Sie dürfen es niemandem weitererzählen, sonst könnte es für alle mit dem Tod enden.« Er hielt den Blick aufmerksam auf ihre Augen gerichtet, und in ihm lag eine Angst, die jetzt auch Margaret mit solcher Macht ergriff, dass sie kaum atmen konnte.

»Was ist los? Ich schwöre ... ich schwöre alles, was Sie wollen, sagen Sie es mir nur endlich!«

»Ruth Clark ist gestorben, Miss, aber nicht an Lungenentzündung, wie Sie alle gedacht haben, sondern an der Pest.«

»Pest?«, fragte Margaret ungläubig. »Sie meinen, wie in London sechzehnhundertfünfundsechzig, vor dem großen Feuer?«

»Nein, Miss, ich meine wie dreizehnhundertachtundvierzig, der schwarze Tod, der fast die halbe Menschheit ausgerottet hat.«

Einen hysterischen Augenblick dachte sie, er würde irgendeinen dummen Witz machen, dann sah sie die Wahrheit in seinen Augen und wusste, dass er es ernst meinte. Das Zimmer verschwamm vor ihren Augen. Bevor sie es merkte, stieß sie unbeholfen gegen einen Stuhl, fiel darauf und klammerte sich an die Lehne, um nicht in Ohnmacht zu fallen.

»Es tut mir Leid, Miss«, sagte Sutton. »Ich habe es Ihnen nur gesagt, weil ich muss. Sie können das Haus in der Portpool Lane nicht mehr betreten, und Miss Hester darf es nicht verlassen.«

Sie hob den Kopf, und die Konturen wurden wieder scharf.

»Reden Sie kein dummes Zeug, ich muss dorthin. Ich kann Hester doch nicht alleine mit so etwas zurechtkommen lassen!«

»Es gibt kein Zurechtkommen, Miss«, sagte er sehr ruhig. »Wir können nicht viel tun, außer dafür sorgen, dass sie Lebensmittel und Wasser bekommen, Kohle, Pottasche und einen Schluck Brandy. Und dass niemand das Haus betritt und auch nicht erfährt, warum. Das ist das Wichtigste, denn wenn sich die Nachricht verbreitet, wird so sicher wie das Amen in der Kirche jemand die Menge aufhetzen, und sie werden die Klinik stürmen und in Brand setzen. Feuer ist das Einzige, womit sich die Pest bekämpfen lässt, das weiß jeder. Sechzehnhundertsechsundsechzig hat das große Feuer von London die Lungenpest ausgerottet, aber Sie können nicht ganz England in Brand setzen.«

Sie starrte ihn an und wollte ihm nicht glauben, versuchte es dennoch – doch es wollte ihr nicht gelingen.

»Hier draußen sind Sie von größerem Nutzen«, sagte er plötzlich sehr freundlich. »Sie braucht draußen alle Hilfe, die sie bekommen kann. Und außer Ihnen hat sie niemanden. Mr. Monk hat alle Ermittlungen unterbrochen, um herauszufinden, woher die Pest kommt.«

»Louvain!«, sagte Margaret schnell. »Clement Louvain hat die Frau gebracht.«

»Ja, das weiß er. Aber er muss alles tun, was in seiner Macht steht, um denjenigen zu finden, bei dem sie sich angesteckt hat. Ich gehe in die Klinik und helfe dort.«

»Sie sind keine Krankenschwester!«, widersprach sie.

Seine Züge verhärteten sich. »In der Hinsicht kann ich nicht viel tun, aber es wird Tote geben, die man hinausbringen und für die man einen Beerdigungsplatz finden muss, ohne dass jemand sieht, woran sie gestorben sind. Und wir müssen die, die drin sind, daran hindern, das Haus zu verlassen ...«

»Wie wollen Sie sie daran hindern? Mit vorgehaltener Schusswaffe?«

»Nein, Miss, Männer mit Hunden sind viel besser. Die halten noch im Schlaf ein Auge offen, und die Hunde hören Schritte, die leiser sind als eine Schneeflocke. Ein Wort, und sie reißen Sie in Stücke. Pitbullterrier beißen Ihnen die Kehle durch, wenn sie müssen.«

»Wer? Welche Männer?«

»Freunde von mir«, sagte er freundlicher. »Sie tun keiner Seele etwas zuleide, wenn sie nicht müssen. Aber wir dürfen niemanden rauslassen.«

»Ich weiß ... ich weiß. Aber wenn sie nun ...«

»Sie wissen nicht, dass es die Pest ist. Sie glauben, es sei Cholera.«

Margaret beugte sich vor und legte den Kopf in die Hände. Das war zu schrecklich. Sie hatte in der Schule über die große Pest gelesen, aber es war etwas Unwirkliches gewesen, nur ein Datum, wie tausendsechsundsechzig die Schlacht von Hastings oder Waterloo achtzehnhundertfünfzehn. Es war Teil der Geschichte, ohne jede Bedeutung für die Gegenwart.

Jetzt war das plötzlich anders. Sie musste mutig sein. Sie musste genauso tapfer sein wie Hester, und sie musste handeln, ohne sich auf jemanden stützen zu können, nicht einmal auf Rathbone. Sie hob den Kopf und sah Sutton an. »Natürlich. Ich werde sofort anfangen, Spendengelder aufzutreiben, heute Abend noch. Sagen Sie Hester, ich tue alles, was in meiner Macht steht. Kommen Sie noch einmal wieder?«

»Nein«, sagte er einfach. »Wenn Sie Geld bekommen, kaufen Sie, was wir Ihrer Einschätzung nach brauchen können, und bringen es in die Portpool Lane. Sagen Sie den Männern, wer Sie sind. Sie bringen die Sachen dann zur Hintertür und stellen sie dort ab. Falls dort eine Nachricht für Sie hinterlegt ist, werden sie sie zu Ihnen bringen, Sie sollten also warten.«

»Verstehe. Vielen Dank, Mr. Sutton.« Sie stand auf und war überrascht, wie klar sie denken konnte.

In seinen Augen lag Bewunderung. »Keine Ursache, Miss.«

»Möchten Sie eine Tasse Tee, bevor Sie gehen? Und etwas zu essen?«

»Gerne, aber das wäre nicht schicklich, und ich habe keine Zeit. Aber es war sehr freundlich von Ihnen, mich zu fragen. Auf Wiedersehen, Miss.« Er trat müde mit leisem Schritt durch die Tür und war einen Augenblick später verschwunden.

Margaret ging langsam wieder nach oben. Sie hielt sich am Treppengeländer fest, um nicht zu fallen, und blieb auf den Treppenabsätzen stehen, als sei sie außer Atem. Sie spürte ihre Hände und Füße kaum, und der vertraute Raum mit dem chinesischen Wandschirm und der Schale mit Blumen verschwamm ihr vor den Augen. Pest! Ein Wort mit einer so ungeheuren Bedeutung, dass es die ganze Welt veränderte. War es wirklich richtig, draußen zu bleiben, wie er gesagt hatte, oder sollte sie dort drin sein und wirklich arbeiten, vor allem Hester unterstützen, damit sie mit dem Entsetzen nicht alleine war?

Nein. Für persönliche Schwächen war keine Zeit. Sie waren Truppen, die einem Feind gegenüberstanden, der keinen Unterschied kannte, der jedes menschliche Leben in Europa oder – was das anging – in der ganzen Welt auslöschen konnte. Die Bedürfnisse, das Verlangen und der Schmerz des Einzelnen spielten da keine Rolle. Sie musste draußen bleiben und Geld auftreiben, ihnen Vorräte bringen und daran mitwirken, dass sie nicht von jeglicher Hilfe abgeschnitten wurden. Sie sollte gleich anfangen. Es würde noch schwerer werden als früher, denn sie musste dabei ihre Zunge hüten. Sie konnte nicht einmal Rathbone die Wahrheit sagen, und dieses Schweigen würde sie große Überwindung kosten. Sie wusste jedoch, warum Sutton sie darum gebeten hatte.

Sie straffte die Schultern und ging zurück in ihr Zimmer. Ihre Schwester hatte sie eingeladen, am Abend mit ihr zu einer Verlobungsfeier zu gehen. Das Motiv war das Gleiche wie immer: Alle dachten nur ans Heiraten. Wenn Rathbone sie nicht genug liebte, um ihr einen Heiratsantrag zu machen und auch ihre Hingabe an die Klinik zu akzeptieren, würde sie unverheiratet bleiben und ihr Leben, so gut es ging, alleine in die Hand nehmen. Unmöglich, für einen sozialen Status oder finanzielle Sicherheit andere Freundschaften und die Freiheit des Geistes aufzugeben.

Doch heute Abend würde sie zu Kreuze kriechen und in Bezug auf die Einladung ihre Meinung ändern. Sie ging rasch nach unten, um ihre Mutter zu bitten, den Diener eiligst mit einer Nachricht zu Marielle zu schicken, sie möge auf sie warten. Sie würde so schnell wie möglich passend gekleidet in die Kutsche steigen.

Ihre Mutter war zu entzückt über ihren Sieg, um Margarets Sinneswandel zu hinterfragen, und tat ihr den Gefallen bereitwillig.

Margaret hatte sich geschmackvoller und modischer gekleidet als normalerweise, obwohl es eigentlich nicht ihrem Geschmack entsprach. Dieses Kleid in warmen Rosatönen und einer Spur Pflaumenblau hatte ihre Mutter ausgesucht, und es wirkte aufregender, als ihr lieb war, aber es würde Aufmerksamkeit auf sie ziehen, und das war genau das, was sie heute Abend brauchte. Sie bedankte sich so liebenswürdig wie möglich für Marielles ziemlich übertriebenes Kompliment und betrat das Fest mit hoch erhobenem Haupt und zusammengebissenen Zähnen.

Die Gastgeberin, eine große Dame voller guter Absichten, hieß sie sogleich willkommen. Sie zeigte ein bezauberndes Lächeln und trug ein Kleid nach der allerneuesten Mode.

»Wie entzückend, Sie bei uns zu haben, Miss Ballinger«, sagte sie, nachdem sie Marielle und deren Mann willkommen geheißen hatte. »Wir haben Sie viel zu lange nicht zu sehen bekommen.« Ihre weit aufgerissenen Augen und das neugierige Anheben der Stimme machten daraus eine Frage. Margarets langes Fernbleiben verlangte eine Erklärung.

»Ja, viel zu lange«, meinte Margaret und zwang sich zu lächeln. »Ich fürchte, ich war zu sehr mit Wohltätigkeitsarbeit beschäftigt, die mich so mit Beschlag belegt hat, dass ich gar nicht gemerkt habe, wie die Zeit vergeht.«

»Oh, gute Taten sind ganz sicher äußerst bewundernswert«, sagte die Gastgeberin rasch. »Aber Sie dürfen uns nicht gänzlich Ihrer Anwesenheit berauben. Und natürlich müssen Sie an Ihr eigenes Wohlergehen denken.«

Margaret wusste genau, was die Frau meinte. Es war die Pflicht einer jungen Frau, sich einen Ehemann zu suchen und nicht von ihren Eltern abhängig zu bleiben. »Sie haben sicher Recht«, antwortete sie und versuchte, nett und liebenswürdig dreinzuschauen, was ihr mehr abverlangte, als sie erwartet hatte. »Und dies hier ist so eine treffliche Gelegenheit, die uns alle erheben wird.«

»O ja!« Damit ging die Gastgeberin dazu über, das Lob ihres zukünftigen Schwiegersohns zu singen, ohne irgendeine Reaktion zu wünschen, außer vielleicht ein wenig Neid.

Sobald sie ein wenig Neid gezeigt hatte, entschuldigte Margaret sich und ging zusammen mit Marielle zur nächsten Gruppe weiter. Marielle stellte sie vor und ließ mit der größten Ungezwungenheit durchblicken, dass sie noch unverheiratet war.

Innerlich zuckte Margaret zusammen, aber da sie wusste, dass sie Marielles Hilfe brauchte, ertrug sie es, auch wenn es ihr schwer fiel. Ein- oder zweimal drohte es, unerträglich zu werden, als vor ihrem geistigen Auge Bilder von Hester mit aufgerollten Ärmeln und gelösten Haarsträhnen auftauchten. Sie sah ihr vom Schlafmangel vieler durchwachter Nächte und Tage erschöpftes Gesicht. Hester konnte weder die Kranken retten, noch vor dem Schrecken und dem Tod davonlaufen, selbst wenn sie es gewollt hätte. Sie saß in der Falle, vielleicht sogar so lange, bis auch sie dieser schrecklichsten aller Krankheiten erlag. Womöglich würde sie das Haus nie mehr verlassen und Monk und andere ihr nahe stehende Menschen nie mehr wiedersehen. Was bedeutete im Vergleich dazu schon ein wenig Peinlichkeit?

»Ich bin sicher, wir sind uns noch nicht begegnet, Miss Ballinger«, sagte der junge Mann zu ihr, der ihr als der Ehrenwerte Barker Soames vorgestellt worden war. Er hatte schlaffes braunes Haar und verbreitete eine leicht überlegene Aura guter Laune. Sein Tonfall enthielt die Aufforderung, doch zu erklären, warum nicht. Sein Freund Sir Robert Stark hörte nur halb zu, denn der größte Teil seiner Aufmerksamkeit galt einer jungen Dame mit kastanienbraunem Haar, die so tat, als beachte sie ihn nicht, während sie an ihrem Fächer herumnestelte.

Margaret zwang sich zur Aufmerksamkeit. Sie hätte ihn am liebsten mit einer kühlen Bemerkung verabschiedet, aber ihre Mission hatte Vorrang vor allem anderen, und so biss sie sich auf die Zunge. »Sind wir tatsächlich nicht«, antwortete sie mit einem bezaubernden Lächeln. »Ich würde mich sonst daran erinnern. Ich weiß stets, mit wem ich mich schon einmal über ernsthafte Themen unterhalten habe, und ich kann mir nicht vorstellen, dass Sie sich für Belanglosigkeiten interessieren.«

Er schien verdutzt. Das war sicher nicht die Antwort, die er erwartet hatte, und er brauchte ein paar Sekunden, um sich zu sammeln. »Also, nein, natürlich nicht. Ich ... ich interessiere mich für alle ... alle möglichen ernsten Themen.« Ernsthaftigkeit war die größte aller Tugenden, das wusste er ebenso gut wie sie. Die Erwähnung allein beschwor das Bild des alten und immer noch zutiefst betrauerten Prinz Albert herauf.

»Ohne Ernsthaftigkeit ist nichts von Wert, meinen Sie nicht?«, hakte sie nach. Und bevor er antworten und das Gespräch in eine andere Richtung lenken konnte, fuhr sie eilig fort: »Ich bin sehr engagiert im Sammeln von Spenden für Medikamente zur Versorgung der Armen und anderweitig Benachteiligten. Wir sind so unglaublich vom Glück begünstigt! Wir haben ein Zuhause, genug zu essen, Wärme, und wir haben die Mittel, um zu verhindern, dass wir in den Teufelskreis der Verzweiflung geraten.«

Er runzelte die Stirn, da er auf ein solch ernstes Thema nicht gefasst gewesen war. Er hatte es theoretisch auffassen wollen, und sie sprach von der Wirklichkeit. Ihm wurde unbehaglich zumute.

Sie merkte es daran, dass er das Gewicht leicht nach hinten verlagerte. Aber sie konnte sich Empfindlichkeiten nicht leisten, weder eigene noch in Bezug auf ihn. Sie warf kurz einen Blick durch den Raum mit seiner strahlenden, plaudernden Gesellschaft, den Frauen mit molligen Armen und roten Wangen und den Männern mit frisch rasierten Gesichtern. Einen Augenblick sah sie die Menschen, wenn sie die Krankheit nicht in Schach hielten: ausgezehrte Körper, Fieber, Verzweiflung, Kranke, denen sich niemand zu nähern wagte, um sie zu pflegen, Tote, die niemand beerdigte. In wenigen Wochen konnten diese Menschen hier tot sein, ihr Lachen verstummt.

Sie zwang sich, die Bilder zu vertreiben.

»Ich bewundere Großzügigkeit über alles«, fuhr sie fort. »Wie steht's mit Ihnen? Ich betrachte sie als höchste christliche Pflicht.« Jetzt war keine Zeit, allzu zimperlich zu sein. Sie fügte als letzte überraschende Wendung hinzu: »Natürlich alles innerhalb der Grenzen, die wir uns leisten können! Das Letzte, was ich möchte, ist, dass Leute glauben, sie müssten mehr geben, als sie sich erlauben können. Das wäre ziemlich unbarmherzig. Schulden zu haben muss sehr bedrückend sein.«

Der ehrenwerte Barker Soames warf seinem Freund einen flehentlichen, auf Rettung hoffenden Blick zu. Der Freund jedenfalls widmete Margaret inzwischen seine volle Aufmerksamkeit, und er empfand ein gewisses Vergnügen an der Situation.

»Für die Kranken, sagen Sie, Miss Ballinger? An welche spezielle Wohltätigkeitseinrichtung denken Sie? Ich vermute, in Afrika?«, fragte er.

»Nein, hier in London«, antwortete Margaret, jetzt sehr viel vorsichtiger. Sie fand es vollkommen in Ordnung, die Wahrheit ein wenig zurechtzubiegen – die Lage war verzweifelt genug –, aber sie wollte nicht dabei erwischt werden. »Für junge

Frauen und Kinder in der Gegend um die Farringdon Road. Eine Klinik, die Verletzte behandelt und im Augenblick versucht, vielen, die mit Lungenentzündung darniederliegen, zu essen und ein Dach über dem Kopf zu geben. Sehr freundlich, dass Sie sich so dafür interessieren.« Sie legte so viel Wärme in ihre Stimme, als hätte er ihr bereits eine Spende versprochen.

Er zögerte.

Sir Robert lächelte. »Wo dürfen wir spenden, Miss Ballinger? Könnten Sie dafür sorgen, dass es die richtigen Menschen erreicht, wenn wir es Ihnen anvertrauen?«

»Vielen Dank, Sir Robert«, sagte sie so erleichtert und dankbar, dass sie übers ganze Gesicht strahlte. Einen Augenblick lang war sie richtig hübsch. »Ich werde selbst Lebensmittel und Kohle kaufen, aber natürlich bin ich mehr als glücklich, Ihnen eine Quittung zu senden, damit Sie sehen, was wir mit dem Geld getan haben.«

»Dann rechnen Sie bitte mit fünf Pfund«, antwortete er. »Ich bin mir sicher, Soames kann mindestens noch einmal das Gleiche drauflegen, nicht wahr?« Damit wandte er sich an Soames, der ausgesprochen betroffen dreinschaute.

Margaret war das völlig gleichgültig. »Das ist sehr freundlich von Ihnen«, sagte sie rasch. »Damit kann viel Gutes getan werden.«

Soames gehorchte nur sehr zögernd. Margaret bewegte sich auf einer Welle des Triumphes weiter. Bei der nächsten Begegnung lief es nicht ganz so glücklich, aber als der Abend vorbei war, hatte man ihr eine erkleckliche Summe zugesagt.

Am Morgen des übernächsten Tages nahm sie das Geld, das sie inzwischen erhalten hatte, ging zum Kohlenhändler und kaufte eine ganze Wagenladung Kohle. Sie ging mit dem Mann, der sie auslieferte, in die Portpool Lane und zeigte ihm, wo er sie über die Rutsche von der Straße in den Keller kippen sollte.

Flache graue Wolken jagten über den Himmel, und Margaret stand im kalten Wind und starrte auf die Mauern des Hauses. Es war feucht und bitterkalt, und es roch nach Ruß und nach dem sauren Geruch der Kanalisation, aber die Luft war nicht infiziert. Margaret wurde von Schuldgefühlen gequält. Hester war nur wenige Meter entfernt, hinter diesen blanken Backsteinen, aber es hätte auch eine völlig andere Welt sein können. Margaret schaute zu den Fenstern hinauf und versuchte, einen Blick auf jemanden zu erhaschen, aber es war kaum mehr zu erkennen, als Licht und Schatten und hier und da eine Bewegung.

Der Wind brannte auf ihren Wangen. Sie wollte rufen, damit jemand hörte, wie sehr sie sich sorgte, aber das wäre nicht nur sinnlos, sondern obendrein auch sehr gefährlich. Langsam drehte sie sich um und ging zu dem Kohlenmann zurück. »Danke«, sagte sie einfach. »Ich gebe Ihnen Bescheid, wenn mehr gebraucht wird.«

Als Nächstes kaufte sie Hafermehl, Salz, zwei Gläser Honig, einen Sack Kartoffeln und mehrere Schnüre Zwiebeln und brachte sie einem der Männer, die diskret unter den Dachgesimsen im Hof in der Portpool Lane standen. Sie ging auch zum Fleischer und kaufte alle großen Knochen, die er vorrätig hatte. Auch diese brachte sie zu den Männern mit den Hunden, vierschrötigen Gestalten mit breiten Gesichtern, kräftigen Beinen und ungerührten Augen.

Am Abend nahm sie unhöflich kurzfristig eine Einladung zu einem Solokonzert an. Sie begleitete eine junge Frau, die eher eine Bekannte denn eine Freundin war, mit deren Eltern und Bruder. Es war eine peinliche Gesellschaft, aber sie war sich durchaus bewusst, dass der Erfolg des vorangegangenen Abends sich nicht oft wiederholen ließe. Sie hatte zwar eine erkleckliche Summe gesammelt, aber das Geld war bereits ausgegeben.

Die Musik entsprach nicht unbedingt ihrem Geschmack, und ihre Gedanken kreisten nur darum, wie sie mehr Unterstützung bekommen konnte, möglicherweise sogar jemanden rekrutieren konnte, der ihr half. Sie ließ sich in eine Reihe kurzer, unbefriedigender Gespräche hineinziehen und verlor schon den Mut, als sie während der zweiten Pause Sir Oliver entdeckte. Er stand bei einer Gruppe von Menschen, die in eine ernste Diskussion vertieft waren, offensichtlich in Begleitung eines Herrn mit stattlichen Ausmaßen und flaumigem grauem Haar. Sein Blick war jedoch auf Margaret gerichtet.

Sie freute sich sehr darüber, sein Gesicht zu sehen und zu spüren, dass er sich ihrer Gegenwart ebenso bewusst war wie sie sich seiner. Plötzlich schienen die Lichter heller zu strahlen, und der Raum wurde wärmer. Sie wandte den Blick ab, lächelte in sich hinein und ging in seine Richtung.

Zehn Minuten vergingen, bevor er sie seinem Gast vorstellen konnte, einem Mr. Huntley, der sowohl Mandant als auch ein guter Bekannter war. Mr. Huntley konnte mit jemand anderem ins Gespräch verwickelt werden, und dann war Margaret plötzlich allein mit Rathbone.

Er betrachtete ihr Kleid, dessen Farbe auch heute mehr ins Auge fiel als normalerweise und dessen Schnitt ihr auffallend schmeichelte. Sie sah seiner Miene an, dass er sich nicht sicher war, ob es ihm gefiel. Es war ungewohnt an ihr, und die Veränderung irritierte ihn.

»Sie sehen sehr gut aus«, bemerkte er und schaute ihr in die Augen, um zu sehen, ob hinter ihrer Antwort noch etwas anderes steckte.

Nur zu gerne hätte sie ihm erzählt, welche Gedanken und Ängste sie umtrieben, aber sie hatte Sutton versprochen zu schweigen. Rathbone würde sich sehr um Hester sorgen. Es war fast eine Lüge, ihm nichts zu sagen, aber sie stand im Wort.

»Mir geht es gut«, antwortete sie und erwiderte seinen Blick, jedoch ohne innere Aufrichtigkeit. Sie musste weitermachen. Es war unmöglich zu sagen, wie viel Zeit ihnen zum Reden blieb, denn bald würde die Musik wieder einsetzen, Huntley konnte zurückkehren, oder sie wurden von einem der vielen andern Gäste unterbrochen. »Aber ich bin sehr beschäftigt damit, genug Geld für die Klinik aufzutreiben.«

Er runzelte leicht die Stirn. »Erfordert das wirklich so viel ... so viel von Ihrer Zeit?« Er sagte »Zeit«, aber sie wusste, dass er vielmehr auf die Veränderung an ihr anspielte, die Zielstrebigkeit, mit der sie Kleider trug, die der Gesellschaft gefallen sollten und in denen sie auffallen wollte. Sie nahm an einer Festlichkeit teil, an der ihr nichts lag, und das wusste er. Das Vertraute an ihr entglitt ihm, und er war unglücklich. Wie gerne hätte sie ihm gesagt, warum es wichtiger war als alles andere, auch alles persönliche Glück.

»Im Augenblick schon«, antwortete sie.

»Warum? Was hat sich seit ein paar Tagen verändert?«, fragte er.

Was sollte sie darauf antworten? Sie hatte die Frage erwartet, dennoch war sie nicht darauf vorbereitet. Was auch immer sie sagte, es konnte nur eine Lüge sein. Wenn sie es ihm hinterher erklärte, würde er sie verstehen, oder hätte er erwartet, dass sie ihm vertraute? Er war stets in die Angelegenheiten der Klinik verwickelt gewesen, er war stolz auf die Klinik und auf das, was dort geleistet wurde, und er hatte es verdient, dass man ihm vertraute. Aber sie hatte es dem Rattenfänger – und damit eigentlich Hester – versprochen.

Er wartete mit wachsendem Unbehagen.

»Wir sind nur knapp bei Kasse«, sagte sie. »Große Rechnungen wollen bezahlt werden.« Eine Ausflucht. Sie sah augenblicklich an seiner Miene, dass er das wusste. Sie war nicht gut im Lügen, und sie hatte ihn noch nie zuvor angelogen. Ihre vollkommene Offenheit war eine der Eigenschaften, die er am meisten an ihr liebte, und sie erkannte klar, dass er ihr entglitt. Er war verletzt. Würde sie ihn wegen dieser Sache verlieren?

Sie wandte sich ab, die Kehle schnürte sich ihr zu, und in ihren Augen brannten Tränen. Wie lächerlich. Für solches Selbstmitleid war keine Zeit.

Er wollte etwas sagen, schwieg dann jedoch ebenfalls.

Sie sah ihn wieder an und wartete.

Plötzlich ging ein »Pst!« durch den Raum.

Huntley kam zurück. »Ich würde sagen, Sir Oliver, es geht gleich weiter. Glauben Sie, wir könnten uns entschuldigen, bevor … oh. Es tut mir sehr Leid, Miss … ehm … ich wollte nicht …« Er ließ den Satz unvollendet, weil er nicht wusste, wie er sich herauswinden sollte.

Zumindest ihm konnte sie helfen. »Keineswegs«, sagte sie und versuchte, zu lächeln. »Es ist ein wenig langweilig, nicht wahr? Ich glaube wirklich, die Flöte allein hat wenig Anziehungskraft.«

Erleichterung breitete sich auf seinem Gesicht aus. Die Spannung zwischen den beiden bemerkte er überhaupt nicht. »Haben Sie vielen Dank. Sie sind sehr verständnisvoll.« Er wandte sich Rathbone zu.

Dieser zögerte.

»Bitte.« Margaret wies in Richtung Ausgang, der Huntleys Gedanken so offensichtlich beherrschte. »Ich muss zu meiner Gastgeberin zurück, sonst wird sie meine mangelnde Begeisterung noch bemerken.«

Rathbone hatte keine Wahl, er musste Huntley begleiten und Margaret verletzt zurücklassen, als hätte sie eine Verbrennung erlitten.

Rathbone verbrachte einen elenden Abend und fuhr nach Hause, sobald er sich entschuldigen konnte. Margaret hatte sich irgendwie verändert, und das beunruhigte ihn zutiefst. In der Nacht wachte er, verwirrt und immer unglücklicher, mehrmals auf. Hatte er sich die ganze Zeit in ihr getäuscht? War sie nicht der zutiefst ehrliche Mensch, für den er sie gehalten hatte? Dabei war er sich bei ihr doch so sicher gewesen! Gewiss hatte die Klinik Rechnungen zu begleichen, aber so viele auf einmal und so große?

Selbst wenn das stimmte, war es nicht die ganze Wahrheit. Sie log. Er wusste nicht, warum oder in welchem Punkt, aber die Offenheit zwischen ihnen war verschwunden. Sie kleidete sich anders, gewagter, mehr wie alle anderen, als wäre es ihr wichtig, was die Gesellschaft von ihr hielt, der sie sich ohne ein Wort der Erklärung ihm gegenüber anpassen müsste.

Wieso war sie überhaupt zu diesem Konzert gegangen? Sie verabscheute solche gesellschaftlichen Anlässe doch genauso wie er. Er war nur dort gewesen, weil Huntley ihn eingeladen hatte und er aus Höflichkeit nicht hatte ablehnen können.

Der Morgen verlief kaum besser und brachte keine Ruhe in seine Gedanken. Er ging wie immer in sein Büro und stellte persönliche Angelegenheiten mit der disziplinierten Konzentration hintenan, die er sich im Laufe der Jahre angeeignet hatte. Aber alle Willensanstrengung, so mächtig sie auch war, konnte ihm nicht die Verwirrung und das Gefühl des Verlusts nehmen.

Es war ziemlich spät am Nachmittag, das Tageslicht schwand bereits, und Regen hatte eingesetzt, als sein Sekretär hereinkam und ihm meldete, Mr. William Monk wünschte, ihn zu sehen. Die Angelegenheit sei so dringlich, dass er sich durch die Tatsache, dass Sir Oliver für den Rest des Tages noch andere Verabredungen hatte, nicht hatte abwimmeln lassen. Er wollte einfach nicht gehen und sich nicht einmal hinsetzen.

Rathbone schaute auf seine Uhr. »Sie sollten Mr. Styles ersuchen, einen Augenblick Geduld zu haben. Bitten Sie ihn um Verzeihung, und sagen Sie ihm, es habe einen Notfall gegeben. Und dann schicken Sie Mr. Monk herein, aber sagen Sie ihm, dass ich höchstens zehn Minuten für ihn habe.«

»Ja, Sir Oliver«, sagte der Sekretär gehorsam, doch mit geschürzten Lippen. Er hieß die Verschiebung von Verabredungen nicht gut, besonders solche mit zahlenden Mandanten. Und zu diesen gehörte Monk nicht. Aber er nahm auch bereitwillig Anweisungen entgegen, und Gehorsam war ihm oberste Lebensregel, also tat er, wie ihm geheißen.

In dem Augenblick, in dem Monk durch die Tür trat, wusste Rathbone, dass es sich bei der Angelegenheit, die Monk zu ihm geführt hatte, um etwas sehr Ernstes handeln musste.

Monk war kaum wiederzuerkennen. Seine Eleganz war dahin, er sah eher aus wie jemand, der harte Zeiten durchmachte und womöglich mit Kriminellen in Berührung gekommen war. Seine Hose war formlos, seine Stiefel eher stabil als elegant zu nennen, seine Jacke die eines Arbeiters und eindeutig schmutzig und mit einem Riss am Ärmel.

All das registrierte Rathbone jedoch nur mit einem raschen Blick. Was ihn wirklich erschreckte und seine Aufmerksamkeit fesselte, war Monks Gesicht. Die Haut unter den dunklen Bartstoppeln war kreidebleich, und die Augen lagen tief in ihren Höhlen, die Schatten darum sahen fast aus wie blaue Flecken.

Monk schloss selbst die Tür hinter sich, da er den Sekretär bereits weggeschickt hatte. »Vielen Dank«, sagte er einfach.

Rathbone war bestürzt. Margaret hätte ihm doch sicher gesagt, wenn Hester etwas zugestoßen wäre? Aber sie hatte am Abend zuvor nichts erwähnt.

»Was ist los?«, fragte er ein wenig barsch.

Monk atmete tief durch, aber er setzte sich nicht, als wäre ihm die kleinste körperliche Behaglichkeit unmöglich. »Ich habe einen Auftrag am Fluss angenommen«, sagte er rasch, als habe er sich bereits zurechtgelegt, was er sagen wollte. »Am einundzwanzigsten Oktober, um genau zu sein. Ich sollte Elfenbein wiederfinden, das von der ›Maude Idris‹ gestohlen wurde, während sie auf dem Fluss vor Anker lag und auf einen Liegeplatz zum Löschen wartete.«

Rathbone war verdutzt, solche Aufträge übernahm Monk normalerweise nicht. Entweder hatte er jemandem einen Gefallen geschuldet, oder er hatte so unter finanziellem Druck gestanden, dass er hatte annehmen müssen.

»Warum wurde nicht die Wasserpolizei gerufen?«, fragte er. »Die Männer sind gut und ziemlich ehrlich, solange man sich von den Zollleuten fern hält. Es gibt immer Lumpen, aber die sind dünn gesät.«

Ein Schatten huschte über Monks Augen. »Als der Diebstahl entdeckt wurde, fand man auch die Leiche des Matrosen, der in der Nacht Wache gehalten hatte, mit eingeschlagenem Schädel.«

»Einen Augenblick«, unterbrach Rathbone ihn. Er spürte Monks Anspannung so mächtig wie etwas Lebendiges, aber nach Diebesgut zu suchen statt einen Mord zu melden und zu verfolgen, sah Monk so wenig ähnlich, dass er sicher sein wollte, auch alle Fakten mitbekommen zu haben. »Wollen Sie sagen, der Mann wurde von den Dieben umgebracht, oder nicht? Hat der Schiffseigner versucht, den Mord zu vertuschen? Um wen handelt es sich überhaupt?«

»Ich berichte Ihnen die Fakten!«, fuhr Monk ihn an. »Hören Sie mir einfach zu!« Seine Stimme erstickte fast in Gefühlen. Befangenheit flackerte kurz auf und verschwand wieder. Er entschuldigte sich nicht mit Worten, aber der Blick war deutlich gewesen. »Clement Louvain. Er hat mir die Leiche gezeigt, der Mann hieß Hodge. Er hatte ein Loch im Hinterkopf. Ich habe den Balken im Laderaum gesehen, wo er gefunden wurde, und dort war nur sehr wenig Blut. Ich war mir nicht sicher, ob das vielleicht daran lag, dass er in Wahrheit an Deck umgebracht und dann nach unten geschafft worden war, aber auch an Deck fand ich kein Blut. Man sagte mir, er habe einen Wollhut getragen, der womöglich das meiste Blut aufgesaugt hat.« Monk atmete tief duch. »Hodge wurde anständig beerdigt. Aber der Leichenschauhauswärter hat einen Bericht über die Verletzungen verfasst, und er und der Schiffseigner gaben mir schriftlich ihr Wort, dass sie, sobald das Elfenbein gefunden wäre, dafür sorgen würden, dass Hodges Mörder verfolgt und vor Gericht gestellt wird. Louvain musste nur zuerst sein Geld bekommen, sonst hätte er alles verloren.«

Das konnte Rathbone unmöglich glauben. »Warum …?«, fing er an.

Monk unterbrach ihn. »Wenn sein Konkurrent den Klipper erwirbt, der zum Kauf kommt, ist er bei jeder Reise der Erste, der zu Hause ist. Wer zuerst da ist, bekommt den besseren Preis, der zweite bekommt, falls überhaupt, nur noch den Rest.«

»Verstehe.« Allmählich begriff Rathbone die Zusammenhänge. »Und jetzt hat er die Angelegenheit wieder aufgenommen, und Sie möchten, dass ich sie gerichtlich verfolge?«

Der Hauch eines Lächelns zuckte um Monks Lippen, aber so grimmig, dass es schlimmer war, als hätte er überhaupt nicht gelächelt. »Nein. Gould ist in Haft. Er hat mich zu dem Elfenbein geführt, und er gibt zu, dass er derjenige war, der an Bord und unter Deck gegangen ist. Sein Komplize blieb im Boot, er kann Hodge nicht umgebracht haben, er wusste ja nicht einmal, dass er dort war. Aber Gould schwört, dass Hodge zwar tot, aber unverletzt war, als er auf ihn stieß. Gould dachte zunächst, Hodge sei stockbesoffen. Ich glaube ihm. Und ich habe ihm versprochen, ihm den besten Verteidiger zu besorgen, den ich finden würde.«

Das wühlte Rathbone zutiefst auf. Monk war alles andere als leichtgläubig, und diese Geschichte erschien auf den ersten Blick völlig absurd. Es musste noch etwas von allergrößter Bedeutung geben, was Monk ihm nicht anvertraute. Warum nicht? Rathbone lehnte sich gegen seinen Schreibtisch. Es war unbequem, aber da Monk stehen geblieben war, wollte er sich auch nicht setzen. »Warum glauben Sie ihm?«, fragte er.

Monk zögerte.

»Ich kann Ihnen nicht helfen, wenn Sie mir nicht die ganze Wahrheit sagen«, sagte Rathbone mit einer Schärfe, die ihn selbst überraschte. Die Düsterkeit, die Monk umgab, beunruhigte ihn, obwohl er nichts anderes gehört hatte als die Geschichte eines ganz gewöhnlichen Diebstahls und eines unaufgeklärten Mordes. Das war es – warum sollte ausgerechnet Monk auf diese Weise einen Mord vertuschen? »Die ganze Wahrheit!«, forderte er barsch. »Um Himmels willen, Monk, wissen Sie immer noch nicht, dass Sie mir vertrauen können?«

Monk zuckte zusammen. »Sie wissen nicht, um was Sie mich da bitten.« Jetzt sprach er mit leiser Stimme. In seinen Augen, die tief in ihren Höhlen lagen, war blankes Entsetzen.

Rathbone war ernsthaft besorgt. »Ich bitte Sie um die Wahrheit.« Seine Kehle war so eng, dass er die Worte herauspressen musste. »Warum glauben Sie, dass der Mann unschuldig ist? Nichts von dem, was Sie bislang gesagt haben, ergibt einen Sinn. Wenn er Hodge nicht umgebracht hat, wer dann? Und warum? Wollen Sie andeuten, es war einer aus der Mannschaft oder gar der Schiffseigner selbst?« Er fuhr ruckartig mit den Händen nach oben und durchschnitt die Luft. »Warum sollte er das tun? Warum sollte ein Schiffseigner sich um einen seiner Matrosen scheren? Um was geht's hier? Erpressung, Meuterei, etwas Persönliches? Was sollte einen Schiffseigner persönlich mit einem Matrosen verbinden? Halb blind bin ich Ihnen nicht von Nutzen, Monk.«

Monk stand vollkommen reglos da, doch der Kampf, der in ihm tobte, zeigte sich einen Augenblick lang so deutlich, dass Rathbone nur dastehen und ihm zusehen konnte, hilflos und mit einer kalten Faust im Magen.

Der Sekretär klopfte.

»Noch nicht!«, sagte Rathbone angespannt.

Monk richtete seinen Blick auf ihn, sein Gesicht war noch weißer als zuvor. »Sie müssen mir zuhören …«, sagte er heiser, und seine Stimme war kaum mehr als ein Flüstern.

Rathbone spürte, wie ein eisiger Schauder ihn durchfuhr. Er schob sich an Monk vorbei zur Tür, öffnete sie und rief nach dem Sekretär. Der Mann erschien fast augenblicklich.

»Sagen Sie meine restlichen Termine für heute ab«, erklärte Rathbone ihm. »Ein Notfall. Bitten Sie um Entschuldigung, und sagen Sie den Leuten, dass ich sie zum nächstmöglichen Zeitpunkt empfange.« Er sah, dass der Mann vor Bestürzung und Entsetzen das Gesicht verzog. »Machen Sie schon, Coleridge«, befahl er ihm. »Sagen Sie ihnen, es tue mir Leid, aber es handele sich um Umstände, die außerhalb meines Einflusses liegen. Und unterbrechen Sie mich nicht mehr und kommen Sie auch nicht mehr an meine Tür, bis ich nach Ihnen schicke.«

»Alles in Ordnung mit Ihnen, Sir?«, fragte Coleridge tief besorgt.

»Ja. Richten Sie nur meine Nachricht aus. Vielen Dank.« Ohne abzuwarten ging er zurück in sein Büro und schloss die Tür. »Und jetzt ...«, sagte er zu Monk, »... sagen Sie mir die Wahrheit.«

Monk schien zu einem Ergebnis gekommen zu sein. Er setzte sich sogar, als habe ihn nun doch die Erschöpfung übermannt. Er war so aschfahl, dass Rathbone fürchtete, er sei krank. »Brandy?«, fragte Rathbone.

»Noch nicht«, lehnte Monk ab.

Diesmal war es Rathbone, der sich nicht setzen konnte.

Als Monk begann, schaute er nicht Rathbone an, sondern richtete den Blick irgendwo in die Ferne. »Kurz nachdem Louvain mich beauftragt hatte, brachte er eine Frau in die Klinik in der Portpool Lane. Ich weiß nicht, ob er durch mich von Hester erfahren hat oder ob er die Klinik vorher schon kannte und das der Grund war, warum er mich beauftragt hatte. Unterbrechen Sie mich nicht! Er sagte, die Frau sei die abgelegte Geliebte eines Freundes, was stimmen mag oder auch nicht.« Er fuhr sich mit der Hand über das Gesicht. »Vor drei Tagen kam am Abend ein Rattenfänger namens Sutton mit einer Nachricht von Hester zu mir nach Hause.« Nun sah er Rathbone an, und der Schmerz in seinen Augen war beängstigend. »Die Frau, Ruth Clark, war gestorben, und als Hester sie waschen und ankleiden wollte, entdeckte sie unter ihren Achselhöhlen und in der Leistengegend schwarze Schwellungen.«

Rathbone hatte keine Ahnung, wovon er sprach. »Schwarze Schwellungen?«, fragte er.

»Beulen«, antwortete Monk mit überschnappender Stimme. »Von da kommt auch das Wort ›Beulenpest‹.« Er schwieg.

Die Stille war so dicht wie Nebel, während die Bedeutung dessen, was er gehört hatte, allmählich in Rathbones Bewusstsein drang und ihn mit unbeschreiblichem Entsetzen erfüllte.

Monk starrte ihn an.

»Beulenpest?«, flüsterte Rathbone. »Sie meinen ... doch nicht ...« Er konnte es nicht aussprechen.

Monk nickte fast unmerklich.

»Aber ... aber das ist ... mittelalterlich ... es ist ...« Rathbone unterbrach sich erneut, er konnte es einfach nicht glauben. Er bekam keine Luft, sein Herz hämmerte wie wild, und das Zimmer schwankte unter seinen Füßen und verschwamm ihm vor den Augen. Er versuchte, sich am Tisch festzuhalten, und kippte zur Seite und landete hart und unbeholfen auf einem Stuhl, wobei er sich sicher ein paar blaue Flecken zuzog. »Das können sie unmöglich ... jetzt haben! Wir leben im Jahr achtzehnhundertdreiundsechzig! Was sollen wir tun? Wie behandelt man es? Wem sollen wir es sagen?«

»Niemandem!«, sagte Monk heftig. Er saß zwischen Rathbone und der Tür und wirkte, als sei er entschlossen, ihn mit Gewalt daran zu hindern, den Raum zu verlassen, wenn das notwendig sein sollte. »Um Gottes willen, Rathbone: Hester ist da drin! Wenn das bekannt wird, stürmt der Mob das Haus und setzt es in Brand! Sie werden alle bei lebendigem Leibe verbrennen!«

»Aber wir müssen es jemandem sagen!«, widersprach Rathbone. »Den Behörden. Ärzten. Wir können es nicht behandeln, wenn niemand davon erfährt!«

Monk beugte sich vor und sagte mit zitternder Stimme: »Es gibt keine Behandlung! Entweder überlebt man, oder man überlebt nicht. Alles, was wir tun können, ist, Geld aufzubringen und Essen, Kohle und Medikamente für sie zu kaufen. Wir müssen die Krankheit um jeden Preis unter Kontrolle halten. Wenn uns das nicht gelingt, wenn auch nur ein Mensch, der sich angesteckt hat, nach draußen kommt, wird sie sich in ganz London, in England und dann in der ganzen Welt ausbreiten. Im Mittelalter, vor dem britisch-indischen Reich und der Entdeckung Amerikas, hat sie allein in Europa fünfundzwanzig Millionen Menschen getötet. Stellen Sie sich vor, was heute passieren würde! Verstehen Sie, warum wir es niemandem sagen dürfen?«

Es war unmöglich, zu schrecklich, um es zu begreifen.

»Niemandem!«, wiederholte Monk. »Männer mit Pitbullterriern patrouillieren Tag und Nacht, und jeder, der versucht, das Gebäude zu verlassen, wird in Stücke gerissen. Verstehen Sie jetzt, warum ich herausfinden muss, ob die Krankheit auf der ›Maude Idris‹ ins Land kam und ob Hodge an der Pest gestorben ist und man ihm den Schädel eingeschlagen hat, damit niemand auf die Idee kommt, nach einer anderen Todesursache zu forschen? Er wurde direkt beerdigt. Ich glaube nicht, dass Louvain über ihn oder Ruth Clark Bescheid wusste. Ich muss die Ansteckungsquelle finden. Ich kann nicht zulassen, dass Gould für etwas gehängt wird, was er nicht getan hat, aber ich darf um keinen Preis, nicht einmal um den seines Lebens, sagen, was ich weiß. Verstehen Sie?«

Rathbone war es fast unmöglich, sich zu bewegen oder etwas zu sagen. Das Zimmer schien weit weg von ihm zu sein, als träumte er. Monks Gesicht war das Einzige, was sich nicht bewegte, gleichzeitig vertraut und furchtbar. Sekunden verstrichen, und er hoffte, jeden Augenblick verschwitzt und in die Laken verheddert aufzuwachen.

Es geschah nicht. Er hörte Hufgeklapper auf der Straße draußen und das Zischen der Kutschenräder im Regen. Jemand rief etwas. Es war alles real. Es gab keine Rettung, kein Entkommen.

»Verstehen Sie?«, wiederholte Monk.

»Ja«, antwortete Rathbone schließlich. Und tatsächlich begriff er allmählich. Niemand konnte helfen, niemand. Er runzelte die Stirn. »Und sie können wirklich nichts tun? Die Ärzte? Nicht mal heute?«

»Nein.«

»Was soll ich tun?« Er weigerte sich, es sich bildlich vorzustellen, denn das war mehr, als er ertragen konnte. Er musste sich beschäftigen. »Haben Sie gesagt, der Mann – der Dieb, meine ich – heißt Gould?«

»Ja. Er ist in Wapping. Der zuständige Polizist heißt Durban. Er kennt die Wahrheit.«

Rathbone war erschüttert. »Die Wahrheit? Sie meinen, er weiß, ob Gould Hodge umgebracht hat oder nicht?«

»Nein! Er weiß, woran Ruth Clark gestorben ist!«, sagte Monk barsch. »Er weiß, dass wir die restliche Mannschaft von der ›Maude Idris‹ finden müssen. Wir haben zusammen nach den Männern gesucht und bislang noch keine Spur von ihnen entdeckt.«

»Allmächtiger Gott! Sind sie etwa nicht mehr auf dem Schiff?«, rief Rathbone aus.

»Nein. Drei wurden in Gravesend abgemustert. An Bord ist nur eine Restmannschaft zurückgeblieben, vier Leute einschließlich Hodge. Man ging davon aus, vier Leute würden ausreichen, um die Ladung zu bewachen, bis sie gelöscht werden kann«, antwortete Monk.

Rathbone schluckte, das Herz schlug ihm bis zum Hals. »Sie können überall sein! Und ...« Es kam ihm nicht über die Lippen.

»Deswegen kann ich im Augenblick nicht nach der Wahrheit suchen, um Gould zu entlasten«, antwortete Monk und sah Rathbone unverwandt an.

Rathbone fragte sich, was das Leben eines Mannes für eine Rolle spielte, wenn der ganze Kontinent vom Aussterben bedroht war, und zwar auf abscheulichere Weise, als man es sich selbst in den schlimmsten Albträumen ausmalen konnte. Dann wusste er, dass es auf seine Weise das bisschen Normalität war, an das er sich klammern musste. Es war die eine Sache, die vielleicht in ihrer Macht lag und in der sie sich an Vernunft und Hoffnung halten konnten. Als er sprach, war seine Stimme heiser, als täte ihm der Hals weh. »Ich tue, was ich kann. Ich werde ihn besuchen. Selbst wenn ich nicht herausfinde, wer Hodge umgebracht hat, kann ich doch vielleicht zumindest begründete Zweifel wecken. Aber kann ich denn sonst nichts tun? Irgendetwas ...«

Monk blinzelte. Seine Miene verriet nicht einmal den Hauch seiner sonst so häufig aufblitzenden Belustigung.

»Wenn Sie an irgendeinen Gott glauben, ich meine, wirklich glauben und nicht nur sonntags pflichtgemäß in die Kirche gehen, dann könnten Sie vielleicht beten. Abgesehen davon, wahrscheinlich nichts. Wenn Sie Ihre Freunde um Geld für die Portpool Lane bitten und Sie das noch nie vorher getan haben, werden sie vielleicht hellhörig, das können wir nicht riskieren.«

Rathbone erstarrte. Margaret ging vielleicht zur Klinik. Er spürte, wie ihm das Blut aus den Adern wich. »Margaret ...«, flüsterte er.

»Sie weiß es«, sagte Monk leise. »Sie geht nicht rein.«

Rathbone begriff allmählich das ganze Ausmaß des Entsetzlichen. Hester war in der Portpool Lane, eingesperrt und aller menschlichen Hilfe beraubt. Monk wusste es sogar in dem Augenblick, in dem er Rathbone wegen Margaret zu trösten versuchte, während er selbst nichts tun konnte, als den Rest der Mannschaft zu suchen. Rathbone konnte nur versuchen, einen Dieb davor zu retten, für einen Mord gehängt zu werden, den er womöglich nicht begangen hatte. Und Margaret konnte nichts tun, als sich abzumühen, einer blinden Gesellschaft, der man unmöglich die Wahrheit sagen konnte, genügend Geld abzuschwatzen, um für Lebensmittel und Wärme sorgen zu können, solange es noch Überlebende gab – all das, ohne jemandem die Wahrheit zu verraten, nicht einmal ihm.

»Verstehe«, sagte er leise, von Dankbarkeit – und Scham – überwältigt. »Ich gebe ihr Geld, aber ich kann niemanden sonst bitten. Berichten Sie mir, wenn möglich, und wenn ich sonst noch etwas tun kann, sagen Sie es mir.« Er hielt abrupt inne, da er nicht wusste, ob er Monk Geld anbieten konnte, ohne ihn zu kränken. Und doch war es lächerlich, die Frage aus Angst in diesem Augenblick zwischen ihnen stehen zu lassen.

»Was ist?«, fragte Monk.

Rathbone steckte die Hand in die Tasche und zog sechs goldene Sovereigns und ein wenig Silbergeld heraus. Er reichte Monk die Sovereigns. »Falls Sie Geld für einen Hansom oder sonst etwas brauchen. Ich gehe davon aus, dass Louvain Sie nicht länger bezahlt.«

Monk erhob keine Einwände. »Danke«, sagte er, nahm die Münzen und steckte sie in die Innentasche seiner Jacke. »Ich gebe Ihnen Bescheid, falls ich etwas herausfinde. Wenn Sie mich brauchen, hinterlassen Sie einfach eine Nachricht auf dem Revier der Wasserpolizei in Wapping. Ich schaue dort vorbei, oder auch Durban.« Er stand langsam und steif auf, als täte ihm jeder Knochen im Leib weh. Er lächelte leicht, um seinen Worten die Härte zu nehmen. »Niemand wird Sie bezahlen, wenn Sie Gould verteidigen.«

Rathbone quittierte es mit einem Schulterzucken.

Sobald Monk gegangen war, schenkte er sich ein Glas Brandy ein, schaute einen Augenblick in die Flüssigkeit und sah das Licht golden darin glühen wie ein Topas in seiner kristallenen Blase. Dann dachte er daran, dass Monk ganz alleine zum dunklen Fluss hinunter und durch die engen Gassen ging, wo er nach Matrosen suchte, die womöglich den Tod in sich trugen, während Hester an einem Ort weilte, der der Hölle glich, und er goss den Brandy zurück in die Karaffe, wobei er mit zitternder Hand ein wenig verschüttete.

Auf dem Weg nach draußen sprach er kaum ein Wort mit Coleridge, nur so viel, um den Mann zu beruhigen. Draußen auf dem Bürgersteig winkte er den ersten Hansom herbei, der die Straße entlangkam, stieg ein und nannte dem Kutscher die Adresse von Margaret Ballinger.

Er setzte sich, während die Kutsche losfuhr. Endlich verstand er Margarets merkwürdiges Verhalten vom Vortag. Was für eine Frau! Sie musste verzweifelt bemüht gewesen sein, Geld für Hester zu sammeln, und konnte natürlich niemandem sagen, warum! Was für eine Posse, was für ein verrückter, teuflischer Witz – sie versuchte, sie alle zu retten, und konnte doch mit niemandem darüber sprechen.

Aber warum hatte sie sich ihm nicht anvertraut? Wenn sie ihm eine Nachricht geschickt hätte, wäre er doch sofort zu ihr geeilt, und sie hätte es ihm im Privaten anvertrauen können … Seine Gedanken rasten und sprangen aus den Gleisen wie ein Schnellzug mit einem betrunkenen Lokführer, ohne Kontrolle. Wann hatte Margaret es erfahren? Am gleichen Tag wie Monk? Vielleicht hatte sie keine Zeit gehabt, ihn zu informieren? Vielleicht hatte sie ihm nicht vertraut? Oder hatte sie ihm das Wissen ersparen wollen?

Warum sollte sie das tun? Wusste sie um sein Entsetzen angesichts der Krankheit, das wie eine Flutwelle in ihm aufstieg und Vernunft, Mut, sogar Verstand überschwemmte? Er war sein Leben kein Feigling gewesen, weder moralisch noch körperlich. Er hatte der Gefahr ins Auge geschaut, nicht bereitwillig, aber doch, ohne je zu verzagen oder wegzulaufen.

Aber diese Krankheit war etwas anderes. Schrecken, Übelkeit, Delirium, das unentrinnbare Wissen um den sicheren Tod, hilflos und ohne Würde.

Warum brauchte der Hansom so lange? Der Regen führte zu Verkehrsstauungen, als Rollwagen, Hansoms und private Kutschen in den engen, nassen Straßen um Platz kämpften und doch versuchten, nicht aneinander zu stoßen, um sich nicht zu verheddern und nicht mit den Rädern aneinander hängen zu bleiben und sie zu brechen.

Was für eine Erleichterung würde es sein, Margaret zu sehen, ihr zu sagen, dass er Bescheid wusste, die kostbare Zeit zu genießen, bevor … was? Er würde versuchen, Monks Dieb zu verteidigen, und auch sie … bitte, Gott, nicht in die Klinik! Nein, das durfte sie nicht! Monk hatte gesagt, niemand dürfe das Haus verlassen oder betreten. Dem Himmel sei Dank! Vor lauter Erleichterung brach ihm der Schweiß aus. Er schämte sich dafür, aber es war nicht zu leugnen.

Doch Hester war allein in der Portpool Lane. Sie hatte nur die Straßenmädchen und Bessie, die ihr beistanden, und Squeaky Robinson, der womöglich zu gar nichts taugte. Er wäre der Erste, der davonliefe. Sie würde ihm die Hunde auf den Hals hetzen müssen! Rathbone weigerte sich, sich das vorzustellen. Aber Hester würde es tun. Sie wusste, was es bedeutete, wenn er entfloh und die Pest in London verbreitete. Sie hätte den Mut und die geistige Stärke.

Bis dato hatte er nicht begriffen, was das bedeutete. Mit einem Anfall von Selbstekel erinnerte er sich an einige ihrer früheren Unterredungen. Er war herablassend zu ihr gewesen, als wäre sie eine Frau, die den zweitbesten Weg wählte, um den Raum zu füllen, wo emotionale Erfüllung hätte sein sollen. Dabei war sie stärker und besser als alle anderen Menschen, die er kannte.

Wenn sie in der Portpool Lane starb, würde sie in seinem Leben eine Leere hinterlassen, die nichts und niemand je füllen konnte.

Der Hansom blieb stehen, und er bemerkte, dass er bei Margarets Haus angekommen war. Er stieg aus, stand im Regen, entlohnte den Kutscher und lief dann über den Bürgersteig und die Treppen hinauf, um an der Glocke zu ziehen.

Der Diener öffnete die Tür, bedauerte aber, ihm mitteilen zu müssen, dass Miss Ballinger nicht zu Hause sei und er nicht wisse, wann sie zurückkehren werde.

Rathbone war wie vor den Kopf gestoßen. Was war, wenn sie alle Anweisungen ignoriert hatte und doch in die Klinik gegangen war? Dann war sie in der gleichen Gefahr wie Hester. Sie würde schrecklich leiden. Er würde sie nie wiedersehen, sie nie heiraten können. Was auch immer mit dem Rest von London oder England geschah, seine persönliche Zukunft sah plötzlich kalt und dunkel aus. Er würde nie wieder eine Frau finden, die es mit ihr aufnehmen konnte. Ein dummer Gedanke. Es gab keine Vergleiche. Wie tugendhaft, freundlich, humorvoll oder klug eine andere Frau auch sein würde, er liebte Margaret.

Der Diener wartete geduldig.

Rathbone dankte ihm und trat wieder hinaus in den strömenden Regen. Der Hansom war bereits weg, doch das spielte kaum eine Rolle. Er würde zu Fuß nach Hause gehen, und wenn es eine Stunde dauerte und er bis auf die Knochen nass wurde, er würde es nicht bemerken.

Rathbone konnte nicht schlafen, und am Morgen bat er seinen Diener, ihm ein heißes Bad einzulassen, das er dann doch nicht recht genießen konnte. Um halb neun hatte er gefrühstückt und schickte eine Nachricht an sein Büro, dass er später käme. Dann hielt er Ausschau nach einem Hansom, der ihn zu Margarets Haus bringen sollte. Er hatte keine Vorstellung, was er tun würde, wenn er sie wieder nicht antraf. Der Gedanke, in die Klinik zu fahren und sie dort zu suchen, erschien ihm ebenso unerträglich wie der, nicht hinzufahren. Er konnte ihr Geld geben, und dann musste er gehen und Monks unglücklichen Dieb aufsuchen und sehen, was zu unternehmen war, um der Gerechtigkeit Genüge zu tun. Wenn jemand dazu in der Lage war, dann er.

Wieder herrschte dichter Verkehr. Um diese Tageszeit fuhren die Leute in die Stadt, Händler brachen auf zu ihren Runden, alle schienen die Straßen zu verstopfen.

Bei der ersten Verkehrsstauung kam alles zum Stillstand. Zwei Kutscher stritten, wessen Schuld es war, dass ein Pferd durchgegangen war und das Geschirr zerrissen hatte. Rathbone wartete eine kurze Weile, dann entlohnte er seinen Kutscher und ging zu Fuß weiter. Es war nur noch gut einen Kilometer, und er nahm lieber die Mühe auf sich, als eingesperrt dazusitzen und zu warten.

Diesmal hatte er mehr Glück. Der Diener informierte ihn, dass Miss Ballinger beim Frühstück saß und er nachfragen werde, ob sie ihn empfangen wolle. Rathbone ging im Empfangszimmer auf und ab, bis der Mann wieder auftauchte und ihn bat, ihm zu folgen.

Rathbone versuchte, sich zu beruhigen, um Margaret nicht vor ihren Eltern in Verlegenheit zu bringen, falls diese anwesend waren. Er folgte dem Diener durch die Halle in das große, formelle Speisezimmer, wo er erleichtert feststellte, dass sie allein war. Sie trug ein schmuckes dunkles Kostüm, das aussah wie ein Reitdress. Es war modisch und äußerst kleidsam, aber sie war erschreckend blass.

»Guten Morgen, Sir Oliver«, sagte sie ziemlich zurückhaltend. Offensichtlich hatte sie seine kühle Reaktion an dem Abend nicht vergessen. »Möchten Sie eine Tasse Tee? Oder vielleicht etwas essen? Toast?«, fragte sie einladend.

»Nein, vielen Dank.« Er setzte sich und betete, dass sie den Diener aufforderte, sich zurückzuziehen. »Ich habe eine rechtliche Angelegenheit sehr vertraulicher Natur, die ich gerne mit Ihnen besprechen würde.« Er konnte nicht warten.

»Wirklich?« Sie zog die Augenbrauen etwas hoch. Sie dankte dem Diener und bat ihn zu gehen. Sie sah zurückhaltend aus, verschlossen, als fürchtete sie, er werde sie verletzen. Er schämte sich bei dem Gedanken.

»Ich weiß Bescheid«, sagte er einfach. »Monk kam gestern Nachmittag zu mir. Er hat mir die Situation in der Portpool Lane erklärt.«

Margarets Augen weiteten sich, dunkel und ungläubig. »Er ... hat es Ihnen gesagt?« Instinktiv griff sie nach seinem Handgelenk. »Sie dürfen nichts weitersagen! Ich musste schwören, es niemandem, absolut niemandem zu sagen! Ausnahmslos! Es ...«

»Ich verstehe«, schnitt er ihr das Wort ab. »Monk hat es mir erzählt, weil er will, dass ich einen Dieb verteidige. Er glaubt, dass der Mann zu Unrecht des Mordes verdächtigt wird und unschuldig ist. Es ist nicht viel – ein kleiner Akt der Gerechtigkeit, und dazu noch für einen geständigen Dieb –, aber mehr kann ich nicht tun.« Er schämte sich, es zu sagen. »Und natürlich beim Spendensammeln helfen. Aber Monk hat mich gewarnt, jetzt nicht plötzlich Freunde um Hilfe zu bitten, denn mein Drängen könnte zu Spekulationen führen.«

Ihre Miene verriet so deutlich Erleichterung, dass sein Herz schneller schlug und das Blut in seinen Adern pochte. Er war überschwänglich dankbar, dass Margaret nicht in der Klinik war und auch nicht hingehen konnte. Sie wurde benötigt, um Spendengelder aufzutreiben und das zu kaufen, was sie in der Klinik brauchten.

»Ja«, sagte sie sanft. »Auch ich muss sehr viel diskreter vorgehen, als mir lieb ist.« Sie begegnete seinem Blick, und in ihren Augen brannten Tränen. »Ich denke viel an Hester, die allein dort ist, und wie es ihr wohl geht. Ich will ihr unbedingt helfen. Ich möchte diesen Menschen die Wahrheit sagen und sie zwingen, alles zu geben, was sie haben, bis auf den letzten Penny, aber ich weiß, dass sie das nur in die Hysterie treiben würde – zumindest einige.« Sie zitterte, und ihre Stimme war heiser. »Angst macht schreckliche Dinge mit Menschen. Jedenfalls habe ich Sutton, und damit eigentlich Hester, versprochen, mit niemandem darüber zu reden. Ich konnte mich nicht einmal Ihnen anvertrauen!«

»Ich verstehe!«, sagte er schnell und fasste nach ihrer Hand, die immer noch auf seinem Handgelenk lag. »Seien Sie vorsichtig. Und ... und wenn Sie Lebensmittel hinbringen, lassen Sie sie vor der Tür. Gehen Sie ... gehen Sie nicht ...«

Er sah einen Augenblick Mitleid in ihren Augen, nicht mit Hester oder den Kranken, sondern mit ihm, denn sie erkannte sein Entsetzen vor Krankheit. Es traf ihn mitten ins Herz. Plötzlich wusste er, dass er sie nicht nur an den Tod verlieren konnte, sondern auch an die Verachtung, die schwindende Wertschätzung, die das Ende der Liebe zwischen einer Frau und einem Mann bedeutet, wenn sich Liebe in das Mitleid verwandelt, das eine starke Frau für die Schwachen, für die Kinder und die Schutzlosen empfindet, aber niemals für einen Geliebten.

Er wandte den Blick ab.

»Ich werde tun, was ich tun muss«, sagte sie leise. »Ich habe nicht vor, in die Klinik zu gehen, hier draußen bin ich von größerem Nutzen. Aber wenn Hester nach mir schickt, etwa, weil sie im Sterben liegt, dann gehe ich. Ich verliere womöglich auch mein Leben, aber wenn ich ihr dann nicht beistehen würde, könnte ich alles verlieren, was das Leben kostbar macht.

Ich bin mir sicher, Sie verstehen das.« Weder ihre Miene noch ihre Stimme verrieten Sicherheit. Sie war voller Fragen. Sie brauchte eine Antwort von ihm.

»Es tut mir Leid«, sagte er und meinte es von ganzem Herzen. »Ich verstehe es. Es war ein Augenblick größter Selbstsucht, denn ich liebe Sie.«

Sie lächelte und senkte den Blick. Tränen rollten ihr über die Wangen. »Sie müssen diesen Dieb verteidigen, wenn es das ist, was Monk möchte. Und ich werde noch ein paar Spenden sammeln gehen. Wir brauchen Gemüse, Tee und Fleisch, wenn möglich.«

Er nahm zehn Pfund aus der Tasche und legte sie auf den Tisch. Im Augenblick warf er mit Geld nur so um sich.

»Vielen Dank«, flüsterte sie. »Und jetzt gehen Sie bitte, solange ich mich noch einigermaßen unter Kontrolle habe. Wir haben beide einiges zu erledigen.«

Er ging, während die Gefühle in seinem Innern Sturm liefen und er mühsam um Fassung rang. Er war froh, sich verabschieden zu können und so schnell wie möglich hinaus auf die anonyme Straße zu treten, wo der kalte Wind ihm im Gesicht brannte und der Regen seine Tränen verbarg.

11

Für Hester verschwammen Tage und Nächte zu einem einzigen erschöpfenden Kreislauf. Sie waren alles in allem über ein Dutzend Frauen in der Klinik, einschließlich Bessie, Claudine, Mercy und Flo. Drei hatten sich durch Unfälle oder Gewalteinwirkung Verletzungen zugezogen, fünf hatten Fieber und eine Stauung in der Lunge, die sich als Lungenentzündung herausstellen konnte, aber auch als frühes Stadium der Pest – sie würden es allzu bald wissen. Zwei waren bereits gestorben, eine an Herzversagen, eine andere an inneren Blutungen.

Natürlich konnte auch Squeaky Robinson sehr zu seiner Empörung das Haus nicht verlassen. Sutton hatte beschlossen, zurückzukehren und sich mit dem kleinen Terrier Snoot daranzumachen, die Ratten zu fangen. Lebensmittel und Wasser wurden im Hof deponiert, und die Männer mit den Hunden schafften alles auf die Schwelle der Hintertür. Wenn Hester die Sachen reinholte, sah sie einen von ihnen halb verborgen im Schatten an der Wand stehen, den Hund zu seinen Füßen. Es gab ihr ein Gefühl der Sicherheit und erinnerte sie gleichzeitig daran, dass sie genauso eingesperrt war wie die anderen.

Mercy half ihr, die Kübel mit Wasser hineinzutragen, die sehr schwer waren. Zwei stellten sie in die Küche, die anderen in die Waschküche an die Wand.

»Wir müssen das Wasser mehrfach nutzen«, sagte Hester unglücklich. »Es ist nicht das Beste, aber wir müssen darauf achten, dass es uns nicht ausgeht. Bei so hohem Fieber ist es wichtiger zu trinken, als sauber zu sein, und ich glaube nicht, dass wir beides hinbekommen.«

Mercy lehnte sich an den Waschzuber, der das Wasser aus der Mangel auffing. Sie sah blass und sehr müde aus, aber sie lächelte. »Dabei merkt man erst, was für ein Segen es ist, zu Hause Wasser zu haben. Man muss nur jemanden darum bitten, und schon wird es gebracht!«

Hester sah sie voller Zuneigung an. In der kurzen Zeit, seit sie sich kannten, war sie ihr bereits richtig ans Herz gewachsen, obwohl sie immer noch sehr wenig über die junge Frau wusste. Sie war gütig im Umgang mit den Kranken und besaß eine Engelsgeduld, und obwohl sie aus einer vollkommen anderen Welt kam, behandelte sie die Frauen nie von oben herab – anders als Claudine, deren schlechte Laune stets dicht unter der Oberfläche brodelte. Obwohl Hester feststellte, dass sie auch Claudine auf ihre Art mochte.

Sie häuften die schmutzigen Bettbezüge in die Ecke, und dann schüttete Mercy mehr Kohlen aus dem Kohleneimer unter den Waschkessel, um das Wasser zu erhitzen. Es war eine schwere Arbeit, und als sie fertig war, war sie voller Rußflecken. Sie lehnte sich zurück, stellte den Kohleneimer weg und sah erschrocken an sich hinunter. »Warum, um alles in der Welt, tragen wir weiße Schürzen?«, fragte sie empört. »Wer sich das ausgedacht hat, hat offensichtlich nie die Wäsche gewaschen!«

Hester lächelte. »Machen Sie sich darüber keine Sorgen, das ist guter, sauberer Schmutz.«

Erst war Mercy verdutzt, dann ging ihr auf, was Hester meinte, und sie entspannte sich und erwiderte Hesters Lächeln. Es war halb zehn am Abend, und die meisten Aufgaben für den heutigen Tag waren erledigt, sofern sich Tag und Nacht noch unterscheiden ließen.

»Waren Sie wirklich auf der Krim?«, fragte Mercy ein wenig schüchtern.

Hester war überrascht. »Ja. Die meiste Zeit kommt es mir vor wie eine fremde Welt, aber im Augenblick fällt es nicht schwer, mich daran zu erinnern.« Sie biss sich ein wenig reumütig auf die Lippen. Dort hatte es sehr viel mehr Tote gegeben; sie waren jeden Tag davon umgeben gewesen – brutales und schreckliches, weitestgehend sinnloses Leid, das Menschen von ihren Mitmenschen zugefügt worden war. Aber zwischen Krieg und Mord bestand ein großer Unterschied, selbst wenn es Zeiten gab, wo das schwer zu erklären war. Ganze Stunden verstrichen, in denen sie vergaß, dass Ruth Clark ermordet worden war, geschweige denn, dass sie herausfinden musste, wer das getan hatte.

Spielte es wirklich noch eine Rolle? Hester stellte bestürzt fest, dass sie nicht einmal mehr sicher war, ob sie es wissen wollte. Es musste jemand aus dem Haus gewesen sein, und sie schätzte sie alle, jeden auf seine Weise. War das Band aus Angst und Überlebenswillen stärker als das, was einen von ihnen dazu gebracht hatte, jemanden umzubringen?

»Sie haben gar nicht darum gebeten, Ihrer Familie eine Nachricht zukommen zu lassen«, sagte sie zu Mercy. Sie wollte nicht aufdringlich sein. Mercy hatte nie über ihr Zuhause gesprochen. Sie hatte nicht einmal gesagt, ob sie wusste, dass ihr Bruder Ruth Clark in die Klinik gebracht hatte, obwohl Hester davon ausging, dass dem so war. Sie schien Anfang zwanzig zu sein, war erfreulich anzuschauen und hatte gewiss einen angenehmen Charakter. Warum genoss sie nicht das gesellschaftliche Leben, das ihre Stellung ihr bot? Hatte sie eine Liebesaffäre gehabt, die so unschön ausgegangen war, dass sie immer noch zu verletzt war, um an einen neuen Mann zu denken? War das der Grund, warum sie hier war – um einem noch größeren Schmerz zu entfliehen? Hester begriff, dass sie das angenommen hatte, obwohl es keine Beweise dafür gab.

Mercy schüttelte den Kopf. »Mein Bruder weiß, dass ich hier bin«, antwortete sie. »Ich habe ihm einen Brief hinterlassen. Ich kann ihm nicht sagen, warum ich bleibe, aber er wird sich keine Sorgen machen.«

»Es tut mir Leid«, entschuldigte Hester sich. »Sie müssen vieles vermissen, was Ihnen zur Verfügung stehen würde, wenn Sie hier wegkönnten.«

»Hat keinen Sinn, darüber nachzudenken.« Mercy zuckte die Schultern. »Zudem glaube ich nicht, dass irgendetwas davon wirklich wichtig ist. Man zieht seine besten Kleider an und bedient sich seiner besten Manieren und ist am Ende so höflich, dass man nur noch über das Wetter spricht oder welches Buch man gerade gelesen hat – natürlich nur, solange es kein umstrittenes ist! Der Himmel bewahre uns davor, nachdenken zu müssen! Jeder hofft, jemanden zu treffen, der wirklich so interessant ist, dass man es kaum erwarten kann, ihn wiederzusehen, aber kann das wirklich passieren, wenn man nicht furchtbar anspruchslos ist? Ich bin in großer Gefahr, mir einzureden, es sei so, obwohl mein besseres Ich genau weiß, das dem nicht so ist.« Sie lächelte und wischte geistesabwesend über den Kohlenstaub auf ihrer Schürze. »Jedes Mal sage ich mir: ›Nächstes Mal, nächstes Mal‹, und dann ist es doch immer wieder das Gleiche. Das hier ist zumindest real!«

»Besteht Ihre Mutter nicht darauf, dass Sie so viele junge Gentlemen kennen lernen wie möglich? Meine war so«, erinnerte Hester sich verlegen und traurig. Ihre Mutter war aus Kummer und vielleicht auch aus Scham gestorben, nachdem ihr Vater Selbstmord begangen hatte, weil er durch einen Finanzskandal ruiniert worden war. Der Tod ihrer Eltern war der Grund gewesen, warum sie vorzeitig von der Krim zurückgekehrt war.

Mercy hatte den Kummer in ihrer Miene wohl bemerkt. »Meine Eltern sind tot«, sagte sie leise. »Es klingt so, als wäre Ihre Mutter auch nicht mehr am Leben?«

»Ja, und mein Vater ebenfalls nicht«, räumte Hester ein und richtete sich auf, um zum Tisch hinüberzugehen. »Ich hätte nicht fragen sollen. Ich wollte nur sagen, dass Sie eine Nachricht schicken können, wenn Sie möchten. Sutton würde sich darum kümmern, dass sie zugestellt wird.«

»Es gibt niemanden«, antwortete Mercy, holte das Brot aus dem Kasten und reichte es Hester. »Meine ältere Schwester Charity hat einen Arzt geheiratet. Vor sieben Jahren. Sie blieben ein Jahr in England, dann beschloss er, nach Übersee zu gehen, und natürlich ist Charity mit ihm gegangen.«

»Das muss hart für Sie gewesen sein.«

Mercy zuckte leicht die Schultern. »Zuerst schon«, sagte sie und wandte das Gesicht ab, sodass Hester ihre eine Wange sehen konnte und das Spiel der Muskeln an ihrem Hals. »Aber sie war zehn Jahre älter als ich, also standen wir uns nicht so sehr nahe.«

»Und Ihr Bruder ist auch älter«, bemerkte Hester, die sich an Clement Louvain erinnerte.

»Ich bin das Nesthäkchen«, sagte Mercy und hob das Kinn ein wenig. Ihr breiter Mund verzog sich zu einem Lächeln. »Meine Mutter war fast vierzig, als ich auf die Welt kam. Aber ich glaube, sie hat mich deswegen auch besonders gern gehabt.« Sie wandte sich erneut Hester zu. »Ich mache uns eine Tasse Tee. Claudine wird sicher auch eine wollen, und Mr.

Robinson auch.« Die anderen erwähnte sie nicht, denn sie schliefen alle ein oder zwei Stunden, bevor sie die Nachtschicht übernahmen.

In der Küche war Claudine damit beschäftigt, Gemüse für eine Suppe vorzubereiten. Viele der kranken Frauen brachten kaum etwas hinunter. Das Fieber nahm ihnen jeglichen Appetit, aber irgendetwas mussten sie zu sich nehmen und vor allem genügend trinken. Claudine stand, ein langes Messer in der Hand, am Arbeitstisch und versuchte verbissen, eine rohe Karotte in kleine Würfel zu schneiden. Sie murmelte leise vor sich hin.

Hester überlegte, ob sie ihr anbieten sollte, ihr zu helfen, aber sie hatte bereits mit Claudines Temperament Bekanntschaft gemacht, wenn diese sich darüber ärgerte, dass sie sich so dumm anstellte.

Mercy warf Hester von der Seite einen Blick zu, hauptsächlich, weil sie genauso wenig Erfahrung mit Hausarbeiten hatte und wusste, dass die Kochkunst nicht leicht zu erlernen war. Sie füllte den Kessel und stellte ihn auf die Kochstelle.

Claudine hackte weiter.

Squeaky Robinson kam herein, warf einen missbilligenden, ungeduldigen Blick auf Claudine und einen hoffnungsvollen auf Mercy.

Claudine schaute ihn wütend an. »Phantastisch, dass Sie immer wissen, wann der Kessel auf dem Herd steht!«, sagte sie beißend.

»Erspart Ihnen, nach mir zu schicken«, antwortete er und setzte sich an den Tisch, damit Mercy ihm den Tee servieren konnte, sobald er fertig war.

»Und warum sollte ich nach Ihnen schicken?«, wollte Claudine wissen und biss die Zähne zusammen, um sich weitere Tiraden zu verkneifen. In dem Moment glitt ihr ein Stück Karotte vom Tisch. Sie bückte sich unbeholfen, um es aufzuheben. Sie war ungeschickt, und sie war sich dessen schmerzlich bewusst.

Squeaky verdrehte die Augen.

Mercy warf Hester einen Blick zu und unterdrückte ein Kichern.

»Wahrscheinlich, weil Sie schon wieder kein Wasser haben«, sagte Squeaky müde. »Ein Lasttier bin ich, jawohl.«

»Sie müssen es nur von der Hintertür holen!«, sagte Claudine verärgert. »Andere arme Teufel müssen es die ganze Straße runtertragen, und zwar im Dunkeln, weil sie Angst haben, die Leute sehen sie und wundern sich, warum wir unser Wasser nicht selbst holen. Also vergeuden Sie es nicht! Gestern haben Sie den Boden geputzt, als hätten Sie den halben Ozean, um damit zu spielen.«

»Vielleicht sollten Sie lieber den Boden schrubben, Missus«, erwiderte Squeaky. »Und mir die Karotten überlassen. Ich bekäme es sicher nicht schlechter hin als Sie. Keine zwei Stücke gleich groß!«

»Vielleicht ist es Ihnen noch nicht aufgefallen, aber der Herr hat auch keine zwei Karotten gleich geschaffen«, sagte Claudine sofort mit brennenden Augen und das Messer so fest in der Hand, als wollte sie gleich damit auf ihn losgehen.

»Kartoffeln auch nicht«, sagte Squeaky vergnügt. »Nur Erbsen hat er gleich groß gemacht, aber davon haben wir keine. Wissen Sie, was Erbsen sind, Missus?«

»Kosten etwa einen Penny hundert Stück«, antwortete Claudine. »Ungefähr das, was Sie auch wert sind.«

Squeaky sprang mit hochrotem Gesicht auf. »Jetzt reicht's aber, Sie sauertöpfische alte Kuh! Ich hab genug von Ihrem Schandmaul! Sie sind verflucht nutzlos! Sie können die Mangel nicht bedienen, ohne die Laken zu zerreißen, als hätten wir welche zu vergeuden.« Er wies mit dem Finger in ihre Richtung. »Sie können keine Seife machen, Sie können keinen Porridge kochen, ohne dass mehr Klumpen drin sind als im Kohlenkasten! Sie kriegen den verdammten Ofen nicht mehr an, wenn er mal ausgeht, und Sie schaffen es nicht mal, eine Karotte zu schnippeln, ohne die Stückchen auf den Boden zu werfen! Die arme Kuh, die gestorben ist, hatte Recht – kein Wunder, dass Ihr armer verfluchter Mann sie zu Hause nicht vermisst! Wahrscheinlich hat er zum ersten Mal in seinem armen verfluchten Leben ein bisschen Ruhe!«

Claudine wurde kreidebleich. Sie holte Luft, musste aber feststellen, dass ihr die Worte fehlten, um sich zu verteidigen. Plötzlich sah sie alt und unscheinbar und sehr verletzlich aus.

Hester wurde von einem solchen Mitleid gepackt, dass sie nicht wusste, was sie sagen oder was sie tun sollte. Sie stand wie gebannt da. Die Angst und das Gefühl des Eingesperrtseins zerrte an ihren Nerven. Niemand sprach es aus, aber sie waren sich alle eindringlich bewusst, dass die Krankheit mitten unter ihnen war wie ein brütendes Wesen, das jederzeit einen von ihnen oder gar sie alle holen konnte. Jeder Schmerz, jede Müdigkeit, jeder Augenblick der Hitze oder Kälte, jeder stechende Kopfschmerz konnte der Anfang sein. Hester war nicht die Einzige, die über jede Empfindlichkeit in der Brust oder im Arm nachdachte, sich selbst ängstlich untersuchte und sich einbildete, Schatten oder leichte Schwellungen zu entdecken.

Mercy unterbrach sie in ihren Gedanken. »Mr. Robinson, wir haben Verständnis dafür, dass Sie Angst haben, aber das haben wir alle. Wenn wir uns gegenseitig absichtlich verletzen, macht es das nur noch schlimmer.«

Squeaky errötete, aber unter seiner Verlegenheit lag immer noch Zorn. Er ließ sich nicht gerne kritisieren, insbesondere nicht vor Claudine. Er wusste, dass er im Unrecht war, und es kränkte ihn, dass Mercy, die er bewunderte, diejenige war, die mit dem Finger darauf wies. »Ihre Zunge ist doch mit Säure getränkt!«, sagte er anklagend.

»Und Sie finden das so bemerkenswert, dass Sie es ihr nachtun müssen?« Mercy zog die Augenbrauen hoch.

Hester lächelte, denn die einzige andere Alternative wäre gewesen zu weinen, und wenn sie damit anfing, konnte sie womöglich gar nicht mehr aufhören. Sie war müde und verwirrt und hätte alles dafür gegeben – außer den Preis, den es tatsächlich kosten würde –, nach Hause gehen zu können.

Die Hintertür öffnete sich, und sie drehten sich alle verdutzt und mit vor Angst heftig klopfenden Herzen herum.

Aber es war nur der kleine Terrier Snoot mit dem halb weißen, halb braunen Gesicht, der hereingetollt kam und mit dem Schwanz wedelte. Sutton folgte ihm. Hester atmete erleichtert auf, und ihr wurde klar, dass sie hätte wissen müssen, wer es war. Die Männer mit den Hunden hätten sonst niemanden durchgelassen.

Sutton schaute sich im Raum um, aber falls er die Anspannung spürte, ließ er sich nichts anmerken. Er hatte Rinderknochen dabei, zwei Flaschen Brandy und ein Pfund Tee. »Miss Margaret muss die Sachen gebracht haben«, sagte er und stellte alles auf den Tisch. Er strich mit der Hand sanft über den kleinen Hund. »Das ist alles für heute Abend«, sagte er freundlich. »Und jetzt gehen Sie zu Bett.«

Der Zorn im Raum verflüchtigte sich, und alle wandten sich wieder ihren Pflichten zu.

Es war mitten in der Nacht, als sich der Zwischenfall ereignete. Hester hatte ein paar Stunden geschlafen und machte die Runde bei den schwer kranken Frauen, als sie auf dem Treppenabsatz in der Nähe etwas hörte. Sie wusste, dass Bessie ebenfalls die Runde machte, und nahm zuerst keine Notiz davon. Dann hörte sie ein langes Wimmern, das sich zu einem Entsetzensschrei steigerte, und stellte die Tasse mit Wasser, die sie in der Hand hielt, ab. Sie entschuldigte sich bei der matten, fiebernden Frau und trat hinaus in den Gang.

Bessie kämpfte mit einer Frau namens Martha, die mit schwerer Bronchitis zu ihnen gekommen war und inzwischen auf dem Weg der Besserung gewesen zu sein schien. Bessie war breit und stark, aber Martha war jung und gleichermaßen stämmig gebaut und schien über bemerkenswerte Kräfte zu verfügen. Bessie hielt sie eisern umklammert, und Martha bog sich von ihr weg und trommelte mit den Fäusten gegen Bessies

Brust. Als Hester einen Schritt auf sie zumachte, traf Marthas rechte Faust Bessie im Gesicht, und Bessie ließ sie mit einem schmerzvollen Schrei los. Blut schoss ihr aus der Nase.

Martha fiel nach hinten, stieß gegen die Wand und taumelte unbeholfen.

Hester wollte auf sie zugehen, aber Martha kam wieder auf die Füße und stürmte den Gang hinunter zur Treppe.

»Kümmern Sie sich nicht um mich!«, rief Bessie und drückte die Schürze gegen ihre blutende Nase. »Halten Sie sie auf! Sie will weglaufen! Sie hat schwarze Beulen.«

Hester zögerte nicht. Bessie würde warten müssen. Martha musste um jeden Preis aufgehalten werden. Schon war sie am oberen Ende der Treppe und lief, immer noch schreiend, hinunter.

Flo kam aus einem der anderen Schlafzimmer und sah Bessie, deren Gesicht und Busen scharlachrot waren. Sie schrie ebenfalls auf und lief auf sie zu.

»Mir geht's gut!«, rief Bessie ihr zu. »Hindern Sie die dumme Frau daran abzuhauen! Schnell! Helfen Sie, um Gottes willen, Miss Hester.«

Flo blieb mit einem Ruck stehen, als Hester sich anschickte, die Treppe hinunterzulaufen. Martha war bereits halb unten und Squeaky Robinson auf dem Weg nach oben, er zog sich mit beiden Händen links und rechts am Geländer hoch.

»Halten Sie sie fest!«, rief Hester. »Martha! Stopp! Sie können hier nicht raus!«

Aber Martha hörte nicht mehr auf irgendjemanden oder irgendetwas. Sie rempelte Squeaky an und stieß ihn rückwärts die Treppe hinunter, sodass seine Beine in die Höhe ragten. Sie versuchte, an ihm vorbeizukommen, und stolperte, schlug kopfüber hin, landete schwer auf ihm und hätte ihn dabei fast erstickt. Erst schrie er wütend auf, dann heulte er vor Schmerz.

Hester hielt sich am Treppengeländer fest und eilte, so schnell sie konnte, hinunter, ohne zu riskieren, sich die Beine zu brechen.

Martha versuchte noch, auf die Füße zu kommen, als Hester sie erreichte. Squeaky hielt sich das rechte Bein und fluchte lauthals.

»Sie können nicht raus, Martha!«, sagte Hester laut und sehr deutlich. »Und das wissen Sie auch! Sie werden die Pest in ganz London verbreiten! Kommen Sie wieder herauf, damit wir uns um Sie kümmern können. Jetzt kommen Sie schon!«

Squeaky fluchte noch immer.

»Ruhe!«, herrschte Hester ihn an. »Stehen Sie auf und halten Sie Martha fest!«

Squeaky versuchte, ihrem Befehl nachzukommen, und packte Marthas Nachthemd, um sich daran hochzuziehen. Sie schlug um sich und streckte ihn rückwärts zu Boden. Er landete dumpf an der Wand. Ob sie glaubte, er wollte sie belästigen, oder sich einfach nur nicht an der Flucht hindern lassen wollte, war unerheblich.

Squeaky blieb liegen, wo er lag.

Martha stolperte davon, sie wurde immer schneller, und Hester eilte hinter ihr her. Martha kannte den Weg und lief in Richtung Küche und Hintertür. Hester rief ihr hinterher, Verzweiflung machte ihre Stimme hoch und schrill. Sie war sich nicht einmal sicher, ob sie versuchte, Martha aufzuhalten oder Sutton zu warnen und um Hilfe zu rufen. Brächte sie es wirklich fertig, ihnen zu sagen, sie sollten die Hunde auf sie hetzen? Selbst wenn Martha die Pest hatte, konnte sie verantworten, dass jemand einen solch schrecklichen Tod starb?

Martha erreichte die Küche. Claudine saß dösend auf einem Stuhl. Sie wachte erschreckt auf, als Martha fast in sie hineinlief. Sie sprang auf, denn sie begriff sofort, was Martha vorhatte. Martha wurde von ihrem Gewicht vorwärts gerissen, und sie stürzten zusammen gegen den Küchentisch. Claudine ging zuerst zu Boden, Martha landete auf ihr.

Hohes, ohrenbetäubend lautes Gebell setzte ein. Snoot schoss aus der Tür der Waschküche, als diese aufflog und Sutton erschien.

»Was, zum Teufel, ist denn …«, fing er an.

Martha sprang als Erste wieder auf die Füße. »Lassen Sie mich gehen!«, kreischte sie. »Ich muss hier raus! Lassen Sie mich …« Und wieder stürzte sie in Richtung Hintertür.

Hester wollte rufen, aber sie bekam keine Luft.

»Nicht!«, rief Sutton. »Nicht!«

Aber Martha war nicht mehr aufzuhalten, ihrer Meinung nach musste sie entfliehen oder sterben. Hier in diesem Haus war die Pest, draußen in der Nacht lagen Freiheit und Leben. Sie lief barfuß in den Hof.

Hester fiel auf Hände und Knie.

Sutton knirschte mit den Zähnen und schloss eine Sekunde die Augen, dann öffnete er sie wieder. »Packt sie!«, rief er.

Martha stolperte über den gepflasterten Hof. Aus dem Schatten schossen aus verschiedenen Richtungen zwei Pitbullterrier auf sie zu. Sie sprangen genau in dem Augenblick, in dem sie aufschrie, und warfen sie hart und schwer zu Boden. Instinkt und Training folgend, gingen sie ihr sofort an die Kehle.

Hester schrie: »Nicht! Nicht! O Gott, nicht!«, und taumelte auf die Füße.

Claudine stand da, eine Hand auf den Mund gepresst, die andere auf den Magen gedrückt.

Sutton stolperte zur Tür hinaus ins Dunkle. Die Männer riefen ihre Hunde zurück. Martha lag reglos da, ihr weißes Nachthemd war mit karmesinroten Flecken besudelt, die rasch größer wurden.

Sutton trat zu ihr und beugte sich über sie. Er berührte sie sanft und tastete nach dem Puls. Die beiden Hundebesitzer standen daneben, sie tätschelten ihre Tiere und versicherten ihnen, dass sie nichts Falsches getan hatten, aber ihre Stimmen zitterten, und Hester wusste, dass sie ebenso sehr zu sich selbst sprachen wie zu den Hunden.

Sutton blickte auf.

»Danke, Joe, Arnie. Das war weiß Gott nicht einfach, aber es war richtig. Der Himmel steh uns bei, dass ihr das nicht noch mal tun müsst, aber wenn es sein muss, muss es sein.« Er wandte sich zu Hester um, die jetzt im dünnen Regen neben ihm stand. »Sie ist nicht tot, aber sie blutet schrecklich. Dennoch, ich nehme an, dass Sie so was schon mal gesehen haben, wo Sie doch beim Militär waren und so. Wir schaffen sie am besten rein und schauen, ob wir sie zusammengeflickt bekommen, das arme Huhn. Ich weiß nicht, wozu. Das hier wäre ein leichterer Tod, so wahr uns Gott helfe.«

Claudine stand jetzt ebenfalls draußen. Sie schnappte nach Luft und versuchte, die in ihr aufsteigende Hysterie zu unterdrücken.

»Sie Mörder!«, sagte sie mit erstickter Stimme und starrte Sutton gelähmt vor Entsetzen an.

»Nein, das ist er nicht!«, widersprach Hester, deren Stimme vibrierte vor unterdrückter Angst.

»Er hat die Hunde auf sie gehetzt!«, sagte Claudine kalt. »Sie haben es gesehen! Gott! Sehen Sie sie an! Die haben ihr die Kehle durchgebissen.«

»Nein, haben sie nicht.« Hester ließ sich auf die Knie nieder, um sich das zerfleischte, scharlachrote Durcheinander anzusehen, und betete, dass es stimmte, was sie sagte.

Claudine begann zu keuchen, die Luft brannte in ihrer Brust.

Sutton legte ihr den Arm um die Schulter und klopfte ihr mit der anderen Hand fest auf den Rücken.

Sie wandte sich ihm wütend zu. »Und gleich lassen Sie mich auch umbringen, was?«, schrie sie ihn an und hob beide Fäuste, als wollte sie ihn ins Gesicht schlagen.

»Könnte passieren«, sagte er grimmig. »Wirklich … aber noch nicht. Ich hab auch ohne Sie genug zu beerdigen, und Sie werden jeden Tag nützlicher, trotz allem. Und jetzt gehen Sie, und helfen Sie Miss Hester mit dem armen kleinen Huhn. Halten Sie das Wasser oder die Nadel oder irgendwas. Stehen Sie nicht mit offenem Mund in der Gegend rum. Um die Zeit in der Nacht gibt's keine Fliegen zu fangen.«

Claudine merkte, dass sie wieder normal atmete. Sie war außer sich vor Wut. »Sie …«, setzte sie an.

Aber Sutton hörte ihr nicht zu. »Halten Sie den Mund und machen Sie sich nützlich, Sie Bohnenstange!«, sagte er barsch zu ihr. »Bevor sie hier im Hof verblutet und Sie den ganzen Vormittag damit beschäftigt sind, mit Besen und Essig die Sauerei wegzumachen.«

Völlig überrascht gehorchte Claudine. Zusammen gelang es ihnen, Martha hineinzutragen und sie auf den Küchentisch zu legen. Im Licht sah sie noch schlimmer aus.

»Können Sie die Wunden nähen?«, flüsterte Sutton.

Hester betrachtete die blutdurchtränkten Kleider und das zerrissene Fleisch. Martha blutete immer noch heftig, aber es war kein strahlendrotes Arterienblut, und das Herz schlug immer noch, was hieß, dass sie noch am Leben war.

»Ich kann es versuchen«, antwortete sie. »Aber ich muss mich beeilen. Claudine, Sie müssen mir helfen. Bessie hat wohl die Nase gebrochen, darum wird sich Mercy kümmern müssen. Wir haben jedenfalls keine Zeit. Holen Sie mir aus der obersten Schublade im Schrank drüben beim Ausguss Nadel und Faden.« Noch während sie das sagte, riss sie den anderen Ärmel von Marthas Nachthemd ab, rollte ihn zu einem Polster zusammen und drückte ihn auf die größte Wunde. »Sutton, holen Sie die Brandyflasche und schenken Sie welchen in eine Schale, dann holen Sie mehr Handtücher. Schnell.«

Sie waren aschfahl im Gesicht, und ihre Hände zitterten, aber sie taten genau das, was ihnen aufgetragen war. Mercy kam, während sie noch beschäftigt waren, herein und sagte leise, Bessies Nase sei gebrochen, es sei ihr aber gelungen, die Blutung zu stoppen. Bessie ginge es gut und Squeaky ebenfalls. Er hatte blaue Flecken, aber nichts gebrochen. Flo tat, was sie konnte, für die übrigen kranken Frauen. Hatte Hester noch einen Auftrag für sie?

»Bringen Sie den Männern draußen im Hof eine Kanne Tee«, antwortete Hester. »Und danken Sie ihnen. Sagen Sie ihnen, wir seien ihnen wirklich sehr dankbar.« Sie wandte den Blick nicht von ihrer Arbeit ab. »Drücken Sie mit dem Finger hier drauf«, wies sie Claudine an und zeigte auf eine offene Vene, aus der Blut strömte. »Festhalten. Ich nähe sie, so schnell ich kann. Zuerst muss ich die hier machen.«

Ohne Zögern streckte Claudine den Finger aus und drückte zu.

Hester verlor jegliches Zeitgefühl. Es hätte eine Viertelstunde sein können, aber auch eine Dreiviertelstunde, als sie schließlich alles getan hatte, was sie tun konnte. Mit Claudines Hilfe wickelte sie Martha den letzten Verband um den Hals, die Schulter und den Oberarm. Nur einmal warf sie einen Blick auf den ins Violette spielenden Fleck in der Nähe der Achselhöhle. Sie wusste nicht, ob es ein blauer Fleck war oder der Anfang einer Beule. Sie wollte es auch nicht wissen. Sie wuschen sie, so gut es ging, zogen ihr ein sauberes Nachthemd an und riefen dann Squeaky, damit er ihnen half, sie in eines der Zimmer im Erdgeschoss zu bringen. Dort legten sie sie in ein Bett und deckten sie zu.

Claudine warf Hester einen forschenden Blick zu, aber sie fragte nicht, ob Martha überleben würde oder nicht. »Ich gehe die Küche sauber machen«, sagte sie kläglich. »Sieht aus wie in einer Schlachterei.«

»Danke«, sagte Hester erleichtert. Sie fügte kein Lob hinzu. Claudine wusste, dass sie sich Anerkennung verdient hatte, und das war alles, was für sie zählte. Sie ging hinaus und schenkte Squeaky sogar ein leichtes Lächeln, als sie an ihm vorbeikam.

Hester brachte die blutdurchtränkten Tücher hinunter in die Waschküche, wo sie auf Sutton traf, der einen erschöpften Eindruck machte. Sein schmales Gesicht war voller Schatten, als hätte es blaue Flecken, seine Augen waren hohl, die Stoppeln auf seinem Kinn weiß gesprenkelt.

»War es so auf der Krim?«, fragte er mit einem schiefen Lächeln. »Gott steh den Soldaten bei, wenn es so war.«

Sie hatte Mühe, sich daran zu erinnern, denn es kam ihr im Augenblick vor wie eine andere Welt. Sie war jünger gewesen und hatte sehr viel weniger besessen, was ihr kostbar war und wofür sie jetzt lebte. Man erlaubte sich nicht, über die Gewalt und den Schmerz nachzudenken, sonst wurde es unerträglich, und statt zu helfen wurde man selbst hilfsbedürftig.

»So ziemlich«, antwortete sie und ließ die Tücher auf den Boden fallen. Eine ehrliche Antwort hätte zu vieler Worte bedurft, und dazu war sie zu müde. Vielleicht wollte Sutton es auch gar nicht so genau wissen.

»Sind wir nicht einfältig und verrückt?«, sagte er mit verblüffender Sanftheit. »Man fragt sich, warum wir uns noch um uns kümmern, oder? Außer dass wir sonst niemanden haben, und um irgendwas muss man sich ja kümmern.« Er schüttelte den Kopf und wandte sich ab. »Snoot!«, rief er, als er draußen im Gang war. »Wo bist du, du nutzloser kleiner Kerl?«

Kleine Pfoten trippelten begeistert näher, und Hester lächelte, als der Hund aus dem Schatten schoss und zu seinem Herrchen lief.

Nachdem sie die Tücher in kaltem Wasser eingeweicht hatte, ging Hester wieder nach oben. Sie konnte nicht viel für Martha tun, außer bei ihr sitzen, dafür sorgen, dass sich die Verbände nicht lockerten, ihr Wasser geben, wenn sie aufwachte, ihr die Stirn mit einem nassen Lappen abtupfen und versuchen, das Fieber in Schach zu halten.

Fünf Minuten später kam Claudine mit einer Tasse Tee durch die Tür und reichte ihn ihr. »Trinkfertig«, sagte sie einfach.

Das stimmte. Er war schon leicht abgekühlt, sodass Hester sich nicht daran verbrühte. Zudem war ein kräftiger Schuss Brandy darin, und Hester hatte den Eindruck, sie musste aufpassen, nicht in der Nähe der Kerzenflamme auszuatmen.

»Oh!«, sagte sie, als das innere Feuer sich in ihrem Magen ausbreitete. »Vielen Dank.«

»Dachte mir, Sie könnten's brauchen«, antwortete Claudine

und wandte sich ab. Dann hielt sie inne. »Soll ich mal eine Weile bei ihr wachen? Ich rufe Sie, wenn was ist, Ehrenwort.«

Hesters Kopf pochte, und sie war so müde, dass ihre Augen schmerzten. Wenn sie sie länger als eine Sekunde schloss, würde sie wahrscheinlich einschlafen. Der Gedanke, loszulassen und in die Bewusstlosigkeit zu gleiten, ohne dagegen anzukämpfen, war der schönste, den sie sich im Augenblick vorstellen konnte, schöner als Lachen, gutes Essen, Wärme, ja sogar Liebe – einfach nur eine Weile aufhören zu kämpfen. »Ich kann nicht«, hörte sie sich sagen und war erstaunt, dass die Worte tatsächlich aus ihrem Mund gekommen waren.

»Ich hole mir noch einen Stuhl und setze mich zu Ihnen«, meinte Claudine. »Dann kann ich Sie mit einem Wort wecken, wenn Martha Sie braucht, ich muss sie nicht mal allein lassen.«

Hester nahm das Angebot an, und noch bevor Claudine sich gesetzt hatte, war sie schon eingeschlafen.

Als Claudine sie eine Stunde später weckte, um ihr zu sagen, dass Martha sehr ruhelos war und große Schmerzen zu haben schien, wachte sie mit einem Keuchen auf. Eine der Wunden blutete wieder.

Sie arbeiteten überraschend gut zusammen und taten, was in ihrer Macht stand, um Martha zu helfen, doch das war nicht viel. Hester war dankbar, dass sie nicht allein war, und das sagte sie Claudine auch, als sie sich wieder niederließen, um ihre Wache fortzusetzen.

Claudine war verlegen. Sie war es nicht gewöhnt, Dankbarkeit zu erhalten, und jetzt gleich zweimal in einer Nacht! Sie wusste nicht, wie sie reagieren sollte, und wandte den Blick ab.

Hester überlegte, wie ihre Ehe wohl aussah, dass sie offensichtlich in so bitterer Einsamkeit lebte, ohne ein gutes Wort, ohne Lachen oder Gemeinsamkeiten. Gab es viel Streit oder herrschte Schweigen? Zwei Menschen in einem Haus, die einen Namen trugen und eine juristische Einheit bildeten und deren Herzen sich doch niemals berührten? Wie konnte sie die Hand nach Claudine ausstrecken, ohne es noch schlimmer zu machen, oder irgendetwas fragen, ohne ihre Nase in ihre Angelegenheiten zu stecken und womöglich eine Verletzung zu Tage zu fördern, die vielleicht nur zu ertragen war, weil niemand sonst sie sah? Sie erinnerte sich an Ruth Clarks gefühllose Worte und den Spott und die Verachtung, die in ihnen gelegen hatten, als hätte sie tatsächlich etwas über Claudine gewusst und nicht nur Vermutungen angestellt. Vielleicht stimmte das sogar, und vielleicht war es so bitter und verletzend gewesen, dass Claudine die Chance ergriffen hatte, Ruth umzubringen und sich zu schützen. Aber Hester weigerte sich, den Gedanken zuzulassen. Eines Tages musste sie das wahrscheinlich, aber nicht jetzt.

»Soll ich Sutton bitten, noch eine Nachricht zu Ihnen nach Hause zu schicken?«, fragte sie. »Sie könnten sie wissen lassen, dass es Ihnen gut geht, dass wir aber so viele Kranke haben, dass wir nicht ohne Sie auskommen. Das entspräche mehr oder weniger der Wahrheit oder wäre jedenfalls keine Lüge.«

»Das spielt keine Rolle«, antwortete Claudine, den Blick auf Martha gerichtet. »Ich habe sie das bereits in meiner ersten Nachricht wissen lassen.« Sie schwieg einen Augenblick. »Mein Mann wird verärgert sein, denn es stört seine Routine, außerdem wurde er nicht gefragt«, fuhr sie fort. »Es gibt vielleicht gesellschaftliche Anlässe, bei denen er mich gerne dabei gehabt hätte, aber ansonsten spielt es keine Rolle.« Ihre Stimme stockte einen Augenblick. »Ich möchte nicht den Eindruck erwecken, ich würde mich rechtfertigen. Zum ersten Mal im Leben tue ich etwas, was wichtig ist, und ich habe nicht die Absicht, damit wieder aufzuhören.«

Sie hatte wenig gesagt und doch alles erklärt. Hester hörte eine Leere hinter den Worten, die Leere eines ganzen verletzten und schmerzenden Lebens. Darauf gab es jedoch keine Antwort, nichts, um es zu ändern oder besser zu machen. Die einzig anständige Antwort war Schweigen.

Hester trieb wieder in den Schlaf, und Claudine weckte sie kurz vor vier. Martha glitt in eine tiefere Bewusstlosigkeit.

Claudine starrte Hester an, die Frage, deren Antwort sie bereits kannte, in den Augen. Martha lag im Sterben.

»Ist es die Pest, oder sind es die Verletzungen?«, fragte Claudine flüsternd.

»Ich weiß es nicht«, sagte Hester ehrlich. »Aber wenn es die Verletzungen durch die Hundebisse sind, dann ist es vielleicht nicht schlimm. Ich …«

»Ich weiß«, unterbrach Claudine sie. »Das müssen wir nicht näher erörtern.«

Martha rang nach Luft. Alle paar Augenblicke hörte sie auf zu atmen, dann keuchte sie wieder. Hester und Claudine schauten einander an, dann Martha. Schließlich machte diese den letzten Atemzug und lag dann still da.

Claudine fröstelte. »Arme Seele«, sagte sie leise. »Ich hoffe, sie findet jetzt eine Art Frieden. Sollen … ich meine … müssen wir« – sie blinzelte rasch – »etwas sagen?«

»Ja, das sollten wir«, antwortete Hester ohne Zögern. »Möchten Sie es mit mir sagen?«

Claudine war verdutzt.

»Ich weiß nicht, was!«

»Wie wäre es mit dem Vaterunser?«

Claudine nickte. Zusammen sagten sie langsam und ein wenig heiser die vertrauten Worte auf. Dann faltete Claudine der toten Frau die Hände, und Hester ging Sutton holen, damit er ihnen half.

Er war in der Waschküche, wo er Snoot dafür belohnte, dass er ein Rattennest gefunden hatte. Er schaute auf, als Hester hereinkam. Seine Miene war ernst und erwartungsvoll. Er sah Hester Gesichtsausdruck. »Tot?«, fragte er. »Arme Seele. Wer weiß es?«

»Nur Claudine und ich«, antwortete sie.

»Gut. Wir sollten sie vor Tagesanbruch rausschaffen.« Er richtete sich auf. »Leg dich schlafen, Snoot. Guter Junge. Du bleibst hier, wie ich dir gesagt habe.« Er wandte sich wieder zu Hester um. »Ich sag den Männern, sie sollen sie wegtragen.

Tut mir Leid, aber wir müssen sie in ein Laken einwickeln. Ich weiß, dass sie die Tücher eigentlich nicht entbehren können, aber es gibt keine bessere Möglichkeit. Höchstens eine Decke, wenn Sie eine dunkle hätten? Die sieht man auch nicht so leicht.«

»Ich suche Ihnen eine dunkelgraue Decke«, versprach sie. »Aber was wollen Sie mit ihr machen. Sie kann nicht einfach ... ich meine, sie muss beerdigt werden.« Sie dachte an die stille, erbärmliche Angelegenheit, als sie Ruth Clarks Leichnam nach draußen gebracht und auf die regennassen Pflastersteine gelegt hatten, damit die Männer sie in ein unbekanntes Grab legten. Sie hatte nicht gefragt, wohin, es war mehr, als sie wissen wollte.

Kein Arzt hatte Ruth zu sehen bekommen, und es durfte auch keiner Martha sehen, nicht einmal ein Leichenbestatter: Er würde die zerfetzte Kehle sehen und glauben, sie sei umgebracht worden. Ironie, dass sie nicht umgebracht worden war, zumindest moralisch gesehen nicht. Ruth war umgebracht worden, aber oft vergaß Hester das viele Stunden lang, und sie hatte sich bislang noch kaum mit der Frage beschäftigt, wer es getan hatte oder warum. Jetzt war die arme, dumme, verängstigte Martha an der Reihe. Unter der Oberfläche waren sie alle nahe daran, in Hysterie auszubrechen. Hester fuhr sich mit der Zunge über die Lippen, die so trocken waren, das es wehtat. »In geweihter Erde?«, fragte sie vorsichtig. »Ist das wohl möglich? Ich ertrage den Gedanken nicht, dass sie einfach irgendwo verscharrt wird.«

»Machen Sie sich keine Sorgen«, sagte Sutton freundlich. »Ich habe Freunde, die so etwas besorgen können. Es gibt Gräber in Friedhofsecken, in denen mehr Tote liegen als Namen auf den Steinen stehen. Die Toten scheren sich nicht darum, ein bisschen zusammenzurücken. Man wird sie segnen und auch für sie beten. Und auch für Ruth Clark.«

Hester spürte Tränen in den Augen brennen, und die Last aus Erschöpfung, Einsamkeit, Mitleid und Angst überwältigte sie. Suttons Freundlichkeit spitzte diese Gefühle fast über das Erträgliche hinaus zu. Sie wollte ihm danken, aber die Kehle war ihr wie zugeschnürt.

Er nickte, sein Gesicht im Kerzenschein hohlwangig. »Gehen Sie eine Decke suchen«, sagte er.

Claudine half ihr, den Leichnam auf die Decke zu rollen und das behelfsmäßige Leichentuch einzuschlagen und mit ein paar Stichen zuzunähen, damit es sich nicht aufwickelte und verhedderte, wenn sie hastig und ungeschickt weggetragen wurde. Sie sprachen nicht, aber alle paar Augenblicke begegneten sich ihre Blicke, und in diesem schweigenden Einvernehmen bewegten sie sich wie ein Mensch und halfen einander.

Squeaky kam wieder die Treppe herauf, und dann trugen die drei den Leichnam mit stolpernden Schritten, unbeholfen und mit schmerzendem Rücken zur Hintertür und in den Hof hinaus. Hester hob die Hand, um den Männern ein Zeichen zu geben. Im schwachen Licht der Straßenlaternen zwanzig Meter weit weg sahen sie groß und ungepflegt aus, ihre Mäntel flatterten im aufkommenden Wind, sie waren barhäuptig, und das Haar klebte ihnen am Kopf. Der Regen ließ ihre Haut in den unnatürlichen Schatten fast maskenartig glänzen. Sie winkten Hester und Claudine zu, warteten jedoch, bis die beiden wieder im Haus waren, bevor sie näher kamen.

Sutton ging allein hinaus und sprach mit den Männern.

Der größere der beiden nickte und gab seinem Gefährten ein Zeichen. Vorsichtig hoben sie den Leichnam hoch, drehten sich ohne ein weiteres Wort um und gingen langsam in den Regen hinaus. Sie gingen aufrecht und balancierten das Gewicht zwischen sich, als wären sie an solche Aufgaben gewöhnt.

Hester und Claudine standen in der Tür so nah nebeneinander, dass ihre Körper sich berührten, und sahen zu, wie die Männer unter der Straßenlaterne hindurchgingen. Einen Augenblick wurde der Regen über ihnen beleuchtet wie ein heller Strom. Dann schimmerte er matt auf ihren Rücken, als sie wieder in die Dunkelheit tauchten. Der Karren am Ende der Straße war im Schatten kaum zu erkennen.

Niemand sprach ein Wort. Es war nicht notwendig, und es gab nichts zu sagen. In wenigen Stunden würde ein neuer Tag beginnen.

12

Rathbone besuchte Gould im Gefängnis, weil er es Monk versprochen hatte. Er erwartete, einen Mann anzutreffen, den zu verteidigen er moralisch verpflichtet war, nicht um des Mannes willen oder weil er von der Überzeugung geleitet wurde, er sei unschuldig, sondern weil er diese Pflicht übernommen hatte. Als er sich verabschiedete, war er geneigt, Goulds Geschichte zu glauben, dass Hodge zwar tot, aber nicht offensichtlich verletzt war, als er auf ihn gestoßen war. Er räumte freimütig ein, das Elfenbein gestohlen zu haben, aber seine Empörung über den Mordvorwurf klang aufrichtiger, als Rathbone erwartet hatte.

Jedenfalls blieb nach dem Gespräch mit dem Leichenbestatter, der Hodge beerdigt hatte, kein Zweifel, dass dieser einen fürchterlichen Schlag auf den Schädel bekommen hatte. Der Schlag hatte ihm den Hinterkopf zertrümmert und vermutlich seinen Tod herbeigeführt. Der Leichenbestatter hatte getan, um was man ihn gebeten hatte, und Hodge beerdigt, da ihm sowohl Louvain als auch Monk versichert hatten, dass alle Beweise unter Eid schriftlich niedergelegt worden waren und den entsprechenden Behörden übergeben werden würden. Der Täter würde gesucht und, wenn gefunden, der Justiz überstellt.

Rathbone kehrte in sein Büro zurück, wo er überlegte, welche Wege ihm offen standen. Damit war er beschäftigt, als Coleridge ihn informierte, dass Monk vor der Tür stehe. Es war kurz nach halb neun am Morgen.

»Jetzt?«, fragte er ungläubig.

Coleridges Miene blieb bemüht ausdruckslos. »Ja, Sir. Ich glaube, er macht sich auch Sorgen um den Fall.« Er hatte keine Ahnung, um was für einen Fall es sich handelte, und so übergangen zu werden, kränkte ihn. Er hätte es auch gerne gesehen, wenn Rathbone erkannt hätte, dass Monk nicht der Einzige war, der bemerkenswert viele Stunden am Tag arbeitete.

»Ja, natürlich«, räumte Rathbone ein. Er hatte nicht die Absicht, Coleridge zu sagen, um was es in dem Fall ging, das würde er erst dann tun, wenn es absolut unvermeidlich war. Und selbst dann würde er ihm nur anvertrauen, was er vor Gericht vorbringen würde, und ihm nicht sagen, warum diese ungewöhnliche Schweigsamkeit notwendig war. Aber Coleridge hatte es verdient, rücksichtsvoll behandelt zu werden. »Ganz sicher«, sagte er auf Monk bezogen. »Es ist eine ernste Angelegenheit. Würden Sie ihn bitte hereinführen?«

»Soll ich Tee bringen, Sir Oliver? Mr. Monk sieht sehr« – er suchte nach den richtigen Worten – »danach aus, als könnte er eine Tasse vertragen«, beendete er den Satz.

Rathbone lächelte. »Ja, bitte. Sehr aufmerksam von Ihnen.«

Coleridge zog sich besänftigt zurück.

Einen Augenblick später trat Monk ein, und Rathbone sah sofort, was Coleridge gemeint hatte. Monk trug die gleichen Kleider wie bei seinem letzten Besuch, und sein Gesicht war noch hohlwangiger, als hätte er seither weder etwas gegessen noch richtig geschlafen. Er betrat das Büro und schloss die Tür hinter sich.

»Coleridge kommt in ein paar Minuten mit dem Tee wieder«, warnte Rathbone ihn. »Haben Sie schon jemanden von der Mannschaft gefunden? Sie müssen es ihnen sagen, selbst wenn Sie sie gewaltsam festhalten müssen. Sie können sie nicht in die Klinik bringen, oder?«

»Wir haben sie noch nicht gefunden«, antwortete Monk mit vor Erschöpfung leiser, krächzender Stimme. »Nicht einen. Sie können überall im ganzen Land sein oder bereits wieder auf einem Schiff, das Gott weiß wohin segelt.« Er blieb stehen. Rathbone bemerkte, wie angespannt er war. Seine rechte Hand ballte sich immer wieder zur Faust, und die Kiefermuskeln zuckten nervös. Er musste Höllenqualen leiden, weil Hester allein in der Portpool Lane war. Er wusste nicht, ob inzwischen noch mehr Menschen gestorben waren und die Pest mit all ihrem Schrecken und ihrer Widerwärtigkeit im Haus wütete. Oder ob sie eingesperrt waren und warteten, jedes Husten fürchtend, jedes Frösteln oder jeden Hitzeanfall, jeden Augenblick der Schwäche oder reiner Erschöpfung oder den Beginn der absehbaren Qual des Fiebers, Schwellungen, Schmerz und dann Tod.

Die Erleichterung, dass Margaret nicht dort war, überwältigte Rathbone. Sie war fast wie eine körperliche Erlösung von Schmerz, wie das Feuer des Brandys im Magen und das Strömen des Blutes, wenn man vorher taub war vor Kälte.

Er stand Monk gegenüber, den der drohende Verlust all dessen, was ihm wirklich wichtig war und was seinem Leben Freude und ein Ziel gab, gezeichnet hatte. Wenn Hester starb, wäre er allein, und es würde beständig in ihm schmerzen, jede Last vergrößern, jede mögliche Freude dämpfen. Seine eigene Sicherheit und die Erleichterung, die er darüber empfand, erfüllten Rathbone mit Scham.

»Ich habe Gould aufgesucht«, sagte er laut und versuchte, sowohl um seinet- als auch um Monks willen, ihre Gedanken auf das Nächstliegende zu lenken. Mitleid half niemandem. »Ich glaube ihm.« Er sah, dass Monk ein wenig überrascht war. »Ich hatte es nicht erwartet«, meinte er. »Er wird einen guten Zeugen abgeben, wenn ich ihn in den Zeugenstand bringen muss. Das Problem ist, dass ich die Wahrheit nicht kenne und mich vor dem fürchten muss, was ich herausfinden könnte.«

Monk war in Gedanken versunken. »Soweit wir wissen, war bis auf die Stammbesatzung und Gould niemand an Bord. Die Verteidigung kann also nur darauf aufbauen, dass, wenn

Gould ihn nicht umgebracht hat, es ein anderer Matrose gewesen sein muss oder es ein Unfall war.«

»Wenn es ein Unfall war, dann kann es nur so passiert sein, dass er stürzte und sich den Kopf aufschlug, womöglich auch den Hals brach«, räsonierte Rathbone. »Und wenn das der Fall wäre, hätte derjenige, der ihn gefunden hat, es auf den ersten Blick bemerkt. War sein Hals gebrochen? Sie haben nichts dergleichen erwähnt!«

»Nein.«

»Und Sie sagten, dass Sie so wenig Blut gefunden haben, dass Sie dachten, er sei woanders umgebracht worden«, fuhr Rathbone fort. »Sie sagten …«

»Ich weiß, was ich gesagt habe!«, fuhr Monk ihn an. »Das war, bevor ich von der Pest erfahren habe.«

»Sprechen Sie das Wort nicht aus!«, sagte Rathbone scharf und mit erhobener Stimme. »Coleridge kann jeden Augenblick zurück sein!«

Monk zuckte zusammen, als hätte er plötzlich Schmerzen.

Rathbone holte Luft, um sich zu entschuldigen, obwohl er wusste, dass es die Tatsache an sich war, die Monk verletzte, und nicht seine Worte. Genau in dem Augenblick klopfte es energisch an die Tür, und Coleridge kam herein und stellte das Tablett mit dem Tee auf den Tisch.

Rathbone dankte ihm, und er zog sich wieder zurück.

»Sie halten es also für das Wahrscheinlichste, dass er an … an der Krankheit gestorben ist?«, fragte Rathbone.

»Es passt zu den übrigen Fakten, falls Gould die Wahrheit sagt«, antwortete Monk und setzte sich. Er war so schwach, dass es ihn einige Mühe kosten würde, sich wieder zu erheben. »Hodges Tod musste irgendwie erklärt werden. Sie konnten sich nicht einfach der Leiche entledigen, also hat jemand ihm mit der Schaufel eins über den Schädel gezogen, damit es so aussah, als habe das den Tod verursacht.«

»Ich stimme Ihnen zu. Aber das nützt uns bei der Verteidigung von Gould nichts«, erklärte er. »Das Einzige, was mir bislang dazu einfällt, ist, begründete Zweifel zu schüren, und ich weiß nicht, wie ich das anfangen soll, ohne der Wahrheit sehr nahe zu kommen.« Er fröstelte und steckte die Hände in die Taschen. Es war eine untypische Geste, denn dadurch geriet die Hose außer Form, und er legte stets Wert auf Eleganz. »Wen kann ich aufrufen?«, fuhr er fort. »Die Anklage wird die Mannschaft aufrufen, und die wird aussagen, dass sie nichts weiß. Ich wage es nicht, medizinische Gutachter hinzuzuziehen, denn wenn ich sie befrage, müssten wir uns der Frage stellen, ob er bereits tot war und wenn ja, warum. Er hatte sich nicht den Hals gebrochen, es gibt nichts, was auf einen Herzinfarkt oder einen Schlaganfall hindeutet, und das Letzte auf Erden, was wir brauchen können, ist, dass sie ihn wieder ausgraben.«

Monk schüttelte langsam den Kopf wie jemand, der sich durch einen Nebel von Gedanken kämpft, von allen Seiten so hart bedrängt, dass er kaum hindurchfindet. »Sie müssen auf Zeit spielen«, sagte er unglücklich. »Ich muss etwas vorbringen, um Zweifel zu schüren.«

Rathbone wollte nur ungern eine Entscheidung erzwingen. Monk war erschöpft, und die Angst, die ihn bei lebendigem Leibe auffressen musste, konnte er nur erahnen. Margaret war in Sicherheit. Rathbone hatte vieles, worauf er sich freuen konnte. Wenn er sie verlor, wäre das seine eigene Schuld: seine Feigheit, moralisch wie emotional. Die Lösung lag auf der Hand. Aber Monk war machtlos. Er konnte nichts tun, um zu helfen. Er wusste von Stunde zu Stunde nicht einmal, ob Hester noch lebte, ob es ihr gut ging oder ob sie sich bereits angesteckt hatte und schrecklich litt. Sie war mit Fremden eingesperrt. Würden sie sich in Augenblicken der Not um sie kümmern? Würden sie bleiben, um sie zu pflegen, so wie sie so viele gepflegt hatte? Oder würden sie entsetzt fliehen? Oder würden sie dem Tode selbst zu nahe sein, um noch eine Hand zu heben, um Wasser zu holen oder was auch immer man tat, um den Schrecken und den Schmerz des Todes zu lindern? Bei dem Gedanken wurde ihm übel vor Elend.

»Was ist?«, unterbrach Monk ihn in seinen Gedanken.

Rathbone besann sich. »Um begründete Zweifel zu wecken, muss ich eine glaubwürdige Alternative liefern«, antwortete er. »Wenn Gould ihn nicht auf dem Gewissen hat, war es jemand anders, oder es war ein Unfall. Können Sie Beweise beschaffen, mit denen sich Ihr ursprüngliches Urteil untermauern lässt? Louvain hat dieses Dokument verfasst, in dem er schwört, Hodges Mörder zu suchen, wenn Sie das Elfenbein wiederbeschaffen. Das wird herauskommen, denn der Leichenbestatter wird darauf schwören, um sich zu schützen. Ich kann es mir nicht leisten, medizinische Beweise heranzuziehen. Dann würden sie die Leiche wieder ausgraben, und das ist ein Albtaum, den ich mir nicht ausmalen will.«

Monk sagte nichts. Er wirkte gedankenverloren. Als bemerkte er erst jetzt, dass Tee vor ihm auf dem Tisch stand, ergriff er die Tasse, trank den Tee und zuckte zusammen, weil er heiß war, auch wenn er offensichtlich dankbar dafür war.

Rathbone schenkte sich eine weitere Tasse ein. »Kennt Louvain die Wahrheit?«, fragte er.

Monk schaute zu ihm auf. »Ich weiß es wirklich nicht.«

»Dann müssen Sie es herausfinden. Einer von uns muss es tun. Wenn Sie …«

»Ich mach's«, sagte Monk mit solch grimmiger Entschlossenheit, dass Rathbone wusste, er würde die Frage nicht noch einmal aufkommen lassen.

»Wenn er es nicht gewusst hat«, sagte Rathbone leise, »dann müssen Sie es ihm sagen. Die einzige Möglichkeit, wie er sich selbst schützen kann, ist auszusagen, dass er sich geirrt hat und Hodge auch gestürzt sein und sich dabei den Kopf aufgeschlagen haben kann.«

»Oder dass Gould ihn umgebracht hat, wie wir anfangs angenommen haben«, antwortete Monk bitter.

»Glauben Sie das jetzt noch?«

»Nein.« Wieder zögerte er nicht.

»Dann müssen wir einen Weg finden, Louvain dazu zu bringen, für ihn auszusagen. Sonst erwartet ihn der Strick«, warnte Rathbone ihn. »Wir können nicht zulassen, dass sich die Pest in London verbreitet, um einen Mann zu retten, und wenn er noch so unschuldig ist.«

Monk atmete tief durch und rieb sich mit dem Handballen über das Gesicht. »Ich weiß. Wie viele Tage noch bis zum Prozess?«

»Übermorgen.«

»Ich gehe zu Louvain«, versprach Monk. Er richtete sich auf, aber innerlich empfand er eine Müdigkeit, die schwer auf seinen Schultern lag und sein Gesicht aschfahl machte. »Durban hofft noch, die Matrosen zu finden.« Er verzog das Gesicht. »Wie viele Menschen verschwinden, und niemand vermisst sie? Wie viele können fallen, und wir alle drängen weiter vorwärts, ohne zu bemerken, dass sie eine Leerstelle hinterlassen haben? Kümmert sich jemand darum? Oder leiden die Menschen, werden durch Kummer gelähmt, und wir bemerken es nicht einmal?«

Rathbone wünschte, er hätte eine Lüge parat, die wenigstens einen geringen Trost bot, aber die hatte er nicht. Er wusste nicht, ob jemand die Matrosen vermisste. Sie waren vielleicht in irgendeinem Ort in Südengland an der Pest gestorben oder wahrscheinlich längst auf einem anderen Schiff wieder unterwegs auf dem Meer. Es verbreitete sich kein Schrecken, kein Schrei nach Quarantäne, Evakuierung, Feuer, um die Pest auszubrennen, sie zu exorzieren, als käme sie direkt aus der Hölle. Aber Monk sprach von der Leere, die Hesters Tod in seinem Leben hinterlassen würde, und Rathbone wusste das.

Und er dachte darüber nach, ob er zulassen sollte, dass er Margaret ebenso sehr liebte – denn das tat er doch, oder? Mit aller Macht der Gefühle, die er besaß. Er setzte sich über alle Selbsterhaltungsinstinkte hinweg, denen er sein ganzes Leben lang gefolgt war. Es war ein Verleugnen geistiger Gesundheit, die endgültige Verrücktheit.

Hatte er eine Wahl? Kann man entscheiden, ob man lieben will oder nicht? Ja, womöglich. Man konnte dem Leben den Rücken zukehren und ein Schattendasein wählen, eine Erstarrung der Seele.

Er hatte sich von Hester abgewandt, und sie war so klug gewesen, ihn abzulehnen, vielleicht genau aus dem Grund. Monk besaß den geistigen Mut, etwas zu empfinden, und sie wusste das und schätzte es so unendlich hoch ein, wie es ihm gebührte. Jetzt würde Monk für immer vernichtet werden, wenn sie starb.

Margaret war in Sicherheit, so sicher, wie etwas Warmes, Lebendiges und Verletzbares je in Sicherheit sein konnte. Wenn er am Leben teilhaben und nicht Zuschauer sein wollte, würde er zulassen müssen, dass er liebte. Vielleicht war es die Natur der Sorge, dass man nichts dagegen tun konnte. Man hatte keine Wahl, die eigene Natur hatte diese Wahl bereits getroffen. Wenn man einen Rückzieher machen konnte, war man nicht wirklich engagiert.

Er hatte Monk nie mehr bewundert als in diesem Augenblick, denn der hatte den Mut aufgebracht, alles aufs Spiel zu setzen. Dieses Empfinden wurde von einem dermaßen tiefen Mitleid begleitet, dass es in seinem Innern eine neue Leere entstehen ließ und diese mit einer Hilflosigkeit füllte, die schmerzte wie ein Messerstich. Es gab nichts zu sagen und zu tun, als Monk sich umdrehte und zur Tür ging. Ihre Freundschaft reichte tiefer, als Rathbone sich bislang eingestanden hatte, und sie lief Gefahr, zerstört zu werden, denn ein Teil von Monk selbst würde verloren gehen.

Wenn Freundschaft ihn dermaßen schmerzen konnte, was, um alles in der Welt, war dann mit der Liebe?

Den Rest des Tages kümmerte er sich um andere Arbeiten, die er liegen gelassen hatte, um sich auf den Fall Gould vorzubereiten, ebenso den nächsten Vormittag.

Doch in Gedanken war er stets mit Margaret beschäftigt.

Zeit war kostbar, sehr viel kostbarer, als er bislang geglaubt hatte. Er hatte gezögert, sie zu fragen, ob sie ihn heiraten wolle, was ebenso feige wie dumm war. Er hatte ihr geschrieben und den Brief durch einen Boten zustellen lassen. Er hatte sie heute zum Abendessen eingeladen, denn er wollte nicht warten, bis diese Krise überstanden war – ob sie gut ausging oder unersetzlichen Verlust brachte –, sondern ihr seine Gefühle gestehen und um ihre Hand anhalten.

Als er sich ankleidete, betrachtete er sich ungewohnt kritisch im Spiegel. Er wurde sich überrascht bewusst, dass er es als selbstverständlich betrachtete, dass sie seinen Antrag annahm. Erst in diesem Augenblick kam ihm in den Sinn, dass sie ja auch Nein sagen konnte.

Dann erkannte er, warum sein Magen nervöse Sprünge machte und seine Kehle so eng war. Nicht, weil sie ablehnen konnte. Sowohl die Gesellschaft als auch ihre persönlichen Umstände geboten ihr anzunehmen, und er war sich ganz sicher, dass es keinen anderen Freier gab, dem sie zugeneigt war. Sie war viel zu ehrlich, als dass sie zugelassen hätte, dass er dann um sie warb. Sie würde seinen Antrag annehmen. Die Frage, die in ihm bohrte, war, ob sie ihn liebte. Sie würde loyal sein, denn Loyalität war ihre Natur. Sie würde freundlich sein, ausgeglichen und großzügig im Geiste, aber so wäre sie jedem gegenüber. Das reichte ihm nicht. Dass sie so zu ihm wäre, nicht weil sie ihn liebte, sondern weil es für sie eine Frage der Ehre war, wäre eine umso größere Qual, die er nicht ertragen würde. Doch wenn er sie nicht fragte, hatte er schon verloren.

Er nahm einen Hansom, um sie zu besuchen, und diesmal fiel es ihm noch schwerer, Mrs. Ballingers Aufmerksamkeiten taktvoll entgegenzunehmen. Er war viel zu aufgewühlt, um seine Gefühle ans Licht zu zerren. Er hatte keinen Funken Esprit mehr, mit dem er sich verteidigen konnte, und er fand es äußerst mühsam, ihre Fragen zu parieren. Er war erleichtert, dass Margaret altmodisch pünktlich war, tatsächlich war er ihr sogar zutiefst dankbar.

Er bot ihr seinen Arm, wünschte Mrs. Ballinger einen guten Abend und eilte ein wenig schneller, als es sich geziemte, zu dem wartenden Hansom nach draußen.

»Haben Sie noch etwas von Monk gehört?«, fragte Margaret, sobald er dem Kutscher Anweisungen gegeben hatte. »Was ist passiert? Weiß er etwas von Hester?«

»Ja, ich habe ihn gesehen«, antwortete er. »Er kam gestern Morgen in meine Kanzlei, aber von der Portpool Lane hatte er nichts gehört. Ich weiß nicht mehr als Sie.«

Sie stieß einen leisen enttäuschten Seufzer aus. »Wie ging es ihm?«

Wie konnte er sie vor Schmerz schützen? Sie zu lieben und für sie zu sorgen war das Vorrecht, das auszuüben er sich für den Rest seines Lebens wünschte. Und damit fing er am besten gleich an, oder?

»Er gibt sich große Mühe, Beweise zu finden, um Gould bei dem Prozess zu helfen«, antwortete er. »Der fängt morgen an.«

»Sir Oliver!«, sagte sie einfach. »Behandeln Sie mich nicht so gönnerhaft! Ich habe Sie gefragt, weil ich die Wahrheit wissen will. Wenn es etwas Vertrauliches ist, das Sie mir nicht sagen können, dann genügt ein Wort, aber erzählen Sie mir nicht irgendwas, weil Sie glauben, es sei das, was ich zu hören wünsche. Wie geht es Monk?«

Er fühlte sich mächtig zurechtgewiesen. »Er sieht schrecklich aus«, sagte er wahrheitsgemäß. »Ich habe noch nie jemanden so leiden sehen wie ihn im Augenblick. Und ich weiß nicht, wie ich ihm helfen soll. Ich fühle mich, als würde ich mit verschränkten Armen dastehen und einem Mann beim Ertrinken zusehen.«

Sie drehte sich halb um und sah ihm ins Gesicht. Die Lichter des vorbeifahrenden Verkehrs warfen wechselnde Schatten auf ihre Züge. »Danke«, sagte sie leise. »Das glaube ich. Und machen Sie sich bitte keine Vorwürfe, dass Sie ihm nicht helfen können. Es gibt nicht viele Situationen, in denen Freundschaft nicht helfen kann, aber ich glaube, dies könnte eine sein.

Wir können nur unser Bestes tun und da sein, falls die Zeit kommt, in der wir etwas tun können.«

Es gab keine Antwort, die der Situation gerecht geworden wäre, also schwieg er. Eine Art Frieden senkte sich auf sie herab. Rathbone dachte, welches Glück er doch hatte, dass er neben ihr sitzen konnte, und der Entschluss, sie zu fragen, ob sie seine Frau werden wolle, wurde noch fester.

Sie fuhren vor dem Haus ihrer Gastgeber vor und stiegen aus. Sie wurden willkommen geheißen, es waren bereits etwas über zwanzig Gäste da. Es war eine sehr formelle Angelegenheit, die Frauen trugen prächtige, reich bestickte Kleider, juwelenbesetzte Kämme und Diademe glitzerten in ihrem Haar, Diamanten funkelten an Ohrläppchen und auf blassen Dekolletees.

Margaret trug sehr wenig Schmuck, nur eine einfache Perlenhalskette, und er war überrascht, dass so etwas Bescheidenes ihm so viel Vergnügen bereiten konnte. Sie strahlte eine Reinheit aus, die wie eine stille Feststellung ihres Wertes war.

Innerhalb weniger Augenblicke waren sie in ein lebhaftes Gespräch verwickelt. Er war jahrelang zu solchen Feierlichkeiten gegangen, aber es war ihm noch nie so schwer gefallen, freundlich zu plaudern, ohne irgendetwas Bedeutungsvolles zu sagen. Er kannte verschiedene Menschen, mit denen er jedoch nicht in ein Gespräch verwickelt werden wollte, denn er wusste, dass er sich nicht konzentrieren konnte. Seine für gewöhnlich entspannte Haltung war ihm abhanden gekommen. Gefühle drohten, seine ruhige Fassade aufzubrechen, und es erforderte ständige Wachsamkeit, um sie zu verbergen. Er wollte Margaret vor den üblichen aufdringlichen Spekulationen schützen. Er hatte sich inzwischen mehrmals in ihrer Begleitung gezeigt, und es war unvermeidlich, dass etliche darauf warteten, dass er sich erklärte. Man beobachtete sie und hielt Ausschau nach Stolz, Enttäuschung und Verzweiflung. Es war aufdringlich, ungewollt grausam und Teil einer Gesellschaft, die sie beide als selbstverständlich betrachteten.

Aber noch heftiger wünschte er sich, sie vor der Angst um Hester beschützen zu können sowie vor dem Gefühl der Hilflosigkeit, denn sie konnte nichts tun, als weiterhin Spenden zu sammeln.

»Wie bezaubernd, Sie einmal wiederzusehen, Miss Ballinger«, sagte Mrs. Northwood bedeutungsvoll und schaute erst Margaret an und dann Rathbone.

Rathbone holte Luft, um ihr zu antworten, sah dann jedoch in Margarets Miene, dass es ihr gleichgültig war. Sie hatte die Andeutung verstanden, aber sie berührte sie kaum. Er bewunderte sie. Wie schön sie in ihrer Leidenschaft und Integrität neben diesen strahlenden, gewöhnlichen Frauen war. Was spielte ein wenig soziale Lüsternheit schon für eine Rolle im Vergleich mit dem Schrecken, der sich drei Kilometer entfernt in der Portpool Lane entfaltete?

Er trat ein wenig näher an Margaret heran.

Mrs. Northwood bemerkte es und machte große Augen.

Es würde mindestens noch eine halbe Stunde dauern, bis man zu Tisch bitten würde, aber sie waren auf allen Seiten von Menschen eingeschlossen. Er konnte sie kaum bitten, ein Fleckchen zu suchen, wo sie sich unter vier Augen unterhalten konnten. Er wusste nicht einmal genau, was er ihr sagen wollte. Ein Antrag sollte würdevoll und romantisch geschehen, damit sollte man nicht herausplatzen, wenn man Angst haben musste, belauscht oder unterbrochen zu werden. Er hätte sie zu einer ganz anderen Gesellschaft einladen sollen. Wie, um Himmels willen, war er nur auf diese hier gekommen?

Er wusste, warum. Er hatte gewusst, dass sie die Einladung hierher annehmen würde, weil sie hier weitere Spendengelder sammeln konnte. Eine bezauberndere, romantischere Situation, wo sie hätten alleine sein können, hätte sie abgelehnt, und dann wäre es peinlich geworden und – noch schlimmer – künstlich. Und er genoss es, in ihrer Gesellschaft zu sein. Er sah sich unter den anderen Gästen um und war stolz, dass Margaret sich bei ihm untergehakt hatte und nicht bei einem anderen

Mann. Er lächelte. Er würde schon eine Situation finden, in der er mit ihr sprechen konnte, und wenn es auf dem Heimweg war.

Lady Pamela Brimcott kam auf sie zu. Sie war Mitte dreißig, hübsch und äußerst schwierig. Er hatte ihren Bruder Gerald in einem Fall von Veruntreuung verteidigt – erfolglos. Zumindest hatte sie das gefunden, denn man hatte Gerald schuldig gesprochen, obwohl das Urteil aufgrund von Rathbones Plädoyer auf strafmildernde Umstände relativ nachsichtig ausgefallen war. In Wahrheit war Gerald habgierig und egoistisch, und Rathbone war überzeugt, dass er dem Urteil gemäß schuldig war. Aber er war Anwalt und nicht Richter.

»Guten Abend, Oliver«, sagte Pamela kühl. Ihr Blick wanderte zu Margaret. »Ich nehme an, das ist Miss Ballinger, von der ich schon so viel gehört habe? Ich glaube wohl, Oliver hat Ihnen ebenso viel über mich erzählt?«

Rathbone spürte, dass brennende Röte sein Gesicht überzog. Er hatte Pamela einmal den Hof gemacht und sie auch als passende Frau eingeschätzt. Das war, bevor er Hester kennen gelernt und erkannt hatte, dass »passend« weder Leidenschaft noch Lachen beinhaltete, ja nicht einmal unbedingt Freundschaft. Dem Himmel sei Dank, dass er seinem Instinkt gefolgt war. Er konnte die Feindseligkeit in Pamelas Augen sehen, und er wusste, dass sie ihm die Enttäuschung, die er ihr ihrer Meinung nach bereitet hatte, nicht verziehen hatte. Sie hätte ihn sehr wahrscheinlich damals gar nicht geheiratet – denn er besaß keinen Titel –, aber sie wäre gerne gefragt worden.

»Ich fürchte, er hat Sie nicht erwähnt«, antwortete Margaret in höflichem, bedauerndem Tonfall.

Pamela lächelte. »Wie taktvoll von ihm.« Sie ließ die tieferen, verborgenen Bedeutungsschichten sich entfalten.

Rathbone spürte, dass die Hitze in seinem Gesicht noch zunahm. Er hätte ihr gerne eine passende Antwort gegeben, aber er war viel zu betroffen, als dass ihm eine einfiel. Er wusste, dass Hester eine parat gehabt hätte, und wünschte, sie wäre hier, um sie beide zu verteidigen.

Margaret begriff die Andeutung sofort. Sie erstarrte, Rathbone konnte es spüren. Aber ihr Lächeln war von verblüffender Freundlichkeit, und sie schaute Pamela unerschrocken an. »Abgeschlossene Fälle bespricht er nicht mit mir«, antwortete sie.

Rathbone schnappte nach Luft.

Eine Sekunde herrschte vollkommenes Schweigen, zwei Sekunden. Als sie begriff, was Margaret gesagt hatte, wurde Pamela kreidebleich. Zum ersten Mal seit Jahren hatte sie Mühe, die passende Antwort zu finden. Die Bemerkung war treffender gewesen, als Margaret wissen konnte, und sie konnte sie nicht parieren.

Margaret wartete, sie machte keine Anstalten, ihr zu helfen.

»Über diesen Fall würde er sowieso nicht reden«, sagte Pamela schließlich. »Er spricht nicht gerne über Niederlagen, und diese war eine Katastrophe. Er hat ein Mitglied meiner Familie verteidigt, das einer Sache beschuldigt wurde, an der es nicht nur vollkommen unschuldig war, unter der es vielmehr litt.«

Jetzt war auch Margarets Miene angespannt und blass. Sie hob sehr leicht die Augenbrauen. »Wirklich?«, sagte sie ungläubig. »Das muss äußerst belastend für Sie gewesen sein. Ich bewundere Ihren Mut, gegenüber einer Fremden so offen darüber zu sprechen.« Ihr Tonfall deutete an, dass sie es zudem äußerst indiskret fand.

»Wir können doch keine Fremden sein, wenn wir so viel teilen«, antwortete Pamela mit zusammengebissenen Zähnen.

Margaret hob das Kinn noch ein wenig höher. »Tun wir das? Das wusste ich noch nicht, aber ich bin entzückt, es zu erfahren. Dann werden Sie ebenso freudig wie ich wohltätige Werke unterstützen. Ich kümmere mich im Augenblick um eine Klinik in der Gegend um die Farringdon Road, die Kranke und Verletzte behandelt. Selbst ein paar Pfund würden reichen, um für Wärme und Medikamente zu sorgen, sodass die schlimmsten Fälle Zeit haben, sich ein wenig zu erholen. Ich gebe Ihnen natürlich gerne einen Bericht, für was das Geld verwendet wurde.«

Pamela sah verdutzt und besorgt aus. »Ich muss zugeben, Sie überraschen mich, Miss Ballinger. Ich habe nicht erwartet, dass Sie mich um Geld bitten würden!«

Margaret gelang es, noch überraschter auszusehen. »Haben Sie sonst noch etwas anzubieten?«

Rathbone spürte, dass sein Magen sich verkrampfte und sein Gesicht glühte, und doch hätte er am liebsten gelacht. Der ganze Abend entglitt ihm. Bei Pamelas Bruder hatte er tatsächlich versagt, nicht weil dieser verurteilt worden war, sondern weil er den Fall überhaupt übernommen hatte. Er hätte ihn überreden sollen, sich schuldig zu bekennen und das Geld zurückzuzahlen. Er hätte es gekonnt, die Mittel dazu hatte er. Rathbone hatte sich dem Druck der Familie gebeugt, und da er Pamela gern gehabt hatte, hatte er ihr nicht sagen wollen, dass ihr Bruder ein Dieb war. Er wollte nicht, dass Margaret das alles erfuhr.

»Nichts, was ich Ihnen geben könnte, meine Liebe«, sagte Pamela eisig, und diesmal musste keine verborgene Andeutung gesucht werden.

Margaret lächelte strahlend. »Ich bin so froh«, flüsterte sie und wandte sich ab, um davonzugehen. Pamela blieb vollkommen verdutzt stehen und hatte das Gefühl, ausgespielt worden zu sein, ohne genau zu wissen, wie.

Rathbone war entzückt und ein wenig überrascht darüber, wie sehr er sich freute, dass Margaret sich so wirkungsvoll zur Wehr gesetzt hatte. Er holte sie zufrieden strahlend, ja fast stolz ein. Er nahm ihren Arm, aber sobald sie ein paar Meter gegangen waren, blieb sie stehen und sah ihn an. Jede Spur von Belustigung war aus ihrer Miene verschwunden.

»Oliver, ich würde gerne kurz unter vier Augen mit Ihnen sprechen. Ich glaube, es gibt einen Wintergarten, würde es Ihnen etwas ausmachen, mich dorthin zu begleiten? Dort finden wir sicher ein ruhiges Eckchen.« Sie lächelte ein wenig befangen. »Ohne dass die Leute gleich die falschen Schlüsse ziehen.«

Er fühlte sich merkwürdig niedergeschmettert. Er wollte nicht, dass sie die Führung übernahm, es war ein wenig unschicklich. Und doch hatte sie es getan, indem sie deutlich gemacht hatte, dass sie keine romantischen Absichten hegte. Er war enttäuscht. »Natürlich«, antwortete er und hörte die Kälte in seiner Stimme. Sicher hatte sie es auch gehört. »Hier entlang.«

Es war ein phantastischer Raum, voller schmiedeeiserner Bögen und bis unters Dach mit exotischen Pflanzen gefüllt. Das Plätschern herabrieselnden Wassers war erquickend, und der Geruch nach feuchter Erde und Blumen erfüllte die Luft.

Margaret blieb stehen, sobald sie einige Meter von der nächsten Person weg waren, die ihr Gespräch mit anhören könnte. Ihr Gesicht war äußerst ernst und sah in dem fleckigen Licht beinahe farblos aus.

Er erschrak. Das hier lief nicht im Entferntesten so, wie er es sich vorgestellt hatte. »Was ist los?« Seine Stimme klang nervös und rau.

»Ich mache mir wirklich große Sorgen um Hester«, antwortete sie. »Ich weiß nicht einmal, ob es ihr gut geht oder nicht«, bekannte sie. »Ich gehe davon aus, dass der Rattenfänger mir Bescheid gesagt hätte, wenn sie nicht mehr am Leben wäre, aber nicht einmal das weiß ich mit Sicherheit. Aber ich weiß, dass es noch nicht vorbei ist, denn sonst wäre sie nach Hause gekommen.« Sie schaute ihn unverwandt an. »Sie ist immer noch dort und hat nur unerfahrene Frauen, Squeaky und den Rattenfänger zur Hilfe. Es ist niemand da, der sich um sie kümmert, sollte es notwendig werden, oder der ihr zur Seite steht, damit sie es nicht alleine durchstehen muss. Ich gehe morgen früh sehr früh, vor Einbruch der Dämmerung. Bitte, versuchen Sie nicht, mit mir zu streiten. Es ist richtig, und es gibt keine Alternative.«

Das war schrecklich! Unerträglich! »Das können Sie nicht!« Er griff nach ihrer Hand und hielt sie fest. Sie wehrte sich nicht, antwortete aber auch nicht. »Margaret, niemand darf …

rein oder raus!«, sagte er flehentlich. »Ich verstehe ja, dass Sie helfen wollen, aber …« Er war entsetzt, als hätte sich plötzlich zu seinen Füßen eine Grube aufgetan, und er und alle, die er liebte, stünden schwankend am Rand.

Sie entzog ihm mit einem Ruck ihre Hand. »Doch, ich kann. Ich schreibe dem Rattenfänger eine Nachricht und gebe sie den Männern mit den Hunden. Hester lässt mich vielleicht nicht rein, Sutton schon, um ihretwillen.« Sie war jetzt so weiß, dass er fürchtete, sie werde in Ohnmacht fallen. Sie hatte genauso große Angst wie er, war sich des Schreckens der Krankheit ebenso bewusst und wusste auch, dass sie sich anstecken und einen elenden Tod sterben konnte. Und doch wollte sie gehen.

Er musste sie daran hindern. Die Ironie der Situation war niederschmetternd. »Ich wollte Sie auch bitten, mich in den Wintergarten zu begleiten, um in Ruhe mit Ihnen reden zu können, aber aus einem ganz anderen Grund.«

»Was?« Sie war überrascht, als glaubte sie, sich verhört zu haben.

»Ich wollte Sie bitten, meine Frau zu werden. Ich liebe Sie, Margaret, mehr, als ich je einen Menschen geliebt habe, mehr, als ich je zu lieben glaubte. Mein Herz so an einen Menschen zu hängen macht mir große Angst, aber ich habe das Gefühl, in dieser Sache keine Wahl zu haben.« Wie geschraubt er klang, als spräche er zu einem Richter, um sich anschließend in einem leidenschaftlicheren Appell an die Geschworenen zu wenden.

Ihre Augen füllten sich mit Tränen, was ihn überraschte.

»Bitte«, sagte er sanft. »Ich liebe Sie viel zu sehr, um die Hoffnung aufzugeben und Sie nicht immer wieder zu bitten. Für mich wird es nie eine andere Frau geben, und es gibt keinen Weg zurück.«

»Ich liebe Sie auch, Oliver«, sagte Margaret, und es war kaum mehr als ein Flüstern. »Aber es ist jetzt nicht die Zeit, an uns selbst zu denken. Und wir wissen nicht, ob es danach noch eine Zukunft geben wird.« In ihrer Stimme lag ein Vorwurf, unendlich freundlich, und doch nicht zu überhören.

Da verließ ihn der Mut. Sie hatte bemerkt, welches Entsetzen er vor der Krankheit hatte, und wenn sie es womöglich auch verstand, so konnte sie doch ihre Angst überwinden, und Gleiches erwartete sie auch von ihm. Hatte er sie bereits verloren – nicht an die Pest, sondern an die Verachtung oder an Mitleid, die freundlichere und verheerende Schwester der Verachtung? Und doch konnte er nichts dagegen tun, dass sich ihm der Magen umdrehte und das Gefühl aufkam, dass sich all das, was stark in ihm war und was er unter Kontrolle hatte, plötzlich verflüchtigte.

Er schloss die Augen. »Genau deshalb, weil es vielleicht hiernach keine Zukunft mehr geben wird, musste ich Ihnen sagen, wie ich empfinde.« Er hörte seine Stimme dumpf und bebend, statt leidenschaftlich. »Morgen oder nächste Woche ist es vielleicht zu spät. Ich habe kaum, ›ich liebe Sie‹ über die Lippen gebracht, aber ich vermute, das wissen Sie bereits – das Wichtige ist, dass ich Sie heiraten möchte. Ich habe noch nie um die Hand einer Frau angehalten.«

Sie wandte sich ab und musste, trotz der Tränen, lächeln. »Natürlich nicht, Oliver. Wenn Sie das getan hätten, dann hätte sie Sie genommen. Aber so, wie die Dinge stehen, kann ich nicht. Ich hoffe, Sie können mir verzeihen und sich statt meiner um die Spendengelder kümmern. Wir werden sie verzweifelt brauchen, wahrscheinlich noch dringender als bisher. Aber das können andere tun. Niemand außer mir kann dort hineingehen, und das sollte auch niemand.« Sie wandte sich ihm wieder zu. »Ich bitte Sie nicht darum, weil Sie mich lieben oder weil ich Sie liebe, sondern weil es richtig ist.«

»Natürlich.« Er musste keinen Augenblick darüber nachdenken. Er wollte mit ihr streiten, irgendetwas sagen, irgendetwas tun, um sie aufzuhalten, aber er wusste, wenn er das tun würde, dann aus selbstsüchtigen Gründen, und es würde ihre Verbindung zerstören. Er bot ihr seinen Arm, und sie gingen zu den anderen Gästen zurück, die sich jetzt dem Abendessen zuwandten.

Als er sie nach Hause brachte, war es noch früh, denn beide konnten an nichts anderes denken als daran, dass sie am nächsten Morgen früh aufstehen musste, um vor Einbruch der Morgendämmerung in der Klinik zu sein.

Er stieg aus dem Hansom und reichte ihr die Hand, um ihr hinauszuhelfen. Er zögerte einen Augenblick, denn er hätte sie gerne geküsst. Sie schien es zu spüren, denn sie zog sich zurück.

»Nein«, sagte sie leise. »Auf Wiedersehen zu sagen ist schwer genug. Bitte, sagen Sie nichts, lassen Sie mich einfach davongehen. Abgesehen von allem anderen möchte ich mich nicht meiner Mutter erklären müssen. Gute Nacht.« Damit überquerte sie den Bürgersteig, als auch schon die Haustür geöffnet wurde. Margaret ging hinein und ließ ihn so vollkommen allein, als wäre er der einzige Überlebende in einer verwüsteten Stadt.

Er schlief schlecht und gab um halb fünf den Versuch ganz auf. Er stand auf, rasierte sich mit lauwarmem Wasser und zog sich an. Ohne sich ums Frühstück zu kümmern, rief er einen Hansom herbei und nannte dem Kutscher die Adresse seines Vaters in Primrose Hill.

Es war kurz vor sechs, als er dort ankam, und immer noch so dunkel wie um Mitternacht. Er musste fast fünf Minuten auf der Schwelle warten, bevor Henry Rathbones Diener ihn einließ.

»Gütiger Gott, Mr. Oliver! Was ist passiert?«, fragte er erschreckt. »Kommen Sie herein, Sir. Ich bringe Ihnen einen Brandy, und dann gehe ich den gnädigen Herrn holen.«

»Vielen Dank«, sagte Rathbone. »Sehr freundlich von Ihnen. Bitte sagen Sie ihm, dass ich unverletzt bin und, soweit ich weiß, in guter gesundheitlicher Verfassung.«

Henry Rathbone erschien etwa zehn Minuten später und nahm die von dem Diener dargebotene Tasse Tee dankend entgegen. Dann setzte er sich in den Lehnstuhl Oliver gegenüber, der an einem Brandy nippte. Henry Rathbone schlug nicht die Beine übereinander wie normalerweise, sondern beugte sich vor und schenkte seinem Sohn seine volle Aufmerksamkeit. Da noch niemand aufgestanden war, um den Rost sauber zu machen, ein neues Feuer aufzuschichten und es anzuzünden, war das Zimmer kalt.

»Was ist los?«, fragte er einfach. Er war größer als sein Sohn, mager und hatte ein freundliches Gesicht, eine Adlernase und sehr klare, blaue Augen. In frühen Jahren war er Mathematiker und Erfinder gewesen, und die Klarheit seines Geistes und seine freundliche Verständigkeit hatten Oliver bei aussichtslosen Fällen oft geholfen.

Oliver dachte an Henrys tiefe Zuneigung zu Hester, die ihm das, was er zu sagen hatte, ungeheuer schwer machte. Jetzt, da der Augenblick gekommen war, zögerte er und suchte nach den richtigen Worten.

»Ich kann dir nicht helfen, wenn ich nicht weiß, um was es geht«, erinnerte Henry ihn vernünftig. »Du bist vor Einbruch der Morgendämmerung den ganzen Weg hierher gekommen und bist offensichtlich wegen irgendetwas außer dir vor Angst. Du solltest mir sagen, um was es geht.«

Rathbone schaute auf. Henrys schiere Gegenwart machte es besser und zugleich schlimmer. Sie wühlten seine eigenen Gefühle noch mehr auf. »Es ist etwas, was niemand sonst erfahren darf. Ich sollte es auch dir nicht sagen, aber ich bin am Ende mit meiner Weisheit«, sagte er.

»Ja, das sehe ich«, meinte Henry. »Warte, bis das Frühstück aufgetragen ist, damit wir ungestört sind.«

Oliver gehorchte und brachte währenddessen seine Gedanke in eine gewisse Ordnung.

Als das Frühstück gebracht worden war und sie wieder allein waren, begann er zu reden. Er erzählte die Geschichte sehr einfach und so weit ohne Gefühle, wie er es fertig brachte, was der Geschichte nicht die Tragik nahm, sondern sie umso eindringlicher machte.

Henry sagte überhaupt nichts, bis Oliver zu Ende gesprochen hatte und auf einen Kommentar wartete.

»Ganz ähnlich wie Hester«, sagte Henry schließlich. »Ich bin mir sicher, Margaret Ballinger ist eine gute Frau, so viel ist klar, und vielleicht hätte Hester dich auch nicht glücklich gemacht, ebenso wenig wie du sie. Aber ich habe noch nie jemanden kennen gelernt, den ich so sehr mag.«

»Was kann ich tun?«, fragte Oliver.

»Verteidige den Dieb mit allem, was dir zur Verfügung steht«, meinte Henry. »Solange du verhinderst, dass irgendjemand wilde Spekulationen anstellt, du könntest irgendeine Krankheit verschweigen, geschweige denn diese. Du könntest eine Panik hervorrufen, die womöglich in einem Inferno endet. Das würden weder Hester noch Margaret überleben, und es würde nicht einmal unbedingt der Pest Einhalt gebieten. Was auch immer du tust, Oliver, du darfst keinen Verdacht erregen. Es wäre wirklich schrecklich, wenn der Dieb für ein Verbrechen hängen müsste, das er nicht begangen hat, aber dieses eine Mal ist Ungerechtigkeit nicht das größte Übel.«

»Ich weiß«, stimmte Oliver ihm leise zu. »Ich weiß!«

»Und der arme Monk tut, was er kann, um die Mitglieder der Mannschaft zu finden, die abgemustert wurden?«

»Ja. Als ich das letzte Mal mit ihm sprach, hatte er noch nicht die geringste Spur.«

»Sie könnten bereits tot sein«, erklärte Henry. »Es ist sogar möglich, dass sie auf See gestorben sind und man keine Spur von ihnen findet, weil es keine gibt.«

»Daran habe ich noch gar nicht gedacht«, räumte Oliver ein.

»Gibt es einen Grund, diesem Mann, diesem Louvain, Glauben zu schenken?«

»Nicht einen einzigen!«

»Dann solltest du eher an seine Interessen appellieren statt an seine Ehre.«

»Jetzt, da Margaret kein Geld mehr für Lebensmittel, Kohle und Medikamente sammeln kann, liegt es an mir.«

»Leichtgläubigkeit?«

Oliver war verdutzt. »Das ist es nicht, eher die Angst vor Sittenlosigkeit und Krankheit in unserer Mitte. Wir wollen nicht daran erinnert werden, dass es so etwas auch hier bei uns gibt. Wir fühlen uns schuldig, dass es geschieht und dass wir vollkommen gesund und munter sind. Was in Afrika passiert, ist zu weit weg, um unsere Schuld zu sein.«

»Unsere persönliche«, stimmte Henry ihm trocken zu. »Es ist zu weit weg, als dass wir uns dafür verantwortlich fühlen, und es ist auch zu weit weg, als dass sie uns Rechenschaft ablegen müssten.«

Oliver war zu müde, um zu begreifen, was er meinte. Er fror und war bis auf die Knochen erschöpft. »Was meinst du damit?«

»Dass wir spenden und damit das Gefühl haben, wir hätten unsere Pflicht getan«, antwortete Henry. »Es ist sehr unwahrscheinlich, dass wir die gute Sache, für die es angeblich aufgewendet wird, je zu Gesicht bekommen, folglich können wir uns rechtschaffen fühlen und den Rest ignorieren.«

»Also, natürlich ist es …« Oliver unterbrach sich.

Henry griff nach der Teekanne und schenkte seine Tasse wieder voll. »Ich helfe dir. Für mich ist es nicht schwer, Spendengelder aufzutreiben. Du kümmerst dich darum, den Dieb vor dem Galgen zu retten. Ich bringe dir morgen Geld. Im Augenblick habe ich etwa sieben Pfund im Haus. Nimm das fürs Erste. Ich besorge mehr, auf welchem Weg auch immer.«

»Auf welchem Weg?«, fragte Oliver heftig.

Er warf einen Blick durch den Raum auf die verschiedenen Zinn- und Silbergefäße und ein paar Holzschnitzereien. »Kannst du mir einen besseren Verwendungszweck nennen?«, fragte Henry.

»Nein. Nein, natürlich nicht.« Oliver erhob sich steif. »Ich muss zurück in die Stadt. Danke.«

An dem Abend, an dem Rathbone mit Margaret zu der Abendeinladung ging, stand Monk, als die Dunkelheit hereinbrach, am Ufer der Themse auf den Wapping Stairs und wartete auf Durban. Er hörte das Boot an den Steinen scharren und trat einen Schritt aus dem Schatten.

Durban kam langsam die Stufen herauf und hustete in der kalten Nachtluft. Einen Augenblick hob sich seine Silhouette vor dem Wasser ab, auf dem die Ankerlichter eines vertäuten Schiffes glitzerten, dann stand er im Dunkeln. Aber Monk hatte ihn in diesem Augenblick gesehen, und seine hochgezogenen Schultern hatten ihm verraten, dass er nichts herausgefunden hatte.

»Ich auch nicht«, sagte er leise. Er sprach den Gedanken aus, der ihm schon eine ganze Weile im Kopf herumspukte. »Glauben Sie, die Männer sind vielleicht auf See gestorben und wurden einfach über Bord geworfen? Und deshalb gibt es keine Spur?«

»An der Pest?«, fragte Durban, der dicht an Monk herangetreten war, damit er die Stimme nicht heben musste. »Und der Rest der Mannschaft hat das Schiff hierher gebracht?«

»Warum nicht? Würden vier Männer das nicht hinkriegen, wenn sie müssten?«

»Wahrscheinlich schon, und wenn, sind die drei ja auch nicht unbedingt gleichzeitig gestorben. Aber das ist nicht der Punkt. Wenn die Männer an einer gewöhnlichen Krankheit gestorben wären, hätten sie es gemeldet. Warum nicht? Und Louvain würde es wissen.«

»Ja«, meinte auch Monk. »Aber wenn sie an der Pest gestorben sind, hätten sie's nicht gemeldet. Das Schiff hätte nicht in den Hafen fahren dürfen, und Louvain hätte seine Fracht verloren, und wir wissen ja bereits, dass er sich das nicht leisten kann.«

»Sie haben Newbolt und die anderen gesehen«, antwortete Durban. »Glauben Sie, die würden aus Loyalität zu Louvain auf einem Schiff bleiben, auf dem die Pest ausgebrochen ist?«

»Nein.« Da gab es nichts zu streiten, die Vorstellung war absurd. »Aber wo sind sie nur?«

»Abgemustert, wie Louvain gesagt hat. Entweder hatten sie Glück und sind gesund, oder sie sind inzwischen an der Pest gestorben«, antwortete Durban mit leiser Stimme, so leise wie das Schlürfen der Wellen an den Steinen.

»Gould wird morgen vor Gericht gestellt«, sagte Monk. »Ich glaube, Hodge ist an der Pest gestorben und jemand hat ihm den Schädel eingeschlagen, um die wahre Todesursache zu vertuschen. Sie haben es nicht gewagt, ihn über Bord zu werfen, als sie im Hafen lagen, und das heißt, das Gould nichts damit zu tun hat. Wir können es nicht beweisen, und selbst wenn wir's könnten, würden wir es nicht tun. Wir wagen es nicht einmal anzudeuten, es sei einer von ihnen gewesen, sonst könnte die ganze Sache rauskommen. Wir wagen es nicht, ihnen einen Grund zu geben, die Leiche wieder auszugraben, und so haben wir keinerlei medizinische Beweise.«

Durban fragte nicht, ob Monk irgendetwas aus der Klinik gehört hatte. Sie hatten so viel Zeit miteinander verbracht, dass er es an Monks Stimme gehört hätte und an dem, was er nicht sagte, ebenso wie an dem, was er sagte. Er hatte nicht einmal Mitleid gezeigt, nur ein schweigendes Verständnis für den Schmerz.

»Es war keiner von der Mannschaft«, meinte auch er. »Wenn sie wüssten, dass es die Pest ist, wären sie vom Schiff geflohen, und wenn sie hätten schwimmen müssen. Es muss Louvain gewesen sein. Aber wir werden ihn kaum dazu bringen, es zuzugeben.«

»Was wären ›begründete Zweifel‹?«, dachte Monk laut. »Stockbesoffen gestürzt?«

»Es würde bedeuten, dass Louvain zu seiner ursprünglichen Aussage zurückkehren müsste«, warnte Durban. »Das wird ihm nicht gefallen.«

»Die Alternative wird ihm auch nicht gefallen«, sagte Monk mit wachsender Überzeugung. »Ich muss es nur so unerfreulich darstellen, dass er froh sein wird auszusagen, er habe sich geirrt. Hodge war betrunken, und er stürzte und schlug so fest mit dem Kopf auf, dass er an den Folgen starb. Um ihn herum war mehr Blut, als Louvain zunächst bemerkt hat.«

»War Hodge ein Trunkenbold?«, fragte Durban unsicher. »Sie haben einem Trunkenbold auf dem Fluss in der Nacht die Wache überlassen, wo die Fracht noch an Bord war? Das ist inkompetent.«

»Sie hatten nur wenig Leute.«

»Dann sollte man dem Trunkenbold die Wache bei Tag überlassen.«

»Sie haben Recht, dann sind sie inkompetent«, stimmte Monk ihm bitter zu. »Aber das ist immer noch besser, als von der Pest heimgesucht zu werden, und das ist Louvains Alternative.«

»Sie werden es ihm sagen?«

»Fällt Ihnen was Besseres ein?«

»Soll ich mitkommen?«

Monk hörte die Erschöpfung in Durbans Stimme. »Nein. Ich würde den Halunken lieber unter vier Augen sprechen. Ich will ihn eigenhändig dazu zwingen, Gould zu retten. Es ist nicht viel, aber ich würd's gerne tun.«

»Verstehe. Seien Sie vorsichtig«, warnte Durban ihn, und plötzlich hatte seine Stimme wieder die vertraute Schärfe, und die Müdigkeit war verflogen. »Lassen Sie durchblicken, dass Sie nicht allein arbeiten. Die Wasserpolizei weiß alles. Sorgen Sie dafür, dass er das begreift!«

»Meinen Sie, er würde mir was antun?« Monk war nur wenig überrascht. Er fühlte sich innerlich derart leer, dass es ihm fast egal war. Er war erschöpft, weil er ständig zwischen Hoffnung und Verzweiflung um Hester hin und her schwankte. Hoffnung war qualvoll, manchmal gar unerträglich. Sie hatte ihr Leben aufgegeben, um London, vielleicht sogar ganz Europa, zu retten. Er war leidenschaftlich stolz auf sie und so wütend, dass er Louvain mit bloßen Händen hätte umbringen können, um zu spüren, wie das Leben aus ihm wich, und dabei etwas zu empfinden, was Vergnügen sehr nahe kam. Er war so voller

Schmerz, dass er fast unter seinem Gewicht zusammenbrach. Er wollte nichts essen und konnte nicht schlafen, nur ab und zu der Erschöpfung nachgeben.

»Ich fürchte eher, Sie könnten ihn umbringen«, sagte Durban vernünftig. »Ich komme also auf jeden Fall mit. Sie können das Reden übernehmen, ich will nur dabei sein.«

»Und wenn er Männer bei sich hat und uns beide umbringt?«, fragte Monk.

»Das Risiko gehe ich ein«, antwortete Durban trocken. »Wir nehmen ihn mit, das wird was.«

»Gould wird das nichts mehr nützen.«

»Nein!«, stimmte Durban ihm zu. »Kommen Sie. Gehen wir zu ihm.«

Diesmal war es nicht so leicht, in Louvains Büro vorgelassen zu werden, obwohl der Sekretär bereitwillig zugab, dass Mr. Louvain noch dort war und auch keinen Besuch hatte.

»Es hat mit der ›Maude Idris‹ und dem Diebstahl des Elfenbeins zu tun«, sagte Monk schroff.

»Ja, Sir. Wir haben das Elfenbein wieder. Vielen Dank.«

»Das weiß ich, verdammt! Ich habe es gefunden! Der Dieb wird morgen vor Gericht gestellt. Es hat sich etwas ergeben, über das ich mit Louvain reden muss, und zwar vorher.«

»Ich werde ihn fragen, Sir. Und der Gentleman in Ihrer Begleitung?«

»Superintendent Durban von der Wasserpolizei.«

Zehn Minuten später waren sie in Louvains Büro, das Feuer brannte noch, der Raum war warm, das Gaslicht warf einen Schimmer auf die polierte Tischplatte. Louvain stand mit dem Rücken zum Fenster, genau wie damals, als Monk zum ersten Mal bei ihm gewesen war, die Lichter der Themse schimmerten in dem dunklen Fenster hinter ihm. Er sah angespannt und müde aus.

»Was ist los?«, fragte er, sobald die Tür geschlossen war. »Ich weiß, dass der Dieb morgen vor Gericht gestellt wird. Na und?« Er machte sich nicht die Mühe, seine Gereiztheit zu verbergen, als sie einander quer durch den Raum anstarrten. Zorn und Erbitterung lagen in der Luft. »Wozu, zum Teufel, haben Sie die Wasserpolizei mitgebracht?«

»Gould hat Hodge nicht umgebracht«, erklärte Monk. »Ich habe den Leichnam nicht richtig untersucht. Wie beabsichtigt, habe ich mir nur den Hinterkopf genauer angeschaut.«

Louvains Blick war hart und ruhig. Nicht ein Mal schaute er zu Durban hinüber. »Und was hätten Sie noch sehen wollen?«, fragte er.

»Die Todesursache«, antwortete Monk. »Oder den Grund für den Tod von Ruth Clark – oder wie immer sie hieß.«

Louvains Gesicht wurde unter der Sonnenbräune blass. »Sie hat nichts mit der Sache hier zu tun«, sagte er bärbeißig. Zum ersten Mal zeigte er ein anderes Gefühl als Zorn.

Monk fragte sich, ob sie doch Louvains Geliebte gewesen war. Hatte es ihm gar etwas ausgemacht, sie in die Klinik bringen und dort lassen zu müssen? Es war ihm möglich erschienen, dass Louvain nicht gewusst hatte, dass sie an der Pest erkrankt war und es für eine einfache Lungenentzündung gehalten hatte, aber Durbans Logik war unerbittlich. Wenn Gould Hodge nicht auf dem Gewissen hatte, dann musste es Louvain gewesen sein, der die Ursache seines Todes vertuscht hatte. Wenn die Mannschaft die Wahrheit gewusst hätte, hätte nichts auf der Welt sie auf dem Schiff gehalten. Was auch bedeutete, dass die anderen drei wirklich abgemustert worden waren und nicht auf See gestorben waren.

»Sie hat sehr wohl damit zu tun«, sagte Monk, in dem ein Hass aufwallte, der ihn fast erstickte. »Sie haben sie in die Klinik in der Portpool Lane gebracht, obwohl Sie wussten, dass sie die Pest hatte.« Er übersah Louvains schmerzvolles Zusammenzucken. Wie viel sie ihm auch bedeutet haben mochte, es war keine Entschuldigung dafür, dass er sie irgendwohin gebracht hatte, wo sie die Krankheit an andere weitergeben konnte – an Frauen, die von anderen Männern geliebt wurden! »Daran ist Hodge doch gestorben, oder etwa nicht!«, be-schimpfte er Louvain. »Sie haben ihm mit der Schaufel eins über den Hinterkopf gezogen, damit es wie Mord aussah und er schnell begraben wurde. Niemand sollte je die Wahrheit erfahren. Es war Ihnen doch völlig egal, dass ein Unschuldiger dafür hängt!«

»Er ist ein Dieb«, sagte Louvain mit Bitterkeit und Zorn in der Stimme, weil er gezwungen wurde, Rechenschaft abzulegen.

»Soll er deswegen hängen?« Monk konnte es nicht glauben, doch je länger er darüber nachdachte, desto eher glaubte er es. »Weil er Ihnen etwas gestohlen hat?«

Louvain verzog den Mund. »Sie halten sich für einen weltklugen Mann, Monk, und glauben, dass niemand es wagt, Ihnen die Stirn zu bieten, aber Sie sind naiv und stolpern über Ihre eigene Moral. Sie sind zu schwach, um am Fluss zu überleben.«

Vor ein paar Tagen hätte diese Beleidigung Monk schwer getroffen. Heute war sie so unbedeutend, dass er nicht einmal darauf reagierte. Was war Eitelkeit angesichts des Verlusts, der ihm drohte?

»Gould wird nicht hängen«, antwortete er stattdessen. »Denn wir werden dafür sorgen, dass er aufgrund begründeter Zweifel freigesprochen wird.«

Louvain entblößte die Zähne zu so etwas wie einem Lächeln. »Begründete Zweifel in Bezug auf was? Sie werden nicht herumerzählen wollen, dass er an der Pest gestorben ist.« Als er das Wort aussprach, brach ihm die Stimme, und Monk sah zum ersten Mal das Entsetzen, das ihm den Magen umdrehte, wenn er das Wort nur in den Mund nahm. Es war eine Mischung aus Zorn, Gier und Stolz, die ihn antrieb, aber es war Angst, die ihm den Schweiß in kleinen Perlen auf die Haut trieb und ihn weiß wie eine Wand werden ließ. »Sie haben Panik wie bei einem Waldbrand«, fuhr er fort. »Ihre eigene Frau wird eine der Ersten sein, die daran stirbt. Der Mob würde die Klinik ausräuchern, und das wissen Sie.« In seinen Augen lag ein triumphierendes Glitzern, dünn wie schmelzendes Eis.

Monk spürte die Macht dieses Mannes, seine Intelligenz und Gewalt, die nur von seinen eigenen Bedürfnissen gelenkt wurden. Jetzt wusste er genau, warum Louvain so bereitwillig das Dokument unterschrieben hatte, das Hodges Tod bezeugte. Er hatte damals schon vorgehabt, Hester als Geisel in der Klinik gefangen zu halten. Darum hatte er sich an Monk gewandt! Es passte alles wunderbar zusammen.

»Natürlich nicht«, stimmte Monk ihm mit zitternder Stimme zu. Durban hatte er fast ganz vergessen. »Und Sie auch nicht, denn sonst werden auch Sie vom Pöbel verfolgt. Dafür sorge ich schon. Der Fluss wird es Ihnen nicht danken, dass Sie die Pest nach London gebracht haben. Sie verlieren nicht nur Ihr Schiff und die Ladung, die noch darauf ist, Sie können froh sein, wenn man Ihnen nicht Ihre Lagerhäuser, Ihre Büros und Ihr Heim abfackelt. Die knüpfen Sie mit Vergnügen auf.« Er erwiderte Louvains Lächeln. »Dafür werde ich, verdammt noch mal, sorgen – wenn es sein muss.«

Er sah den Angstschweiß auf Louvains Oberlippe und Stirn und den Hass in seinen Augen.

»Sie werden also aussagen, dass Sie sich geirrt haben«, sagte Monk mit harter, ruhiger Stimme und wich Louvains Blick nicht aus. »Sie wollten nicht, dass jeder weiß, dass bei Ihnen ein Matrose Wache schob, der als Trunkenbold bekannt war. Schlecht für den Ruf. Aber inzwischen ist Ihnen klar geworden, dass Sie es mit der Wahrheit etwas genauer nehmen müssen. Hodge hat zu viel getrunken, er hat nach Schnaps gerochen, und er muss das Gleichgewicht verloren haben, gestürzt sein und sich den Kopf aufgeschlagen haben, denn so haben Sie ihn gefunden. Gould wird seine Geschichte dahingehend abändern, dass Hodge betrunken war, als er auf ihn traf, aber unverletzt. Es klingt einigermaßen logisch, dass es so passiert sein kann.«

»Und wenn ich mich weigere?«, fragte Louvain vorsichtig. Er war sehr angespannt und schwankte leicht hin und her, als wollte er sich jeden Augenblick in einen Kampf stürzen, die

Schultern hochgezogen, das Gewicht auf den Ballen. »Sie werden die Geschichte über die Pest nicht verbreiten, und ich noch weniger. Wir hängen in derselben Schlinge, Monk. Ich sage, Gould hängt. Der nächste Dieb wird es sich zweimal überlegen, bevor er auf einem Schiff von Louvain etwas stiehlt.«

»Was glauben Sie, wie clever Gould ist?«, fragte Monk, als wäre er einfach neugierig. »Wie moralisch?«

»Nicht sehr – beides nicht«, antwortete Louvain und verlagerte leicht das Gewicht. »Warum?«

»Er hat Hodge nicht umgebracht. Was wetten Sie, wie groß seine Bereitschaft ist zu hängen, um Ihre Interessen zu schützen?«

Louvains Augen glitzerten, und aus seinem Gesicht war der letzte Hauch Farbe gewichen, sodass die Stoppeln eher grau als braun aussahen. »Sie werden es ihm nicht sagen«, behauptete er.

»Das muss ich womöglich gar nicht«, antwortete Monk. »Er kommt vielleicht von selbst darauf. Nicht auf die Pest, aber auf Gelbfieber, Typhus, Cholera? Wollen Sie, dass man Hodges Leiche wieder ausbuddelt, um zu sehen, ob er Recht hat? Wenn es so weit kommt, wird niemand von uns das verhindern können.«

Schweigen lastete im Raum. Plötzlich hörte man das Ticken des Chronometers auf dem Tisch, der die verstreichenden Augenblicke der Ewigkeit zählte.

»Was soll ich aussagen?«, fragte Louvain schließlich. Seine Haut war weiß und schweißgebadet, aber in seinen Augen stand rabenschwarze Wut.

Monk erklärte es ihm langsam und sorgfältig, dann traten er und Durban hinaus in die regennasse, stürmische Nacht. Ein kleiner Triumph glühte wie eine stecknadelkopfgroße Wärmequelle in Monks Innerem, auch wenn er zu winzig war, um die große Angst vor dem Verlust zu mildern.

Am Morgen machte Rathbone sich gerade fertig, um zum Gericht zu gehen, als Monk im Korridor zu ihm trat.

»Tut mir Leid«, entschuldigte Monk sich. »Ich habe die Zeit aus den Augen verloren. Ich hätte früher hier sein sollen. Louvain wird aussagen, dass Hodge ein Trinker war und dass er, als er ihn fand, auf dem Balken am Fuß des Niedergangs, stockbesoffen war, den Kopf durch den Sturz eingeschlagen.«

Rathbone starrte ihn an. »Sind Sie sicher?«

»Ja. Etwas anderes wird er nicht wagen.« Monk blinzelte. »Sie sehen schrecklich aus.« Die Stimme blieb ihm im Hals stecken, die nackte Angst stand ihm in den Augen und drückte sich auch in der angespannten Starre seines Körpers aus.

Rathbone empfand ein überwältigendes Gefühl der Brüderlichkeit mit ihm, ein so starkes gemeinsames Band, das in diesem Augenblick etwas in seinem Inneren veränderte. Das Einzige, an was er denken konnte, war, dem Entsetzen in Monks Augen ein Ende zu bereiten. Er verstand es, denn es war auch sein eigenes. »Margaret ist in die Klinik gegangen, um Hester zu helfen«, antwortete er. »Mehr weiß ich nicht, weder Gutes noch Schlechtes, aber ich bringe Geld und Vorräte dorthin.«

Die vorübergehende Erleichterung machte Monk sprachlos. Seine Augen füllten sich mit Tränen, und er wandte sich ab.

Rathbone schwieg. Es war nicht nötig, dass zwischen ihnen noch weitere Worte gewechselt wurden.

Der Prozess dauerte drei Tage. Am ersten Tag begann die Anklage mit dem Leichenbestatter, der Hodge beerdigt hatte, und seine Aussage schien vernichtend zu sein. Rathbone konnte kaum etwas tun, um ihn zu erschüttern, und er wusste, dass er sich bei den Geschworenen nur unbeliebt machen würde, wenn er es versuchte. Er war ein rechtschaffener Mann, und es war deutlich, dass er vollkommen von dem überzeugt war, was er sagte. Aus seinem Verhalten sprachen sowohl Seriosität als auch Mitleid.

Am frühen Nachmittag machte Hodges Witwe ihre Aussage in Bezug auf die Identität des Toten, auch wenn niemand daran gezweifelt hatte. Die Anklage wollte, dass die Geschworenen ihren Kummer erlebten.

Rathbone erhob sich. »Ich habe keine Fragen an die Zeugin, Euer Ehren. Ich würde ihr nur gerne mein Beileid aussprechen.« Als er sich setzte, kam aus der Zuschauermenge zustimmendes Gemurmel.

Der Nächste, der aufgerufen wurde, war Clement Louvain. Rathbones Herz schlug schneller, und er ballte seine schweißnassen Hände zu Fäusten. Es hing mehr von ihm ab als nur das Leben eines Mannes. Wenn er zu sehr stocherte, zu viel fragte, verriet er womöglich die Bedrohung, die ganz Europa vernichten konnte. Und niemand im Saal wusste es, nur Louvain und er selbst.

Louvain legte den Eid ab. Er sah müde aus, als wäre er die ganze Nacht wach gewesen, und die tiefen Falten in seinem Gesicht zeigten den inneren Kampf, den er ausfocht. Rathbone überlegte kurz, ob sich darin auch der Tod von Ruth Clark spiegelte.

Die Anklage befragte Louvain zu der Entdeckung von Hodges Leiche und der Beschreibung der schrecklichen Wunde an seinem Hinterkopf.

»Und warum haben Sie nicht die Polizei gerufen, Mr. Louvain?«, fragte der Anklagevertreter sanft.

Rathbone wartete.

Louvain schwieg.

Der Richter starrte ihn mit hochgezogenen Augenbrauen an.

Louvain räusperte sich. »Ein Teil meiner Ladung war gestohlen worden. Ich wollte sie wiederhaben, bevor meine Konkurrenten davon erfuhren. So etwas ruiniert das Geschäft. Ich habe einen Mann beauftragt, sich darum zu kümmern. Er ist Gould auf die Schliche gekommen.«

»Das war Mr. William Monk?«

»Ja.«

Der Tonfall des Anklagevertreters war hörbar sarkastisch. »Und jetzt, wo Sie Ihre Ladung wiederhaben, sind Sie bereit, mit dem Gesetz und der Bevölkerung von London, ganz zu schweigen von Ihrer Majestät, zu kooperieren und uns dabei zu helfen, Gerechtigkeit walten zu lassen. Habe ich das richtig verstanden, Mr. Louvain?«

Louvain verzog das Gesicht vor Wut, aber er konnte nichts tun. Während er ihn so beobachtete, bekam Rathbone ein Gefühl für die Macht dieses Mannes und seine Willensstärke, und er war froh, dass nicht er einen solchen Zorn auf sich gezogen hatte.

Louvain lehnte sich über das Geländer des Zeugenstands. »Nein, das haben Sie nicht«, knurrte er wütend. »Sie haben keine Ahnung von dem Leben auf See. Sie kleiden sich gepflegt und essen das Essen, das Ihnen von einem Diener serviert wird, und Sie haben außer mit Worten nie wirklich einen Kampf ausgetragen. Ein Tag auf dem Fluss, und Sie würden sich vor Angst in die Hose machen. Ich habe den Dieb gefangen, und ich habe meine Fracht wieder, und das habe ich erreicht, ohne dass irgendjemand dabei zu Schaden kam, und es wurde weder Steuergeld dafür aufgewandt, noch hat ein Polizist seine Zeit dafür geopfert. Was wollen Sie denn noch?«

»Dass Sie sich an das Gesetz halten wie jeder andere auch, Mr. Louvain«, antwortete der Anklagevertreter. »Aber vielleicht wollen Sie mir erzählen, was genau Sie antrafen, als Sie auf Ihr Schiff kamen, die ›Maude Idris‹, und die Leiche von Mr. Hodge entdeckten.«

Louvain sagte das aus, worum er gebeten worden war, und der Anklagevertreter dankte ihm und forderte Rathbone auf, den Zeugen zu befragen, falls er das wünschte.

»Vielen Dank«, sagte Rathbone höflich und wandte sich Louvain zu. »Sie haben die Szene sehr lebendig beschrieben, Sir, das schwache Licht im Laderaum, sodass es nötig war, eine Laterne mitzunehmen, die Höhe der Stufen. Wir haben das Gefühl, wir wären bei Ihnen gewesen.«

Der Richter beugte sich vor. »Sir Oliver, wenn Sie eine Frage haben, dann stellen Sie sie bitte. Es wird spät.«

»Ja, Euer Ehren.« Rathbone wollte sich nicht hetzen lassen, sein Tonfall war entspannt, fast beiläufig. »Mr. Louvain, ist es wirklich so schwierig, den Niedergang zum Laderaum hinunterzusteigen, wie Sie es anzudeuten scheinen?«

»Nicht, wenn man daran gewöhnt ist«, antwortete Louvain.

»Und nüchtern ist, nehme ich an?«, fügte Rathbone hinzu.

Louvains Schultern spannten sich unter dem Stoff der Jacke an, und seine Hände an dem Geländer sahen aus, als würden sie jeden Augenblick das Holz zerquetschen. »Ein Betrunkener könnte leicht eine Sprosse verpassen«, räumte er ein.

»Und ein ganzes Stück runterfallen. Ich glaube, mich zu erinnern, dass Sie zweieinhalb bis drei Meter sagten?«

»Ja.«

»Und ernste Verletzungen erleiden?«

»Ja.«

»Und? War Hodge nüchtern?«

Louvain kniff die Augen zusammen. »Nein, so wie er gestunken hat, nicht.«

»Wie kommen Sie dann auf die Idee, dass er ermordet wurde und nicht einfach eine Stufe verfehlt hat und gestürzt ist?« Rathbone trat einen Schritt weiter in die Mitte des Saals. »Lassen Sie mich Ihnen helfen, Mr. Louvain. Könnte es nicht sein, dass Sie, da ein Teil Ihrer Ladung gestohlen worden war, automatisch davon ausgingen, dass der Matrose das Opfer der gleichen Banditen geworden war? Sie sahen sich die Szene an und schlossen daraus, dass der Dieb auf Ihr Schiff gekommen war, Ihre Nachtwache angegriffen und Ihre Ladung gestohlen hatte, und nicht, dass Ihr Matrose einen Unfalltod erlitten hatte. Da er nicht auf seinem Posten war, konnte ein Dieb an Bord kommen und Ihre Fracht stehlen? Ist das möglich, Mr. Louvain?«

»Ja«, sagte Louvain bitter. »Durchaus.« Seine Stimme war kaum zu verstehen. »In Wahrheit glaube ich sogar, dass es genau so war.«

»Vielen Dank, Sir.« Rathbone ging zu seinem Platz zurück.

Der Rest des Prozesses war nur noch eine Formalität, die

anderen Zeugen machten ihre Aussagen, Monk am folgenden Tag, und erhärteten alles, was Louvain gesagt hatte. Die Geschworenen kamen am dritten Tag zu einem Urteil, sie befanden Gould des Diebstahls, zu dem er sich ja auch bekannt hatte, für schuldig, aber es bestanden mehr als begründete Zweifel, dass überhaupt ein Mord begangen worden war. In diesem Punkt wurde er freigesprochen.

Rathbone trat in den vormittäglichen Regen hinaus und hatte das Gefühl, einen sehr kleinen Sieg errungen zu haben. Er hatte, zumindest fürs Erste, das Leben eines Mannes gerettet.

13

In der Portpool Lane wurde die Zeit nicht mehr nach Nächten und Tagen gemessen, sondern nach Wäschebergen oder danach, ob es hell genug war, die Kerzen auszupusten, oder dunkel genug, um die Männer im Hof zu bitten, am Brunnen am Ende der Straße Wasser zu holen. Man verständigte sich mit Hilfe von Zeichen von der Hintertür aus, denn niemand durfte so nah herankommen, dass die Gefahr bestand, dass er sich ansteckte.

Vier Frauen waren inzwischen gestorben, einschließlich Ruth Clark und Martha, neun lebten noch. Hester machte so oft wie möglich die Runde bei ihnen. Bei denen, die Lungenentzündung oder Bronchitis hatten, ging es darum, das Fieber in Schach zu halten und dafür zu sorgen, dass sie möglichst viel tranken: Wasser, Tee, Brühe, alles, was den Flüssigkeitsverlust ausgleichen konnte.

Für die drei, die die Pest hatten, konnten sie nicht viel tun, außer verzweifelt alles zu versuchen, um ihre starken Schmerzen zu lindern. Es war nicht nur das Wissen um den drohenden Tod, sondern um das Gift, das in ihren Körpern tobte, bevor es in dem schwärzlich verwesenden Fleisch der Beulen ausbrach, die die Kranken so elend machten, dass sie um Erlösung flehten. Die Augenblicke voller Bewusstsein zwischen den Delirien waren so qualvoll, dass die Frauen immer wieder aufschrien und Hester und die anderen nichts tun konnten, als ihnen kalte Tücher und einen Schluck Wasser zu verabreichen und sie nicht allein zu lassen.

»Das wünsch ich wirklich keinem«, sagte Flo leise und nestelte unbehaglich am Ärmel ihrer Bluse, denn sie dachte wie alle ständig an ihre Achseln und ihre Leistengegend. Sie stellte eine weitere Schüssel Wasser auf den Tisch vor den Krankenzimmern, damit Hester die Tücher darin auswringen konnte. »Nicht mal dieser Ruth Clark, dieser verlogenen Schlampe.« Ihr Gesicht war blass vor Müdigkeit, die Sommersprossen stachen hervor wie Schmutzflecken, und unter den Augen lagen dunkle Ringe. »Ich bin zwar 'ne Nutte, Miss Hester, und noch 'n paar Dinge, die ich nicht auszusprechen wage, aber 'ne Diebin bin ich nicht. Ich hab 'nen Ruf zu verlieren wie jeder andere auch, und sie hatte nicht das Recht, mir den zu beschmutzen, indem sie Lügen erzählt. Warum nur, ich hab ihr doch gar nichts getan?«

»Sie war sehr zornig«, antwortete Hester, legte sich die Tücher über den Arm und nahm dann die Schüssel. »Ein Mann, dem sie vertraute, den sie vielleicht sogar geliebt hat, hat sie wie Abfall in die Gosse geworfen, als sie ihn am meisten brauchte. Und so hat sie einfach nur noch um sich geschlagen.«

Flo zuckte die Schultern. »Wenn sie 'nem Mann vertraut hat, der sie bezahlt, war sie ganz schön dumm!« Sie sah Hester herausfordernd an, und Hester begegnete ihrem Blick. Flo seufzte und senkte die Augen. »Also ... schon möglich, dass wir alle ab und zu mal dumm sind«, sagte sie zögernd. Dann lächelte sie. »Ich lebe, aber sie nicht mehr, also sollte ich wohl keinen Groll mehr gegen sie hegen. Was meinen Sie?«

Hester wurde von einer eiskalten Hand gepackt, als wäre die Tür nach draußen aufgegangen. »Nennen Sie das einen Sieg, Flo?«

»Also ...«, setzte Flo an, dann erstarrte sie. »Große Güte! Ich hab ihr nichts getan, Miss Hester!«

Die Kälte in Hester wuchs noch, hielt sie umklammert wie Eis. »Warum sollte ich so etwas denken, Flo?«, fragte sie sehr leise.

»Weil sie mich 'ne Diebin geschimpft hat«, sagte Flo empört. »Nicht gerade nett, so was zu sagen! Wenn Sie ihr geglaubt hätten, hätten Sie mich auf die Straße werfen können. Um Gottes willen! Ich könnt da draußen verrecken!« Ein gequältes, unglückliches Lächeln huschte über ihr Gesicht. »Na ja, das kann ich hier drin ja wohl auch. Aber hier bin ich unter Freunden, und das zählt.«

»Ich habe Sie nie für eine Diebin gehalten, Flo«, sagte Hester und war überrascht, wie sicher sie sich war.

Flos Miene erhellte sich vor Staunen. »Nicht? Wirklich nicht?«

Hester spürte Tränen in ihren Augen aufsteigen. Das musste die Müdigkeit sein. Sie konnte sich nicht erinnern, wann sie das letzte Mal länger als eine Stunde am Stück geschlafen hatte. »Nein.«

Flo schüttelte, immer noch lächelnd, den Kopf. »Ich bin nur froh, dass ich ihr nicht mal eine aufs Maul gegeben hab, und glauben Sie mir, dran gedacht hab ich! Soll ich dann noch mehr Handtücher holen?«

»Ja. Ja, bitte«, antwortete Hester. »Bringen Sie sie einfach mit, wenn Sie das nächste Mal hochkommen.«

Eine weitere Frau starb, und Hester und Mercy wickelten sie in eine dunkle Decke als Leichentuch. Als sie fertig waren, schaute Hester auf und sah, wie blass Mercy war. Als Mercy den Kopf drehte, weil sie Schritte auf der Treppe hörten, fiel das Kerzenlicht auf ihre dunklen Augenhöhlen.

»Wir bitten Squeaky, beim Tragen zu helfen«, sagte sie. »Lassen Sie mal.«

Mercy wollte widersprechen, ließ es jedoch. »Vielleicht haben Sie Recht«, räumte sie ein. »Es wäre schrecklich, wenn ich sie fallen lassen würde, die arme Seele.« Ihr Gesicht verriet tiefes Mitleid, aber auch eine Spur Zorn. Hester überlegte, warum, aber sie war zu müde, um weiter darüber nachzudenken.

Claudine stand in der Tür. Sie ließ den Blick von Hester zu dem Bündel auf dem Bett wandern. Sie hatte die Frau verachtet, aber ein kurzer Blick in ihr Gesicht verriet, dass der Tod sie von jedem Urteil befreit hatte, einzig eine allgemeine Menschlichkeit war übrig geblieben.

»Ich sage den Männern Bescheid«, sagte sie und wandte sich von Hester an Mercy: »Sie sehen aus, als bekämen Sie die Füße nicht mehr hoch, ganz zu schweigen die eines anderen. Ich reiße den nutzlosen Kerl wohl besser mal von seinen Büchern los!« Ohne auf Hesters Zustimmung zu warten, entfernte sie sich. Sie hörten ihre Schritte sich den Gang hinunter entfernen, die Absätze klapperten vernehmlich über die Dielen, doch ihre Schritte waren langsamer als vorher. Sie stand ebenfalls am Rande der Erschöpfung. Bald würden Bessie und Flo den Rest der Nachtwache übernehmen.

»Wir kriegen es schon hin«, sagte Hester zu Mercy. »Gehen Sie jetzt zu Bett. Ich wecke Sie, wenn's Zeit ist.«

Dieses eine Mal erhob Mercy keine Einwände.

Claudine kehrte zurück, Squeaky, der unentwegt schimpfte, folgte einen Schritt hinter ihr.

»Ist nicht meine Aufgabe, mich als verdammter Leichenbestatter zu betätigen!«, beschwerte er sich. »Und wenn ich die Pest kriege, he? Was ist dann? Leichen rumschleppen! Der verfluchte Mr. Rathbone hat nicht gesagt, ich müsst mich mit Leichen rumplagen – das war nicht abgemacht! Und wenn ich's jetzt kriege, he? Da fällt Ihnen nichts mehr ein, was?«

»Hätten Sie zwischendurch einmal Luft geholt, hätte ich eine Chance gehabt«, antwortete Claudine beißend. »Aber wenn Sie nicht von selbst auf die Antwort kommen, kann ich sie Ihnen auch geben. Dann sterben Sie daran, Punkt. Genau wie wir anderen auch.«

»Das würde Ihnen gefallen, was!«, fuhr er sie an und warf ihr einen wütenden Blick zu, wie sie mit hoch erhobenem Kopf, tadelloser Frisur und die Hände in die Hüften gestemmt an der Tür stand.

»Das würde mir natürlich nicht gefallen!«, keifte sie zurück. »Wenn Sie tot sind, muss ich das ganze Wasser alleine schleppen, statt nur den Großteil wie im Augenblick. Abgesehen davon, wer sollte Sie raustragen?«

»Sie sind kalt und herzlos«, sagte er jämmerlich. »Und Sie tragen auch nicht den Großteil des Wassers, sondern nur die Hälfte, genau wie ich.«

»Na, dann können wir uns auch das Gewicht der armen toten Frau teilen«, befahl sie ihm. »Nein, Sie fassen oben an, nicht unten!«

»Warum?«

»Natürlich weil sie oben schwerer ist. Jetzt benutzen Sie doch mal Ihren Verstand, Mann.«

»Arme Frau, was?«, feixte er. »So haben Sie sie vor ein paar Tagen aber noch nicht genannt. Da war kein Schimpfwort hässlich genug, denn sie hat sich ihren Lebensunterhalt in der Horizontalen verdient, wie die meisten hier. Sie verachten sie, dabei würden Sie selbst nicht mal 'nen halben Penny verdienen, nicht mal im Dunkeln!«

Hester erstarrte und stellte sich darauf ein, sich dazwischen zu werfen, wenn Claudine sich gegen diese Beleidigung wehrte.

Aber die blieb vollkommen ruhig. »Legen Sie mir nichts in den Mund, Sie dummer kleiner Mann«, sagte sie müde. »Packen Sie einfach nur mit an und helfen Sie mir, sie die Treppe runterzutragen. Und zwar würdevoll! Sie ist kein Bündel Schmutzwäsche, das man hinwerfen kann.«

Squeaky gehorchte. »Das hört sich jetzt aber ganz anders an, was? Dann sind die Nutten von der Straße also wieder in Ordnung, wenn sie nur tot sind, hä?« Er bückte sich, packte das Bündel ungefähr da, wo die Schultern der toten Frau sein mussten, und schwankte ein wenig unter dem Gewicht.

»Hat schließlich wenig Sinn, die Toten zu kritisieren, oder?«, reizte Claudine ihn. »Jetzt muss Gott sich mit der armen Seele rumschlagen.«

Squeaky stieß einen schrillen Kraftausdruck aus. »Noch muss ich mich mit ihr rumplagen, und wenn es mir die Därme zerreißt, weil sie so schwer ist! Haben Sie da ein paar Bleiziegel mit eingewickelt?«

»Um Himmels willen, Mann!«, explodierte Claudine. »Gehen Sie in die Knie! Drücken Sie den Rücken durch! Was ist los mit Ihnen? Haben Sie noch nie was Schweres aufgehoben?« Sie stieß einen aufgebrachten Seufzer aus und griff nach den Füßen der toten Frau. »Und ab jetzt!«, befahl sie.

Squeaky tat es ihr genau nach, die Lippen vor Konzentration zusammengekniffen, und hob das andere Ende des Leichnams hoch. Er ging verhältnismäßig vorsichtig zu Werke, zögerte und überlegte offenkundig, ob er sich bei ihr bedanken sollte, und kam gnädigst zu dem Schluss, es sei wohl angebracht. »Ja!«, sagte er. »So geht's wirklich besser!«

»Jetzt aber los!«, sagte Claudine ungeduldig. »Worauf warten Sie noch, auf eine Runde Beifall?«

Er warf ihr einen wütenden Blick zu und bewegte sich rückwärts durch den von Kerzen beleuchteten Flur in Richtung Treppe.

Hester folgte ihnen und warnte Squeaky, als dieser kurz vor der Treppe stand und es so aussah, als würde er jeden Augenblick rückwärts hinunterfallen.

»Sie Narr!«, schimpfte Claudine wütend, wahrscheinlich, weil sie nicht selbst daran gedacht hatte, ihn zu warnen.

»Ich weiß nicht, warum wir überhaupt Sutton und seinen verdammten Hund brauchen!«, geiferte Squeaky ungehalten. »Sie haben ein Mundwerk wie 'ne Rattenfalle! Sie könnten leicht die ganzen Ratten im Haus fangen! Vielleicht ist es das, was mit Ihnen nicht stimmt! Sie haben zu viele verdammte Ratten verschluckt!«

»Hören Sie auf zu jammern und tragen Sie die arme Frau runter«, erwiderte Claudine, anscheinend ungerührt.

Squeaky riss sich zusammen und tastete sich rückwärts die Treppe hinunter. Claudine bewegte sich vorsichtig, achtete darauf, dass er nicht das Gleichgewicht verlor, ging langsam, wartete, wenn notwendig, und krittelte auch nicht weiter an ihm herum. Als sie unten ankamen, sagte sie Squeaky, in welche Richtung er gehen sollte, und wenn er sich erst orientieren musste, wartete sie.

So gelangten sie schließlich zur Hintertür, und Sutton, der daneben stand, öffnete sie. In der regennassen Nacht schimmerte das Licht der Laternen auf den Steinen, und die Rinnsteine waren überflutet. Zwei Männer warteten unter dem Dachvorsprung, die Hunde hockten geduldig zu ihren Füßen. Zwei weitere Männer lösten sich aus dem Schatten. Sie würden den Leichnam holen, sobald sie die Tür wieder hinter sich geschlossen hatten. Der Karren des Rattenfängers stand sicher irgendwo in der Nähe am Bordstein.

Squeaky und Claudine ließen den Leichnam erleichtert zu Boden gleiten. Zur Verblüffung aller stand sie mit gesenktem Kopf noch einen Augenblick still im Regen.

»Möge Gott der Herr Erbarmen haben mit ihrer Seele und sich an das erinnern, was Gutes in ihr war«, sagte sie leise. »Amen.« Sie hob den Kopf. »Was glotzen Sie so?«

Squeaky sah sie finster an, in der Kälte zusammengekauert und am ganzen Körper zitternd.

»Amen!«, antwortete er, dann sprang er über das nasse Pflaster zurück zur Küchentür, wobei er überall Wasser verspritzte. Claudine folgte ihm.

Hester lächelte und dankte den beiden. In dem Augenblick erschien Bessie und verkündete, sie werde jetzt eine Weile übernehmen. Hester entschuldigte sich und ging die Treppe hinauf, um sich ein ruhiges Plätzchen zu suchen, wo sie sich ihrer Müdigkeit überlassen und ein paar Stunden schlafen konnte.

Als sie erwachte, schien es ihr, als wären erst ein paar Minuten vergangen, doch es mussten einige Stunden gewesen sein, denn durch die Fenster drang fahles Winterlicht. Flo stand neben ihr, das lange sommersprossige Gesicht vor Kummer verzerrt.

Hester kämpfte gegen die Müdigkeit und richtete sich mühsam auf. Die Luft war kalt, und ihr Kopf schmerzte. »Was ist los, Flo?«, fragte sie.

»Ich wollt Miss Mercy wecken. Sie sieht schrecklich blass aus, und ich krieg sie nicht richtig wach.«

»Sie ist wahrscheinlich völlig erschöpft«, meinte Hester und zog fröstelnd die Decke um die Schultern. »Sie hat tagelang pausenlos gearbeitet. Wir können sie noch ein wenig schlafen lassen. Ich stehe auf. Ist in der Nacht noch irgendetwas passiert? Wie geht's unseren Patientinnen?« Während sie sprach, tastete sie in ihren Achselhöhlen nach Beulen und konnte es fast nicht glauben, als sie keine fand.

»Bei Minnie sieht's schlimmer aus«, antwortete Flo und tat so, als hätte sie nichts bemerkt. Sie verstand sie vollkommen. »Hustet sich fast die Lunge aus dem Leib«, fuhr sie fort. »Ist aber immer noch sehr gesprächig, sodass sie's wohl noch einen oder zwei Tage packt, das arme kleine Huhn. Teewasser ist fertig, wenn Sie runterkommen.«

»Danke.«

Flo ging hinaus und schloss die Tür hinter sich, und Hester stand steif und zitternd auf. Sie zog sich wieder an und wusch sich mit dem kalten Wasser aus der kleinen Schüssel, die sie für sich zur Seite gestellt hatte, das Gesicht. Dann ging sie nach unten, um den Tee zu trinken, den Flo ihr angeboten hatte, und ein wenig Toast zu essen. Dank Margarets nicht nachlassender Bemühungen hatten sie genügend Lebensmittel und Heizmaterial. Sie schob den Gedanken an Margaret beiseite, denn sie vermisste sie zu sehr, vor allem ihre Ermutigung und das Wissen, dass sie ihr einfach einen Blick zuwerfen und sicher sein konnte, dass sie einander auf einzigartige Weise verstanden. Das Gefühl der Einsamkeit würde sie lähmen, wenn sie es zuließe.

Auch den Gedanken an Monk verdrängte sie, denn sonst würde sie in Tränen ausbrechen. Sie durfte nicht daran denken, je wieder mit ihm zusammen zu sein – seine Stimme zu hören, seine Berührungen und seine Lippen auf ihrem Gesicht zu spüren –, denn alles in ihr sehnte sich danach. Ebenso wenig ertrug sie die Vorstellung, dass sie ihn womöglich nie wiedersehen würde, denn das raubte ihr jede Hoffnung. Er war die einzige Belohnung, die ihr wichtig war und sie durch Erschöpfung, Mitleid und Kummer trug.

Sie war schon halb die Treppe hinuntergegangen, als sie das Gefühl beschlich, es sei vielleicht doch besser, nach Mercy zu schauen. Wahrscheinlich war sie nur erschöpft. Sie war eine junge Dame von Stand und sicher ziemlich behütet aufgewachsen. Die anstrengende körperliche Arbeit, ganz zu schweigen von der allgegenwärtigen Angst, wäre über die Kräfte der meisten jungen Frauen gegangen.

Hester klopfte leise an die Tür, aber es kam keine Antwort. Sie drückte die Tür auf und trat ein. Es sah aus, als schliefe Mercy tief und fest, doch sie lag nicht reglos da, sondern bewegte sich leicht, atmete unregelmäßig und warf den Kopf hin und her.

»Mercy?«, sagte Hester leise.

Keine Reaktion.

Hester ging zu ihr hinüber. Selbst in dem schwachen Licht, das durch die Vorhänge fiel, sah sie, dass Mercy nicht wach war. Sie wälzte sich im Fieber hin und her, auf ihren Wangen zeichneten sich rote Flecken ab, und auf der Oberlippe standen Schweißperlen.

Hester spürte, wie Angst sie packte und ihr den Magen zuschnürte. Mit zitternder Hand zog sie die Bettdecke zurück. Ihre Finger berührten sanft die Stelle, wo der Ärmel des Nachthemds an das Oberteil angenäht war. Sie ertastete die harten Schwellungen. Vielleicht würde es sie alle erwischen, früher oder später. Für Mercy war es zur schrecklichen Gewissheit geworden.

Tränen schnürten Hester die Kehle zu. Das Atmen fiel ihr plötzlich schwer. Als sie Mercys gerötetes Gesicht und ihr verfilztes Haar betrachtete, wurde ihr klar, wie sehr sie die junge Frau mochte. Zorn erfüllte sie, dass es ausgerechnet Mercy traf und nicht jemanden, der nicht so viel zu verlieren hatte oder der nicht so sehr vermisst werden würde. Das war ein dummes Gefühl, und sie hätte es wissen müssen, dass sie einen solchen Gedanken erst gar nicht zulassen durfte. Aber hier endete alle Vernunft.

Langsam wandte sie sich ab und ging hinaus, schloss die Zimmertür hinter sich und stieg wie in Trance die Treppe hinunter. Sie musste etwas essen, stark bleiben. Sie würde Mercy selbst pflegen und dafür sorgen, dass sie nicht allein war, wenn sie aufwachte. Niemand konnte ihr helfen, niemand konnte ihr die körperlichen Schmerzen abnehmen, das Entsetzen vor dem unentrinnbaren Tod. Lügen wären kein Trost und würden nur einen Graben zwischen ihnen aufreißen. Sie konnte nichts tun, als einfach da zu sein.

Sie ging in die Küche. Alle drehten sich zu ihr um, aber Sutton war der Erste, der das Wort ergriff. Er kam mit besorgter Miene auf sie zu.

»Tee!«, befahl er Flo. »Und dann raus mit Ihnen.« Claudine winkte er zu, und sie ging mit bleichem Gesicht hinaus, um sich wieder den endlosen Wäschebergen zu widmen. Es war kaum noch Wasser da, aber sie sagte nichts und beschwerte sich auch nicht. Sie würde das, was noch da war, wenn nötig eben noch einmal benutzen. Squeaky war nirgends zu finden. Hester setzte sich, sie hatte immer noch kein Wort gesagt. Sie umfasste den dampfenden Becher mit beiden Händen und nahm die Wärme in sich auf.

»Wissen Sie, wer's war?«, fragte Sutton leise.

»Wer Ruth umgebracht hat?« Hester war überrascht. Es schien ihr kaum noch eine Rolle zu spielen. »Nein. Und ich weiß nicht, ob es mir noch wichtig ist. Die arme Frau wäre sowieso gestorben, sie hat nur länger gebraucht als andere. Zum

Teil wegen des Krankheitsverlaufs, zum Teil, weil sie stark war und nicht halb verhungert auf der Straße leben musste. Ich glaube, wenn ich die Pest hätte, würde es mir nicht viel ausmachen, wenn mich jemand ein bisschen früher ins Jenseits beförderte. Sie brauchen mir nicht zu sagen, so etwas sollte man nicht denken, das weiß ich. Ich muss aber zugeben, dass ich in letzter Zeit kaum darüber nachgedacht habe. Sie?«

»Nicht oft«, antwortete er. »Sie hat ziemlich viel mit Claudine und Flo gestritten. Mercy war die Einzige, die sie richtig eingeschätzt hat, aber es scheint, als habe sich Mercy auch am meisten um sie gekümmert, und da es ihr Bruder war, der sie hergebracht hat, hat sie vielleicht auch einiges über sie gewusst. Könnte sein, dass sie's war.« Er schüttelte ungläubig den Kopf. »Oder auch jeder andere. Sie war ein gehässiges Miststück, Gott hab sie selig.«

»Ich glaube, wenn Mercy es gewesen ist, dann spielt es keine Rolle mehr«, sagte Hester leise mit flacher Stimme.

Sutton bemerkte den Tonfall und sah sie mit großen Augen an. »Sie hat sich angesteckt?«

Hester atmete zitternd ein. »Ja ...« Der Rest ging in einem Schluchzer unter.

Er ergriff ihre Hand, ganz sanft, als wollte er sich nicht aufdrängen. Sie spürte die Wärme seiner Berührung und sehnte sich danach, sich an ihm festhalten zu können, aber das wäre ihm wahrscheinlich peinlich gewesen. Sie war hier, um die Einrichtung zu leiten, nicht um sich Trost suchend an andere zu wenden, als hätte sie genauso viel Angst wie sie. Sie mochten es vermuten, aber sie durften es nicht wissen.

Schweigend saß sie noch einen Augenblick da und zwang sich, ruhig und gleichmäßig zu atmen und die Tränen zurückzudrängen. Dann hob sie den Kopf und trank ihren Tee.

Zehn Minuten später ging sie wieder nach oben, um nach Mercy zu sehen. Sie sprach immer wieder mit ihr, auch wenn sie nicht sicher war, ob Mercy sie überhaupt hörte oder gar verstand. Sie erzählte ihr alles Mögliche: vergangene Erfahrungen und Erlebnisse, etwa das erste Weihnachten auf der Krim und die Schönheit der eingeschneiten Landschaft unter dem Vollmond. Sie beschrieb auch andere Dinge und schöpfte, nur um irgendetwas zu sagen, wahllos aus ihren Erinnerungen.

Ein- oder zweimal schlug Mercy die Augen auf und lächelte. Hester konnte sie dazu bewegen, ein paar kleine Schlucke Bouillon zu trinken, aber sie war sehr schwach. Wie sie so lange durchgehalten hatte, war Hester ein Rätsel, denn sie musste große Schmerzen gehabt haben.

Hester dankte ihr für alles, was sie getan hatte, vor allem aber für ihre Freundlichkeit und für ihre Freundschaft. Und sie lobte sie, hoffte sie doch, dass sie zumindest ein wenig davon mitbekam. Am Spätnachmittag schien sie fast eine Stunde lang ruhigen Schlaf zu finden.

Am Abend ging Hester hinunter, um nachzusehen, wie es den anderen ging und ob sie genug Wasser, Lebensmittel und Seife hatten. Zudem wollte sie eine neue Kerze holen. Ihr Kopf schmerzte, ihre Augen brannten vor Müdigkeit, und ihr Mund war trocken. Sie wollte eben wieder nach oben gehen, als sie merkte, wie der Raum vor ihren Augen verschwamm und aus ihrem Gesichtsfeld glitt. Unmittelbar darauf verlor sie das Gleichgewicht und sank taumelnd in vollkommene Dunkelheit. Nur undeutlich bekam sie mit, dass sie auf der linken Seite aufschlug.

Als sie die Augen öffnete, sah sie als Erstes einen geschwärzten Fleck an der Decke, dann Claudines Gesicht, aschfahl vor Angst und mit Tränen auf den Wangen.

Panische Angst, die so stark war, dass sich alles um sie drehte, ergriff sie, als sie sich an den Augenblick erinnerte, in dem sie in Mercys Armbeuge die harten Beulen ertastet hatte. Hatte da der gleiche Ausdruck auf ihrem Gesicht gelegen wie jetzt bei Claudine? Das war das Ende. Sie hatte sich ebenfalls angesteckt und würde Monk nie wiedersehen.

Sutton hockte neben ihr, den Arm um sie geschlungen, und

hielt ihr den Kopf ein wenig hoch. Snoot drückte sich an ihn und wedelte mit dem Schwanz.

»Sie haben nicht das Recht, jetzt schon aufzugeben«, meinte Sutton bissig. »Es gibt auch keinen Grund dazu! Sie sind nicht krank, Sie sind nur verrückt!« Er schluckte. »Tut mir Leid, wenn ich zu vertraulich werde, aber unter Ihren Armen ist nichts. Sie sind einfach zu erschöpft, um in dem Tempo weiterzumachen!«

»Was?«, murmelte sie.

»Sie haben nicht die Pest!«, zischte er ihr ins Ohr. »Sie haben nur einen Anfall von Hypochondrie, wie jede anständig erzogene Dame ab und zu! Claudine bringt Sie ins Bett, und dort bleiben Sie, bis man Ihnen sagt, dass Sie wieder aufstehen dürfen. Wir schicken Sie quasi auf Ihr Zimmer. Hat Ihre Mama das nicht mit Ihnen gemacht, wenn Sie ungezogen waren?«

»Auf mein Zimmer ...« Hester wollte kichern, aber sie hatte keine Kraft dazu. »Aber Mercy ...«

»Die Welt hört nicht auf, sich zu drehen, nur weil Sie sie nicht mehr anstoßen«, sagte Sutton empört, aber seine Hand war sanft und sein Blick so freundlich, wie wenn er den kleinen Hund hätschelte. »Tun Sie einfach ein einziges Mal, was man Ihnen sagt!«, fuhr er sie an, und seine Stimme brach plötzlich. »Wir haben nicht die Zeit, Sie alle fünf Minuten vom Boden aufzuheben!« Er wandte sich rasch ab, denn er war bis über beide Ohren rot geworden.

Claudine bückte sich und half ihr auf. Sie hielt sie so fest, dass Hester nicht fallen konnte, selbst wenn ihre Knie unter ihr nachgegeben hätten. Zusammen stiegen sie die Treppen hinauf. Auf dem Treppenabsatz trafen sie auf einen entsetzten Squeaky Robinson.

»Machen Sie nicht so ein Gesicht, Sie dämlicher Nichtsnutz!« Claudine warf ihm einen wütenden Blick zu. »Sie ist nur müde! Wenn Sie sich nützlich machen wollen, dann gehen Sie in den Hof Wasser holen! Und wenn keines da ist, sagen Sie den verfluchten Männern, sie sollen gefälligst welches beschaffen.« Ohne abzuwarten, ob er ihren Worten Folge leisten würde, schob sie Hester ins Schlafzimmer und hievte sie aufs Bett. »Und jetzt schlafen Sie!«, befahl sie ihr wütend. »Tun Sie's einfach! Ich kümmere mich um alles.«

Hester gab den Kampf auf. Sie war der Meinung, sie habe »Danke« gesagt, wusste aber nicht, ob das Wort nicht doch nur durch ihren Kopf geschwirrt war.

Sie wachte erschrocken auf. Das einzige Licht im Zimmer stammte von der Kerze auf dem kleinen Tisch neben dem Bett. Im Licht der Flamme sah sie Margaret auf dem Stuhl sitzen, die sie ein wenig ängstlich ansah, aber lächelte.

Hester schüttelte den Kopf und versuchte, ihre Gedanken zu ordnen. Sie setzte sich langsam auf und blinzelte, aber Margaret war immer noch da. Entsetzen wallte in ihr auf. »Sie können unmöglich …!«

»Nein, habe ich auch nicht.« Margaret verstand sie sofort. Sie beugte sich vor und berührte Hesters Arm. »Und Sie auch nicht. Sie waren einfach nur erschöpft. Sie kommen wieder auf die Beine.«

»Man hätte es Ihnen nicht sagen sollen!«, empörte Hester sich und versuchte, sich aufzusetzen. Die Angst um Margaret löschte alle anderen Gedanken aus.

Margaret schüttelte den Kopf. »Das haben sie auch nicht. Ich bin hier, weil ich Sie nicht länger allein lassen wollte.« Sie sagte es ganz einfach, ohne Beteuerung von Moral oder Freundschaft. Es war einfach eine Tatsache.

Hester lächelte breit und lehnte sich wieder in die Kissen. Wärme durchflutete sie, und für diesen einen Augenblick weigerte sie sich, über den Moment hinauszudenken.

Später saßen sie bei Toast und Marmelade und einer Tasse Tee zusammen, und Hester erzählte Margaret, was inzwischen alles passiert war.

»Es tut mir Leid wegen Mercy«, sagte Margaret leise. »Ich habe sie gemocht. Es ist ein schreckliches Opfer. Sie ist so jung und hatte das Leben noch vor sich. Zumindest …« Sie runzelte die Stirn. »Ich weiß eigentlich nur, dass sie die Schwester von Clement Louvain ist. Man neigt dazu zu denken, wenn jemand aus guter Familie stammt und einen mehr als angenehmen Anblick bietet, wäre er automatisch auch glücklich. Das ist dumm, wirklich dumm. Sie kann allen möglichen Kummer haben, von dem wir nichts wissen.« Sie versank in Gedanken, und ihre Miene verriet mehr als einen Schatten von Schmerz.

Hester wusste, dass es nur eine Sache gab, die Margaret solchen Kummer bereiten konnte. Zwischen den von der Liebe, Enttäuschung und Einsamkeit im Herzen verursachten Schmerzen und der Angst vor irgendeinem anderen Unheil lagen wirklich Welten. In diesen letzten Tagen war Hester umso klarer geworden, dass die Leidenschaft, die Zärtlichkeit und vor allem die Kameradschaft des Herzens und des Geistes die Geschenke waren, die allem anderen Licht und Bedeutung verliehen oder es dessen beraubten.

»Oliver?«, fragte sie leise.

Margarets Augen weiteten sich, und sie errötete. »Bin ich so leicht zu durchschauen?«

Hester lächelte. »Für eine andere Frau schon.«

»Er hat mich gebeten, seine Frau zu werden«, sagte Margaret leise und biss sich auf die Lippen. »Ich hatte darauf gewartet und davon geträumt, und es war genauso, wie es sein sollte.« Sie stieß ein wehmütiges, verwirrtes kleines Lachen aus. »Außer dass nichts richtig stimmte, denn wie hätte ich in diesem Augenblick in eine Ehe einwilligen und mich abwenden können, um Sie hier mit allem alleine zu lassen? Was denkt er denn von mir, dass er mich überhaupt fragt?«

Hester beobachtete Margarets Miene. »Was haben Sie gesagt?«

Margaret holte tief Luft. »Dass ich nicht könne, natürlich. Ich habe ihm erklärt, dass ich hierher gehen würde. Er wollte mich daran hindern, zumindest ein Teil von ihm. Die Krankheit … macht ihm schrecklich Angst …« Sie sagte es zögernd, als verrate sie etwas Vertrauliches, und doch war sie froh, es jemandem anvertrauen zu können.

»Ich weiß.« Hester lächelte. »Er ist nicht vollkommen. Es kostet ihn all seinen Mut, nur daran zu denken, ganz zu schweigen davon, einem Kranken nahe zu kommen.«

Margaret sagte nichts.

»Vielleicht kann er Dinge ertragen, die uns viel schwerer fallen oder von denen wir uns sogar abwenden«, fuhr Hester fort. »Wenn er sich vor gar nichts fürchten würde, wenn er nie vor etwas davongelaufen, nie gescheitert wäre oder sich geschämt hätte, nie Zeit und eine zweite Chance gebraucht hätte, was hätte er dann noch mit uns anderen gemein, und wie sollte er lernen, freundlich zu uns zu sein?«

Margaret schaute sie unverwandt an, suchte ihren Blick.

»Sind Sie enttäuscht?«, fragte Hester.

»Nein!«, antwortete Margaret und wandte den Blick ab. »Ich … ich fürchte, er glaubt es, weil ich es tatsächlich einen kurzen Augenblick lang war. Und vielleicht fragt er mich nicht noch einmal. Vielleicht fragt mich niemand, aber das spielt keine Rolle, denn einen anderen will ich auch gar nicht. Abgesehen von Ihnen gibt es niemanden, den ich … so gern habe.« Sie blickte wieder auf. »Verstehen Sie, was ich meine?«

»Vollkommen. Aber ich glaube, er wird Sie noch einmal fragen, aber wenn er vorsichtig ist, müssen Sie damit klarkommen.«

»Sie meinen, geduldig sein, warten?«

»Nein, ganz und gar nicht!«, antwortete Hester augenblicklich. »Ich meine, etwas unternehmen! Bringen Sie ihn in eine Situation, in der er gezwungen ist, sich zu erklären – nicht dass ich es auch nur im Entferntesten gewöhnt wäre, so etwas zu tun, aber ich weiß, dass das durchaus möglich ist.«

Sutton kam herein, Snoot direkt hinter ihm. Hester schenkte ihm Tee ein, bot ihm Toast an und lud ihn ein, sich doch zu setzen.

»Tut gut, Sie zu sehen, Miss«, sagte er zu Margaret und folgte der Einladung. Er machte nicht viele Worte, aber sein Gesicht verriet tiefe Anerkennung, und Margaret merkte, dass sie errötete bei diesem unausgesprochenen Kompliment.

Hester nahm die Kruste von ihrem Toast und gab sie Snoot. »Ich weiß, das sollte ich nicht«, sagte sie zu Sutton. »Aber er hat so tolle Arbeit geleistet.«

»Er ist ein Bettler!«, sagte Sutton scharf. »Wie oft hab ich dir schon gesagt, du sollst nicht betteln, du kleiner Hund?« Seine Stimme war voller Stolz. »Er hat wirklich gute Arbeit geleistet, Miss Hester. Inzwischen habe ich schon zwei Tage keine einzige Ratte mehr gesehen.«

Bei dem Gedanken, Sutton könnte fortgehen, empfand Hester eine plötzliche Leere. Ihr wurde bewusst, wie sehr sie sich auf ihn verließ, auch jetzt noch, da Margaret wieder da war. Sein Einfallsreichtum, sein eigenwilliger Mut, seine Kameradschaft waren unersetzlich.

»Es könnten immer noch welche da sein«, sagte sie schnell.

»Ich zeig Ihnen, wo ich war«, antwortete er und wartete, bis sie fertig war.

Sie trank ihren Tee, und als auch seine Tasse leer war, folgte sie ihm in die Waschküche, wo es nach Karbol, nassem Stein und Baumwolle roch. Er blieb stehen. »Seit Miss Mercy hatten wir keine neuen Pestfälle. Vielleicht packen wir's ja«, sagte er leise. »Aber ich gehe erst, wenn Sie herausgefunden haben, wer diese Ruth Clark umgebracht hat. Nicht, dass sie's nicht verdient hätte, aber niemand darf das Gesetz in die eigenen Hände nehmen.« Er sah sie in dem trüben Licht an. »Ich hab überlegt, es muss entweder Flo, Miss Claudine oder Miss Mercy gewesen sein, obwohl ich nicht wüsste, was für einen Grund Miss Mercy gehabt haben könnte. Hat vielleicht was mit ihrem Bruder zu tun. Bessie hätt's natürlich auch tun können, aber die ist nicht so. Die anderen waren zu schlecht dran, wenn man Bessie glauben darf, und sind ihr auch nie begegnet.«

»Oder Squeaky«, fügte sie hinzu. »Aber meines Wissens ist er ihr auch nie begegnet. Und warum, um alles auf der Welt, sollte er sie umbringen wollen?«

»Genau«, sagte er unglücklich. »Haben Sie nicht gesagt, Mr. Louvain hat sie hergebracht?«

»Ja. Er sagte, sie sei die Geliebte eines Freundes.«

Er zog zweifelnd eine Augenbraue hoch. »Vielleicht auch nicht? Haben Sie daran gedacht, dass sie auch seine Geliebte gewesen sein könnte?«

»Natürlich.« Sie fröstelte. »Sie meinen, Mercy wusste es, kannte sie vielleicht sogar?«

»Ich denk's nicht gerne«, sagte er traurig. »Ich will mir auch gar nicht ausmalen, dass sie deswegen hergekommen ist, um zu helfen ...«

»Um Ruth Clark umzubringen?« Das wollte Hester nicht glauben. »Sie war schon vier Tage hier, als Ruth Clark umgebracht wurde. Wenn sie deswegen gekommen ist, hätte sie doch nicht so lange warten müssen, oder?«

»Weiß nicht. Vielleicht wollte sie die Frau überreden, ihre Familie in Ruhe zu lassen?«, meinte er, die Augen vor Müdigkeit zusammengekniffen. »Aber Ruth Clark wollte Mrs. Louvain werden oder ihn auch nur ausnehmen. Miss Mercy wollte ihn vielleicht nur schützen?«

»Nein.« Diesmal war Hester sich ganz sicher. »Dafür braucht er niemanden. Wenn Ruth Clark versucht hätte, ihn zu erpressen oder auf andere Weise Geld von ihm zu bekommen, hätte er sie einfach in den Fluss geworfen.«

Er sah sie an und schüttelte leicht den Kopf. »Jemand hat ihr ein Kissen aufs Gesicht gedrückt. Glauben Sie, es war Flo oder Miss Claudine? Miss Claudine hat ein ganz schön scharfes Mundwerk, aber sie würde sich nicht dazu herablassen, jemandem etwas anzutun. Ich hab sie mit Squeaky beobachtet. Manchmal gerät sie so außer sich, dass ihr die Fischbeinstäbchen im Korsett fast bersten, aber sie würde ihm nie etwas tun. Flo ist da ein anderes Kaliber. Sie hätte sie ersticken können, wenn ihr wirklich die Geduld gerissen ist. Aber glauben Sie, sie hätte es hinterher zustande gebracht, so gelassen und überrascht zu sein? Dass niemand vermutet, dass sie's war?«

»Nein …«

»Dann müssen Sie wohl davon ausgehen, dass es Miss Mercy war.« Sein Gesicht trug Zeichen von Müdigkeit und Bedauern. »Ich wünschte, ich hätte das nicht sagen müssen.«

»Ich habe mich nur geweigert, den Gedanken zuzulassen«, räumte Hester ein. »Ich habe da etwas zwischen den beiden gespürt, aber ich glaube nicht, dass es wirklich Hass war, und ich könnte schwören, dass Ruth keine Angst vor ihr hatte. Wenn eine solche Drohung zwischen ihnen gestanden hätte, wenn Ruth Clement Louvain erpresst oder sich eingebildet hätte, er würde sie heiraten, hätte sie doch sicher gewusst, dass Mercy versuchen würde, das zu verhindern? Hätte sie da nicht Angst haben müssen?«

Er war ganz durcheinander. »War sie dumm?«

»Überhaupt nicht. Sie war lebhaft und gebildet und gehörte meiner Meinung derselben sozialen Schicht an, außer dass Ruth wahrscheinlich Louvains Geliebte war, Mercy hingegen seine Schwester.«

Sie hörten ein Geräusch an der Tür, und Claudine kam herein. Sie wusste, dass sie störte, ging aber darüber hinweg. Ihre Augen waren düster, und sie hatte Mühe, ihre Stimme unter Kontrolle zu halten. »Mrs. Monk, ich glaube, mit Mercy geht's zu Ende. Flo ist bei ihr, aber ich dachte, Sie wären selbst gerne dort, falls sie noch einmal zu Bewusstsein kommt.«

Hester war noch nicht so weit. Ihre Gedanken und ihr Herz waren in Aufruhr und so viele brennende Fragen noch unbeantwortet. Sie musste die Wahrheit herausfinden, wie sehr es auch schmerzte, und wenn auch nur, um Flo und Claudine von dem Verdacht zu befreien. Und sie war nicht bereit, Mercys Tod zu akzeptieren. Sie mochte Mercy, ihre Geduld, ihre Neugier, die Bereitwilligkeit, mit der sie Dinge erlernte, die völlig außerhalb ihres sozialen Ranges oder ihres Lebensstils lagen, ihren großzügigen Geist, die Bereitwilligkeit, mit der sie Gutes über andere sagte, selbst ihre gelegentlichen Temperamentsausbrüche.

Aber die Zeit würde nicht stillstehen, die Hand der Pest griff unerbittlich zu.

»Ich komme«, sagte sie und warf Sutton einen Blick zu. Dann folgte sie Claudine durch die Küche und die Treppe hinauf zu Mercys Zimmer.

Flo saß neben dem Bett und beugte sich ein wenig vor, um Mercys Hand zu halten. Mercy lag still und mit geschlossenen Augen da. Sie atmete schwer, und ihre Haut war mit Schweißperlen bedeckt.

Flo stand auf, überließ Hester ihren Platz und ging leise zur Tür.

Hester berührte Mercys Kopf, dann wrang sie den Lappen in der Schüssel mit Wasser aus und legte ihn ihr auf die Stirn. Ein paar Minuten später schlug Mercy die Augen auf. Sie sah Hester und lächelte, wobei sich nur ihre Mundwinkel ein wenig nach oben zogen.

»Ich bin hier«, flüsterte Hester. »Ich lasse Sie nicht allein.«

Mercy schien etwas sagen zu wollen. Hester tupfte ihre Lippen mit dem feuchten Lappen ab.

»Gibt es noch mehr?« Die Worte waren kaum zu hören.

»Noch mehr?« Hester verstand nicht, was sie meinte, aber sie konnte sehen, dass es Mercy sehr wichtig war.

»Noch mehr … Kranke?«, flüsterte Mercy.

»Nein«, antwortete Hester.

Ein paar Minuten verstrichen schweigend. Mercys Lippen waren blau, und sie litt offensichtlich unter starken Schmerzen. Das Gift, das die Beulen unter ihren Armen und in der Leiste schwärzte, marterte jetzt ihren ganzen Körper. Hester war dem Tod oft genug begegnet, um zu wissen, dass es nicht mehr lange dauern würde. Sie würde Clement Louvain die Nachricht überbringen müssen, wenn es vorbei war und sie wieder mit der Welt draußen kommunizieren konnten. Sie würde ihm auch von Ruth Clark erzählen müssen, egal, in welcher Beziehung er zu ihr gestanden hatte. Merkwürdig, so schöne Namen, Mercy und Clement, Mitleid und Gnade. Und die Schwester hieß Charity, Nächstenliebe. Und auch Ruth Clark passte hier hinein. Normalerweise wurde der Name negativ benutzt – »ruthless«, unbarmherzig, Ruth musste also so etwas wie Erbarmen und Nachsicht oder Sanftheit des Gemüts bedeuten. Wahrscheinlich würde Clement Louvain es Charity sagen. So viel Kummer für einen Mann.

Hatte er gewusst, dass Ruth die Pest hatte? War das der Grund, warum er sie hierher gebracht hatte, statt sie in seinem Haus pflegen zu lassen? Wenn sie seine Geliebte gewesen war, hatte sie ihn womöglich angesteckt.

Mercy schlug die Augen auf.

Hester schaute sie an. »Wussten Sie, dass Ruth Clark die Pest hatte?«

Mercy blinzelte. »Ruth?« Es klang fast, als wüsste sie nicht, von wem Hester sprach.

»Ruth Clark, die erste Frau, die gestorben ist«, erinnerte Hester sie. »Sie wurde erstickt. Jemand hat ihr ein Kissen aufs Gesicht gedrückt und hat sie erstickt, aber sie wäre sowieso an der Pest gestorben – mit großer Wahrscheinlichkeit jedenfalls. Kaum jemand erholt sich.«

»Sie will weggehen …«, sagte Mercy heiser. »Hört nicht auf mich. Wird es verbreiten …«

»Aber nein«, versicherte Hester freundlich, während ihr Tränen in die Augen stiegen. »Sie hat die Klinik nicht verlassen, außer, um beerdigt zu werden.« Sie griff sanft nach Mercys Hand und spürte, dass sie ganz leicht reagierte. »Deswegen haben Sie sie umgebracht, nicht wahr?« Ihr Hals war eng und schmerzte. »Damit sie nicht weggeht. Sie wussten, dass sie die Pest hat, nicht wahr?«

»Ja.« Es war kaum mehr als ein Atmen.

»Woher? War sie die Geliebte Ihres Bruders?«

Mercy stieß ein merkwürdiges leises Keuchen aus, als wäre

ihr etwas im Hals stecken geblieben, und es dauerte ein paar Sekunden, bis Hester erkannte, dass es ein Lachen war.

»War sie es nicht?«, fragte sie. »Wer war Ruth Clark?«

»Charity …«, antwortete Mercy. »Meine Schwester. Stanley ist auf See gestorben, aber Charity dachte, sie würde entkommen. Ich hätte sie nicht gelassen … nicht mit der Pest. Ich …« Aber sie hatte keine Kraft mehr. Ihre Augenlider flatterten, der Atem wich aus ihrem Körper, dann atmete sie nicht mehr ein.

Hester tastete nach dem Puls, auch wenn sie wusste, dass sie nichts mehr spüren würde. Sie hatte Mercy nicht lange gekannt, aber sie hatten Sorgen, Mitleid, Lachen miteinander geteilt, hatten schmutzige körperliche Arbeit zusammen verrichtet, Angst, Hoffnung und andere wichtige Gefühle gemeinsam durchlebt. Jetzt wusste sie, dass Mercy gezielt in die Portpool Lane gekommen war, wohl wissend, welchen Preis sie wahrscheinlich dafür würde zahlen müssen, um ihre Schwester daran zu hindern, die Pest in der ganzen Stadt oder gar im ganzen Land zu verbreiten. Sie hatte den Preis bis auf den letzten Penny bezahlt.

Langsam stand Hester vom Stuhl auf und kniete sich neben sie. Sie hatte oft für die Toten gebetet – es war ganz natürlich –, aber bislang hatte sie sich dabei stets an vorgegebene Gebetsformeln gehalten. Diesmal betete sie für Mercy in ihren eigenen Worten und wandte sich direkt an die göttliche Macht, die richtet und den Seelen der Menschen vergibt.

»Vergib ihr«, sagte sie leise. »Bitte – sie wusste es nicht besser – bitte! Bitte!«

Sie wusste nicht, wie lange sie dort gekniet und diese Worte immer wieder wiederholt hatte, als sie eine Hand auf ihrer Schulter spürte und zusammenfuhr, als wäre sie geschlagen worden.

»Wenn sie tot ist, Miss Hester, müssen wir sie hier wegschaffen und anständig beerdigen.« Es war Sutton.

»Ja, ich weiß.« Sie erhob sich. »Sie muss anständig beigesetzt werden.« Sie stellte es als Tatsache in den Raum. Sie hatte bereits entschieden, niemandem zu sagen, was Mercy ihr anvertraut hatte. Für die anderen war Ruth Clark eine Prostituierte gewesen, die an Lungenentzündung gestorben war, mehr nicht.

»Das wird sie, Miss Hester.« Sutton biss sich auf die Lippen. »Ich habe es den Männern gestern schon gesagt. Sie haben einen Platz. Aber wir müssen uns beeilen. Nicht weit von hier, vielleicht zweieinhalb Kilometer, ist ein frisches Grab ausgehoben worden. Es regnet Bindfäden, da sind nicht viele Leute auf der Straße. Flo holt eine von den dunklen Decken, dann können wir sie einwickeln. Aber wir haben keine Zeit zu trauern … Es tut mir Leid.«

Hesters Augen waren heiß und brannten vor unvergossenen Tränen, aber sie gehorchte. Als Flo mit der Decke kam, bestand sie darauf, Mercy selbst einzuwickeln. Dann trugen die drei sie hinunter zur Hintertür. Sutton packte sie an den Füßen, die beiden Frauen an den Schultern. Squeaky, Claudine und Margaret warteten mit gesenkten Köpfen und bleichen Gesichtern. Niemand sagte ein Wort. Margaret sah Hester fragend an.

Hester schüttelte den Kopf. Sie wandte sich an Sutton. »Ich gehe mit.« Auch das formulierte sie als Tatsache.

»Das können Sie nicht …«, wollte er sagen, doch dann sah er den blinden Kummer in ihrem Gesicht. »Sie können jetzt nicht raus«, sagte er freundlich. »Sie haben die ganze Zeit durchgehalten …«

»Ich komme niemandem nahe«, schnitt sie ihm das Wort ab. »Ich gehe hinterher, allein.«

Er schüttelte den Kopf, aber eher, weil er sich geschlagen gab, als um es ihr zu verwehren. In seinen Augen schwammen Tränen.

Flo schniefte laut. »Vergessen Sie nicht, dass Sie für uns alle gehen! Und für diejenigen, die wir beerdigt haben, die niemanden haben, wo sie auch sind.«

»Sprechen Sie ein Gebet für uns«, meinte Claudine.

Hester nickte. »Selbstverständlich.« Und bevor noch jemand etwas sagen und ihr gänzlich das letzte bisschen Fassung rauben konnte, machte sie die Tür auf. Sutton half ihnen, den Leichnam nach draußen in den Hof zu bringen und auf den Boden zu legen. »Kümmert euch um sie«, sagte er den Männern, als diese näher traten.

Hester wartete, bis sie fast die Straße erreicht hatten, dann zog sie sich ihren Schal über den Kopf und folgte ihnen im strömenden Regen, Suttons Mantel um die Schultern gelegt. Sie wartete unter dem Torbogen, als die Männer unter der Straßenlaterne über den Bürgersteig gingen und den Leichnam vorsichtig in den Karren des Rattenfängers legten. Ein Mann griff nach der Deichsel und fing an zu ziehen, sein Hund neben ihm, der andere schob von hinten, auch er von seinem Hund begleitet.

Hester ging in einem Abstand von etwa sechs Metern hinter ihnen her. Sie wussten, dass sie mitkam, und gingen vielleicht ein wenig langsamer, damit sie Schritt halten konnte. Wortlos bewegten sie sich durch die feuchte Nacht, warfen aber ab und zu einen Blick nach hinten, um sich zu vergewissern, dass sie noch da war.

In Gedanken war Hester bei den anderen Frauen, die auf diese Weise beerdigt worden waren, heimlich und unbetrauert. Wer immer sie geliebt hatte, er würde nie erfahren, wo sie jetzt waren, ganz zu schweigen davon, dass jemand ihnen den letzten Dienst erwiesen hatte.

Der Regen ging in Schneeregen über, der durch die hellen Kegel unter den Straßenlaternen trieb und dann wieder im Dunkeln verschwand. Hester zog Suttons Mantel enger um ihre Schultern.

Die Männer hielten ohne Vorwarnung an, und auch Hester blieb sechs Meter entfernt stehen, während die beiden Männer den Leichnam aus dem Karren hoben und, geführt von den Blendlaternen, sehr langsam durch das Friedhofstor trugen. Hester wartete, bis sie fast außer Sichtweite waren, bevor sie ihnen über die Pfade zwischen den Grabreihen folgte.

Eine dünne Gestalt ragte vor ihr auf, sie stand neben dem

Erdhügel eines neuen Grabs, das für den nächsten Morgen ausgehoben worden war. Der frische Aushub, den sie aus dem Grab geworfen hatten, um das Grab noch etwas tiefer zu machen, war in der Dunkelheit kaum auszumachen.

»Schnell!«, war das einzige Wort, das gesprochen wurde, aber Hester hörte Erde rutschen und dann einen dumpfen Schlag, als sei eine Schaufel auf festeren Grund gestoßen. Eine Minute war nichts zu hören. Undeutlich sah sie, wie die Gestalten sich aufrichteten und sich wieder bückten, als sie Mercy hinabließen. Dann schaufelten sie zu dritt Erde über sie. Es war bitterkalt, und sie hörte tief im Grab das leise Klatschen von Wasser. Der Regen würde ihnen zumindest hinterher den Schlamm von den Schuhen waschen.

Es schien ewig zu dauern, bis Mercy vollkommen zugedeckt war, aber schließlich war es vollbracht.

Einer der Männer kam herüber und blieb etwa drei Meter vor Hester stehen. »Wollen Sie was sagen?«, fragte er leise.

»Ja.« Hester machte einen Schritt zur Seite, näher zum Grab hin, aber weg von ihm. »Ruhe in Frieden«, sagte sie laut und deutlich, und der eisige Regen tropfte ihr ins Gesicht und wusch die Tränen weg. »Wir haben dich sehr geliebt und verstanden, und du musst keine Angst vor Gott haben. Er wird dich noch mehr lieben und noch besser verstehen. Hab keine Angst. Auf Wiedersehen, Mercy.«

»Amen«, sagten die anderen im Chor, dann gingen sie zwischen den Grabsteinen voraus zurück zum Karren und machten sich auf den Rückweg.

Der nächste Tag verstrich, ohne dass jemand Symptome entwickelte. Sie warteten voller Angst und Hoffnung, lauschten auf jedes Husten und tasteten sich immer wieder ab. Sie putzten, machten die Wäsche, kochten, wechselten die Verbände der Verletzten, die immer noch mit ihnen gefangen waren, und kümmerten sich um diejenigen, die sich allmählich von – wie es schien – Lungenentzündung oder Bronchitis erholten.

Niemand sprach viel. Mercys Tod hatte sie alle tief getroffen. Selbst Snoot schien die Lust am Rattenfangen verloren zu haben, obwohl es ebenso gut sein konnte, dass er bereits alle erwischt hatte.

Claudine schien ein- oder zweimal etwas sagen zu wollen und setzte eine bewusst hoffnungsvolle Miene auf, doch dann schwieg sie, als wären ihre Gedanken zu zerbrechlich, um sie der harten Wirklichkeit auszusetzen, und verdoppelte ihre Anstrengungen beim Putzen oder Rühren oder was sie sonst gerade tat.

Flo schnippelte Gemüse klein, als würde sie einem Feind die Kehle aufschneiden, und kämpfte dabei die ganze Zeit mit den Tränen, und Bessie klapperte mit Töpfen und Pfannen herum und brummte vor sich hin – ob aus Kummer, wegen der Schmerzen in Schultern und Rücken oder wegen zu viel Hoffnung verriet sie jedoch niemandem. Am Abend saßen sie zusammen um den Küchentisch und aßen die letzte Suppe. Von jetzt an würde es nur noch Haferschleim geben, aber niemand beschwerte sich. Alle Gebete drehten sich nur um das eine, dass die Pest bald besiegt wäre.

Am Morgen klopfte einer der Männer mit den Hunden an die Hintertür. Claudine ließ ihm genug Zeit und ging erst nach einer Weile nachsehen. Sie fand eine Kiste mit Lebensmitteln, drei Kübel frisches Wasser und dazwischen sicher verstaut zwei Umschläge. Sie trug die Sachen triumphierend hinein.

Eine Nachricht war für Margaret. Hester sah zu, wie sie mit strahlendem Gesicht den Umschlag aufmachte und ihre Augen sich mit Tränen füllten. Sie las den Brief trotz der Tränen zweimal, dann schaute sie zu Hester hinüber, deren Nachricht noch ungeöffnet war.

»Von Oliver«, sagte sie und schluckte. »Er hat das Essen eigenhändig gebracht.« Unwillkürlich warf sie einen Blick Richtung Hof. »Er war direkt da draußen.« Sie fügte nichts weiter hinzu, denn beide Frauen wussten, welche Überwindung ihn das gekostet haben musste.

Hester riss ebenfalls ihren Umschlag auf und las:

Meine liebste Hester,
was Ihnen sicher am meisten am Herzen liegt, ist zu erfahren, dass Monk wohlauf ist, auch wenn er erschöpft wirkt und die Angst um Ihr Wohlergehen ihn bei lebendigem Leibe auffrisst. Er arbeitet Tag und Nacht daran, die Männer der Mannschaft von der »Maude Idris« zu finden, die abgemustert wurden, bevor das Schiff in den Pool of London einfuhr, aber wir fürchten, dass die Männer inzwischen entweder tot sind oder auf einem neuen Schiff angeheuert haben.

Es ist uns jedoch gelungen, dem Dieb, Gould, das Leben zu retten und aufgrund begründeter Zweifel einen Freispruch zu erwirken. Der Gerechtigkeit ist Genüge getan worden, ohne dass die schreckliche Wahrheit ans Tageslicht kommen musste.

Als ich Monk das letzte Mal gesehen habe, nach dem Prozess, wusste ich noch nicht, ob ich den Mut finden würde, diese Sachen selbst abzuliefern, sonst hätte ich Ihnen einen Brief von ihm mitgebracht. Aber Sie werden ohnehin wissen, was er geschrieben hätte.

Meine Bewunderung für Sie war stets größer, als ich es Ihnen je gesagt habe, aber jetzt wächst sie ins Unermessliche. Ich würde mich glücklich schätzen, wenn Sie mich immer noch als Freund betrachteten.

Stets der Ihre
Oliver.

Sie lächelte, als sie den Brief zusammenfaltete und in ihre Tasche steckte, dann schaute sie auf und sah Margaret an. »Ich habe es Ihnen doch gesagt«, sagte sie unendlich zufrieden.

An dem Tag schrubbten sie alles, was ihnen in die Finger kam. Rathbone hatte wohlüberlegt auch Karbol eingekauft. Zur Abendbrotzeit waren sie erschöpft, aber alle Zimmer waren sauber, und überall breitete sich der scharfe, stechende

Karbolgeruch aus. Zu jedem anderen Zeitpunkt hätten sie das widerwärtig gefunden, doch jetzt standen sie in der Küche und atmeten ihn zufrieden ein.

In der Nacht schliefen sie alle, bis auf Bessie, die ab und zu durch die Gänge ging und sich davon überzeugte, dass keine der Frauen schlechter dran war oder über neue Symptome klagte.

Am Morgen herrschte frischer, harter Frost, und das Wintersonnenlicht war hell und klar. Es war der elfte November, zwanzig Tage waren vergangen, seit Clement Louvain Monk beauftragt hatte, sein Elfenbein zu finden und sich Hodges Leichnam anzusehen.

»Sie haben sie besiegt!«, sagte Sutton mit einem breiten Lächeln. »Sie haben die Pest besiegt, Miss Hester. Ich bringe Sie nach Hause!«

»Wir haben sie besiegt«, verbesserte sie ihn und erwiderte sein Lächeln. Sie hob unsicher die Hände, denn sie hätte ihn gerne berührt, ihm die Hand geschüttelt, irgendetwas. Dann warf sie alle Konventionen und sogar die Angst, ihn in Verlegenheit zu bringen, über den Haufen und tat, was ihr Herz ihr gebot. Sie schlang die Arme um ihn und drückte ihn.

Einen Augenblick war er wie erstarrt, dann erwiderte er ihre Umarmung, zuerst leicht, als könnte sie zerbrechen, dann fester, aus reiner Freude.

Claudine kam herein, keuchte, wirbelte dann herum, um Flo zu umarmen, die hinter ihr stand, und stieß dabei fast mit Margaret zusammen.

Jemand klopfte an die Tür, und Sutton ging hinüber und riss sie auf. Er blinzelte verdutzt, als er einen vornehm gekleideten Gentleman vor sich stehen sah, mit blondem Haar und einem langen, intelligenten Gesicht, das im Augenblick von überwältigenden Gefühlen gezeichnet war.

»Oliver!«, rief Hester ungläubig.

Rathbone sah fragend von einem zum anderen, bis sein Blick auf Margaret fiel.

»Kommen Sie herein«, sagte Margaret. »Frühstücken Sie mit

uns. Es passt gerade gut.« Dann lächelte auch sie breit. »Wir haben sie besiegt!«

Er zögerte keinen Augenblick, sondern trat ein, nahm sie in die Arme und drückte sie an sich – ein einziges glückliches Durcheinander.

Schließlich wandte er sich zu Hester um. »Sie waren seit etwa zwei Wochen nicht mehr zu Hause. Ich bringe Sie hin.« Es war keine Frage.

Sie lächelte und schüttelte den Kopf. »Vielen Dank, Oliver, aber ...«

»Nein«, unterbrach er sie. »Margaret bleibt jetzt hier, Sie müssen nach Hause. Wenn schon nicht um Ihretwillen, dann um Monks willen.«

»Ich gehe«, sagte sie sanft. »Sutton wird mich begleiten, wenn es Ihnen nichts ausmacht.«

Er zögerte nur einen Augenblick. »Natürlich nicht«, antwortete er. »Mr. Sutton verdient die Ehre.«

Also ging Hester an Suttons Seite nach Hause, er zog seinen Karren und lächelte unentwegt. Snoot saß aufrecht vorne in dem Gefährt, zitterte den ganzen Weg über vor Aufregung über all das Neue, was er sah, und die vielen Gerüche und die Aussicht, endlich wieder Ratten fangen zu dürfen.

Sutton stellte den Karren in der Grafton Street ab und wandte sich Hester zu.

»Danke«, sagte sie von ganzem Herzen. »Das Wort ist viel zu klein für das, was ich empfinde, aber ich weiß kein größeres.« Sie reichte ihm die Hand.

Er nahm sie ein wenig unbeholfen. »Sie müssen mir nicht danken, Miss Hester. Zusammen haben wir gute Arbeit geleistet.«

»Ja, in der Tat.« Sie schüttelte ihm die Hand, dann ließ sie sie los und ging die Stufen hinauf. Sie musste klopfen oder ihren Schlüssel suchen. Hatte Rathbone nicht gesagt, Monk sei zu Hause, oder entsprang das nur ihrem Wunschdenken? Wie absurd, wenn er jetzt nicht zu Hause wäre!

Die Tür ging auf, als hätte Monk Ausschau nach ihr gehalten. Er stand in der Halle, dünn und aschfahl, aber seine Augen strahlten vor Glück, und er brachte kein Wort heraus.

Rathbone hatte es so geplant – das wusste sie jetzt –, aber es blieb keine Zeit, an ihn zu denken. Sie flog direkt in Monks Arme und klammerte sich so fest an ihn, dass er sicher ein paar blaue Flecken davontragen würde. Sie spürte, dass er zitterte und sich mit solcher Leidenschaft an ihr festhielt, dass sie kaum atmen konnte. Seine Tränen benetzten ihre Wangen.

Es war der Rattenfänger, der leise die Tür schloss und sie allein ließ.

14

Monk stand im fahlen Morgenlicht im Schlafzimmer und blickte auf Hester, die noch schlief. Er wäre gerne geblieben und ihr einfach so nah wie möglich gewesen. Er hätte gerne gewartet, bis sie aufwachte, egal, wie lange es dauerte, und unten Feuer gemacht, ohne an die Kosten für das Brennmaterial zu denken. Er würde das Zimmer für sie heizen und ihr bringen, was sie wollte, erst einmal Tee und Toast, und dann würde er in den Regen hinausgehen und das kaufen, was sie mochte. Und wenn sie dann so weit war, würde er mit ihr über alles reden, ihr alles sagen, was ihm wichtig war, um über die wenigen nackten Tatsachen hinaus, die sie ihm von der Zeit in der Portpool Lane berichtet hatte, noch mehr zu erfahren. Er wollte die Einzelheiten hören, was sie bei all den Siegen und auch im Schmerz gefühlt hatte, denn er wollte ihr noch näher sein.

Aber der Fall Louvain war noch nicht abgeschlossen. Da waren nicht nur die drei Männer von der »Maude Idris«, die unauffindbar waren, er musste Louvain auch persönlich gegenübertreten.

Vorher wollte er jedoch noch einer Idee nachgehen. Er hatte nichts über die vermissten Besatzungsmitglieder herausfinden können. Hodge war der Einzige, von dem er wusste, dass er verheiratet war. Vielleicht war es aufdringlich, seine Witwe jetzt aufzusuchen, aber es war doch durchaus möglich, dass Hodge ihr früher einmal etwas über die vermissten Männer erzählt hatte: von einer Frau, einem Ort, irgendetwas, was helfen konnte, sie zu finden.

Er ging nach unten und reinigte unbeholfen den Rost. Die Arbeit ging ihm nicht leicht von der Hand, und am Ende musste er mehr sauber machen, als er erwartet hatte. Dann schichtete er neues Holz auf und zündete es an. Als es ordentlich zog, drosselte er ein wenig die Luftzufuhr, damit es länger brannte. Die Kohleneimer füllte er bis zum Rand und schrieb Hester eine Nachricht, die schlicht und ergreifend besagte, dass er sie liebte. Zu jedem anderen Zeitpunkt hätte er das lächerlich gefunden, aber heute kam es ihm ganz selbstverständlich vor. Befangenheit überkam ihn erst, als er den Zettel auf den Tisch gelegt hatte und mit hochgeschlagenem Mantelkragen in der Tür stand. Er lächelte einen Augenblick und trat dann hinaus in Regen- und Graupelschauer.

Er hatte keine Ahnung, wo Hodges Witwe wohnte, aber er konnte in Louvains Büro nach der Adresse fragen. Vielleicht wussten es auch der Arzt oder der Leichenschauhauswärter, und er konnte sich auch dort erkundigen, denn mit Louvain hatte er noch viel zu viele andere Dinge zu klären: den Tod seiner Schwester, die Frage, wo seine vermisste Mannschaft abgeblieben war, und seine abgrundtiefe Wut darüber, dass er Charity Bradshaw genau deshalb zu Hester gebracht hatte, weil er gewusst hatte, dass sie an der Pest erkrankt war, um Monk manipulieren zu können. Er wagte gar nicht, darüber nachzudenken. Die Gefühle, die dann in ihm aufwallten, raubten ihm den Verstand und jegliches Urteilsvermögen. Er wollte mit eigenen Händen so lange auf Louvain einprügeln, bis er nur noch ein einziger blutiger Klumpen war und nicht mal mehr um Gnade winseln konnte. Diese blinde Wut jagte ihm jedoch Angst ein, sie weckte alte Erinnerungen an eine andere Raserei, die in Mord geendet hatte, und nur durch Gottes Gnade war nicht er zum Mörder geworden.

Also machte er sich auf den Weg zum Leichenschauhaus und ging wieder die Uferstraße entlang, als er hüpfende Schritte hörte. Im nächsten Augenblick verlangte Scuffs Stimme zu wissen, was mit ihm los sei.

»Reden Sie nicht mehr mit mir?«

Monk blieb stehen, so verdutzt war er darüber, wie sehr er sich freute, den Jungen zu sehen. »Ich war ganz in Gedanken«, entschuldigte er sich.

»Wenn Sie so feste nachdenken, laufen Sie am Ende noch direkt in den Fluss«, meinte Scuff empört. »Und was suchen Sie jetzt?«

Monk lächelte ihn an. »Wie wär's mit einer Pastete? Anschließend muss ich rausfinden, wo die Witwe von dem Mann auf dem Schiff wohnt, demjenigen, der umgebracht wurde.«

»Der in den Laderaum gestürzt ist und sich den Schädel eingeschlagen hat?«, fragte Scuff. »Hodge?«

»Ja.«

»Wie wollen Sie das anstellen?«

»Den Bediensteten im Leichenschauhaus fragen, wo sie sich den Leichnam angeschaut hat.«

Scuff schauderte übertrieben. »Der sagt Ihnen nichts. Geht Sie nichts an. Aber wir könnten Crow bitten. Der kriegt's bestimmt raus.« Jetzt war er eifrig bei der Sache.

»Glaubst du?«

»Ja! Kommen Sie. Wir kaufen 'ne Pastete, ja?« Scuff machte ein hoffnungsvolles Gesicht.

Monk tat mit Freude, was von ihm erwartet wurde. Eine Dreiviertelstunde später gingen sie wieder die Straße hinunter zum Fluss zurück, und der Wind wehte ihnen ins Gesicht. Crow dachte sich eine ziemlich lebhafte und unwahrscheinliche Geschichte aus, um dem Leichenschauhauswärter die notwendigen Informationen zu entlocken. Er fragte Monk nicht einmal, warum er die Adresse der Witwe wissen wollte. Er schien es als Art berufliche Gefälligkeit zu betrachten.

Sie kamen am Leichenschauhaus an, und Monk und Scuff blieben draußen, während Crow hineinging. Fünfzehn Minuten später tauchte er wieder auf, sein schwarzes Haar flatterte im Wind, und ein siegreiches Lächeln entblößte strahlende Zähne. »Hab sie!«, sagte er und winkte mit einem Zettel in der Hand.

Monk dankte ihm, nahm das Papier, las, was darauf stand, und steckte es dann in die Tasche.

»Und jetzt?«, fragte Crow interessiert.

»Jetzt gebe ich Ihnen die beste Pastete aus, die ich mir leisten kann, und eine Tasse heißen Tee, und dann muss ich meinen Geschäften nachgehen und Sie den Ihren überlassen«, antwortete Monk mit einem Lächeln.

»Sie sind ja mächtig zufrieden mit sich«, sagte Crow misstrauisch.

»Nicht ganz«, antwortete Monk ehrlich. »Die Sache ist noch nicht abgeschlossen. Möchten Sie jetzt eine Pastete oder nicht?«

Er bewirtete sie großzügig, erlaubte aber nicht, dass einer der beiden ihn begleitete. Scuff erhob energisch Protest, Monk sei allein auf sich gestellt nicht sicher, er brauche jemanden, der ihn beriet und ihm den Rücken freihielt. Obgleich Monk ihm widerstrebend zustimmte, verwehrte er ihm doch energisch, ihn zu begleiten. Schließlich akzeptierte Scuff es und ging stattdessen – nur dieses eine Mal – mit Crow.

Monk brauchte etwas mehr als eine Stunde, um das kleine Backsteinhaus zu finden. Es stand mitten in einer langen Reihe gleich aussehender Häuser in der Nähe der Docks in Rotherhithe. Als auf sein Klopfen hin die Tür geöffnet wurde, erkannte er die Frau sofort wieder, sowohl wegen ihrer Ähnlichkeit mit Newbolt als auch, weil er ihr ja bereits im Leichenschauhaus begegnet war.

»Ja?«, fragte sie argwöhnisch und überlegte, wo sie ihn schon einmal gesehen hatte.

»Guten Morgen, Mrs. Hodge«, begann er respektvoll. »Ich hoffe, Sie können mir helfen ...«

»Ich kann niemandem helfen«, erwiderte sie, ohne zu zögern, und wollte schon die Tür schließen.

»Ich würde mich gerne dafür erkenntlich zeigen«, sagte er und zwang sich zu einem Lächeln. Sie war ungehobelt und kurz angebunden, aber sie hatte vielleicht Angst, und egal, wie die Beziehung zu ihrem Mann gewesen war, sein Verlust schmerzte sie sicher ebenso wie die Schmach, dass er durch seine Trunkenheit zu Tode gekommen war. »Ich bedaure Ihren Verlust, Mrs. Hodge«, fügte er ziemlich ehrlich hinzu. »Es ist schrecklich, wenn einem die Frau oder der Mann wegstirbt. Ich glaube, ein Außenstehender kann das nicht begreifen.«

»Sie haben jemanden verloren?«, fragte sie überrascht.

»Nein, aber ich habe Glück. Ich hätte beinahe meine Frau verloren, und erst spät gestern Abend habe ich erfahren, dass es ihr gut geht.«

»Was wollen Sie?«, fragte sie zögernd. »Sie kommen wohl besser rein, aber stehen Sie mir nicht im Weg rum! Ich habe nicht den ganzen Morgen Zeit. Manche Menschen müssen arbeiten.« Sie machte die Tür weiter auf, drehte sich um und ging voraus in die kleine Küche im hinteren Teil des Hauses. Der Herd verströmte eine beträchtliche Hitze. Ruß und Rauch kratzten Monk im Hals und ließen seine Augen tränen. Sie schien es nicht zu merken.

Er sah sich um, obwohl er das eigentlich nicht hatte tun wollen. Es gab einen Spülstein, aber keinen Abfluss, der war sicher im Hinterhof beim Abort. Wasser holte man aus dem nächstgelegenen Brunnen oder von der nächsten Pumpe. Es gab Holzkästen für Weizenmehl und Hafer, von der Decke hingen mehrere Zwiebelzöpfe, und an der Wand stand ein Sack Kartoffeln, daneben lagen zwei Rüben und ein großer Weißkohl.

Zwei Kohlenkästen waren fast bis an den Rand gefüllt, und an der Wand hingen drei sehr stattliche Kupferpfannen.

Sie sah seinen Blick. »Die verkauf ich nicht«, sagte sie in scharfem Ton. »Was wollen Sie?«

»Ich habe nur Ihre Pfannen bewundert«, erklärte er ihr. »Ich suche nach Informationen.«

»Ich verpfeife niemanden!« Es war eine entschiedene Feststellung. »Und bevor Sie fragen, sie sind nicht gestohlen. Mein Bruder hat sie mir geschenkt, im August. Er hat sie in einem Laden im Westen gekauft. Kann es beweisen!«

»Das bezweifle ich nicht, Mrs. Hodge«, versicherte er. »Haben Sie mehrere Brüder?«

»Nur einen. Warum?«

»Ich schätze, ein solcher Bruder ist mehr, als die meisten Leute haben«, antwortete er ausweichend. »Die Informationen, die ich suche, haben mit den anderen Männern zu tun, die mit Ihrem Bruder auf der ›Maude Idris‹ Dienst getan haben. Wissen Sie, wo sie wohnen?«

»Wohnen?«, fragte sie verwundert. »Woher, zum Teufel, soll ich denn das wissen? Glauben Sie etwa, mit drei Kindern hätte ich noch Zeit, rumzulaufen und Besuche zu machen?«

»Nur wenn sie in der Nähe wohnten, etwa in der nächsten oder übernächsten Straße.«

»Vielleicht tun sie das sogar, aber ich weiß es nicht«, antwortete sie. »Ist das alles?«

»Ja. Vielen Dank. Es tut mir Leid, dass ich Ihre Zeit vergeudet habe.«

Sie runzelte die Stirn. »Warum wollen Sie das wissen?«

Er lieferte ihr die beste Ausrede, die ihm gerade einfiel. »Im Grunde wollte ich den Kapitän sprechen, ich muss einfach noch weitersuchen. Vielen Dank für Ihre Liebenswürdigkeit.«

Sie zuckte die Schultern, da sie nicht wusste, was sie antworten sollte.

Er entschuldigte sich noch einmal und trat hinaus auf die Straße. Seine Gedanken überschlugen sich. Er ahnte etwas – eine grauenvolle Möglichkeit zeichnete sich ab, die alles erklären würde.

Als er erneut den Fluss überquerte, um zum nördlichen Ufer zu gelangen, fror er bitterlich. Er ließ sich an den Wapping Stairs absetzen und betrat das Polizeirevier.

Durban saß müde und blass an seinem Schreibtisch, einen Becher heißen Tee in den Händen. Er bemerkte Monks Erleichterung, wusste aber nicht, worauf sie gründete.

Monk ging zu dem Stuhl ihm gegenüber und setzte sich. »Es ist vorbei – in der Klinik«, sagte er, ohne dass es ihm gelang, die Gefühle aus seiner Stimme herauszuhalten. »Mehrere Tage keine neuen Fälle, und seit Hodges Tod sind inzwischen drei Wochen vergangen. Hester ist gestern Abend nach Hause gekommen.«

Durban lächelte ein sanftes, zartes Lächeln. »Das freut mich.« Er stand auf und trat ans Fenster, wobei er sich von Monk abwandte.

»Ich weiß, dass wir mit Louvain noch nicht fertig sind«, erklärte Monk. »Was er den Menschen in der Klinik angetan hat, war unmenschlich. Acht sind gestorben, es hätten aber auch alle sterben können. Und wenn sie nicht bereit gewesen wären, ihr eigenes Leben zu opfern, um dort zu bleiben und die Ansteckung nicht weiter zu verbreiten, hätte ganz London, ganz England und Gott weiß wer noch sterben können.«

Durban drehte sich zu Monk um und schürzte die Lippen. »Ich glaube, er wusste genau, an wen er sich gewandt hatte«, antwortete er. »Mrs. Monk ist nicht unbekannt. Es war ein Wagnis, aber das musste er eingehen, ansonsten hätte er Ruth Clark umbringen und irgendwo beerdigen müssen. Wenn sie wirklich seine Geliebte war, überrascht es mich nicht, dass er das nicht über sich brachte.« Seine Stimme wurde leiser. »Vielleicht war er sich auch nicht sicher, ob es wirklich die Pest war oder ob er es nur befürchtete. Sie hätte auch einfach nur Lungenentzündung haben können.«

»Sie war nicht seine Geliebte«, antwortete Monk. »Sie war seine Schwester, in Wirklichkeit hieß sie Charity Bradshaw. Sie und ihr Mann kamen aus Afrika zurück. Er starb auf See.«

Durban machte große Augen. »Dann bin ich nicht überrascht, dass Louvain wollte, dass sich jemand richtig um sie kümmert, aber er hätte Mrs. Monk sagen müssen, was er befürchtete. Allerdings weiß ich nicht, ob sie ihm geglaubt hätte.«

»Sie glauben, Clement Louvain, der harte Mann vom Fluss, hätte seine Schwester nicht umbringen können, selbst wenn sie die Pest im Leibe trug?«, fragte Monk, seine Stimme scharf wegen der grausamen Ironie des Gedankens, der ihm jetzt durch den Kopf ging.

Durban blinzelte, seine Augen waren vor Erschöpfung ganz rot. »Könnten Sie das?«, fragte er. »Müssten Sie nicht alles versuchen, um sie zu retten?«

Monk fuhr sich mit der Hand über das Gesicht. Trotz aller Freude über Hesters Heimkehr, war auch er körperlich ausgelaugt. »Ich weiß nicht, wenn sie die Krankheit weiterverbreiten würde. Aber Mercy Louvain ging in die Klinik, um dort zu helfen, als Freiwillige.«

»Um ihre Schwester zu pflegen?« Durbans Miene war freundlich, seine Augen leuchteten. »Was für eine Hingabe.«

»Sie ging dort hin, um sie zu pflegen«, antwortete Monk. »Und dann hat sie sie lieber umgebracht, als zuzulassen, dass sie das Haus verlässt und die Pest überall verbreitet.«

Durban starrte ihn entsetzt an. Er wollte etwas sagen, schwieg dann jedoch. Er konnte es einfach nicht glauben. »O Gott!«, sagte er schließlich. »Ich wünschte, das hätten Sie mir nicht gesagt!«

»Sie können nichts tun«, sagte Monk und hob den Blick. »Wenn, hätte ich es Ihnen nicht erzählt. Sie ist ebenfalls tot.«

»Pest?« Es war nur ein Flüstern, mit solch heftigem, schmerzlichem Mitleid ausgesprochen, dass es tief irgendwo aus seinem Innern entrissen schien.

Monk nickte. »Sie haben sie ordentlich beerdigt.«

Durban wandte Monk wieder den Rücken zu und starrte aus dem kleinen Fenster. Das kalte Licht betonte die grauen Strähnen in seinem Haar.

Die Zeit war gekommen, da Monk ihm seine Vermutungen mitteilen musste, egal, wie absurd sie schienen, selbst wenn Durban ihn für verrückt halten würde.

»Ich habe vorhin Mrs. Hodge aufgesucht.«

Durban war überrascht. »Wozu? Haben Sie geglaubt, sie wüsste etwas über die Mannschaft?« Er lächelte leicht, es war nur eine winzige Bewegung der Lippen. »Haben Sie geglaubt, daran hätte ich nicht gedacht?«

Monk war einen Augenblick peinlich berührt, aber der Gedanke in ihm hatte Vorrang vor allem anderen. »Es tut mir Leid. Haben Sie die Kupferpfannen in der Küche gesehen?«

»Ich war nicht selbst dort, Orme hat das übernommen.« Durban runzelte die Stirn. »Was ist damit? Was spielen die für eine Rolle? Ich habe im Augenblick keine Leute, um Kleindiebstähle zu verfolgen.« Wieder verzogen sich die Lippen zu einem leichten Lächeln, das gleich wieder verschwand.

»Sie wurden, soweit ich weiß, nicht gestohlen«, antwortete Monk. »Sie hat bemerkt, dass ich sie mir angeschaut habe, und berichtet, sie habe sie von ihrem Bruder bekommen.«

»Ich bin zu müde, um Spielchen zu spielen, Monk«, sagte Durban erschöpft. Sein Gesicht war grau, und er sah aus, als könnte er jeden Augenblick zusammenbrechen.

»Tut mir Leid«, sagte Monk schnell und meinte es auch so. Er mochte Durban, als würde er ihn seit Jahren kennen, es war eine instinktive Zuneigung, anders, als etwa zu Oliver Rathbone. »Sie hat mir erzählt, sie habe nur einen Bruder und er habe sie ihr im August geschenkt. Sie sagte, das könne sie beweisen.«

Durban blinzelte und zog die Stirn in Falten. »Das kann nicht sein! Im August war er vor der Küste Afrikas unterwegs. Soll das heißen, die ›Maude Idris‹ war damals hier? Oder war Newbolt nicht an Bord?«

»Weder, noch«, sagte Monk ruhig. »Wir haben die Namen der Mannschaft überprüft.«

»Natürlich.«

»Aber nicht ihr Aussehen.«

Durban lehnte sich ans Fensterbrett und hielt sich fest. »Um Gottes willen, was wollen Sie damit andeuten?« Aber seine Augen verrieten, dass er das Ungeheuerliche bereits ahnte. Er schüttelte den Kopf. »Aber die sind doch immer noch da – auf dem Schiff!«

»Sie haben Ihren Männern gesagt, sie sollten sie dort festhalten, wegen Typhus«, erinnerte Monk ihn. »Vielleicht hat Louvain ihnen das Gleiche erzählt, oder etwas Ähnliches?«

Durban fuhr sich mit der Hand über das Gesicht, als versuchte er, einen Albtraum zu vertreiben. »Dann sollten wir es besser herausfinden. Können Sie mit einer Pistole umgehen?«

»Natürlich«, antwortete Monk, der keine Ahnung hatte, ob er das konnte oder nicht.

Durban richtete sich auf. »Ich hole Orme und einige Männer, aber ich bin der Einzige, der aufs Schiff geht.« Er sah Monk ruhig an, sein Blick schien sich in Monks Gehirn zu bohren. »Das ist ein Befehl.« Er führte es nicht weiter aus, sondern ging an ihm vorbei, durchquerte das Vorzimmer und rief nach Orme.

Er erteilte seine Anweisungen knapp und so präzise, dass niemand ihn missverstehen konnte, wie ein Kommandant, der in die letzte Schlacht zieht.

Der Regen hatte sich gelichtet, die kleinen Wellen auf dem Wasser glitzerten, und als sie hinausgerudert wurden, blies ein scharfer Wind von Westen.

Monk saß im Heck des Boots und hielt die geladene Waffe, während sie zwischen den Schiffen durchfuhren und sich allmählich der »Maude Idris« näherten.

Durban saß im Bug, ein wenig abseits. Er musterte seine Männer der Reihe nach und nickte fast unmerklich, als sie längsseits ruderten und er aufstand und selbst in dem schwankenden Boot mühelos das Gleichgewicht hielt. Er rief zum Schiff hoch, und Newbolts Kopf tauchte über der Reling auf.

»Wasserpolizei!«, rief Durban. »Wir kommen an Bord.«

Newbolt zögerte, dann verschwand er. Im nächsten Augenblick wurde die Strickleiter heruntergelassen, entrollte sich und fiel Durban fast in die Hände. Er packte sie und stieg hinauf. Monk, der ihm von unten zuschaute, kamen seine Bewegungen weniger behände vor als früher.

Zwei Wasserpolizisten folgten ihm, Orme und ein Kollege, die Pistolen in die Gürtel gesteckt, und am Ende Monk, nur der Ruderer blieb im Boot zurück. Monk kletterte über die Reling an Deck, wo die drei Flusspolizisten Newbolt und Atkinson gegenüberstanden. Man hörte nichts außer dem Jammern des Windes in der Takelage und dem Klatschen der Wellen gegen den Schiffsrumpf.

»Was wollen Sie diesmal?«, fragte Newbolt und starrte Durban mürrisch an. »Von uns hat keiner Hodge umgebracht, und von uns hat auch keiner geholfen, das verdammte Elfenbein zu klauen.«

»Ich weiß«, sagte Durban ruhig. »Wir glauben gar nicht, dass Hodge umgebracht wurde, sondern dass er bei einem Unfall starb. Und wir wissen, dass Gould das Elfenbein gestohlen hat, denn wir sind ihm auf die Schliche gekommen.«

»Und was wollen Sie dann noch?«, fragte Newbolt gereizt. »Wenn Sie was Nützliches tun wollen, dann lassen Sie den verdammten Louvain endlich seine Ladung löschen und uns abmustern!«

»Ich möchte mich unter Deck umsehen, dann tun wir das vielleicht sogar«, antwortete Durban und sah ihn neugierig und gespannt an. »Wo ist McKeever?«

»Tot«, antwortete Newbolt kurz angebunden. »Wir haben Cholera an Bord. Wollen Sie immer noch runter?«

»Das weiß ich«, erwiderte Durban. »Deswegen bekommen Sie auch keinen Liegeplatz. Und jetzt machen Sie die Luke auf.«

Newbolts Augen zuckten, und er hob den Kopf, als wäre seine Aufmerksamkeit schließlich doch geweckt. »Na gut! Was soll ich Ihnen zeigen?«

»Ich finde mich schon selbst zurecht«, sagte Durban grimmig. »Sie bleiben hier oben.«

»Ich komme mit Ihnen«, beharrte Newbolt.

Durban zog die Waffe aus dem Gürtel und warf Orme einen Blick zu, der daraufhin ebenfalls die Waffe zog. »Nein.«

Newbolt schaute erst verdutzt drein, dann misstrauisch. »Sie sind auch nicht besser als die verdammten Zollbeamten!«, knurrte er wütend. »Verfluchte Diebe alle miteinander!«

Durban ignorierte ihn. »Sorgen Sie dafür, dass er hier oben bleibt!«, wies er seine Männer an. »Schießen Sie, wenn's sein muss.« Er ließ keinen Zweifel bezüglich seiner Absichten. Orme gab ihm eine Blendlaterne, und Durban ging, von Monk gefolgt, zur Luke. Als Durban dort ankam, zog er sie mit einem Ruck auf, und der Gestank der eingeschlossenen Luft drang Monk in die Kehle und drehte ihm den Magen um. Er hatte vergessen, dass es so übel sein konnte. »Ich gehe runter«, sagte Durban, das Gesicht vor Abscheu verzogen. »Sie bleiben hier. Ich sage Ihnen Bescheid, wenn ich was finde.«

»Ich komme ...«, setzte Monk an.

»Sie tun, was ich Ihnen sage!«, fuhr Durban ihn an. »Das ist ein Befehl! Sonst lasse ich Orme auch Sie mit vorgehaltener Waffe bewachen!«

Monk sah in Durbans Augen, dass es keinen Sinn hatte zu streiten, zudem hatten sie dafür keine Zeit. Er trat zurück und sah zu, wie Durban sich über die Kante schwang, den Niedergang ertastete, die Laterne in die andere Hand nahm und hinunterstieg. Er wusste genauso gut wie Monk – und hätten die Geschworenen die Luke auf der »Maude Idris« in Augenschein genommen, hätten sie es auch gewusst –, dass ein Mann, der vom Niedergang hinunterstürzte, unmöglich auf dem Balken landen, sich eine tödliche Kopfverletzung zuziehen und dort liegen bleiben würde. Sein Körper wäre abgeprallt und weiter hinuntergestürzt, und er hätte sich, wenn er aufgeschlagen wäre, wahrscheinlich den Hals oder das Rückgrat gebrochen.

Auf halbem Weg drehte Durban sich um und hielt die Laterne so, dass er einen möglichst guten Überblick über das gestapelte Holz und die Kisten mit Gewürzen gewinnen konnte. Soweit Monk, der von oben hinabschaute, sich erinnern konnte, schien alles genauso zu sein wie vor drei Wochen, als er mit Louvain unten gewesen war.

Durban stieg ganz hinunter. Unten blieb er erst einmal stehen. Er befand sich direkt oberhalb der Bilge.

Monk konnte nicht warten. Er schwang ein Bein über den Rand der Luke und machte sich an den Abstieg. Durban brüllte ihn an, doch er überhörte es einfach. Er konnte ihn mit dem, was er zu finden fürchtete, nicht allein lassen.

Durban hatte sich hingekniet und hielt das Licht nur wenige Zentimeter über die Bohlen. Die Spuren eines Stemmeisens waren deutlich zu erkennen, Einkerbungen, gesplittertes Holz, Rattenkot.

Durbans Gesicht war grau, selbst in dem gelben Licht. »Gehen Sie wieder rauf«, befahl er Monk, als dieser halb den Niedergang herunter war. »Ist nicht nötig, dass wir zu zweit sind.«

Monk zitterte und hatte Mühe, den von dem infernalischen Gestank ausgelösten Brechreiz zu unterdrücken. Er ignorierte Durbans Befehl.

»Tun Sie, was ich Ihnen gesagt habe«, sagte der mit zusammengebissenen Zähnen.

Monk blieb genau da, wo er stand. »Was ist da drunter?«

»Der Kielraum natürlich!«, fuhr Durban ihn an.

»Jemand hat die Bohlen aufgestemmt«, bemerkte Monk.

Durbans Augen blitzten. »Das sehe ich! Raus hier!«

Monk konnte sich nicht bewegen, selbst wenn er gewollt hätte. Das Entsetzen angesichts dessen, was er erwartete, ließ ihn erstarren.

»Raus hier!«, sagte Durban und schaute zu ihm hoch. Seine Gefühle standen ihm deutlich ins Gesicht geschrieben. »Völlig überflüssig, dass wir beide hier unten sind. Reichen Sie mir das Brecheisen da drüben, und dann gehen Sie zurück an Deck. Ich sag's nicht noch mal.«

Irgendwo im Dunkeln plumpste eine Ratte auf den Boden und flitzte davon. Schließlich gehorchte Monk, kletterte langsam wieder nach oben, bis er die frische Luft erreichte und sie keuchend einatmete.

»Was ist?«, fragte Orme heiser. »Was ist da unten?« Er streckte Monk die Hand hin und zerrte ihn über die Kante der Luke auf Deck.

»Ich weiß nicht«, antwortete Monk und richtete sich auf. »Noch nicht.«

»Und warum sind Sie dann wieder raufgekommen? Warum haben Sie ihn da unten allein gelassen? Der Gestank aus dem Kielraum ist Ihnen wohl nicht bekommen, was?« In seiner Stimme und seinem höhnisch verzogenen Mund lag ungeheure Geringschätzung, nicht für einen empfindlichen Magen, sondern für einen Mann, der einen anderen bei Schwierigkeiten im Stich ließ.

»Ich bin wieder heraufgekommen, weil er es mir befohlen hat!«, antwortete Monk unglücklich. »Er wollte keinen Schritt tun, bevor ich nicht verschwunden war.«

Orme maß ihn mit kaltem Blick.

»Was macht er?«, fragte der andere Polizist.

»Das erfahren Sie, wenn er es will«, erwiderte Monk.

Sie warfen sich Blicke zu, schwiegen aber. Newbolt und Atkinson standen verdrossen und ängstlich in der Nähe der Reling. Keiner bewegte sich, denn die Pistolen der Wasserpolizisten waren schussbereit, und sie hatten wahrlich genug Feuerkraft, um sie aufzuhalten.

Der Wind heulte immer lauter durch die Takelage. Ein großer Schoner kreuzte flussaufwärts an ihnen vorbei, sein Kielwasser ließ die »Maude Idris« leicht schaukeln.

Schließlich tauchte Durbans Kopf in der Luke auf. Monk bewegte sich als Erster, trat auf ihn zu, umklammerte seine Hand und zog ihn hoch. Durban war kreidebleich, die Augen rotgerändert und voller Entsetzen, als hätte er die Hölle gesehen.

»War es …?«, fragte Monk.

»Ja.« Er zitterte unkontrollierbar. »Mit durchschnittenen Kehlen, acht Mann, sogar der Schiffsjunge.«

»Nicht …«

»Nein. Ich habe doch gesagt – durchgeschnittene Kehlen.«

Monk wollte etwas sagen, aber wie sollte er sein Entsetzen in Worte fassen?

Durban stand an Deck, atmete langsam und versuchte, seine Gliedmaßen unter Kontrolle zu bringen. Schließlich schaute er zu Orme hinüber. »Verhaften Sie diese Männer wegen Mordes«, befahl er ihm und zeigte auf Newbolt und Atkinson. »Massenmord. Wenn sie zu fliehen versuchen, dann schießen Sie sie nicht tot, sondern nur zum Krüppel. Schießen Sie ihnen in die Beine.

Der Dritte ist da unten, womöglich tot. Lassen Sie den. Machen Sie nur die Luke dicht. Das ist ein Befehl. Niemand geht da runter. Haben Sie mich verstanden?«

Orme starrte ihn ungläubig an, dann dämmerte es ihm allmählich. »Das sind Flusspiraten!«

»Ja.«

Orme war kreidebleich. »Die haben die ganze Mannschaft umgebracht?«

»Außer Hodge. Ich nehme an, den haben sie leben lassen, weil er mit Newbolts Schwester verheiratet war.«

Orme rieb sich mit der Hand übers Gesicht und starrte Durban an. Dann nahm er plötzlich Haltung an und tat, wie ihm befohlen.

Durban ging zur Reling hinüber und lehnte sich dagegen. Monk folgte ihm.

»Werden Sie Louvain verhaften?«, fragte er.

Durban starrte hinaus auf das aufgewühlte Wasser und die Uferlinie, wo die steigende Tide gegen die Pfosten des Piers klatschte und die Stufen eine nach der anderen überschwemmte. »Weshalb?«, fragte er.

»Wegen Mordes!«

»Die Männer werden zweifellos aussagen, er habe es ihnen befohlen und sie sogar bezahlt«, antwortete Durban. »Aber er wird das Gegenteil behaupten, und es gibt keine Beweise.«

»Um Himmels willen!«, explodierte Monk. »Er weiß doch, dass das hier nicht seine Matrosen sind! Er muss wissen, dass sie außer Hodge alle umgebracht haben! Es spielt keine Rolle, ob er ihnen den Auftrag gegeben hat, weil die Männer die Pest hatten, oder ob sie einfach das Schiff übernehmen wollten!« Er schluckte. »Zum Teufel, das glaubt uns kein Mensch! Das Schiff ist hier, und die Ladung ebenfalls!«

Durban sagte nichts.

»Wenn Louvain diese Männer bezahlt hat«, fuhr Monk fort und drehte sich zu Durban um, sodass ihm der eisige Wind ins Gesicht schlug, »muss er an Bord gewesen sein. Irgendjemand hat ihn hingebracht, hat ihn gesehen. Es gibt eine Kette von Beweisen! Wir können ihm das nicht durchgehen lassen. Unmöglich!«

»Er kann mit einem ganzen Dutzend Behauptungen daherkommen«, sagte Durban matt. »Diese Männer hier haben die Mannschaft umgebracht. Wir werden nicht einmal beweisen können, dass Louvain Bescheid wusste, geschweige denn, dass er es befohlen hat. Wir können niemandem den Grund verraten, und das weiß er.«

»Ich gehe zu ihm«, sagte Monk, dem der Zorn fast die Luft zum Atmen raubte.

»Monk!«

Aber Monk hörte nicht. Wenn Durban Louvain für das, was er getan hatte, nicht zur Rechenschaft ziehen wollte oder konnte, würde Monk das übernehmen, koste es, was es wolle. Er ging zur Strickleiter hinüber, schwang sich über die Reling und kletterte hinunter in das Boot, und diesmal achtete er nicht darauf, ob er sich die Knöchel aufschlug oder an den Ellenbogen blaue Flecken bekamen. Louvain hatte Mercys Leben und das von sieben anderen Frauen auf dem Gewissen, und nur durch Gottes Gnade waren Hester und Margaret verschont geblieben. Es hätte halb London treffen können – halb Europa. Louvain hatte darauf gesetzt, dass Hester bereit sein würde, ihr Leben zu opfern, um das zu verhindern.

Monk landete in dem Boot. »Bringen Sie mich an Land!«, befahl er. »Sofort!«

Der Ruderer warf einen einzigen Blick in sein Gesicht und gehorchte, tauchte die Ruderblätter mit aller Kraft ins Wasser.

Sobald sie am Ufer angekommen waren, dankte Monk ihm und verließ das Boot, wobei er auf den nassen Steinen ausrutschte. Er hielt sich an der Mauer fest und stieg, so schnell er konnte, hinauf. Oben wandte er sich direkt in Richtung von Louvains Büro, ohne noch einen Blick nach hinten zu werfen und zu schauen, wie das Boot sich auf den Rückweg machte.

»Sie können da nicht rein, Sir, Mr. Louvain ist beschäftigt!«, rief der Sekretär, als Monk an ihm vorbeistürmte und gegen einen zweiten Sekretär prallte, der eben mit einem Stapel Kassenbücher um die Ecke kam. Fast hätte er den Mann zu Boden gerannt. Er entschuldigte sich, ohne stehen zu bleiben.

Vor Louvains Bürotür hob er die Hand, um zu klopfen, doch dann riss er die Tür einfach auf.

Louvain saß an seinem Tisch, einen Stapel Papier vor sich, eine Feder in der Hand. Er schaute auf, weil er gestört wurde, wirkte aber nicht alarmiert. Bei Monks Anblick verdüsterte sich seine Miene.

»Was wollen Sie?«, sagte er unwisch. »Ich bin beschäftigt. Ihr Dieb ist davongekommen. Reicht Ihnen das noch nicht?«

Monk hatte erhebliche Mühe, die Beherrschung nicht zu verlieren und zu verhindern, dass seine Stimme zitterte. Mit Verwunderung erkannte er, dass er Louvain in gewisser Weise respektiert, ja sogar gemocht hatte. Das war der Mann, der sich von der Schönheit großartiger Landschaften irgendwo in der Welt in den Bann ziehen ließ, der sich danach gesehnt hatte, in den großen, umwerfend schönen Klippern über den Horizont hinauszusegeln, ein Mann, dem er fast vertraut hatte.

»Hat jemand Ihnen Mitteilung gemacht, dass Ihre Schwester gestorben ist?«, fragte er stattdessen. Er war sich nicht einmal sicher, warum er es sagte.

Louvains Züge verhärteten sich. Seinen Schmerz konnte er nicht verbergen. »Sie war sehr krank«, sagte er leise.

»Nicht Charity ...« Monk sah Louvains Augen größer werden. Indem er ihren Namen aussprach, gab er Louvain zu erkennen, dass er über alles Bescheid wusste. Doch er führte ihn zu dem weit tieferen Schmerz. »Ich habe Mercy gemeint. Dass Charity sterben würde, wussten Sie, als Sie sie in die Portpool Lane brachten, und es war Ihnen egal. Acht Frauen sind gestorben, und es wären noch viel mehr Menschen gestorben, wären Hester und die anderen nicht bereit gewesen, ihr eigenes Leben dafür einzusetzen, die Krankheit zu besiegen.«

Louvain starrte ihn mit großen Augen an, die Hände auf der Tischplatte waren zu Fäusten geballt. »Sie reden, als wäre es vorbei?«, sagte er heiser.

»In der Portpool Lane ist es das auch.«

Louvain lehnte sich zurück und atmete langsam aus. »Dann ist es überall vorbei.« Sein Körper entspannte sich. Er lächelte fast. »Es ist zu Ende!«

»Und was ist mit der Mannschaft der ›Maude Idris‹? McKeever ist daran gestorben, und Hodge auch. Was ist mit dem Rest?« Monk beobachtete Louvain aufmerksam.

»Wenn sie's bis jetzt nicht haben, kriegen sie's auch nicht mehr«, antwortete er, und seine Miene verriet einen winzigen Funken Mitleid.

»Davon sollten wir uns persönlich überzeugen«, schlug Monk vor und richtete sich auf. Seine Hände schwitzten, und sein Atem ging unregelmäßig.

»Ich bin beschäftigt«, antwortete Louvain. Er suchte Monks Blick, und sie sahen einander in dem stillen Zimmer an. Monk dachte an Mercy, an Margaret Ballinger, an Bessie und an die anderen Frauen, deren Namen er nicht kannte, aber hauptsächlich an Hester und daran, was für eine Hölle das Leben ohne sie für ihn wäre.

Louvain spürte die Veränderung der Atmosphäre zwischen ihnen. Er richtete sich auf. Der Augenblick der Verständigung war verstrichen. Sie waren wieder Gegner. »Ich bin beschäftigt«, wiederholte er.

Monk wollte lächeln, aber sein Gesicht war wie eingefroren. »Sie kommen jetzt mit mir, um nach ihnen zu sehen«, sagte er. »Sonst erzähle ich Newbolt und Atkinson, auf was für einem Schiff sie sind. Glauben Sie, die bleiben dann noch dort? Glauben Sie nicht, dass die Sie dann verfolgen, egal, wohin, für den Rest Ihres Lebens?«

Jegliche Farbe wich aus Louvains Gesicht, das nur noch gräulich weiß war. Er holte Luft, um Monk etwas zu entgegnen, wusste aber, dass seine Miene ihn verriet.

Diesmal gelang es Monk zu lachen, ein krächzendes, würgendes Lachen. »Sie wissen, was die sind!«, sagte er. »Sie wissen, was die mit Ihnen machen. Kommen Sie jetzt mit, oder soll ich es ihnen sagen?«

Louvain stand sehr langsam auf. »Wozu. Sie haben nichts davon, Monk. Sie können mir nichts beweisen. Ich werde sagen, ich hätte die Mannschaft in Gravesend abgemustert, und diese Männer hätten das Schiff in den Pool gebracht.«

»Wie Sie wollen«, wiederholte Monk. In dem Augenblick wusste er mit eiserner Entschlossenheit, was er tun würde.

Louvain spürte die Veränderung, und er erkannte, dass er geschlagen war. Er straffte die Schultern und kam um den Tisch herum. Er bewegte sich langsam, mit der angespannten, animalischen Anmut eines Mannes, der um seine körperliche Stärke weiß. »Und was, wenn ich behaupte, Sie hätten mich angegriffen?«, fragte er beinahe neugierig, als spielte die Antwort im Grunde keine Rolle.

»Das werden Sie nicht«, antwortete Monk. »Denn in dem Augenblick, in dem Sie es versuchen, sind Sie, so wahr ich hier stehe, tot. Ich werde auf Sie schießen – nicht, um Sie umzubringen – in die Beine. Und Newbolt und Atkinson sind immer noch da. McKeever ist übrigens tot. Pest, vermute ich.«

Louvain blieb stehen. »Was wollen Sie, Monk?«

»Ich will, dass Sie auf die ›Maude Idris‹ gehen. Sie gehen voraus – los jetzt!«

Langsam, als müssten sie gegen die Tide waten, durchquerten sie das Büro und gingen hinaus. Die Sekretäre blickten auf, aber niemand sagte etwas. Louvain öffnete die Haustür und zuckte zusammen, als der eisige Wind ihn traf, aber Monk ließ nicht zu, dass er einen Mantel holte, denn in der Tasche hätte eine Waffe stecken können.

Sie überquerten die Straße und gingen zum Kai hinunter. Louvain zitterte vor Kälte. Es war ein strahlender Nachmittag, die Sonne stand tief im Westen, denn die Tage wurden immer kürzer, das Licht tanzte golden auf dem Wasser.

Sie mussten nur wenige Minuten auf ein Boot warten, und Monk befahl dem Ruderer, sie hinauszubringen. Keiner sprach ein Wort, als sie sich setzten. Die Wellen klatschten gegen den Rumpf, und wenn das Wasser gelegentlich hochspritzte, war es wie Eis.

Als sie die »Maude Idris« erreichten, wies Monk Louvain an, die Strickleiter hochzuklettern, dann folgte er ihm. Durban stand allein auf Deck.

Louvain blieb verdutzt stehen, dann drehte er sich schwungvoll zu Monk um.

Monk nahm die Pistole aus seinem Gürtel. »Ich bringe Mr. Louvain runter zur Mannschaft«, erklärte er Durban. »Kann ich mir noch mal die Laterne borgen?«

»Ich begleite ihn«, antwortete Durban. »Sie bleiben hier oben.«

Monk starrte ihn an. Er sah erschöpft aus, sein Gesicht war gerötet, die Augen eingesunken. »Nein, ich mach's. Abgesehen davon könnte er sie, so wie Sie aussehen, leicht überwältigen.«

Durban wollte widersprechen, doch Monk schob sich an ihm vorbei und drückte Louvain die Laterne in die Hand. »Sie gehen zuerst!«, befahl er ihm. »Ganz runter. Wenn Sie stehen bleiben, schieße ich auf Sie, und glauben Sie mir, es ist mir ernst!«

Durban lehnte sich an die Reling. »Bleiben Sie nicht zu lange unten«, sagte er. »In einer Viertelstunde ist Gezeitenwechsel. Dann müssen Sie an Land.« In seinen Augen und in seiner Stimme lag Entschlossenheit.

Louvain machte sich auf den Weg nach unten, und Monk folgte ihm, mit einer Hand hielt er sich fest, in der anderen hatte er die Pistole. Er musste das hier übernehmen. Er musste Louvain ins Gesicht sehen, wenn er auf dem Boden stand und hinunter in die Bilge schaute. Monk wollte, dass er die Pest roch, sie einatmete, den Gestank kennen lernte, damit dieser ihn für den Rest seines Lebens in seinen Träumen verfolgte. Noch als alter Mann würde er schreiend und schweißgebadet aufwachen und sich wieder in dem knarrenden, leicht hin und her schaukelnden Schiff befinden, zusammen mit den Leichen der Männer, die er umgebracht hatte.

Der Geruch war viel schlimmer, als er erwartet hatte. Als würde die Luft mit jedem Schritt hinunter immer dicker.

Louvain blieb stehen. Monk hörte seinen keuchenden, gequälten Atem. Er schaute auf Louvains Gesicht hinunter und sah, dass ihm der Schweiß auf der Haut stand, die Augen lagen in dunklen Höhlen.

»Weiter!«, befahl Monk. »Was ist los? Können Sie sie riechen?« Als er an Louvain vorbei in die offene Bilge schaute, wo Durban die Bohlen entfernt hatte, hob sich sein Magen so heftig, dass er auf dem Niedergang fast das Gleichgewicht verloren hätte. Die »Maude Idris« schaukelte im Kielwasser eines vorbeifahrenden Schiffes, und das Wasser in der Bilge schwappte auf und trug den aufgedunsenen Kopf und die Schultern eines toten Mannes mit sich. Seine Augäpfel waren zerfressen und sein Gesicht verwest, aber die fürchterliche klaffende Wunde in seinem Hals war immer noch deutlich zu sehen, und der Gestank war so überwältigend, dass Monk fast die Sinne schwanden.

»Das ist Ihre Mannschaft, Louvain!«, sagte Monk und keuchte, um nicht in Ohnmacht zu fallen. »Können Sie die Pest riechen? Das ist der schwarze Tod!«

Sie hörten das Scharren kleiner Pfoten und Gequieke, und dann fiel eine Ratte platschend in die Bilge.

Louvain schrie und stürzte nach oben, die Laterne entglitt seiner Hand. Louvain schrie immer noch.

Monk machte sich auch auf den Rückweg, er brauchte dringend frische Luft. Panik wallte in ihm auf, unfassbares Entsetzen über das, was unter ihm im Dunkeln lag, und über den Verrückten vor ihm.

Er sah, dass der quadratische Fleck Himmel sich einen Augenblick verdunkelte, als Durban sich an den Abstieg machen wollte.

»Wir kommen hoch!«, rief Monk. »Alles in Ordnung!«

Durban zögerte.

Louvain kam näher, und Monk bemerkte es eine halbe Sekunde zu spät. Aus dem Augenwinkel erfasste er eine Bewegung, und dann hatte Louvain auch schon die Arme um ihn geschlungen und klammerte sich so fest an ihn, als wollte er sämtliche Luft aus ihm herauspressen, ihm die Rippen brechen und Lunge und Herz zerquetschen.

Es gab kein Entkommen. Mit aller Kraft mühte Monk sich, ihn abzuschütteln, doch Louvain ließ nicht los. Monk drehte sich zur Seite und biss Louvain, so fest er konnte, ins Handgelenk. Er spürte, wie seine Zähne die Haut durchstießen und sein Mund sich mit Blut füllte.

Louvain schrie auf, und sein Griff lockerte sich, aber er war blind vor Entsetzen. Er holte zum Schlag gegen Monk aus, aber Monk duckte sich weg, und der Schlag streifte ihn nur an der Schulter.

»Sie haben ihnen die Kehlen durchschneiden lassen!«, keuchte Monk. »Sogar dem Schiffsjungen!«

»Sie wären sowieso gestorben, Sie Idiot!«, sagte Louvain mit zusammengebissenen Zähnen und wollte mit beiden Händen

Monks Hals packen. »Aber das hätte ich ja wohl schlecht herumerzählen können. Wenn Sie den Mut dazu hätten, hätten Sie das Gleiche getan!«

»Ich hätte mit dem Schiff den Hafen wieder verlassen!« Monk holte mit geballter Faust aus, und Louvain duckte sich, wodurch er Monk näher kam, sodass sie sich ineinander verkrallten.

»Und meine Ladung verloren?«, antwortete Louvain und stöhnte vor Anstrengung. Der Schweiß lief ihm über das Gesicht. »Ich brauche diesen Klipper. So ging's schneller – besser, als an der Pest zu sterben. Ich dachte, das würden Sie verstehen.« Er schlug mit aller Kraft nach Monk, erwischte ihn aber nur an der Hüfte statt im Magen.

Monk stöhnte vor Schmerz. »Aber Sie haben Ihre Schwester in die Portpool Lane gebracht, und sie hat dort andere Frauen mit der Pest angesteckt!«

»Und jetzt hat London ein paar Huren weniger«, erwiderte Louvain. »Ich wusste, dass Ihre Frau dafür sorgen würde, dass sie sich nicht ausbreitet. Ich konnte Charity nicht umbringen – sie war meine Schwester!«

Monk trat, so fest es ging, nach hinten aus und traf Louvain in den Bauch. Als Louvains Griff sich für einen Augenblick lockerte, schlug Monk mit der ganzen Kraft des Zorns, der in ihm war, dem Entsetzen und der Angst, die ihn in den vergangenen Wochen Tag und Nacht gequält hatten, zu.

Louvain taumelte und holte aus, um zurückzuschlagen. Er schwankte ein paar wilde, schreckliche Sekunden auf dem Niedergang, stürzte dann mit fuchtelnden Armen und Beinen hinunter und landete krachend auf den aufgebrochenen Bohlenbrettern des Laderaums. Sein Kopf schlug nur dreißig Zentimeter von der Bilge entfernt auf, wo das mit Blut vermischte Bilgenwasser mit seiner Fracht toter Männer mit ihrem aufgedunsenen, angenagten Fleisch und den klaffenden Halswunden in ewigem Schweigen hin und her schwappte.

Monk klammerte sich fest und übergab sich. Dann starrte er

hinunter in das Grauen, das nicht mehr als dreieinhalb, viereinhalb Meter unter ihm lag. Es war nichts zu hören außer das Schlürfen des Wassers und das Scharren der Ratten. Louvain lag auf dem Rücken. Seine Augen waren offen, und Monk wusste, dass er zwar sehen, sich aber nicht bewegen konnte. Er hatte sich das Rückgrat gebrochen.

Das Schiff schaukelte, und Monk klammerte sich fest. Das Entsetzen über das, was er unter ihm sah, kroch ihm über die Haut und rann als kalter Schweiß an ihm hinunter.

Louvain rutschte über den schrägen, glitschigen Boden näher an die gähnende Öffnung zur Bilge.

Monk starrte ihn an. Er wusste, was passieren würde, wenn das Schiff das nächste Mal schlingerte, und er sah in Louvains Augen, dass dieser es ebenfalls wusste. Der Augenblick erstarrte zu einer ewigen Hölle.

Das Schiff schlingerte erneut. Louvain schlitterte an den Rand der Bohlen, hing dort noch einen grässlichen Augenblick und stürzte dann, weil er sich nicht festhalten konnte, in den Albtraum der Bilge, plumpste auf den geschwollenen Leib des Schiffsjungen und zwei tote Ratten. Sein Gewicht zog ihn nach unten. Monk sah noch einen Augenblick sein bleiches Gesicht, dann schloss sich das stinkende Wasser über ihm, und er war von den übrigen Leichen, die dort trieben, nicht mehr zu unterscheiden.

Monk schloss die Augen, doch die Szene wiederholte sich vor seinem geistigen Auge, war für immer auf seiner Netzhaut eingebrannt.

»Helfen Sie mir, die Segel zu hissen.« Das war Durbans Stimme.

Er wich seinem Blick aus und griff nach der Hand, die sich ihm helfend entgegenstreckte. Unsicher kam er auf die Füße.

»Helfen Sie mir, die Segel zu hissen«, wiederholte Durban. »Der Strom entert, und es weht eine steife Brise aus Westen. Zwei sollten reichen, höchstens drei.«

»Segel?«, fragte Monk begriffsstutzig. »Wozu?«

»Es ist ein Pestschiff«, antwortete Durban. »Wir können es weder an Land lassen noch hier noch irgendwo sonst.«

Schreckliche Gedanken schossen Monk durch den Kopf. »Sie meinen …«

»Fällt Ihnen was Besseres ein?«, sagte Durban schnell. Sein Gesicht sah im Licht der Luke grau aus.

»Und Ihre Männer …«, wollte Monk einwenden.

»An Land. Ich habe es Orme befohlen. Ich musste, er hätte nicht eingesehen, warum ich Newbolt und Atkinson und McKeevers Leiche mit mir nehmen muss. Helfen Sie mir, die Segel zu hissen, dann können Sie auch gehen. Es gibt ein Rettungsboot, das können Sie nehmen.«

Monk hatte Probleme, das Gleichgewicht zu halten. Nicht wegen des leichten Schlingern des Schiffes, sondern aufgrund des Entsetzens in seinem Kopf. »Sie können nicht alleine hier raus segeln! Wohin? Sie können mit dem Schiff nirgendwo hin!«

»Raus über Gravesend hinaus und dann den Pulvervorrat anzünden«, antwortete Durban, dessen Stimme jetzt kaum mehr war als ein Flüstern. »Das Meer wird das Schiff sauber waschen. Der Meeresgrund ist ein guter Friedhof. Und jetzt lassen Sie uns hier rausgehen und rauf an die frische Luft. Von dem Gestank wird mir noch übel.« Noch während er das sagte, drehte er sich um und machte sich an den Aufstieg. Monk folgte ihm, bis er an Deck stand und keuchend die eiskalte Abendluft einatmete, süß wie das Licht, das vom Westen herüberschien und Feuer auf die Wellen warf.

Er wusste kaum noch, wie man Segel setzte, aber Durban sagte ihm, was er zu tun hatte. Eine Vertrautheit aus der Kindheit an der Nordostküste gab seinen Fingern Geschick. Ein großes Segel entfaltete sich langsam und kroch, als sie sich mit ihrem ganzen Gewicht und vereinten Kräften an das Seil hängten, langsam den Hauptmast hinauf. Sie holten es dicht, dann kam das zweite an die Reihe.

Zusammen gingen sie zur Winde und lichteten den Anker.

Monk kurbelte noch die letzten Umdrehungen, während Durban schon zum Steuer ging und das Schiff langsam drehte, wodurch der Wind erst in ein Segel fuhr, dann in das nächste. Es war schwere Arbeit und, da sie nur zu zweit waren, auch gefährlich. Als die Segel sich blähten, und sie Fahrt aufnahmen, drehte Monk sich zu Durban um. Es war ein verrückter, schrecklicher Sieg. Sie segelten mit einem dem Untergang geweihten Schiff auf einem Meer aus Gold in Richtung des sterbenden Tages und der Dunkelheit im Osten.

»Zeit, dass Sie verschwinden«, sagte Durban und hob die Stimme über Wind und Wellen. »Bevor wir noch schneller werden. Ich helfe Ihnen, das Beiboot ins Wasser zu lassen.«

Monk war verdutzt. »Was soll das heißen? Wie wollen Sie denn an Land kommen, wenn ich das Beiboot nehme?«

Durbans Gesicht war unbewegt, der Wind brannte auf seinen Wangen, dass sie scharlachrot wurden. »Ich komme nicht. Ich gehe mit unter. Eine bessere Art zu sterben, als auf den anderen Tod zu warten.«

Monk war zu erschüttert, um etwas zu sagen. Er öffnete den Mund, um Durban zu widersprechen, wollte leugnen, dass es möglich sein konnte, aber er wusste, dass das dumm war, noch während der Gedanke ihm durch den Kopf ging. Er hätte es längst bemerken müssen, und hatte es ignoriert: das Schwitzen, die brennenden Wangen, die Erschöpfung, die sorgfältig unterdrückten Schmerzen und vor allem die Tatsache, dass Durban sich in letzter Zeit stets ein Stückchen abseits von Monk und seinen Leuten gehalten hatte.

»Gehen Sie«, sagte Durban wieder.

»Nein! Ich kann nicht …« Sie standen in der Nähe der Reling, das Schiff nahm Fahrt auf, das Wasser schäumte unter ihnen. Das waren die letzten Worte, die Monk sagte, bevor er spürte, dass etwas Schweres gegen ihn stieß und er mit dem Rücken gegen die Reling prallte und über Bord ging. Dann schloss sich das Wasser über seinem Kopf, lähmend kalt, erstickend, alles andere ertränkend.

Er kämpfte darum, nicht auszuatmen und sich den Weg nach oben zu bahnen. Für Sekunden war der Wille zu überleben stärker als alles andere. Er stieß durch die Wasseroberfläche an die Luft, keuchte und sah den riesigen Rumpf der »Maude Idris« bereits fünfzehn Meter weit entfernt. Er schrie hinter ihr her, auch wenn er nicht wusste, was er eigentlich rief. Einen Augenblick lang sah er Durbans Gestalt im Heck, den Arm zum Gruß erhoben, dann entfernte er sich, und Monk blieb allein zurück. Er zappelte herum und überlegte fieberhaft, wie er an Land kommen sollte, ohne zu ertrinken, von einem anderen Schiff überfahren zu werden oder einfach zu erfrieren.

Er hatte erst ein paar Schwimmzüge gemacht, bei denen ihn seine durchweichten Kleider bereits behinderten, und war schon ziemlich erschöpft, als er einen Ruf hörte und dann noch einen. Mit gewaltiger Anstrengung drehte er sich im Wasser herum und sah ein Boot mit mindestens vier Mann an den Rudern, das rasch auf ihn zuhielt. Er erkannte Orme, der sich seitlich über den Bug lehnte und die Arme ausstreckte.

Die Polizeibarkasse war jetzt bei ihm angelangt, und obwohl die Männer die Ruder einlegten, wurde es wegen der Geschwindigkeit des Boots eine verzweifelte Angelegenheit, Monk zu packen. Sie brauchten drei Mann, um ihn an Bord zu ziehen. Sobald sie es geschafft hatten, legten sie sich wieder mit ihrem ganzen Gewicht in die Ruder und eilten hinter der »Maude Idris« her, die immer schneller wurde, je mehr der Wind ihre Segel blähte.

Aber die »Maude Idris« war ein schweres Schiff, und die Polizeibarkasse konnte den Abstand verkürzen. Monk saß vor Kälte zitternd im Heck. Wegen des Windes fühlten sich seine nassen Kleider auf der Haut an wie Eis, aber er spürte es kaum, alle seine Gedanken waren bei Durban. Würde es helfen, ihn zu retten? Es geschah rein aus dem Instinkt heraus, aus dem Herzen, unter dem starken Zwang der Freundschaft, aber war es wirklich das Beste? Forderten Ehre und Würde nicht, dass man ihn auf seine Weise sterben ließ? Würden Monk und diese Männer um ihn herum nicht das Gleiche wählen?

Wussten sie es? Hatte Durban es ihnen erzählt? Nein – unmöglich, sonst hätten sie ihn davon abgehalten, hätten geahnt, was er vorhatte. Sie würden die ungeheuerliche Nachricht, dass die Pest an Bord war, nicht glauben. Konnte er es wagen, es ihnen jetzt zu erzählen?

Sie kamen der »Maude Idris« immer näher. Die sinkende Sonne ließ ihre ausgebreiteten Segel schimmern wie die Flügel eines riesigen Vogels. Sie hatte den Hafen von London verlassen, und die anderen Schiffe lagen hinter ihnen. Die »Maude Idris« segelte in Richtung Limehouse Reach, an der Isle of Dogs vorbei, aber bis zum Meer war es ein langer Weg, und es gab viele Stellen, wo sie wenden und auf den anderen Bug gehen musste. Schaffte Durban das alleine, da er doch sehr geschwächt war? Konnte das überhaupt jemand schaffen? Vielleicht ahnte Orme es! War es das, was diese Männer, die sich an den Rudern mächtig ins Zeug legten, in Wirklichkeit wollten – sichergehen, dass die »Maude Idris« nicht in ein Pier oder ein anderes Schiff krachte oder auf Grund lief?

Monk hoffte, dass dem nicht so war, er betete, dass es aus Sorge um Durban geschah.

Durban mühte sich mit einem weiteren Segel ab. Qualvoll langsam zog er es mit jedem Ruck ein kleines Stück den Mast hinauf. Monk merkte nicht einmal, dass er sich auf seinem Platz vorbeugte und dass seine Muskeln vor Anstrengung schmerzten, als würde er selbst das riesige Segel nach oben ziehen und sich mit aller Kraft an das Seil mit dem schweren Segeltuch hängen, die Sonne in den Augen, deren Licht ihn vom Fluss blendete. Langsam gewann die »Maude Idris« wieder einen Vorsprung und vergrößerte den Abstand.

Keiner der Männer in der Polizeibarkasse sprach ein Wort. Die Ruderer bewegten sich in einem gleichmäßigen Rhythmus, mit aufmerksamen Mienen, und keuchten. Orme, der neben Monk saß, wandte den Blick nicht von dem Schiff vor ihnen ab.

Die Segel blähten sich jetzt voll im Wind, das Kielwasser schäumte weiß, als das Schiff Richtung Limehouse Reach davonzog, die Isle of Dogs zu seiner Linken. Monk schaute zu Orme hinüber und sah das Entsetzen und den Kummer in dessen Miene, Meerwasser mischte sich mit Tränen.

An der Biegung des Flusses war Durban gezwungen, schwerfällig zu wenden. Einen Augenblick lang verlor er die Kontrolle, und sie schlossen wieder auf. Monk tat es weh, dem zuzusehen. Sie waren höchstens noch zwanzig Meter entfernt. Sie sahen, wie Durban sich verzweifelt abmühte, die großen Segel zu kontrollieren und zu verhindern, dass das Schiff anluvte und durch den Wind ging.

Orme stand auf und beugte sich nach vorne, seine Miene war eine einzige Maske aus Leidenschaft und Verzweiflung. Monk merkte nicht einmal, dass er schrie.

Aber Durban nahm keine Notiz von ihnen. Er schaffte die Wende, und es gelang ihm, das Schiff wieder aufzurichten. Sämtliche Segel füllten sich erneut, und die »Maude Idris« setzte sich von ihnen ab und segelte an Greenwich vorbei. Die Sonne stand tief, ein Feuerball am Horizont hinter ihnen. Vor ihnen lagen nur das glühende Abendrot und die Dunkelheit über den Bugsby Marshes im Süden.

Durban erschien wieder an Deck, er hob sich schwarz gegen die goldenen Segel ab. Er hob beide Arme als Signal, eine Geste des Sieges und des Abschieds, dann verschwand er in der Vorluk.

Monk klammerte sich am Dollbord des Bootes fest, seine Hände waren wie Eis, er zitterte am ganzen Körper, taub vor Kälte. Er konnte kaum atmen. Sekunden verstrichen, eine Minute – die wie eine Ewigkeit schien –, dann eine weitere. Die »Maude Idris« wurde immer schneller.

Dann geschah es. Zuerst war es nur ein dumpfes Dröhnen. Monk erkannte nicht einmal, was es war, bis er die Funken und die Flammen sah. Das zweite Krachen war viel lauter, als das Schiffsmagazin explodierte und die Flammen nach oben schlugen, die Decks verschlangen und auf die Segel übersprangen. Bald war die »Maude Idris« eine Feuersäule in der hereinbrechenden Nacht, ein Inferno, ein Brandopfer aus loderndem Holz und Segeltuch, das auf die verlassenen, morastigen Ufer zutrieb und Durban, Louvain, die Flusspiraten und die Leichen der Matrosen verschlang.

Hell loderte der Wikinger-Scheiterhaufen zum Begräbnis des Pestschiffes. Irgendwann schlingerte das Schiff ins Flachwasser und lief auf Grund, die weiße Hitze war verschwunden, das rote Licht erstarb, das Wasser lief hinein.

Monk stand, frierend und erschöpft, im Boot neben Orme, und doch brannte sein Geist bis ins Innerste vor Schmerz und Stolz. Tränen liefen ihm übers Gesicht, und seine Hände waren so taub, dass er gar nicht spürte, wie Orme in einem Augenblick gemeinsamer Trauer nach seiner Hand griff. Er merkte auch kaum, dass einer der anderen Männer schließlich seinen Mantel auszog und ihm um die Schultern legte.

Die Wärme würde später kommen, viel später.

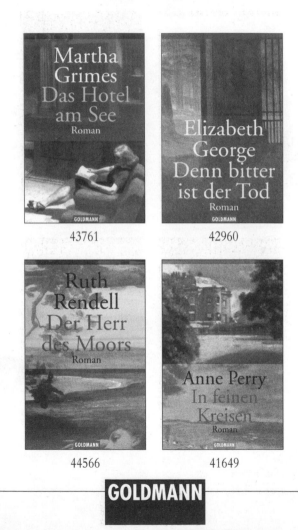

D0679886

ETHNIC DYNAMICS
Patterns of
intergroup relations
in various societies

THE DORSEY SERIES IN SOCIOLOGY

EDITOR ROBIN M. WILLIAMS, JR. *Cornell University*

ETHNIC DYNAMICS

Patterns of intergroup relations in various societies

CHESTER L. HUNT, Ph.D.
Professor of Sociology

and

LEWIS WALKER, Ph.D.
Professor of Sociology

both of Western Michigan University

Chapter 12 was contributed by
GEORGE KLEIN, Ph.D.

and

PATRICIA V. KLEIN, M.A.
also of Western Michigan University

1974

THE DORSEY PRESS Homewood, Illinois 60430

Irwin-Dorsey International London, England WC2H 9NJ
Irwin-Dorsey Limited Georgetown, Ontario L7G 4B3

First Printing, January 1974

ISBN 0–256–01523–6
Library of Congress Catalog Card No. 73–87265

Printed in the United States of America

To Victor
whose life and death symbolize
the triumph and tragedy of our era
and to
Joanna and Leigh Rae—
members of a generation who
may move beyond ethnicity
into humanity.

Preface

This book has grown out of our conviction that there is a need to provide more of a balance in our discussions and investigations of so-called race relations. In the last decade or so, the volume of popular literature and serious study on majority-minority relationships in the United States has grown larger and larger. While this is good in itself, a concentration on the United States runs the risk of a parochialism that may blind us not only to the rest of the world but also to important factors on the American scene. Consequently, we felt that a look at social relations among varied peoples at different levels of national and economic development, in different parts of the world, would provide the student of "race relations" a greater depth and a broader perspective.

The task of this book is to examine a number of intergroup situations and to determine whether each case is unique or whether there are certain underlying principles that are found operating in many situations. In so doing, we have focused our attention on patterns of social structure rather than on unique individual relationships or psychological perspectives, and on ethnicity rather than on race per se.

The selection of intergroup arrangements to be studied was based on our desire to examine areas or situations which exemplified four major patterns of ethnic relationships: (1) integration, (2) segregation, (3) cultural pluralism, and (4) temporary accommodation. None of these patterns of ethnic interaction can be divorced from the milieu in which they occur and no two examples are ever completely comparable. Nevertheless, it is our contention that each of these patterns is moulded by certain inherent factors which are present in all societies and can only be ignored at our peril. Despite major social and cultural differences, cultural pluralism in Switzerland does have some features in common with cultural pluralism in the Soviet Union. Segregation in South Africa has some of the same sources of both tension and support as segregation in the pre-World War II American South. Problems of integration of aliens and natives show some similar tendencies in Europe and in the United States. Obviously, social and cultural differences between countries should not be ignored or minimized, but neither should we refuse to recognize common elements of social dynamics that reappear in many situations. From an examination of each situation discussed in this book, we have formulated what we think are important and generalizable principles of social relations which we hope will be helpful to the reader as he considers other countries or situations.

Most of the topics treated will be at least moderately familiar to students of the field, but some may be surprised at the inclusion of a chapter concerning the Peace Corps. The Peace Corps was not included because of a desire to appraise its impact on either international relations or economic development. It has already an ample share of both fulsome praise and bitter denunciation for its alleged effects on these matters. Regardless of the readers' reactions to the Peace Corps image, they may still be interested in its "technique" of temporary accommodation. The relationships between natives and aliens temporarily in the land is an important topic. Permanent migration may be declining but world cooperation will require many functionaries to spend temporary sojourns in foreign lands and to work out some type of adjustment with an unfamiliar people. The Peace Corps method of seeking adjustment by modifying ethnocentrism is not without problems, but it is a challenge to conventional wisdom which is worthy of consideration.

ACKNOWLEDGMENTS

In preparing this volume, we are indebted to our colleagues in the academic profession, both in the United States and abroad, who have contributed greatly to our understanding of the processes involved in ethnic relationships. We owe a continuing debt to the Department of Sociology and the Institute of International and Area Studies of Western Michigan University, partially for facilities and assistance, but more for providing a stimulating atmosphere for scholarly activity. We are especially grateful to Robin Luckham, Patrick Daudu, Leila Bradfield, Edward T. Callan, Ibrahim Tahir, and Consuela Reed for reading parts of the manuscript and making suggestions. Major assistance has come from Robin Williams, sociology editor for Dorsey Press. He has patiently probed our assumptions, checked our syntax and clarified our presentation. Without imposing his own views, he has deftly helped us to make a more rigorous statement of our own ideas.

In addition to benefiting from contacts with professional colleagues, we have profited greatly from contact with students in various courses touching on ethnic relationships. Three of these students are mentioned in footnotes, but many others, too numerous to name, have also contributed by sharing their experiences. We are indebted to our co-authors George Klein and Patricia Klein of Western Michigan University for chapter 12 and for helpful suggestions on chapter 4. We wish to acknowledge the special service of Ellyn Robert for her many helpful suggestions and the countless hours spent checking sources and materials. We also owe a debt of gratitude to Susan Warner, Karen Yinger, and Patricia Martin for their valuable clerical and secretarial assistance and to Virginia Reynolds and Karla Zakrzewski. Finally, a special word of appreciation to our wives, Maxine and Georgia, for their patience and encouragement, as well as their editorial and typing assistance.

December 1973

CHESTER L. HUNT
LEWIS WALKER

Contents

Chapter 1

Divergent patterns of intergroup living

One of the paradoxical aspects of our times is that, even as improvements in communication and transportation make a world community conceivable and national sovereignty almost an anachronism, we have countermovements which would divide up existing states and would multiply the number of units trying to perpetuate national sovereignty in an increasingly interdependent world. The argument seems plausible that our existing national units serve to fragment a world in which scientific endeavor is creating the potential basis for a world society. On the other hand, spokesmen for minority groups protest that their identity is threatened by forced incorporation within a larger state.

Complaints of the minorities—i.e., distinguishable groups that receive unequal and differential treatment—may be classified under two headings: (1) discrimination against the individuals of the minority group in favor of members of the majority groups and (2) threats to the validity and viability of the minority culture. Such problems form a basic component of many of the battles recorded in world history for several millennia, but probably have become more salient with the breakup of empires and the rise of nation states. The latter trend culminated in the process described by the late American president, Woodrow Wilson, as "the self-determination of peoples."[1] Presumably the implication of Wilson's statement is that every group which considers itself a "people" should have the right to decide its own form of territorial and governmental organization. When the Ottoman and Hapsburg empires met defeat in World War I, it was taken for granted that their realms should be broken up rather than reconstituted, since they included a number of "nations" which had unwillingly been placed under a single government. Thus the Hapsburg Empire shrank to tiny Austria, and the Ottoman Empire to the nation of Turkey, while the rest of their territories were carved up into separate and independent states.

The process did not stop with the dissolution of the Hapsburg and Ottoman Empires, and the question of whether and how minorities can survive as parts of larger units is a live issue everywhere in the world today. In the United States, some blacks have despaired of the possibility (and perhaps the desirability) of real integration in American society and call for the erection of the "Republic of New Africa" on American soil. In Northern Ireland, the Protestant attempt to retain a portion of the island where they can be free from Catholic rule has led to charges of Protestant oppression of the Catholic minority. In Belgium there is a question whether it is really practical for Walloons and Flemish to try to coexist under the same governmental regime. In Nigeria, as well as in many other countries of Africa, the issue is whether or not several ethnically distinct groupings—tribes, "peoples", incipient nationalities—can be contained within the boundaries of a single state.

In many countries of the world, there are small minorities that have been strikingly successful in commerce and trade but are now threatened with expulsion from the countries which have become their home. In the Soviet Union, Communist theorists tried to construct a system which would combine specific ethnic identity with loyalty to an overall Communist regime. In the Republic of South Africa, few men are optimistic about the chances of constructing any type of arrangement by which blacks and whites can live in peace and harmony. One might find similar problems in nearly every country in the world.

ETHNICITY AND SOCIAL STRUCTURE

The goal of this book is to examine a number of such intergroup situations, and to determine whether each case is unique and specific or whether certain principles operate in many situations. In making this type of a

[1] Woodrow Wilson, "Pueblo Speech on the League of Nations," ". . . the sacredness of the right of self-determination, the sacredness of the right of any body of people to say that they would not continue to live under the government they were then living under. . ." cited in the Staff of Social Sciences of the University of Chicago (eds.), *The People Shall Judge* (Chicago, University of Chicago Press, 1949), p. 387.

survey, the focus will be on ethnicity rather than race per se and on patterns of social structure rather than on unique individual relationships or psychological perspectives.

Now a word as to what is meant by these terms. Our definition of ethnicity is taken from Gordon.[2] Gordon's definition is based on the American situation, but appears to have a wider applicability.

When I use the term "ethnic group," I shall mean by it any group which is defined or set off by race, religion, or national origin, or some combination of these categories. I do not mean to imply that these three concepts mean the same thing. They do not. Race, technically, refers to differential concentrations of gene frequencies responsible for traits which, so far as we know, are confined to physical manifestations such as skin color or hair form; it has no intrinsic connection with cultural patterns and institutions. Religion and national origins, while both cultural phenomena, are distinctly different institutions which do not necessarily vary concomitantly. However, all of these categories have a common social-psychological referent, in that all of them serve to create, through historical circumstances, a sense of peoplehood.[3]

This highly inclusive definition simply says that there are a number of factors which lead people to consider themselves (and to be considered by others) as an ethnic group. An ethnic group is a collection of people whose membership is largely determined by ancestry and which regards its place in society as being affected by its ethnicity. Thus the test of differences in physical appearance (frequently referred to as racial), national origin, or religion is not the difference per se, but whether this difference is considered socially significant. Some societies will disregard a rather wide range of differences in physical appearance, while others will relate social privileges to rather minute types of variations. Likewise, some societies will be greatly concerned about the national (or tribal) origins of the people in a given territory, while, to other societies, this will be a matter of indifference. Finally, religious diversity may simply indicate a variation in the interpretation of ultimate reality by various groups within the nation, or it may constitute a rigid dividing line which affects practically every phase of life. Sometimes ethnic differences are based upon a variation in all three of the criteria, physical appearance, national origin and religion; sometimes, upon one or two. In any case, what matters is not the nature of the difference, but the intensity of feeling about the importance of the difference, and the way in which this difference is associated with economic stratification, political power, and other elements of social structure.

Intergroup conflicts along racial lines have been so prominent in recent

---

[2] Milton M. Gordon, *Assimilation in American Life: The Role of Race, Religion and National Origins* (New York, Oxford University Press, 1964).

[3] Ibid., pp. 27–28.

years that sometimes the term *race relations* is viewed as a synonym for *intergroup relations*. Since this is not the viewpoint of this particular book, some elaboration may be in order. If *race relations* were a synonym for *intergroup relations*, one would expect to find harmony in any society which is racially homogenous and conflict in any society which is racially heterogeneous. A brief look at the world indicates that such a proposition will hardly stand close examination. It is true that there are many cases of racial conflict, but it is also true that there are examples of conflict among those who are members of the same race. In Africa, one looking for racial conflict would find it in the fierce warfare between Arabs and black Africans in the Sudan or in the seething discontent which pervades racial relationships in the Republic of South Africa. However, one would also find that one of the bloodiest civil wars of recent decades took place in Nigeria, where the combatants, although separated by ethnic affiliations, were all members of the Negroid race. Again, in Ireland or in Belgium, one would find Caucasians of similar appearance assailing each other with considerable bitterness.

Admittedly, the reverse cases, in which people who are racially different live together in a fair degree of peace and harmony, are more difficult to find. There are, however, some examples which can be cited. One could, for instance, point to the relatively harmonious and cooperative relationships existing between the British and black Africans in Northern Nigeria. Race relationships on the mainland of the United States have often been difficult but, in Hawaii, Caucasians, Polynesians, and Orientals have lived together in relative tranquility. Similarly, the "colored" inhabitants of Martinique and Guadeloupe seem to be happy with incorporation in the predominantly Caucasian French nation. Such examples are rare and may represent changing situations, but they do indicate that major friction between racial groups is not inevitable. Racial differences do frequently form lines along which intergroup conflict occurs. This pattern, however, is not always present, and there are many cases in which equally bitter conflict may occur among members of the same race.

It may be argued that racial differences, since they are rooted in physical heredity, are more durable than differences based on nationality, regional origin, or religious affiliation. This seems to be a self-evident truth, but the evidence in its favor is somewhat less than overwhelming. Those who assume that genetic heredity is a constant, forget that sexual attraction operates across racial lines and may largely replace the original peoples with a new hybrid strain. Mexico, where the majority of the populace are classed as mestizo, is a case in point. On the other hand, groups with a high degree of phenotypical similarity, such as the Flemish and Walloons in Belgium, have preserved a separate identity for centuries. In sum, groups whose identity is based on cultural distinctiveness sometimes survive for long periods, while groups identified by distinctive physical characteristics may diminish or even disappear.

Since there are no specific types of patterns which are associated with differences in race, as contrasted to religious, regional, or nationality differences, it seems best to place all types of fairly durable socially significant classifications under the ethnic rubric. However, not all authorities in the field are happy with this use of the term ethnic, and where the authorities whom we cite speak of *nationality*, or *regional, tribal, religious,* or *racial* differences, we shall follow their usage in our discussion.

Voluminous literature has appeared dealing with the psychodynamics of prejudices which grow out of ethnic conflict. There seems little doubt that our perception of the attitudes and actions of other individuals is shaped to a great degree by our respective ethnic affiliations. This ethnic stereotyping serves to justify the attitudes of our own group and to invalidate the attitudes or demands of other groups. It represents what Gunnar Myrdal referred to as "beliefs with a purpose."[4] There are also psychological problems which hinge on the relation between self-concept and group pride. These important problems having to do with individuals and individual attitudes, however, are not a major topic of concern in this volume, rather we are concerned with systems of group behavior or, in other words, relationships in social structure. It is assumed, for present purposes, that psychological processes may be viewed as constants which operate in all types of human relationships. However, there are some patterns of relations between groups which appear, at least for the time being, to have produced a tolerable situation for all concerned, while there are other patterns in which severe conflict appears to be endemic.

The best description we have seen of social patterns is found in Gordon's discussion of social structure. Like many other terms used by sociologists, social structure has a variety of meanings, but its use in the present context is indicated by the following statement:

> By the social structure of a society we mean the set of crystallized social relationships which its members have with each other which places them in groups, large or small, permanent or temporary, formally organized or unorganized, and which relates them to the major institutional activities of the society, such as economic and occupational life, religion, marriage and the family, education, government, and recreation. . . . It is a large definition but a consistent one in that it focuses on *social relationships*, and social relationships that are *crystallized*—that is, which are not simply occasional and capricious but have a pattern of some repetition and can to some degree be predicted, and are based, at least to some extent, on a set of shared expectations.[5]

Perhaps one concrete example might indicate the significance of social structure. Blacks and whites in the United States frequently react psychologically to each other. This interaction results in stereotypes, prejudices,

[4] Gunnar Myrdal, *American Dilemma* (New York, Harper & Bros., 1944), pp. 101–6.

[5] Gordon, *Assimilation in American Life,* pp. 30–31.

racially tinged notions of the self concept, and numerous other behavior patterns and attitudes which have been classified by psychologists and social psychologists. No study of American race relationships, however, can ignore the differences which came with one massive change in social structure—the shift from slavery to emancipation. Undoubtedly, many of the psychological processes operating during slavery have continued afterwards, but certainly the nature of race relations in the United States was drastically changed when blacks moved from the category of slaves to that of citizens.

To take another example, people of French ancestry and people of British ancestry interact in ways which produce various psychological reactions to the French or British labels that are probably somewhat similar in a great many circumstances, but French and British differences are far more salient in Canada, under a social system which maximizes their significance, than in the United States under a system which minimizes the importance of national ancestry. It will be the task of this book to investigate a number of social structural ethnic patterns and to indicate their significance for intergroup relationships.

SOCIAL STRUCTURAL PATTERNS

As with most other types of sociological classification, there is no "right" number of classifications which is inherent in the nature of the phenomena. The number of such classifications inevitably varies with the viewpoint of the writer and with the criteria which he uses. For our purposes, four main headings would seem to be adequate. These are segregation, cultural pluralism, integration, and temporary accommodation. These structural patterns are "ideal types" which are never found in their pure form in the real world. Indeed, Max Weber,[6] who is generally credited with developing the concept of the ideal type, argued that social scientists should even exaggerate significant features of social realíty rather than describe them with photographic accuracy. The justification for this procedure is that thereby salient aspects of social life are brought inescapably to our attention for purposes of analysis. Admittedly the patterns of social structure we have mentioned will never be found in a form which is identical with their definitions. In spite of such disparity between these social structural patterns and reality, they are still of value if they direct our attention to significant features of intergroup relations.

Segregation. The segregated society is one in which contacts between various groups are restricted by law, by custom, or by both. It is assumed that the group differences, whether cultural or biological, are permanent

[6] H. H. Gerth and C. Wright Mills, *From Max Weber, Essays in Sociology* (New York, Oxford University Press, 1958), pp. 59–60.

in nature and determine one's total social role. The segregated society is organized on terms agreeable to the dominant ethnic group. This pattern is based on the premise that individuals have few rights apart from their ethnic group and that ethnic groups are unequal. Members of subordinate ethnic groups are allowed to engage only in the type of activities which are seen as contributing to the interests of the dominant group.

Cultural pluralism. Cultural pluralism is similar to segregation in that a variety of cultures continue to exist in the society. It differs from segregation in the degree to which the dominance of any one ethnic group is recognized. In a situation of cultural pluralism all groups, theoretically, have equal rights. It is a system which flourishes best when each ethnic group in a society has a specific territory in which it is a numerical majority and when there is at least an approximate equality of economic development between groups. When there is a marked overlapping of territorial ethnicity or when there is a marked divergence of economic development, there are likely to be fears for group survival and charges of discrimination.

Internal peace in a nation which espouses cultural pluralism is facilitated when the various territorial districts of the nation at least approximate ethnic homogeneity. Such a situation makes it possible for the ethnic group to follow its own way of life without being harassed by either cultural competition or charges of discrimination against other ethnic groups. However, even territorial homogeneity may not eliminate conflict about economic discrimination. Territories are likely to be unequal in resources or in economic development, or in both, with the result that per capita incomes in the richer district may be several times those in the poorer. Even socialism is little help in avoiding this kind of disparity, since a poor territory can not bring up low per capita incomes by redistributing nonexistent revenues. Consequently, the poorer territory will demand that the national government bring about economic parity between the regions and that it do this without giving "alien" (nonethnic) experts control over the depressed territories.

Acquiescence to such demands requires not only that the more prosperous regionally based ethnic groups share the wealth with ethnically distinguishable fellow countrymen but that in giving aid they limit the use of the most competent personnel in order to avoid charges of "internal colonialism." In addition to demanding a rare type of magnanimity from the wealthier ethnic groups such a decision also poses a dilemma for the national government—the choice between the most rapid economic development and the amelioration of the needy districts. Revenues are always in short supply and the national authorities usually desire to maximize the growth of the gross national product. Uusually the already prosperous districts are best equipped to make use of additional investment, and it is here that scarce capital will yield the greatest return. A decision on this basis may be criticized as shortsighted, but demands on revenues are always greater than resources, and if the national government accepts a slower rate of overall economic growth it is even less able to help develop the poorer regions. On the other hand, if its developmental efforts are focused on the richer regions, the gap between them and the poorer areas will increase and the discontent of the less prosperous ethnic groups will grow. Problems of this type have emerged in most nations which follow patterns of cultural pluralism and are outlined in some detail in the chapter dealing with Yugoslavia. Experience indicates that, while peaceful reconciliation of the economic demands of regionally based ethnic groups may not be an impossible task, it is certainly a difficult one.

A basic premise of cultural pluralism is that there is no need to sacrifice ethnic identity. Switzerland is frequently offered as a classic example of cultural pluralism. It is a nation characterized by a diversity of religion and national origin and by the complete absence of any one tongue which may be classified as the "Swiss language." Swiss are divided by national origin, religious affiliation, and language of common usage, and yet are united in their devotion to a Swiss nation which transcends these ethnic characteristics. There are few nations in which the path of cultural pluralism has been as tranquil as that of Switzerland or where differing ethnic identities could be combined with a common national loyalty with such apparent success. In fact, as we shall see, even the Swiss have at times had difficulty in maintaining this type of structure.

In spite of its difficulties, cultural pluralism is an attractive pattern, as it offers the hope of combining the preservation of ethnic distinctiveness with the advantages of coordination in a larger state.

Integration. Integration may be defined as a situation in which all citizens of the nation, or possibly even all members of the society regardless of citizenship, participate freely in all forms of social interaction without concern for ethnic affiliation. Integration differs from cultural pluralism in that it is not concerned with group privileges but with the rights of individuals. The integrated society is not directly concerned with ethnic group equality, inequality, survival, or disappearance. Its legal and social structure is not concerned with ethnicity. If ethnic groups survive this is because of the cumulative effect of individual choices rather than because of governmental guarantees to protect ethnically based institutions or privileges.

Integration differs from both cultural pluralism and segregation in that ethnic affiliation loses its salience in the social structure. The integrated nation may allow for some degree of cultural diversity, such as the toleration of religious differences in the United States, but its basic premise is a denial of any social obligation to preserve ethnic distinctions. Efforts to preserve special privileges on the basis of ethnicity are seen as a denial of integration and as an injustice to other ethnic groups. Likewise, efforts to preserve distinctive minority cultures tend to be regarded as separatist and divisive.

Minorities sometimes view this lack of protection for their cultures as tyranny, especially when their children are compelled to attend a school system which functions in terms of the majority culture. Some of the more cohesive and isolated minorities, such as the Amish and the stronger American Indian tribes, may succeed in maintaining a distinctive culture, but the general trend is toward homogenization. In the United States, this has meant the acceptance of a high degree of "Anglo-conformity"[7] which is most vividly seen in the dominance of the English language.

The philosophy of integration implies that individual frustrations will not furnish the basis for the development of ethnic grievances because salient attachment to the ethnic group has disappeared. This, however, is a process which, at best, takes a period of time and in the case of groups with distinctive physical traits or tenaciously held cultural patterns may never occur.

The question as to the extent to which integration is dependent on assimilation is illuminated by the distinction which Gordon makes between cultural and structural assimilation.[8] Cultural assimilation is seen as one of the subprocesses whereby members of the "guest" group become acculturated to the cultural patterns of the "host" society; in religion, for instance. General attitudes also come under the heading of cultural assimilation, and their direction influences the pace of structural assimilation even though not necessarily on a one to one ratio. Structural assimilation involves interaction at the primary group level between members of the "host" society and those of the "guest" group; i.e., widespread patterns of face-to-face relationships in clubs, organizations, and institutions of the "host" society.

Cultural assimilation threatens ethnic identity, but does not necessarily destroy it. Some individuals, for instance, may have largely forgotten their ancestral culture but yet restrict their group participation to those of their own ethnic background—or they may be excluded by those who claim ancestry which is either more prestigious or has been longer in the country. In other circumstances, structural assimilation, even including marriage, may occur before cultural assimilation is far advanced. In sum, assimilation is the basis of an integrated society, but assimilation is often incomplete and may not move at an equal rate at the structural and the cultural level.

In this book, we attempt to focus on patterns and hence on social struc-

---

[7] Stewart G. Cole and Mildred Wiese Cole, *Minorities and the American Promise* (New York, Harper and Brothers, 1954), pp. 135–40.

[8] Gordon, *Assimilation in American Life*, pp. 71–72.

ture rather than on attitudes, but attitudes and actions always interact and this is especially true in an integrated society. This interaction between attitudes and action patterns is the key to the understanding of Kenneth Clark's insistence on the difference between desegregation and integration.[9] Desegregation is the term applied to the removal of legal barriers which enforce ethnic segregation. Integration requires removal not only of legal barriers, but also of the prejudiced attitudes and social pressures which maintain ethnic barriers even after legal restrictions have been eliminated.

Gordon describes integration in terms of a social structural situation which would be impossible to approximate without the attitudinal changes which come from a lessening of prejudice:

> in social structural terms, integration presupposes the elimination of hard and fast barriers in the primary group relations and communal life of the various ethnic groups of the nation. It involves easy and fluid mixture of peoples of diverse racial, religious, and nationality backgrounds in social cliques, families (i.e., inter-marriage), private organizations and intimate friendships.[10]

Integration even approximating this description is certainly rare and thus (like the other patterns that we have considered), represents an "ideal type" rather than an actual situation. Nevertheless, the insistence that the individual, rather than the ethnic group, should be the focus of social and legal concern is a pattern with continuing appeal.

Temporary accommodation. The types of social structure considered up to this point represent fairly permanent arrangements. There is another type of situation which we have labeled temporary accommodation. This form of adjustment may be made when foreigners live in a country with the expectation that they will never become a permanent part of the host nation, as when military, commercial, or religious personnel are on specific and temporary assignments in a foreign country. The example used in this book is of a particular group, the Peace Corps, which is organized for the purpose of providing specific services in a foreign country for a limited period of time.

ETHNIC PATTERNS AND THE DRIVE FOR EQUALITY

Since there are no national states without some variety of ethnic identification, the rejection of ethnic group rights in favor of individual rights appears to occur only when men feel either that their ethnic background is no handicap in the competition for success or that they can easily leave their ethnic identity and "pass" into the more favored group. Moreover, if

---

[9] Kenneth B. Clark; "Desegregation: The Role of the Social Sciences," *Teachers College Record,* 62 (October 1960): 16–17.

[10] Gordon, *Assimilation in American Life,* p. 246.

the members of an ethnic group are doing well individually, the group as a whole achieves a higher status; conversely, the group is placed at a lower level if the proportion of individuals who are successful is low. Thus, the concept of "equal rights" merges into the demand for ethnic as well as individual social and economic equality.

While the structures which a segregated society erects to maintain the supremacy of the favored group are easy to recognize, it is much more difficult to delineate those which make for equality. Not only is true equality difficult to obtain, it is even hard to define the conditions under which true equality may be said to exist. Does true equality, for instance, mean equality before the law? Does it mean equality of opportunity? Does it mean equality of achievement? Does true equality assume that the various groups will be equally distributed in all areas of the nation's life, or are the demands for equality satisfied when the domains in which the members of different ethnic categories participate are different but considered approximately equal? In other words, does equality imply proportionate ethnic representation in every occupation? If some groups are underrepresented are others overrepresented?

It is seldom, if ever, true that all groups in a society will agree that true equality exists. For the segregationist this is not much of a problem, since he is ideologically committed to maintaining the superiority of his ethnic group. Even the segregationist, however, will speak of the benefits which his rule brings to the subordinate ethnic groups and will compare their situation with allegedly more unfavorable conditions elsewhere. Cultural pluralists find that absolute ethnic self-determination is frequently compromised by a national drive to eliminate or minimize inequality between regions. Integrationists shift the focus from the group to the individual, but, if many individuals identified with an ethnic group feel that society is unfair, then the whole structure of integration is in danger. Even though equality may be hard either to achieve or to define the drive for it is a constant factor in any pattern of ethnic relationships.

ETHNIC PATTERNS IN OPERATION

We said earlier that our structured patterns of ethnic behavior are "ideal types" never found in their pure form in the real world. Even though there is no perfect replication of the conditions implied in the definition, however, some countries do illustrate to some degree the patterns described. Any example may be faulted on the grounds of imperfect representation of the ideal type, but it is still from an examination of living societies that such concepts emerge as aids to social analysis. For this reason, we have taken a variety of societies which, to some extent, represent the types we have listed. Through an examination of these societies we may expect to gain further insight into the problems which arise under various patterns of intergroup relationships and, conversely, into the factors which contribute to the stability of these patterns.

Integration

Integration assumes that the problem of ethnic group conflict is solved through the adoption of a common identity and the disappearance of separate ethnic interests. To cite an example previously mentioned—if people cease to identify themselves as French and British, as has happened with the longtime descendants of these groups in the United States, then we may expect that there will be no conflict which runs along the lines of separate French and British identification. Integration, in other words, solves group conflict through the merger of separate groups into a common whole. Such a process is not necessarily inconsistent with a lingering consciousness of a distinct ethnic subcultural identity, but it assumes that such identity will be chiefly one of historical identification which does not have any great significance in terms of present interest.

Integration assumes a high amount of cultural assimilation such as the adoption of a common language and a considerable consensus on basic values and standards. Sharp cultural differences obviously tend to provide lines along which conflict can emerge and therefore appear to be inconsistent with effective integration.

A real question is whether the same observation applies to biological differences; that is, whether there can be a national unity along lines of integration in a nation which preserves two or more groups differing rather sharply in physical appearances. Two nations which appear, to a large extent, to have adopted the path of integration have followed different practices in this matter. In the United States, there has been widespread intermarriage between those of European ancestry; this has tended to bring about a biological as well as a cultural unification of the Caucasian population. Such intermarriage has occurred to a lesser degree between blacks and whites. One estimate is that as many as 21 percent of the Caucasian population of the United States may have some black ancestry and that perhaps as many as three fourths of blacks have some degree of white ancestry.[11] Most of this intermixture, however, apparently occurred during the days of slavery and the years immediately following Emancipation. At any rate, at the present time, in spite of a small number of people who may "pass" from one race to another, the majority of people in the United States can be rather easily categorized as white or nonwhite, and this situation does not appear to be changing with any degree of rapidity.

In Mexico, on the other hand, intermarriage has been so widespread that a mestizo population is dominant both numerically and socially. The

---

[11] Robert P. Stuckert, "African Ancestry of the White American Population," *Ohio Journal of Science,* 58 (1958): 155–160, and John H. Burma, "The Measurement of Negro Passing," *American Journal of Sociology,* 52 (1946): 18–22.

black population has practically disappeared and pure Indians and pure whites constitute only a small minority. Thus Mexico represents a pattern of integration which includes both racial amalgamation (biological intermixture) and cultural assimilation, while in the United States amalgamation has not been pervasive enough to eliminate or greatly diminish recognizable racial categories.

Segregation

Segregation, or a separation of racial groups by both law and custom, was for a long time the unchallenged practice in the southern part of the United States. In the 1970s it is more starkly represented in the Union of South Africa and in Rhodesia than in other countries. In the United States, segregation was a part of the tactics used by white supremacists to overturn the reconstruction government after the Civil War. Between 1880 and 1910, laws were passed in many southern states ordering the separation of white and black in schools, libraries, restaurants, public transportation, and, in general, prohibiting the common use of any type of facilities when this use might imply an equality of the races.[12]

These practices of segregation were practically unchallenged until the 1950s, when a series of court decisions pronounced legalized segregation unconstitutional. At the same time, both in many state legislatures and in the national Congress, civil rights laws were passed which sought to outlaw segregation and discrimination in all the areas where, in a previous era, the law had commanded that segregation should be the practice. For some time, these laws and court decisions were largely formal procedures with little effect on day-to-day living and the practices of segregation which had been outlawed by judicial decisions continued to be the normal pattern in many communities. During the late 1950s and early 1960s, however, several forces narrowed the gap between theory and practice in a way that brought about significant change in black and white relationships. More effective enforcement of civil rights laws made it apparent that segregation placed one outside the legal order. Additional lawsuits by the NAACP (National Association for the Advancement of Colored People) produced additional court decisions which made it abundantly clear that no legal technicalities would be allowed to thwart the move toward equal rights. Finally, the demonstrations led by the Reverend Martin Luther King, Jr., dramatized the issue and gave evidence of mass support for the ideal of a desegregated society. By the end of the 1960s, formal public separation of the races in the use of public facilities had ceased to exist.

This does not mean that there is no longer separation between the races in the United States. Mutual suspicion and unfamiliarity of black and white do not vanish overnight. Many people will continue to pursue traditional

[12] C. Vann Woodward, *The Strange Career of Jim Crow* (Fair Lawn N.J., Oxford University Press, 1957).

patterns even though the force of both law and custom that support these patterns has been greatly weakened.

Nor have all of the events of social life reinforced the decision of the courts and legislatures in discouraging racial separation. In the cities two types of migratory movements have brought an actual increase in separate racial housing. The first movement is the migration of whites from the central cities to the suburbs, and the other movement is a massive black urban migration. The combined effect of these two population movements has made many central cities largely black in population. This development has been accompanied by a more critical attitude on the part of many blacks toward policies of integration and the adoption by some blacks of a separatist philosophy.

In spite of all the reservations which must be made, it still remains true that the general course of events in the United States since 1950 has been away from segregation. Formal legal rules requiring segregation have been scrapped in all cases, and all types of activities in which joint participation was once taboo are, to some extent, now the scene of integrated activity.

In the Republic of South Africa events have taken an exactly opposite course. When the Nationalist Party acquired control of South Africa in 1948, it adopted a formal stated policy to eliminate every possible vestige of integration and to make segregation the rule and practice as far as possible in South African life. To most observers, South Africa would already have seemed a segregated society before this time, but the aim of the Nationalists was to make segregation complete and total. South Africa has evolved an elaborate system of racial classification whereby people are issued cards indicating the racial category in which they belong. All political rights have been denied the nonwhite population, and hundreds of thousands of black Africans have been forcibly removed from supposedly white areas.

There are two major questions in the South African situation. One is how long a segregationist regime can be maintained by whites who are a minority of around 20 percent inside the Republic of South Africa, are a still smaller minority in the continent of Africa, and, in addition, are condemned by the bulk of world opinion. Another question is the viability of a program of segregation in a country with a rapidly growing economy where the demand for skilled personnel is beyond that which can be supplied by the white population. In any event, the Republic of South Africa and, to a slightly lesser extent, Rhodesia offer a case study of the results of the efforts to maintain segregation in a modernizing society.

Cultural pluralism

Cultural pluralism, according to Hoult, is "the doctrine that society benefits when it is made up of a number of interdependent ethnic groups, each of which maintains a degree of autonomy."[13] As we added earlier, this implies, in contrast to segregation, some degree of equality. Admittedly, though, it is seldom, if ever, true that all the various groups feel that they have equal privileges in the society. Under cultural pluralism, however, group relationships are so ordered that the extremes of inequality found in segregation are avoided and each group feels that it is gaining some benefit from association in the common society.

It should be added that such a feeling is not necessarily unanimous in any group and that it does not preclude the existence of extremists who feel that the sacrifices demanded by membership in a common society are so great that the group itself should secede and form a separate entity. The term cultural pluralism used in this way covers a wide and varied number of social patterns. In addition to Belgium, Switzerland, the Soviet Union, and Yugoslavia in Europe, there are examples in other continents. Canada, Malaya, and possibly Brazil could be so classified. There are also several African countries which have diverse, and apparently persisting, ethnic groups. So far, however, it is unclear whether the African trend is toward cultural pluralism or toward integrated societies based on assimilation to core cultures.

One of the most successful examples of cultural pluralism is the Republic of Switzerland. It is based on an arrangement whereby Swiss of Protestant or Catholic religious beliefs and of German, French, and Italian descent live in districts which are, to a great extent, ethnically homogeneous, but which are united in a federal republic that proclaims a respect for the cultures of all its ethnic groups without insisting on the dominance of any.

Much more difficult and conflictive than the Swiss experience is that of the Kingdom of Belgium and the district of Northern Ireland. Both are examples of a situation in which a partition had been accepted in the efforts to end conflict through arrangement of territories in which, supposedly, ethnic conflict could be escaped. Belgium was a result of the division of an area which, at one time, embraced both the largely Protestant Netherlands and largely Catholic Belgium. Partition did, it is true, create a Belgium which is homogeneous with respect to religion but which included two national groups, the Flemish and the Walloons, who have lived together in a decidedly uneasy relationship since that time. Northern Ireland was created at the time of the formation of the Irish Free State and was divided from the rest of the island in order to form an enclave in which Protestants might be free from Catholic rule. This partition did create an area in which Protestants were the majority, but it included a substantial Roman Catholic minority who came to resent bitterly what

[13] Thomas Ford Hoult, *Dictionary of Modern Sociology* (Totowa, N.J., Littlefield, Adams & Co., 1969), p. 239.

they regarded as classification as second-class citizens. Both Belgium and Northern Ireland may be regarded as examples of countries in which democratic cultural pluralism has seemingly failed to develop a society satisfactory to the contending groups.

The largest European country in which cultural pluralism is the official state policy is the Soviet Union. During the time of the Czars, the Russian government regarded the non-Russian minorities in the country as a menace to national unity. The government's answer to this problem was a program of forced assimilation known as "Russification." This program brought resentment and hostility from the minority groups, which constituted about half of the population of the empire, without producing the cultural assimilation sought. When the Communists came to power, in 1917, they denounced the Czarist regime as a "prison of the peoples" and announced a policy of cultural freedom for all the ethnic groups in the area. As a result, varied political units based on ethnic lines were developed which were subordinate to Moscow politically and economically, and which were not only allowed, but encouraged, to develop the language and arts indigenous to the particular culture. The Communists had proclaimed that ethnic conflict is the result of capitalistic oppression and would be absent in a socialist state. Thus an examination of intergroup relations in the Soviet Union may serve as a test case for examination of the hypothesis that ethnic quarrels are simply a manifestation of a capitalist social system.

Yugoslavia, although much smaller than the Soviet Union, also includes a variety of ethnic groups and has endeavored to maintain cultural pluralism through the establishment of "republics" constructed on ethnic lines. In Yugoslavia regional-ethnic autonomy has been carried into the economic field by a policy of decentralization which allowed individual enterprises controlled by workers' councils to make policy on wages and investment. The result has been a spurt of economic growth in the more industrialized regions, along with a growing gap between them and the agricultural areas.

The changing Yugoslav policies on centralism and local autonomy vividly illustrate the difficulty in maintaining a satisfactory pattern of cultural pluralism in a nation which has great differences in regional economic development. Two of the issues which emerge are (1) whether socialist equality implies equality between regions, and (2) whether a nation should submit to top-heavy centralized dictation in order to even out regional disparities. Along with the Soviet Union, the Yugoslav experience offers a case study of the opportunities and problems which arise when a noncapitalist, multi-ethnic state attempts to follow a policy of cultural pluralism.

The relations of the onetime colonial powers and their former subjects had elements of both integration and cultural pluralism. During the course of empire some degree of acculturation occurred, usually it was confined to a minority of the population who had the most intense interaction with the colonial power. There were, however, some cases in which the indigenous culture either was totally destroyed or survived only in small pockets and in which the postcolonial culture was an amalgam of the precolonial and the colonial cultures.

When the indigenous culture was not destroyed, there was usually at least a de facto cultural pluralism in which the colonial power conceded the legitimacy of some parts of the indigenous culture and social structure. After the withdrawal of colonial military suppression, the question still remained whether the inhabitants of the onetime colony should direct their major emphasis toward further assimilation of the culture of the "mother country" or should seek to strengthen what were regarded as indigenous cultural forms. This issue emerges sharply both in the newly independent countries and in those overseas territories which have chosen to retain their links with the imperial country. The assimilation of the colonial culture, incidentally, does not necessarily predispose a country to forgo independence nor does a distinct culture necessarily dictate political separatism. Rather, the question seems to be whether the relationship between the two territories is regarded as inhibiting and stifling or as promoting the welfare of the inhabitants of the former colony. The empires were usually edifices maintained by force which were quickly destroyed as soon as a native elite developed a national consciousness. There are, however, some exceptions to this cycle of colonialism succeeded by nationalism and, consequently, by independence and separation from the imperial country. In the United States this can be seen in the case of Hawaii, in which the predominantly non-Caucasian people of a distant Pacific island have accepted statehood for Hawaii. A somewhat different example is also afforded by the Commonwealth of Puerto Rico, the majority of whose inhabitants prefer a link with the United States although there is a small and fervent independence party.

Hawaii would probably be considered an example of integration, with the various Oriental and Polynesian groups functioning as subcultures in which people acknowledge the neccessity of conforming to an American core culture even as they struggle to maintain some elements of their traditional heritage.

In Puerto Rico, on the other hand, Spanish is still the language of basic education and a Latin culture coexists with Yankee practices and values. It is a somewhat uneasy kind of coexistence with many Puerto Ricans fearful that their political links with the United States may threaten Latin culture—a fear most vividly expressed in the independence party which, as yet, represents only a small minority of the island's people.

One of the most striking examples of a onetime colony which has expressed a preference for an organic relationship with the imperial country rather than independence is found in the case of Martinique and Guadeloupe. Martinique and Guadeloupe contrast rather sharply with the African territory of Senegal. Senegal was also the scene of an assimilative French colonial policy which attempted to bring Africans into a relationship with France in which French culture would be assimilated and French political ties accepted. Senegalese, though, decided that, however strong the French influence might be, their real destiny lay in independence. Martinique and Guadeloupe are in the West Indies, and they also contrast sharply with other West Indian islands of roughly similar economic and ethnic attributes which had been under the British control and which opted for independence at the first opportunity. Consideration of the question why Martinique and Guadeloupe followed a course different from that of either other French colonies or other Carribean islands will illuminate many of the factors involved in the choice of independence or of union with a metropolitan power.

Colonialism was one method of bringing other peoples under the rule of Europeans. Another method which, in a sense, accomplished the same objective was that of the migration from former colonies to European countries. During the colonial periods there was a small trickle of immigration from the colonies to France and Britain, and after the end of World War II this flow of immigrants from the former colonies sharply increased. Whatever their overseas policies, neither France nor Great Britain had a history of racial intolerance at home, and ethnocentric colonial attitudes were assumed to be historical anachronisms with no present viability. France and Britain were both inclined to look with some bewilderment at countries such as the United States in which racial prejudices and discrimination seemed rife. However, a sudden increase in their non-European population brought problems of many types. A study of the relationship of France and Great Britain with their new immigrants provides some indication as to the extent to which racial patterns are determined by present situations as contrasted to the impact of historical precedent.

Turning away from Europe, let us look at Africa, where the boundaries of most national states reflect the strategic or economic concerns of former colonial powers rather than African ethnic distinctions. Indeed, one of the main problems of several African states is the gross lack of correlation between political and ethnic boundary lines. Several ethnic groups commonly live within the same national boundary lines and yet also spread beyond the national limits. To mention only a few cases: Hausa- and Yoruba-speaking peoples are not confined to Nigeria, Swahili-speaking groups are found in several East African nations, and significant numbers of Somali comprise minority populations in Ethiopia and Kenya.

In discussing African populations, "tribalism" is often used as a term indicating any kind of ethnic distinction. The "tribe" may be a diffuse category of several million people with no common government, a cohesive band of a few hundred, or any number in between. Actually, Africa has had as great a variety of governmental entities as Europe. These include empires ruling diverse peoples, as in the case of the Egyptians, Ethiopians, and Songhai; collectivities often referred to as nations, such as the Zulu and the Ashanti; kingdoms comparable to smaller European states, such as Buganda or the six Hausa kingdoms; city states, several of which flourished among the Yoruba; along with thousands of small tribal units found throughout the continent. Colonialism paid little attention to any of these patterns and developed a network of territories with little relation to indigenous African ethnicity.

When independence movements developed in Africa the leaders generally accepted the boundary lines agreed upon by the European colonial powers. The result is that practically every country in Africa includes a number of ethnic groups, practicing different customs, speaking different languages, and following different religions. Often an ethnic group spread beyond the country's borders and its identification with any of the newly independent nations was weak. Similarly, there was frequently little sense of any common bond with other ethnic groups in the same country, a situation similar to that often found in Europe.

The leaders of African governments seek to foster a national consciousness which will supersede ethnic loyalties, but this is a difficult task. Ethnic rivalries were in fact, exacerbated by a differential assimilation of European culture. Some ethnic groups were heavily exposed to Western education and technology, while others followed a traditional pattern of life with little intrusion from the outside world. In Nigeria, competition between the highly westernized Ibo and Yoruba and conflict between both of them and the Hausa-Fulani stimulated dissension which erupted in a bloody civil war. It was a war watched with much anxiety by the rest of Africa. This anxiety was based partly upon sympathy and concern for the contending groups and also upon a fear that similar conflicts might erupt elsewhere from the pluralist ethnic basis on which all African nations were erected.

Africa is also one of the areas which saw the development of cultural pluralism on the basis of religious precepts. The expansion of Islamic territory from a tiny portion of the Middle East to North Africa, Asia, and Europe brought about a type of cultural pluralism which followed the precepts laid down in the Islamic law. This type of society found its most outstanding expression in the Ottoman Empire, which allowed the Turks to rule an area running in a sort of semicircle from Cairo to the Balkans for a period of over 500 years. It was an empire in which, although the political power was exercised by those of Turkish nationality, the basic distinction was between Muslims and those outside of the faith. Ideally the infidels would accept conversion, but, in practice, this did not always follow and some arrangements had to be made for the dissenting minority. In addition to considerations of expediency, tolerance of those who rejected the faith was justified on the ground that Christians and Jews were also "People of the Book" and therefore shared some elements of Islam.

The resulting accommodation was known as the *millet* system, in which each religious group was allowed to have autonomy in its own territory although required to pay tribute to the Muslim ruler. This system had nearly constant discontent, saw occasional massacres, and yet retained a degree of peace in an area of the world which, since the end of the Ottoman Empire, has often been involved in conflict.

Still another type of cultural pluralism is that in which ethnicity is rather sharply correlated with economic function. In societies of this type, it is common for a minority ethnic group to be successful in commercial undertakings which appear risky to the majority group. The social contribution of this minority group does not, however, serve to facilitate their acceptance by the majority. Usually they thrive best in a colonial regime in which the government is more concerned with economic development than with the ethnic identity of those engaged in economic activities. When independence occurs, the ethnic majority then sees the minority persons who constitute the commercial middle class as a group occupying economically profitable positions which should be held by members of the majority group.

Frequently there are legal provisions, such as ratification of the United Nations' Human Rights covenants or the extension of citizenship to nonindigenous inhabitants, which would seem to guarantee certain rights to the despised minority. These legal restrictions are usually broken or ignored while various governmental measures are taken to drive the "aliens" out of the economy and to replace them with indigenous inhabitants. Two situations which contrast sharply with respect to history and ethnic composition but which represent a somewhat similar experience in this regard are offered as test cases. These are the Indian minority in Kenya and the overseas Chinese minority in the Philippine Islands.

One might question placing these, and similar situations, under the rubric of cultural pluralism, since both the Indians in Kenya and the Chinese in the Philippines have suffered discrimination. Such discrimination conflicts with the previous statement that, in a situation of cultural pluralism, all groups, theoretically, have equal rights. In Kenya and the Philippines not only is there inequality, but also an unstable type of ethnic relationship, since it is possible that eventually discrimination may reach the point at which the minority is unable to function or is either massacred or deported. These are not just academic possibilities, but actions which have occurred in the past and could take place again. The Chinese in the Philippines had been nearly wiped out by massacres in previous centuries. In Kenya, after independence in 1963, thousands of Indians left the country fearing that they would be unable to make a living under the restrictions imposed by the Kenya government, and a few were actually deported. A similar Indian minority in Uganda has been deported en masse.

In addition to a preference for limiting the number of ethnic patterns we are using, there are three reasons for considering marginal trading peoples such as the Indians in Kenya and the Chinese in the Philippines as examples of cultural pluralism. First, there have been periods in the past when these commercially successful minorities did not experience discrimination to any great extent. Second, the majority refuses to acknowledge that the minority has suffered discrimination, since their average economic condition is usually better than that of the majority or dominant group. Finally, many societies face the question of determining their policy toward nonassimilable minorities which constitute marginal trading peoples. As we mentioned earlier, our ethnic patterns are "ideal types" and there are no situations which fit the definitions perfectly. Since the marginal trading peoples have an identity which is expected to persist for a relatively long period, since they usually experience at least some intervals when they enjoy equal rights, since they often prosper to a greater extent than the majority in spite of discrimination and are found in countries both with and without formal discrimination, it seems justifiable to include them under the cultural pluralism rubric.

General issues in cultural pluralism. An examination of these varied instances of cultural pluralism will raise many questions. For instance, is it possible for minority groups to be secure in a country in which democratic procedures allow the majority to take whatever repressive measures it sees fit? Related to this is the question whether a peaceful type of pluralism requires the acceptance by minorities of the dominance of one particular group which will serve as a core group in the society. An issue already mentioned is whether the course of intergroup adjustment is easier in a country in which the social ownership of the means of production has lessened the rivalries which are alleged to be inherent in a capitalist economy. A final question which occurs in all examples of cultural pluralism is the extent to which it is possible to maintain a separate ethnic identity while giving allegiance to a common society. These and still other issues will emerge in our analysis of these pluralist societies.

Temporary accommodation

The Peace Corps of the United States has been seen by some as a humanitarian endeavor to spread the benefits of Western technology, and by others as a sugar-coated tool of American imperialism. In our perspective it is looked at as an example of one technique of adjustment by an ethnic group engaged in a temporary sojourn on foreign soil. The usual pattern of temporary foreign groups has been to develop enclaves where they can restrict contact with the local inhabitants to the minimum basis essential for their mission while maintaining, to a high degree, a miniature society and culture which may be termed a "Little America," "Little England," or whatever country is represented.

The Peace Corps has taken the opposite tack of trying to avoid the development of enclaves while its representatives acquire to the greatest possible degree the culture of the country in which they live. No one would maintain that the Peace Corps has been completely consistent in these policies or that the policies have been completely successful even when faithfully carried out. Nevertheless, the Peace Corps approach does offer an interesting variant of the usual practice and one that may indicate patterns which will be more widely followed in the future.

CONCLUSION

In this chapter we have attempted to describe briefly the various patterns of intergroup relations and some of the results which occur in countries which attempt to follow them. In one sense, every experience is unique; in another sense, every human experience is an aspect of the universal situation. It may well be that we shall not only learn something about the factors involved in integration, segregation, and cultural pluralism, but that we shall also become aware of universal requirements which affect the course of human associations in all the varied patterns which may develop.

QUESTIONS

1. What are the major social structural patterns discussed in this chapter and are there other major patterns that could have been included?
2. What are the assumptions of segregation and integration and in what sense are these assumptions refuted by cultural pluralism? Discuss fully the implications of this issue.
3. What is the basis given by the authors for using the general term "ethnic" rather than some other term like religion, nationality, or race when speaking of significant group classifications? Do you have a preference?
4. Can you think of any countries other than the United States and Mexico where integration is the dominant pattern of intergroup relations? Discuss fully.
5. How do you account for the fact that in a culturally plural society it is virtually impossible for the various groups to feel that they have equal privileges?
6. Why did the Soviet Union adopt cultural pluralism and what was the attitude of the Czarist regimes?
7. Why have ethnic loyalties and differential assimilation of European cul-

ture often functioned to impede nationalism in Africa? Defend your answers and cite examples.

8. Why, do you suppose, does a commercial minority group function best under a colonial power whose major concern is economic development?
9. In order to have a peaceful type of pluralism do you think it is essential that several minorities accept the dominance of one particular group as a core group?
10. In what crucial way does the Peace Corps of the United States differ from other temporary foreign groups?
11. What is meant by ethnic equality? Why is this difficult to define?

Chapter 2

Cleavages within cleavages: Belgium and Northern Ireland, with a brief look at Switzerland

At least since the downfall of Napoleon, one of the common remedies for difficult intergroup relations has been the partition of territories into smaller units. Major examples of this are seen in the breakup of the Hapsburg and Ottoman empires. Other examples include the tripartite division of the subcontinent of India and the partition of Palestine into an Arab and an Israeli area.

In this chapter case studies of Belgium and Ireland are presented to illustrate processes of dealing with majority-minority relationships through partition. More specifically, the major generalizations generated in this chapter are as follows: (1) the creation of pure ethnic enclaves is virtually impossible in the modern world; (2) ethnic discontent is likely to increase with an increase in the level of living; (3) identification with group interests, not individual relationships, is a salient factor in ethnic conflict; and (4) cultural pluralism operates more effectively when the federal level recognizes ethnic distinctiveness at the local level.

The creation of the nation of Belgium through territorial partition dates back to 1830, when a revolt headed by Charles Rogier enabled Belgium to separate from the Netherlands. Rule by the Protestant Netherlands was disturbing to the Flemish people even though they were similar to the people of the Netherlands in language and in many other cultural characteristics. It was even more repugnant to the French-speaking section, which was different in these traits as well as in religion. Irish partition took place in 1921, when predominantly Protestant Northern Ireland asked to remain a part of the United Kingdom so that it would not come under the rule of the predominantly Catholic, Irish Free State.

Partition in Northern Ireland united people similar in national background but different in religion, since there was a large Catholic minority. In Belgium, partition united peoples of two national strains who had a common religious affiliation. The pattern of religio-ethnic demarcation in the two territories is almost precisely opposite, but the course of historic development is strikingly similar. The partition of the Netherlands led to the creation of a Belgian state in which the unity based on identification with a common church is threatened by conflict stemming from ethnic and linguistic differences. In Northern Ireland unity on the basis of a common language is threatened by a cleavage based on differences in religious identity. To the outside observer such differences of language or religion may not appear to be major issues, but to the people involved they represent values which often seem superior to that of loyalty to the existing national state. Religious and linguistic cleavages are reinforced by patterns of economic stratification and of traditional prestige. These patterns are not as rigid or as uniform as segregation in South Africa or caste in India but past and present economic disparities are a potent force in maintaining group feeling.

In Belgium, the Walloons were traditionally the economically dominant group. This dominance is fading as industrialization in the Flemish districts has outstripped that in the Walloon areas and favored the growth of a successful Flemish middle class. Both the traditional prestige of French and its status as a world language, however, limit the social effect of economic prosperity in the Flemish regions. Not only have socially mobile Flemish usually found it necessary to be fluent in French for internal usage, but Belgium's role in world commerce and politics is another reason that the ambitious Flemish find French an almost indispensable language. To Flemish nationalists, these arguments for French are merely additional reasons that they need to construct further barriers and to limit their contacts with French institutions. In the meantime the situation is further complicated by demands that the wealthier Flemish districts subsidize a revitalization of the now depressed Walloon areas.

Northern Ireland also has lines of economic stratification which, to some extent, reinforce the cleavage based on religious differences. Generally, the Protestants are disproportionately represented in the higher strata of business, agriculture, government, and the professions. This does not, of course, mean that all Protestants are upper class or that no Catholics have achieved wealth and prominence. Further, Northern Ireland in general has been more prosperous than the Irish Free State, and Catholics share in the higher wage rates and social security payments.

The economic differences are well known, and perhaps even exaggerated, but their effect should not be overemphasized. Both in Belgium and in Northern Ireland there is much overlapping in economic status which finds many people from each group at a common economic level. Nor are the issues which excite popular passions usually economic in character. In other words, there is little justification for referring to Catholic or Protestant, or Flemish or Walloon, as disguised labels for bourgoisie and proletariat. Similarly it would be a mistake to assume that economic reform will lead to the elimination of ethnic conflict. Economic grievances exacerbate the Belgian and Irish ethnic quarrels, but the basic tensions are the result of a concern for ethnic prestige and survival to which economic concerns appear to be secondary. This does not mean that economic matters do not get into the fray. It is perhaps to be expected that the Irish Catholic leader, Bernadette Devlin, prefers a socialist to a religious image and that her Protestant opponent, the Reverend Ian Paisley, refers to himself as an anti-Communist spokesman. The trouble with their personal definitions is that there is little evidence that their followers see them as anything but leaders of religiously identified factions.

Similarly, *The Economist* cited the statement of a militant Flemish leader as indicating the primacy of economic concerns: "In almost any Brussels office," said the young Flemish zealot, "you will find a Flemish-speaking porter, a bilingual secretary and a boss who speaks only French. We are going to change all that."[1] This seems like a persuasive argument for economic determinism except that the current economic rise of the Flemish appears to have worsened rather than ameliorated their relationship with the Walloons and we have no reason to think a growth in the proportion of Flemish speaking bosses would change the trend. This is especially true since both language communities are insecure and neither is powerful enough to run the country alone.

The Flemish are a growing and prospering majority with a language which has little utility in the outside world whose trade and international associations have so much effect on Belgian prosperity. The Walloons are a minority whose relative economic status is declining but whose language is a link with the greater world. The communal problem is not so much economic as it is that many features of Belgian life; government, religion, and education, as well as economics, have been interpreted in communal terms. Economic changes may be essential but, without a reordering of communal attitudes and relations, such economic changes may still further exacerbate intergroup conflict.

HISTORICAL PATTERNS OF BELGIAN DEVELOPMENT

Belgium has had a mixed population consisting of Walloons, who in culture identify themselves with the French; the Flemish, who speak

[1] "Squaring the Loop," *The Economist*, 208 (July 12, 1963), p. 137.

a dialect of Dutch; and a small minority of Germans. For centuries the area has been contested between various monarchies, and at times it has been dominated by one or another of the European empire builders. While it is difficult to pick any place for a beginning, perhaps it is best to look at the period of the Napoleonic regime, when Belgium prospered as a part of the French empire, using the free trade market which Napoleon had established. The end of Napoleon's regime led to a breakup of his dominions; in the case of Belgium, this was accomplished by formation of a Kingdom of the Netherlands, which combined Holland and Belgium, with King William of Orange as the monarch. King William, a man of Dutch descent, utilized the twin capitals of The Hague and Brussels, attempting thereby to govern a country which at the time included approximately 3.9 million Belgians, and 2.3 million inhabitants of what is now Holland.

The basis for both King Williams's initial success and his ultimate failure lay in a complex mixture of nationality and religious loyalties. The Flemish, who in many ways are close to the Dutch, were separated from the inhabitants of Holland by a Dutch tendency to look with disdain on the Flemish dialect, and also by religious differences, since the Flemish were staunch Roman Catholics while the majority of the people of Holland were Protestant. The French-speaking Walloons were separated from the Flemish in language, but might be thought to be united with them in religion, since both were of Roman Catholic background. However, the Walloons were close to France in sympathy, and many of them identified with the anticlerical ideals of the French Revolution. The anticlericals regarded themselves as Catholics, but they considered the influence of the Roman Catholic Church a menace in political, economic, and educational matters, and hence found it fairly easy to make a common front with the Dutch Protestants, who also desired to limit Roman Catholic power.

King William was an astute advocate of economic development and laid the financial and technical foundations of the Belgian economy, which still is one of the world's leading industrial establishments. However, he encountered several difficulties, one of these being the fact that his authoritarian rule was contrary to the spirit of the French Revolution, which still remained alive in the hearts of many of the Walloons. This led them to identify opposition to the King as consistent with dedication to liberty. Specific policies compounded his difficulties when, in 1825, he made Dutch the administrative language throughout Belgium; and when, in order to stifle the opposition of the Roman Catholic clergy, he endeavored to take over government control of the Catholic schools and seminaries.

Resentment at these policies brought the Flemish Catholics and the Walloon anticlericals together in opposition to what they considered an authoritarian and unjust type of rule. The gravity of the situation was compounded by an economic depression, which bore especially hard on the working-class population and led to various proletarian uprisings. Attempts to suppress these uprisings by Dutch troops only served to polarize the situation; the European powers eventually decided that a division of the Netherlands between Holland and Belgium was inevitable. A final attempt by King William to invade the Belgian area with a Dutch army was defeated by the intervention of the French, and, except for occupation by the Germans during the two world wars, Belgian independence has remained unchallenged since that time.[2]

While the regime of King William represented, to some degree, Dutch domination of the area, this relationship was reversed when Belgium became independent. Most of the nobility and industrialists were Walloon, while the peasants were predominantly Flemish. The result was a binational state with pronounced Walloon dominance. Perhaps the rather ill-fated motto of the country, *l'Union fait la Force* ("There is Strength in Unity") expresses the reverse of what has happened, since the union of Walloon and Flemish shows little sign of strength.

Complete dominance of the Walloons was modified in the succeeding period of nearly a century and a half by gradual concessions to Flemish sentiment. One of the first concessions was made in 1850, when the teaching of Dutch was allowed in the primary schools in the Flemish area. This was followed by the adoption of bilingual instruction in Flemish districts in 1860, although Flemish did not become the medium of instruction in secondary schools in Flemish districts until 1932, the same year that it was recognized in the University of Ghent. In 1962, Belgium was divided into two main linguistic areas with Brussels as a mixed area. This was the formal recognition of a territorial language policy which has made the language boundary lines literally a fighting matter. The culmination of the trend came in 1968, when it was agreed to move the French-speaking sections of the University of Louvain out of the Flemish areas. The same trend has been evident in politics. In 1873, the first Flemish judges were appointed in Flanders, and not until 1900 was the first speech in Parliament given in Flemish. Since then there has been a steady erosion of political ties across language lines and a growing tendency to divide along language lines with gradual gaining of ascendancy by the Flemish.

International events have complicated Belgian politics; especially the two world wars and the loss of the Congo, which in some ways accentuated Belgian divisions and yet temporarily increased the unity of the country. The Germans in both world wars were quick to exploit Belgain cleavages and to seek, with some success, the aid of Flemish collaborators. The situation was complex because some French Fascists in the Second World War, who considered themselves spiritually one with the Nazis, were also pro-German. The Belgian Resistance and the ultimate victory of the Allies had the temporary effect of welding the country together and of strengthening

---

[2] Adrien Meeus, *History of the Belgians*, translated by G. Gordon (New York, Frederick A. Praeger, 1962), pp. 255–84.

Belgium unity. The loss of the Belgian Congo in 1960, although it did not prove to be an insuperable economic handicap, was a blow to Belgian pride which weakened identification with a united country.

Since 1960, divisions have deepened along linguistic lines and political parties have faced a constant struggle in maintaining any kind of cooperation between their Walloon and Flemish components. Most major governmental positions are divided into two parts so that one may be held by a Walloon and the other by a Flemish. In spite of the shared symbols of church and monarchy there is a real question as to how long Belgium can survive as a nation. Usually cleavages in European nations are classified as national or ethnic, and perhaps it is indicative of the bitterness of the Belgian scene that the *London Economist* refers to it as a "tribal" type of conflict.[3] There has been much talk of federalism, but so far the parties advocating this are a minority of the Belgian Parliament.

On the other hand, the Liberals, Socialists, and Christian Socialists frequently find themselves split into Flemish and Walloon wings. Huggett comments: "the basic trouble is that governments are forced to preserve the semblance of a unitary state, while governing their country as if it were a federation."[4]

Language divisions have cracked the apparent facade of religious unity. For a long time, the Flemish priests were accustomed to denounce the godless French, and the leading Flemish daily carries on its masthead the motto, *Alles voor Vlaanderen, Vlaanderen voor Kristus* ("All for Flanders, Flanders for Christ"). Catholics do not hesitate to walk out of mass when it is said in the wrong language, a practice which has prompted one observer to remark, "In Belgium, there is much to be said against Pope John and the vernacular."[5]

Every area of Belgian life is riddled by ethnic division. Specific conflict may arise whenever a French speaking Belgian gives orders to a Flemish subordinate. Such matters as redefinition of linguistic zones, strife over policies in Brussels, the supposedly bilingual capital, and the relationships of the French- and Flemish-speaking sections of the University of Louvain, are the main points of friction.

Nearly 100,000 Flemish workers commute daily between Brussels, a city in which business is largely conducted in French, and their Flemish homelands. On the other hand, the expansion of adjacent suburbs finds people of French-speaking ancestry in zones that have been legally dedicated as Flemish, where they are compelled by law to send their children to Flemish-speaking schools. This was partly rectified by the inclusion

---

[3] "Tribal Troubles," *Economist* 205 (Oct. 20, 1962): 220.

[4] Frank E. Huggett, "More Troubles in Belgium," *The World Today,* 25 (March 1969): 93.

[5] Vivian Lewis, "The Belgian Linguistic Crisis," *Contemporary Review,* 208 (June 1966), p. 297.

of six boroughs in a French-speaking area, a move bitterly resented by the Flemish, but the battle over dominance in Brussels still goes on.

The controversy over the University of Louvain is one which has seemed almost incredible to outsiders. This is an ancient university, under Roman Catholic auspices, which is almost evenly divided between Flemish- and French-speaking students. The University has two faculties, so that a student has no need to be bilingual in order to complete his work. However, it came to be regarded as an affront to Flemish patriots that the French-speaking portions existed inside the Flemish language frontier, and a series of riots and demonstrations resulted in a decision to move the French-speaking parts out of the town of Louvain. Flemish opposition was apparently based on a fear that their position was eroding. This fear has produced opposition to anything that might be interpreted as "ground loss," or to the intrusion of any French institution which might support the influence of the French language.[6] The riots, demonstrations, and strikes which have been provoked by the language quarrel have had their influence in other types of controversies as well, so much so that Belgian political institutions have difficulty in functioning under any kind of a due process procedure:

> The political machine in Belgium is short-circuited by anyone who feels his needs are pressing. Once, it was only linguistic extremists who tried to wield power directly, but the habit has now become widespread. . . .
>
> To force the socialist union's insurance companies to change the payments system in their hospitals, Belgian doctors threaten to go on strike. To get modern guns to fight criminals, the police set up barricades and block traffic in Brussels. To protest the closure of their uneconomic collieries, miners tear down trees and attack the gendarmes in Limburg.[7]

The factors which have produced the extreme bitterness in the Belgian language quarrel may be attributed to a feeling by both the Walloons and the Flemish that only the most violent effort can prevent the forces of history from wrecking their language communities. French has a claim, both in its traditional ascendancy in Belgian aristocracy and business and in the fact that it is a world language; in contrast, even if Flemish and Dutch are considered identical, they are spoken only by a few million people. Belgium has a tremendous stake in world affairs; 30 percent of her industry goes into the export trade, and Brussels is the home of many international organizations. All these activities tend to increase the value of French, and one of the grievances of the Flemish is that one anxious for social mobility finds it almost imperative to become fluent in the French

---

[6] Czeslaw Jesman, "A Note on Louvain University," *I.R.R. Newsletter* (May 1967): 220–21.

[7] "Belgium Strangled in its Coils," *Economist,* 218 (March 26, 1966): 1216.

language. On the other hand, shifts in population and industry are working unfavorably for the Walloons. This change is described by Huggett:

> The Flemish claims to equality of treatment have been strengthened by their transformation in this century from a derided peasant minority of the population into a majority group. A study carried out by a group of Belgian and French demographers in 1962 showed that the population of Flanders (excluding the Brussels area) had risen from a minority of 47.2 percent in 1910 to a majority of 51 percent in 1960, while the population of Wallonia had declined from 39 percent to 33.6 percent during the same period. By 1964, the population in the north had risen further to 54.8 percent, while that in the south had declined to 33.2 percent, with 12 percent in Brussels. The birth-rate in Wallonia as a whole is 15.5 per thousand—and for Walloons themselves only 13.5 per thousand—much lower than the 18.5 per thousand birth-rate in the predominantly Catholic north. It is estimated that by 1975, something like 60 percent of the Belgian population will be Flemish.
>
> These changes in the population structure have been accompanied by changes in the economic sphere. . . . Since the end of the war, industrial development, particularly that of the big international companies has tended to be concentrated in the north, which is favored by better communications. This is symbolized in the postwar growth of Antwerp, now the fourth largest port in the world.[8]

The Flemish are a socially mobile group long considered subordinate, with a memory of ancient grievances aggravated by the fear that worldwide trends are working against the adequacy of their language. The French-speaking Belgians are a still powerful minority, who see their proportions in their country dwindling and their economic power disappearing. Rather than dominating the economy of the country, they are now in need of economic aid, which a non-French majority in the parliament is reluctant to give.

It would seem that some type of federalism, either openly acknowledged in Parliament or at least operational in practice, is almost inevitable in the Belgian situation. A country already divided into linguistic zones, with a dual apparatus of government, with violent conflicts over every issue aggravated by linguistic implications, is hardly a viable unitary state. Whether it will be possible to forge the minimum type of cooperation needed to enable the Belgian nation to survive at all is still an open question.

THE TWO IRELANDS

The senior author recalls that when he was a small boy his idealistic fantasies were stirred by newspaper accounts of the desperate and violent

---

[8] Frank E. Huggett, "Communal Troubles in Belgium," *World Today*, the monthly journal published by the Royal Institute of International Affairs, London, 22 (October 1966), p. 447.

struggle which the Irish Republicans were waging for independence from Great Britain. The pitched battles in the streets, the martyrdom of Roger Casement, and the eloquence of Eamon De Valera all made a tremendous appeal. All this was tied in with Woodrow Wilson's emphasis on the self-determination of peoples and the aftermath of the war "to make the world safe for democracy."

The Irish struggle was by no means new; rather it had been waged for at least 500 years, during which time the Britons had sought unsuccessfully to find a way in which Ireland could be incorporated into the British domains. Independence for Ireland did not constitute a complete solution of this conflict, and, as in the case of the division between the Netherlands and Belgium and between Pakistan and India, it was decided that an area which had been regarded as one country would have to undergo partition in order to have a regime of peace. In Ireland, the peoples were not separated, except in a rather vestigial sense, by language or by nationality, although a few differences might be discerned in these realms. The major distinction was one of religion, and when the question was posed as to how Roman Catholics and Protestants could live together in the same country, the answer came quickly that there was no conceivable formula by which Irish adherents of these two branches of the Christian faith might live under the same rule.

The result was a decision to divide the island of Ireland into two areas; the major portion was to constitute the Irish Free State, with a heavy Roman Catholic majority. The bulk of the Protestants were found in the six counties of Northern Ireland, compromising about two thirds of Ulster, and it was decided that these counties would gain a degree of self rule but would retain their link with the British empire.

As is usually the case, however, partition did not succeed in enforcing a complete separation between the contending parties. A very small minority of Protestants continue to live in the Irish Free State, while a still larger proportion of Catholics are found in Northern Ireland. In the territory of Northern Ireland which was linked to Britain, about one third of the inhabitants were Catholic as compared to perhaps a five percent Protestant minority in the rest of Ireland.

Northern Ireland was to be a Protestant enclave. This did not mean that Roman Catholics were hindered from engaging in worship, but it did mean that the Protestant majority was determined to maintain its dominance in all areas of life so that it would retain its separation from the much larger Irish Free State and guarantee that, within the enclave, Protestant rule would never be threatened.

Many results flowed from this determination to maintain a type of Protestant homeland in Northern Ireland. One was that, rather than having a hereditary hostility toward the British crown as the oppressor of the people, the people of Northern Ireland saw the link with England as a guarantee of freedom. Another distinction was that there was no move to restore the Gaelic language which had been the traditional speech of the Irish people and which still survived in a few isolated pockets of the country. Again, in legislation, no concession was made at all to Roman Catholic ideas on such subjects as birth control, censorship, and divorce. Catholics were allowed to maintain centers of worship, and a separate Catholic school system was supported by government funds. In some localities the Catholic population was so concentrated that a local Catholic majority might have been obtained, and in these areas various types of gerrymandering preserved Protestant rule.

The Protestants have traditionally been the wealthier settlers and they have maintained their economic dominance. In part, this may have been because of deliberate discrimination in which Protestants and Catholics both gave economic preference to their fellow religionists, with the Catholics coming out on the short end of the deal. Probably, to a larger extent, the situation of the Catholics, to some degree an oppressed proletariat, was a result of their lag in educational achievement and in commitment to a modern industrial type of society. The sense of oppression on the part of the Catholics and the continuing fears of the Protestants led to an unstable situation in which Catholics continually smarted under a feeling that they were second-class citizens. Protestants, on the other hand, felt that the Catholics' complaint about individual grievances were insincere and merely represented a step toward a time when the partition could be abolished and Northern Ireland could be absorbed within the predominantly Catholic Irish Free State.

Although the unrest of recent years has discouraged foreign (and also domestic) investment, Northern Ireland is still somewhat more prosperous than the Irish Free State. Part of this prosperity is due to the subsidization of social services in Northern Ireland by the United Kingdom—a subsidy which would be difficult for the Irish Free State to maintain if the two realms were united. This means that a union proposal would require either a major increase in governmental expenditures of the whole territory or a cut in the amount of money received by old-age pensioners, orphans, unemployed workers, and other beneficiaries of welfare payments. It is estimated that bringing social services in Ireland up to the level now maintained in Northern Ireland, without a British subsidy, would require an Irish tax increase of approximately 50 percent. Another way of looking at the picture is to compare levels of living in the three areas. It is estimated that while Northern Ireland is 20 percent below the British level, the Irish Free State is 40 percent below.[9] Catholics in Northern Ireland feel

---

[9] Discussion of the comparative economic status of Northern Ireland and the Irish Free State is based on Brian Crozier et al. *The Ulster Debate* (London, The Bodley Head, 1972), pp. 110–11. Personal per capita income in Northern Ireland in 1970

that they have been discriminated against in jobs and in the provision of government services. However justified the Catholic complaints may be, it is doubtful that separation from Britain and merger with a relatively poorer Irish Free State would ameliorate the economic situation of Northern Irish Catholics.

It would seem that the economic advantages of Northern Ireland as well as a simple desire to maintain peace would stimulate efforts to establish a reconciliation between Catholics and Protestants. Some attempts of this kind have been made. There have been occasional gestures toward friendship and unity. These include ecumenical conferences between Protestant and Catholic clergy and a few conferences between political leaders of Northern Ireland and the Irish Free State. Such gestures, however proved inadequate to bridge the gulf of mutual suspicion. Through the years occasional riots and protests have erupted, culminating in the extremely violent situation in 1968 and extending into the 1970s. In this situation a tenuous degree of order was maintained only by the presence and activity of substantial numbers of British troops.

Perhaps symptomatic of the extent of the differences between the two groups was the emergence of two intransigent figures who served to polarize the extreme factions. One of these was the Reverend Ian Paisley, a militant Protestant fundamentalist who established his own version of the Presbyterian church. The inflammatory oratory of Mr. Paisley produced an enthusiastic response in many Northern Ireland Protestants. At a time when religious fervor had been generally declining, his own church flourished, and he frequently preached to meetings of thousands of people. He was bitterly critical of what he considered the compromising tendencies of the Northern Ireland government. The Archbishop of Canterbury and other Protestant leaders of an ecumenical mood were also frequent targets for barbed criticism on the grounds that they were selling out to Rome.

On the Catholic side the most widely publicized leader was a militant spokeswoman typical, in many ways, of protest leaders in the late 1960s in the United States. Young, female, and attractive, she utilized American civil-rights techniques in the Irish setting. Bernadette Devlin was regarded by some of her followers as practically an Irish Catholic Joan of Arc. Perhaps a brief description of a speech she made in the English parliament may give some idea of the emotional tone which Miss Devlin conveyed. *Newsweek* described it as follows:

> Bernadette Devlin, the ardent 22-year-old M.P. from the Catholic Bogside district of Londonderry rose from her seat and delivered a blistering attack on Parliament. "It is your fault, your blame, your shame," cried the trembling,

---

was $1,958 as compared to $1,248 in the Irish Free State. This statement is based on data in *Digest of Statistics for Northern Ireland,* Belfast, 1970, table 109, p. 79, and in *U.N. Statistical Yearbook* (Statistical Office of the U.N., New York, 1971), p. 596.

diminutive Bernadette. From the greenleather benches across the floor came a chorus of incensed Tory voices. "Rubbish, rubbish, absolute rubbish," they shouted. But Miss Devlin was not to be shouted down. "It is not rubbish—you know it is not rubbish. You have been in this house a damned sight longer than I have and you know it wasn't rubbish a year ago. You said it was rubbish on Oct. 5 [the date of the first bloody civil-rights demonstration last year] and you also say rubbish when people complain who have never had the vote and will never have it now."[10]

The historical roots of the bitterness in Northern Ireland may be illustrated by two expressions often used in intergroup conflict, which the Irish have contributed. "Beyond the pale" refers to the days when territories in which the English had colonized in Ireland were referred to as the "pale." These were areas in which the Irish could live only on sufferance and beyond which Englishmen ventured at peril of life. Another example is that of the unfortunate Captain Boycott of County Mayo, a land agent in the 19th century whose activities led the Irish to refuse any kind of relationship with him, whose name now denotes this form of conflict through noncooperation.

The situation in Northern Ireland is probably most directly traceable to the plantation period in which British nobleman were granted large tracts of land which they endeavored to farm with the aid of Scotch and English settlers. These settlers have intermarried to a considerable extent with the local population, so that it would be somewhat questionable to refer to them as a Scotch and English element, but they have, for the most part, retained their Protestant religious affiliation and the tradition of pro-British sentiment. Superficially it wuold seem that the people in Northern Ireland are divided only by religion, but the religious mantle covers differences of political tradition, ways of life, and economic status.[11]

It would be a mistake, accordingly, to look at the quarrel in Ulster as one produced solely by a divergence in religious beliefs. With the exception of the Reverend Mr. Paisley, a few other Protestant clergy, and a few militant Catholic priests, most of the clergy have attempted to play down the religious aspects of the conflict and have been influenced to some degree by the current trends toward a more ecumenical position. Clergyman have often urged moderation, and at times those of different faiths have walked together through riot torn areas in an attempt, usually unsuccessful, to stem the fires of conflict. Rather than partisans for competing beliefs, Protestants and Catholics represent different communities. Regardless of the reconciliation which may be obtained between systems of belief, the

---

[10] "Backlash in Belfast," *Newsweek*, Oct. 27, 1969, p. 54. Copyright by *Newsweek*, Inc. 1969, and reprinted by permission.

[11] Robert W. Schleck, "Ireland's Clash of Colors," *America*, 121 (Sept. 26, 1969): 134–36.

differences between communities persist. Religious affiliation is not so much a symbol of contrasting beliefs as it is a badge by which hostile communities may be identified.

It is frequently argued that ties of personal friendship will be sufficient to overcome intergroup barriers. In Northern Ireland personal relationships are inhibited by school and residential segregation. Nevertheless the graduates of both Catholic and Protestant schools are citizens of the same country and, although residential areas may be segregated, the blocks which Catholics and Protestants inhabit are frequently contiguous. Catholics shop in Protestant-owned stores and Protestants usually find it necessary to resort to Catholic-operated taverns if they wish to quench their thirst for alcoholic beverages. Nor is the discrimination in employment complete; Catholic employers frequently have Protestant employees and vice versa.[12] Friendships often occur between Catholics and Protestants, but the evidence is tragically clear that such friendship is not strong enough to survive intergroup conflict. A tragic example is given in the following news item:

By Hugh A. Mulligan

BELFAST (AP)—Just after dark on the wildest of the wild nights the doorbell tinkled in a Roman Catholic greengrocer's shop in the Crumlin Road.

"Tommy, come in," said the woman behind the counter, recognizing her Protestant neighbor and good customer of longstanding.

The man ignored the greeting. "I lost my home on Agnes St. tonight," he announced bitterly. "You have five minutes to get out before you're burned out."

"Sure, I had nothing to do with that," cried the woman, bursting into tears.

"I can't help that," the man said. "None of us can help anything any more." And he disappeared in the crimson glow of the crossroads where already a double-deck municipal bus, symbol of Protestant political power, was a burned skeleton and just behind it a public house, the symbol of Roman Catholic riotousness and rebellion, was leaping into flames.[13]

It has long been the dream of those who espoused an economic interpretation of history that, in the words of the "Internationale," "the universal party shall be the human race," meaning that men of different ethnic backgrounds will come together when they realize common economic interests. The Labour party in Great Britain has been able at times to express friendship toward ultimate union of all parts of Ireland, but the Labour party of Northern Ireland has never been an effective force of reconciliation. Rather, in the effort to keep some degree of unity between various components which may be predominantly of one religion or another, it

[12] W. T. Freeman, *Ireland* (London, Methuen & Co., 1969), p. 155.

[13] *Kalamazoo Gazette* (Aug. 24, 1969), p. 7.

has been forced to abstain from taking any effective position on intergroup conflict and has never become an effective opposition party to the Union party, which has been the vehicle of Protestants for maintaining domination.[14]

Along with common economic interests, citizens of all religious connections have a common need for the maintenance of a society in which at least a minimum of law and order provides for the protection of life and property. In a situation in which the state is regarded by approximately one third of the population as fundamentally illegitimate, it is probably impossible to look upon the police as a neutral agent guaranteeing the safety of all. The police have been exposed to inevitable charges of partisanship, and the militia, which most countries call on for situations which the police are unable to handle, consists of B squads, which are regarded as Protestant forces and therefore as instruments of domination. Even though the British troops in 1969 and the early 1970s brought some degree of order, and therefore of security, to all parts of the population, they were regarded by Catholics as another evidence of interference by Britain and its effort to obstruct the logical forces of history which should lead to a unification of Ireland.

In summary, all the forces of society which are usually regarded as bridging intergroup differences seem to have failed in this situation. The common emphasis of religious leaders on the virtues of brotherhood has been helpless before the folk definition of religion as the basis for separate communities. The solidarity of laboring men versus other elements in the society has proved less salient than ethnic loyalties which divide members of the labor movement. Finally, the very forces of law and order which represent ideally the monopoly of force by an impartial state are regarded by the minority as simply agents of their repression.

Prospects for the future

One question of obvious significance is whether or not demographic trends will permit the prolonged continuance of a Protestant majority. At the present time slightly more than one third of the population are Roman Catholic, but Catholic pupils constitute slightly over one half of the total enrollment of children in the schools; thus a higher Catholic birthrate may, over the long run, change the demographic balance. This is far from certain, since a variety of influences may produce a differential emigration by either group. In the period from 1901 to 1926 the Catholic population dropped by one half, but since that time it has been by all odds the most rapidly increasing group, and if this trend continues Northern Ireland may face a situation in which a stigmatized Catholic population is at least

---

[14] Deborah Lavin, "Politics in Ulster, 1968," *The World Today* 24 (December 1968): 530–36.

equal in size to the Protestant overlords. Such a possibility makes it difficult for either side to decide that they must work toward a reconciliation in which the strength of the two parties is reflected by the present population ratio. Catholics may well assume that ultimate victory in theirs, while Protestants may struggle for governmental privileges which would give them the power that a potentially declining superiority in numbers might not be able to sustain on a democratic basis.

Pressures for moderation are, of course, not absent in the area. In fact, G. F. Johnston, writing in 1965, stated: "In all, there is room for more optimism regarding a solution of the Northern Ireland 'problem' now than ten years ago. It is heartening to record that, apparently, the responsibility for finding this solution has been assumed by some of the leaders from both sections of the community here."[15] Less than a year later, however, Mr. Johnston was compelled to admit that his earlier optimistic forecast had been misleading and the tensions seemed to be increasing rather than subsiding.[16]

On the other hand, there are many factors which might be expected to favor those who hope for a modus vivendi which would at least avoid the extremes of conflict. In spite of a rate of unemployment of about 5 percent as of the late 1960s, Northern Ireland is an industrial and agricultural area which, under the best of conditions, would seem to have an economic potential somewhat greater than the rest of Ireland. Even though the Catholics look upon the government of the Irish Free State as an ally and talk frequently of unification, they nevertheless have been separated governmentally for 50 years from the rest of Ireland and cannot avoid considering whether or not unity with the Free State might bring them serious problems. Under the pressures of events the Protestant government of Ireland has been compelled to make concessions with respect to specific grievances. Chichester Clark, a prime minister who was appointed as a reaction against the alleged compromising tendency of Captain O'Neil, the previous Prime Minister, announced that he favored the "one man, one vote" principle in local government; an ombudsman was appointed to investigate complaints against government and efforts were made to administer welfare provisions in the allocation of housing in a way which would end Protestant favoritism.[17]

Such moves are looked upon by Catholics as forced concessions, and may be interpreted by them simply as indicating the type of success which violent tactics achieve. On the other hand, it is possible that the remedial

---

[15] G. F. Johnston, "The Northern Ireland Situation," *I.R.R. Newsletter* (October 1965), p. 14.

[16] G. F. Johnston, "Recent Developments in Northern Ireland," *I.R.R. Newsletter* (September 1966): 35–38.

[17] G. F. Johnston, "Ulster's Misery," *Economist,* 230 (Jan. 11, 1969): 14–15.

measures for specific grievances may undercut the drive to revolt. Finally, the British government, although reluctant to abandon its common ties with Ulster, has no desire to perpetuate a situation in which Britons and Irishmen often seem to be cast in the role of enemies. The Irish Free State also has much to gain from a peaceful solution. Ireland's trade is greater with Britain than with any other country, most Irish migration goes to the British Isles and, with the prospects of British entry in the common market, the economic factors pulling British and Irish together would seem to be very strong.

Against trends which would seem to favor some sort of solution of the conflict must be set the ability of demagogic leaders to inflame passions that make difficult any kind of concession from either side. Catholics who would accept government reforms in good faith risk being branded as traitors by Bernadette Devlin and others of her ilk, while any sign of moderation shown by the Ulster government is immediately denounced by the Reverend Mr. Paisley and his followers as a sellout to "violence in the streets." The prospects of moderation should not be underestimated, but its victory is by no means certain.

Although the personal charisma of Bernadette Devlin and Ian Paisley have served as rallying points for the contending forces, it would be a mistake to overestimate the importance of personal leadership. Suspicion and fear are so deeply imbedded in both Protestant and Catholic groups that it seems easy for any leader to arouse a militant response. The same factors make it difficult for more conciliatory leaders to get a following. Catholics distrust governmental reform measures and regard these as tactical moves which might never be really carried out and which, in any event, are inadequate. Protestants, on the other hand, tend to look at any compromise as a threat to their security and to the continuance of separation from the Irish Free State.

One interesting aspect of the leadership pattern is the type of reference group utilized by the respective leaders. Miss Devlin has seemed to be somewhat embarrassed by being cast in the role of a sectarian religious leader and prefers the image of a socialist fighter for social justice. Thus, when an illegitimate pregnancy threatened her political role, she defended it in terms of social class rather than of ethnicity based on religion: "Whatever they think of my being pregnant it ought not for a moment to distract them from facing up to the real menaces of bad wages, exploitation, slum houses and oppressive landlordism."[18]

The Reverend Mr. Paisley was not averse to talking about the evils of Roman Catholicism, but much of what he has said seems to have been an effort to project his image as an opponent of Communism. Both Paisley and Devlin made tours in the United States. Devlin was supported by such left-

---

[18] *Newsweek,* July 12, 1971, p. 52.

wing groups as Students for a Democratic Society (SDS), The American Young Socialist Movement, and the Peace and Freedom Party. Paisley, on the other hand, was sponsored by right-wing fundamentalists such as Dr. Carl H. McIntire and the Reverend Bob Jones of Bob Jones University.[19] These ideological positions would seem to have more relevance to the international stature of the leaders than to the Irish conflict. If the battle lines shifted from religiously based ethnicity to right- and left-wing factionalism, the new cleavages would crisscross traditional alignments in Northern Ireland and perhaps present some hope of resolution. However, there is no evidence that the rank and file are greatly swayed by their leaders' international image or that social class interests are perceived as cancelling out traditional Catholic-Protestant rivalries. In other words, regardless of their social and economic viewpoints, both Paisley and Devlin were perceived as the leaders of religiously identified factions. If the present militant leaders pass from the scene, it should be easy to replace them with new personalities. For a moderate to attain similar leadership would appear to require political acumen of a very rare type.

While prophecy is always dangerous, four possibilities seem to be apparent. With wise leadership and effective action by the Ulster government, it is at least conceivable that, if Catholics are reassured on what is termed their civil rights, they might become reconciled to a continued existence in an Irish enclave which is not a part of the Free State. Some support of this possibility was given by Eddie McAteer, then leader of the Nationalist Party, when he suggested that perhaps aggrieved Catholics could look toward Belfast, the capital of Northern Ireland, rather than Dublin, the capital of the Irish Free State, for a solution to their grievances.[20] In spite of all the tensions, there is some warrant in saying that the movement toward a dissolution of Northern Ireland and unification with the Irish Free State had seemed to have lost impetus in recent years, up to the new "time of troubles" in the late 1960s.

The incorporation of Northern Ireland in the Irish Free State apparently would not be opposed by the British government if acceptable to Ulster Protestants. It is difficult to see such a solution in the short run, but a declining demographic majority of Protestants, if coupled with conciliatory moves by Catholics in the government of the Irish Free State, might eventually render a Protestant population unable to oppose such a move effectively.

A suggestion which seems sensible but which has drawn little support is that tension in Northern Ireland might be lessened by a change in the boundaries:

---

[19] Emma Layman, "Ulster's Paisley and His American Friends," *Freedom Institute Newsletter,* Fall 1969, pp. 1–3.

[20] Levin, "Politics in Ulster," p. 535.

While the six county area as a whole is two-thirds Protestant, Catholics comprise local majorities in certain districts: the counties of Tyrone and Fermanagh and Derry City. Redrawing the borders to attach these areas to the Irish Republic would reduce substantially the Catholic minority under Protestant rule and thus, perhaps, serve to dampen inflamed emotions.[21]

Such a compromise solution should appeal to moderate men but will probably draw little support while emotions are inflamed. Those who wish total unification of Ireland would not be satisfied, while many Protestants take the view that Northern Ireland's boundaries were fixed permanently at the time of partition. However, if the conflict appears deadlocked, it is possible that sheer weariness may make such a compromise feasible.

Unfortunately, the most obvious indication is that a state of tension will continue. If this is true, it means that Northern Ireland will erupt into violence at rather frequent intervals and will be kept a viable society only by the intervention of British troops. Neither side welcomes this type of outlook, but the stormy history of the last 50 years and the rising trend of intergroup conflict since 1965 make it an altogether too likely type of outcome.

THE SWISS EXAMPLE

In contrast to the rather unhappy situation in Belgium and Ireland, Switzerland is often cited as a successful example of cultural pluralism. In spite of a Catholic-Protestant split, along with three national and four linguistic groups, the Swiss nation has enjoyed comparative peace.

The majority of Swiss are German by background and language and Protestant in religious affiliation. There are minorities of French and Italian and a small pocket of people who still speak the ancient Romansch. In addition, there are poor but haughty mountaineers, sophisticated urbanites, an industrial proletariat and traditionally minded peasants—more than enough differences to cause virulent intergroup conflict.[22]

Various policies have prevented potential ethnic conflicts from coming to a head. Perhaps most significant is the circumstance that there is literally no Swiss language and that all the major tongues are given equal status, with consequent avoidance of the problem of choosing or developing a national language. Europe's intermittent wars could easily have torn the country apart, but a rigid policy of neutrality has minimized the internal effect of international tensions. Religious toleration is the rule, and both

---

[21] Schleck, "Ireland's Clash of Colors," p. 136.

[22] K. Mayer, "Cultural Pluralism and Language Equilibrium in Switzerland," *American Sociological Review*, 16 (April 1951): 157–63. H. de Torrente, "Role of Language in the Development of Swiss National Consciousness," *Pub. Mod. Lang. Assoc.*, 72 (April 1957): 29–31.

Catholic and Protestant churches receive state support. Although Switzerland has highly developed government welfare services, its economy is primarily capitalist, and there is relatively little opportunity for government decisions to affect the role of ethnic groups in the market place.

Perhaps more important than these policies is a federal system of government which allows local homogeneity to blend with national diversity. Switzerland is divided into 22 cantons (districts whose average size is about that of an American county), and each canton into several communes. The formation of Switzerland is traced back to a defensive league of four cantons in 1292, and the cantons, and even the communes, have retained a good deal of autonomy. Switzerland did have a civil war in 1847; a north-south and Catholic-Protestant conflict, and successive constitutions have strengthened the role of the federal government while still leaving the local units with more authority than is true in most countries.

Barber describes the local allegiance of Swiss citizens: ". . . for many citizens the decisive element in political life remains cantonal and communal citizenship. Ask a Swiss where he is from, and his initial answer will be 'Basel' or 'Lucerne' or 'Glarus,' rarely 'Switzerland.'[23]

This system of local self-rule, coupled with a high ethnic concentration in various cantons, allows most Swiss to live in relatively homogeneous ethnic enclaves, even though they are citizens of a highly diversified nation. One of the cantons is Italian, three are almost completely French, three are mixed French and German, and the rest, primarily German. Religiously, most Italians are Catholic, while both Germans and French are religiously divided. Thus, those united by religion are often divided by language, and vice versa.

When the canton has a heavy majority of one group, its language will dominate the area. When there are significant minorities in the canton, they are still usually concentrated in relatively homogeneous communes (villages) and thus maintain an ethnically oriented style of life.

This harmonious arrangement does not always work out, however, as is indicated by the unrest among the French minority in the Jura region of the predominantly German canton of Berne. The French population was incorporated in this canton in 1815, and separatist sentiment has manifested itself intermittently since that time. In 1947 a French-speaking candidate for cantonal director of public works was rejected by the cantonal legislature, apparently because of his French background. This incident sparked a separatist movement which reached a violent stage in the 1960s and early 1970s. At this time a "Jura Liberation Front" was engaged in terroristic activities directed against both the Swiss government and the antiseparatists in the Jural populace. Along with other disruptive activities,

---

[23] Benjamin R. Barber: "Switzerland: Progress Against the Communes," *Transaction* 8 (February 1971), p. 28.

youthful Jurassians dynamited munition dumps, invaded the hall of parliament and staged a sit-down in the Swiss embassy in Paris.

What is the explanation of such behavior in the supposedly tranquil country of Switzerland which so often has been pictured as one of ethnic freedom? How did the dissident Jurassians develop this sense of outrage in a country which prides itself on providing full freedom of expression for nationality, language, and religious groups?

The answer to these questions seems to be that two of the factors responsible for ethnic peace in the rest of Switzerland are absent in the northern Jura region. These are: (1) the voluntary nature of membership in the Swiss nation and (2) the presence of crosscutting affiliations which moderate the effect of any one type of social distinction.

The first factor finds expression in the manner in which various territorial units became a part of Switzerland. For most regions this was a voluntary action of seeking the protection which came through affiliation with a larger entity. For the northern Jura, however, it was a forced annexation by foreign powers which took this region from France and made it a part of Switzerland in 1815 after the defeat of Napoleon. Thus, there was a historical basis for connecting Swiss citizenship with at least a partial loss of national identity.

The presence of crosscutting variations is a second factor which moderates the intensity of ethnic conflict in most of Switzerland. The three main social categories involved are economic, religious, and linguistic. Some districts in Switzerland are wealthy while others are poor; some are industrial and others are agricultural; some are predominantly Catholic and others largely Protestant; linguistic differences are manifested by adherence to one of the four languages previously mentioned. There is no set pattern which joins these three categories together. Thus two areas may be united on the basis of their economies but separated by religious affiliation or language. Or they may be united in language but separated by religious affiliation, or vice versa. Thus separatist tendencies on the basis of one of these categories will be countered by unifying tendencies on the basis of common interests in one of the other categories.

The Jura itself manifests these crosscutting tendencies. It has approximately 147,000 inhabitants most of whom are French-speaking. However, various elections have produced a clear-cut majority for separatism only in the northern Jura. Presumably this is because the cross cutting pattern of social categorization present in the southern Jura and the rest of Switzerland is absent in the Northern Jura area. The three northern districts are relatively poor, primarily agricultural, Catholic, and French. They have about 60,000 inhabitants who give heavy support to separatist movements which usually stress points associated with the prestige of the French language. French language usage in the southern Jura does not produce a separatist majority. Presumably this is because the southern

Jura is more prosperous and industrial and is primarily Protestant. Similarly districts in the Jura, or in the rest of the Berne canton, which might be sympathetic to the Jura separatists on the basis of Catholic religious affiliation are differentiated because of German language usage. It is only in three northern Jura districts that people are united by economic, religious, and national ties, and here separatism is strong.

Various moves have been made in an effort to appease separatist sentiment. These include greater acceptance of the French language and more autonomy for the Jura within the Berne canton, as well as various plebiscites (referendums) on desired policy. The concessions to Jura autonomy have not satisfied the separatists, and the referendums and other elections are not accepted as definitive. As far as concessions to Jura autonomy are concerned, they may be effective in the long run, but immediately the reaction is that any situation which keeps Jura within the Berne canton, and (for extremists) even within the country of Switzerland, is inadequate. As for elections, these are not regarded as expressing the will of those who really matter.

The question of elections brings out the nature of the issue involved. Any election on a cantonal basis is found to go against the separatists, since the Jura district has less than 200,000 inhabitants in a canton of approximately 1,000,000 people. Even within the Jura itself separatist sentiment is outvoted by those somewhat satisfied with the present situation. On the other hand, the separatists would never consent to a district restricted to the three northern areas which are consistently separatist, since they regard the total Jura region as an ethnic territory which should be united on the basis of French rule whether or not this is recognized by a majority of the voters. To the separatists, any election scheme founders on what they regard as "democratic totalitarianism" and hence is not recognized as binding. Thus in the Jura region the tolerant Swiss are confronted with an ethnic conflict as difficult to solve as those in Ireland or Belgium.

Aside from the Jura problem, there are other factors which may bring intergroup trouble into the Swiss paradise. Urbanization has made ethnically homogeneous communes a less significant factor and has mixed industrial workers from different backgrounds. Trains and automobiles have promoted migration from one canton to another even though, in 1960, some 60 percent of Swiss still lived in the canton of their birth. Industrial expansion in Switzerland has brought foreign labor into Switzerland so that, in 1970, one person in six was an alien.[24] Presumably, the alien was a short time resident who would soon return home and in the meantime, contributed to Swiss prosperity without seeking to change the country's social patterns. On the other hand, even with current moves to restrict immigration, it is more likely that Switzerland will have to adjust to a

[24] "Separatists in Switzerland," *Race Today*, 3 (February 1971): 58–59.

group of permanent aliens whose traditions are not those of the country. The Swiss pattern of local ethnic homogeneity mixing comfortably with national heterogeneity may prove to have been an adjustment possible only in a small country in a period of history which is almost past.

CONCLUSIONS

While the preceding observations on ethnic trends are in some ways unique to these situations, they suggest generalizations which may apply to other intergroup relationships. Such generalizations should not be characterized as "sociological laws" comparable to the predictive power obtained, for instance, by Boyle's law on the pressure and volume of gas at a constant temperature. Ethnic relations never occur in a situation in which only one factor is operating, and these generalizations therefore represent influences or tendencies rather than any invariable pattern of relationships. Perhaps the vital phrase in their interpretation is "other things being equal"—a situation which never obtains.

The empirical method is valuable in gathering facts and in checking out hypotheses, but it seldom, if ever, yields results which can be used mechanically. Your authors feel that empiricism must be combined with a *verstehen* (understanding) approach in which sociology is an art as well as a science. The sociologist is one who has become sensitized to factors which may influence the behavior of human groups. Empirical investigation will reveal the extent to which these factors appear to be operating but only social wisdom based on an understanding of the total milieu can reveal the relative influence of various factors at any given time and place. Such wisdom is difficult to obtain or even to demonstrate. The limitations of the empirical method in sociology indicate that sociological inquiry is as complex as it is fascinating and that both the limitations of our data and the subtle, usually unconscious, influence of our own values may distort our analysis.

There is no guarantee against cultural myopia, but one partial protection is to enlarge our focus through the comparative study of situations in other societies. There is probably no society anywhere which is an exact replica of the Belgian, Irish, or Swiss situation, but there are enough common elements in all societies that these patterns will have some applicability everywhere.

In this analysis we shall discuss briefly some of the factors which seem to have been salient in Belgian, Irish, and Swiss situations and then proceed to offer some generalizations which, hopefully, have pertinence beyond these particular countries.

The history of both Belgium and Ireland offer mainly negative hypotheses about the course of intergroup conflict. The most obvious of these is that partition is a dubious remedy for ethnic quarrels. The division of the Netherlands and Belgium produced unity of a religious type in Belgium which, in turn, was sundered by the linguistic and national differences of the inhabitants. Similarly, the division in Ireland gave Protestants a state in which they were not under the authority of a Catholic government, only at the price of producing a society in which Catholics regarded themselves as oppressed and discriminated outcasts. Any suggestion for a realignment of boundaries intensifies the fire of conflict, since the population is so mixed that it is impossible to have a complete separation, and a readjustment of boundaries inevitably means that a territory which one group or the other regarded as its own will be lost.

Economic prosperity is frequently offered as a solvent for ethnic conflict on the theory that people who can realize their aspirations in a monetary sense will not jeopardize their status through destructive conflict. Belgium has been one of the world's most prosperous countries, and the Flemish group particularly has profited through the industrialization of recent years. Rather than moderating with prosperity, the Flemish claims increased. Industrialization seems to have raised their expectations and increased their resistance to whatever degree of economic influence is still wielded by French-speaking Belgians. Ireland has been less prosperous and Northern Ireland is faced by real economic problems, but the somewhat higher level of economic activity in Northern Ireland has failed to produce in Catholics a willingness to trade ethnic pride for economic advantage.

Finally, one of the favorite theories of intergroup relations is that intimate contact, especially if it is on the basis of equal status, tends to produce friendship and assimilation to a common viewpoint. For large groups of people, economic contact can never be on a completely equal basis, and the evidence is strong that, as minority groups rise in economic status, their expectations, and therefore the level of their demands, seem to rise. It is true that often an economic depression aggravates ethnic conflict, but it apparently is easier for a completely submerged ethnic group to accept subordinate intergroup situations than for a rising group to feel that an accommodation in terms of economic privilege is really adequate recognition of its true importance in society.

To summarize: competition and contact on the basis of equal status may accentuate bitterness, while rising economic status increases resentment at a subordinate ethnic situation.

One of the widely held beliefs is the notion that ethnic conflict is moderated when people who differ in one category are united in some other category. The Irish situation concerned people who were the same in nationality but differed in religion, and the nationality tie was not an adequate guarantee of peace. Belgium offered the opposite phenomenon; a people who differed in national background but were the same in religious affiliation. In actual practice categories of this type are never independent. Thus the connotation of Irish meant hostility to Britain for one classed as Irish Catholic but not for the Irish Protestant. Similarly in Belgium there were not just Catholics but Flemish Catholics and Walloon Catholics, each of whom could be very upset if mass were said in the other's language. Presumably if the total area of Ireland were threatened by disaster or if all Belgian Catholicism were under attack, cooperation and unity might emerge; although it is still possible that one group might minimize the common danger and seize a chance to overwhelm its local ethnic rivals. In the circumstances prevailing in the 1970s, however, there was little prospect that either Belgian Catholicism or Irish national identity required the cooperation of rival groups.

A federal system which combines ethnic control of regions with national control by a coalition of diverse ethnic groups is often suggested as a solution to problems of ethnic conflict. The Swiss experience indicates that, in some circumstances, such an arrangement is viable. From the standpoint of the central government this means that it will not seek to impose an unwelcome uniformity on the country. This is a price which many regimes are unwilling to pay. Today most governments would be willing to accept religious diversity, but how many are willing to forgo a national language or to allow the market to dictate the economic position of ethnic groups?

Even religious tolerance is not easy to achieve, since religious groups often support mutually antagonistic values. Thus religious groups may disagree on food tabus—pork for Muslims or beef for Hindus; or they may have very different views on family behavior—the acceptance of divorce by Protestants while Catholics press to have the government forbid divorce actions.

Most countries have taken the position that a common language is required for ease of communication throughout the land and as a symbol of national unity. Language carries both substantive content and emotional overtones so that it is hard for most people to conceive of a common national loyalty without a shared language.

Finally, in these days, when the whole world seems to be moving toward increasing governmental intervention in the economy, it is hard for any nation to refuse to make the attempt to alter the economic position of ethnic groups. The action may be to improve the lot of a group regarded as disprivileged or to restrain and penalize the groups which are over their proportionate quotas in favored economic positions. Whatever the rationale, government decisions in these matters tend to widen the area of potential conflict. The allegedly disprivileged, whether Catholics in Ireland, Flemish in Belgium, or blacks in the United States, never feel that governmental intervention in their favor is strong enough. On the other hand, the privileged groups are seldom happy in a situation in which preference for other groups means that the children of the current elite have decreased chances for success. Government assumption of the task of allocating economic awards thus transfers the rivalry from the market to the political arena with obvious danger to social unity.

If federalism requires a restraint by the central government which few regimes are willing to accept, it also imposes difficult requirements on local units. Supposedly, such local units are ethnic enclaves within which both laws and social customs reflect the culture of a particular ethnic group. Actually, economic development seems almost inevitably to lead to changes in the ethnic composition of the population. Natives leave to seek opportunity elsewhere, while development within the area brings in foreigners (or at least fellow nationals of a different ethnic group). The adjustment required is a type of moving equilibrium which reflects the changing ethnic scene. Either the area must be subject to frequent review and change of boundary lines and the natives must be willing to allow their influence to diminish and to see strangers, with peculiar ideas and odd customs, gain increasing power, or some device must be found which allows the maintenance of ethnic cohesion without reference to territorial concentration. Either of the first two choices are difficult, while the third choice would seem to abandon the territorial identification which has been regarded as the very essence of federalism.

In summary, two conclusions appear to develop from our examination of federalism along the Swiss lines: (1) in a federal system the central government must abandon the effort to impose cultural or economic uniformity; (2) probably local units cannot long expect to be bastions of ethnic homogeneity and must be willing to accept changes either in boundary lines or in ethnic composition, and possibly in both.

This examination of intergroup relations in three small countries yields little which might provide a basis for optimism. Belgium and Northern Ireland have been in a state of tension for many years. Switzerland, often looked upon as a success model, is not without problems and may be experiencing diminution of the viability of its federal system under the impact of modern industrialism. The fact that in these countries all the major groups are of the same race and are identified with Western civilization, as well as being close together in cultural development, darkens the outlook. It is indeed difficult for governments of pluralistic states to satisfy the interests of their various ethnic components and, even with partition and repartition, it is hard for the ethnic group to gain the security it seeks. In looking for a hopeful viewpoint one might suggest that perhaps governments should cease their concern for the rights of ethnic groups and regard themselves only as guardians of individual rights. Such individual rights would include the privilege of any desired type of ethnic association and the free competition of languages, ideologies, economies, and religions. This is not a solution easily reached, and its ramifications will be studied in a later chapter.

GENERALIZATIONS

Although all the areas to be considered in this book are important in themselves, their experience is also valuable in providing insight into comparable situations in other countries. The main feature which distinguishes the sociologist from the journalist in his interest in recurring uniformities in behavior.

The journalist may employ many of the techniques of investigation used by the sociologist, while the sociologist in turn may utilize journalistic accounts as data in his analysis. The difference between the two is their goal. The journalist is impelled to investigate by an interest in the particular situation. The sociologist is also interested in the particular situation, but he hopes to learn from the specific example of social interaction something about the nature of social interaction in a wider context. Thus we have looked at intergroup relations in a variety of countries to improve our understanding not only of these specific countries, but also of the nature of intergroup relations in general. For that reason in each of these chapters we shall list a number of patterns of behavior in specific situations and the implications of these specific behavior patterns for ethnic relations in general.

Irish-Belgian pattern. Partition left language minorities in Belgium and a religious minority in Northern Ireland.

Generalized pattern. The effort to construct pure ethnic enclaves in the modern world is doomed to failure.

Irish-Belgian pattern. Economic development in recent years has favored the Flemish in Belgium and has given both Protestants and Catholics in Northern Ireland a higher level of living than in the Irish Free State. At the same time that economic improvement has been taking place ethnic discontent has been mounting in both Belgium and Northern Ireland, and grievances are often expressed in economic terms.

Generalized pattern. A generally rising level of economic return will not diminish and may exacerbate ethnic discontent. Aspirations tend to grow more rapidly than improvement can be made.

Irish pattern. Patterns of friendship between Catholics and Protestants in Northern Ireland did little to diminish group hostility.

Generalized pattern. Ethnic conflict is based on identification with group interests, and individual relationships play little role in either the adherence to group norms or in the definition of group interests.

Irish-Belgian experience. A common religious faith in Belgium was redefined so that language differences were reflected, and one speaks of

Flemish Catholics and of Walloon or French Catholics. In Ireland a common language was less effective in ethnic identification than religious differences.

Generalized pattern. Sharing one of the characteristics often used in ethnic classification does not indicate that a common ethnic identification will develop.

Irish-Belgian experience. Socialist parties in Belgium and the Labor Party in Ireland which appealed to a common class-identification were unable to bring about unity between different ethnic groups in political matters.

Generalized pattern. Both organized groups and ideologies tend to be functionally specific rather than to determine the ethnic orientation of the individual. Acceptance of a political or economic viewpoint augments rather than displaces ethnic identification. One is not simply a socialist or a conservative but one is an ethnic socialist or conservative.

Swiss experience. A federal system in an ethnically heterogeneous country has worked well where the cantons and communes themselves were fairly homogeneous.

Generalized pattern. Cultural pluralism works well as long as integration at the federal level can be combined with ethnic distinctiveness at the local level.

Swiss experience. The Swiss have minimized the occasions for ethnic conflict by refraining from establishing a national language, by tolerating different religions and by allowing most economic roles to be determined by the market.

Generalized pattern. Minorities may be willing to remain in a pluralistic state if they feel that they can protect both their way of life and their economic welfare by individual efforts without harrassment by the majority.

Irish experience. Ian Paisley projects the image of one who is an anti-Communist leader, while Bernadette Devlin represents herself as a crusader for socialism.

Generalized pattern. Ethnic leaders will seek a universalistic frame of reference which places their demands on a broader basis than that of ethnic group preference.

Irish experience. British troops sent to Northern Ireland to maintain order have been attacked as invaders by Catholics and, conversely, have been charged by Protestants with being "soft" on Catholic terrorism.

Generalized pattern. Intervention by third parties often leads to charges that the intervening party is not really neutral but is an ally of one of the parties in the conflict. Since the moral credentials of the intervening force are always questionable, only massive force will enable it to restore peace.

QUESTIONS

1. How did the origin of Switzerland differ from that of Belgium and Northern Ireland? What significance does this have for intergroup relations within the country?
2. Both Belgium and Northern Ireland were formed as the result of an effort to minimize intergroup conflict. Would further partition end the conflict which remains? Why or why not?
3. How have Flemish and Walloons in Belgium evaded the implication that a common devotion to Roman Catholicism should bring about unity?
4. Is the ecumenical movement within Christianity likely to bring Protestants and Catholics in Northern Ireland closer together? Explain your answer.
5. Is it correct to regard Bernadette Devlin not as a Catholic leader but as a Socialist leader? Why or why not?
6. Is it correct to regard Ian Paisley primarily as an anti-Communist leader? Why or why not?
7. How do you explain the fact that both Paisley and Devlin have emphasized nonreligious issues?
8. Would a greater measure of equality of treatment by the Northern Irish government calm Catholic agitation?
9. Why has Flemish discontent increased as their economic situation has improved and discrimination decreased?
10. What is the role of Swiss federalism in keeping interethnic peace in that country? Is this method applicable elsewhere?
11. Would a federal system along the Swiss lines solve the ethnic problems of Belgium and Ireland?
12. Why are British troops in Northern Ireland not accepted as impartial guardians of law and order?
13. What is meant by the choice between a concern for individual rights and a concern for group rights? Which attitude has characterized the United States?
14. Why was it more difficult to impose the French language in the Flemish part of Belgium than it has been to persuade all Americans to use English? Should American emphasis on English be modified?
15. Why does equal-status contact sometimes lead to increased conflict?
16. Is interethnic peace compatible with the maintenance of ethnic identity and cohesion? Why or why not?
17. What is meant by partition and why is it viewed as a potential solution for hostile populations living in the same area?
18. What role have the religious leaders played in the Protestant-Catholic struggle in Ireland?
19. Would the conflicts between the Catholic and Protestants be resolved or

minimized if Northern Ireland were to become a part of the Irish Free State? Discuss fully the ramifications of this issue.

20. What are some of the implications of the statement that religious affiliation is a badge by which hostile communities may be identified? Specifically, how does this apply to Northern Ireland?
21. Do you agree that any "effort to produce pure ethnic enclaves in an independent world is doomed to failure?" Discuss fully.
22. What prospects do you think that the future holds for Belgium and Northern Ireland, two countries created by partition?

Chapter 3

Minorities in the Soviet Union: Pluralism or assimilation?

To many people in the United States the population of the Soviet Union is ethnically homogeneous, and "Russian" is simply the term applied to people living in the Soviet Union. Actually, Russians comprise only about half of the population, the balance of which includes as varied a collection of peoples as can be found in any country on the globe.

This fact is brought out rather strongly in a letter to the editor of a midwestern American newspaper protesting the indiscriminate application of the term Russian in a news story about an international chess match:

To the Editor:

A friendly warning to the *Gazette* editorialist who wrote "Chess Summit in Moscow" about the forthcoming match between Bobby Fischer, the American, and Tigran Petrosyan, the "Russian"; don't ever show that article to a citizen of Soviet Armenia. Not unless you'd like an inmate's view of an Armenian morgue.

When Petrosyan, the Armenian, beat Botvinnik, the Russian, Soviet Armenians staged their wildest celebrations since the death of Joe Stalin, the Russ . . . er . . . Georgian dictator.

I know you know, but just for the record: while every Russian living in the USSR is a Soviet citizen, not every Soviet citizen is a Russian. Knowledge of this fact will enhance survival prospects as one travels about the Soviet Union. (Signed) John Gorgone, 434 Creston, Kalamazoo.[1]

Armenians, like other ethnic groups, came under the sway of a Russian-dominated country, but this did not make them Russian. A large part of the history of both the Czarist regime and the USSR concerns the relationships of Russians with the minority peoples. Thus, one of our aims in this chapter is to show the following principles of majority-minority relations: (1) ethnic conflict can occur in virtually any type of socioeconomic order; (2) recognition and tolerance of minority culture may prevent national disloyalty; and (3) the nature of intergroup relationships is often altered by significant social changes.

The history of the Soviet Union and of the Russian Empire which preceded it has been one of continental expansion with advances toward the Pacific, on the one hand, and toward the Atlantic via the Baltic Sea, on the other hand, alternating with periods of defeat and retreat. The total process has brought into being a sovereign state which is the largest in the world from the standpoint of area and is third, behind China and India, in size of population. An idea of the extent of the country may be gleaned from a brief description by Anna Louise Strong, one of the first Americans to write at length about the Soviet minority policies.

> The USSR is the world's largest country; it includes about one sixth of all the dry land of the earth. It is about the size of all of North America; it is more than twice as large as our United States. The summer sun never sets on the great extent of it. When the long June days draw to a close in Leningrad at nine o'clock in the evening, it is already seven o'clock next morning in Kamchatka on the Pacific and the sun of the next day has been up for several hours. Each New Year, arriving, is greeted ten times as it travels across the country. The Far Eastern Express takes nine days from Moscow to Vladivostok. In the Vladivostok station stands a post marked "9329km" (5789 miles); there is no such figure on a milepost anywhere else in the world.[2]

The conquest of this vast area and its peopling and development has been a continuous struggle extending over many centuries. Unlike the experience of the Americans who also entered into a vast land mass and proceeded to conquer it, the Russians did not find that the indigenous inhabitants could be swept aside. At one time, indeed, the Mongol conquerors had invaded most of the territory now included in the Soviet Union, and it is probably true that the genetic stock of Genghis Khan is a part of Russian ancestry today. In part, the conquest of the land represents a struggle with people who were at least as "advanced" in technology

---

[1] Letter to the editor of the *Kalamazoo Gazette* (Aug. 27, 1971), p. A-7.

[2] Reprinted with permission of The Macmillan Company from *Peoples of the USSR*, by Anna Louise Strong. Copyright 1945 by Anna Louise Strong.

and political organization as the Russians themselves, if not more so. Over a period of many centuries, conflict was waged with the Swedes, the Germans, and the Baltic peoples in the struggle to move toward the west. Expansion toward the east has been going on for a similar period of time, and it was certainly a significant moment in Russian history when Ivan the Terrible captured the city of Kazan on October 2, 1552, marking the end of Tartar rule in European Russia.

ETHNICITY AND NATIONALITY

The territory occupied by the Soviet Union is inhabited by various ethnic groupings which have interacted in a long association involving both friendship and enmity. In addition to the distinctions kept alive by historic memories, they differ in culture—in some instances, quite sharply. Rather than ethnicity, the preferred term for such groupings is nationality. Soviet writers have made a number of efforts to define nationality; of these, the treatment by Stalin is the basic point of reference: "A nation is a historically constituted, stable community of people, formed on the basis of a common language, territory, economic life, and psychological makeup manifested in a common culture."[3]

A nation is not necessarily independent and it may or may not be a soverign political unit. It is not easy to identify either in territorical or qualitative terms. Many of the categories used in Stalin's definition of nation are themselves somewhat difficult to delineate in anything approximating precise terms. For instance, how much variation may exist in subgroups within a "common" culture and how much does such a culture have to differ from other cultures? Or, how many of the group can live outside of the "homeland" and still claim a "national" territory? In matters of language how much difference is required before a mode of expression is classified as a separate language rather than a mere dialect? In economic matters, is there a degree of economic interdependence which vitiates any claim to a distinct "common economy"? These and other questions frequently give rise to dispute as to whether or not specific groupings are "nationalities" or something else. Nevertheless, most of the groupings which are sometimes called "ethnic" are classified as "national" in the Soviet Union and, for that matter, in several other countries as well.

In terms of nationality policy two extremes are possible which are indicated by the terms "multinational state" and "nation-state."[4] "State" in this sense refers to an independent political entity, not a governmental

---

[3] J. V. Stalin, "Marxism and the National Question," in J. V. Stalin: *Works* (Moscow, Foreign Languages Publishing House, 1953), 2:307.

[4] Hans Kohn, "Soviet Communism and Nationalism: Three Stages of Historical Development," in Edward Allworth (ed.), *Soviet Nationality Problems* (New York, Columbia University Press, 1971), p. 43.

subdivision as in one of the "states" of the United States. The multinational state is one in which many "nations" live inside the boundaries of the same sovereign state. The nation-state, by contrast, is one whose national and political boundaries are approximately coterminous. The rationale of the "Russification" policy sponsored during the Czarist regime was that cultural assimilation would enable the Czarist Empire to become a nation-state in which previous particularistic nationalisms were obliterated by adherence to Russian culture. This policy was defended on idealistic as well as pragmatic grounds, and many of the Russian intellectuals viewed the movement as a way of uplifting lesser groups as a part of the civilizing mission of "Mother Russia."

The Soviet regime saw the Russification policy as neither expedient nor idealistic. Instead, the Soviets have tended to opt for a multinational state in which different nationality identities are maintained within the same sovereign state.

In line with this policy the Soviet regime developed as a federal state consisting of a number of political subdivisions whose boundaries correspond, to some extent, to the territories inhabited by particular nationalities. The basic units are the 15 "union republics" of which the largest is the Russian Soviet Federated Socialist Republic (RSFSR). Within these union republics are other ethnically (nationality) oriented units which include, according to size: autonomous republics, autonomous oblasts (provinces), autonomous krais (territories), and nationality okrugs (districts). In theory, at least, even the smallest nationality may thus exercise a measure of self-government within its own territory.

These republics, and also the lesser types of districts, lack inherent powers of taxation and are dependent on delegated taxing authority or appropriations from the central government. The republics and other districts do not control the use of their economic resources, have only the economic powers delegated by the central government, and have no control over foreign policy. They are thus subordinate to the central government in practically every field but still have a certain degree of cultural autonomy. This cultural autonomy is manifested in the use of the ethnic language in government offices, in the language of instruction of the school system, in the production of literature, in programs of mass communication, and in the performing arts. Through this combination of centralized control from Moscow and cultural expression indicated by the traditions of the group, it is hoped that the USSR can become a collection of nationalities which are, to use a favorite phrase, "socialist in content and national in form."

This type of cultural pluralism is frequently offered as an ideal pattern for the solution of problems of ethnic conflicts. For instance, the approach of the Communist Party to black Americans in the 1920s and 1930s emphasized the idea of a "Black Republic" which would be established in

TABLE 3–1

Soviet nationalities, 1970
(extract from preliminary report, Soviet census, January 1970: in thousands)

Nationality in USSR as a whole		*Nationality: Number in titular administrative unit*	
Russians	129,015	RSFSR	107,748
Ukranian	40,753	UkSSR	35,284
Uzbek	9,195	UzSSR	7,734
Belorussian	9,052	BSSR	7,290
*Tatar	5,931		
Kazakh	5,299	KazSSR	4,161
Azerbaijan	4,380	AzSSR	3,777
Armenian	3,559	ArmSSR	2,208
Georgian	3,245	GSSR	3,131
Moldavian	2,698	MSSR	2,304
Lithuanian	2,665	LitSSR	2,507
Jewish	2,151		
Tajik	2,136	TajSSR	1,630
German	1,846		
Chuvash	1,694		
Turkmen	1,525	TurSSR	1,417
Kirgiz	1,452	KirSSR	1,285
Latvian	1,430	LatSSR	1,342
Dagestan	1,365		
Mordvin	1,263		
Bashkir	1,240		
Polish	1,167		
Estonian	1,007	EstSSR	925

* Data concerning the nationality composition of titular administrative units below the union-republic level are not yet available.

Minor nationalities in the USSR (in thousands)

Udmurt	704	Ingush	158	Khakass	67
Chechen	613	Gagauz	157	Balkar	60
Mari	599	Nationalities of the North, Siberia, and the Far East	151	Altay	56
Ossetic	488	Karelian	146	Cherkess	40
Komi	322	Tuvin	139	Dungan	39
Komi-Permyak	153	Kalmyk	137	Iranian (Persian)	28
Koryak	357	Rumanian	119	Abazin	25
Bulgarian	351	Karachay	113	Assyrian	24
Greek	337	Adyge	100	Czech	21
Buryat	315	Kurd	89	Tat	17
Yakut	296	Finnish	85	Shor	16
Kabardin	280	Abkhaz	83	Slovak	12
Karakalpak	236	Turk	79	Other nationalities	138
Gypsy	175				
Uyghur	173				
Hungarian	166				

TOTAL NATIONALITIES OTHER THAN RUSSIAN 112,717

Source: Preliminary reports based upon the Soviet census taken in 1970 and printed in *Pravda*, April 1971. Reprinted in Edward Allworth (ed.). *Soviet Nationality Problems* (New York, Columbia University Press, 1971), pp. 282–83.

the southern states with the heaviest black population. In this fashion, black Americans could have the same type of national self-determination which had been granted to ethnic groups in the Soviet Union. People who objected to this type of program on the grounds that the industrialization of the South and the movement of black labor to the North were destroying the possibility of such an ethnic base were classified as "white chauvinists" and their leader, Jay Lovestone, was officially read out of the ranks of the party faithful.[5]

The Communist platform did not prove attractive to black Americans, who for the most part considered it as, at best, far from their immediate concerns, and at worst a program which might confine them to the geographical areas in American life that offered the most restricted opportunities. It is one of the ironies of history that Southern industrialism on the one hand and black migration on the other hand have more than confirmed the objections of the Lovestonites and yet that black separatism in the 1970s is more fashionable among militant blacks than was true in earlier years.

CZARIST MINORITY POLICY

Communist critics described the Czarist regime as being "a prison of the minority peoples." In the words of *The History of the Communist Party of the Soviet Union,* "Tsarist Russia was a prison of nations . . . and tzardom a hangman and torturer of the non-Russian peoples."[6] Another way of describing this situation is to say that the Czarist policy was one of promoting assimilation under the dominance of the Russians, who comprised approximately one half of the population of the empire. The Czarist regime was quite candid about its policy and did not hesitate to require Russian to be the only language in official circles and to assist the Orthodox church in its attempt to establish a religious as well as a political and linguistic unity of the Russian peoples.

Two factors, however, moderated the Czarist policy. One factor is that there had been among the Russian people some tradition of racial and ethnic tolerance and acceptance of occasional intermarriage across ethnic lines. There was a frank assumption of Russian superiority over subject peoples, but this did not preclude social relations and intermarriage. Another moderating factor was the matter of the strategic considerations. Most of the Russian minority peoples were located near a border with nationalities similar to their own. Thus the policy of Russification might be restrained and local customs tolerated in the effort to avoid inflaming

---

[5] Wilson Record, *The Negro and the Communist Party* (Chapel Hill, The University of North Carolina Press, 1951), pp. 62–63.

[6] *History of the Communist Party of the Soviet Union,* Bolshevik Short Course (Moscow, Foreign Languages Publishing House, 1951), p. 17.

the conationals or coreligionists of Russian minorities who occupied countries beyond the Russian border. Finally, the Russian empire was so vast and the bureaucracy so comparatively inefficient that, through sheer inertia, the policy of Russification probably seemed more severe in theory than it proved in practice. Nevertheless, Russification had been pushed rather vigorously from the end of the 19th century until the outbreak of World War I in 1914, and there were smoldering resentments among the various minority groups.

COMMUNIST MINORITY POLICY

While the collapse of the Czarist armies in the middle of World War I was perceived by the Communists as their opportunity to come to power, it was seen by the minority groups in the empire as their opportunity for freedom. Thus at the same time that there was a struggle by the Communists against the democratic government which had succeeded the Czars, there was also evidence of a desire on the parts of minority groups to break away from any connection with Russia at all, under any kind of government. The Ukrainians, the Georgians, and the various Baltic peoples, to name only a few, were in the process of taking up arms and establishing their independence. If the Communists wished to seize power and to take over the territory belonging to the Czar it was necessary for them to appease the nationalistic sentiments of minority groups. This situation had long been recognized by the Communist leaders as a probability and the Czarist repression of minority self-determination had been denounced on numerous occasions. Thus, it was entirely in character when Lenin addressed a dramatic appeal to minority groups, asserting his respect for their desire for freedom.

> Moslems of Russia, Tatars of the Volga and the Crimea, Kirgiz and Sarts of Siberia and Turkestan, Turks and Tatars of Transcaucasia, Chechens and mountain Cossacks! All you, whose mosques and shrines have been destroyed, whose faith and customs have been violated by the Tsars and oppressors of Russia! Hence forward your beliefs and customs, your national and cultural institutions are declared free and inviolable! Build your national life freely and without hindrance. It is your right. Know that your rights, like those of all the peoples of Russia, will be protected by the might of the Revolution, by the councils of Workers', Soldiers', and Peasants' Deputies![7]

This statement, which specifically mentioned the peoples who differed most from the Russians, was followed by a "declaration of the rights of the peoples of Russia" which was issued on November 16, 1917, and was signed by Lenin as head of the Soviet government and by Stalin as Peoples'

---

[7] Collection of Decrees and Regulations of the Workers' and Peasants' Government, No. 2 (1917) Article 18, cited in Robert Conquest, *The Nation Killers* (London, Macmillan & Co. Ltd., 1970), p. 32. Copyright by R. Conquest, 1960, 1970.

Commissar for nationalities. The statement supported minority rights in the strongest possible manner, including even the right of secession:

1. Equality and sovereignty of the peoples of Russia.
2. Right of the peoples of Russia to self-determination, including the right to secede and set up independent States.
3. Abolition of all privileges and restrictions based on nationality or religion.
4. Free development of national minorities and ethnic groups inhabiting Russian territory.[8]

The purpose of this statement was both to strengthen the position of the Communist faction at a time when it was engaged in civil war and to establish a nationality policy.

SECESSION AFTER THE COMMUNIST REVOLUTION

At first glance the mentioning of the right of secession would seem to be a surrender of the right to maintain a regime of any kind governing diverse peoples. Actually, this was only a recognition of reality. In areas bounded by western countries able to give military aid, the Soviets could not prevent the secession of dissident minorities. On the other hand, minorities in the eastern areas of Russia which did not have the potentiality of calling on western powers for support, such as the Armenians and the Georgians, were forcibly brought back into the Soviet Union in spite of attempts to maintain their independence. Watson describes the Russian policy toward secession as being one of "opportunism."[9] This characterization is probably not greatly different from what was meant by Stalin's statement that the right of secession was subordinate to considerations of the welfare of the proletarian revolution.[10]

The extent of the desire to break away from Russian rule can be seen on page 61 in the list of independent republics established shortly after the coming to power of the Communist Party in Russia in 1917.[11]

Since the Communists had proclaimed the right of secession as well as their respect for the autonomy of the various nationalities, the problem was to reconcile the verbal affirmation of the freedom of choice of affiliation with the USSR with a determination to hold together as large a part of the old Russian empire as possible. On a verbal level, this dilemma was

---

[8] Compendium of the Laws of the RSFSR, 1971, No. 2, Article 18, cited in I. P. Tsamerian and S. L. Ronin, *Equality of Rights between Races and Nationalities in the USSR* (Paris, UNESCO, 1962), p. 25.

[9] H. Seton Watson, "Soviet Nationality Policy," *The Russian Review* 15 (Jan., 1956), p. 4.

[10] Conquest, *The Nation Killers*, p. 117.

[11] Roman Smal-Stocki, *The Captive Nations: Nationalism of the Non-Russian Nations in the Soviet Union* (New York, Bookman Associates, 1960), p. 37.

Independence proclamations

1.	Idel Ural (Tatars)	Nov. 12, 1917
2.	Finland	Dec. 6, 1917
3.	Ukraine	Jan. 22, 1918
4.	Kuban Cossacks	Feb. 16, 1918
5.	Lithuania	Feb. 16, 1918
6.	Estonia	Feb. 24, 1918
7.	Belo-Ruthenia (Belo-Russian)	March 25, 1918
8.	Don Cossacks	May 5, 1918
9.	North Caucasians	May 11, 1918
10.	Georgia	May 26, 1918
11.	Azerbaijan	May 29, 1918
12.	Armenia	May 30, 1918
13.	Poland	Nov. 11, 1918
14.	Latvia	Nov. 18, 1918
15.	The Democratic Republic of the Far East (Siberia)	April 4, 1920
16.	Turkestan	April 15, 1922

resolved by Stalin in the following statement, which gave obvious preference to the interest of the Communist regime as opposed to the rights of nationality.

> The rights of nations freely to secede must not be confused with the expediency of secession of a given nation at a given moment. The party of the proletariat (the Russian Communist party) must decide the latter question quite independently in each particular case from the standpoint of interests of the social development as a whole and of the interests of the class struggle of the proletariat for socialism . . .[12]

The implementation of the "expediency of secession" seemed to depend very largely upon the military situation. Finland was able to establish its independence after Russian sympathizers were defeated in a civil war. After a considerable period of fighting, the Poles and the Baltic Republics of Latvia, Lithuania, and Estonia were also allowed to go their separate ways. The other independent republics soon lost any right of independence and became incorporated in the Soviet Union as the Communist armies emerged victorious against the various military efforts to defeat them. By 1922, peace had been established throughout most of the country and the USSR emerged as a state considerably smaller than the Czar's empire but still in command of a gigantic land mass with a diverse collection of peoples.

PROBLEMS OF MAINTAINING SOVIET UNITY

Before trying to assess the success of the Soviet nationality policy it is best to see what problems were involved in salvaging the territory of the

[12] J. Stalin, *Marxism and the National and Colonial Question* (London, Lawrence and Wishart, 1936), pp. 269–70.

Czar's empire which remained. The minorities included a wide variety of types. Largest in number were groupings such as the Ukrainians and the Belorussians, whom Armstrong[13] has characterized as a "younger brother" type who were linguistically different from the Russians, who were not as urbanized and educated as the Russians, but had been in interaction with them for years and had come under the influence of the Russian Orthodox Church (or, in some cases, the Uniate Church, which is in communion with Rome although Orthodox in ritual). Somewhat similar to this type were the "state-nations"—groupings whose social progress was comparable to the Russians and which maintained a strong national consciousness; this type included the Georgians as well as the Baltic peoples who seceded from the Soviet Union at the time of the Revolution and who were brought back in 1940 during World War II. There were also the groupings classified as the "mobilized diaspora," so called because they were advanced in education and technology, were largely urban in their residence, but to a great extent were distributed throughout the Soviet Union. The two minorities most conspicuous as examples of this type were the Jews and the Armenians, although the Armenians had a greater concentration of population in a traditional area.

The final type which Armstrong labels "colonials" were comparatively small groupings differing drastically in culture as well as physical appearance from most of the other peoples in the Soviet Union. They were mostly Asiatic in origin and Muslim or Buddhist in religion. Most of their people were illiterate, and economic development had been extremely slow among them. While they had a high birth rate, the mortality rate was also high and most of the areas which they inhabited were lightly populated. There were also many diverse groupings which lived on an extremely low economic level and which lacked a written language.

The success of the Communist minority program required the maintenance of peace both among the territorially based groups and between the mobilized diaspora and the rest of the population, as well as the modernization of those groups furthest from standards of Western culture. All the needed adjustments had to take place at a time of great economic hardship and of threat of invasion from abroad.

THE CONCEPT OF HISTORICAL STAGES

The tolerance enjoined on various groups might be considered to represent not only a concession to cultural pluralism but also an acceptance of the idea of equality of all ethnic groupings or peoples. Nothing could be

---

[13] John A. Armstrong, "The Ethnic Scene in the Soviet Union: The View of the Dictatorship," in Erich Goldhagen (ed.), *Ethnic Minorities in the Soviet Union* (New York, Frederick A. Praeger, 1968), pp. 14–32.

further from the truth. The leadership of the Soviets was very largely Russian and could hardly escape the myth of the civilizing mission of the Russian people. This myth was compounded by a belief in the inevitability and desirability of communism as a social system for all peoples and all places. As Vucinich points out, "the doctrine of cultural relativity is incompatible with Soviet ideology."[14] However written languages were constructed for nationalities which lacked them, schools were developed which taught in the indigenous language and artistic expression was encouraged.

Why, then, this willingness not only to permit cultural diversity but in some ways even to foster it? The answer to this question lies in the Marxian concept that history inevitably moves by stages. The present condition of the minority peoples might be definitely backward as compared to the Russians, but this does not mean that sudden change should be introduced. Every society has to go through a somewhat similar series of stages from a primitive type of organization to a national identity and then to a kind of fusion which will make it an integral part of the Soviet state. Further, the minority groups had committed themselves to oppose modernization when this was presented as "Russification."

Moving from illiteracy to literacy in the Russian language would be considered a type of imperialism, but moving toward an expression of literary forms in the indigenous language would be an expression of the national ethos which in turn would prepare them for the next step, one of fusion with the general culture pervading the Soviet Union. Thus the Soviet nationality policy was justified on pragmatic grounds, both as an aid to gaining power at the time of the Revolution and as a long-term program for cultural advance.

The end of secession from the Soviet Union was accompanied by a move toward the establishment of nationality territorial districts which were supposed to safeguard cultural pluralism. Actually the Communist leaders were not as fully committed to the autonomy of nationalities as they appeared. While following many procedures to limit the dominance of the Russian ethnic group and provide more freedom for minorities, they simultaneously developed a number of techniques designed to promote the assimilation of all peoples in the Soviet Union in a common culture. Cultural pluralism was both immediately expedient and a desirable type of bridge toward a more homogeneous society, but it provides a potential threat to Communist unity, and the Soviets utilize a number of measures to curb what they regard as "excessive local nationalism."

Methods of Weakening Minority Nationality Adherence. In his book

---

[14] Alexander Vucinich, "Soviet Ethnographic Studies of Cultural Change," *American Anthropologist,* 62 (October 1960), p. 871.

on the peoples of the Soviet Far East, Kolarz makes an outline of measures taken to restrict nationalism in that area:[15]

1. Industrialization and de-tribalization which is linked with migration of natives to big urban centers.
2. Destruction of the native economy through state interference such as the fostering of class struggle and the confiscation of cattle.
3. Mass colonization of "national territories" by Europeans.
4. "Liquidation" of the native upper class and of the intellectual elite.
5. Persecution of religious beliefs peculiar to minority nationalities.
6. Prohibition of cultural and political integration of kindred tribes and nationalities.
7. Imposition of an alien ideology, of a foreign language and culture.
8. Suppression of historical and cultural traditions which are essential to the survival of the national consciousness of a given ethnic group.

Perhaps the most significant of these methods are those related to economic development. They need not be billed as antinational and yet are far more effective than any direct attack on national allegiances. Most ethnic social organization has clustered about some mode of economic activity, such as cattle herding by the nomads, and, when this is disrupted, social relationships are inevitably changed. Further, the drive for industrialization or the development of agriculture or of mining leads to a twofold dispersion of population. Managers, scientists, and laborers, most of whom are Russian, Ukrainian, or Armenian, are sent throughout the land, and at the same time numbers of the indigenous people are brought to the cities to serve as laborers. In each case, the effect is to break up the homogeneity of the society and to weaken local ties. This, in fact, was foreseen by the early Communist leaders, who did not hesitate to proclaim that assimilation was an eventual and desirable result of the nationality policy.

Khrushchev as Soviet premier from 1953 to 1964 removed many of the restrictions that Stalin had placed on Soviet nationalities and ushered in a period more congenial to cultural pluralism. It is interesting, though, that even he regarded national diversity as a transient phase soon to be replaced by a Socialist uniformity:

> We come across people, of course, who deplore the gradual effacement of national distinctions. *We reply to them: Communists will not conserve and perpetuate national distinctions. We will support the objective process of increasingly closer rapprochement of nations and nationalities* proceeding under the conditions of Communist construction on a voluntary and democratic basis.
>
> It is essential that we stress the education of the masses in the spirit of proletarian internationalism and Soviet patriotism. Even the slightest vestiges of

---

[15] Walter Kolarz, *The Peoples of the Soviet Far East* (New York, Frederick A. Praeger, 1954), pp. 179–80.

nationalism should be eradicated with uncompromising Bolshevik determination.[16]

Certain policies have been consistently followed by the Communist authorities in the effort to limit what they consider the excesses of nationalism. One of these is opposition to "federalist nationalism." Many of the nationalities in the Soviet Union are too small to be very powerful by themselves but when grouped with similar nationalities might make a bloc of some strength. A federation of the three Baltic Soviet republics, for instance, would be unthinkable under the working of Soviet policy. Similarly, the few federations which did develop, such as those in the Volga regions and in Central Asia, were suppressed after a very short period of existence. The motivation here is obviously to avoid the building of ethnic blocs which may be able to resist the central government.

Another consistent characteristic of Soviet Communism is opposition to religion. Since religion and ethnicity are frequently related, the attack on religion may be an indirect attack on nationalism. Thus the Soviet official does not attack Ukranians but he may attack Catholics. He does not criticize Chechens but he may attack Islam. He will not condemn Jews but he may castigate Judaism and Zionism. This attitude means that ethnicity is, to some extent, divorced from religious support and thereby weakened.

As far as language is concerned, the official attitude and practice is one of tolerance but the matter of linguistic nationalism is far more complicated than it appears. It is true that the Communists have encouraged the development of many languages, some of which did not even have a written tongue, and have fostered publications and artistic expressions in these languages. The question is whether such language autonomy is an end result or a transitional step toward the widespread use of Russian as the lingua franca of the Soviet Union.

In the development of languages, care is taken to intensify the differences between languages of the same family and also to increase the similarity with Russian by the use of Russian expressions wherever the local language is weak in modern vocabulary. Further, there is an obligatory teaching of Russian in all minority schools, and in many areas mixed schools are set up in which parents may opt for the education of their children in Russian. Thus, without waging a direct war on linguistic autonomy, the Soviets may still be channeling the Soviet Union toward a greater degree of linguistic homogeneity. This is born out by statistics which show an increase in the speaking of Russian and a decline in the speaking of languages of the nationality groups.

---

[16] Khrushchev's Report, *Pravda,* Oct. 19, 1961, cited in Alfred D. Low, "Soviet Nationality Policy and the New Program of the Communist Party of the Soviet Union," *The Russian Review,* 22 (January 1963), p. 10.

Even more pragmatic and devious than language policy is the use of history as an ideological weapon. History is by no means a static subject, since it contributes to current attitudes and thus the "truths" of history shift with the ideological needs of the regime. One interesting case of this is that of the history of the resistance to Czarism by the Chechen leader Shamil. In the early days of the Soviet Union, its publications had praise for Shamil as an outstanding political leader and military commander who emancipated the slaves, was against the local feudal lords, and was also democratic and progressive. His movement was described as having been aroused by the exploitive character of Czarist policy. In 1950, however, it was discovered and reported by *Pravda* that such historical teaching was anti-Marxist.[17] From that time on, Shamil was described as a reactionary Turkish agent who had no popular support. This change came about because, by this time, the Kremlin ideologists had decided that the Czarist annexation of the Caucasus was a progressive move and therefore not to be criticized, whereas before they had been anxious to paint every Czarist deed in the worst possible colors. After Stalin's death the emphasis on the inherent virtue of Russian expansionism changed somewhat, and it was no longer necessary to protray Shamil as a reactionary feudal despot. Even though Shamil had been in opposition to Russian power, he was no longer to be treated as a corrupt reactionary and his motives were admitted to be honorable.[18]

Perhaps a bit of content analysis here would indicate that the first view of Shamil was an effort to identify the Communists with the anti-Russian sentiments cherished by the Chechen people. The vilification of Shamil under Stalin was in accord with the theory of Russian patriotism and with the need, for the sake of national unity, of putting the best possible presentation on all Russian actions; while the final partial restoration of Shamil was consistent with the repudiation of Stalinist methods. Thus local traditions and history do not exist for themselves but for the value they have in serving the Communist cause.

THE UKRAINIAN AND BALTIC EXPERIENCE

The Ukraine, with over 44 million inhabitants in 1964, is the second largest union republic in the Soviet Union. Prior to the Revolution, education and industry were not as well developed as in the area of Russia itself, and West Ukraine had a strong Roman Catholic (Uniate) orientation as contrasted to the Orthodox church, which was dominant in the

---

[17] Conquest, *The Nation Killers*, pp. 84–94, and Lowell Tillett, *The Great Friendship: Soviet Historians on Non Russian Nationalities* (Chapel Hill, University of North Carolina Press), 1969, pp. 130–48.

[18] Ibid., pp. 164–68.

Russian portion of the Soviet Union. Nevertheless, Ukrainians and Russians were similar in physical appearance and had had a long period of association. This association brought some degree of cultural similarity and facilitated the Ukrainian adjustment under Communism which would be described by the apologist for the Soviet Union as following the trends which were appropriate in the industrialization of the country and the growth of the Communist party. The Ukraine was characterized by rapid urbanization (3.8 times as many Ukrainians were urban in 1959 as in 1926), growth in education, and a tremendous growth in the Ukrainian membership in the Communist Party (by 1965 the ratio in the Ukraine of Communist Party members to the total population was 77 percent of the ratio in the Russian area itself). Many Ukrainians were given important positions in Soviet enterprises, and many of them migrated to other sections of the Soviet Union. At the same time a great many Russian managers and workers made their way to the Ukraine. Ukrainian cultural development was encouraged: over 3,000 books, for instance, were published in Ukrainian in 1963, and Ukrainian was the language of instruction in most of the schools in that area.[19]

On the other hand, the Uniate Church was fiercely attacked,[20] the Russian language was promoted by the "mixed schools" in which children might receive instruction in Russian, and what was considered "excessive" Ukrainian nationalism was ruthlessly repressed. As compared to the Czarist regime, much greater cultural lattitude was allowed, but, at the same time, many programs which would facilitate assimilation were encouraged. In summary, the Ukraine may be said to have had a type of cultural life which was "socialist in form, but national in content," but the national content was being steadily diluted through the migration of the Ukrainians and the increasing presence of a large number of Russians in the Ukraine. Intermarriage between Ukrainians and non-Ukrainians, most of whom were Russian, grew from only 3.4 percent in 1927 to over 18 percent in 1959.[21] It would appear that the gradual assimilation of Ukrainians is well under way and that the cultural and economic differences between the Ukrainians and the Russians are steadily diminishing.

In the Baltic area, the formerly sovereign countries of Estonia, Lithuania, and Latvia are small in population but rich in their dedication to national integrity. For centuries they have been pawns in European power struggles—mostly between Russia and Germany, although at times other nations, including Sweden, were also involved. Germans had settled in large numbers in these countries and were well represented among the

---

[19] Armstrong, "The Ethnic Scene in the Soviet Union," p. 21.

[20] Walter Kolarz, *Religion in the Soviet Union* (New York, St. Martin's Press, 1966), pp. 227–44.

[21] Armstrong, "The Ethnic Scene in the Soviet Union," p. 17.

land owners and businessmen. By the latter part of the 19th century, the Russians had formally incorporated the three countries in the Czar's regime and had proceeded to a vigorous program of Russification directed against both the Germans and indigenous nationalism in the three countries.[22] All three nations secured their independence during World War I at the time of the breakup of the Russian empire and the defeat of the German armies, and proceeded to the task of national development. This national development included the emergence of a sizeable elite of intellectuals, the stimulus of cultural expression in their own languages, improvement in agriculture, and an increase in urbanization. The three countries were nominally dedicated to democracy, but internal conflicts made democratic functioning difficult. Lithuania, in particular, had periods of dictatorial rule.

World War II brought renewed difficulties to the Baltic nations. They were forced to ally themselves with the Soviet Union in 1939. This step, however, did not satisfy the Stalinist government, and in 1940 the Baltic states were formally incorporated in the Soviet Union. In 1941 they were invaded by the Germans, from whom, in turn, they were "liberated" by Soviet armies toward the end of 1944. More than a quarter of a million Balts, most of whom were probably of middle class status, fled these countries and refused to return after the war. Governments in exile still existed for the three countries in 1973, although any hope of their return to power seemed dim indeed. Sporadic resistance to Russian occupation did take place, but such resistance has been completely suppressed since 1952.[23]

Soviet policy since 1945 has included a massive thrust toward urbanization and industrialization which has brought many newcomers into the Baltic states and somewhat decreased the proportion of Balts in the several countries. For Lithuanians the drop was slight, from 80 percent in 1936 to 79 percent in 1959. During the same period Estonians and Latvians dropped both in absolute numbers and in the proportion of the population in their republics. Latvians declined from 76 percent to 62 percent and Estonians from 88 percent in 1934 to 75 percent in 1959.[24]

An important part of the cultural differentiation between the Baltic states and Russia was religious: Lithuania was primarily Roman Catholic and Latvia and Estonia, Lutheran. In recent times, the number of churches and clergy have been sharply reduced from the days of independence but religion is still regarded as a bulwark of objectionable (from the Soviet

---

[22] Emanuel Nodel, *Estonia: Nation on the Anvil* (London, Bookman Associates, 1963.)

[23] V. Stanley Vardys, "The Partisan Movement in Postwar Lithuania," *Slavic Review* 22 (September 1963): 499–522.

[24] Statistics from a variety of sources compiled by Jaan Penner, "Nationalism in the Soviet Baltics," in Goldhagen, *Ethnic Minorities in the Soviet Union,* pp. 200–202.

viewpoint) forms of nationalism. Thus Antanas Sniečkus states: "The remnants of nationalism are closely related to religious superstitions. This fact especially compels Party organizations actively to further atheist work as an integral part of the struggle against the ideology of bourgeois nationalism."[25]

Priests and ministers have been harassed, churches closed, the young denied religious instruction, and atheistic propaganda vigorously pushed. Priests have been arrested, exiled, and denied permission to function in their clerical roles. Resentment at these tactics led in 1972 to student riots and even the self-immolation (burning) of one protestor.[26]

The spectacle of unarmed students defying a monolithic dictatorship is a dramatic one which indicates that the nationalism of the Baltic states is deep-seated enough to survive a generation of propaganda even as Baltic national identity has survived centuries of foreign rule. Making resistance to that direct oppression more difficult, however, are the population shifts, which make the Balts a declining proportion of their own regions, and the attraction of Russian assimilation as an aid in securing desirable jobs.[27]

THE LIQUIDATED NATIONS

World War II brought to a peak the suspicions and fear with which the Russians regarded minority peoples residing in sensitive border areas. In spite of 20 years of Communist rule such potential nations had obviously not been completely assimilated and might easily be suspected of sympathy with foreign invaders who promised a greater respect for their national autonomy than had been given them in the Soviet Union. As a result, eight ethnically distinctive Soviet territorial units were abolished and large numbers of their people deported to distant areas in the Soviet Union. These included:[28]

Meskhetia	Balkars
Chechens	Kalmyks
Ingushi	Volga Germans
Karachai	Crimean Tatars

---

[25] Antanas Sniečkus in *Tiesa,* July 11, 1963. Cited in V. Stanley Vardys, "Soviet Social Engineering in Lithuania: An Appraisal," in *Lithuania under the Soviets: Portrait of a Nation, 1940–1965* (New York, Frederick A. Praeger, 1965), p. 248.

[26] "Protest in Lithuania," *Newsweek* (June 26, 1972), pp. 38, 39.

[27] Vardys, in *Lithuania under the Soviets,* p. 259.

[28] Conquest, *The Nation Killers,* pp. 64–66. Meskhetia was not organized as a republic but is a distinct area on the Soviet-Turkish border adjoining Georgia and Armenia. Its people, largely Turkish, were deported in November 1944 on grounds that they were in an area which might be reached by the enemy—information summarized from Conquest, pp. 48, 49.

The peoples in these territories varied in their cultural outlook, and were rather sharply divergent from the Russians. Some of them were largely Muslim and one, the Kalmyks, were Buddhist. Although in the early period after the Revolution, the Soviets ignored their religious institutions, the republics were soon all faced with antireligious propaganda. To the Communists all types of religions were competitive ideologies, and Islam and Buddhism were just as contrary to Communist doctrine as Christianity and Judaism. There were also attacks on their family life, which was usually polygynous, and on the subordinate position of women of the Muslim and Buddhist minorities.

The Volga Germans, on the other hand, were a highly westernized group who had been frequently praised for the efficiency of their collective farms. They had lived peacefully in Russia for nearly two centuries, having been invited to that country by Peter the Great, but they had retained the German language and it was suspected that they would be sympathetic to the German invaders.

Extreme military measures, including the deportation of peoples, are of course not unknown in other countries, and the American expulsion of the Japanese from the west coast of the United States might be taken as a parallel case, even though brief in duration. In any event, the breakup of these republics and the dispersion of their peoples marks the worst failure of Soviet minority policy. In 1957, an acknowledgement was made of the events which had transpired and five of the peoples were restored to their national status as autonomous republics but, as of 1971, nothing had been heard of political organization among the Volga Germans, the Crimean-Tatars, or the Meskhetians. A penetrating criticism of the whole affair appears in a speech by Khrushchev in 1957:

> All the more monstrous are the acts whose initiator was Stalin and which are crude violations of the basic Leninist principles of the nationality policy of the Soviet State. We refer to the mass deportations from their native places of whole nations, together with all Communists and Komsomols without any exception; this deportation action was not dictated by any military considerations.
>
> . . . .
>
> Not only a Marxist-Leninist but also no man of common sense can grasp how it is possible to make whole nations responsible for inimical activity, including women, children, old people, Communists and Komsomols, to use mass repression against them, and to expose them to misery and suffering for the hostile acts of individual persons or groups of persons.[29]

---

[29] Vardis, *Life under the Soviets*, p. 144. Report of a "secret" speech by Khrushchev in 1956 at the 20th Party Congress.

JEWS: PEOPLE OF THE DIASPORA

Prior to World War II, more Jews lived in the Soviet Union than in any other country of the world. The losses during World War II were catastrophic in proportions, amounting to possibly 2.5 million.[30] But in 1959 over 2.25 million Jews lived in the Soviet Union; they constituted about 1.1 percent of the population and were the eleventh largest group listed as a nationality.[31]

Under the Czars, the Jews were repressed in many ways. Jews in Poland and the Ukraine were confined to the region of their origin, which was known as the "Pale of Settlement." This meant that the population tended to increase in a restricted area with limited opportunities. Violent riots against Jews, termed pogroms, erupted on several occasions. Secondary schools and universities were restricted in the number of Jews which might be admitted. Quotas were given for Jewish entry into the legal and medical professions. Jews were restricted in government service and prevented from voting for the city Dumas (legislatures). In general, they were harried by popular prejudice, hampered by restrictive laws, and frequently victimized by prejudiced officials.

It is no accident that the earliest Zionists, under the leadership of Theodore Hertzl, based their operations in Russia. The need for some type of Jewish National Home must have seemed very great indeed under the conditions of persecution in the Czarist state.

The contrast between the official positions of the Czarist and the Soviet regimes toward Jews is quite striking. Jews were prominent in the Communist revolution and frequently occupied important government positions.[32] Jews have a proportion of scientific workers, writers, physicians, and university students far in excess of their proportion in the population. Armstrong, for instance, has estimated that Jews may constitute roughly one tenth of the skilled professionals in the Soviet Union as contrasted to being one one-hundredth of the population.[33] Anti-Semitism, which was practically a formal government policy under the Czars, is now forbidden by law and frequently denounced by government officials. Pogroms did

---

[30] A. Hove and J. A. Newth, "The Jewish Population: Demographic Trends and Occupational Patterns," in Lionel Kochan (ed.), *The Jews in Soviet Russia since 1917* (London, Oxford University Press, 1970), p. 142.

[31] William Korey, "The Legal Position of the Jewish Community in the Soviet Union," in Goldhagen, *Ethnic Minorities in the Soviet Union*, p. 319.

[32] Most Jewish Communist leaders did not identify with traditional "Jewishness." Trotsky, for instance, says, "In my mental equipment nationality [Jewish] never occupied an important place." Leon Trotsky, *My Life*, (New York, Pathfinder Press, Inc., 1970), p. 86.

[33] Armstrong, *The Ethnic Scene in the Soviet Union*, p. 10.

take place during the confusion of the revolutionary war when the Communists were seizing power but have not been known since that time (except during World War II in areas where the Soviets had lost control).

In terms of freedom of movement and of occupational aspiration, it may be said that the Communists regime has changed Jews from a repressed and denigrated pariah group to one with nominally full rights as Soviet citizens. Certainly in terms of their proportion in prestige occupations, Jews have been far more successful in the Soviet Union than have other groups. Yet, in spite of these factors, the charges of anti-Semitism and accusations of persecution within the Soviet Union are frequently raised. Why is there so much dissatisfaction with the treatment of the Jews under the Communist regime in spite of the abolition of many of the abuses which took place under the Czars?

In the first place, there is another side to the story of Jewish life in the Czarist regime. Despite the obvious cruelties and limitations of that period, some liberties did exist which were lost under the Soviets. None of the charges of Czarist repression are false, but it is significant that during this same period, when the drive toward "Russification" was strongest and the restrictions on the Jews were most severe, there also emerged a flourishing cultural life among the Jews in Russia. This is described by Decter as follows:

> . . . in the half-century before the October Revolution, alongside and despite the pauperization and persecution engendered by oppressive Tsarist policy, Jewish national-cultural life was experiencing a tremendous renascence.
>
> There was an important Jewish labor and democratic socialist movement led by residues of the Bund on Russian soil. There was a burgeoning Hebrew theatre. There was a thriving and constantly expanding world of publication, with innumerable newspapers and periodicals and hundreds and thousands of Jewish books published in Yiddish, Hebrew and even Russian. There were many secular movements, institutions and organizations of every conceivable sort. There was, above all, a growing Zionist movement which had the support and sympathy of the vast majority of Russian Jews, and which imbued the renascence with moral, emotional and intellectual passion.[34]

The Communists had respect for the rights of Jews as individuals but, in spite of their professed concern for nationalities, they had little regard for Jewish cultural self-determinism. In part, this was because the Jews simply did not fit the definition of nationality afforded by the Russian leaders. A "nationality," in the Soviet view, not only had a unique tradition but also was found predominantly in a particular territory. While the largest proportions of Jews were in the Ukraine and Belorussia, they

---

[34] Moshe Decter, "Jewish National Consciousness in the Soviet Union," in Nathan Glazer, et al., *Perspectives on Soviet Jewry* (New York, Ktav Publishing Co., 1971), p. 10.

formed only a small part of the total population of these areas and the Jewish population itself was scattered over a considerable part of the Soviet Union. Hence there was no single district which could be labeled as Jewish territory. The Jews were genuinely a diaspora, a group which did not have a specific territorial base but were scattered throughout the population.

Since the Jews did not quite fit the Russian definition of a nationality, it was difficult to determine their treatment in nationality terms. Jews might be considered either as a nationality or a religion, but, in practice, neither of these classifications were particularly helpful in enabling them to find favorable treatment within the Soviet Union. Soviet authorities vacillated as to whether the Jews really had the status of a nationality, and Jewish religion, like all other religion, was under attack. The Jews suffered as a religious group and did not reap the full benefits which should have accrued to them as a Soviet nationality.[35] The skepticism about the existence of a Jewish nation expressed by Stalin in 1913 is a theme apparently frequently found in the thinking of Soviet leaders.

> . . . what . . . national cohesion can there be . . . between the Georgian, Daghestanian, Russian and American Jews? . . . if there is anything common to them left it is their religion, their common origin and certain relics of national character. . . . But how can it be seriously maintained that petrified religious rites and fading psychological relics affect the "fate" of these Jews more powerfully than the living social, economic and cultural environment that surrounds them? And it is only on this assumption that it is generally possible to speak of the Jews as a single nation.[36]

In spite of the difficulties of classifying Jews as a nationality, it was impossible for the Communist leaders to ignore the fact that Jews did constitute a cultural group with some degree of cohesion, three fourths of whose members spoke the Yiddish language. Soviet Jews, like other Soviet citizens, are required to carry internal identification documents and their "nationality" is listed as Jewish.[37] In practice, the Communist leaders have varied between support of the cultural expression of Jewishness and repression of any interest in Jewish culture or Jewish religion as a manifestation of "cosmopolitanism" or of a counterrevolutionary bourgeoise ideology.

In any event, the policy of the Soviet government toward voluntary

---

[35] Joshua, Rothenberg, "Jewish Religion in the Soviet Union," in Lionel Kochan, *The Jews in Soviet Russia since 1917,* p. 162.

[36] J. Stalin, *Marxism and the National Question,* p. 10.

[37] In the 1897 census, 97 percent of the Jews claimed Yiddish as the mother tongue and only 24 percent could speak Russian. By 1959, however, only 20 percent of Soviet Jews were Yiddish-speaking. Discussion in Armstrong, "*The Ethnic Scene in the Soviet Union,*" p. 11, and in S. Ettinger, "The Jews in Russia at the Outbreak of the Revolution," in Kochan, *The Jews in Soviet Russia since 1917,* p. 15.

associations meant the death knell of the network of Jewish societies which provided teaching, hospital care, orphanages, loan systems, and countless other social services. Such services were supposedly taken over by a governmental Jewish commissariat. The Jewish commissariat did not last very long, which is understandable, since the functions which it was called upon to supervise had been taken over by agencies administered on a territorial rather than an ethnic basis. Thus the voluntary network of services was largely liquidated and provision for Jewish communal life was left to the not always tender mercies of the Soviet government.

THE FANTASY OF BIROBIDZAHN[38]

Jews in Russia and elsewhere have often been the target of two types of charges: (1) they were rootless since they did not have any territorial base of operations that they could call their home; (2) they were too much an urbanized people and hence were not characterized by the rustic virtues which come from tilling the soil. In 1934 the president of the Soviet Union, Mikhail Kalinin, saw an opportunity to correct both of these deficiencies by the creation of a Jewish homeland within the Soviet Union. There had long been a feeling that more Jews should be colonized on the land, and even in the days of the Czarist regime a few Jews were placed in agricultural colonies. Shortly after the Communist government came to power, it formed two organizations to promote Jewish agricultural settlement, the *Kolmzet,* which means "Committee for the Agricultural Settlement of Jewish Toilers," and *Ozet,* the abbreviation for "Society for the Agricultural Settlement of Jewish Toilers." *Kolmzet* was an administrative arm of the government, while *Ozet* was an attempt to provide a mass organization. Some success had been obtained in settling Jewish farmers in the Ukraine in Belorussia, and in the Crimea; Kolarz estimates that there were 225,000 Jews employed in agriculture by the mid 1930s.[39] This figure was not considered enough, however, and there seemed to be strong obstacles to an expansion of settlement in already heavily populated areas. The fact that the Jews were farmers did not seem to diminish anti-Semitic prejudice against them but simply brought charges that they were competing unfairly for land with other peasants. If an underpopulated area could be located, this might serve as a basis for the settlement of Jewish

---

[38] This section is based on the treatment of this topic in the following works: B. Z. Goldberg, *The Jewish Problem in the Soviet Union* (New York, Crown Publishers, 1961), pp. 170–229; Chimen Abramsky, "The Biro-Bidzahn Project 1927–1959," in Lionel Kochan (ed.) *The Jews in Soviet Russia since 1917,* pp. 62–75; Salo W. Baron, *The Russian Jew under Tsars and Soviets* (New York, Macmillan, 1964), pp. 230–43; and Walter Kolarz, *Russia and Her Colonies* (Frederich A. Praeger, 1955), pp. 173–81.

[39] Kolarz, *Russia and Her Colonies,* p. 172.

farmers and also provide a geographically Jewish district which would afford the territorial basis required for Jewish nationality.

Such an area appeared to be found in the territory at the junction of two tributaries of the Amur River called Birobidzahn. This territory, 14,800 square miles in extent, was larger than the whole of Palestine and had a total estimated population in 1928 of only 34,000, or about three people per square mile. It was located on the Manchurian border, and, in addition to the advantage to the Jews, strategic interests would also be served if a greater population base could be established. Government assurances that the area was intended for Jewish settlement were expressed in 1928 in a decree of the Central Executive Committee of the USSR reserving Birobidzahn for that purpose and in a 1931 pledge that a Jewish territorial unit would be established if Jewish settlement were successful.[40] In 1934 Birobidhzan was proclaimed as a Jewish autonomous region. In the words of President Kalinin:

> The principles of Soviet national policy are such that each nationality is granted a autonomous political organization on its own territory. Hitherto the Jews lacked such a political organization, and this placed them in a peculiar position in comparison with other peoples. The Jews are now receiving what other nationalities possess—namely, the possibility of developing their own culture, national in form, socialist in content.[41]

In addition to the service of the strategic interests of the Soviet Union and the territorial interests of the Jews, it was also envisioned that Birobidzahn might become a type of Jewish homeland which would even attract the support, interest, and, perhaps, immigration of foreign Jews. And in 1931 and 1932 more than 1,000 Jews from other lands came to this new Soviet homeland for Jewish people. It was anticipated that immigration would start with a couple of thousand a year, rising quickly to 10,000 per year, and that, when the Jewish population reached 100,000, a Jewish republic would actually be proclaimed. Such immigration would not seem out of question with a Jewish population of nearly 3,000,000 people, but the desired quota was never obtained and in the year of largest migration, 1932, when 9,000 settlers came, half that number left the area for other parts of the Soviet Union.[42]

In 1959 the population of Birobidzahn had reached 163,000, but it was estimated that only eight percent were Jewish.[43] Birobidzahn was to be a home for Jewish culture, and Yiddish theatre, newspapers, magazines, and schools were to flourish. In the early days, such institutions were

---

[40] Ibid., p. 174.

[41] Goldberg, *The Jewish Problem in the Soviet Union,* p. 173.

[42] Ibid., p. 175.

[43] Abramsky, "The Biro-Bidzahn Project 1927–1959," p. 73.

established and a certain facade of Jewishness was maintained. However, foreign Jews were prohibited from coming after 1932 and Soviet Jews did not respond to the lure of the Soviet Jewish homeland in any large numbers. Jewish culture has practically died out and is said to be best represented by the fact that street signs are still seen in both Yiddish and in Russian. The situation was described by a *New York Times* reporter in 1959:

> No Yiddish is taught in schools, no Yiddish films are shown, no Yiddish books are printed. A well-stocked bookstore had not heard of a commemorative Yiddish edition of some works of Sholom Aleichem, published in Moscow this year. At the library there are said to be 12,000 old Yiddish volumes among the 100,000 books. Three times a week a two-page Yiddish newspaper, the *Birobidjaner Shtern,* appears. Soviet reference books list its circulation as 1,000.[44]

Controversy rages as to responsibility for the failure of Birobidzahn. Khrushchev admitted its failure and attributed this to the reluctance of Jews to engage in agricultural enterprises, particularly those of a collective nature. Other authorities maintained that the Soviet government never made adequate provision for the services needed in a pioneer community and hence, not even the most idealistic Jews could find Birobidzahn a very attractive setting.

In any event, Birobidzahn did not escape the hysteria of the Stalin period. In 1948 there was the "discovery" of an alleged Crimean plot, by leaders of the Jewish antifascist committee, to detach Birobidzahn from the Soviet Union to turn it over to Japan. This alleged plot formed the basis for the prosecution of anyone engaged in what could be described as Jewish activity. As Goldberg describes it: "Any Jewish activity—indeed, any item on the regional cultural program, any act of Jewish character, even if it had had formal official sanction at the time—constituted a crime or incriminating evidence. The official charge ran from artificially inplanting Yiddish culture in order to impose it on the rest of the population, to treason and foreign espionage."[45]

The result was that much of the leadership of the territory was arrested and imprisoned and that Russian Jews were discouraged from any idea that Birobidzahn was a colony in which Jewish cultural expression could be safeguarded.

To be sure, the physical and economic difficulties of settling Birobidzahn were formidable, and few Russian Jews had the agricultural skill or interest which would have been required. However, the difficulties are not necessarily greater than those encountered in Palestine, and one won-

---

[44] Report of New York Times Correspondent Max Frankel cited in Goldberg, *The Jewish Problem in the Soviet Union,* pp. 222–23.

[45] Ibid., p. 206.

ders whether there was any real commitment by Russian leaders, apart from Kalinin, to implement the project.

As a propaganda symbol, Birobidzahn was an attractive prospect. As a reality, however, it would give support to Jewish nationalism in a manner hardly compatible with the assimilative policies of the Soviet Union. The Jews were not a backward people who needed to develop their own language in order to come to the place where they could appreciate the language of Russia. Nor were they a people whom history had cast in a compact geographical area. The Communists were interested in controlling and channeling toward their own objectives the national development of peoples where such considerations existed. Why should they conjure up support for a Jewish homeland inside their own country which ran completely counter to the assimilative ideal?

ISRAEL AND THE SOVIET JEWS

Although anti-Semitism is a crime in the Soviet Union, anti-Zionism is the theme of many tirades in *Pravda* and of many statements by Soviet leaders. Zionism represents a counterutopia to Soviet Communism; it proclaims a national idea which has greater vitality than that of social class; it allies individuals with the enemies of the Soviet Union and hence is a major crime. Opposition to Zionism has been a fairly consistent aspect of Soviet Jewish policy, but the specific attitude toward the state of Israel has shifted drastically.

In 1948 the Soviet Union was the first nation to give political recognition to the newly created state of Israel and posed as its major friend in the United Nations. Within a year, however, policy shifted, and since that time Soviet Russia has become a major supplier of munitions to the Arab countries in their efforts to overturn the state of Israel, has been a frequent critic of that nation, and sometimes has refused to allow Soviet citizens to migrate to Israel.

Two explanations, which are not necessarily mutually exclusive, are offered for the change of Soviet policy. One focuses on foreign policy objectives, and the other on domestic concerns. In terms of foreign policy, an independent Israel was seen as one method of diminishing British influence in the Mediterranean, which has been a long-term objective of both Czarist and Soviet diplomacy. After the British departure, however, the Middle East was seen as a power vacuum which the Soviets could best fill by cooperation with the Arabs.[46] Under terms of this latter viewpoint, pro-Israel Soviet Jews were supporting a power whose interests were seen as contrary to the objectives of Soviet policy.

---

[46] Hans J. Morgenthau, "The Jews and Soviet Foreign Policy," in Glazer, et al., *Perspectives on Soviet Jewry*, pp. 88–89.

On the domestic front the repercussions of pro-Israeli attitudes were a challenge to the whole tenor of Soviet ethnic policy. If Jews were permitted to retain ties with a homeland outside of the Soviet Union, how could other nationalities be denied the same privilege? If a revival of Jewish nationalism—a nationalism the legitimacy of which the Soviet Union had never acknowledged—was encouraged, then what nationalistic movement could be opposed? If Jews were permitted to reject a long-term goal of assimilation, then what would prevent other nationalities from following the same course? Add to these considerations a lingering anti-Semitism and the need for scapegoats for foreign and domestic frustrations, and the anti-Israeli shift becomes explicable.

The depth of the feeling that Israeli sympathies make the Jews an internally divisive force in the Soviet Union is seen in the following excerpt from a book published in the Ukraine:

> propagating the creation of [a] . . . Jewish State, the leaders of Zionism are trying to prove that Jews of all countries are allegedly "one Jewish nation," are propagating class cooperation and are distracting the attention of working Jews from a joint class struggle with the peoples of the countries in which they live against their own and foreign oppressors, and from the struggle for democratic freedom and peace.[47]

Anti-Semitism might be outlawed but anti-Zionism provided a justification for the harassment of many Jews and for the elimination of Jewish cultural activities. Thus it is in the nation which has the second largest number of Jews of any in the world that Jews are denied an opportunity to learn either Hebrew or Yiddish; they have found their voluntary associations disbanded; their religious practices are discouraged and a request to migrate to the state of Israel is taken as being close to treason.[48]

Even the Jews who are most free from Zionist taint or religious affiliation are subject to suspicion because of the supposed Jewish tendency toward cosmopolitanism. Jews make scapegoats which are just as useful in the Soviet Union as elsewhere, and the troubles of the Communist Party in 1956 in Poland or in 1968 in Czechoslovakia or elsewhere in eastern Europe were often described as due to Zionist intrigue.

One of the best summaries of the reactions of at least some Jews

---

[47] T. T. Kichko, *Judaism and Zionism* (Kiev, Society Znannia of the Ukranian SSR, 1969), excerpted in William Korey, "Selections from Soviet Publications and Mass Media," in Glazer, et al., *Perspectives on Soviet Jewry*, p. 60.

[48] This policy is subject to change, and, after being adamant for several years, the Soviets relented somewhat in 1971 and began to allow Jews to go to Israel. Probably not all who wish to will be able to leave, but the number of emigres may reach 50,000 a year—*Newsweek*, Jan. 31, 1972, p. 30. Considerable protest was aroused in 1972 when the Soviets demanded compensation for the loss of professional men through immigration. The suspension of the Soviet demand for this kind of compensation in 1973 was attributed to the desire for a detente with the United States.

comes in a statement by Paul Lendvai on the attitude of the Jews who were accused of hijacking a plane in order to go to Israel.

> But it has been impossible for Soviet propaganda to shift the focus from the fact that people are on trial for their convictions, and that Jews are being persecuted as Jews. They had no desire to criticize, attack, change, subvert or overthrow the Soviet system. On the contrary, their only desire was to leave that system altogether, and to exercise their elementary human right to leave their country of origin and settle in Israel, which they now regard as their ancestral homeland and as the sole place where they will be able to live as Jews.[49]

Whatever the persistence of Jewish identity there is no doubt that Soviet policies have made an impact. Certainly Jewish assimilation has proceeded a long way. By all reports Jewish religious observances are feeble reminders of a more vigorous past with congregations comprising, for the most part, a few old people of the population; Jewish cultural institutions have been largely destroyed and the speaking of Yiddish characterized only 18 percent of the Jewish population in 1969 as compared to 73 percent in 1917. Granting all the evidence of an eventual Jewish assimilation which may exist, yet the very animosity of the regime against Zionism or against Jewish nationalism, as well as the eagerness of thousands of Jews to migrate to the state of Israel, gives indication that a satisfactory modus vivendi between Jewish identification and the Communist ideal of the classless society has still not been achieved.

In spite of the excesses and crimes which have been committed against Jews, both by individuals and by the Russian government, it is hardly fair to charge the Communist regime with the type of anti-Semitism which characterized Nazi Germany or Czarist Russia. In a review of the book *The Russian Jew Under Tsars and Soviets* by Salo Baron, Stephen P. Dunn makes the following comment:

> . . . Soviet government policy is not, properly speaking, anti-Semitic. Rather, the regime has found itself forced, for historical, cultural, and political reasons, to adopt certain measures which from an American perspective look anti-Semitic. The Soviet nationality policy, as first outlined by Lenin and developed by Stalin, embodies certain inherent contradictions and difficulties of application.[50]

The statement that one is "forced" to do certain things because of "historical, cultural, and political reasons" might be used to justify any possible type of ethnic discrimination. Perhaps it is more accurate to say that Soviet authorities are not deliberately anti-Semitic, but that they find it difficult to adjust to any group whose national allegiances, religious faith,

[49] Moshe Decter, "The Terror That Fails, A Report on the Arrests and Trial of Soviet Jews," in Nathan Glazer, et al., *Perspectives on Soviet Jewry*, p. 103.

[50] Stephen P. Dunn, "A Turning Point in the Discussion of Soviet Jewish Policy," *Slavic Review*, 24 (Fall 1965), p. 705.

or ideological premises challenge the notion that Communist theory is absolute truth and that the Soviet state is the embodiment of that truth. In a challenge to Dunn's conclusion that Soviet policy is not, "properly speaking, anti-Semitic," Weinryb lists a series of actions which might give rise to that charge in many minds:

> . . . there is no question that during the last decade of Stalin's life, or at least after 1948, the policy became expressly anti-Jewish and led to such actions as closing down the last vestiges of Jewish cultural institutions, 'unmasking' Jewish writers as 'homeless cosmopolitans,' constructing a plot against Yiddish writers and intellectuals which led to the arrest and deportation of many and the subsequent execution of some.[51]

He concludes that while there may be a difference "between the policy toward the individual Jew and the policy toward the Jewish group," "Jews in Russia are under pressure from a policy of 'denationalization' and at least some Jews feel that this infringes on their rights and creates an anti-Jewish climate."[52] Such a statement certainly seems warranted by the course of events during the Communist regime and, given a past history of Jewish suffering, the fear that an anti-Jewish climate may encourage direct anti-Semitism is surely understandable.

NATIONALISM OUTSIDE OF THE SOVIET UNION

Soviet Jews are often criticized for alleged "cosmopolitanism," meaning that they are influenced by cultural currents outside of either the Soviet Union or the Communist party and are therefore not to be trusted. Both Jews and other ethnic groups in the Soviet Union are under constant suspicion of "excessive local nationalism," presumably meaning that they place too much emphasis on their particular national group and not enough on the Soviet Union as a whole. Similar charges are likewise applied to the satellite East European nations outside of the boundaries of the Soviet Union. They too are tempted to think too much of the interests of their own nation and not enough of that of world communism (i.e., the Soviet Union) and they too may neglect true Communist principles when they hear the siren call of the West. Such nations may seek profitable commerce with capitalist countries rather than barter trade with the Soviet Union on unequal terms. They may dilute their dogmatic devotion to Marxism because of a fascination with the way in which literature and science are pursued in Capitalist countries. They sometimes are tempted to moderate Socialist control of their economies in order to get greater efficiency. Finally, they may even wish to relax military relations with the Soviet Union.

---

[51] Bernard D. Weinryb, "A Note on Anti-Semitism in Soviet Russia (Post-Stalin Period)," *Slavic Review,* 25 (September 1966), 526–27.

[52] Ibid., p. 527.

Such heretical actions beyond Soviet borders receive the same kind of treatment as "cosmopolitanism" or "excessive local nationalism" by ethnic groups which are integral parts of the Soviet Union.

Cases in point are the Soviet invasions of Hungary and Czechoslovakia in 1956 and 1968, respectively. These invasions enabled the Soviet regime to overturn governments which were considered to have deviated too far from Communist policies. Hungary was the scene of heavy fighting and, when defeat was apparent, over 100,000 Hungarians fled the country. Czechoslovakia was overawed by a heavy military expedition and no fighting took place, although, as of 1973, Soviet troops were still stationed in both Hungary and Czechoslovakia. Conquest cites a *Pravda* editorial as indicating the Soviet view of the limits on freedom of action of supposedly independent countries: "*Pravda,* on 26 September 1968, said that nations do have the right to decide their own development, but added that 'none of their decisions, however, must harm socialism in their country, the basic interests of other socialist countries or the whole world workers' movement,' adding that 'world socialism is indivisible.' "[53]

One might question the relevance of these incidents in a discussion of ethnic policy on the grounds that these invasions were political matters which had nothing to do with ethnicity or cultural pluralism per se. The Soviets were not interested in destroying Hungarian or Czech culture but only in the preservation of a Communist type of socioeconomic system.

Such a view assumes that matters of ethnicity can be separated from the rest of social life, an assumption which experience seems to contradict. Whatever the rationale, the fact remains that the people of Czechoslovakia and Hungary are not free to determine their own manner of life. They are under the dictation of a government imposed by the armies of the Soviet Union—a country in which Russians are the dominant ethnic group. In this situation it is impossible to separate the category of "Russian" from the category of "Soviet Communist." Conversely, the veneration of Czechoslovak and Hungarian national heroes and the traditions of national culture may easily (and perhaps legitimately) be viewed as an indirect attack on the Soviet domination of the country.

It is certainly not true that the Soviet Union is attempting to "Russify" Czechoslovakia. Rather, it is maintaining a puppet regime in power in the hope that eventually a popular government will emerge which accepts the Soviet version of communism. In the meantime, Soviet troops are kept in isolated garrisons to be called out only in emergencies. A similar policy has been followed in Hungary and, presumably, might be adopted in other satellites if Moscow felt it necessary. This policy, though, does not quiet the fears of cultural pluralists. However pure the ethnic intentions of the Soviet authorities, they may have trouble in keeping the distinction clear

---

[53] Conquest, *The Nation Killers,* pp. 200–201.

between ethnic autonomy and politicoeconomic submission to Moscow. As the imposition of Communist orthodoxy is seen as a Russian act, a doctrine which began with a stress on proletarian internationalism may end with a classification as "Russian dogma" forcibly imposed on subject peoples. If so, it is an ironic, but, perhaps, inevitable outcome for a regime whose leaders speak of their society as being "national in form, socialist in content."

COMMUNIST ETHNIC POLICIES REVIEWED

The leaders of the USSR have tried to thread their way between what they describe as the danger of "Great Russian chauvinism" and "local nationalism." Great Russian chauvinism harks back to the Russification policy of the Czars and an effort to attain ethnic homogeneity by forced draft. Such a policy stimulates separatist trends in minority groups and splinters Communist energies into unnecessary battles over cultural and linguistic concerns. Communism itself is conceived of as an international doctrine, and presumably it can be expressed in many ways within the Soviet Union as well as abroad. On the other hand, devotion to local nationalism may bring disunity by emphasizing the virtues of one group and the defects of another and may turn the thoughts of the people away from the dream of a Communist society and toward the construction of nationalist homelands. Supposedly, in the organization of a large number of ethnically autonomous regions, the Soviets had sought to avoid both the image of a dictatorship by the Russian nationality and disruptive fragmentation by minorities. While this chapter has indicated many of the difficulties which arise in that process, perhaps the first thing to say is, that in comparison with other large countries of diverse populations, the Soviets have achieved a measure of success. This success has been greater with some minorities than with others, and the Soviets have certainly not worked out a method by which minority aspirations and national integration can be harmonized. However, as Godhagen points out, Soviet ethnic policy has important achievements:

> Yet one should not underestimate the symbolic satisfaction that the trappings of autonomous "statehood," however insubstantial, have given to the ethnic pride of the minorities. Beyond this, the Communist regime during the 1920s encouraged the use of the native languages in local administrations and in the schools. It greatly expanded the educational systems of the minorities and launched a campaign to abolish illiteracy, widespread among most of them. It devised alphabets for unlettered peoples whose languages had never been written down. In short, it began to equip each of the non-Russian peoples with a cultural apparatus intended to transmit to them scientific knowledge and technical skills, as well as to serve as a means by which the new ideology could be implanted in the minds and hearts of its people. The statistics on the growth of

schools, the increase of literacy, the numbers of educated persons and of trained engineers, scientists, and holders of academic degrees offer an impressive picture of cultural ascent of the minorities under Communist rule. The Soviet dictatorship surrounded the nationalities with an iron hedge, ruthlessly suppressing all endeavor for independence, but within these confines the national identity was given considerable freedom of scope.[54]

It is probably not fair to cite every example of a restriction of minority activity by the Soviet authorities as manifesting inconsistency or hypocrisy in their nationality policy. Even before the days of the revolution, the Communist leaders had tried to reconcile the needs of Soviet integration with minority nationalism. In doing this they had never denied that the needs of the Communist movement should always be paramount to the rights of any particular nationality. Stalin, for example, clearly indicates that while the Soviets will foster nationalistic movements when they are directed against capitalist states, they will oppose them when they fragment socialist organizations.

> . . . support must be given to such national movements as tend to weaken or to overthrow imperialism, and not to strengthen and preserve it. Cases occur when the national movements in certain oppressed countries come into conflict with the interests of the development of the proletarian movement. In such cases support is out of the question.[55]

There is no nation which can claim a complete consistency, and the achievements of Soviet ethnic policy would be more impressive and the restrictions on the freedom of nationalities perhaps less disturbing were it not for the perfectionist claims made by Communist writers. On many occasions, the statement has been made that intergroup frictions, like most other societal ills, were a result of capitalism and would disappear in a Communist society. Consider for instance this statement by Soviet authors in a UNESCO publication dealing with ethnic policies:

> Thus in Tsarist Russia the inequalities between national elements, and the oppression of national minorities and colonial peoples, were consequences of a reactionary social system based on Tsarist absolutism, capitalism and landlordism. Only the revolution of October 1917, which overthrew this regime and instituted the Soviet system enabled the peoples of Russia to achieve genuine equality of rights and freedom of development.[56]

In line with this proclamation that the Communist revolution gave freedom to the non-Russian peoples, it is worth while, as Al Smith used to

---

[54] Goldhagen, *Ethnic Minorities in the Soviet Union,* p. ix.

[55] J. Stalin, "Problems of Leninism," cited in Robert Conquest, *The Nation Killers: The Soviet Deportation of Nationalities* (New York, Macmillan, 1970), p. 117.

[56] Tsamerian and Ronin, *Equality of Rights between Races and Nationalities in the Soviet Union,* p. 11.

say, to "look at the record." In doing this, one would find the "younger brother" nations moving in fair cooperation with the Russians, he would find the Baltic states, which attempted to separate, forcibly brought back into the fold; he would see the more primitive groups being rapidly brought into modernity with a consequent change toward assimilation of Russian culture in the process, even while their own culture is supposedly being developed; and finally, he would find greater freedom for individual Jews than was true in the Czarist era, along with a frustration of Jewish ethnic and cultural aspirations. These actions have been accompanied by the deportations of peoples during the war period, by the occasional use of Jews and others as scapegoats for national failures and by a suppression of any activity which might be considered excessive local nationalism.

The problems of Soviet ethnic policy have not brought any sense of humility to their publicists who not only proclaim that cultural pluralism has been an unqualified success in the Soviet Union, but also urge the adoption of similar policies in the rest of the world. Thus a Soviet book on the United States bears the title, *Land without Nationality Rights,* emphasizing the fact that the American legal system confers rights on individuals rather than on ethnic groups. Allworth cites this book and comments:

> In addition to projecting Soviet nationality policy militarily into an independent neighboring state, Russian leadership has also persistently spread the notion farther afield that its own earlier solution to domestic nationality problems in the USSR (administrative division of the country according to the nationality principle) has proved superior to other formulas. Now Moscow pushes hard for the assimilation of all Soviet nationalities with the Russians, and for eventually erasing internal nationality boundary lines. The leaders at the same time promote the contrary idea abroad—especially in states with a mixture of nationalities in their population—of the need for separation or segregation into nationality units.[57]

According to the reader's preference, the apparent inconsistency between the Soviet restriction of minority peoples and their advocacy of cultural pluralism may be explained in one of two ways. Skeptics would say that no society is perfect, while orthodox Communists would reply that a capitalist society in inevitably flawed and that the Soviet Union has not yet reached true communism. Probably a more rewarding topic, and one which we now address, is whether or not there is a basic consistency between the necessary practices of a Communist society and the maintenance of a pattern of cultural pluralism.

There is no doubt of the verbal contrast between the Czarist policy of Russification and the Communist proclamation of devotion to the freedom

---

[57] Edward Allworth (ed.), *Soviet Nationality Problems,* p. viii. His comments are based on *Land without Nationality Rights* (Moscow, Politizidat, 1966).

of the non-Russian nationalities. Likewise, one must acknowledge the spur to the development of many nationalities given by the Communist policy of establishing territorial ethnic units of government. However, it is still possible to question whether the long-term operation of Communist policies really favors the retention of cultural pluralism.

Recognition of the legitimacy of ethnic claims minimizes national tensions, but it does not eliminate problems of intergroup adjustment. As far as the rights of ethnic minorities are concerned, the general thrust of the Communist regime may be as great a threat to their ethnic identity as its specific minority policies. The concern of the Soviet government with every aspect of the life of the individual brings the freedom of all types of activity into question, including those related to ethnic identity. Similarly, the intense concentration on economic development necessarily breaks up the homogeneity, and therefore the cohesion, of ethnic groups. On these grounds, Communism would have been expected to engender more rather than less ethnic friction. On the other hand, the Czarist regime frankly proclaimed and pursued a Russification policy, while the Communist regime talked about the freedom of the peoples and, to a considerable extent, followed cultural policies consistent with this goal. Certainly this type of overt policy has diminished the conflict between loyalty to the nationality anl loyalty to the USSR and thereby diminished the tendency toward ethnic friction, but there is another side to the story. This is that the monopoly of all activities of collective life by a totalitarian state eliminates the ethnic group's base of operations.

The abolition of voluntary associations weakens ethnic cohesion. Mutual aid societies, fraternities, churches, political and labor groups, organized on an ethnic basis allow the group to maintain its cultural identity. When these functions are taken over by the state, all ethnic questions become matters of government policy. This places all ethnic groups at the mercy of government functionaries and also expedites the processes of assimilation. If voluntary organizations are forbidden, the usual way to organize the services they offer is on a territorial basis which ignores ethnic identity. History suggests that it is the inability of the government to homogenize its citizens rather than its benevolence which is the best guarantee of ethnic pluralism.

Just as the devotion to Communist hegemony threatens the autonomy of adjacent countries in spite of a professed respect for their independence, so the internal application of Communist practices weakens Soviet cultural pluralism. It is not ethnic bigotry but Communist principles that stimulated the attack on many parts of the social fabric linked with ethnic culture. Judaism, Roman Catholicism, and Islam were not attacked because of their association with specific ethnic groups but because religion is condemned in Communist theory. Voluntary associations were regarded as unnecessary and diversionary in a country where the government provides all services. Petty traders or nomadic herdsmen were not restricted because of ethnic antagonism but because they too did not fit into the Communist framework. The intent of these and other moves may have been divorced from any intention of attacking ethnic pluralism, but the purity of the intention makes no difference in the character of the result.

An ethnic group which is deprived of the religious structure which has sustained its ethos, robbed of the voluntary associations through which mutual aid and the training of the young were carried on, and forced into economic activities foreign to its basic values is obviously a group operating in circumstances which weaken its cohesion.

One may look at any particular action and argue either for its justification on a pragmatic basis, or that it may be explained as an individual aberration. However, a fundamental question arises from the nature of Soviet Communism itself. Is it possible for a regime which makes the demands for conformity in many spheres to tolerate the type of diversity which genuine ethnic pluralism provides? The abolition of most forms of private business, the elimination of voluntary mutual aid societies, the monopoly of education by the public sector, the one-party political system, and the attack on religion, are moves certainly consistent with a drive for uniformity and conformity. Cultural pluralism, on the other hand, by definition implies variety. If the private organizations which might provide this variety are to be suppressed, cultural pluralism can only be carried on through governmental instrumentalities. Is it possible for a highly centralized Soviet state to tolerate the type of deviations which are likely to arise if ethnically delineated governmental units actually follow the values implicit in the traditions of the nationalities that they supposedly represent? Or is the Soviet revision of cultural pluralism doomed to a continued conflict with "local nationalism," frequent purges of nationalist leaders, and growing pressures toward complete assimilation? To put it more concretely: does the Lithuanian student who attempted to burn himself to death in defense of Lithuanian nationalism symbolize a transient phase of bourgeoise nationalism or is he an indication of inevitable tension between national identity and the Soviet design of a unified society?

Summary. The Soviets proclaimed that not only were they changing the policy of the country from "Russification" to cultural pluralism, but that ethnic conflict was basically a result of capitalism and would disappear in a Communist society. Such a view is regarded as applicable beyond the Soviet Union, and any reluctance to foster development of separate nationalities within a sovereign state is regarded as imperialistic oppression. Experience indicates that while the Soviet version of cultural pluralism has mitigated some forms of ethnic conflict, it has fallen far short of producing a harmonious society. Indeed, the elimination of voluntary ethnic organizations threatens the vitality of all non-Russian societies in the Soviet Union. Similarly, the drive for economic development alters existing cultural patterns and jeopardizes the maintenance of ethnic enclaves. Tension is manifested by unrest in the Baltic states which were forcibly returned to the Soviet Union after World War II, by the dissolution of some ethnic territories and the dispersion of their inhabitants, by continual concern that ethnic groups are engaged in "local nationalism," by a continued protest by Jews against the restriction of Jewish cultural activities, and, finally, by the military overthrow of governments in satellite countries which had overstepped the party line. Further, the consistency of the Soviet commitment to cultural pluralism is clouded by occasional statements that the cultural autonomy of nationalities is merely a transitional step on the path toward a homogeneous socialist society.

In spite of all its problems it may be true that intergroup relations are no more tense in the Soviet Union than in most other large countries. On the other hand, the evidence does not indicate that ethnic conflict is absent in a Communist society or that the Soviets have developed a blueprint for the creation of model multiethnic societies in the rest of the world.

SOVIET ETHNIC POLICIES IN RELATION TO GENERALIZED INTERGROUP BEHAVIOR

Soviet pattern. The Soviet experience since the announcement of their nationality policy includes a variety of intergroup tensions. Several of the smaller ethnic territorial units were completely eliminated and their people deported to other portions of the USSR. In practically all the nationality districts, leadership has been purged on the ground of excessive nationalism; Jews are requesting permission to emigrate to Israel and, in turn, are denounced as enemies of the state; foreign students in Moscow complain of prejudice and segregation. Lithuanian students demonstrated against alleged repression of Lithuanian nationalism.

Generalized pattern. The generalized pattern deduced from this specific example is simply this: Intergroup tensions may be found in any type of socioeconomic order.

This conclusion may be dismissed as commonplace or even banal, but it is listed first because it directly contradicts the main tenet of Marxian interpretation of ethnic conflict. This is, briefly, that such conflict is due to a faulty social system (capitalism) and will disappear when a Communist society develops.

Even while giving due recognition to the very important accomplishments of Soviet minority policy, it is impossible to claim that the onset of Communism wiped out intergroup problems. It is even possible to argue that the creation of a Communist state leads almost inevitably to an attempt to crush all non-Communist groups and thus represses the expression of ethnic diversity. The forms that ethnic tensions take may vary with changes in social systems, but no system yet devised appears to offer a sure cure for intergroup conflict.

Soviet pattern. The Soviet authorities have encouraged expression of the indigenous culture of minority peoples in art, dance, music, theatre, and literature. In some cases, a written language has been formulated for groups which lacked such a medium. This process has not been regarded as an end in itself but as a stage through which groups must pass in the development of culture. The illiterate learns to read and write in his own language and then it is easier for him, or for his children, to take the next step and acquire Russian language and culture. The development of indigenous culture is thus seen as a part of the process of developing a unified culture for the entire USSR. On the other hand, when the indigenous culture becomes competitive with Russian culture this is likely to lead to charges of "excessive nationalism."

Generalized pattern. The development of the culture of minority groups is compatible with national integration. Folk and primitive peoples, especially those living in a traditional territory, usually change most easily by moving to a related culture rather than to something totally strange. Thus it is easier for a people to become literate in their own language than in a foreign language. Similarily, it is easier to expand and modify traditional social institutions than to fit into the totally new. Eventually, though, progress is likely to move toward the assimilation of the dominant culture without the need for direct coercion. Once literate in his own tongue, one can grasp the principle of literacy easier and can see the advantage of literacy in a language whose usage is more widespread. Once the inadequacies of traditional social institutions have been demonstrated it is easier to move toward new forms whose utility has been tested in the greater society. The difficulty with this premise is that indigenous cultural progress may provide a goal in itself which thereby threatens ultimate assimilation and strengthens separatist tendencies; so, in terms of ultimate assimilation, the development of the indigenous culture is at best a calculated risk.

Soviet pattern. The Communist regime has passed through two crisis periods; the initial revolution in 1917 and the German invasion in World War II. In each period, actions were taken to assure minorities of their status. In the revolutionary period, minorities were assured of autonomy and even of the right to secede from the Russian state. In World War II, these assurances were repeated and hitherto restricted Jewish cultural activities were given a new lease on life.

Generalized pattern. Tolerance of minority culture may promote national loyalty. Dual loyalties can only be maintained when the one is not seen to threaten the other. A drive against minority culture in the name of national uniformity produces resistance and division. Reassurance that citizenship in a larger state does not threaten ethnic identity enables the individual to be loyal to both the minority group and the larger state.

Soviet pattern. During the World War II period, at least eight nationalities were deported from their homes to remote parts of the Soviet Union and their ethnically defined governmental units were destroyed. These were groups in border regions who were linked by ethnicity to actual or potential enemies.

Generalized pattern. Wartime strains may diminish tolerance for minorities ethnically linked to enemies. Whether this action is wise or necessary military strategy is doubtful. Khrushchev's condemnation of the Soviet actions as without justification has already been mentioned (page 70). Americans took similar action against mainland Japanese-Americans while a much larger Japanese population in Hawaii remained undisturbed. The point is not that such actions are wise or even expedient, but that wartime perils diminish the confidence which governments have in suspect minorities and thereby seem to justify an abridgement of peacetime freedoms. In addition to the Soviet and American actions of this type, one might cite the demand for the removal of German minorities from European countries after World War II, the Ottoman Empire's suspicion of Christian subjects when it was embroiled in conflict with Christian countries, and the flight or expulsion of Arabs from Israel and of Jews from Arab countries.

Soviet pattern. The teaching and publication of history in the Soviet Union has followed a zigzag course in order to furnish historical justification for current policies. Minority leaders of revolts against Czarist rule such as Shamil (see page 66) were first eulogized as fighters against tyranny, then denigrated as reactionaries who resisted beneficent Russian rule in order to exploit their people, and, then, when the party line shifted again, partially restored to their earlier image as freedom fighters. The question has not been what is objectively true but what interpretation serves to advance the current party line.

Generalized pattern. Historical teaching and writing tend to reflect ethnic viewpoints. While the changes are more heavy-handed and abrupt in a totalitarian state, the phenomenon is nearly universal. Every faction in society is hopeful of using the "lessons of history" for its own purpose, and this desire finds expression in writing and teaching. In the United States, the 1960s and the 1970s saw a great emphasis on Black History. All historians had been at least dimly aware that blacks in America had a history, but this became increasingly important when an effort was made to redefine the place of black people in American life. Similarly, historians were aware that the delegates to the American constitutional convention were men with various types of property interests. This fact, however, did not become emphasized until the rise of a school of thought which identified economic interest as the major cause of social action. Likewise, histories written in imperialist countries tend to speak of the contributions of colonial rule, while those written in former colonies dwell on the mistakes, cruelties, and injustices of colonial rule. Sometimes the emphasis is made consciously in an effort to attract popularity or to support a specific policy. More often, the emphasis is the result of an unconscious tendency to be in harmony with the spirit of the times. In either case, the result is the same and the emphasis in question is often related to the interests of ethnic groups. This does not mean that history should not be written as objectively as possible, but is simply a recognition of the fact that such writing is difficult in any circumstances and in the totalitarian state it is impossible.

Soviet pattern. Efforts to implement Communist theory have produced many changes in the Soviet Union. These include a restriction on the number and activities of churches and clergymen, the abolition of most voluntary (private) organizations, the monopoly of education by the state, and the abolition of most types of private business. None of these changes were justified on ethnic grounds, but all have had an influence on the cohesion of ethnic groups. When an ethnic group has specialized in a certain type of business, the elimination of that business disrupts the group's pattern of life; when religious bodies identified with an ethnic group are restricted, this handicaps one method of maintaining cohesion. Attacks on the Uniate Church were indirect attacks on Ukrainian identity; attacks on the Armenian Orthodox Church threaten Armenian social structure; Islam as a religion is virtually inseparable from the social structure of Islamic nationalities; and, although many Jews are nonreligious, it is hard to attack Judaism without attacking the very basis of Jewish identity. Whether they are secular or religious, voluntary associations afford avenues of ethnic expression and their elimination means that ethnic activities are dependent on the support of governmental machinery usually dominated by ethnic Russians.

Generalized pattern. Any important social change may alter the pattern of intergroup relationships. Whether such changes are introduced with the intention of affecting intergroup relationships is unimportant. Thus a major influence in producing intergroup changes in the United States was the mechanization of southern agriculture which forced millions of blacks to leave the farm and move to the city. Southern agriculture was not mechanized because of a desire to intensify racial conflict in northern cities, but it certainly had this long-range effect. In the Soviet Union much of the impact of a commitment to at least temporary cultural pluralism has been diminished by homogenizing tendencies inherent in the effort to build an industialized Communist society. In the Republic of South Africa, a burgeoning industrialism produces pressure to upgrade black labor to fill industry needs. In any society, changes which are put into effect without any intention of altering the relationships of ethnic groups may have results which are even more important than those produced by overt ethnic policies.

QUESTIONS

1. How did Czarist policies toward minorities differ from those of the Communist regime?
2. Does anti-Semitism exist in the Soviet Union? If so, how does it differ from Czarist policies?
3. If there had been a more enthusiastic Jewish response to Birobidzahn would a Jewish Republic have been established?
4. Why was the right of secession acknowledged for Finland but not for Armenia?
5. Is the Soviet regime inconsistent when it condemns both "Russification" and excessive minority nationalism?
6. Since the Soviet authorities have encouraged the development of national languages, how can their language policy be classed as "assimilationist?"
7. Is it possible for a policy which is equally hostile to all forms of religion to be antiminority in its consequences?
8. Is there any connection between the rationale for Soviet nationality policy and the invasion of Czechoslovakia?
9. Has the Soviet Union been guilty of genocide? If so, how?
10. How does the treatment of history in the Soviet Union reflect nationality policy?
11. Why is Zionism viewed as incompatible with Communism? Would this still be true if a peace treaty were negotiated between the Arab States and Israel?
12. Is the greatest threat to the existence of distinct minority groups in the Soviet Union the direct restriction of nationalistic activities or the indirect measures which grow out of Communist ideology? Explain your answer.
13. Is the repression of minority culture necessary in order to maintain national unity? What wartime examples are relevant to this question?
14. Do the Soviet nationality policies furnish a suitable model for black-white relations in the United States? Why or why not?
15. How many nationalities attempted to secede between the end of the Czarist regime and 1922? How would you account for the failure of some and the success of others?
16. When the Soviet government destroys nationality territorial units or restricts nationality expression it is often accused of being inconsistent with earlier pronouncements of Communist leaders. Is this charge justified?
17. In general, do ethnic groups have the best chance of maintaining their identity in a Communist or a capitalist society? Why?

18. Should nations which feel that they must "contain" the Soviet Union and stop its territorial expansion, promote the independence of minority peoples of the Soviet Union?
19. Both the Soviet Union and the United States of America are the result of the populating and conquest of a continental land mass. Why has Americanization been more successful than Russification?
20. In what ways can the Soviet Union claim that its minority policies have been successful? How do you account for the minority difficulties which still exist?

Hunt & Walker, 1974

Chapter 4

Marginal trading peoples: Chinese in the Philippines and Indians in Kenya

Tourists in the Philippines find that one of the fascinating sights of Manila is the Chinese cemetery. Here, enormous mausoleums, equipped with kitchens for the days when the Chinese offer food to their deceased ancestors (and themselves), give a convincing evidence of Chinese wealth and achievement. Spaniards ruled the country for 350 years and Americans for nearly half a century, but neither nationality is as prominent in business as the Chinese. Indeed, in rural areas, *Chinese* is almost a synonym for *businessman.* In Nairobi, the capital of Kenya, the evidence of the influence of an alien society and culture is even more apparent. Here, in a city in which the majority of the population is African, and where the government, until recently, was British, the impact of a minority Indian population is inescapable. Hindu temples and Muslim mosques rise above the Christian churches, and turbaned Sikhs are conspicuous in the shops and factories.

Commercial success, skilled labor, and professional activity (to the extent it is allowed) are far more prevalent among these overseas Chinese and Indians than in the indigenous population. As a result, these Chinese and Indians are both admired and scorned. They contribute greatly to the commercial life of these countries, and yet discrimination against them grows steadily more severe. By most indices they have made a successful adjustment in their host countries, but conditions for their existence are increasingly difficult and it is altogether possible that both the Philippines and Kenya may follow the lead of Uganda and forcibly expel this portion of their alien population.

ROLE OF OVERSEAS CHINESE AND INDIANS

What is the role of the overseas Chinese and Indians? How did it arise? Why is their situation now so precarious? To answer these questions, let us look at some general features of interethnic relations and their operation in Kenya and the Philippines. Probably the most relevant feature is the relationship of social class, occupation, and ethnicity.

Social class, occupation, and ethnicity are closely linked. There are few, if any, countries in which the occupational distribution, and therefore the social class rank, are proportionately equal in all ethnic groups. A particular form of this ethnic-occupational syndrome is found in many of the developing countries where specific minority groups occupy a role in which they function as intermediaries between European powers and the traditional society. European penetration in such societies usually began on the basis of fairly casual trade. The profits from such trade stimulated still further contacts and a greater demand for goods; a demand which was not easy for the traditional society to meet. Usually the economic surplus was not great, nor was increased production easy to stimulate. The local rulers may have appeared to be complete autocrats with the power of life and death over their subjects, but even such absolute rule had to be exercised along traditional lines. Efforts to increase the amount of produce given as tribute or to change the customary types of production usually met with resistance which quickly established the limits of royal power.

The European traders, either in the form of company enterprise or in the form of imperialist rule, then proceeded to set up their own direct agencies for securing the needed trade goods. This meant the establishment of a permanent group of Europeans who would require certain services for themselves and, in addition, the construction of roads and harbors to facilitate commerce. The European adventurer was usually able to defeat the armies of the native king, but he too found that it was difficult to reorder the economy. His powers of coercion could be resisted by withdrawal into the countryside, and the inducements he could offer as rewards were usually insufficient to stimulate the type of changes he had in mind. Further, the Europeans were few in number: enough to man a small army and some of the major posts in government but insufficient to establish a network of close relationships with the people of the country.

One of the first reactions in these circumstances was to bring in other peoples who could be depended upon to furnish plantation labor, to build railroads and other public works, and to provide a nucleus of artisans.

Frequently the laborers were indentured, meaning that they were committed to work for a nominal amount of pay for a period of years until the charges for their passage had been reimbursed and that then they were allowed to sell their services on the open market.

Chinese and Indian workers often came to colonial areas as indentured servants, and they formed a high proportion of those who eventually filled the role of intermediaries between the Europeans and the traditional society. They usually formed only a small percentage of the population, but were prominent in economic life. For the most part, the members of the traditional society had little desire to engage in wage labor and had no experience or motivation which might provide the stimulus and patterns needed to becoming a trading people.

The indentured workers frequently came from an area in which there had been some development of a wage system and, in any event, since they had been torn away from the land, had no choice but to enter into economic relationships set by the Europeans. The indigenous people, on the other hand, had already established a network of economic activity which provided for a combination of subsistence and minor exchange. They saw little to be gained from participation in the European-dominated export trade and their resistance or indifference was often a massive barrier to economic development.

In several different parts of the European overseas territories, the indentured Chinese and East Indians not only provided needed and dependable contract labor, but quickly perceived the profits to be gained from participation in the cash economy. The result was that, as their period of service ended, they looked about for opportunities as traders. Frequently these trading possibilities were found in bringing manufactured goods to the farmer and in moving farm goods to the export markets. The Chinese and Indian populations in many instances were greater in numbers than the Europeans, willing to accept a lower standard of living, and far more emancipated from traditional values than were the natives. Their culture and appearance distinguished them from both the European and the native population. A quick adaptation was made in terms of learning the local language, although usually efforts were made to set up a school system to preserve Chinese or Indian culture. Most of the migrants were men and miscegenation took place on a large scale. On the other hand, Chinese or Indian brides were preferred when available and enough migration of women occurred to make it possible for the group to be perpetuated as a recognizable entity.

Both the European and the native reactions to these marginal trading groups were somewhat ambivalent. The Europeans welcomed them as laborers and also as petty traders and agricultural middlemen. However, their culture was disdained, intermarriage was frowned upon, and social interaction, apart from business affairs, was discouraged. As a few of the traders expanded their operations and accumulated small fortunes, this aroused the jealousy of some of the Europeans, who began to look at them as competitors.

The native population at first saw the newcomers as people of an inferior culture who were performing a type of work which had some value to the native population and in which the natives themselves had little desire to engage. Gradually, however, the export market expanded, westernized education increased, the wealth of the middleman contrasted with the poverty of the peasant, and friction arose. Since the middleman was viewed as a person who paid too little for produce, who charged too much interest on the loans he made, and who was accused of selling his retail goods for too high a price, he was an obvious target for the resentment of a peasant population whose desires rapidly expanded beyond their economic resources.

Whatever might be the individual European's reaction toward these marginal groups, the colonial governments usually appreciated the role that the migrants played in the economy and afforded them a measure of protection. When independence came to countries in Asia or Africa, the development of the export economy had indicated pretty clearly the possibility for wealth from the middleman type of role. The European government was primarily interested in economic development per se, while the independent government was interested, not only in the total economy, but also in the role played by various ethnic groups. The independent government had come into power promising both political freedom and also economic advance. Since economic advance was never as rapid as promised, a scapegoat was needed to relieve social tensions, and the marginal middleman served that role in exemplary fashion. He was regarded as being rich, culturally inferior, and politically powerless. He represented a group wealthy enough to arouse envy, but not powerful enough to sustain its position, and hence he was a safe outlet for the aggression produced by the frustrations of the society.

While these general processes could be elaborated at greater length, it is probably more helpful to see them in concrete detail, and for this purpose we propose to examine the role of the Chinese in the Philippine Islands and of the Indians in Kenya. In this chapter we are interested in illustrating several important generalizations concerning ethnic relations; namely, (1) that similarity in cultural practices and/or physical appearance tends to facilitate intermarriage; (2) in a colonial situation a minority may function better in certain areas than either the colonial or the indigenous population; (3) a developing society may engage in extreme forms of discrimination in an attempt to protect or augment the welfare of the indigenous population; and (4) contractual obligations with a minority are not likely to be honored by a government that perceives a conflict between such obligations and the wishes of the majority.

CHINESE IN THE PHILIPPINES

Although pottery finds indicate that occasional Chinese traders had visited the Philippine Islands at least as far back as the Sung Dynasty (A.D. 960–1270), Chinese settlement probably only goes back to the 15th century, or about 100 years before the Spanish occupation, which may be said to have begun with the visit by Magellan in 1521.[1] Chinese settlement was not numerous until after the Spaniards had stimulated the export trade. For some time the Spanish did very little in the economic exploitation of the resources of the Philippines. Their motivations were rather to establish a strategic military outpost, to carry on missionary activity, and to profit from the China trade. There were practically no Spanish laborers and very few traders, so that the Chinese found a profitable field for their activities.

From an early date Chinese worked as artisans in Manila, transported the food which provisioned the Spanish forces, and carried on a lively trade between China and the Philippines. It is estimated that by the beginning of the 17th century there were more than 30,000 Chinese in the Manila area, which was several times the number of Spanish settlers at the time.[2]

Chinese in the Spanish period

The fact that Chinese and Spanish relations were mutually profitable did not prevent conflict from arising. The Spanish considered the Chinese to be heathens who resisted the Christianizing work which had been a major Spanish goal. They also feared their potential political power, a fear which found justification in the attempt of the Chinese "pirate" Lim-Ah-Hong to capture the city in 1574. The Chinese, for their part, accused the Spanish of extortion and feared that the Spanish might launch a preventive attack and justify it on the grounds of potential Chinese aggression. The result was alternating periods of acceptance and persecution for the Chinese. A period of prosperity would be followed by a massacre and official restrictions or even expulsion, after which the Chinese would again be invited to return to the country.

Somewhat of an equilibrium was reached during the middle of the 18th century when the Spanish government followed a policy of trying to limit the total number of Chinese to about 5,000.[3] This was regarded as

[1] Hubert Reynolds, "Why Chinese Traders Approached the Philippines Late—and from the South," in Mario Zamora (ed.), *Studies in Philippine Anthropology (in Honor of H. Otley Beyer)*, (Quezon City, Alemar-Phoenix, 1967), pp. 466–68.

[2] Shubert S. C. Liao, "How the Chinese Lived in the Philippines from 1570 to 1898," in *Chinese Participation in Philippine Culture and Economy* (Manila, Bookman, Inc., 1964), p. 32.

[3] Edgar Wickberg, *The Chinese in Philippines Life*, (New Haven, Yale University Press, 1965), pp. 24, 53.

adequate for the commercial functions which the Chinese served and yet small enough to prevent any threat to Spanish interests.

Most of the records of the earlier days talk mainly about relationships between Spaniards and Chinese and say little about Chinese and Filipinos. This is partially because the Chinese tended to live on the edge of the Spanish settlements and to relate their activities to the supplying of the Spanish in the Philippines and to making contributions to the galleon trade between the Philippines and Mexico.

With the passage of time, a considerable part of the work of the early Chinese agricultural middlemen had been taken over by Filipinos, many of whom were Chinese mestizos. The 19th century saw a considerable expansion of commercialized agriculture in relation to a growing export trade. The Spanish government was aware of the role the Chinese played in such an enterprise and, presumably because of a desire to accelerate economic growth, removed the restrictions against Chinese immigration. The result was that between 1864 and 1886 the number of Chinese grew from 18,000 to 90,000.[4] This should be seen in the context of a Filipino population of only 6,000,000, most of which was rural. Chinese laborers not only were employed as artisans but also were preferred as stevedores and warehouse laborers, and the city of Manila began to use them for public work projects. The Chinese traders were instrumental in stimulating a greater production of such export crops as abaca, coconuts, and tobacco. On the domestic scenes, they became the leading processors of rice and corn. Much of the agricultural marketing activity was carried on through the *cabecilla* system, which is described by Wickberg as follows:

> . . . A *cabecilla,* or *towkay,* to use a comparable Chinese word, was usually a Chinese wholesaler of imports and exports who was established at Manila or another port where he dealt with foreign business houses. He usually had several agents scattered about the provinces, who ran stores as retail outlets for the imported goods that he had acquired and advanced to them on credit. At the same time, the agents bought up crops for the *cabecilla* to wholesale to the foreign business houses. . . .
>
> The establishment of the Chinese agent store, usually a miscellaneous goods or *sari-sari* store provided a systematic wholesale-retail agency of great economic potential. In the hands of a Chinese agent, the *sari-sari* store became a retail outlet for local food and household products as well as imported goods, and a source of credit and crop advances to local farmers. In a sense, it could be said that the *sari-sari* store, used in this fashion, was a basic frontier institution —a device for opening up new areas to Chinese economic penetration.[5]

---

[4] Ibid., p. 61.

[5] Edgar Wickberg, "Early Chinese Influence in the Philippines," *Pacific Affairs,* 35 (1962), 280.

Chinese in the American period

The economic role of the Chinese in the Philippines continued under the American regime. By the advent of the Americans, local feeling against the Chinese among the Filipinos had increased. Originally it was based mainly on cultural prejudice, which saw the Chinese as people of an inferior culture speaking a strange tongue and worshiping false gods; men who wore pigtails and women who bound their feet and who were suspected of all sorts of immoral and vicious practices. This in itself might be enough to generate animosity, but the Chinese were also seen as picking up the best fruits of economic enterprise and thus as economic competitors, and finally as an alien element which ran counter to nationalistic strivings. In deference to these feelings, the American regime ended Chinese immigration but placed no other restrictions on Chinese activity. When a Philippine legislature was established there were occasional attempts to adopt discriminatory legislation against the Chinese, most of which were vetoed by the American authorities.

Chinese social adjustment

According to the 1961 registration of aliens in the Philippines, there were 137,519 Chinese.[6] This number did not include those of Chinese ancestry who had become Filipino citizens or illegal immigrants who escaped the registration procedure. Estimates on the total number of Chinese in the country go all the way to 750,000, and it is impossible to arrive at any exact figure. Even the highest estimate, however, would place Chinese at less than two percent of the population. The great majority of the Chinese live in the city of Manila, with smaller numbers in various provincal urban areas. Manila's Chinatown gradually merges into the rest of the city, and the more prosperous Chinese have scattered to the city's outskirts and suburban areas. No exact figures are available, but the majority of Chinese appear to have converted to Christianity. There are only two Buddhist temples in the country, one in Manila and one in the city of Cebu. The proportion of Chinese who are Protestant is higher than that of the general Philippine population, and they tend to be members of exclusively Chinese congregations. The Chinese Protestant congregation acts in the fashion of a typical ethnoreligious grouping and often has a large and enthusiastic membership. Catholicism offers only one exclusively Chinese parish, although a few Chinese priests, mostly exiles from mainland China, labor in various parts of the Philippines.

The distinctive institutions of the Filipino Chinese are the Chambers of Commerce and the Chinese schools. Every important city has a Chinese

---

[6] *Journal of Philippine Statistics,* vol. 15, no. 1, 1962. A 1959 registration of aliens by the Bureau of Immigration found 138,457 Chinese (Liao, in *Chinese Participation in Philippine Culture and Economy,* p. 428).

Chamber of Commerce which is a meeting place for businessmen and a sponsor of economic activities for the total community. The Chamber of Commerce is also responsible for raising funds for the support of the Chinese schools as well as for charitable enterprises of many kinds of a non-Chinese character. In some Philippine cities there is no Chamber of Commerce apart from the Chinese Chamber, reflecting the extent to which those of Chinese ancestry predominate in the business life of the community.

The Chinese schools offer both a Chinese and a Philippine curriculum. This double burden does not seem to be too great for the students, who stand well in examinations on the regular Philippine subjects as well as absorbing a portion of Chinese culture. The Chinese schools come under the control of the government bureau of private schools and are compelled to hire a certain proportion of Philippine staff. Along with Chinese students, they usually include a few Filipinos because of the generally good academic reputation of the schools as well as the feeling on the part of some parents that a Chinese education is good preparation for a commercial career. The schools are often considered a divisive institution in the community but are protected under a treaty with the Republic of China, which at this writing meant the Taiwan regime.

In the public mind the terms *Chinese* and *businessman* are practically synonomous. So much is this so that cooperative organization among farmers is advocated, not as a device to eliminate the middleman, but as a way to get rid of the Chinese. Incidentally, the cooperatives have a very dismal record with repeated failures in the Philippines in spite of a good deal of government encouragement. Probably one of the reasons for their difficulties is that the exclusion of Chinese personnel from management positions in the co-ops means that they are shut off from the greatest source of managerial talent.

Relations between individual Chinese and Filipinos are tolerable but seldom friendly. There have been no large-scale riots for many years, but there is a tendency for social relationships to be segregated; Chinese tend to live in neighborhoods with other Chinese and to attend religious and educational institutions which are Chinese in character. Ethnic stereotypes about the unscrupulous character of the Chinese are a part of the Philippine folklore, and the social distance ranking of the Chinese is rather far down the scale. Table 4–1 shows the reaction of a sample of Philippine university students to various nationalities in a number of specific relationships. It will be noted that usually Chinese are rather far down the list, with a much more unfavorable rating than Spanish or American. The one exception is in the role of business partner, where higher acceptance is a tribute to Chinese commercial abilities.

There are two types of interaction which bring Chinese and Filipino together; namely, business and intermarriage. The business stereotype is a rather complicated one. The Chinese is frequently regarded as being unscrupulous and as one who gives bribes. On the other hand, he is regarded as more likely to repay his obligations and to carry out the

TABLE 4–1

Philippine university students social distance scale (sample size 444)[*]

	Percent who indicate:			
Nationality	*Desirable in this relationship*	*Indifference*	*Mild hostility*	*Extreme resistance to this relationship*
As husband or wife:				
American	31.98	43.69	14.14	9.91
Japanese	21.62	38.74	22.07	17.57
Spanish	20.27	45.05	19.82	14.64
Chinese	18.02	33.11	23.65	25.23
Indonesian	16.22	47.75	21.35	14.19
As roommate in the dormitory:				
American	51.80	34.88	9.46	4.05
Japanese	43.24	34.68	14.41	7.66
Spanish	38.29	41.67	13.06	6.76
Indonesian	38.06	38.96	16.44	6.53
Chinese	34.46	35.59	17.34	12.61
As business partner:				
American	41.22	30.18	18.24	10.66
Chinese	39.64	26.80	16.67	16.67
Japanese	36.94	31.98	20.50	10.59
Spanish	14.19	44.37	26.13	15.09
Indonesian	13.51	49.77	25.23	11.26
As important Government officials:				
American	21.4	23.42	23.42	31.76
Japanese	11.04	28.60	24.77	35.46
Indonesian	8.56	33.78	25.68	31.98
Chinese	8.33	27.25	24.77	39.64
Spanish	7.88	31.53	26.35	34.23
As citizens of the Philippines:				
American	29.73	33.33	21.40	15.54
Spanish	23.43	33.33	23.65	19.59
Indonesian	21.62	38.06	20.95	19.14
Chinese	18.47	29.50	25.45	26.58
Japanese	18.02	36.49	23.87	21.62

[*] Based on a sample of classes in the University of the East, The University of the Philippines, and Silliman University, taken in March and April 1970. Questionnaires were distributed by Socorro Espiritu, Ofelia R. Angangco, and Luis Lacar at the request of Chester L. Hunt. Cf. Chester L. Hunt and Luis Lacar, "Social Distance and American Policy in the Philippines," *Sociology and Social Research*, Vol. 57, (July 1973) pp. 495–509.

terms of a contract than might be true of Filipinos in a similar position. Both the alleged vices and alleged virtues of the Chinese businessman serve as a justification for discrimination, since they render him a more formidable type of competitor.

It may be surprising in view of mutual prejudice between Chinese and Filipinos, that the intermarriage rate is fairly high. The explanation for this is social and demographic. The demographic factors refer to a distorted sex ratio. In 1918, there were 13 times as many Chinese men as women; in 1948, the ratio had dropped to two to one, and, although current figures are not available, the assumption is that it is approaching an equal distribution, particularly at the age levels below 40.[7] In the past this sex ratio has meant that Chinese men necessarily turned to Filipino women for mates, with the result that a large Chinese-Filipino mestizo contingent was formed; Beyer estimated that at least ten percent of the Philippine population had some degree of Chinese ancestry.[8]

The line between Chinese, mestizo, and Filipino is a rather indefinite one. It relates to degree of Chinese ancestry and to extent of participation in Chinese or Filipino social groups. One with mixed parentage who speaks Chinese, lives in a Chinese section, sends his children to a Chinese school, and, in general, identifies with the Chinese group is considered Chinese. The reverse is true for the individual who separates himself from Chinese contacts and identifies with Filipino society.

The move toward a greater equality in the sex ratio does not seem to have diminished the tendency toward intermarriage. Thus, in 1958, 61 percent of the marriages of Chinese men were with Filipino women, while 30 percent of the marriages of Chinese women were with Filipino men. Since there were nearly twice as many marriages involving Chinese men as Chinese women, this would indicate that by 1958 the sex ratio had not yet reached equality. In these circumstances, it is interesting that even 30 percent of the marriages of Chinese women were with Filipinos.[9] Presumably, Chinese women are highly valued as brides by Chinese men and the fact that as many as 30 percent were married to Filipinos indicates that the value system is changing to the extent that in Chinese eyes a Filipino may be not only an available marriage mate, but also one to be preferred.

It is not only demographic but also social class factors which favor the acceptance of Chinese mates by Filipino brides and grooms. Social dis-

---

[7] Data for 1948 from *Census of the Philippines, Summary of Population and Agriculture* (Manila Bureau of the Census, 1954), p. 67. Data for previous years taken from Victor Purcell, *Chinese in Southeast Asia* (Oxford Press, London, 1950), pp. 575–77.

[8] H. Otley Beyer, Table of Philippines Racial Ancestry, cited in Marcelo Tangco, "The Christian Peoples of the Philippines," *Natural and Applied Science Bulletin*, 11 (University of the Philippines, January–March 1951), p. 110.

[9] *Philippine Journal of Statistics*, Vol. 12 (April–June 1959).

tance tests indicate a high degree of aversion to intermarriage, and the popular interpretation of such marriages is that economic advantage has outweighed ethnic prejudice. A survey of some 30 Chinese-Filipino couples indicates that the popular stereotype may have considerable validity.[10] In each case, the Chinese groom was in an income bracket which would place him in the top one percent of the Filipino population and also was at an income level considerably higher than that occupied by members of his wife's family.

The Chinese community tends to be viewed by Filipinos as a cohesive, clannish group with a low opinion of Philippine culture and, therefore, as a self-perpetuating foreign irritant in the body politic. If one looks at such Chinese institutions as schools and chambers of commerce and notes the survival of the use of the Chinese language, this view is certainly understandable. However, the evidence is strong that, given opportunity, the Chinese both assimilate Philippine culture and intermarry, with the result that the Chinese population is probably declining rather than increasing.

One example of this tendency toward assimilation is furnished by the experience of the Chinese school in Cotobato. Cotobato had a Chinese Mestizo association which had a fairly complete list of those of mestizo ancestry in the community. Trends in school attendence of mestizo children should indicate the degree to which this group is swinging from Chinese to Filipino identification. Table 4–2 shows that the proportion of

TABLE 4–2

Proportion of mestizos in the Chinese School*

Academic level	*Pure Chinese*	*Mestizo*
Kindergarten	35	65
Primary	50	50
Intermediate	70	30
High school	80	20

* Estimate furnished by Chen, Liesch Fu, principal of the Cotobato School. Cited in Socorro C. Espiritu and Chester L. Hunt, *Social Foundations of Community Development, Readings on the Philippines* (Manila, Garcia Publishing House, 1964), p. 222.

children of mestizo ancestry in the Chinese school diminishes as the academic level progresses. In kindergarten, a majority of the children were mestizo, but by high school their proportion had fallen to 20 percent. Presumably, this indicates that the children find Filipino society to have a strong attraction and place pressure on the parents to transfer them to a school in which Philippine identification will be facilitated.

[10] Belen Tan-Gatue (Medina), "The Social Background of Thirty Chinese-Filipino Marriages," *Philippine Sociological Review,* 3 (July 1955): pp. 3–13.

Similar trends were found in a study of assimilative trends among college students of Chinese ancestry made by Hubert Reynolds in 1968.[11] Reynolds found that the Chinese students had little interest in Chinese language or culture, desired to be recognized as Filipino, and had at least as many contacts with Filipino students as with students of Chinese ancestry. These two studies suggest that, in spite of high Chinese economic status and pride in Chinese culture, the attractions of assimilation are overwhelming and it is only the exclusionist policies of Filipinos which enable the Chinese to survive as a distinct and separate group.

In spite of barriers between Filipinos and Chinese, intermarriage has been going on so long that a large part of the Filipino population is of mixed ancestry. In the words of one Filipino writer:

> Up to the present time there are numerous Filipinos who do not only have Chinese blood but also carry Chinese surnames. The surnames Yangco, Lim, Dee, Lee, Locsin, Tan, and numerous others are Chinese Surnames. The Philippine national hero, himself, Dr. Jose Rizal, was part Chinese, so was former president Sergio Osmena Sr. And so is General Emilio Aguinaldo, president of the first Philippine Republic, and a number of the revolutionary leaders such as General Manuel Tinio, Severino Tainio, Maximino Hizon, Mariano Limjpa, Telesforo Chuidian.[12]

In summary, the Chinese present the paradox of a successful group with strong ethnic institutions and a deep pride in their culture which, at the same time, is susceptible both to intermarriage and cultural assimilation. This tendency to biological amalgamation and cultural assimilation keeps down the size of the group identified as Chinese and facilitates their cooperation with the rest of Philippine society. It does not, however, seem to lessen prejudice or to weaken the popular image of the Chinese as a cohesive group with little concern for outsiders. Nor does the high proportion of people with mixed ancestry lead to greater acceptance of Chinese by Filipinos. In fact, one might argue that the need of people with mixed Chinese ancestry to prove their identification as Filipino rather than Chinese is one motive which leads to the expression of anti-Chinese feeling.

Independence and discrimination

The change of sovereignty from Spanish to American hands seems to have enhanced the position of the Chinese. Both the Spanish and Americans viewed the Chinese question primarily in terms of economic development. The Spanish pattern may be described as one in which "squeeze" was widely practiced by Spanish authorities and the Chinese

---

[11] Hubert Reynolds, "Overseas Chinese College Students in the Philippines: A Case Study," *Philippine Sociological Review,* 5 (July–Oct. 1968): 132–34.

[12] Alejandro R. Roces, "For Closer Chinese-Filipino Cultural Relations," in Liao, *Chinese Participation in Philippine Culture and Economy,* p. 49.

were viewed as sources of both illicit taxation and illegal bribes. The American regime reduced the practice of bribery and continued to recognize the Chinese as an important element in economic progress.[13]

By the time the Commonwealth regime was inaugurated in 1936, giving limited independence under American tutelage, the Chinese had at least 20 percent of the Philippine foreign trade, a virtual monopoly of the rice and corn milling business and at least half of the retail trade. The Chinese were also strong in manufacturing and in contracting. The statements of Chinese influence were probably actually an underestimate, since many people who were Chinese by ancestry were Filipino citizens, and thus their properties were not listed as Chinese held. Informal estimates indicate that the control of the retail trade, for instance, may have been as much as 70 to 80 percent Chinese.[14]

Philippine governments may have been even more concerned with economic development than were the Spanish or American regimes, but they tended to give greater emphasis to Filipino participation than to the expansion of the economy as such. Chinese business was regarded as a necessary evil rather than an economic boon, with many indications that very critical attention was being given to the definition of "necessary." Independence in the Philippines not only produced the usual disparity between expectation and realization, but was undertaken shortly after the end of massive destruction and social disorganization consequent on World War II. The Chinese formed a natural lightning rod to attract the dissatisfactions of the populace. American prestige was too high among the Philippine masses for Americans to be the likely scapegoat, and American political, financial, and military influence was also thought to be too strong to be openly challenged. On the other hand, the Chinese formed a minority which was relatively powerless, which was culturally despised, and which was unable to call on either Taiwan or Mainland China for effective support. The result might be summarized by saying that the greater the duration and the extent of Philippine control, the greater the economic discrimination which has been enforced against the Chinese.

Chinese rights came into focus at the time of the formation of the Commonwealth regime in the definition of citizenship. The American regime had followed the practice of *jus soli* under which all people born in the country acquired citizenship automatically. Under the Commonwealth constitution, the basis of citizenship was changed to *jus sanguinis* (citizenship on basis of parentage). This latter doctrine meant that Chinese were

---

[13] Khin Khin Myint Jensen, "The Chinese in the Philippines During the American Regime: 1898–1946," unpublished Ph.D. thesis, University of Wisconsin, 1956, pp. 45, 65, cited in Sheldon Appleton, "Overseas Chinese and Economic Nationalization in the Philippines," *Journal* of *Asian Studies,* 19 (February 1960), p. 153.

[14] Amry Vandenbosch, "The Chinese in Southeast Asia," *Journal of Politics,* 9 (February 1947), p. 84.

required to make formal application for citizenship regardless of their place of birth and that even a Filipino mother did not constitute automatic grounds for establishing Philippine ancestry.[15]

The effect of this switch in rules for citizenship is, of course, fairly obvious. Under the *jus soli* doctrine, with the elimination of immigration, all people of Chinese ancestry would soon have become Philippine citizens and thus immune from any discriminatory laws. Under the doctrine of *jus sanguinis,* which required naturalization application by Chinese born in the Philippines, many Chinese would fail, for one reason or another, to make the more or less automatic application before age 21 and after that might find acceptance as citizens rather difficult. Further, citizens admitted under naturalization can always have their citizenship taken away from them on the grounds either that citizenship was attained by fraud or that their conduct had made them undesirable as citizens.

Other constitutional provisions of the Commonwealth were similar. These were provisions which excluded the Chinese from owning land, exploiting Philippine natural resources, or operating public utilities. Chinese could rent land for periods of up to 99 years or they could invest in legally designated businesses where 60 percent or more of the stock was Philippine owned. Similarly, in 1941, the Manila Municipal Board decided to accord priority for stalls in the common market to Philippine citizens; the implementation of this measure was delayed by the war, but it was put into effect at the end of hostilities in 1945.

For some years, legislation concerning the Chinese provoked a conflict between the executive and the legislative branch. Presidents Quezon, Osmena, and Quirino felt that nationalist progress could be served better by strengthening the position of Filipinos than by directly damaging the activities of the Chinese. They favored laws to assist Filipino businessmen but tended to oppose legislation restricting Chinese economic activity. The presidential position was somewhat similar to that of the American and Spanish regimes in that it considered economic development to be a prime goal and felt that Chinese capital and enterprise were indispensable.

The presidential stand against Chinese discrimination collapsed with President Magsaysay in 1954. He acceded to frantic pleas of Filipino congressmen "not to deprive us of our nationalism" and signed the Retail Trade Nationalization Law. The law provided that, within six months after the death of the original owner, Chinese had to leave the retail trade business. The effect of the law was expanded by decisions of the Filipino Supreme Court which, in effect, meant that wholesale and retail became almost synonymous terms. Thus corporations which bought large quan-

---

[15] Cornelius J. Peck, "Nationalism, 'Race' and Developments in the Philippine Law of Citizenship," *Journal of Asian and African Studies,* 2 (January and April 1967): 128–43.

tities of raw material for processing or shipment overseas were considered to be in the retail business and subject to the law.

The Supreme Court decisions expanded the constitutional provision against the Chinese ownership of agricultural or mineral land to include also urban land. The establishment of import control laws likewise provided an opportunity to favor Philippine importers and to exclude the Chinese. Later, legislation was passed which had the effect of driving Chinese out of the rice and corn trade. Earlier legislation had probibited Chinese participation in most professions, while nationwide attitudes made it impossible for Chinese to be employed by government bodies.

Thus by 1965, administrative, judicial, and legislative decisions had made Chinese participation illegal in the rice and corn business and in a very broadly defined retail trade. Chinese could not own any kind of land, could not engage in agriculture and found public employment and most professions closed to them. A 15 percent preference for Philippine contractors made it impossible for Chinese firms to compete for public awards in the construction business. A very limited amount of importing was still authorized, and Chinese firms were allowed to participate in manufacturing. In spite of the relatively narrow scope of activity legally permissible to the Chinese, they still continued to be an important factor in economic life.

Perhaps the basic reason for Chinese economic survival in face of discriminatory action is that the Chinese ability in business operations proved to be strong enough to enable them to surmount many handicaps. This may be seen in the attitude of foreign firms which are often charged by Filipinos as preferring to do business with Chinese. Appleton cites the experience of one firm in this matter:

> The head of a large American business firm in Manila agreed that all the banks in the Philippines showed favoritism towards Chinese and Americans immediately after World War II, but maintained that in the light of his own experience this was merely sound banking. His firm, in business in the Philippines for almost fifty years, had done 70 percent of its 75,000,000-peso business with Chinese and Americans losing less than 25,000 pesos in bad debts in the process. But in the remaining 30 per cent of the business which had been done with Filipinos, about 2,000,000 pesos in bad debts had been lost, despite the fact that the firm had screened the Filipinos much more closely than it had the Chinese.[16]

Various loopholes existed which enabled Chinese merchants to evade the effect of restrictions to some extent. The government tried to close these loopholes, but Chinese are so thoroughly integrated in Philippine society that this is an extremely difficult process. The major device for obtaining exemption from anti-Chinese measures has been the acquisition

[16] Appleton, "Overseas Chinese and Economic Nationalization in the Philippines," p. 157.

of Filipino citizenship, which has become much more popular with Chinese since the onset of independence. Gaining citizenship is not an easy type of procedure, since Chinese have to have proof of economic viability to an extent far greater than the average Philippine income and also have to produce character references certifying that they have not been guilty of any types of anti-Filipino actions. Usually the Chinese find that action on citizenship tends to be rather slow, but is expedited by the payment of bribes. Bribe payment in turn subjects the Chinese to continual blackmail, since citizenship may be withdrawn if there is a proof that bribery played a part in its acquisition.

Another device which is quite common is the use of a Filipino "dummy." This device is illegal, but one which is very difficult to detect and to prove in court. The "dummy" is a Filipino front man who has nominal ownership of the business, but permits the real operations to be carried on by Chinese. The Filipino secures a fee for the use of his name and, since the Chinese have greater capital and expertise, this arrangement is beneficial to all concerned. It has been especially prominent in the foreign trade field, where Chinese have the experience and the existing outlets but Filipinos had been given a legal advantage in securing import quotas. Thus a Filipino might become a businessman only for the purpose of securing a quota, and turn goods over to a Chinese for ultimate sale to the consumer.

This dummy setup, of course, means that costs are higher and that the consumer pays more, and does not have very much effect on ethnic occupational composition. Such a process even occurs in the case of goods imported by government agencies supposedly for direct sale to consumers. A situation described by Appleton on the basis of a news story in the Manila Times indicates how the dummy process operated with one government agency:

> A like fate befell the National Marketing Company (NAMARCO) set up to import commodities duty free and sell them to licensed Filipino dealers for distribution. Again, instead of retailing the goods themselves, some Filipino purchasers resold them to Chinese retailers. In the summer of 1958 Philippine Constabulary and Bureau of Internal Revenue officials raided a Chinese store in downtown Manila and reported that it contained between 2,000,000 and 4,000,00 pesos' worth of illegally procured foodstuffs, including large quantities of NAMARCO goods from which the labels had been removed and replaced with the labels of the Chinese firm. At that time the General Manager of NAMARCO announced that his own investigation had disclosed a similar situation in another store nearby.[17]

These examples of the evasion of the law do not mean that the legislation was of no effect. Even the Chinese who were able to stay in business one

[17] Ibid., p. 160.

way or another found that their costs had heavily increased and that they faced the constant threat of criminal action. Some shifted to permissible investments in manufacturing or wholesaling, and many others moved capital outside of the country. Capital removal is illegal under Philippine currency restrictions and the amount involved is hard to estimate, but it does occur. The American Chamber of Commerce in 1958 estimated that something over $200,000,000 of Chinese capital had moved to Hong Kong and that undetermined amounts had gone to Borneo, Singapore, and elsewhere.[18]

Prospects for future relationships

Although the Chinese have been extraordinarily resilient, it is very difficult to be optimistic about their future in the Philippines. If one piece of legislation is circumvented, a more stringent law is usually in the offing. If one official may be neutralized by bribery, an official from another bureau will soon be around. The political climate is such that a formal pledge of an anti-Chinese attitude is almost a prerequisite for election of any politician. The honest politician promises to discriminate against the Chinese, and he carries out these policies when in office. The dishonest politician uses the threat of anti-Chinese legislation as a lever for bribery.

Even citizenship is not a guaranteed way out of the dilemma. Philippine courts tend to make the granting of citizenship as difficult a process as possible, and there is increasing argument that legislation should discriminate against naturalized citizens.

There are some factors that work in the opposite direction. The end of Chinese immigration means that as the older Chinese die off, they are replaced by a group which still may gain citizenship more or less automatically by making a request before the age of 21. This means that the number of Chinese aliens against whom discrimination legally applies should be rapidly diminishing in the future. However, as long as Chinese make the most acceptable scapegoat, their actual number or influence in society is somewhat irrelevant, since any incident is sufficient to justify discriminatory legislation and the definition of Chinese can always be expanded to include citizens as well as noncitizens.

One feature which may reduce pressure on the Chinese is the reversal of attitudes toward Americans on the part of the younger generation. For the Philippine masses and, to a great extent, all parts of Philippine society, the Chinese represented a backward, Oriental, destructive type of influence, while the American image was one of honest, benevolent, Western democracy. The younger and more militant Philippine generation of students is more likely to view America as an imperialist power. In fact, this

---

[18] "Philippine Capital Prospering Hong Kong," *American Chamber of Commerce Journal* (Manila), 24 (February 1958), p. 54.

charge of imperialism seems to grow in intensity even as vestigial privileges are being abandoned.[19]

As with other symbols, the appeal of propaganda against anti-American imperialism seems to be inversely proportional to the reality of the process. Now, when the American proportion in Philippine trade is declining and when the exemptions of Americans against alien discrimination procured at the time of independence are running out, the resentment of Philippine intellectuals against continued alleged American domination seems to be at white heat. Concessions do not allay this resentment but simply indicate that American power is a "paper dragon." It is interesting that the student riots in Manila, which almost paralyzed that city in 1970 and parts of 1971, included frequent attacks on the American Embassy but were not directed against the Chinese. For Filipino college students, Americans seem to be moving into the scapegoat position.

Some Filipinos have urged that a greater acceptance of assimilation by the Chinese involving the abandonment of Chinese schools and Chinese Chambers of Commerce might procure increased Philippine acceptance.[20] This, however, would constitute a major retreat by the Chinese without any guaranty of reciprocal action by Filipinos. If Chinese were granted free access to Philippine society, it seems evident that such assimilation would move at a rapid pace, but current prejudice and discrimination tends to throw Chinese back more and more into an ethnically defined society. It is perhaps more likely that a shift in popular attitudes from anti-Chinese feeling to anti-Americanism may give the Chinese at least a temporary respite from further political pressure against them.

The two cultures, Chinese and Filipino, have much in common. The bulk of the Chinese have become affiliated with Christian churches and tend to be influenced by the value system expressed therein. In spite of their devotion to Chinese culture, they cannot escape the force of the westernized, Filipino cultural milieu. Chinese have been active in economic development to the extent that they cannot disengage without great loss both to themselves and to the Philippines. On the cultural side as well, Chinese influence has been extensive. Some of the most popular Filipino foods such as pancit, siopao, lumpia, and lechon are Chinese in origin. A Philippine anthropologist, Arsenio Manuel, estimates that about 3.5 percent of words in the Tagalog language are of Chinese origin.[21]

When, by reason of Philippine citizenship, Chinese young people have

[19] Filipino anti-Americanism should not be exaggerated. Americans in 1972 were still the most popular foreigners. The existence of a pro-statehood organization claiming 6.5 million members indicates the tenaciousness of the "good" American image. ("The Philippines: The 51st State?" *Newsweek*, July 24, 1972, p. 50.)

[20] *Constructive Channeling of Tensions in the Philippines* (Manila, Institute of Economic Studies and Social Action, Araneta University, August, 1961).

[21] Arsenio E. Manuel, *Chinese Words in the Tagalog Language* (Manila, Philippinians Publications, 1948), p. 117.

been able to escape occupational restrictions, they tend to enter occupations such as law and education, rather than the traditional Chinese field of business enterprise. If assimilation is allowed to continue, the Chinese problem may eventually disappear in the Philippines, but complete assimilation faces many obstacles. The prospect is great that the Chinese position as commercial middlemen will cause continued discrimination against them and continual tendencies to make them scapegoats. Such a process, once begun, is hard to control, and it is by no means inconceivable that political pressures might lead to the massacre or explusion of Chinese, particularly in a time of crisis. In summary, the Chinese found it easiest to flourish in the Philippines under the protection of the colonial regimes, and whether or not an independent government will permit their assimilation in the society is certainly an open question.

OVERSEAS INDIANS AND AFRICAN NATIONALISM: KENYA

Between 1896 and 1902 the British imported some 32,000 Indian indentured laborers to work on railroad construction in East Africa. The assumption was that Indians would perform the railroad work and then return to the Indian subcontinent. Most of them did, but some 6,000 remained.[22] These were joined by their families and augmented by additional Indians who had heard of opportunity in Kenya. Opportunity beckoned first in work as contract laborers or artisans, since this was work which Africans had neither the training nor the inclination to perform. Most Africans lived in tribal locations eking out a living in subsistence agriculture and saw no reason to forsake this life for the regimented routine of wage labor.

The Indians, by contrast, came from an area where expanding population made it difficult for them to get a toehold in agriculture. They lived in a society in which centuries of European rule had stimulated the introduction of large-scale labor-employing enterprises in which wage labor was looked upon as an opportunity to gain a supply of capital rather than simply as dependence on the bounty of a foreign overseer.

Commercial opportunities in Kenya soon presented themselves to the Indians in the form of acting as petty retailers in selling European manufactured articles to the Africans as the railroad was built into the interior. Tiny shops, known as *duckawallas*, were set up. These were shops which required a minimum of capital and operated on far too small a scale to attract European businessmen. However, they did form an entering wedge into commerce and the Indian proprietors quickly began to be the agents for the procurement of raw materials which were shipped to Europe as well as to the growing cities of Kenya. The duckawalla operator had to

[22] J. S. Mangart, *A History of Asians in East Africa* (Oxford, Clarendon Press, 1969), p. 39.

take a good deal of abuse from his customers who constantly charged him with overpricing his manufactured goods and underpaying for farm products. He was also an object of derision from European businessmen for his apparently primitive methods, but neither African traders nor European businessmen were able to displace him in a competitive struggle.

Some of the Indians were English-speaking, and many of them took advantage of the educational facilities which were developing in Kenya. As a result they were able to fill jobs as clerks in the government and in business establishments. They worked at a discriminatory scale which gave them less than half the income of a Briton occupying the same job, and they seldom rose to a high position either in the civil service or in European-owned business. Nevertheless, the money obtained was far in excess of the average income available to Africans and did allow for the acccumulation of a minor amount of savings as well as the gaining of valuable experience.

The stories of the early years of the Indians in Kenya are replete with tales of conflict between Indians and British, with relatively little attention paid to the African population which comprised the overwhelming majority of the country. This tension centered around political participation and on rights to purchase land.

Questions of political participation originally hinged on the decision of the colonial office in London as influenced by the opinion of the European settlers. As the colonial office gradually yielded a greater degree of local autonomy, the Indians also pressed for a voice in the governmental process and were eventually given a limited franchise which at first meant a majority of seats for Britons, a minority for Indians, and for Africans, none at all. Indians pressed unsuccessfully for representation on the basis of their population, which was three times that of the Europeans. As far as Africans were concerned, the assumption of both Europeans and Indians was that Africans had not reached the stage of development at which they could be safely entrusted with the franchise.

The European position was even more adamant in the matter of land tenure. The Kenya highlands were a sparsely populated area with vast agricultural potential. In spite of Indian protest, this area was reserved for European land ownership and eventually became known as the "white highlands." The exclusion of Indians from land ownership meant that they were diverted from agriculture and that their aspirations for social mobility would be found in education which led to clerical and professional employment; in work as artisans, and in commerce, mainly as a link between large-scale British interests and the Kenyan African farmers and consumers. While most of the Indians were of modest means, a number were able to expand their commercial establishments to the point where they had considerable wealth.

A survey in 1962 found that over 68 percent of the Indian taxpayers had incomes of 400 pounds a year or more, while an examination of the accounts of a Nairobi bank in 1967 showed that more than 50 percent of the savings were held by Indians as contrasted to 15 percent by Europeans and 34 percent by Africans. Abbott reports that a land survey in central Nairobi indicated that the major part of privately owned Urban land in that area was Indian.[23] It is not possible to get an exact approximation of Indian wealth, and some Indians undoubtedly lived at a low income level. However, the conclusion is inescapable that practically no Indians lived at the typical African subsistence level and that a fair number had managed to accumulate substantial holdings of money or real estate. Thus when Kenyan independence came, the Indians, although a small minority of the population—only about 182,000 in a country of six million—constituted a very substantial part of the commercial middle class as well as of the minor government employees.

To Western observers who are familiar with industrialized societies which have only a small proportion of the population in agriculture with a very large proportion in professional and technical as well as industrial occupations, it may seem amazing that there could be so much concern over the economic position of the Indian minority. In 1962 there were only something like 40,000 economically active Indian males.[24] The reason for this concern lies in the underdeveloped state of the economy and the strategic position of the Indians in a society which offered relatively few professional or managerial posts.

In 1962, there were estimated to be only 69,000 positions which required secondary or university education, and over 20,000 of these were held by Indians. In addition to being prominent in commerce and in skilled manual work, Indians had a majority of the physicians and lawyers in the country, and approximately one third of the employed Indian work force was in government service. These were occupations in which qualified personnel was scarce and in which the Indian's superior educational background placed him in a favorable position compared to that of the bulk of the African population.

A rapidly expanding African educational system was turning out an increased number of graduates, but these graduates were still insufficient for the country's needs for skilled personnel. They tended to concentrate in a few white-collar occupations and, even if employment might be open, they regarded the middle-range positions held by Indians as a barrier to African advancement.

In the field of commerce, where Indians were alleged to conduct 80 percent of the business, the Indian position had even less legitimacy in the African mind. Since commerce did not necessarily require university or secondary degrees, it was hard to demonstrate any relationship between

---

[23] Simon Abbott, "Profile of Kenyan Asians," *Institute of Race Relations Newsletter* No. 1 (February 1968): 125–29.

[24] Ibid., p. 127.

the wealth of the businessman and his ability or training. Most observers would have explained the Indian business success in terms of a culture which encouraged hard work, thrift, discipline, and entrepreneurial activity. To the African, the explanation was more likely to lie in the "clannishness" of the Indians, which gave them access to credit and to supplies of goods on more easy terms than African merchants could get, and to their "unscrupulousness," which enabled them to take advantage of African customers.

In the eyes of many observers, the Indian civil servant or professional was holding posts which had not attracted sufficient British and for which Africans were not qualified. The businessman was one who, at great risk to himself, undertook the bringing of European manufactured articles to the remote parts of the country and the collection of crops to pay for these items, and thus was a major agent in the development of the economy. While the more sophisticated Africans may have been aware of this Indian contribution, it was difficult for most to resist the dominant stereotype of the Indians as exploiters and unfair competitors.

Indian social strata

The Indian population was characterized by social divisions within the group as well as a general separation from the African population. There were divisions by religion and also by caste. The largest group, the Hindus, comprised over half of the population, but were split into four caste groups. The Roman Catholics were mainly from the Goan area of India, for a long time controlled by the Portuguese. The largest group of Muslims were the Ismailis, the followers of the Aga Kahn, but there were also three other smaller Muslim groups. The various Muslim groups had little interaction with each other and practically no common activities with African Muslims except their participation in the annual pilgrimage to Mecca. The Sikhs, constituting about 12 percent of the Indian population, were mostly skilled craftsmen and tended to be quite separate from any of the other Indian groups. All of the Indian groups tended to maintain rules of endogamy within the subgroups and particularly within the general Indian category. Their children were either educated in Indian schools in Kenya or sent to India or Britain.

Indian separatism was encouraged by a concentration of population (nearly half of the Indians lived in Nairobi), separate religious and educational institutions, the persistence of Indian languages, a distinctive style of dress for the women, along with an occupational concentration in certain lines of business and craftsmanship. It was thus possible for an Indian to live in Africa in a situation in which his contacts with Africans were only those between merchant and customer or between employer and unskilled employee.

It was true, of course, that long residence in Kenya tended to change the Indian perspective and cultural attitude. This change was not so much an assimilation of African customs, although the Indian usually learned to speak Swahili, as it was a turn toward the European model. Europeans as the dominant group in the society held great prestige in both African and Asian eyes, and the general direction of cultural change was toward an acceptance of European practices. The following statement is probably a fair summary of cultural drift among Asians:

> To sum up, Asians living in East Africa have probably tended, like all *emigré* communities, to preserve their own customs even more strongly than they have been preserved at home. They have thriven in business, have adopted superficial Western customs and values, and are moving into industry and large-scale agriculture. Change is only now beginning to reach into the homes and touch the women, so that it will be more than a generation before it is really felt. As a group, the Asians are moving into many former European preserves, but from the Africans they remain socially divided as much by family organization and a certain lack of leadership as by any feelings of racial superiority.[25]

Either the Indian was becoming acculturated along the British lines or he remained a steadfast adherent to Indian practices. In either case, he was viewed as being culturally alienated from the African. The African might give a grudging respect to Indian ability in commerce, but Indian culture in general, although exotic, was hardly attractive. The African considered himself either as a westernized person who was heir both to British culture and to British prestige, or a nationalist reviving the lost glories of his people. Not infrequently both ideals coexisted in the mind of the same individual.

Whatever the African orientation, though, the Indian cultural stance was at best irrelevant and at worst a threat. The Indian had little interest in African culture aside from acquiring a proficiency in the language which was adequate for trading purposes. Insofar as he acquired European culture, he was hardly even a second-class model. Further, his social exclusiveness and endogamy tended to arouse African resentment. This attitude was graphically expressed in a statement by a leading African nationalist, Tom Mboya:

> At that same meeting it appeared I had put a cat among the pigeons by telling the Indian Congress that "cocktail integration is not enough. You must be prepared to revise some of your long-established conceptions. For instance, an integrated community can lead to intermarriage between the members of that community—and why not?"
>
> There was widespread reaction from Asians against these remarks, but I was not disappointed in that. The more people speak publicly about such matters, the better. There will be more intermarriage during the next twenty years or so, and I welcome the prospect. We have to break the myth that there is something wrong with different races marrying each other, that intermarriage leads

---

[25] "Asians in East Africa," *Institute Race Relations Newsletter* (February 1965): 13–17.

to an extinction of values and civilized standards. The example of the West Indies should be enough to convince us that this is a false argument. On the other hand, intermarriage is not intended to be a goal or policy or a subject on which to legislate. It remains a matter for free and voluntary and natural decision. What is in fact referred to is that group of people who pretend to be Kenyans but want to live in social and racial compartments. Such people are hypocrites.[26]

Indian and British relationships

Indians and Africans shared a common situation in the fact that they were both colonial subjects under the control of a white British government. Resentment at this situation developed much more rapidly among Indians than among Africans, and they very early made a demand for representation in governmental circles. The Indian demand was seriously considered by the British government, whereas Africans were regarded as being so restricted in education and so concerned with tribal affairs that their participation in the Kenya government was regarded as hardly a real issue.

Thus, in 1923, there was a legislative council whose elected representatives consisted of 11 Europeans, 5 Indians, 1 Arab, and 1 unofficial member nominated by the governor to represent African interests. At the time, Indians in Kenya greatly outnumbered the British, and they demanded a common voting roll which would have resulted in Indian domination of the council. British political ethics required that they come up with a convincing rationale to oppose this supposedly democratic proposition. The opposition to the common roll could not be based on property requirements, since enough Indians could meet any requirements put into effect to outweigh the Europeans, and, for similar reasons, it could not be based on requirements of education or literacy. The required rationale was found in the statement that Britain could not consent to a system which meant Indian rule of Kenya because the British were primarily there as trustees for the African population and could not turn over this trusteeship to any other group. The position is frankly expressed in the British government white paper of 1922:

Primarily Kenya is an African territory, and His Majesty's Government think it necessary definitely to record their considered opinion that the interests of the African natives must be paramount and that if, and when, those interests and the interests of the immigrant races should conflict, the former should prevail . . . in the administration of Kenya, His Majesty's Government regard themselves as exercising a trust on behalf of the African population, and they are unable to delegate or share this trust, the object of which may be defined as the protection and advancement of the native races.[27]

---

[26] Tom Mboya, *Freedom and After* (Boston, Mass., Little, Brown and Company, 1963), p. 109. Copyright © 1963 by Tom Mboya.

[27] Marshall A. MacPhee, *Kenya* (New York, Frederick A. Praeger, 1968), pp. 73–74.

Kenya had a considerable settler population, and there were forces in Britain sympathetic to the idea of increasing white immigration and making Kenya a white man's development. MacPhee credits the need for a rationale against Indian voting power as the force that prevented a settler-dominated Kenya from emerging:

> this battle between two immigrant races may have done more than anything to safeguard African interests. It provoked the British Government to maintain, as a compromise, and way out of a difficult situation, that the interests of the African people were paramount in any conflict between the three races. So, without the Indian question, Kenya might well have followed Southern Rhodesia and become a self governing colony ruled by a white minority.[28]

African and British relationships

Africans, of course, had mixed emotions toward the British. In many cases, they had very little contact, since the British were generally either large farmers or government officials who had relationships with only a limited circle of Africans. On the other hand, the Indian commercial interests brought them into frequent contacts, often of a somewhat abrasive nature. The British population in Kenya usually ran about one third that of the Indian, which further decreased the frequency of contact as well as diminishing the picture of the British as an economic exploiter or competitor of the African.

Tension between the British and Africans did arise on the question of governmental authority and land tenure. A high proportion of government officials were British, and about one fourth of the arable land of the country had been reserved for British cultivation. This situation was mitigated both by the extent of British participation and by British policies. The role of the British in government and in university education had been so prominent that it seemed obvious that activities in these areas would collapse if there was a sharp and immediate withdrawal of British personnel. Even if such a withdrawal did take place it offered no threat to the personnel involved, since the British had assured civil servants and educators of generous compensation if they lost their position because of Africanization.

The position of the British farmers was quite different. Their land seemed to be a rich prize, and it was obviously the target of African aspirations. On the other hand, the economic viability of the country appeared to depend on exports produced by British farmers. MacPhee summarizes the situation as follows:

> For the time being, the European settler was absolutely essential to the economy as Kenya's wealth was wholly agricultural. Rainfall and soil conditions

[28] Ibid., pp. 61–62.

allowed intensive production over a fifth of the country—about 41,600 square miles. African agriculture occupied 34,000 square miles, the rest was farmed by Europeans. The settlers produced 80 percent of Kenya's exports, which in 1962 were worth £38 million, and disbursed about £10 million in wages, Kenyatta knew that he could not upset the balance of an already shaky economy. He also knew that even if he had the money to buy out all the settlers, the fact that each square mile of European farming produced £4,150 as against £1,180 from African farming would have been enough to deter him from forcing any sudden change in the settlers' position.[29]

As with the civil servants, the British government recognized the possibility of Africanization and had provided money for the purchase of 1,000,000 acres from British settlers to be turned over to African farmers. This provided for a relatively painless transfer of as much land as the Africans could absorb in a short period of time. Even these concessions were not enough to altogether reassure the British settlers, and a fairly large exodus prompted the Kenyan government to make reassuring statements and promises about the security of the British in the future in the country. Other instances of British-African collaboration were found in continued investment by British firms, grants-in-aid by the British government, and the use of British troops to put down a revolt in the early days of the independent Kenya regime.

Indians at first regarded themselves as being in competition with the British for a dominant position in the nation. Later they recognized the inevitability of African nationalism, and Indian businessmen often financially aided African leaders. However, the effort to form an Indian-African alliance foundered on suspicions on both sides. The Indians were obviously fearful of what might happen to their status under Africanization, while the Africans were smarting under past and present snubs and inclined to criticize the Indian role in the society. The differential in interpretation by Africans of the British and Asian contribution is born out by attitude surveys:

TABLE 4–3

Reactions of 653 Africans to the following statements: Europeans (a) and Asians (b) "don't like Africans to learn anything that will help them to get a job."

	(percentages)	
	a	*b*
True	32	78
(Completed primary education)	(40)	(73)
(Some secondary education)	(24)	(77)
(Completed secondary education)	(29)	(82)
(Elders)	(34)	(92)
False	65	18
No opinion	4	4
Total	101	100

Source: Donald Rothchild, "Ethnic Inequalities in Kenya," *Journal of Modern African Studies*, 7 (December 1969), p. 703.

[29] Ibid., pp. 173–74.

The question of citizenship

The fears and hopes of Asians, British, and Africans came to a focus when the date for Kenyan independence was set. Both British and Indians were minority groups who had been living under the protection of the United Kingdom. How would they fare when an African majority was in control of the government?

The Indians had been given British citizenship and passport privileges, which meant that, both for the Indians and British, the United Kingdom could, supposedly, be a place of refuge if life in Kenya became too difficult. On the other hand, in many cases both Indians and British had either been born in the country or had been brought there at an early age, and Kenya was considered their native land. Both their associations and their economic interests were deeply rooted in Kenya and not easily transferable. As far as the Africans were concerned, the aliens were both colleagues and competitors. Their capital and skill would be constructive in a nation lacking in both and anxious for economic advance. On the other hand, their entrenched position in government, business and education might be seen as a roadblock to African aspirations.

Existing jobs and businesses occupied by aliens were obvious targets of African nationalism. Yet the issue was far from clear-cut, for the question remained how to accommodate the millions of Africans who were leaving subsistence agriculture and seeking wage employment. This wage employment could only be provided through industrialization and economic development, which, in turn, required massive injections of capital. The obvious sources, both for entrepreneurial leadership and for capital formation, were the Indian and British businessmen already in the country. Their cooperation was not likely to be forthcoming if the incoming independent regime regarded Africanization as an excuse to throw aliens out of jobs and to confiscate their economic holdings.

The fears of the aliens of hostile acts by an African government were to some extent countered by the gains from remaining in a familiar area in which they already had a large investment. For Africans, the gain from seizing economic assets, or by replacing alien workers with Africans, were countered by the damage which might result from an indiscriminate withdrawal of alien capital and business talent. This question may be highlighted to some extent by a manpower analysis in the government of Kenya development plan for 1964 to 1970 which indicated a shortage of over 47,000 in the highest categories of skilled manpower, a shortage which would be aggravated if the nation were deprived of European and Asian talent.[30]

The point at which conflicting motives were supposedly resolved was

---

[30] Government of Kenya, *Development Plan* 1964–1970 (Nairobi, Government Printer, 1964), p. 136.

in the granting of citizenship to non-Africans. Before independence the question of Kenyan citizenship had not been important. The colonial government maintained the rights of everyone in the country, while a United Kingdom passport gave the needed facility for international travel. However, it was apparent that any African government would soon make a distinction in its treatment of aliens and citizens and the question whether and on what terms aliens or non-Africans could become citizens of the new country was obviously important. On the surface, the provision for citizenship appeared to be quite liberal. A Kenya-born non-African with one parent born in Kenya could qualify automatically for citizenship if he foreswore allegiance to other countries. Others could qualify for naturalization if they made application within two years after independence or by December 1965.[31]

For all concerned, the matter of citizenship was a test of good faith. As far as Africans were concerned, they looked with a good deal of suspicion upon applications for citizenship, since they felt that such applications might be motivated by personal interest rather than a desire to identify with the Kenyan nation. Nevertheless, the fact that an application had been made was one indication of Kenyan identity whereas rejection of citizenship was definitely interpreted as a desire to remain out of the mainstream of the country.

For aliens, citizenship meant trading the degree of security represented by a British passport for the uncertain protection of an African government. Aliens were afraid that there might be two classes of citizens and that citizens of non-African origin would become second-class nationals. They feared that even citizenship would not be a safeguard against policies to take over alien privileges in the name of African improvement. If one opted for Kenyan citizenship, would this guarantee him an equality of rights in Kenya or would he still find that his business might be taken away or his employment terminated on the grounds of his national origin? Or even worse, was it not possible that his citizenship, once granted, might be rescinded and he might become a stateless person, deported from Kenya and without rights in any other land?

Such questions were responsible for a rather considerable hesitation in applying for citizenship. In 1963, there were approximately 180,000 Indians in Kenya. Of these, 50,000 were qualified for citizenship by virtue of birth, while 20,000 more applied. The European response was even more hesitant, since only 2,000 out of a population of 60,000 made application for citizenship, although some 4,000 others were eligible under the birthright provisions. Approximately 10,000 of the applications for citizenship were made in the last few weeks of time alloted and were very

---

[31] D. Rothchild, "Kenya's Minorities and the African Crisis over Citizenship," *Race,* 9 (No. 4, 1968).

slowly processed by the Kenyan government, leading to additional doubts, in the minds of the Indians particularly, as to the good faith of the offer.[32] The Asian attitude toward Kenyan citizenship is indicated in responses to a survey undertaken by Rothchild and Marris:

> From the way the government is handling the matter, I don't think there is any advantage of citizenship for non-Africans . . . The biggest disadvantage is that a non-African can be deprived of his citizenship—but not an African.
>
> There is no promise of getting jobs and if they are thrown out they will be stateless.
>
> Even citizens are deported . . . The people are not treated according to their citizenship, but according to their colour.
>
> For some time preference (for citizens) will be given in civil service and other high posts. But if an African is available the non-African citizen will be left in the cold . . . In times of trouble the country might not regard the non-Africans as full fledged members of the country and that would spell trouble. Moreover it is difficult to go overseas or to send children overseas for further education.
>
> There is no future. The government prefers *black* Africans only.[33]

Post-independence developments have confirmed to some extent the fears of the Asians. Kenyan citizens of Asian, and a few of British descent, have been thrown out of employment to make places for Africans or have been denied a permit to do business. Also a few Kenyan citizens of both Asian and British background have been deprived of citizenship and deported. Thousands of noncitizen Asians have been denied a permit to engage in trade or have been dismissed from governmental or private employment. Britons, by contrast, have received fairly good treatment and, in 1970, the number of Britons entering Kenya actually exceeded those who were leaving.

The panic among Asians became so great that there was a mass rush to escape to Great Britain while that possibility remained open. This migration, in turn, stimulated anticolored feeling among Britons and resulted in the British government's also deciding that perhaps citizenship had one meaning for natives and another for those considered aliens. This led to a restriction of immigration among Asian holders of United Kingdom passports, a topic which is discussed in the chapter dealing with intergroup relations in France and Great Britain.

The process of Africanization is a continuous one with no end in sight. Asian firms have put their stock up for public sale and even awarded stock without payment to longtime African employees, while other Asian busi-

---

[32] Vincent Cable, "The Asians of Kenya," *African Affairs,* 68 (July 1969), p. 223.

[33] Donald Rothchild, "Citizenship and National Integration: The Non-African Crisis in Kenya," *Studies in Race and Nations,* University of Denver, Vol. 1, Study No. 3, 1969–1970, p. 16.

nessmen have gone into partnership with Africans. These steps, however, seem ineffective in gaining more than a temporary respite from the demands for Africanization. An indication of the process involved may be seen in a story in the *New York Times* in January 1970.

Special to the New York Times

Nairobi, Kenya, Jan. 10—Nearly a thousand Asian traders in Kenya have been ordered by the Ministry of Commerce and Industry to close their businesses by June. The ministerial notices informed the traders that their licenses would not be renewed.

Many of the traders affected are noncitizens, although of 400 in Nairobi, a large number claim to have Kenyan citizenship.

One Asian shopkeeper with Kenyan citizenship noted Government assurances that all citizens would be treated alike in their applications for trading licenses. But he added Kenya appears to be treating Asians as second-class citizens.

Last year 730 Asian traders were ordered to close their businesses and leave Kenya, according to a ministry spokesman. More than half of those businesses —mostly retail shops—have since been taken over by Africans. The Government has established a financing organization to provide loans for African traders to enter business.[34]

The Indian resident in independent Kenya is indeed a "marginal man." If he decided against citizenship and held his United Kingdom passport, he has few legal rights in Kenya and has a wait of several years before his number will be reached on the British immigration quota. If he opted for Kenyan citizenship, it is possible that his application still may not have been acted upon or that citizenship may be revoked once it has been granted. Even if citizenship remains intact, this is no guarantee of equal treatment and the permanent secretary of the Kenyan Ministry of Commerce and Industry has reminded Indians that the government has an absolute right to issue trading licenses as it pleases whether the applicants are citizens or noncitizens.[35] In these circumstances, it is perhaps surprising that the Kenyan exodus has not been even greater than it has been; the answer to that may be that the unfortunate Indian has no place to turn, since neither India nor the United Kingdom will give him unrestricted entry. Table 4–4 gives a picture of the non-African population of Kenya which indicates that there has been a drop of only a thousand Indians between 1964 and 1969. This, of course, is partially explained by the fact that normal population growth would have probably produced an increase of around forty thousand Indians in the same period and thus

[34] *New York Times* (Jan. 11, 1970).

[35] Lawrence Fellows, "For Kenya, It's an Economic Purge," *New York Times* (Jan. 19, 1968), p. 8, IV. Copyright © 1970 by The New York Times Company. Reprinted by permission.

TABLE 4–4
Population
(mid-year estimates in thousands)

Year		African	Non-African					Total
			Asian	*European*	*Arab*	*Other*	*Total*	
1964	..	8,832	183	49	36	4	272	9,104
1965	..	9,097	185	42	37	4	268	9,365
1966	..	9,370	188	43	38	4	273	9,643
1967	..	9,651	192	42	39	4	277	9,928
1968	..	9,941	182	42	40	4	268	10,209
1969	..	10,239	182	38	41	4	265	10,504

Source: Statistics Division, *Kenya Statistical Digest,* 1969, Vol. 7, p. 4.

in spite of the apparent stability of numbers, there has been a very considerable migration.

African and Western views of citizenship

To one viewing the question of citizenship in legalistic terms, the Kenyan tendency to create two classes of citizens seems to be a gross breach of faith. This, however, is apparently a concept which only a nation with a comparatively secure position for its indigenous inhabitants can accept, and it should be noted that not even Great Britain was able to maintain this position in the face of what seemed to be a threat of rather massive Asian immigration. For the African to accept the notion that citizenship gave non-Africans equal status with Africans would be to deny the meaning of independence, which is seen not just as gaining political power but as regaining a patrimony almost lost to alien exploitation.

Both Asians and Europeans in Kenya have been criticized for their hesitation in applying for Kenyan citizenship, but this reluctance may have been a saving grace. There is at least a fighting chance that Kenya can absorb most of those who did apply, but a larger number might have been impossible to absorb in a manner compatible with African expectations. One authority makes the dire comment: "If most of the Kenyan Asians had responded to the offer of citizenship they could have provided the fuel for a pogrom of the 1970s."[36]

The tragedy of the situation is that the Africans were probably misguided about their own interests both from a short-run and a long-run viewpoint. No country has an excess of dynamic, venturesome, productive, hard-working people. The capital and the enterprise of the Indian community, if left free to operate, could have increased prosperity for Indian and African alike. Two hundred thousand Indians would not have

[36] Vincent Cable, "The Asians of Kenya," p. 219.

been a large enough group to have filled all the desirable economic niches, but it would have been large enough to have greatly facilitated Kenyan economic development. However, this is a lesson which has been hard for the West to learn, if indeed it has, and one that could hardly be expected to impress a newly independent people with a still fresh memory of historic racial inequities.

One of the fortunate aspects of development in the United States was that enterprising foreigners could come to America freely for more than a hundred years before immigration barriers shut off the flow. The newly independent countries do not have this long a time span to allow the infusion of fresh elements in the body politic and will no doubt pay the price in a more slowly developing economy. Arguments for the justice or even the wisdom of citizenship policy are largely irrelevant. The formal provisions for Kenyan citizenship ran against popular prejudice, and in this kind of contest the formal provisions usually have less effectiveness than their wording would indicate.

CONCLUSIONS

The Indians in Kenya and the Chinese in the Philippines were both marginal trading peoples acting as intermediaries between native peoples and European colonial powers. In the Philippines, first the Spanish, and then the Americans found the Chinese valuable in exchanging Western manufactured goods for export crops, while in Kenya the Indian traders served the same function. The Indians and the Chinese far outnumbered the British in Kenya and the Spanish (as well as the Americans) in the Philippines and sought to challenge their control. Neither group was supported in this effort by its home government, and both had to concede dominance to the Europeans. The British justified their dominance in terms of protecting African interests. The Spaniards, having little commitment to democratic forms, did not find this necessary but operated in terms of frank self-interest. The American regime restricted Chinese immigration on the basis of protecting Filipino rights. The controversy in Kenya between Briton and Indian forced a declaration of African priority from the British which may have been a major factor in preventing Kenya from becoming a settler controlled area like Rhodesia. The Spaniards at intervals engaged in the massacre or expulsion of the Chinese but, for the most part, all the colonial powers protected the commercial activities of the marginal trading peoples. As the growth of the export crops increased both the Chinese and the Indians flourished; several in each group accumulated sizeable fortunes, and the average occupied an economic status midway between the representatives of the colonial power and the indigenous population.

The Chinese had much similarity to the Filipinos, both in culture and in physical appearance, and assimilation and intermarriage were rapid in spite of ethnocentrism in both groups. At the same time, Chinese culture had less prestige than Spanish or American, and, while the Chinese were respected for their economic abilities, they never acquired the prestige of the colonial powers. In fact, the tendency of the Filipinos to be somewhat Hispanicized or Americanized increased the attraction of Filipino culture for the Chinese and diluted feelings of superiority. The Indians found a sharp contrast between themselves and the Africans in both physical appearance and culture, and neither assimilation nor intermarriage was very widespread. Both the Africans and the Indians were drawn to British culture, but neither regarded the other as a very good representative of British culture nor did the two groups have mutual respect for their indigenous cultures. Separate schools and chambers of commerce were maintained by both the Chinese and Indians. The Indians maintained separate, mostly non-Christian, religious establishments. The Chinese had few non-Christian centers of worship and, for the most part, were either Protestant or Catholic, although usually in parishes separate from the Filipinos. Both Chinese and Indian faced charges of being clannish and conspiring against the indigenous population.

Independence brought the question of citizenship to the forefront for both Indians and Chinese, since the new governments had scant concern for the rights of "aliens." In the Philippines the doctrine of *jus soli* was succeeded by the more restrictive doctrine of *jus sanguinis,* while naturalization became difficult and there was a tendency to consider the naturalized citizen as a second-class citizen. In Kenya, the processing of citizenship applications was slow and citizens of non-African origin might be denied jobs or business permits or might even be deported from the country. Many of the Kenya Indians had British passports, but British restrictions made these virtually worthless when the British were alarmed by what seemed like a mass rush from Kenya to Britain. Both the Philippines and Kenya enacted drastic curtailments of the economic activity of aliens which were more restrictive on Asians than on British or Americans.

Future indications are that restrictions will continually be increased on both Chinese and Indians. The Chinese have literally no place which they see as an alternative to Philippine residence, while the 1,500 Indians allowed to enter Britain each year are less than the natural increase of the Indian population. Both groups are natural scapegoats and both may suffer in time of severe social tension. The Indians are a highly visible group and seem fated to lead a marginal existence for a long time. It is somewhat easier for the Chinese to amalgamate with the Filipino population, and with the restriction of immigration they may ultimately disappear as a distinct group. The fact that anti-Americanism is currently the more popular slogan of the young Filipino nationalists may diminish the scapegoat role of the Chinese and facilitate their assimilation in Philippine society.

KENYA INDIAN AND PHILIPPINE CHINESE BEHAVIOR PATTERNS IN RELATION TO GENERALIZED BEHAVIOR PATTERNS

Indian and Chinese pattern. Indians and Chinese quickly took over a middleman function as collectors of export crops and distributors of European trade goods. These were functions which neither the colonial power nor the indigenous people seemed able to assume.

Generalized pattern. Especially with functions such as making loans, or buying crops which involve potential conflict, members of a minority may be more successful than either the colonial or the indigenous group.[37]

Indian and Chinese pattern. High rates of intermarriage between Chinese and Filipinos and low rates between Indians and Africans paralleled the greater physical and cultural similarity between Chinese and Filipino.

Generalized pattern. Intermarriage is favored by a similarity in either cultural practices or physical appearance.

Indian and Chinese pattern. Both Indians and Chinese fared better under colonial than under independent governments.

Generalized pattern. Governments of industrialized societies are likely to be more interested in the overall rate of economic development, while those of developing societies are more concerned about the role of their nationals in existing economic enterprise. Either type of society may engage in discrimination in behalf of its nationals, but this is likely to be more extreme in the developing society with fewer rewards to share.

Indian and Chinese pattern. In spite of Indian conflict with the British and Chinese aid to Filipinos in the revolt against Spanish control, the Indians and Chinese are not regarded as allies of nationalistic movements.

Generalized pattern. Nationalistic movements will avoid any ethnic alliance which dilutes their identification with the ethnic majority.

Indian and Chinese pattern. Both Filipino and Kenyan governments have been accused of making naturalization difficult and of treating naturalized citizens differently than others.

---

[37] See discussion on this point in Hubert M. Blalock Jr., *Toward A Theory of Minority-Group Relations* (New York, John Wiley & Sons, 1967), pp. 83–84, Also, Edna Bonacich, "A Theory of Middleman Minorities," *Am. Soc. Review*, Vol. 38, No. 2, (October 1973), pp. 583–94.

Generalized pattern. Governments are not likely to honor contractual obligations to minority ethnic groups when these conflict with majority sentiment.

QUESTIONS

1. What is meant by the term *marginal trading people*? Why are nations often ambivalent in their reaction to members of this group?
2. How do you explain the alternating policies of hostility and protection of the Spanish toward the Chinese in the Philippines?
3. What evidence is there of the assimilation of Chinese in the Philippine society? Does this indicate an easing of tensions between Chinese and Filipinos?
4. What is meant by *jus soli* and *jus sanguinis*? Why was the former concept more appealing to Filipinos?
5. What was the effect of Philippine independence on the status of the Chinese?
6. Compare the suitability of Americans and Chinese for the role of scapegoat in the Philippines. Why is there more anti-American feeling now than when the United States held a more powerful and privileged position in the Philippines?
7. How does the situation of the Chinese in the United States compare with that of the Chinese in the Philippines? Is there any group in the United States whose situation is at all similar to that of the Chinese in the Philippines?
8. What is the role of the Chinese schools? Would their elimination lead to improved Chinese-Filipino relations? Why or why not?
9. In Kenya what was the attitude of Africans, British, and Indians toward each other?
10. How did conflict between the Indians and the British affect the position of the Africans?
11. How do you account for the difficulties that arose in regard to Kenyan citizenship? Would there have been less friction if all resident Indians and British had applied for citizenship immediately?
12. Is there any tendency for the assimilation of the Indians in African society? If Indians were less ethnocentric would this increase their acceptance by Africans?
13. What was the affect of Kenyan independence on the status of the Indians? Which nation do you feel discriminated most against the Indians, Kenya or Great Britain? What does that indicate about the level of racism in each country?
14. Did Kenyan and Filipino society make a net economic gain by discriminating against the Indians and the Chinese?
15. How would you explain the economic success of the Chinese in the Philippines and of the Indians in Kenya?
16. Is Kenya guilty of genocide? If not, what further steps against the Indians would justify this allegation?

Chapter 5

Mexico: A successful case of amalgamation

Frequently, the description of intergroup adjustments is one of mounting conflict in which moments of peace and tranquility are transient and fleeting, while the underlying tensions seem to be continually growing. Fortunately, there are at least a few examples of countries which give promise of a happier intergroup relationship. None has a perfect situation, but each has some degree of harmonious adjustment. One is Switzerland, where peoples of diverse religion and national background have been able, in spite of occasional friction, to live cooperatively and peacefully in a federally organized society which is under a common government. Another, and greatly different, sign of promise is the record of assimilation and Americanization in the United States. This is a process which has enabled a great many people, particularly those of European background, to minimize differences of national origin and to find unity in a common allegiance to the American nation. A still different situation is found in the Republic of Mexico, in which both cultural assimilation and biological amalgamation are making one people from a varied collection of blacks, Indians, and whites.

In a world in which ethnic separatism appears to be growing, the movement of the peoples of Mexico toward a common culture and a common sociobiological classification is a situation worthy of notice. This does not indicate that the Mexican development is the result of deliberate planning. It would have been difficult to have predicted the current harmony on the Mexican ethnic scene from a survey of events of the last 400 years. Indeed, almost all the deliberate policies undertaken in the society were of an ethnocentric character which might reasonably be expected to have intensified ethnic divisions. The tendency toward amalgamation to a common physical type and assimilation to a common culture is a classic illustration of the fact that human actions may have entirely unintended consequences.

The territory we now know as "Mexico" was occupied, before the Spaniards entered, by many Indian peoples speaking different languages, occupying separate regions, and varying greatly in the complexity of their culture and social organization. Some of the Indian ethnic collectivities were organized as simple tribal societies; others had developed highly complex states, including multi-ethnic empires. The Spanish entered the country as white overlords and, when the Indians proved to be not altogether satisfactory as slaves, introduced thousands of blacks from Africa to take the role of slave labor. The Indians were demoralized through their defeat by Spanish arms, were divided by internal conflicts between themselves, and except for a few tribes in remote regions, found many important aspects of their culure completely shattered. The blacks were powerless slaves and were apparently as brutally treated as slaves in Brazil or in the United States. The Spaniards, for their part, were ethnocentric in both their biological and their cultural attitudes. A campaign of systematic cultural destruction was inaugurated by the conquering armies which destroyed many of the temples and city residential dwellings erected by the more advanced Indian tribes.

Actual genocide was approached in the imposition of conditions of servitude so harsh that the Indian population decreased to a mere fraction of its size before the Spanish entry. Biologically, the ideal was the Caucasoid physical type. This was an ideal considered so important that the population of colonial Mexico was divided along minute biological classifications so that a slight variation in the proportion of Spanish ancestry would place people in an entirely different type of category.

It is difficult to conceive of a society which was more ethnocentric in the attitude of its governing classes or in which the minority had been more completely subdued than colonial Mexico. The two agencies which made some effort to ameliorate the situation, the Roman Catholic Church and the central Spanish government, proved to be ineffective. Both church and central government made many pronouncements in favor of a humane treatment of Indians and, to a lesser extent, of the blacks, but neither was in a position to enforce this viewpoint on the Spanish settlers. Hence, there was no power in the society under which blacks and Indians could expect protection. The movement from an emphasis on precise and exclusive racial definition to a mestizo physical type and from cultural conflict to assimilation and accommodation is certainly one that ran against the intentions and desires of many of the people in a dominant position in Mexican society.

There are six tendencies in intergroup relations which emerge rather clearly from a study of the Mexican situation: (1) deliberate policies are often altered by crescive (unplanned) developments; (2) elaborate classifications based on heredity tend to collapse because of their own cumbersomeness and complexity (also noted in Chapter 7); (3) movement from one ethnic classification to another is facilitated when biological and social criteria are mixed; (4) legal institutional equality facilitates the social mobility of an ethnic group even when it has limited power and status; (5) the status of a once denigrated ethnic group is enhanced when it becomes a symbol of nationality; (6) the rate of sexual activity involving members of a subordinate and a dominant group tends to be higher when there is an unequal sex ratio in the dominant group.

In this chapter we will trace how the shift from arrogant racism to amalgamation and assimilation occurred, and perhaps the place to begin is with the Indians before the Spanish Conquest.

BEFORE THE CONQUEST[1]

The history of the Indians in Mexico is characterized by frequent warfare, which at times escalated into major and prolonged battles and sometimes involved several tribes simultaneously. It appears that few, if any, tribes were left in peace for any prolonged length of time; for many of them to have created and maintained an advanced culture under such adversity speaks highly of their industriousness, creativity, and perseverance. Cultural diffusion, often a latent function of conflict, did occur among the warring factions; and, as most of the larger tribes in the valley were Nahuatl-speaking people, the borrowing process was made easier. This is not meant to imply that cultural distinctiveness was eradicated and that we should look upon the Indians as constituting a homogeneous cultural entity. On the contrary, most of the tribes, even those conquered and forced to pay tribute, struggled to maintain their own uniqueness. Tribal ethnocentrism was a major prop for unity; hence fierce pride in their own culture may be viewed as directly contributing to their intense contempt and hostile attitude against outsiders. Such attitudes made it extremely unlikely that conflicts would diminish in frequency and scope or that intertribal unity could be developed.

Most of the Indian tribes showed little differentiation in physical fea-

---

[1] This section is based to a great extent on Charles Gibson, *The Aztecs under Spanish Rule* (Stanford, Stanford University Press, 1964), and Alma M. Reed, *The Ancient Past of Mexico* (New York, Crown Publishers, 1966).

tures, but biological resemblance was not strong enough to counteract the cultural differences and tribal rivalries leading to conflict. The presence of conflict among biologically similar Indians is one of the many indications that the presence of observable racial differences is not a necessary precondition for human conflict. The Indians fought among themselves even as whites had struggled in Europe. When the Spanish came to Mexico they found it possible to make alliances with many of the Indian tribes that felt oppressed by the Aztecs; 20 years after the capture of Cauhtemoc, the Aztecs joined the Spanish to crush a revolt by the Mixtecs.

Cultural and not racial differences can be blamed for many of the conflicts, and sheer desire to exercise control over certain territory and its inhabitants cannot be dismissed as an important motivating force among the Indians. The latter desire became an overriding fact when a "native bureaucracy" became an institutionalized pattern among the more politically sophisticated Indians. This pattern was an oppressive system that destroyed self-rule and placed the conquered people in a subordinate status in which they were forced to pay tribute to the conquerors.

The tribe which instituted this bureaucratic type of organization and which had hegemony over all nearby tribes was the Aztecs. They had come into the area known as the Valley, the district around Mexico City, in the 13th century when it was already occupied by other tribes. They managed to resist subjugation and to expand their area of influence. Eventually, the valor of their armies and the skill of their diplomacy so increased their power that many of the Indians in Mexico had to acknowledge their supremacy. The Aztec administrative apparatus was designed to draw tribute of gold, rubber, corn, and feathered plumes from a wide area. They were also an urbanized people and in Tenochtilán (now Mexico City) had developed an urban complex of over 300,000 population with a canal system for transport, tremendous markets, and impressive palaces and temples. Aztec dominance was designed to get not only tribute, but also victims for human sacrifice, a custom which had apparently been growing in the years immediately preceding the Spanish invasion and one which rendered real reconciliation with subject tribes impossible.

THE SPANISH CONQUEST OF MEXICO

The story begins on February 10, 1519—over a century before the Pilgrims landed on the eastern coast of North America. On this date Hernando Cortez, a 34-year-old Spanish adventurer, sailed west from Cuba with 11 small ships and 633 men. He eventually landed on the coast of Mexico, and in a period of about 20 years conquered this vast area, including several Indian peoples, on behalf of the King of Spain. The odds against him were tremendous. The numbers of his men were small, they had practically no protection against the health hazards of this strange land, they were totally ignorant of the terrain and of the culture of the society, and were overwhelmingly outnumbered. They did have certain advantages operating in their favor: one was that the Mexicans, who had never seen Europeans before, were for a long time confused about whether the European intentions were malign or benevolent. There was, of course, the legend of Quetzalcoatl, the blond god whose return had been foretold by the priests, and one could hardly be sure whether these Spaniards with their white faces were really humans or gods. Furthermore, the Spaniards were able to literally breathe thunder and lightning by the use of guns, and their mobility had been greatly accelerated by the horse. The Spanish contingent was small, but it had a semidivine aura about it; it was far more mobile than anything the Mexican Indians had been able to discover and its muskets and cannons gave it a major death-dealing power.

Nevertheless, the odds against the Spaniards were formidable, and time and time again the little band of men barely escaped annihilation. Their final victory is perhaps accounted for, in large part, by the determination of Cortez, who burned his ships behind him, making retreat impossible, while Montezuma, the Aztec head of state, vacillated between resistance and conciliation. At one time, Cortez was nearly overwhelmed by the superior numbers of the Aztecs, but he was able to raise allies among other Indian tribes, who welcomed this opportunity to throw off the Aztec domination, and he eventually assembled an army of Indian allies who may have actually outnumbered the Aztecs. In the meantime Montezuma had died in Spanish captivity and had been replaced by the legendary Cauhtemoc, who led a valiant but futile resistance to Spanish domination. The ensuing battles resulted in the defeat of Aztec armies, after which the Spaniards turned on their Indian allies and quickly brought a major part of the country under Spanish rule.[2]

There was a short period of indirect rule through the Indian chiefs, whom the Spanish designated as *caciques*, but this quickly gave way to a system of direct rule in which the land was partitioned in *repartimentos*, which were great grants of land alloted to individual Spaniards but supposedly under the supervision of representatives of the Spanish Crown. The *repartimento* was a minor modification of the *encomienda* system. The distinction sought by the *repartimento* was that the Spaniard to whom a grant was made was acting as an agent of the Spanish Crown rather than as a proprietor. This distinction gave the legal basis for government protection of the Indians, but the de jure protection seldom resulted in any action which challenged the serflike condition of the Indians. The deed authorizing *encomiendas* read as follows: "Unto you, so and so, are given in trust [*se os encomiendan*—hence these distributions were called *en-*

[2] Our account of Cortez follows Caesar C. Cantus, *Cortez and the Fall of the Aztec Empire* (Los Angeles, Modern World Publishing Co., 1966).

comiendas] under chief so and so, with the chief so many Indians, for you to make use of in your farms and mines; and you are to teach them the things of the holy Catholic faith." The Spanish Crown occasionally tried to protect Indians, as in the order of Philip II that the clergy should not whip Indians or confine them in stocks, or the command of Queen Isabella that no one should destroy the native's personal liberty. The laws, however, had to be carried out by those opposed to its intent and the frequent reaction, was, *obedzco pero no cumplo* ("I obey but I do not carry out").[3]

Toward the Indians, churchmen such as Bartolmé de las Casas felt a paternalistic concern. Spreading Christianity had been a major part of the rationale of Spanish conquest and was hardly compatible with a wholesale destruction of Indian life and society. Las Casas made many petitions to the Crown for better treatment of Indians and is said to have refused absolution to Spaniards who owned Indian slaves. Las Casas was joined by other priests who became advocates of Indian liberty but they were a small minority within the church itself and had very little influence on the general society. In fact, Las Casas was even under fire by other clerics who advocated the usual treatment for troublesome priests—recall to Spain and assignment to a monastry.[4]

The church did not escape the dilemma between planting the cross and finding gold. Both individual churchmen and religious orders became involved in agricultural developments and in the erection of monasteries and churches in which the church was taskmaster and the Indian the laborer. The situation is thus described by the second archbishop of Mexico:

> Some check should be put upon the extravagant expenditures, excessive personal services, and sumptuous and superfluous works for which the monastic brotherhoods are responsible in the villages of these Indians, entirely at the cost of the latter. Some of the monasteries in places where there are not more than two or three monks would be inordinately superb even in Valladolid. The Indians are driven there like beasts of burden, five or six hundred of them, without pay or even a mouthful of food, and compelled to come four, six and twelve leagues to work. I have seen two monasteries, one of which must have cost eight or ten thousand ducats, the other a little less; both were finished inside of a year, by the money, sweat, and personal labor of the poor. Some Indians die of the scant food and of this work to which they are not accustomed . . . and if the Indians do not come they are thrown into jail and whipped. Moreover it is entirely common to see richer ornamentation . . . than may be found in the chapel of Your Majesty. The personal service of these Indians in the monasteries is excessive; they serve as gardeners, porters, sweepers, cooks, sextons,

[3] Ernest Gruening, *Mexico and Its Heritage* (New York, Greenwood Press, 1968), pp. 24–25.

[4] Fr. Bartolmé de las Casas, *Historia de las Indias*, Vol. 3, Chapter 3, cited Ibid., p. 14.

and messengers without receiving a penny. . . . And the cost of all these edifices and of the rich and superfluous adornment is secured by assessments levied upon these wretched people.[5]

Many of the Indians were enslaved and the rest were grouped in small nucleated villages where they had local self-government subject to the supervision of higher Spanish authority. They were required to give a certain number of days of labor as tribute, but were otherwise considered to be fairly free. This situation resulted in a continued conflict between the colonists and the representatives of the Crown, and sometimes, of the Church. The colonists almost invariably won out in such fashion that increasingly the Indian population became regarded as a subservient group with few rights of any kind. Some estimate of the effect of these measures may be gained from the population statistics which indicate that, while the population of Mexico at the time of the Spanish entry was estimated at 13–20 million, by 1646, a little over a century later, it had diminished to under 3 million—a point from which it began gradually to rise, but it did not reach the 20 million figure until 1940.[6]

ROLE OF THE BLACKS

Both the Crown and the Church took a different attitude toward black slavery than they did toward Indian slavery. Royal decrees throughout the latter part of the 16th century prohibited the use of Indians in such activities as sugar processing and crop production, which were considered inimical to their health, and recommended their replacement by black slaves, who were also the recommended source of labor for the mines. Beltran estimates that at least 120,000 slaves were brought into Mexico in the period between 1519 and 1650.[7]

There is an apparent inconsistency between the acceptance of African slavery by state and church and the condemnation of Indian slavery. Slavery had been known in the Mediterranean area for centuries, and it is doubtful that the slavery of any group would necessarily have been shocking to Spanish feelings. Morner comments on the matter as follows:

The question is an intricate one, but I think Charles Verlinden provides the basic explanation by stating that Indian enslavement was a threat against

[5] Anacona, "Historia de Yucatan," Vol. 2, p. 71, Obregon, "Los Prescursores de la Independencia," p. 133, 194; Rivera Cambas, "Los Gobernantes de Mexico," Vol. 1, p. 159; cited in Gruening, *Mexico and Its Heritage,* p. 174.

[6] Howard F. Cline, *Mexico* (New York, Oxford University Press, 1963), p. 11, suggests that the 20 million figure is too high and that 13 million might be more realistic for the period immediately preceding the Spanish conquest. The 1970 census reported a total population of 48,313,428.

[7] Aguirre Beltran, "The Integration of the Negro," in Magnus Morner, *Race and Class in Latin America* (New York, Columbia University Press, 1970), p. 25.

"colonial peace," whereas the enslavement of Africans, brought from regions where Europeans did not exercise colonial responsibility, did not present a similar threat. If, instead, Africa had first been colonized, perhaps Indian slaves would have been brought to its plantations! In any case, it is historical fact the Negro slave became the labor force of the plantations in the New World.[8]

In spite of the attitude that blacks were less important than Indians, they were still regarded as having souls, being persons, and having certain rights such as family solidarity and marital privileges. Theoretically, there were methods by which a slave could gain his freedom, such as purchasing his freedom or marrying a freed person. Whatever good intentions the Crown and Church might have toward African slaves, however, were generally frustrated in practice by the slave owners, who saw them only as a source of labor. Davidson summarizes the situation as follows: "That many Negroes were tried and punished in courts and not by their masters seems to have made little difference regarding slave treatment. Repeated evidence reveals that cruelty and mistreatment were as much a part of slavery in colonial Mexico as they were in most slave regimes in the New World."[9]

Another method of controlling the slaves was by separating those who came from the same or nearby tribes in Africa. Those who came from the same linguistic groupings were also separated. They were forced to learn Spanish, and often an Indian language as well.

Even in the absence of complete documentation, one would assume that under similar conditions, the responses of slaves in Mexico did not differ significantly from slaves in the United States or other parts of the world. For example, conduct which would be termed malingering by owners, was a form of protest by slaves. Slaves engaged in passive protest, feigned sickness, broke or hid tools, developed numerous mechanisms to slow down production, "planned" accidents, etc. One of the most overt forms of protest took the form of running away. Escape was a threat to the colonial order because other slaves might be induced to follow the pattern of the runaway. Militia and owners were anxious to capture and return runaways, in order to put down mutinies and rebellions among the slave population.

Over a period of time enough slaves had run away to form sizeable rural communities, which were large enough to attack farms and caravans. Often the authorities would attack these communities and survivors were returned to their owners. Beltran, however, mentions two *palenques* (com-

---

[8] Morner, *Race and Class in Latin America*, p. 112.

[9] David M. Davidson, "Negro Slave Control and Resistance in Colonial Mexico, 1519–1650," *Hispanic American Historical Review*, 56 (August 1966), p. 241. Copyright 1966 by the Duke University Press.

munities of *cimarrones*—runaway or escaped slaves) which were able to wrest some important concessions from the colonial government:

> On several occasions the colonial government sought to sign treaties with the *cimarrones*. The most notable efforts occurred in 1608 when San Lorenzo Cerralvo was founded and in 1768 when the Pueblo Nuevo de la Real Corona was established on the banks of the Tonto River. In both cases the *Cimarrones* obtained rights to the land and to municipal self-government along the lines of the Indian republics. The *cimarrones*, unlike the Indians, never formed corporate groups; had this been possible, they would have gone from the slave caste to the Indian caste, instead of remaining in a middle position between the two castes.[10]

The freedman was in a better position than the slave, but he, too, was not accorded full citizenship: he was held responsible for all the duties of a citizen without receiving all the rights and privileges of a citizen. He was forced to pay taxes, and serve in the military but was not allowed to own land. Moreover, he was discriminated against in jobs. Beltran states that the Europeans organized themselves into "feudal-type guilds" which barred "colored persons" from entrance.[11] Thus the latter were forced to seek out unskilled tasks and hire themselves out at subsistence or below subsistence wages. Many of them were unable to find employment and joined the *cimarrones* in the mountains, fought the Europeans, or settled down to eking a living from the soil in agricultural pursuit. The mulattoes were in a position similar to that of the freed black persons in Mexico during colonial times. They were not allowed to own land, but had to pay taxes and serve in the militia. Even in the military the blacks and mulattoes were not allowed to use guns and wear certain uniforms until the militia was replaced by the regular army in 1765.[12]

The slave status of the black inhibited his movement in search of pleasure while denying him the satisfaction of a secure place in a settled community. On the other hand, a sex ratio estimated at three males to one female meant that many of the men had to look for sexual companions outside of the group. Although the black's prestige suffered from the slave stigma, his association with the Spaniards tended to raise his status and to make him a desirable mate in the eyes of the Indian women. The black women for their part were subject to the sexual whims of the slave owners and soon began to bear mulatto offspring.

In spite of the restrictions which surrounded them, the number of slaves of pure African origin tended to decrease and the number of hy-

---

[10] Beltran, "The Integration of the Negro," pp. 20–21.

[11] Ibid., p. 18.

[12] Rolando Melaffe, *Methods y resultados de la politica indiginesta en Mexico* (Memorias de Instituto Nacional Indiginesta, VI) p. 45, cited in Morner, *Race Mixture in the History of Latin America*. Copyright © 1967 by Little, Brown and Co., Inc.).

brids of some African ancestry showed a dramatic increase. Thus, in 1570 there were 20,000 Africans and only 2,500 mulattoes, while in 1646 the number of Africans had grown 50 percent to 35,000 and the number of mulattoes had multiplied 36 times to over 116,000.[13] Eventually, the pure Africans were to practically disappear from the population, while the number of people with some African ancestry became very large indeed.

The number of African slaves who managed to escape from their masters and to find places of refuge became a considerable problem to the Spanish authorities. Davidson summarizes the situation:

> It is apparent that officials and slave owners found it extremely difficult to prevent or contain slave resistance. Few in numbers, they were forced to rely on the scarce royal troops in Mexico aided by untrained and undisciplined bands of mestizos and Indians. These haphazard military operations faced serious strategic and tactical problems, especially in campaigns against distant hideaways in the frontier regions. Mexico's rugged terrain compounded the difficulties for fugitives could establish settlements in the mountains and isolated barrancas which afforded excellent defensive sites. Moreover, Indian cooperation seems to have been instrumental to the success of various revolts and made the job of repression all the more difficult. With such a weak system of control, the flight and insurrection of slaves continued into the eighteenth century, and it was only the abolition of slavery in the early nineteenth century that put an end to slave resistance in Mexico.[14]

This ease of flight was one of many factors which rendered black slavery in Mexico a different institution from black slavery in the United States. In essence the difference between the two systems was that the American pattern of slavery was a reasonably stable system until ended by emancipation. In Mexico it was so hard to keep blacks in slave status that most of them had merged into the general population even before the abolition of slavery in 1810.

MESTIZATION

The Spaniards brought very few women with them and sexual relationships, resulting in a mestizo population, began very early in the period of first contact. In fact one female slave, Malinche, presented to Cortez by the Tabascan Indians shortly after his arrival in Mexico, proved a valuable aid in the Spanish operations. She served as interpreter, advised Cortez about the strength of various tribes and is credited with persuading Montezuma to trust himself to Spanish hospitality—an action which soon led to his death. Her relationship with Cortez produced one of the first

---

[13] Beltran, "The Integration of the Negro," p. 18.

[14] Davidson, "Negro Slave Control and Resistance in Colonial Mexico, 1519–1650," p. 252.

mestizos, her son Martin, whose acceptance in Spanish society in indicated by his appointment as a *comendador* of the Society of St. Iago.[15]

In the early days of the Spanish period, Mexican society was characterized by a dualism of conqueror and conquered, Indians and whites. But a society with few Spanish women was also characterized by widespread miscegenation, which eventually brought the end of the dual system because too many people failed to fit either the pure Spanish or the pure Indian category. For the Spanish male, sexual expression became a form of athleticism in which the number of Indian maidens he had impregnated was proof of his virility. Although the Spanish saw race and culture as linked, acculturation did not keep pace with miscegenation. Usually the children of mixed unions remained with their mothers and had only casual contact with their fathers. The Crown permitted interracial marriage and the church encouraged it, but permanent wedlock was a rare phenemenon and most Spanish-Indian liaisons were casual relationships in which the father assumed little responsibility for his offspring. Although the church frowned on concubinage, priests, as well as soldiers, were involved in the miscegenation which produced a mestizo populace. In fact, clerical activity of this kind was so widespread that it was necessary to draw up rules concerning the status of their offspring:

> As the slave condition of the mother dictated the bondage of the offspring, mulatto children also became slaves as a matter of course. But there were at least two kinds of legal escape for them; a royal decree, addressed to the officials of the exchequer in Cuba in 1583, considering that some Spanish soldiers there had sired children with slave women owned by the state and now wanted to purchase their freedom, ordered that the fathers be given preference at the auction where their children were to be sold.[1] The other exception dealt with the children of ecclesiastics with slave women. At least the first Mexican Council decreed that "if it so happens that an ecclesiastic . . . has had or maintains lustful relationship with his slave . . . he should be punished according to law, and the Bishop dispose of the slave woman as he sees fit, and the children, if there are any, be set free[2]. . . ."[16]

The mestizo part of the population increased so rapidly that it was estimated to be nearly as large as the European population in 1570 and to surpass the European population by 1646. The Spaniards moved toward a hybrid type of racial situation and, in an effort to assume the proper def-

---

[15] Lucas Alaman, Historia de Mejico, 1849, Vol. 5, No. 1, p. 23, cited in Gruening, *Mexico and Its Heritage*, p. 24.

[16] Magnus Morner, *Race Mixture in the History of Latin America* (Boston, Little, Brown and Co., 1967), p. 42; Copyright © 1967. Interior footnote 1 indicates that statement is based on *Coleccion de documentos para la formacion social de Hispanoamerica 1493–1810,* II (Madrid 1953–1962) p. 547. Interior footnote 2 indicates a statement taken from Aguirre Beltran, *La poblacion negra de Mexico,* 1519–1810: Estudio etnohistoricao (Mexico, 1946).

erence to people possessing qualities of white ancestry, arranged an elaborate classification system which was said to have had, at times, as many as 46 possible categories. Roncal says that the Parish registers which kept track of births, deaths, and marriages recognized ten different castes:[17]

1. Espanol (habitually entered in special books along with "indios noblis")
2. Indio
3. Negro
4. Mestizo (Spanish and Indian)
5. Castizo (Spanish and Mestizo)
6. Mulatto (Spanish and Negro)
7. Morisco (Spanish and mulatto)
8. Lobo (Indian and Negro)
9. Coyote (Indian and mulatto)
10. Chino (Indian and Lobo)

There were many problems in maintaining an accurate list of the castes, the chief of which was the difficulty of establishing ethnic identity. The ten categories were obviously both close together and overlapping. Also, the belief that social traits and biological heritage were linked could only be maintained by imputing higher ethnic status to those who were socially mobile. Further, the only escape from an impossible bureaucratic tyranny was to accept ethnic self-classification, for, as one administrator reported, "to classify the 'castas' would involve the gathering of odious information, and if rigorously done, very dark stains already eased by time would be uncovered in well-accepted families."[18]

The ideal of a "pigmentocracy" was not given up easily, but even the most zealous administrators found it difficult to enforce. This difficulty is the basis of the complaint of the crown attorney of Mexico to the viceroy in 1770:

> The liberty with which the plebs have been allowed to choose the class they prefer, insofar as their color permits, has stained the class of natives as well as that of Spaniards. They very often join the one or the other as it suits them or as they need to. . . . A Mulatto, for instance, whose color helps him somewhat to hide in another "casta," says, according to his whims, that he is Indian to enjoy the privileges as such and pay less tribute, though this seldom occurs, or, more frequently, that he is Spaniard, Castizo or Mestizo, and then he does not pay any (tribute) at all. . . .[19]

By the end of the 18th century, the caste system which included slavery was becoming increasingly unworkable. There were too many marginal men who were difficult to rank within the numerous gradations of that

---

[17] Joaquin Roncal, "The Negro Race in Mexico, *Hispanic American Historical Review,* 24 (Aug. 1944), p. 533.

[18] Aguirre Beltran, *La Poblacion negra de Mexico* (Mexico, 1946), quoted in Morner, *Race and Class in Latin America,* 1967 p. 70.

[19] Jose Antonio de Areche, *Representation hecha ael Exmo Senor Marques de Croix.. June 23, 1770.* Latin American mss. Mexico, Lilly Library, Indiana University, Indiana.

system, and when the successful movement for independence brought an abolition of slavery and of the *castas* system, there was little protest.

Another complicating feature of Mexican racial classifications was the distinction between Spaniards born in Spain, known as the *Peninsulars,* or *Gachupinos,* and those born in Mexico, the *criollos.* The highest positions in church and state were reserved for the Spanish-born—a situation which often made it impossible for a son to achieve the status of his father! Mestizos born in wedlock, for long a small minority of the mestizo group, were accepted as *criollos,* and thus recognized as part of the second highest stratum in Mexican society. While the intention of the preference for the *Gachupinos* was to make a rigidly stratified society in which place of birth as well as race was involved, the effect was to produce in Mexico an alliance between the legitimate mestizos and the Spanish born in Mexico. Eventually this alliance was to spread to the illegitimate mestizos as well, in order to diminish the white-mestizo differentiation.[20]

MEXICAN INDEPENDENCE

The revolution of 1810, which ended Spanish rule and brought independence to Mexico, made some difference in the relations between whites but very little between that of whites and Indians or hybrid groups. The abolition of the *castas* was merely a formal recognition of the collapse of a system; the real change was an alteration in the power position of two groups of whites. The revolution was sparked very largely by a longtime competition for power between the *Gachupinos* and the *criollos.* The royal policy, probably in an effort to maintain a greater degree of control, of favoring the *Gachupinos* became increasingly resented by the *criollos,* and when the Spanish government was weakened by the Napoleonic Wars, they took the opportunity to break the ties with Spain and to establish an independent nation in which the *criollos* would be the dominant element.

Another measure which had considerable effect was the abolition of the *repartimentos* and also of the laws protecting the Indian communities. The *repartimentos* were succeeded by the haciendas, which were private land holdings granting direct ownership of land to one individual who was also permitted to have direct control over the labor force in the locality. The impact of these changes is described by Wolf:

> The hacienda, however, proved admirably adapted to the purposes of the colonists who strove for greater autonomy. Unlike the encomienda, it granted direct ownership of land to a manager-owner, and permitted direct control of a resident labor force. Its principal function was to convert community-oriented peasants into a disciplined labor force able to produce cash crops for a supra-community market. The social relationships through which this was accom-

---

[20] Ibid., p. 55.

plished involved a series of voluntary or forced transactions in which the worker abdicated much personal autonomy in exchange for heightened social and economic security.[21]

Through their need for occasional seasonal labor, the haciendas helped to provide small amounts of cash which, in turn, stabilized nearby Indian communities. Since both the Indians and the hacenderos resented the intrusion of any outside forces, they combined forces to preserve a status quo which slowed down, although it did not eliminate, Indian assimilation. The need for a labor force with a complete commitment to the hacienda was met through debt peonage, which tied Indians to the hacienda nearly as securely as slavery or the forced labor required by *repartimentos*. In theory, the hacienda meant the end of special burdens on Indians; in practice, it destroyed what little protection the government had provided for Indian communities.

While Mexican independence and Mexican nationalism were first stimulated to serve the interests of the *criollos*, they had implications for the Indians and mestizos as well. Mestizos, as early as the 18th century, had begun to assume an important position in Mexican social life, and they found that an emphasis on identification as Mexican and a commitment to nationalism tended to legitimate their position. They were working for a society which was based upon achievement rather than ascription by racial category, and hence the process of mestization and Mexican nationalism moved hand in hand. Even for pure-blooded Indians, the barriers to moving into Mexican society in important positions were not insurmountable, and in 1857, the presidency was won by a Zapotec Indian, Benito Juarez, who is sometimes considered the Abraham Lincoln of Mexican history. Juarez announced a reform administration and proceeded to seize Church lands and stop payments on foreign debts. The seizure of Church lands was a part of a long term anticlerical (meaning anticlergy) trend in Mexican politics which involved both the resistance of Spanish colonists against efforts of the Church to ameliorate the lot of the Indians and a protest against the power of the Church in its role as landlord and as director of education. The Church was, at one and the same time, an institution which tried to afford some degree of protection to Indian communities and, on the other hand, the largest landowner, and thereby employer, in Mexico. Any revolutionary or reform movement tended to become anticlerical, but any movement to limit the power and wealth of the Church also weakened the part it might play as a protector of Indian communities.

Financial problems forced Juarez to suspend foreign debt payments; this brought about a tripartite intervention from France, England, and

---

[21] Eric R. Wolf, "Aspects of Group Relations in a Complex Society: Mexico," *American Anthropologist*, 58 (December 1956), p. 1069. Reproduced by permission of the American Anthropological Association.

Spain, who sent troops to Mexico, and ended the Juarez regime. The other nations withdrew when it became apparent that France proposed to become the dominant power in Mexico. The French-appointed ruler, Maximillian, lasted just long enough to give a Parisian appearance to Mexico City and to stimulate nationalistic feeling against foreign influence. At the end of the civil war, diplomatic pressure from the United States caused the French to withdraw their troops, and in 1867, Maximillian was captured and executed. Juarez returned to power until his death in 1872, but the major changes in Mexico during the 19th and early 20th century were brought about by a dictatorial ruler, Porfirio Diaz.

In 1875, Porfirio Diaz became the Mexican president—a post he was destined to hold, with one interruption, until 1910. Diaz was a follower of a Darwinian positivist philolosophy which placed a great deal of faith on free competition and deprecated the possible role of deliberate social reform. During his regime foreign capital was welcome, banditry suppressed, the budget balanced and internal customs duty abolished. The mileage of the railroads increased almost 50-fold, the total values of exports became five times what they were at the time of his inauguration, free schools were established, and public improvements of many kinds were undertaken.[22] In spite of the success in economic development, most of the people felt that prosperity had passed them by; the revolution of 1910 toppled the Diaz regime and led to a period of confusion for several years until a stable and much more nationalistic government emerged.

It is, however, worth looking at some of the racial attitudes which developed in the Diaz regime. The idea that the white man was the end product of evolution was rejected, and the assumption was made by several thinkers that the gradual biological domination of the mestizo was both an inevitable and a healthy type of process with which the state should not interfere. One of the favorite intellectuals of the Diaz regime, the historian and sociologist Andres Molina Enriquez, gives a reluctant admission that the Darwinian hypothesis seems to favor the mestizo:

> The mestizo element is the strongest. It is beyond doubt that the mestizo element is the strongest since in a long history they have lasted more than three centuries in the face of immense difficulties, and in the struggle with other groups have achieved preponderance. Their strength comes from indigenous blood and they are in intimate contact and constantly mixing with the indigenous element which is still numerous, they can renew their energies incessantly. Neither the indigenous races nor the mestizo are distinguished, as we have had occasion to say, by either beauty or culture, or, in general by the refinements of the races of very advanced evolution. but by its incomparable adaptation to the environment by the qualities of extraordinary animal strength.[23]

---

[22] James Creelman, *Diaz, Master of Mexico* (New York, Appleton Co., 1911).

[23] Andres Molina Enriques, *Los Grandes Problemas Nacionales* (Mexico A. Carranze, 1909), pp. 42, 262–63; cited in Martin S. Stabb, "Indigenism and Racism in Mexican Thought," *Journal of Inter-American Studies*, 1, (October 1959).

The works of the racist thinkers such as Houston Stewart Chamberlain and Arthur De Gobineau were rejected and, as Stabb indicates,[24] one would have to consider that the emphasis on indigenism in the revolution of 1910 really has roots that go back to an earlier period. The Diaz regime was generally regarded as one of privilege for the propertied interests in Mexico, but this did not mean that it espoused a racist philosophy.

THE REVOLUTION OF 1910

With the fall of Diaz, Mexico entered into what is perhaps the first successful socialist type of revolution in the 20th century. This was a revolution which described itself as being anticapitalist, antiforeign, and anticlerical. It was allied with an Indianist movement to protect Indian rights, although most of its adherents equated mestizo background with a truly Mexican type of nationality. This revolution brought the final seizure of the Church estates and thereby the end of any semblance of communal protection for the Indians. The Indians were regarded on the same basis as other Mexicans with no special protection and with no disabilities. The temper of the times and the turmoil of the revolution favored an increase in internal migration which in turn led to a still greater blending of racial groups, an increase in the proportion of mestizos, and a further drop in the percentage of pure Indians. The revolution of 1910 brought an attack on the haciendas, the remaining Church-owned lands, and the communal holdings of the Indians. Indians were thus freed from the bonds of debt slavery (peonage) and gained more mobility, while outsiders found it easier to buy land within the Indian communities.

On the other hand, legal provision was made for the formation of *ejidos*, cooperative communities owning land in common. The *ejidos* were supported both on the basis of land reform and on a commitment to Indian cultural values. Supposedly the *ejidos* would end the exploitation of Indian peasants, increase production, and be a training ground for democratic participation. Unfortunately these goals required more than land reform; they involved, management, and capital. The management was often both venal and incompetent and capital was in short supply so that, in general, the *ejidos* have failed to reach their objectives. They probably also have the effect of stabilizing an agricultural proletariat which is not really geared to link itself with a modern economy.[25] However, the *ejidos* do represent a concern for Indians and Indian values. Even though their record has been disappointing, one can expect a continual push for expansion and improvement of the *ejidos* with an incidental effect of providing a base for cultural pluralism in the relations of Indians and mestizos.

---

[24] Ibid., p. 6.

[25] Cline, *Mexico*, p. 212; Wolf, "*Aspects of Group Relations in a Complex Society: Mexico*," pp. 172–73.

Such a base for indigenism will not embrace more than ten percent of the population and whether the *ejidos* will be really viable in either a cultural or an economic sense remains to be seen.

The pattern of land operation has had a great effect on the development of intergroup relations. The original ideal of the development of the two republics; the republic of Spaniards and the republic of the Indians, was vitiated by the failure of attempts to separate the two groups economically. The *repartimento* system was a modification of the *encomienda* whereby the Indians in their labor were to be directed by royal functionaries and the Spanish also were to be dependent on the Crown. Indian communities were organized for the payment of tribute, the provision of forced labor, and the maintenance of churches. The failure of the *repartimento* to preserve Indian communities was only partly due to the remoteness of the Spanish Crown and the corruption of its officials. Another factor in the situation was an unequal sex ratio which led to miscegenation to such an extent that some authors have referred to the subjugation of the Indians by the Spaniards as "the conquest of the women." Economic relationships also tend to break down Indian isolation as permanently employed Indian workers became acculturated to a Spanish model, while the same process worked in reverse as mestizos and mulattoes invaded Indian villages.[26]

Although the maintenance of corporate villages did not prevent miscegenation it did, however, stabilize a poverty-stricken Indian group only lightly touched by modernization and usually speaking an Indian language. On a limited level such Indian villages were complete social units operating in a relatively self-sufficient situation with only limited contact with outsiders. Wolf describes the situation as follows:

> Thus equipped to function in terms of their own resources, these communities became in the centuries after the Conquest veritable redoubts of cultural homeostasis. Communal jurisdiction over land, obligations to expend surplus funds in religious ceremonies, negative attitudes toward personal display of wealth and self-assertion, strong defenses against deviant behavior, all served to emphasize social and cultural homogeneity and to reduce tendencies toward the development of internal class differences and heterogeneity. . . .[27]

Stavenhagen points out that, while the trend in the chaotic periods which made up much of the 19th century was for retreat and isolation of Indians in the more remote and inaccessible parts of the country, this trend was reversed in the latter part of the 19th century.[28] Then increased demand

---

[26] C. E. Marshall, "The Birth of the Mestizo in New Spain," *Hispanic American Review*, 19 (May 1939): 161–84.

[27] Wolf, "Aspects of Group Relations in a Complex Society: Mexico," p. 1067.

[28] Rodolfo Stavenhagen, "Further Comments on Ethnic Relations in Southeastern Mexico," *American Anthropologist*, 66 (Oct. 1964): 1156–1158.

for such cash crops as coffee and sugar and the increased private ownership of land changed the situation. Peasants now produced for an overseas market and ladinos (mestizos) formed the intermediary link between farm and export market. In one sense, this was a continuation of colonial relations with function ascribed by race[29] and the Indians were, for the most part, illiterate peasants while mestizos carried on trade. However, an increasing number of Indians became acculturated and thus left the Indian classification, while increasingly there was a social class rank, based on wealth, which categorized Indian and non-Indian alike.

Current statistics indicate that less than ten percent of the population speak a language other than Spanish as the mother tongue,[30] and apparently Mexican nationality has been built upon a racial blend of European, Indian, and Negro. Many authorities claim that there is no racial problem or racial consciousness in Mexico at the present time. This statement would have a high degree of truth if one takes race as being biologically defined. However, the distinction in Mexico is not so much race as culture. Thus, one authority states that an Indian who is living in the city or employed in a factory is accepted as a mestizo.[31] However, those who are culturally Indian may still be an exploited part of the society, and a nation which expresses its nationalism in terms of a legendary Indian hero, its Catholicism by its adoration of the Indian virgin of Guadelupe, its artistic values by Diego Rivera and the school of painters which followed him emphasizing the Indian aspect of the Mexican tradition, may still denigrate those who are culturally Indian at the present time.

In her analysis of the current place of Indians in Mexico, Iwanska distinguishes between the image of the Indian in Mexican national ideology, the stereotype of the Indian held by the rest of the population, and the self-concept of various linguistic groups of Indian tribes.[32] The national ideology has adopted Cauhtemoc as a symbol of traditional greatness and a rallying point for a historically based ego structure. Cauhtemoc, the proud conqueror and legendary hero of past glories, whose real nature is only vaguely perceived, has become a Mexican cultural hero. However, the historic image of the Indian has little relationship to stereotypes

[29] Pablo Gonzales Casanova, "Internal Colonialism and National Development," *Studies in Comparative International Development* (St. Louis, Social Science Institute, Washington University, Vol. 1, No. 4, 1965), pp. 34–36. Casanova argues that the position of the Indians versus the mestizos is essentially that of colonial subject to imperialist, although he admits that the Indian can change his status by assimilating the dominant culture.

[30] Cline, *Mexico,* p. 96.

[31] Ralph L. Beal, "Social Stratification in Latin America," *American Journal of Sociology,* 58, (January 1953), p. 338.

[32] Alicja Iwanska, "The Mexican Indian: Image and Identity," *Journal of Inter-American Studies,* 6 (October 1964): 529–36.

about contemporary Indians. Some of these stereotypes are similar to those traditionally held by white southerners in the United States about blacks, except that the permanence of biological barriers is denied and assimilation is the ideal. In Iwanska's words:

> This image of the Mexican Indian held by the average Mexican bears some similarity to the image the white Southerner in the United States has of the so-called "good Negro." But the differences are much greater than the similarities, since the "Indian problem" is supposed to disappear in Mexico through assimilation of Indians while the Negro problem is to white Southerners and to many other Americans as well not a problem at all as long as the Negro "keeps his place" in a segregated society and does not try to merge with "the white race."[33]

In looking at the Indian self-concept, Iwanska refers to a group she regards as somewhat representative, the Mazahuas of central Mexico. First, she notes that they seldom refer to themselves as "Indians," since this has somewhat the same connotation among them that "nigger" has in the United States. They are not much interested in their historic position but are quite proud of their tribal identification. Their self-concept is somewhat similar to the stereotype held of them by other Mexicans. "They think of themselves as primitive, lazy, uncivilized, and often even stupid." On the other hand, they claim such moral virtues as being better Catholics and more trustworthy spouses and parents.

Insofar as they are committed to a governmental allegiance, it is not to the state and local governments, which they regard as either indifferent or controlled by exploitative interests, but to the national government, which was responsible for land distribution and from whose agents they learned that Mazahuas had rights as well as duties. They have thus adopted the rational egalitarian aspects of the Mexican revolution without really being greatly affected by its glorification of a mythological Indian past.[34]

The image of the Aztecs and the Mayans serves to legitimate the notion that Indians are inherently capable people who can be assimilated to mestizo status. It has not led to a vigorous pan-Indian movement, a justification of separatism, or a glorification of the present character of the Indian peasant. The greatness of the historic culture thus becomes an emotional symbol of national greatness but one seen as hardly relevant to current values and concerns. One might summarize the Mexican definition of the situation by saying that the Indians established a great culture which was overthrown by the Spanish, who brought in a culture more adapted to modern needs. The Indians are today a backward element which is a drag on Mexican progress, but by acculturation they can become mestizo and thereby enter the main stream of Mexican life. Differ-

---

[33] Ibid., p. 533.

[34] Ibid., pp. 534–35.

ences in pigmentation and facial features are recognized and caucasoid traits are preferred. This preference is associated with the predominance of the lighter-skinned among the upper class, but a darker skin is not an absolute barrier to social acceptance. Stratification is on class lines and race as such is said not to matter.

With the remaining Indians, though, class differentiation is reinforced by cultural differences. Speaking a different language and responding to the mores of a subsistence agricultural society rather than to the relentless pace of urban industrialism, the remaining Indians are, in many ways, a group apart. It may be culture rather than race which sets them apart, but the distinction is none the less real. On the other hand, Indians currently do not constitute more than ten percent of the populaion and while they may have been bypassed by modernization they do not challenge it. There is no strong "Indianist" movement in defense of a separate society, and presumably the process of "mestization" will continue as more and more Indians are drawn into commercialized agriculture or industrial employment. Whether distinct Indian communities will ever completely disappear may be doubtful. Those that remain, however, will certainly be small and seem more likely to be passive enclaves in isolated areas than to be the nuclei of dynamic Indian cultural groups.[35]

Color prejudice did play a role in the formation of a distinct racial population—mestizos, in the sense that the offspring of Indian-white unions were viewed differently from so-called pure-blooded Indians. But Mexican ethnic relations operated on a set of premises different from those in the United States or in South Africa. First, in Mexico the Indians were not dehumanized to the same extent as blacks in the United States, and they were viewed as persons with a soul. Moreover, in the development of the country, identity was not simply based on phenotypes, but a preponderance of weight was placed on culture, and the racial identity of parents did not carry the same significance as it does in the United States. A mestizo could readily admit to his Indian ancestry without fear of being ostracized or of being regarded by others as an Indian. This is impossible in the United States among black Americans, even for those with a high amount of Caucasoid genetic heredity. Turner gives the following historical summary of the process "mestization":

The process of miscegenation by which the Indian and white races inter-

[35] As Harris analyzes the trend toward assimilation, "Many idealists in Mexico and abroad look upon this outcome with distaste. Quite rightly they argue for the right of the Indians to maintain their own culture and their own language . . . But . . . the isolation of the Indian communities has been broken . . . with few caste-like barriers around him, the Indian will continue with ever-increasing speed to be assimilated by the Mexican majority." Marvin Harris, "The Indians in Mexico," in Charles Wagley and Marvin Harris, *Minorities in the New World* (New York, Columbia University Press, 1964), p. 85.

married to form the mestizo group greatly changed the racial composition of Mexico during the nineteenth century. In 1824 Humboldt estimated that 1,860,000 mestizos made up 27.3 per cent of the Mexican population, while Ramon Beteta estimates that on the eve of the Revolution 8,000,000 mestizos comprised 53 per cent of the population. According to Humboldt's and Beteta's figures, the number of white Mexican citizens fell from 1,230,000 in 1824 to 1,150,000 in 1910, and the proportion of white citizens decreased from 18 per cent of the total population to only 7.5 per cent. Although the number of Indians rose from approximately 3.7 million to 6 million, the Indian portion of the population fell from 54.4 per cent to 39 per cent. Even if we accept Ramon Beteta's opinion that a larger number of Mexicans were mestizos in the early nineteenth century, the proportion of mestizos still rose from 38 per cent to 53 per cent in the hundred years before 1910. The biological miscegenation of the Mexican population was a gradual and irreversible process, because both the union of whites and Indians and that of mestizos with either of the other groups produce mestizo offsprings. This process had reached such a point by 1908 that Frederick Starr, a contemporary anthropologist from the University of Chicago, stated that "in some parts of Mexico, it almost seems as if what white-blood once existed is now breeded out."[36]

Mestizo in the early days of colonial domination meant *bastard* or *illegitimate offspring;* this was one of the stigmas that youngsters in the mestizo population had to carry, and it served as a major impetus in the thrust for nationalism in Mexico as the mestizo population increased. Because they were economically and culturally inferior to the whites they became part of the vanguard for nationalism, a move to bring the rival factions into a national community based upon their contribution and not on racial distinctions or socioeconomic position in the society.

THE CHINESE IN MEXICO

Amalgamation may be diminishing conflict between the major groups in Mexico, but this does not mean that Mexicans are immune from the forces leading to intergroup conflict in the rest of the world. A case in point concerns the relationships of Chinese and Mexicans.

Chinese migration to Mexico began in 1893, when Mexico and China signed a treaty of amity and commerce. Starting in the northwestern area the Chinese spread throughout Mexico, with a particular concentration in the state of Sonora. Beginning as farm and rail construction laborers, they rapidly made their way into various types of business enterprise. As wholesalers of agricultural commodities, grocers, and money lenders, they soon became a ubiquitous part of the commercial scene. In addition, they began to buy up agricultural land in small but noticeable quantities.

[36] Frederick C. Turner, *The Dynamics of Mexican Nationalism* (Chapel Hill, University of North Carolina Press, 1968), pp. 72–73.

The predictable result of their position as marginal commercial middlemen was that they became scapegoats for the tensions in Mexico. One point, made much of by revolutionary propaganda, was the toleration of the Chinese by the Diaz regime. As a commercial middle class the Chinese were a valuable part of the Mexican economy, but as a source of both cheap labor and commercial competition they were a natural focus of ethnic antagonism. Since they were neither native Mexicans nor a part of the "colossus of the North," they were in an exposed position with no one to protect them.[37]

The Chinese suffered not only from discriminatory legislation but also from occasional riots and even massacres. One such incident at Torreon in 1911 caused the death of 300 Chinese. The virulence of anti-Chinese feeling contrasts with the supposedly more benign pattern of ethnic relations in Latin countries and indicates that, with groups outside of their traditional orbit, Mexicans are subject to the same tensions as are people of other areas. Morner's comments on this situation are much to the point:

> Thus the Chinese, a hard-working, only partly assimilated group faced almost identical kinds of persecution in the United States and northern Mexico. Such episodes show that, under certain conditions, latent ethnic prejudice may produce discrimination and racial violence in any ethnic environment. It is not a phenomenon unique to Anglo-Saxons, Germans and South Africans.[38]

Antipathy toward the Chinese led to the elimination of immigration by restrictions effective in 1927, but this step did not end anti-Chinese agitation. Feeling ran highest in the state of Sonora. Here a series of restrictions against the Chinese had been put into effect over a period of 20 years. Restrictions on landholding, requirements that accounts be kept in Spanish, prohibition of entry into various occupations, and discriminatory taxation were all used by the state government at various times. Much of the legislation was evaded by the Chinese, but heavy taxation and rules restricting commerce in 1931 were too severe to be endured and, in the fall of 1931, the Chinese residents of Sonora left the state, some to return to China, others to migrate elsewhere in Mexico, and the state Governor could boast that the "Chinese problem has been completely terminated in Sonora."[39]

Animosities against the Chinese and against such "gringo" groups as the Mennonite and Mormon settlers have served to strengthen nationalism by defining the outsiders. Within the groups considered Mexican, ethnic distinctions have diminished; Africans have virtually disappeared as a

---

[37] Charles C. Cumberland, "The Sonora Chinese and the Mexican Revolution," *Hispanic American Historical Review*, 40 (May 1960), p. 192.

[38] Morner, *Race Mixture in the History of Latin America*, p. 138.

[39] Jose Angel Espinoza, *El ejemplo de Sonora* (Mexico, 1932), cited in Cumberland, "The Sonora Chinese and The Mexican Revolution," p. 203.

recognizable group, whites have diminished as a proportion of the population, and many Indians have crossed into the mestizo category. All the major groups which make up the Mexican population seem to be in the process of merging into one population which increasingly represents both a common culture and a common physical type.

CONCLUSIONS

Mexico is a society which began with an extreme exposure to domination and ethnocentric social distinctions as a result of the Spanish Conquest, but in which consciousness of racial distinctions has been greatly reduced. Clashes may occur with those considered alien, but among the populace accepted as "Mexican" there seems to be little ethnic conflict. Cultural distinctions still survive, both in a fairly pure Indian culture in the more remote parts of the country and in some degree of tension between those who retain a degree of Indian identification and the rest of the population. However, the proportion who can be identified as other than mestizo is rapidly shrinking. There is greater concern for the welfare of the Indian minority and Mexico appears to be a society in which widespread racial amalgamation has minimized group conflict.

Although some degree of racial intermixture seems to have been a result of every colonial situation, this has been more true of the French, Spanish, and Portuguese colonies than those controlled by Anglo-Saxon nations. Among all of the large countries which have seen intermixture as the result of the colonial experience there is none in which this has progressed to a greater extent than Mexico. Both in the extent of racial intermixture and in the psychological attitude toward the mestizo population, Mexico occupies a unique place.

In looking at the probable reason for the Mexican outcome it may be worth while to refer to the sociological distinction between crescive and enacted change. Enacted change is that which comes as a result of deliberate planning, while crescive change refers to developments which occur without any conscious design. It would seem that the course of Mexican intergroup relations has certainly not been due to the deliberate type of design which we associate with enacted change. There was nothing in the Spanish policy, or for that matter in the Indian reaction, which was deliberately designed to produce racial amalgamation. Rather, there was considerable racism on both sides of the fence and one would attribute amalgamation to a failure of enacted change and to the operation of crescive forces whose significance was not really discerned at the time. What are these crescive factors and how do they operate? Let us look at some of them and analyze their effect on the pattern of Mexican ethnic relations.

Effect of cultural homogenization

Perhaps the first, and possibly most paradoxical factor, which comes to mind is the very ruthlessness of Spanish rule and the intolerant ethnocentrism of Spanish attitudes. Most of the Spanish colonists had no appreciation of the magnificence of the Aztec and Mayan cultures and viewed them only as perversions which were to be destroyed. Spanish architecture was the only legitimate form of architecture, the Catholic religion was the only true religion, the Spanish language was the only language which could be spoken by civilized men. While some of the indigenous culture such as foods, agricultural practices, and clothing managed to persist, yet in language, religion, government, architecture, and family life, Spanish influence was all-pervasive. This tended to homogenization and, therefore, to assimilation. The fact that the society was dominated by a single culture meant that persons of diverse racial backgrounds still had a common cultural orientation and could interact with some degree of ease.

Symbolic value of Indian culture

The ruthlessness of the Spaniards was matched against the vigor and development of the more advanced Indian cultures. While the Indian societies became an easy prey to Spanish military prowess and political intrigue, their influence did not completely fade away from the earth. Even the destructive Spanish could not demolish all the pyramids and temples; so the legends, and some of the material evidence of great and advanced civilizations, managed to survive the Spanish Conquest. Thus the Mexican was a person with a double ancestry—an ancestry in both lines of which he could take pride. From his Spanish ancestry he inherited what would become the dominant cultural values of Mexico, but on the Indian side he could identify himself with the glories of a past civilization which in many ways rivaled that of medieval Europe. Thus, it is perhaps to be expected that the favorite images in Mexico—the statue of Cauhtemoc, the Indian defender of Mexico City, and of the Virgin of Guadelupe, the Indian girl who has become a symbol of Catholicism—were expressions of this double heritage. The fact that the Indian heritage was so largely destroyed made it easy for people of Indian ancestry to accept the cultural aspects of mestization, while the historical glory of their ancestral culture allowed them to participate in the common nation without a historic badge of shame or inferiority.

Local versus centralized rule

The hierarchy of both the Roman Catholic Church and of the Madrid government in Spain endeavored to protect, to some degree, the Indians against the rapacity and cruelty of Spanish colonists. The government attempted to avoid the abuses found in other countries in the *encomiendas* by providing that the Spanish settlers would be subject to the rule of a government official concerned about the salvation of the Indians' souls, about their material welfare, and about their rights as human beings. It was probably as a result, at least in part, of Catholic pressure that Indian slavery was abolished after a relatively short period of time. However, many of the priests and bishops faced a different type of situation than that envisioned by the more remote members of the hierarchy, and in any event they had little influence upon the practices of individual Spaniards. Further, the Catholic Church became the biggest landowner in Spain and therefore was tempted to view the Indian peons as a labor source to be exploited in a backward but monopolistic agricultural situation. Actually, there was little difference between the church estates and the privately owned haciendas, and in either situation the Indians occupied a subordinate role where his culture was attacked, while the only defense of his personality was his being freed from slavery. For various reasons the Catholic church was less concerned about African than about Indian slavery. It agreed to the extension of African slavery as a means of preventing the exploitation, and even the extermination, of Indians under conditions of slavery.

This inability of either state or church to protect the Indians from the Spaniards meant that the Indian population of Mexico, to a great extent, was forced to interact as a part of the general society. The demise of the Spanish regime in 1810 ended any possibility of interference from the Madrid government. Similarly, the extreme anticlericalism which came with the revolution of 1910 deprived the Catholic Church of any opportunity to protect a separate Indian society.

If either church or government had been successful in its Indianist policies the result would have been a realization of the ideal of the two republics—Spanish and Indian, existing in distinct societies and maintaining distinctive cultures. In such a case Indian communities might have had greater protection against exploitation, but this protection would also have kept them more isolated and would have slowed down both miscegenation and acculturation. Neither the Church nor the Madrid government was able to enforce its ideals, and Indian exploitation proceeded at both the sexual and the economic levels. The initial result was a decline in the Indian population but the long-term effect was amalgamation of African, Indian, and Spaniard in a largely mestizo population.

Influence of multiple racial classification

It is possible to argue that the Spanish were even more concerned about the importance of race than were the Anglo-Saxons in the sense that the

Anglo-Saxons had only a dichotomous relationship of white or black, while to the Spanish it was extremely important to distinguish the degree of white ancestry and to provide the "proper kind" of social treatment in accord with the exact classification of the individual involved. This was the purpose of the *castas* system with its numerous social and ethnic classifications. The extreme detail of this classification, however, was its own undoing. As Mexico became a more mobile and populous society, it became impossible to identify with any precision the varying ethnic categories, and it was impossible to keep ambitious mestizos with limited white ancestry from achieving social prominence. As a result the whole process of ethnic categorization tended to break down. There is still a lingering degree of pride in an allegedly pure white ancestry, but most Mexicans find that a mestizo classification implies acceptable social status.

Legalization of intermarriage

Prejudice and discrimination were certainly rife for many years in Mexico, but intermarriage was never illegal and, with the proclamation of independence in 1810, came the end of any restrictions of a legal nature placed on individuals by the virtue of ancestry or place of birth. This, of course, did not destroy discrimination or necessarily weaken prejudice. It did mean, however, that the exceptional individuals who for one reason or another departed from the norm and engaged in formal mixed marriages, rather than in illicit unions, could find a degree of acceptance in the society. Their example was followed by others and eventually produced a large number of people of mixed white, Indian, and African ancestry who had a respectable social status. This again contrasts with the more rigid pattern in Anglo-Saxon countries, in which the offspring of mixed parentage tended to be classified as a member of the colored group, and frequently a mixed marriage was legally prohibited.

Linkage of cultural and racial superiority

While the Spaniards had concern for the importance of biological background, this was also linked with ideas of cultural superiority and social position. The very description of the *castas* implies that social status and biological background were expected to go together. The combination of this bio-social classification and a society which had legal provisions of equality enabled adjustments to be made. For instance, the *criollos,* the Spaniards born in Mexico, many of whom had some degree of Indian ancestry, were allowed to retain the "fiction" of pure white ancestry. Since they had the social position which was consonant with the white ancestry, it was easy for society to allow the circumvention of a purely biological classification. Under these circumstances the distinction between *criollo* and mestízo tended to break down, a process which still further favored amalgamation.

Mestization and Mexican nationalism

Nationalism has frequently meant that the claim of being a "national" of the country was linked to a certain type of ethnic ancestry. In the case of Mexico, the development was somewhat different. Obviously, neither the Indian nor the Spanish could claim to be the true representative of Mexican nationality. The Spaniard had his primary links with European society, while the Indian was associated with an era before the formation of the national state. The Indian, and, to the degree to which he was recognized, the African, were attempting to escape from a servile status, while the Spaniard needed protection from Indian resentment. All groups could find a claim to identity which validated their Mexican nationalism in the mestizo classification. If Mexico is a product of the union of two cultures, then the individual who is the biological product of the "two bloods" is certainly the true Mexican.

The revolution of 1810, which brought independence to Mexico, is often viewed as primarily a movement of the *criollos* against the Peninsulars, the Spaniards who were born in Spain and immigrated to Mexico. The Socialist revolution of 1910 represents the culmination of forces which had been bringing the mestizo into a more favorable position and which made him the true representative of Mexican nationality. The Indian was accepted primarily as a historical figure, and some concessions were made to isolated Indian societies. Primarily, however, the program for the Indian was one of mestization, and as he moved to a city, took a factory job, and learned Spanish he, too, was considered to be a mestizo regardless of his racial ancestry. Thus, the two forces of mestization and Mexican nationalism moved together.

Effect of universalistic religion

While the Catholic Church has a very mixed record in its own relation to Indians and was never able to impose its ideals completely upon the Spanish colonists, its influence did make a difference. First, since the salvation of Indians was important, the prevention of their massacre was a Christian virtue. Secondly, the church gave support to the ideal of monogamous marriage in a situation where an unequal sex ratio made it impossible for most Spaniards to marry Spanish women. This support of a monogamous institution facilitated what was really a deviant type of action in the initial tendency of a few Spaniards to marry those of colored ancestry. Finally, the association in a common religious institution is a bond of culture and of participation which has brought various elements of Mexico together.

GENERALIZATIONS FROM MEXICAN EXPERIENCE

Mexico is a society which is pluralistic in the biological background of its people but "essentially homogenous" in terms of culture. There are, it is true, many survivals of Indian civilization, but these are not seen as offering competition to the dominant culture which is an amalgam of Spanish and Indian with the Spanish element predominant. For the individual moving ahead in modern society in terms of social mobility there are few possibilities of cultural alternatives and therefore few possibilities of cultural conflict. Hence the Mexican situation is quite in contrast to patterns in Ireland, where there is a possibility of religious differentiation, or in Belgium, where language identity serves as a focus for group separation. Whether it is similar to the United States depends upon the way current trends are analyzed. If skin color is being downgraded and a large number of middle class blacks are seen as entering an essentially homogenous society then the similarity is obvious. If, however, black separatists and white segregationists are successful in their effort to maintain and extend color cleavages, then the United States will diverge from the Mexican pattern even more in the future than it has in the past.

MEXICAN BEHAVIOR PATTERNS IN RELATION TO GENERALIZED BEHAVIOR PATTERNS

Mexican pattern. It may be considered the essence of a "racist" point of view to assume that physical features are correlated with various social traits, but this theory may have unexpected results in practice. The Spaniards regarded pure Spanish ancestry as indicating the possession of the type of traits which make for mobility in a modernized society. While this may be considered unbridled ethnocentrism, it did facilitate a certain degree of passing from one ethnic category to another. If virtue is associated with a particular biological category, then those who manifest social virtue tend to be assigned to the correlated biological category. The very cultural homogeneity of the society facilitated this type of movement, since there was rather general agreement as to which traits were socially desirable.

Generalized pattern. Mixing of biological and social criteria for ethnic classification facilitates movement from one classification to another.

Mexican pattern. The difficulty, in a mobile society, of keeping track and of classifying people in from 10 to 46 different types of categories is so great that the whole procedure breaks down. Once the finer distinctions have been blurred there is a tendency to classify everybody as mestizo except those who are culturally Indian or members of distinctive alien minorities such as the Chinese. By contrast the Anglo-Saxon practice of making only a dichotomous separation between white and colored would seem to be less racially fanatical, although in the long run it is probably more effective in preserving racial separation. In a biomodal system anyone with known colored ancestry is classified in the subordinate group; there is little possibility of movement from one group to another, and racial distinctions can be maintained with relative ease. The tendency to blur racial distinctions in Latin cultures and to maintain them in Anglo-Saxon cultures does not come because the Latins were unconcerned with race but because in the height of their concern they established an edifice impossible to maintain.

Generalized pattern. Multiple biological classification yields over a period of time to a blurring of biological distinction. The maintenance of very fine gradations for the classification of biological identity is a type of "racism" which not only is absurd but is self-defeating.

Mexican pattern. The initial stand of the Roman Catholic Church in favor of the human qualities of all men, including Indians and blacks, was largely ignored by the Spanish settlers who took an instrumental view of ethnic minorities. Similarly, the declaration, at the end of the revolutionary movement which inaugurated independence, that ethnic designations would no longer have social effect, was hardly taken seriously by any element of the Mexican population. These formal gestures toward a recognition of equality had little effect in themselves in ending ethnic discrimination, but they did facilitate change with relatively little friction as the colored groups progressed in social mobility. There were no legal barriers against intermarriage or citizenship or any type of economic activity. This meant that when the basic social condition had changed and the mestizo group became more mobile there was no institutionalized way of stopping them. Hence the legal provisions, even though from a standpoint of enforcement they were ineffective, did provide a gate through which socially mobile minorities could pass.

Generalized pattern. Legal institutional equality, even though seemingly ineffectual, minimizes frictions as changes occur in the relationships of ethnic groups.

Mexican pattern. Throughout the history of Mexico since the Spanish Conquest the pure Spanish ancestry and the white skin have been considered prestige traits. In contrast to this type of evaluation, the Nationalists urged that Mexico should be developing a population which was genuinely "Mexican." Such a population could not be Indian, since the Indians were divided into separate numerous tribes, nor could it be Spanish, since this label was identified with aliens. The logical type of ethnic identity for the true Mexican was the mestizo category, comprising as it did the contribution of all groups which had made up the Mexican population. The acceptance of this type of mixed ancestry as comprising the genuine Mexican identity tended to validate the position of the mestizo in comparison with either the Indian or the pure Spanish population.

Generalized pattern. When a once denigrated ethnic group becomes the symbol of nationality it raises the status of the group.

Mexican pattern. The identity crisis of the Mexican Indian is certainly a bit different from that of the American black or the North American Indian. It is true that the Mexican Indian occupies a servile position and is constantly reminded of his humble status. On the other hand, he is the heir to the empires of the Aztecs, the Mayas, and others, and he can boast of an ancestral culture which compared favorably with Spain at the time of Cortez. The pyramids and temples are symbols which the person of little Indian ancestry is compelled to accept and respect and they are also symbols to which the Indian may look for ego gratification. It may be true that they have relatively little effect on the position of the Indians today, but their contributions to psychological adjustment are certainly significant.

Generalized pattern. Appreciation of indigenous achievements may support both minority self concept and respect from the outgroup.

Mexican pattern. The influence of the sex ratio is a point which needs very little laboring. The Spaniards brought only a very small proportion of women to the New World with them. Since sexual activity was bound to take place, it necessarily involved the Spanish and the Indian population. It took place in terms under which the Spanish were dominant and the Indian maiden not only was unable to resist the advances of the Spaniards but frequently found that bearing a child of mixed ancestry was a matter of positive advantage. In these circumstances the Spanish contribution to Mexican physical heredity was far greater than the comparatively small number of Spaniards might indicate.

Generalized pattern. Unequal sex ratios favor amalgamation.

Mexican pattern. Neither the central government at Madrid, the government of the province of Mexico as such, nor the smaller subdivisions were particularly strong. They were able to rule only insofar as their authority was accepted by the Spanish settlers. Their efforts to protect the interests of blacks or Indians as separate groups ran counter to the settler desire to utilize Indians and blacks primarily as sources of labor. Hence there was little protection of Indian or black society, and Indians and blacks had to find their way in a society dominated by whites. The result of this was a society in which, for the most part, the superordinate positions went to whites and the subordinate positions to the people of color.

However, it was a common society with a common culture which featured the cooperation and interaction of people of different ethnic groups even though on a stratified basis.

A strong central government might have been able to enforce a stronger stand for the preservation of indigenous culture and society. Strong regional governments might also have emerged as the spokesmen for indigenous interests of people in their region. Since government on either level was relatively ineffectual, the driving part in the organization of society was played by the hacenderos and, eventually, by the industrialists of the city, whose need for labor overrode respect for the distinctive ethnic background of any group. To generalize from the Mexican experience one might observe that, in the absence of governmental restraints, a socioeconomic system develops which does integrate various ethnic groups in a common social system. Probably they will not be integrated on an equal basis, but at least they will become mutually interdependent and thus will lay the basis for a society which involves the interaction of those from different ethnic groups.

Generalized pattern. In a country with a weak government the interaction of alien and native ethnic groupings fosters the growth of a common ethnic system.

Mexican pattern. The laws and regulations of colonial society in Mexico provided for a caste system with differential privilege based on the degree of white, Indian, and black ancestry. Thus the Spaniards sought to enact an ethnically stratified society with the top privileges going to those of lightest skin. They failed in this effort because the forces working for miscegenation produced a population which it was impossible to classify in these terms.

This specific situation may not often be repeated, but history is full of instances when enacted change was defeated by unplanned crescive developments. For instance, American communities have enacted laws against housing segregation only to find such laws ineffective as a major urban migration of blacks expanded the segregated areas. Examples of this kind could be multiplied. The point is not that enacted changes never succeed but that they are more likely to be successful when they work with prevailing social trends.

Generalized pattern. Crescive developments may undercut attempts at enacted change.

QUESTIONS

1. What factors were responsible for the movement toward a common culture and a common biological classification, since there was no deliberate design to achieve this goal?

2. How do you explain the failure of the Spaniards to completely strip the Indians of their cultural heritage?
3. Why did the Spaniards develop an elaborate and complex ethnic classification scheme? How would you account for its eventual failure?
4. Do you see any reason to believe that the Spaniards were less concerned about the importance of biological distinctions than the Anglo-Saxon? Defend your answer.
5. How do you account for the intense intertribal conflicts in Mexico before the conquest? What, if any, role did biological differences play in these conflicts? Defend your answer.
6. What major factors helped subdue the Indians who overwhelmingly outnumbered Cortez and his men?
7. What part did centuries-old intertribal hostilities play in the conquest of the Indians?
8. How would you explain the fact that fierce battles and competition existed even among linguistically related tribes?
9. What is the difference between the following systems used to control Indians: *repartimento, encomienda, caciques* and *hacienda*? Which system would you say was more oppressive?
10. During the early days of conquest what were some of the attitudes of the Catholic Church toward the Indians and what were some of the consequences?
11. In what way did the attitudes of church and state differ toward black slavery and Indian slavery?
12. What were the attitudes of the colonists toward the Indians and what impact did they have on the life style and life chances of the Indians?
13. How would you account for the fact that the population of the mulattoes increased much more rapidly than that of the blacks in Mexico?
14. In what way did the rigidly stratified society in Mexico produce an alliance between the mestizos and the *criollo* (Spanish born in Mexico)?
15. Why did Benito Juarez further restrict the power of the church when he became president? Defend your answer.
16. For what major reasons did the mestizos assume a vanguard role in the promotion of nationalism in Mexico?
17. How do you explain the fact that, although Mexico has made great strides toward assimilation and amalgamation, the Chinese were not accepted?
18. Are there any developments in Mexico that can be applied to the analysis of ethnic relations in the United States? Discuss fully.

Chapter 6

Herrenvolk Democracy: The Republic of South Africa

At the beginning of World War II, in 1939, most of Africa was ruled in colonial fashion by European powers. Even Egypt, which might be cited as the major exception, was compelled to allow the British to occupy the Suez Canal and to be in charge of Egyptian defense. This situation changed drastically in the postwar years, which brought a massive shift away from colonialism. By 1963, when Kenya gained its independence, decolonialization had taken place in a majority of African countries. Although a few small territories did not achieve independence until the latter 60s or early 70s, the year 1963 marked the end of colonial regimes for most of Africa.

The most striking exceptions to this pattern are found in southern Africa, where Europeans have stubbornly resisted rule by the African majority. In the Portugese territories of Mozambique and Angola, rule by the European government is based on the premise of a lasting union between Portugal and her overseas territories. The Portuguese deny that they have any racial prejudice. The few Africans who are admitted to Portuguese citizenship receive social acceptance in elite circles as well as rights to full political participation. The Portuguese rationale is that they have a civilizing mission and that the difference between the Portuguese and their African subjects is not primarily one of race but of culture.

If, and when, the Africans acquire Portuguese culture they are classed as *assimalados* who are headed for Portuguese citizenship. So far relatively few Africans have moved into the *assimilado* category[1] and the basic reliance of the colonial regime has been on military power. In addition to reliance upon armed force and the hope of assimilation, the Portuguese hope to build a solid bloc of support by increasing the number of white settlers.

The major interest in this chapter is in the Republic of South Africa and Rhodesia. These countries differ strikingly from the Portuguese possessions in that they make no pretense of racial equality, but frankly proclaim their belief that it is desirable for the white population to be completely dominant. Their pursuit of white supremacy has been so unabashed that it has led these territories into conflict with Great Britain. Rhodesia proclaimed unilaterally a declaration of independence in 1965 which, at this writing, was not recognized by Great Britain. Similarly, the Union of South Africa broke its last links with Great Britain when it left the Commonwealth in 1961 and proclaimed its complete independence as the Republic of South Africa. Although Rhodesia and the Republic of South Africa follow similar and often cooperative policies, the most extreme manifestations of white supremacy are taking place in the Republic of South Africa, and this will be the principal focus for our chapter. Our discussion generates the following generalizations of ethnic interaction: (1) the removal of certain ethnic limitations may be facilitated by a need for skilled and technical workers as a society becomes more and more industrialized; (2) when a permanent commitment to the land is made by a white "settler" population a desperate struggle will be made to maintain its dominance; (3) a subordinate group that is not allowed to assimilate and whose culture is greatly weakened may expect a high degree of social disorganization among its members; and (4) when an opportunity is available a biologically mixed population has the tendency to identify with its more prestigious ancestry and not the denigrated ethnic element.

If one were to ask why the Republic of South Africa has pursued a course so different from the rest of the continent, the answer is simply that this is the effect of "white settler" dominance. As van den Berghe remarks, "Race relations in the Union of South Africa is more a white problem than a black problem."[2] A settler population produces a demand for continued European dominance, whereas the typical colonial pattern is a rather transistory phenomena. Colonialism is usually based on the

---

[1] Marvin Harris, "The Assimilado System in Portuguese Mozambique" *Africa Special Report*, Vol. 3, November 1958, pp. 7–12.

[2] Pierre van den Berghe: *South Africa: A Study In Conflict* (Middletown, Conn. Wesleyan Univ. Press, 1965). (Berkeley, University of California Press, 1970), p. 13. This is the first of several references to Professor van den Berghe's works, which are major sources for one writing on sociological aspects of South Africa.

desire for trade and for strategic advantages. Frequently, these economic and strategic concerns may, after a period of development, be as well served by a relationship with an independent country as with a discontented colony. Even if there is some loss in trade preferences or in military alliances, the mother country is forced to balance this loss against the expense of maintaining a political dominance which tends to become more and more difficult as the subject population becomes assimilated to the standards and aspirations of a technological culture. Thus the African nationalists of the 50s and the 60s found that there was often suprisingly little European opposition to independence and discovered that a comparatively slight resistance to colonial domination was enough to end European rule.

By contrast, the settler is one whose life and fortune are committed to the adopted country. Frequently he, and perhaps even his parents and grandparents, were born in the country; they know of no other life and see no other possibility of a satisfactory type of existence. To the European settler, African independence is not simply a matter of trade policies and strategic concerns, but is quite literally a question of life and death. For him, it involves placing his life and fortunes under the rule of a people whom he regards as being, on the one hand, anxious to revenge ancient wrongs and, on the other, incapable of carrying on a modern state either because of inherent limitations in intelligence or because of their lack of cultural development.

Many of the white settlers feel that the only real choice is either to continue white domination or to leave the country. For the missionary, the educator, the government official, or the soldier, this is not really a major problem. He may, over a period of time, have developed bonds of real affection with an African people, but he has always regarded himself as being somewhat transient in the country and it is comparatively easy for him to resume his career in another area. The situation is quite different for the farmer or businessman, whose career is tied to the ownership of capital and whose capital is difficult to move from its territorial setting. This individual, if he remains, fears what he thinks are the possibilities of capricious, vengeful, or, at best, incompetent government; and, if he leaves, he may face the loss of most of his savings and the necessity to start a new career in a new land without the capital to support his efforts.

In the long run, one may feel that the white settler is simply refusing to face the inevitable, and, even in the short run, his reactions may be shortsighted, since the independent government, if allowed to make a free decision, may choose a partnership with Europeans whose lives are also committed to the country. However mistaken the viewpoint of the white settler may be, it is one that is firmly held and which prompts him to vigorous exertions to maintain white dominance in spite of changes which have made this concept outmoded in most of Africa.

The South African doctrine of apartheid is not simply an aberration of racial prejudice. Rather it is a desperate effort to maintain white dominance when both South African and world trends seem to be going the other way. The independence movements which have swept most of the rest of Africa have been blocked in South Africa, but they have certainly had an effect on black thinking. Nor are internal social changes necessarily moving to shore up white supremacy. Black population is increasing more rapidly than white and increasing technological sophistication enables blacks to confront whites on a more nearly equal basis. While the conflict seems to be intensifying at the present time, it has its roots in the past and it is to a delineation of the historical factors which produced the multiethnic state of the Republic of South Africa that we now turn.

EUROPEAN SETTLEMENT

The first settlements of South Africa took placc not so much from the lure of African riches themselves as from the needs of trade. The first recorded European to notice the advantages of the area for navigation was a Portuguese, Bartholomew Diaz; in 1486 he named the southernmost end of the continent "The Cape of Storms," a name which, in terms of history, seems to have been more justified than the term applied later by King John of Portugal, "The Cape of Good Hope".[3] Portuguese discovery, however, did not lead to permanent settlement, which waited until 1652, when the Dutch East India Company sent a small group of employees to establish what was called "a cabbage patch on the way to India."[4]

The purpose of this settlement was simply to serve as a station for refreshments, which were vitally needed, since fresh vegetables helped Dutch sailors on the long voyage between Holland and the East Indies to fight off scurvy, a constant menace on long voyages. The area was sparsely populated. To meet the need for a labor supply the company began to import slaves from Madagascar, Mozambique, and the East Indies, so that, before long, the number of slaves exceeded the number of whites.[5] The Cape of Good Hope soon became a thriving agricultural colony whose fertile farms produced the provisions which made the long East-West voyage more practicable.

The original African peoples of the Cape area, the Hottentots and the

---

[3] Allan Paton, *Hope for South Africa,* Frederick A. Praeger, New Edition, 1958, p. 11.

[4] Cornelis W. De Kiewitt, *A History of South Africa* (Oxford, Clarendon Press, 1941), p. 4.

[5] John Fisher, *The Afrikaners* (London, Cassel & Co., Ltd., 1969), p. 36.

Bushmen, either retreated or were pushed out as whites came into the area, so that the population consisted largely of Dutch immigrants and their slaves. The system of slavery that developed had paternalistic characteristics, with close contacts and extensive miscegenation between whites and the slaves. The fact that such a society was paternalistic did not mean that it could be considered equitable or that it was a society which offered any degree of hope for real improvement in the condition of the slave population. The subordination of the slave group to the white owners was unchallenged, and the custom of concubinage served to emphasize the essential inferiority of a slave group unable to insist on any degree of regularization of family patterns. Nevertheless, the conclusion of van den Berghe that it was a system of stable and integrated race relations quite different from that present in South Africa today[6] seems a reasonable one.

Agricultural work in the Cape area was, however, necessarily a restricted field, and many dissatisfied settlers looked for opportunity in the interior of the country and began the practice known as "trekking," a custom which endured in South Africa for centuries. The Boers, as the whites of Dutch descent became known, who were looking for an economic niche, found this as herders of sheep and cattle, and they plunged into the interior of the country where vast expanses of untouched land could be found. Movement into the interior, however, brought active conflict with the native population. This expansion was not promoted by the Dutch East India Company. Indeed, the expansion made it harder for the company to maintain a monoply of cattle raising; the trekkers were involved in constant warfare, which was a cause of expense to the company and a threat to safety in the entire area.

Some idea of the extent of conflict between the Boers and the Bushmen is indicated by the compilations made in 1836, as reported by Marais. The figures covered only one district, the Graaf-Reinert frontier, but are nonetheless impressive. They indicate that between 1786 and 1795 over 2500 Bushmen and 276 colonists were killed. In the same period, colonists reported livestock losses that included 19,161 cattle and 84,094 sheep.[7]

The trek became a tradition in the life of the Dutch in South Africa and was a type of movement which took place whenever there was a desire to flee from some force which was considered oppressive. In some ways, it acted as a safety valve for social discontents in much the same way as the American movement toward the West. However, the population of whites involved was smaller than in the United States and eventually the native resistance became stronger.

---

[6] van den Berghe, *South Africa*, p. 20.

[7] D. Moodie (ed.), *The Record; or, a Series of Official Papers Relative to the Condition and Treatment of the Native Tribes of South Africa, 1838–41*, p. 5. Cited in J.S. Marais: *The Cape Coloured People, 1652 to 1937* (London, Longmans, Green & Co., 1939), p. 17. Reprinted in 1957 by Witwatersrand University Press.

The favorite comparison of the Dutch themselves was with the conquest of Canaan by the children of Israel. In this analogy, the Dutch were regarded as the children of God, the land in the interior became the Promised Land full of potential milk and honey, and the natives whom they displaced assumed somewhat the same role that the Philistines had for the Israelites. This interpretation of history made European expansion seem in harmony with the plan of God and the Dutch appear as those establishing the rule of righteousness for the chosen people in a dark and heathen land.[8]

The next impulse for the trek came as a result of a change in international politics; namely, the effect of the Napoleonic wars, which enabled the British to acquire the Cape area in 1795. Although the British were Europeans, they spoke a different language and held ideals which seemed hostile to the prevailing settler culture. The British were not so much farmers as traders and businessmen, and they looked with a suspicious eye on the institution of slavery. In the British viewpoint, the potential equality of mankind was admitted, and slavery was a basic affront to the human condition. In 1828 the British emancipated the slaves; subsequent policies gave the natives the right to vote, to own land and even to hold office.[9]

To the Dutch, all of these ideas were abhorrent components of a heretical philosophy—a denial of what they saw as the essential basis of Christendom. Further, the Dutch viewed racial superordination as the only way to maintain the labor force required by their farming needs. As a result, there took place the Great Trek of 1836. The Dutch who remained under British control became known as Afrikaners, while those who took part in the Great Trek were cattle farmers and sheep herders and known as Boers. In their effort to escape British rule, the Boers took an even stronger position toward the separation of European and non-European peoples than had been true when a paternalistic slave regime was relatively unthreatened.

The trek led the Boers directly into the interior, around the mountains of Basutoland and eventually into Natal. The entry into Natal brought a series of battles between Boers and Zulu ending in the Zulu defeat at Blood River in 1838. This Boer victory, which is commemorated by a national holiday in South Africa, enabled the Boers to found the short-lived republic of Natal in 1838. When the British countered this action by annexing Natal as a Crown Colony in 1843, the majority of the Trekkers recrossed the mountains and expanded into the territory which later be-

[8] Fisher, *The Afrikaners*, p. 352. Local Africans were not enslaved and many of the imported slaves were Malays.

[9] Douglas Brown, *Against the World: A Study of White South African Social Attitudes* (London, Collins, 1966), p. 23.

came known as the Orange Free State and the South African (Transvaal) Republic. The Boers, by this trek, escaped British influence and entered an area in which conditions were conducive to the rugged individualism which they favored. A population which could not have numbered more than 40,000 was scattered over territory of more than 100,000 square miles. All roads and towns had to be built from scratch, and the Boers were constantly engaged, until at least 1880, in wars with African tribes. Some of these tribes were protected by the British and, as a result, Lesotho (formerly Basutoland), Swaziland, and Botswana (formerly Bechuanaland) became British protectorates and today are independent black enclaves surrounded by Republic of South Africa territory.[10]

The British policy of "liberalism" was not unrelated to the struggle for control between the British and the Dutch. In 1853 a qualified franchise was granted to all in Cape Colony regardless of color. This was a grant which Cecil Rhodes justified on the grounds of "equal rights to all civilized men."[11] This franchise had the obvious effect of increasing British political support. At other times, the British were capable of taking a somewhat different attitude. Natal, which the British took over from the Boers in 1843, was also the locale of the development of the first large-scale scheme for the segregation of the races in South Africa: the system of native reserves established in the late 1840s by the British administrator, Theophilus Shepstone.[12] Various dispersed tracts were set aside for the exclusive occupation of Africans. The ostensible reason for these actions was to protect the land rights of Africans against European settlers. On the other hand, the tracts made the Africans more accessible for labor than they would have been if concentrated in one area; at the same time, the tracts, by breaking up population concentration, minimized the threat inherent in growing African numbers. The system of reserves was expanded in the native land act of 1913 and the Native Trust and Land Act of 1936.[13]

Another event of outstanding importance in African ethnic relations, which took place also in Natal, was the importation in 1860 of indentured Indian laborers to furnish cheap workers for the sugar cane industry. Most of the Indians did not return to India when their period of indentured service was over but remained in South Africa, where they became a minor commercial middle class which has functioned as middlemen between the Africans and the Europeans.[14]

---

[10] Fisher, *The Afrikaners*, p. 348.

[11] Vindes F. Verschoyle, *Cecil Rhodes: Political Life and Speeches 1881–1899*, (London, Chapman and Hall, 1900), pp. 160–61.

[12] Fisher, *The Afrikaners*, p. 88.

[13] van den Berghe, *South Africa*, p. 31.

[14] Fisher, *The Afrikaners*, pp. 3, 99, 307–10.

The efforts of the Boers to escape British rule were rendered futile by the impetus given to the British desire for territorial control by the discovery of the great mineral wealth of the country—first, of diamonds and later, of gold. The diamond fields around Kimberly were simply annexed to the British-controlled Cape Colony, a step which the Orange Free State was in no position to resist. An attempt to extend British territory to the Transvaal in 1877 led to the first Boer War and to a British withdrawal from that territory. The fate of the Transvaal was sealed, however, with the discovery of gold in 1886 near what was to become the city of Johannesburg.

The discovery of gold brought the building of railroads and an influx of non-Boer miners, who quickly began to contest the political supremacy of the Boer settlers. Arguments over the rights of the non-Boer miners eventually led to British intervention and the Anglo-Boer War of 1899–1902. This was a conflict in which larger British forces fought against the Boers, who used guerilla tactics. The guerilla tactics were broken by interning the Boers, including women and children, in concentration camps where 26,000 of them died of disease.[15] The British use of African troops against them was considered by the Boers as a final insult. The British won the war and established political control of South Africa, but at the cost of a legacy of anti-British feeling which has persisted to this day.

In one sense, the British victory represented the triumph of racial liberalism. In another sense, it was simply an exchange of masters as far as the native population was concerned. British power was helped by antipathy between Africans and Boers, but, at the same time, the growth in number of the mixed population (the Coloured) and of the African tribes (known generally as Bantu)[16] was a threat to white dominance to which the British responded in much the same fashion as the Boers.

The various African tribes have different traditions, languages, and customs which present-day South African policy, in one sense at least, encourages them to preserve. However, in spite of tribal differences they all occupy a similar status relative to whites. On the one hand, they are a source of cheap labor and essential to the industrial development of the country. On the other, they are regarded as being destined for a different type of life, so that the tribal development rather than integration in the total society is the ultimate goal.

When the British were in control of South Africa their commitment to some type of liberalism and equality clashed with a determination to

---

[15] Brown, *Against the World,* p. 26.

[16] Bantu is sometimes used by anthropologists to refer to related groups of tribes. In reference to South Africa, however, it usually refers to all of the population of African descent except the "coloured," who have mixed African and European background. Some of the larger tribes included in the term Bantu are Xhosa, Zulu, Bapedi, Sotho, Tswana, and Tsonga.

maintain white control at all costs. Africans were given the vote but the franchise was restricted by property qualifications. Nor did a theoretical concern for African rights prevent the development of "pass" laws to restrict the movement and conduct of Africans. The "pass" laws set up a curfew time for the natives, required that they carry an identification book with them at all times, and indicated the parts of the country to which they were allowed to move. These laws were justified on the grounds that they were needed for control and also for preventing the overcrowding of urban areas. They seemed to have had some effect in preventing the urban concentrations of unemployed Africans which have plagued other cities in the continent, but they are a continual source of humiliation and tension and, even in a police state, it has been impossible to completely enforce compliance.

When coalition political control gave way to that of the extreme segregationists in 1948, whatever compromise there was between liberalism and white supremacy yielded to a single-minded policy of repressing all native rights and maintaining white supremacy in its most naked form. The British won the Boer War but lost the eventual struggle for hegemony in South Africa. For many years this was not apparent, as South Africa was governed by a coalition of British and Afrikaners. The basic principle upon which this cooperation was founded was that, although the British Empire's sovereignty was recognized along with certain basic rights of the Africans, nothing would be done which might seriously jeopardize white supremacy.

"Pass" laws restricted the movements of Africans, and a dual wage system under which a white man might be paid ten times as much as an African doing the same work was frankly recognized. The Afrikaner leader in this arrangement was Field Marshal Smuts, who had been a military hero on the Boer side during the war. Smuts always had to contend with a right-wing opposition from Afrikaners who still smarted under the humiliation of the Boer War and who regarded the very modest privileges afforded the native population as a dangerous liberalism which was likely to undermine white superiority. Smuts's military prestige and political astuteness enabled him to keep a cooperative policy with the British in force for many years, but eventually the right-wing opposition won out.

EMERGENCE OF APARTHEID

In 1948 this opposition arose to power in the form of the Nationalist Party, which advocated apartheid, a form of separate development for white and nonwhite which theoretically amounted to segregation in all walks of life. This was hardly a radical change from previous practice in South Africa, and many of the critics of apartheid argued that white supremacy was so firmly bulwarked that a formal policy of apartheid was "unnecessary." The difference between the adherents and the opponents of apartheid lay in their interpretation of social change and in their vision of an ideal solution to the "native problem," but did not imply any conflict over white supremacy. As Field Marshall Smuts remarked at one time, "There are certain things about which all South Africans are agreed, all parties and all sections, except for those who are quite mad. The first is that it is a fixed policy to maintain white supremacy in South Africa."[17]

The more liberal school regarded the Bantu as an attractive but backward race who were in need of tutelage for an indefinite period of time. It was essential that control of the government should be in white hands, but some degree of participation might be allowed to the Bantu and this could be expected to increase gradually over a period of time. The economic and social conditions of the Bantu and the Europeans were so far apart that a high degree of segregation was considered advisable. Segregation, however, was modified by the interaction of whites and Bantu as participants in economic enterprise, and integration could be allowed where it favored such enterprise. There was also a small, highly educated group of Coloured and Indians emerging, and these could be safely allowed to mingle with whites on roughly equal terms.

To most of the world, South Africa during the Smuts regime constituted a "Herrenvolk democracy"[18] with a frank recognition of white supremacy and only token gestures toward any degree of equality for the nonwhite populations. To the Nationalist Party, which assumed power in 1948, the apparently feeble concessions toward equality and integration constituted a hole in the dike which would eventually be enlarged and would endanger the entire structure. As they saw the situation, the four to one numerical predominance of nonwhite over white meant that any concession to integration or political participation had potential danger. Thus the aim of society was not a benevolent partnership with the white man as the senior and guiding partner, but frank recognition of the white man as boss for eternity. The nationalists at times spoke of the benefits which the civilizing mission of the whites had brought to the Africans but assimilation was not their aim.

In fact, European acculturation was seen as a major danger to the African:

> Not only is the culture of the whites slavishly imitated, without any con-

---

[17] J. C. Smuts, Prime Minister, speaking in the Union House of Assembly, Cape Town, March 13, 1945, cited on title page of Oliver Walker, *Kaffirs are Lively* (London, Gollancz, 1948).

[18] The Herrenvolk democracy concept is developed by Pierre van den Berghe in *South Africa: A Study in Conflict*, pp. 29, 64, 201. It designates a society in which the ruling ethnic groups operate democratically within group lines but dictatorially in reference to subordinate groups.

sideration of its merits or demerits, but the Bantu is exposed to evils of a different kind, evils which were formerly unknown to him. He becomes acquainted with crime and confusion and subjected to ethical, moral and spiritual decay.

Since these phenomena are alien to the traditional Bantu way of life, he tends to degenerate, and if the process continues unabated it can result in a rootless, urbanised and semi-Westernised Bantu society that is a danger to itself.[19]

Grave dangers were seen in the effort to encourage development of the Bantu along European lines, and it was assumed that, for a group of their particular condition and mentality, the only fruitful road was the one toward the development of indigenous culture. Rather than being Europeanized, Africans should be aided in "revitalizing" their own language and tradition. The following statement is typical of many expressed along this line:

The Bantu has his roots in the tribal system, and for centuries has been governed by its laws and conventions. To cut those roots in one blow would mean the crippling of the Bantu's soul and render him impotent to draw from his own cultural heritage. In developing the Bantu's governmental institutions a start is made with that which they know. There will naturally be adjustments and adaptations in accordance with the claims of modern civilization. These will be effected by themselves and with the assistance of the Europeans.

The allegation that South Africa is retribalizing the so-called "detribalized" Bantu is void of truth. Very few Bantu are completely detribalized. There is, for instance, not a single Zulu who cannot speak Zulu or who does not cling to certain Zulu customs. Where tribalism is revitalized and modernized and developed into a progressive force, it does not imply that the literate Bantu would be expected to go back to the kraal and the mud hut; it means the spiritual return to his fold so that he is not lost to his own nation but may serve his nation and help uplift his people with his newly acquired skills. In this way they too will be led from darkness to light.[20]

The Nationalists saw apartheid as a realistic approach to the racial problems of South Africa and were determined to wipe out any lingering vestiges of assimilationist or integrationist practices. Thus intermarriage was outlawed and interracial sexual relations were made a serious crime for either Africans or whites. African representation in the legislature was completely eliminated, the "pass" laws were strengthened and, with minor exceptions, the education of Africans in European universities was prohibited.

Since Africans form an important part of the industrial labor force, it is impossible to enforce complete separation at all times. Instead a number

---

[19] M. D. C. De Wet Nel, "Bantu Policy In South Africa," in James Duffy and Robert Manners, (eds.), *Africa Speaks*. Reprinted by permission of Van Nostrand Reinhold Company. (Princeton, Van Nostrand, 1961), p. 199. Copyright © 1961 by Litton Educational Publishing, Inc.

[20] Ibid., p. 201.

of policies have been devised for different situations, which allow economic cooperation while still minimizing association. Van den Berghe categorizes these in the following classification:[21]

1. *Micro-segregation,* i. e., segregation in public and private facilities (such as waiting-rooms, railway carriages, post-office counters, washrooms etc.) located in areas inhabited by members of different racial groups.
2. *Meso-segregation,* i. e., the physical segregation resulting from the existence of racially homogeneous residential ghettos within multiracial urban areas.
3. *Macro-segregation,* i. e., the segregation of racial groups in discrete territorial units, such as the 'Native Reserves' of South Africa, now being restyled as 'Bantustans.' [officially called Homelands.]

Micro-segregation would not be needed if the complete separation had developed, since there would then be little occasion for white and nonwhite to use common facilities. As in the American South of the pre–civil-rights period, the maintenance of separate and usually unequal facilities is a constant reminder of white dominance in a multiracial situation.

Meso-segregation is an effort to keep economic mixing from spilling over into non–work-related contacts based on common residence. Meso-separation included an effort to eliminate mixed residential districts by the evacuation of the nonwhites and even a ban on nonwhite domestic servants remaining overnight in white households.

Macro-segregation was held to express the true ideals of apartheid and was to be attained through geographical separation, envisaged as the development of semiautonomous, but probably not independent, states called Bantustans. The Bantustans were to be areas in which primarily agricultural blacks would be able to maintain and perfect a tribal culture; the language of the schools would be the indigenous language and the officers of the local government would be African. It was also envisioned that some Bantustans might border European industrial establishments so that Africans could commute to the white industrial areas for employment during the day and go back to the Bantustans after working hours. The project is described in South African terms as follows:

> the central aim of apartheid is eventually to develop the reserves set aside for African occupation into self-governing states, colloquially known as "Bantustans". The Whites will retain exclusive rights in their own part of the country, where Africans are regarded only as visitors. In return . . . Africans (officially

[21] Pierre L. van den Berghe, "Racial Segregation in South Africa: Degrees and Kinds," in Heribert Adam (ed.), *South Africa: Sociological Perspectives* (London, Oxford University Press, 1971), p. 37; reprinted from *Cahiers d'Études Africaines,* Vol. 6, No. 23, 1966.

known as "Bantu") will be free from white interference in the Reserves, each race developing separately in harmonious disjunction. . . . In other words, South Africa's answer to the world's hatred of apartheid is to push it to its logical conclusion, which is complete separation of the races, both territorial and social.[22]

The advocates of apartheid regard the Bantustans as a benevolent device that will enable the Africans to achieve self-determination without white interference. The opponents claim that the amount of land allotted is so small in proportion to the population that it is unrealistic to feel that the Bantustans can ever be economically viable. Further, they contend that the major items of control are still in the hands of white government and that, rather than real self-determination, the Bantustans represent a repressive direction of African life by white supremacists. Other critics claim that the Bantustans have been ineffective in reducing African urbanization and charge that the main function of the Bantustans is not to develop African separatism but simply to serve as a propaganda device. Frank Taylor, for instance, in a 1968 statement, charges that the development of the Bantustans has had no success in reducing African urbanization: "After twenty years of apartheid . . . the hard fact is that the ratio of Africans to whites outside the homelands—that is in the urban centers of 'white' South Africa—is rising every year instead of falling. In these so-called "white" areas there were 14 Africans to every 10 whites when a survey was taken last year."[23]

IMPLEMENTATION OF THE BANTUSTANS

Of the eight or nine proposed Bantustan areas, Transkei is in the most advanced stage of development. Transkei is made up of 26 districts consisting of 14,250 square miles and over 1,500,000 people, mainly of Xhosa origin. It was granted self-government in December 1963 with Kaiser Matazima as the Chief Minister of the province, a position he won much to the chagrin of Victor Poto, a paramount chief who was a staunch opponent of apartheid.

Unlike the granting of self-government in the traditional sense as between Great Britain and one of her colonies—e.g., Union of South Africa in 1910—the Republic of South Africa still retains the preponderance of control and power over the lives of the Africans living in Transkei. The control granted to the government of Transkei is of the most innocuous nature, and for the most part enables the central government to maintain greater surveillance of the Transkeians. For example, the fact that the

---

[22] Christopher R. Hill: *Bantustans: The Fragmentation of South Africa* (New York, Oxford University Press, 1964), p. 1.

[23] Colin Legum and John Drysdale, *African Contemporary Record: Annual Survey and Documents, 1968–1969* (London, African Research Limited, Africa House, 1969), p. 288.

Transkei government has the authority to maintain the registration of births, marriages, and deaths allows the central government to keep a more accurate count of the Africans. The 1963 Constitution also makes it possible for the Transkeian government to levy taxes, maintain law and order, regulate and control vehicular traffic, and have a voice regarding education, agriculture, and a few other matters in the province. But the real authority to wield power that could eventually mean a confrontation with the white central government is denied the Transkeians, who are forbidden to manufacture arms, ammunitions, and explosives of any type. They are without any power regarding the mass media (radio, television, telegraph, etc.) and mass transportation. Moreover, they do not control the financial institutions. But, more importantly, the ability to amend or repeal the Constitution is outside of their realm of power. These powers are retained by the Republic which does not envision in the foreseeable future a fully independent Transkei.

Transkei has a Transkei Legislative Assembly (formerly the Transkeian Territories Authority), which has the authority to pass laws, but such laws can be implemented only after they have been approved by the President of the State, who receives them after they have been first submitted to the Minister of Bantu Administration and the Commissioner-General. Although the President has no veto power, he can hold up a piece of legislation indefinitely by returning it to the Assembly for modification. But the crux of the matter is that all legislation has to be first submitted to two other agencies of the central government that are committed to preserving white rule in South Africa. Thus, there is virtually no chance that any piece of legislation will be passed that has the potential of working at cross-purposes with the implications of the apartheid policy.

From the outset, the development of an internal domestic structure that will afford the Transkeians a chance to earn a living was one of the biggest tasks facing Transkei Province. This problem still plagues the area. Because the province is unable to provide the necessary number of jobs, very large numbers of Transkeians are forced to seek employment outside of the "homeland" as domestic servants, mine workers, and migrant farm workers. Hill describes the condition of the province and appraises the prospects for the future:

> Vast numbers of Africans in the Transkei cannot make a living off the land and must seek employment outside. According to figures given to the Parliament in May 1962 there was only 20,592 in paid employment within the Territory in 1962, and of these over 8,000 were in domestic service. Earlier in the year the Minister had said that 115,000 Transkei Africans seek work in the mines every year, 28,000 to 30,000 on European farms, and 1,000 or more in other industries.[23]

[23] Hill, *Bantustans,* pp. 85–86.

Neither agriculture nor industry is conducted on the scale which would enable the majority of the labor force to earn a living within the Transkei. As far as agriculture is concerned, the amount of land is simply inadequate. The potential of industry is harder to evaluate, but it seems doubtful that adequate funds for the massive capital investment required would be available under the present policies of separate development. All financial institutions are under the control of South Africa, and it is unlikely to give priority to the needs of the Bantustans.

The other Native Areas are worse off than Transkei. They have yet to achieve even so-called self-government. Zululand is still in the hands of Chiefs and their headsmen or councilors, who jealously guard the last vestiges of traditional power.[24] In the Natal Province there are 11,808 square miles designated as African land, with over a million people trying to eke out a living on it. The land is overpopulated and, as in Transkei, many of the inhabitants must seek employment in the border areas because of the surplus rural population. In all these areas, education is falling farther and farther behind that of the whites and even behind that of many of the newly independent nations of Africa, especially Zambia. Housing is an ever present problem with little relief in sight in the near future for millions of Africans.[25]

The conclusion, therefore, is inescapable that under the present policy of separate development the Bantustan Areas cannot succeed. Sir de Villiers Graaff, right-wing leader of the Official Opposition, speaking before the United Party in August 1968, answered the question on the success of the Bantustans: "Who is there who would dare to claim that the National Party is today closer to a solution of the race question than 20 years ago? . . . The truth is that where there was separation there was no development; and where there was development there was no separation."[26]

Rather than a realistic proposal for cultural pluralism, the Bantustan program appears to be a technique for channeling African protest into

---

[24] A *New York Times* dispatch for Dec. 4, 1971, quotes the minister of Bantu administration as promising that the 4,000,000 Zulus of South Africa would eventually receive independence. The statement was made at the installation of a new Zulu Paramount Chief and promised a "fully fledged, self governing and independent nation." No date was set for "independence" and no indication given as to the powers that might be reserved for the Republic of South Africa, but the fact that such a possibility is even mentioned may be significant.

[25] Many of these problems, especially housing, could be greatly reduced if the economic picture would improve for Africans. According to Legum and Drysdale (*African Contemporary Record,* p. 289): "The White national income per head was R1,400 to R1,500 a year—more than 10 times that of the other three races combined. The national income per head for urban Africans was R120 to R130 a year, and for Bantustan Africans R30 to R35 a year. The non-white population was doubling itself twice as fast as the whites . . . to reach 26 millions in the 1990s."

[26] Ibid., p. 289.

unrealistic dreams of separate nationalistic development. The Bantustans occupy only about 13 percent of the South African land, although the Bantu people comprise 70 percent of the South African population. They contain few of the country's mineral resources, no ports, and none of its major cities or industrial areas. They are scattered into 260 separated areas which there is no plan to bring together. The economic handicaps of the plan are highlighted by the fact that since the establishment of apartheid in 1948 over 1,000,000 Africans have moved from the reserves to the cities.[27]

There are some signs, however, that the Bantustan brand of black nationalism may not be so innocuous as it seems. While the intellectuals have usually taken the position that the stress on indigenous culture was merely a device to shut Africans out of influential positions in the modern society, there may be another side to the coin. Currently there is an effort to make the apartheid-fostered tribalism a vehicle for race pride and signs reading, "I'm black and I'm proud" are starting to appear in black settlements.[28] The whites in South Africa may yet find that Africans are taking African identity in a way that challenges white supremacy.

THE COLOURED POPULATION

In South Africa the term "coloured" refers to one of known mixed European, Malay, Indian, and African ancestry. They were estimated to number about 2,300,000 in 1971.[29] They are most numerous in Cape Colony where, in earlier days of an unchallenged slave society miscegenation was widespread. Criticism of mixed unions arose only gradually as the Boer-English clash over slavery drove the Boers into a segregated stance in defense of white superiority. As long as white superiority was unchallenged, sexual access to the non-European group was seen as one of the aspects of white privilege. When the British challenged this system, the Boers felt themselves compelled to establish a color line which protected the purity of the master race. The turn to sexual segregation was a gradual one, miscegenation continued to be fairly frequent, and even intermarriage occasionally took place, until the apartheid legislation of 1948–1949 forbade interracial sexual relations either in or outside of marriage.

It is the situation of the Coloured which is responsible for the notorious race classification boards of South Africa, which give identity cards classi-

---

[27] Based on summation in Colin and Margaret Legum, *The Bitter Choice: Eight South Africans; Resistance to Tyranny,* (New York, New World Pub. Co., 1968), pp. 21–22.

[28] Peter R. Webb, "South Africa's Black Mood," *Newsweek* 77, (May 10, 1971), p. 47.

[29] Ibid., p. 47.

fying indivduals as white, Coloured, Indian, or African. The "Coloured" vary in complexion from white to very dark, they are almost totally detached from indigenous African culture, a majority speak Afrikaans (the language of the settlers of Dutch ancestry) and about 30 percent are members of the Dutch Reformed Church.[30] Wolheim provides the following portrait:

> The Coloured people of South Africa are by no means a homogeneous group. They range in skin colour from people indistinguishable from Whites to people indistinguishable from Africans; they speak a variety of languages, mainly English and Afrikaans; they belong to all the churches to which White people belong; they range from a small number of extremely wealthy persons to a large number of very poor ones.[31]

Some of the actions of the Race Classification Appeal Boards and of the courts in deciding cases under the Immorality Act give an idea of the bizarre nature of South African racialism. Since descent is often mixed, appearance and acceptance by whites are the deciding factors under the racial Immorality Act, although under the racial classification act these factors may be ignored in favor of genealogical data. The difficulty of racial classification is indicated by a Supreme Court ruling that the Department of the Interior has the right to alter a person's racial classification more than once!

Racial classification may be made either by Race Classification Appeal Boards or directly by the Department of the Interior. No information was available concerning actions by the Department of the Interior, but board action in 1969 resulted in the reclassification of 91 persons from Coloured to white and 61 from Bantu to Coloured with no action in the opposite direction.[32] The Immorality Act, which bars sexual relations between those of different racial categories, is often invoked because of confusion over racial classification.

A brief synopsis of two of the cases tried under the Immorality Act indicates the vicissitudes of racially marginal people:[33]

> Mr. W.B.L. and Miss B.S. lived together in Johannesburg as a white married couple and were generally accepted as such, for seven years and had five children. He was white; she is stated to have had a white father and a Mauritian mother. As she was officially classified as coloured they could not marry. During June, they were charged under the Immorality Act: as a result of the publicity the man lost his job. The magistrate acquitted them: he found that the woman was coloured in appearance but generally accepted as white.

---

[30] van den Berghe, *South Africa,* p. 40.

[31] O. D. Wolheim, "The Coloured People of South Africa," *Race,* 2 (October 1963), p. 25. Published for the Institute of Race Relations, London, by the Oxford University Press; Copyright by the Institute of Race Relations, 1963.

[32] Muriel Horrell, *A Survey of Race Relations in South Africa* (Johannesburg, South African Institute of Race Relations, 1970), p. 29.

TABLE 6–1

Immorality Act
(statistics July 1968–June 1969)

	Charges		*Convictions*	
	M	*F*	*M*	*F*
White	591	21	336	9
Coloured	11	234	5	121
Asians	9	12	6	10
Africans	6	300	4	188

Source: Muriel Horrell, *A Survey of Race Relations in South Africa* (Johannesburg, South African Institute of Race Relations, 1970) p. 29.

Mr. A.P.J. van V., classified white, fell in love with a coloured girl. As he was dark skinned, he applied several times to be reclassified as coloured so they could marry but without success. They lived together for six years in his parents' home and had two children. Eventually someone reported them to the police. A magistrate at Meyerton found them guilty but imposed no sentence, ordering them to appear in court for sentence if called upon to within the next twelve months. Shortly afterwards, Mr. van V. won a further appeal to be reclassified Coloured: the appeals cost him about R2000.

The foregoing cases, although causing the parties involved great difficulty, had apparently happy endings, but such is not always the case. Whether or not one is convicted the mere fact that a charge is brought may be so threatening that life no longer seems worthwhile as indicated in the following cases:

. . . Mr. Z.E.B. a married man with four children was found hanging by his shirt in a police cell at Vanderbijlpark. He was facing charges of incitement to contravene the Immorality Act. Another married man Mr. H.D. also with four children was found in the same cells on November 6 in similar circumstances. Mr. J.C. of Excelsior shot himself while on bail after having been charged under the Act.[33]

While some of the cases arising under the Immorality Act concern individuals who are marginal in racial category and may not have been aware that they were violating the law, others undoubtedly realized that their actions were a contravention of both the law and strong social feeling. Sexual relations in these circumstances testify both to the degree of common understanding reached by the different racial groups and to the difficulty of forcing human relationships to follow the lines of official policy. The divergence between group viewpoints and personal behavior is indicated by the fact that Afrikaan-speaking whites outnumbered the English-speaking whites in the immorality cases. While the greatest amount of

[33] Ibid., p. 30. These cases are based on reports in South African newspapers.

miscegenation undoubtedly occurred in Cape Colony in the slavery period, the passing of slavery did not eliminate the power of sexual attraction across racial lines. Both the number of cases still arising under the Immorality Act, and the extent of intermarriage while it was legal, indicate that, at one time at least, the development of a biologically mixed society in South Africa was a real possibility.

A glance at the arrests for violation of the Immorality Act and the marriage statistics from 1926 until intermarriage was outlawed in 1949 indicate the effect of two factors: a pattern of hypergamy and the central position of the Coloured population. Hypergamy is a form of marriage in which the male is of a higher status than the female. This pattern is borne out in the record of arrests under the Immorality Act, which indicated a high proportion of white males and of African and Coloured females. A similar pattern may also be discerned in the record of mixed marriages, which indicated that approximately three fourths of all mixed marriages between 1925 and 1946 were hypergamous.[34]

Both the racial classification of offenders under the Immorality Act and the mixed marriage statistics demonstrate the acceptability of the Coloured as marital partners for other groups. While they are a minority of the offenders against the Immorality Act, the Coloured representation was several times its proportion of the South African population. The position of the Coloured in intermarriage is even more striking, as over 95 percent of the interracial marriages between 1926 and 1949 involved a Coloured person. Since the Coloured population was intermediate to both white and black, they might, in different circumstances, have played the same role in South Africa that the mestizos played in Mexico.

The Coloured population were the last of the nonwhites to lose the privileges which the British had extended in 1856 to the indigenous inhabitants of the Cape Colony.[35] This electoral equality was later diluted by waiving property and income qualifications for whites but not for others, and by giving the vote to white females but not to other women. Eventually the Bantu lost all right to vote and the Coloured were only allowed to vote for whites who represented them in Parliament. Even this limited franchise drew Nationalist criticism, and in 1972 all parliamentary voting by the Coloured was ended; this completely nullified the last vestige of the political rights obtained in the Cape Colony in the 19th century.[36]

As Coloured people had long lived and worked with whites they were especially affected by the Group Areas Act of 1950, which proposed to

---

[34] Pierre L. van den Berghe, *Race and Ethnicity* (New York: Basic Books, Inc., 1970), p. 231.

[35] Marais, *The Cape Coloured People*, pp. 156–57.

[36] Horrell, *A Survey of Race Relations in South Africa*, pp. 174–75.

TABLE 6–2

Number and Percentage of Interracial Marriages by Race, 1925–1946

Racial combination	*Number of marriages 1925–1946*	*Percent of total*	*Expected percent**
White-Coloured	1,766	13.33	7.60
White-Indian	116	0.88	2.53
White-African	277	2.09	56.51
African-Coloured	9,255	69.87	24.22
African-Indian	170	1.28	8.07
Indian-Coloured	1,662	12.55	1.08
Total	13,246	100.00	100.01

* The expected proportion for any given combination is:

$$P = \frac{p_j \cdot p_j}{\Sigma p_i \cdot p_j}$$

where p_i and p_j are proportions of the groups in the total population. The same assumptions are made as in computing the exact proportion of intermarriage.

Source: Pierre L. van den Berghe, *Race and Ethnicity* (New York, Basic Books, 1970), p. 232, table 13.

eliminate the so-called black spots, or areas in which blacks, Coloured, or Indians were surrounded by whites. Its psychological impact was particularly severe among the Coloured, since it reversed policies nearly 300 years old and drove the Coloured from property in which they and their ancestors thought they had secure tenure. It often meant a complete disruption of community life as well as a threat to employment. Schools, churches, hospitals, shopping centers, and other community amenities all had to be developed from scratch. An idea of the frustration involved may be gleaned from the following description of one such removal in 1969:

> About 100 African families who lived at Macleantown, some 24 miles to the northwest of East London, were, after about five months' warnings, moved during March to Chalumna, about 30 miles from the city, on the other side of the main railway to the interior, along the road to Peddie. They had to demolish their previous homes, some of which were brick houses and others mud huts, and sell or take with them useable building materials. Compensation was paid to those who had title-deeds.
>
> Those who had owned land were given plots at Chalumna measuring about one-half hectare. They were each allowed to take two head of cattle: many had owned more. The others had to dispose of all their livestock at whatever prices these would fetch, and were given residential stands only in the resettlement area.
>
> A four-classroom school had been built in advance. Tents were available for temporary accommodation: these were said to have been too small for some of the families, and furniture had to be left in the open. The people had to dig

their own latrines. For the first three days the Department of Bantu Administration provided rations of mealiemeal.[37]

In spite of the erosion of the rights of the Coloured they still occupy a privileged position compared to that of the Bantu. The pass laws have not been applied to them and, while the Industrial Conciliation Act has shut them out of some occupations, it has given the Coloureds some protection against competition from the Bantu. Rex summarizes their position as follows:

The Cape Coloureds, however, have clearly been divided from the Afrikaner worker, not by their language and culture, which is simply a variant of Afrikaner working-class language and culture, but by the difference in the economic functions assigned to them and the rights which they enjoy. In economic terms the Coloured have established themselves in a range of skilled trades, in factory work and other minor roles and have succeeded in defending some of these positions against white competition. At the same time the fact of this competition has led to a continuous process of deprivation of political and social rights and to increasing segregation so that a niche has been found for the Coloured population, which, while it is a state of almost complete rightlessness compared with the white settler population, is nonetheless a position of great privilege when compared with that of the Bantu.[38]

That the Coloured's standard of living is generally higher than that of the indigenous African is undoubtedly true, but, since the government has become increasingly restrictive along color lines, there is little reason to believe that the Coloureds will continue to make significant progress in the republic. On the contrary, various Acts have already caused setbacks, and it is likely that opportunities will be lessened. Africans are asking for more lower-level jobs formerly occupied by Coloureds, who are trying to move up the economic ladder; the latter, in turn, must compete with whites who are not anxious to see their position occupied by nonwhites. Hence much of the progress that the Coloureds have experienced over the years may be wiped out or their future opportunities may be seriously impeded by an increasing number of structural barriers resulting from the apartheid policy. Because of these recent developments:

The relationship of co-operation and common loyalty has been changed for one of suspicion, distrust and dislike. More and more Coloured people are turning inward to themselves for their salvation and the numbers who look towards the African for future help are increasing. It seems incredible, but it is true, that the present regime representing only 3⅓ million White people should introduce legislation and take action which would deprive them, should a clash occur

[37] Ibid., pp. 132–33.

[38] John Rex, "The Plural Society: The South African Case," *Race*, 12 (April 1971), p. 411; published for the Institute of Race Relations, London, by the Oxford University Press. Copyright by Institute of Race Relations, 1971.

between White and African, of $1\frac{1}{2}$ million stauch and loyal allies almost as sophisticated as themselves.[39]

The Coloured population still occupies an essentially marginal position in South African society. Light skin is prestigious and, in spite of the many rebuffs from the ruling party, there is still a tendency to reject African identity and to emphasize the relationship to the whites. A continuance of the drive to place all nonwhites in a frankly subordinate category may drive the Coloureds into identification with the Bantu. On the other hand, some of the more moderate Nationalists still advocate a policy of economic, cultural, and political assimilation for the Coloureds.[40] Such a policy would probably have the effect of cementing an alliance between the Coloureds and the white population and would do something to redress the white numerical inferiority. This policy gets no support from the present government, but it is not impossible in the future. Certainly a country which can make the Japanese "honorary whites" is capable of reassessing its attitude toward the mixed population.

THE INDIAN POPULATION

Indians in 1970 numbered about 600,000 and constituted three percent of the population. Indian population first appeared in South Africa when brought to Natal as indentured laborers for the sugar cane industry. For the most part, they have now left agricultural labor and constitute a middleman population serving primarily African customers. Most Indian enterprises operate at a marginal level, but a few individual businessmen have been strikingly successful and have accumulated rather considerable wealth. Indians have become an almost completely English-speaking group but have retained native dress, particularly for women, and have resisted conversion to Christianity. They are totally excluded from the Orange Free State and their residence and activities are restricted elsewhere. The current government option is for separate development for the Indians, although, up to the present writing, they are without even a vestige of representation, since Indian affairs are conducted entirely by Europeans appointed by the South African government.

The middleman position of the Indian has often produced the expected friction between them and the African population. This friction was highlighted in 1949 in riots by Zulus against Indians in Durban in which more than 142 were killed and over 1,000 were injured. Antipathy between the Bantu, the Coloured, and the Indians is one of the factors weakening the possibility of a united nonwhite resistance. Thus van den Berghe, in speak-

---

[39] O. D. Wolheim, "The Coloured People of South Africa," *Race*, No. 5 (October 1963), p. 33.

[40] Brown, *Against the World*, p. 174.

ing of the Pan-African Congress, describes it as not only militantly anti-European, but also anti-Indian and anti-Coloured.[41]

Although not identifying with Africans, the Indians have rather consistently struggled for a high status within the South African community. Mahatma Ghandi practiced law in South Africa and developed his doctrines of nonviolent resistance in campaigns for Indian rights within that country.[42] Like the Coloureds, Indians are a marginal group, oppressed by white discrimination and, at the same time, fearful of black nationalism. Black nationalism led to the exclusion of Indians in Uganda and might be expected to take the same form in South Africa if the Bantu ever assumed control.

FACTORS IN FUTURE DEVELOPMENT

The Republic of South Africa is often depicted as a country in which the forces of white domination and black nationalism are girding for a battle of annihilation sometime in the indefinite future. Indeed, this kind of feeling is not confined to outside observers and one can frequently talk to staunch nationalists of the apartheid persuasion who will say that, in their feeling, all they are doing is "buying time," meaning that before long the inevitable growth in numbers of the African population and their increasing sophistication in modern technology will lead to a bloody overthrow of white rule. These prophecies of an inevitable conflict with consequent suffering to the society may be fully warranted, but it is seldom true that societies take the most obvious course and it may be worth while to consider the factors which could be expected to affect long-term developments.

Value Clashes

The majority of the people in the Republic of South Africa are Africans whose values are molded by traditional social norms somewhat eroded by contact with Western culture but still viable to a great extent.[43] The nominal standard for the society, however, is set by the values of the whites. These are values of a different character than traditional African norms and are imposed by the white military and economic power. Such values meet rather considerable passive resistance from Africans, and their effect is diluted by various value conflicts within the white community.

Culture contact usually leads to some degree of cultural diffusion and a consequent modification of values. In South Africa we have the paradox

---

41 van den Berghe, *South Africa,* p. 168.

42 Fisher, *The Afrikaners,* p. 308.

43 In this topic we are indebted to van den Berghe, *Race and Ethnicity,* pp. 216–46.

of an ethnocentric white group which is firmly convinced of the value of its own customs and ideals and yet, at the same time, resists the assimilation of Africans into the total social fabric. The result is that traditional African norms are not considered legitimate and that the lack of social acceptance deprives Africans of the support that might encourage a wholehearted acceptance of western culture.

Several examples of this type of conflict may be given. One, for instance, is the attitude toward work. African cash incomes for those working in mines range around 200 Rand (about $280) a year.[44] This enables Africans to subsist and to purchase a few manufactured goods, but does not enable them to have anything like full participation in a modern economy. The result is that the African tends to view his work, not as a major commitment which will carry him ever more deeply into an expanding economy, but simply as a necessary evil that permits him to return afterward to the village and to live for a few months at a subsistence level without the grueling labor of mine or factory.

Europeans thus argue, and perhaps with partial justification, that higher wages tend to reduce the labor supply, on the theory that the minimum amount needed for subsistence living is earned more quickly, and thus Africans are less committed to the labor force. Insofar as this rationalization is true, it reflects a major barrier to upward social mobility by the Africans and also indicates the consequence of a partial rejection of African economic integration.

Somewhat similar is the situation in regard to cattle. Cattle represent the favorite means of establishing the prestige and status of a family and also the most acceptable form of payment for *lobola* or bride price. The emphasis is on the gross number of cattle rather than their contribution in milk, meat, or hides. African population has been growing and the land available to Africans has been shrinking with the result of overgrazing, eroded lands, and scrawny herds. The South African government has endeavoured to introduce a culling of the herds and a reduction of their total size, only to meet with resistance from the African population to actions which are undertaken "for their own good." Cattle retain their place as being intrinsically valuable among the Bantu in almost the same way that gold holds a position of a medium of exchange in the Western world. Africans, when confronted with the difficulties which this stand permits, are likely to reply that the trouble is not too much cattle but too little land.

Family customs are also a basic source of cultural misunderstanding. In South Africa, the ideal African family system was polygyny (plural

---

[44] The Peace Commission of the National Catholic Federation of Students estimate the African miner to average 18.3 Rand per month—*Race Relations News* 33 (December 1971), 3. In 1971 the Rand was about $1.40.

wives) rather than monogamy, and the emphasis was on the extended rather than the nuclear family. The *lobola,* or bride price, is not so much a form of barter as it is a method of symbolizing the obligations of the respective families. Thus the bride price symbolizes the investment in the marriage and, in case of adultery, this investment is damaged and the readjustment is made by payment of fines. To the whites, this seems like a gross commercialization of marriage and an evidence that the sexual impulses of the Africans are unrestrained. African values are reflected in the native law which presumably regulates affairs on the reserves, or Bantustans, but this is a law which has been codified and frequently administered by whites who lack an understanding of its basic premises.

Many South African whites would deny the charge of ethnocentrism and would say that they recognize the value of the indigenous social system. These are not values which would be expected to stand up in comparison with those of a modern society, but they do represent a form of social control suitable for a people of limited development. South African whites would point to the fact that they have tried to maintain the system of chiefs and have encouraged native languages, ceremonies, and cultures. The difficulty with this argument is that the real authority of native institutions has been blunted. Strong societies such as the Zulu nation have been dispersed, and the chiefs are obvious puppets who can be appointed and replaced at will by the European authorities. In these circumstances traditional society loses its prestige and power of social control, and white support only serves to erode still further the legitimacy of the traditional rulers.

The migration to the cities, with incomplete assimilation, has led to real social disorganization among the African population. This social disorganization takes the form of violence, alcoholism, divorce, and family irregularity. These phenomena are viewed by the whites as evidence of the instability and weakness of African character and of inability to adjust to the standards of a Western type of society. Since the growing needs of industry for labor make a policy of "retribalization" impossible, the answer has been more repressive laws and administration, which seem to aggravate the evils they are designed to heal. This is another situation in which industrialism has destroyed the traditional culture while racial discrimination prevents African assimilation of the European value system.

Cultural conflict takes a different form among the minority of educated persons of the nonwhite population. This group is rather thoroughly committed to an acceptance of the superiority of a Western value system. Consequently, they find communication with the masses difficult and become marginal men who are accepted neither by those still close to the traditional society nor by the whites. Their adjustment is handicapped by white rejection, on the one hand, and a feeling of "cultural shame" in regard to their background, on the other. It should be stated, however, that this group of educated Africans represent a "petty bourgeoisie" who are assuming economic leadership and who, under more favorable conditions, might also assume political leadership.

The white value system is hardly a consistent one. The first and most obvious discrepancy is in the interpretation of Christianity. One faction—probably the dominant grouping—in the Dutch Reformed Church views the Afrikaaners as the chosen people who have been selected to bring civilization to the wilderness and to subdue the savages. While they were called on to bring light to the heathen, the heathen, since they are of another race, are regarded as destined by God for a separate type of existence. They are doomed to a subordinate role as "hewers of wood and drawers of water" in penance for the sins of their ancestors who looked without shame upon the naked form of their father Jacob when he lay drunk. Thus there is a paternalistic drive to bring the native population into the Christian fold, but this is not accompanied by any feeling of brotherhood or equality.

On the other hand, there is the stream of Christian thinking, which has not totally escaped the Dutch churches and is largely reflected within the English churches, which emphasizes the brotherhood of man and the fatherhood of God. This type of thinking sees the role of white as only temporarily that of trusteeship and feels that Christian brotherhood means an ultimate equality of all the races of mankind.

The two viewpoints are sharply divergent, and the expulsion or imprisonment of dissenting clergymen has been one of the most frequent actions of the Nationalist regime. Even within the Dutch Reformed Church, occasional questions are asked and criticisms raised, but, as of yet, these seem to be the expression of an impotent minority. Ferment in the Dutch Reformed Church surfaced in the 1960 conference at Cottesloe, which proclaimed that no one who believed in Jesus Christ should be excluded from any church on the grounds of race and that there were no scriptural grounds for the banning of mixed marriages. These conclusions were repudiated by the Afrikaans churches but were supported by some clergymen, among them Byers Naude, who was dismissed from the ministry when he became the head of the Christian Institute, an organization which aims to cut across barriers of race and social distinctions to foster Christian unity. In 1967 Beyers Naude and an associate, Albert Guyser, sued for libel when a newspaper charged them with being Communists and were awarded $37,500 damages.[45]

Such dissent in the Dutch Reformed Church is that of a small minority, and the significant thing is not that it is widespread but that it exists at all.

---

[45] C. Legum, *The Bitter Choice,* pp. 127–34. M. Brown, *Against the World,* pp. 176–95, has an incisive account of the position of the churches in which he credits the Afrikaans churches with having the greatest potential as change agents.

Views of this type are more common among British clergymen and may represent a majority sentiment but not one that is salient enough to be a driving force against apartheid. Probably the main significance of this split in attitude among Christians is that it threatens the unity of the Nationalists, since it throws open to question the basic ideological premises upon which their policies are based.[46]

Another conflict which will be dealt with more at length later is that between white supremacy and economic rationalization. As long as the primary need of economic development was cheap labor, there was no clash between these objectives, but the rapid development of industry has meant a growing need for skilled and technically trained labor which makes the restrictions on the use of Africans seem anachronistic to the profit-motivated entrepreneur. This dissension is related to the cleavage between whites of English and Dutch ancestry.

The British whites have a higher income with more advantageous positions in industry and the professions. They are more open to change and hope that the pattern of race relations in South Africa can be rephrased in a way which will bring less conflict with the rest of the world. The Dutch, on the other hand, even though they are a majority of the whites in the country, have the "siege mentality" of a minority. They see themselves as the chosen people who have the superior value system but one not understood either by those outside the land or by the British in the country. They represent the conservatism of the farmer and the small shopkeeper and the laborer. Hence the winds of change seem to them a threat and their racial conservatism is a part of a general world view which sees virtue in the maintenance of the past and only danger in opening South Africa freely to the forces of change.

Bantustan and African pride

The obvious interpretation of the Bantustan policy is that it is a device to segregate the Africans and to keep them from the kind of exposure to Western culture which would make them competitive with the whites. Presumably Western culture is the "white man's culture," which is good for him but which is bad for the African. The African who is exposed to Western culture becomes socially disorganized (and certainly there are many examples of this). On the other hand, the African who lives in a situation where he can see his own immediate authorities and feels that he shares in making the decisions which immediately concern him will have a feeling of satisfaction and peace. If he is educated in his native language and trained in his native crafts, his ambitions will move along

[46] Adjustment is possible for the regime. In 1973 a Billy Graham evangelistic meeting in Durban attracted 45,000 people, half of them nonwhite. It was the first integrated meeting to have been held in the stadium. *The Church Herald,* April 13, 1973, pp. 5, 6.

lines which do not make him a subversive force in regard to the European control of South African society.

The other side of the coin, of course, has not been overlooked within South Africa itself. This is that the African may develop an increased pride in his culture and in his race. This pride may lead to separate development, but it may also lead to a questioning of the legitimacy of white dominance. For the most part, African nationalist leaders have viewed tribalism and tradition as something which the whites are trying to impose upon them. However, the prospect that even a modest development of Bantustans may lead to a very real revival of nativism, in a way which will be hard for the South African government to challenge and yet threatening to the basis of its rule, is a real possibility.

White South Africans have spoken ambiguously as to whether or not independence might be the ultimate goal of the Bantustans, since the promise of independence might seem, on the one hand, to justify their policy and, on the other hand, to threaten their continued security. Africans themselves are divided, and some have attacked the Bantustan idea on the very basis that it is opposed to eventual African integration in South African society. Still other Africans have taken hold of the opportunity to use native ceremonies to express nationalistic feelings along tribal lines. This is a type of "retribalization" which may ultimately issue in forms far different from those desired by white segregationists.

Demographic trends

One of the defenses against the charge that a white-dominated South African government is based on conquest is the assertion that the area was largely unpopulated at the time of initial European settlement. Since the ancestors of most people were migrants, there is no large group which can claim historic occupancy of the land, and the descendants of the early European settlers have as much claim to be considered "indigenous" as the blacks whose ancestors came from other parts of Africa. However this claim is evaluated, there is another population aspect which is more important and that is the demographic trend at the present time. Obviously, population proportions are one factor in the continuation of white dominance. There are many factors other than population size which have more immediate importance, but, in the long run, if whites are a decreasing minority, this will affect their relative power position.

Between 1960 and 1970, the white proportion of the South African population declined from 19.29 percent to 17.75 percent. This may seem like a small decline but, considering the fact that the Asian and Coloured birth rate was more than 50 percent higher than the white rate (no accurate figures are available for Africans) and that the comparatively high nonwhite death rate is declining, this trend may accelerate in the coming years. Thus the supporters of apartheid face the prospect of becoming a proportionately smaller numerical minority inside South Africa at a time when world opinion is becoming increasingly critical of the apartheid position. This does not mean that apartheid will collapse at any predictable date, but it certainly bodes ill for the long-term prospects.

TABLE 6–3
Population trends

Group	*1960*	*1970*	*Percent increase*
Africans	10,928,000	14,893,000	36.3
Whites	3,088,000	3,779,000	22.4
Coloured	1,509,000	1,996,000	32.3
Asians	477,000	614,000	28.7
Total	16,002,000	21,282,000	32.9

Source: Adapted from Muriell Horrell, *A Survey of Race Relations in South Africa* (Johannesburg: Institute of Race Relations, 1971), p. 24.

Economic aspects

The Marxist viewpoint is that apartheid represents the exploitation of black labor by white capital. This would certainly seem to be true if one looks at the wages of black labor, which are only a fraction of those paid to whites. According to the Secretary of the Johannesburg Chamber of Commerce, in 1969 white workers in industry and construction averaged 3,124 Rand per year, while Bantu averaged 566 Rand, or a ratio of 5.5 to 1.[47]

There are, however, at least two criticisms of this policy from a strictly economic standpoint. One is that African labor is not really as cheap as it might appear, and the other that racial policies prevent the recruitment of the type of labor which is needed. A great deal of African labor is of a migratory character in which the men leave their homes in the reserves and come to work for a period of time in mines, mills, and factories, and then return to the reserves. This means that for approximately half of the time, the worker is living in the native reserve where his labor is relatively, and almost absolutely, unproductive. Further, the enforcement of this type of system requires an enormous expenditure on police. Finally, cheap labor is usually unproductive labor because of the physical condition and the lack of motivation of the laborers. It also limits the extension of a consumers' market and therefore the possibility of an outlet for manufactured goods.

Even more serious than these considerations has been the development of a need for skilled and technical labor. This is an almost invariant tendency in an industrializing society. South Africa is definitely in the class

[47] Horrell, *A Survey of Race Relations in South Africa,* p. 80.

of industrialized nations with a high per capita income which produced a 46 percent increase in real income (allowing for price changes) for whites between 1939 and 1953.[48] Even at a time when there is a great deal of unemployment of Africans, industrialists are constantly complaining about the shortage of skilled, technical, and professional personnel.

There are elaborate schemes to lure Europeans to South Africa for these functions. An obvious alternative to this practice is the upgrading of black labor. This upgrading is now forbidden by laws, custom, and union practice, which declare that any kind of service work which is primarily for whites must be performed by whites, including such low-status jobs as taxi driving and bus driving; and that most jobs of a skilled or technical character are automatically white jobs. This policy has been challenged by Harry Oppenheimer, a gold mining magnate, and by various other industrialists, mostly British.

There has been a small increase in the proportion of Africans in more skilled and responsible jobs and a change of policy to permit the open extension of such utilization of African labor is a continuing point of debate within South Africa. Indeed, it may be possible to argue that restrictions on the use of African labor impede industrial development in the total community and that whites as well as blacks are paying a heavy price for the economic policies of apartheid.

There is a continual argument over the upgrading of African labor to allow them to enter skilled occupations. Usually employers favor such upgrading, while it is opposed by labor unions (Africans are not allowed to belong to registered unions), and by the more extreme advocates of apartheid. Typical of the employer attitude is the following statement by the chief technical advisor to the Chamber of Mines:

> Time and time again the industry has had to stand by and see its reasonable endeavors to make everyone take one step up the ladder frustrated either by short sighted union policy or political expediency. . . . This is a time when men, not only of good will but of common sense should get together and examine methods for using all the manpower in South Africa to the best possible advantage.[49]

He added another blow to South African racial stereotypes by stating that aptitude testing had proved many Africans capable of doing jobs held by whites.[50]

---

[48] F. P. Spooner, *South African Predicament* (London, Cape (J) Ltd., 1960), p. 284. Evidence that this growth is continuing is seen in a report of the South African Reserve Bank that the gross domestic product, at constant prices, increased over 12 percent in 1970. Horrell, *A Survey of Race Relations in South Africa,* p. 79.

[49] Statement of Vic. Robinson, cited in Horrell, *A Survey of Race Relations in South Africa,* p. 114.

[50] Ibid., p. 114.

Some idea of the problems involved in attempting to restrict certain jobs to whites is illustrated by the reports regarding railway and postal labor in 1970:

> Replying to questions on 28 and 31 July the Minister (of Transport) said that 88 Coloured, 101 Indians and 1,299 Africans were then temporarily employed on work normally performed by white graded staff—mainly as flagmen, trade hands, shed attendants, and stokers and deck hands on tugs and dredgers. In addition 1,371 Coloured, 140 Indians and 12,698 Africans were performing work formerly done by unskilled and ungraded white railworkers.[51]

Although most of the postal employees were whites, a number of others had been added in posts normally occupied by whites including:

783	Coloured postmen and messengers
243	Indian postmen and messengers
1,068	African postmen and messengers[52]

In the rest of Africa, one of the marks of white prestige is that manual work is usually performed by blacks. Thus the visitor who comes to South Africa after a sojourn in other African countries will perhaps be surprised to see whites driving taxis and buses, carrying mail, doing routine factory work, and working at a number of tasks which, in Africa, are usually considered to threaten white status. In South Africa, this indicates that the general white prestige has been shared by the white laborer, who has marked off as his own a number of occupations which in other countries are carried out by African laborers.

The idea of "white jobs" is an exclusionary device which preserves a section of the labor market for whites and enables them to draw wages which are sometimes ten times as high as those paid to Africans. Such high labor costs are obviously a handicap to business, but the color bar has not been directly challenged since the 1920s, when a large-scale strike of white workers in the Witwatersrand district prevented the admission of African workers to certain semiskilled classifications.[53] Union labor has the power to prevent any direct challenge to the color bar, and the gradual upgrading of nonwhite labor has been disguised by circumlocutions or justified as a temporary expedient.

An example of the kind of casuistry often employed in deciding questions of occupational upgrading is seen in the following summary of an argument over the racial composition of construction labor:

> Early in 1970 the Department of Labor intervened when Roberts Construction Company was using African building workers to do block laying in a low

---

[51] Ibid., p. 122.

[52] Ibid., p. 122.

[53] Sheila T. Van der Horst, "The Effects of Industrialization on Race Relations in South Africa," in Guy Hunter (ed.), *Industrialization and Race Relations* (London, Oxford University Press, 1965), pp. 97–140.

cost housing scheme for whites at Pietermaritzburg at lower wages than those payable to artisans of other racial groups. Work was held up for three months while the company tried to recruit other artisans and sub-contract some work; but these efforts were unsuccessful. Eventually, with the knowledge of the Department, the company re-employed the Africans, overcoming the reservations contained in the job reservation determination by not issuing specialized tools. The Africans were provided with gardening trowels instead of builders trowels, used the handles of axes instead of hammers, and made use of jigs instead of lines and levels to lay blocks.[54]

The racial classification policies affect the relations of nonwhite groups with each other as well as the relations of all groups and the whites. Thus it was announced in March 1970 that the government had reaffirmed its refusal to allow Indians to employ Africans as domestic servants or nursemaids.[55] Apparently an African domestic servant was a prestige symbol suitable only for whites.

Within the Bantustans the racial classification of jobs still continues. Even government plans to allow for the gradual training and upgrading of Bantu miners within their own areas runs into union opposition: "Following talks with the Minister of Mines, the executive committee of the Mineworkers Union issued a statement saying that it had decided not to support the Government's plan for the gradual advancement of Africans in the Homelands. The committee called upon members of the union to refuse to train African miners."[56]

This kind of conflict represents a refutation of some interpretations of South African racial policies. Evidently it is usually the capitalists who favor the upgrading of African personnel and the white workmen who resist such changes. This means that, at the present stage of industrial development, apartheid is repugnant not only to liberal and humanitarian sentiments but also to business interests.

International pressures

Most of the rest of the world has looked upon South African policies of apartheid, or, as it is currently called, "separate development," with a critical eye. The Afro-Asian block particularly has been vigorous in its criticism of South Africa. In October 1958 the General Assembly of the United Nations adopted by a vote of 70 to five with four abstentions a resolution expressing "regret and concern" over policies which impair the rights of all racial groups to enjoy the same rights and freedom.[57] Another resolution with similar character carried the United Nations in

---

[54] Horrell, M., *A Saving of Race Relations*, pp. 115–16.

[55] Ibid., p. 125.

[56] Ibid., pp. 152–53.

[57] *Africa, Special Report*, Vol. 3, No. 12, p. 6.

1961 by a vote of 97 to 2 with only one absention, and, in 1962, a boycott resolution received the necessary two-thirds majority to go into effect.

The effects of the boycott resolution have not been encouraging to those who view economic sanctions as a method of altering national policies. Boycotts on imports or exports by one country have frequently been violated by other countries, so that South Africans have been able to maintain and to increase their world trade without any serious embarrassment. Similarly, foreign investment in South Africa has increased through the years: thus one has a record of verbal condemnation of South Africa by the rest of the world along with an economic cooperation which has actually been increasing.

The basic assumption of the South African boycott has been that, if the restriction of trade would bring a slowdown, or perhaps reversal, of economic development, the South African whites would be willing to change their policies. It is equally possible to argue that a slowdown of economic development would bring a tendency for an even more rigid attitude toward African economic advance. The current spurt in economic development has brought the economic color policies into very serious question. The more rapid the pace of economic development, the greater the need for skilled manpower and the greater the tendency to upgrade the African labor force. In point of fact, the efforts at international boycott have been unsuccessful, but it is quite possible that they would have been counterproductive even if they had been carried out efficiently.

From a psychological standpoint, the effect of such world condemnation is more difficult to appraise. It is apparent that condemnation from the outside has tended to unite the South African whites in their resistance to external pressure, but that is not the whole story. While South Africa takes a militant and almost monolithic stand in opposition to criticism from political or religious bodies, it is nevertheless embarrassed by being considered a pariah among the world's nations. The South African reaction has included some degree of flexibility, to allow, for instance, open competition for representation on athletic teams and a welcome to integrated teams from other countries.[58]

There have been attempts to break the solid front of African countries against South Africa. South Africa has exchanged diplomatic representation with the countries which are largely surrounded by its borders (or those of the Portugese colonies) such as Lesotho, Botswana, Swaziland, and Malawi, and has afforded black diplomats exemption from the segregative rules of apartheid. Further, the South African government has announced its willingness to support the development of African economies.

---

[58] Sports policies are not always consistent. Integrated sports events are sometimes allowed but usually prohibited. Prominent nonwhite athletes have competed in South Africa and have also been banned, as in the case of American tennis star Arthur Ashe.

Trade and aid relationships were established for a while with the Malagasy Republic, and countries as far away as the Ivory Coast and Ghana (some 14 in all) have indicated that they might be willing to consider some kind of economic association with South Africa.[59]

This evidence of flexibility in South Africa did not indicate a definite change of direction. Confronted with criticism by the right and a cooling by African countries indicated by Malagasy's breaking off aid and trade discussions after a coup, the government began to abandon *verligheit* ("enlightenment") and return to a harder line. In the summer of 1972 one of the more moderate cabinet ministers resigned and was subjected to bitter criticism, student demonstrators were attacked with dogs and clubs, and "70 clergymen were arrested, placed under house arrest or prevented from preaching."[60] Certainly the brief period of slight relaxation of apartheid indicates that a South African government can make at least minor adjustments, but the switch back to a more repressive regime demonstrates the persistent power of the most rigid nationalist elements.

Going back to the matter of external criticism and pressure, its effects seem to be mixed. On the one hand South African whites tend to take a solid stand against foreign criticism, but, on the other, they are obviously disturbed by their growing isolation. The effort to impose sanctions has apparently not affected the economy and seems to have been a futile gesture. There has been some effort to change the South African image, but this is evidently less important than internal political considerations. In summary, external criticism of South Africa has solidified internal support for the government, has not seriously affected the economy, and has stimulated efforts of South Africa to present a more acceptable image to the rest of the world without making any basic alteration in apartheid policies.

Internal politics

One aspect of internal politics is the ability of the South African government to contain opposition to its policies. Throughout the years there have been, in the mining fields, occasional large-scale strikes, most of which have been completely crushed without concessions. There have been demonstrations, and there have been some efforts at guerrilla activities. At the time when Chief Luthuli received the Nobel Peace Award in 1961 there was a major emphasis on nonviolent methods of resistance. The reaction of the South African government has been so repressive that it has been nearly impossible to carry on any kind of nonviolent political opposition, and occasional ineffective bursts of guerrilla terrorism have been the only outlets for African opposition. Militancy among African revolutionary

---

[59] "Money Has No Color," *Newsweek*, November 30, 1970.

[60] "South Africa; Back to the Dark Ages," *Newsweek*, July 24, 1972, p. 52.

groups has been rising in the Portuguese colonies, and the "freedom fighters" received aid from the independent African states and possibly from outside the continent as well. The South African reaction has been to step up the size of the police and the army and to repress any sign of protest—a tactic which has been highly effective.

Legum and Drysdale presented figures to show that South Africa has the dubious distinction of having the highest hanging rate of any country in the world.

In 1967, 106 Africans, 8 whites, 12 Coloureds and 1 Asian were sentenced to death. Of the 8 whites, only 2 were executed; 81 of the Africans were hanged.[61]

The Pass Laws and various acts (e.g., Sabotage, Suppression of Communism, and the Unlawful Organization acts) are all used to imprison individuals or groups of individuals viewed as enemies of the state. Although all racial groups are represented among the so-called political prisoners, the vast majority are Africans.

While it would be incorrect to call the Republic of South Africa a police state, it certainly is a close approximation. Vaguely worded and very general laws make it possible to arrest practically anyone whom the government considers an annoyance. Individuals may be detained without trial, and, on occasion, people acquitted by a court have been remanded to prison by the Minister of Justice without any new charges being filed. During 1969, seven whites, 11 Coloured, 15 Asians, and 769 Africans were serving sentences under various subversive activities acts.[62]

The general criminal laws, especially those concerning pass regulations, also serve to harass the African population and to help to repress any kind of dissent. Mrs. Helen Suzman, the lone Parliamentary representative elected by the Progressive party, describes the South African prison population as the highest proportionate prison population in the Western world.[63]

But, in spite of the passage and rigid enforcement of stringent laws, the government is keenly aware of the fact that silence among the masses does not mean consent and that it cannot afford to ignore the scattered incidents in the last few years in the form of demonstrations, rioting, terrorism, mob violence, and guerilla activity.[64] As a result of the more violent forms of activities, and perhaps to forestall an Algerian type of confrontation in South Africa, the government has augmented the number

---

[61] Legum and Drysdale, *African Contemporary Record,* p. 305.

[62] Horrell, *A Survey of Race Relations in South Africa,* p. 54.

[63] Ibid., p. 47.

[64] Although banned in South Africa, the South West African People's Organization and the African National Congress are among the major groups that are of concern, because of their guerilla activities, in Southern Rhodesia as well as the Republic of South Africa.

TABLE 6–4

Criminal sentences

Sentence	*1968–69*					*1967–68*
	White	*Coloured*	*Asian*	*African*	*Total*	*Total*
Death	1	20	2	84	107	115
Life	—	1	—	12	13	34
Indeterminate and for prevention of crime	211	610	12	2 046	2 879	3 707
Corrective training, and 2 years and longer	477	1 912	44	8 407	10 840	9 549
Over 4 months to under 2 years	1 394	7 483	231	48 290	57 398	50 101
Over 1 month to 4 months	1 692	13 943	381	142 465	158 481	145 456
Up to and including 1 month	3 959	38 217	937	222 600	265 713	276 745
Periodic	122	31	4	44	201	217
Corporal (cane)	26	59	—	354	439	336
Totals	7 882	62 276	1 611	424 302	496 071	486 260

Source: Muriel Horrell, *A Survey of Race Relations in South Africa* (Johannesburg, South African Institute of Race Relations, 1970), p. 42.

of men in the army, navy, and air force and increased the funds for the Secret Service.

Thus, by combining the regular armed services, the police, and the "citizen force" (persons who have had some military training), South Africa can marshal a sizeable force of fighting men. One account estimates that within a few days South Africa could field 120,000 troops supported by an air force carrying napalm bombs. Added to this is an ever ready complex of missile bases strategically located in the country. Hence, the prospects of an Algerian type of encounter is most unlikely at the present time, and the likelihood of a successful blow from external forces is also remote.

The blacks in South Africa are at least as divided as the whites. Tribal loyalty is still strong, and many Africans still look at life primarily from the viewpoint of Zulus, Bapedis, Tsongas, etc. Indians and Coloured are quite distinct from Africans, and the antipathy between the three groups often is as strong as the feeling between whites and nonwhites. Probably the intellectuals are the ones least swayed by divisions among nonwhites, but they too are divided between the militants, who favor violent action, the remnant of the followers of Chief Luthuli, who hope that nonviolent resistance may be possible, and those who feel that any effort at resistance would only provoke South African repression and worsen the position of the nonwhites.

There are some indications of a degree of flexibility in the white controlled South African government. The question of the upgrading of blacks occupationally is continually being agitated and, although no favorable governmental pronouncement has come forth, there is evidence that some industries have taken steps in this direction. Other situations also indicate that the South African stand is not always completely rigid. In Natal, white physicians failed to schedule their annual dinner in 1970 until they received official permission to include the Indian physicians. When the World Council of Churches made an appropriation for welfare activities by African "Freedom Fighter" groups, the government denounced the action but did not attempt to force churches to break ties with the Council.[65]

CONTRASTS TO THE LATIN AMERICAN AND NORTH AMERICAN MODELS

It is natural to attempt to judge South Africa in the light of the racial experience of other countries. Thus one may ask why it has been impossible to achieve the rather low level of racial consciousness which exists in much of Latin America or the swing toward equal rights which is taking place in the United States. It is true that the segregation pattern in the American South resembled the apartheid pattern of South Africa in its general acceptance of segregation and white supremacy while it still used an African population as an unskilled labor force. At this point, however, the similarity stops.

In the United States, the African population was a small minority of the total, varying from 20 percent in Revolutionary days to approximately 11 percent in 1971, while in South Africa nonwhites have a four to one majority. In the Republic of South Africa, tribal groups have retained their language, and some degree of tribal organization. In the United States, slaves were so dispersed that it was impossible to carry on their languages, and social customs. In South Africa, tribal authorities were maintained and utilized for administration, while in North America, tribal authorities were nonexistent for the black population.

Thus in North America, the descendants of the African slaves are a minority population whose culture is a southern, rural, lower-class, version of the dominant American culture and who share in the African heritage only to the extent to which that heritage has penetrated the total American society. In these circumstances, integration posed little threat to the continued white character of the society and indeed, is sometimes criticized by black nationalists as a threat to any type of black cultural identity.

Since miscegenation has been widespread in both Latin America and in the Republic of South Africa, one may well question why the

---

[65] Horrell, *A Survey of Race Relations in South Africa*, pp. 15–18.

results in the two areas have been so different. The story of Mexico, for instance, is that of a society in which the mixed racial element has become dominant and in which open racism is almost unknown. This process has extended further in Mexico than in most other Latin American countries, but race is far less of a factor throughout this entire area than it is in many other places of the world.

Here it should be noted that the history of the Cape Province is rather different from the rest of South Africa. In the Cape Province, a fairly stable slave regime was the scene of rather considerable miscegenation which, with the end of slavery, saw the emergence of a distinct mulatto population with a social status somewhere between that of the pure whites and the Africans. The further development of this process was arrested by British-Afrikaner rivalry and the fact that the Europeans, although a minority, were still numerous enough to dominate the area without a consistent use of nonwhite allies.

In most of South Africa, the main source of labor was not slavery but migratory forced labor. The African women remained at some distance from the Europeans in native reserves and the men lived in semi-prison conditions where they were cut off from social interaction with the whites. Similarly, tribal governments were seen as convenient administrative mechanisms, and the perpetuation of tribal regimes together with the frequent return of workers to the native reserves meant that acculturation was only partly accomplished. Opportunities for miscegenation were decreased, and eventually the white population was able to completely outlaw intermarriage while making few concessions to the mixed population already formed. Van den Berghe describes the differences between the Africa and other areas:

> In Africa, the European impact has been much milder, both genetically and culturally, because the circumstances of conquest were less devastating, because migratory labor rather than slavery or peonage followed conquest, because christianization was largely on a voluntary rather than forced basis, and because traditional structures were retained largely for administrative convenience rather than deliberately destroyed as in America.[66]

In Mexico a repressive slave-holding regime facilitated miscegenation, which in turn led to the rise of a mestizo class that now dominates the country. In South Africa the same initial events took place but were followed by an influx of Europeans massive enough to govern the country without making consistent use of their natural allies—the Coloured population. Hence the cycle went from white entry to miscegenation to still greater white dominance, a ban on further miscegenation and a complete subordination of the nonwhite population.

---

[66] Pierre van den Berghe, "Racialism and Assimilation in Africa and the Americas," *Southwestern Journal of Anthropology*, 19 (1963): 431.

PARTITION—A POSSIBLE WAY OUT

While many voices have been raised in condemnation of apartheid, there have been very few suggestions for other approaches. Presumably, the liberal opposition in South Africa would prefer a regime which continued essential features of white supremacy while giving at least token political representation to Africans and increasing their prospects for social mobility. Such a development is bitterly resisted by a majority of whites, and it is hard to see how it could be satisfactory to the Africans for any considerable period of time. The history of all other nations indicates that the aspirations of suppressed peoples grow with concessions, and it is impossible to dismiss the Nationalist fears in this regard as being either exaggerated or unrealistic.

Nor does the experience of other African countries offer much basis for a hope that the acceptance of the "one man, one vote" principle would produce a society in which the white minority could sustain any substantial proportion of its present privileges. In Algeria, for instance, nearly 80 percent of the French settlers had left the country within two years after the end of French rule. South African whites do not consider that they have a homeland other than South Africa, and both their economic interests and their concept of nationality would impel them to a diehard resistance to rule by an African majority.

It may be argued that, regardless of the interests of the white population, justice requires majority rule and that the consequences are a small price to pay. In making this assumption, it may be best to consider the nature of the price involved. A military overthrow of the South African regime would necessarily be a bloody process resulting in the total demolition of the existing society. That society has many shortcomings, but it also has a virtue of being economically the most dynamic part of Africa.[67] It is not unique in its resemblance to a police state; this is true of several African countries, and the degree of democratic control in South Africa is greater than that allowed in the African military dictatorships. Nor are discrimination and repression on the basis of ethnic background absent in other African countries. Examples include the treatment of the Indians in Kenya and Uganda, the bloody civil war between the Ibos and the rest of the Nigerian population, and the long period of strife between Arabs and blacks in Sudan. Probably the most dramatic example of ethnically based strife and cruelty in recent years is the slaughter of an estimated 100,000 Hutu in Burundi by their Watutsi overlords. The slaughter was in reaction to an unsuccessful revolt by the Hutu in which 5,000–10,000 Watutsi civilians were slain. Reporters indicate that the Watutsi counter

[67] South Africa has 24 percent of the continental GNP while making up only six percent of the population—van den Berghe, *South Africa,* p. 86.

action was a deliberate effort to exterminate all potential Hutu leadership, and charge that even school children were among the victims.[68]

Although South Africa is the most frequent target of criticism because of its ethnic policies it certainly has no monopoly on ethnic repression and discrimination. It is also true that in spite of many difficulties in South Africa there is no effort of Africans to migrate to other areas nor does South Africa have difficulty attracting workers from adjacent African countries. As depressed as living conditions of Africans are in South Africa, they are still substantially better for the average man than is true in the rest of the continent. It is hard to see any net gain to humanity in the destruction of the most successful economy in Africa.

One suggestion for a way to avoid the seemingly inevitable bloody conflict has been proposed by Edward Tiryakian.[69] He has suggested that, although successful integration seems unlikely and a violent destruction of the society is too costly to contemplate, a partition might not be impossible. His plan for partition would divide the present Republic of South Africa into two countries. One would be a nation ruled by Africans and the other a nation ruled by a combination of Europeans, Indians, and Coloured, with the Europeans dominant. The African nation would include the present Bantustans and reserves along with a good deal of land not included in these categories.

The European country would take in the areas with the heaviest European population, which would include most of the cities and ports. No boundary lines of this type would satisfy everyone, and it is difficult to imagine a pattern which either whites or Africans would accept. Its appeal does not lie in its positive attraction so much as in the dread of the evil consequences of all conceivable alternatives. Such a solution would give an outlet to African nationalism while still enabling most whites to live under their own rule. Self-interest would motivate a cooperation between the African and the white-dominated sections of the country in a way which would work to mutual benefit.

The examples of partition elsewhere indicate that territorial division does not necessarily solve all problems but still may have been the most practical step for the countries concerned. It is at least conceivable that, in the peculiar circumstances of South Africa, a partition of the type envisioned by Tiryakian might be a way of avoiding both the continuing scandal of domination by a European minority and the fearful destruction likely to accompany any forceable termination of European rule.

---

[68] "Burundi: Slaughter of the Hutus," *Newsweek*, June 26, 1972, pp. 39–40. Roger M. Williams, "Slaughter in Burundi: A First Hand Account," *World*, 1 (Nov. 21, 1972): 20–24.

[69] Edward A. Tiryakian, "Sociological Realism: Partition for South Africa?", *Social Forces* 46 (December 1967): 209–21.

CONCLUSIONS

The Republic of South Africa is a modern industrialized country peopled by a varied group of Europeans, Africans of many tribes, mixed bloods, and Indians, with whites outnumbered four to one. Since European settlement it has been plagued by conflict between settlers of Dutch and British ancestry, with those of Dutch ancestry eventually gaining political dominance in spite of having lost a supposedly decisive war. Their dominance has led to an attempt to wipe out any vestige of equality or integration and to impose a segregated pattern known variously as apartheid or separate development. Ideally, this pattern assumed that Africans would live in separate semiautonomous states known as Bantustans, would be shielded from European culture, and would lead an existence entirely cut off from European contact.

Because of the relatively small size and undeveloped character of the Bantustans, as well as the demand for African labor in European-controlled industry, this segregation has been far from complete, but the apartheid principle has been implemented to the extent that it deprives Africans of any opportunity to resist white domination. Occasional protests have been brutally suppressed, and the Republic of South Africa has been able to resist the type of movement which led to the end of colonization in most of the rest of Africa.

The differences of the Afrikaners and the British with respect to racial policies are not so much a matter of type as of degree. Both groups acknowledge the need for maintaining white supremacy. The British would accomplish this through a regime which makes minor concessions and allows some rise in African status. The Afrikaners, feeling that any concession may represent a case of the camel's nose under the tent, would enforce as rigid a brand of segregation as it is economically possible to maintain—and perhaps would even be willing to sacrifice some economic growth in the process.

If race relations in Africa are defined as a "white problem," the differences in the racial patterns of various African countries must be ascribed to the differences in the European populations in the various countries. In most of the British colonies (and the French colonies as well, except for Algeria) the Europeans were small in number, and found occupational roles as traders, government officials, soldiers, missionaries, and business executives. In Rhodesia and the Union of South Africa, most of the whites were either farmers or businessmen, or workers who regarded their post in industry or government as a permanent assignment. Such a "settler" type of population is far removed in attitude from the typical colonial representative, who still retains his ties with the imperial country.

The transient colonial representative can still return home whenever he feels unwelcome in the former outpost. Similarly the colonial government may feel that granting independence to unruly colonies represents a net gain to the treasury and a lessening of governmental problems. In any event the interests of local representatives of the colonial power are only one item, and frequently a minor one, in the overall calculation of national interest. If the imperial government remains it regards itself as a trustee of the interests of the native population, which it must protect against exploitation by foreigners—and if independence comes it is not regarded as a catastrophe.

The settler sees the situation far differently. The imperial trusteeship idea is seen as a yoke of bureaucratic regulation which blocks the development of the country, while rule by a native majority is considered an intolerable evil which would make life unbearable for the European. The different viewpoints held by settler and transient European populations can be seen in the divergent attitudes which develop toward the role of the British Empire. In parts of Africa where European settlers were either few or nonexistent the empire was regarded by British residents as a necessary guardian in a period of transition toward self-rule. African nationalists tended to think that this role was outgrown and that the empire had become an imperialist threat to their interests. Independence came when the nationalists felt they had mustered enough strength to go on their own and the British decided that the effort required to maintain a continued guardianship was too great. For white men in Rhodesia and the Republic of South Africa, the empire was not so much of a guardian as an outside force which threatened to impede the maintenance of white superiority through a concern for the privileges of the African population. On the other hand, the blacks saw the empire as a means of defense against the rule of white settlers and demanded that Britain refuse to give Rhodesia independence and force the Union of South Africa to abandon apartheid.

Thus it is that in some countries the black nationalists demanded independence and the end of British suzerainty, while in other countries they demanded that independence be blocked and the influence of the empire be continued. Conversely, the white settlers, for the most part, favored independence not as a means of promoting African nationalism but as a means of suppressing it more ruthlessly than was possible under the policies of the colonial office.

The dominance of "Herrenvolk Democracy" in both the Republic of South Africa and Rhodesia further illustrates the dynamics of power in a settler area. Rhodesia did not have a large Boer population, and British liberalism, which regarded both African and European as members of a common society, was the official doctrine. Indeed, one of the Rhodesian leaders, Todd, strove mightily, though unsuccessfully, to correct some of the racial imbalances. Rhodesia did not glorify a doctrine of apartheid, and, even after the unilateral declaration of independence, African students continued to attend the predominantly white university. On two basic counts, though, Rhodesia and the Union of South Africa are in essential agreement: (1) an unequal distribution of land favoring the whites must be maintained; (2) neither now nor in the designated future can Africans be permitted to wield political power in proportion to their numbers.

Neither Rhodesia nor the Republic of South Africa is a dictatorship in the sense of absolute rule by a small oligarchy. Rather, they are garrison states which seek to maintain democratic choice and at least some freedoms for the white populations while keeping the nonwhites in subjection. Political action by Africans is either minimized, controlled, or repressed completely, and whites who disagree too sharply with the prevailing ethos may also face repressive action. In both countries divergent political parties compete for votes and some open critics of the government are allowed their freedom, but in each the need for presenting a solid front against a hostile world is leading toward increasing lack of tolerance for dissent from either blacks or whites.

One of the rather curious features of the South African experience is that the brand of separatism imposed on blacks by the South African government closely parallels many of the demands made by black militants in the United States. The Bantustans set up separate states within South Africa which, even though they have limited powers, still act as centers for the preservation of indigenous culture. Schools are segregated with black pupils and teachers, and instruction is in the native languages. In every way except in the employment of labor, blacks are excluded from the dominant society and forced back on indigenous African culture. In the circumstances it seems that white South Africa itself is doing much to make any kind of unified country impossible and is reinforcing in the minds of blacks the idea that they have no common destiny with the whites.

On the other hand, economic developments are operating against the basic labor principles of apartheid. In brief, these were to eventually force blacks out of industry and back onto the land and, while they remained in industry, to keep them in an unskilled status. The current difficulty with this formula is that South Africa has become a highly industrialized nation in which the demand for industrial labor is increasing rather than decreasing and in which the labor shortage is greatest in semiskilled, skilled, and technical categories. Industry has a decreasing need for a reservoir of cheap unskilled labor and a rising demand for workers in fields which in the past have been considered white men's jobs. Upgrading the educational background and occupational skills of the black population may soon be essential if industrial leadership is to be maintained. The economic motivation, which at one time led to the black man's being confined to the lower reaches of the occupational hierarchy, may soon force a break with the whole system of racially sanctioned economic discrimination. Minor concessions are already being made, wages have lifted slightly, and blacks are already employed in such previous white preserves as engineering, railroads, and construction.[70] Economic equality is still far away, but the day when the skilled black worker is important as a part of the labor force and his purchasing power is a major part of the total market may be fast approaching.

Experience in other countries gives us little clue as to the eventual outcome in Rhodesia and the Republic of South Africa. In Algeria a native revolt ended French rule and most of the French settlers have left the country. In the United States and Australia the indigenous inhabitants were outnumbered and pushed back by a horde of European immigrants who greatly outnumbered them. In Mexico widespread miscegenation led to the blurring of racial distinctions and the dominance of the mestizo. At one time it looked as if such a development might take place in South Africa, since there was a rapid growth of a mixed population which had adopted European culture; however, a gradual hardening of economic and social stratification along racial lines aborted such a development.

There is no possibility that the whites will become numerically dominant in South Africa, and, at the moment at least, there seems little chance that they will be pushed out by Africans or that their behavior will be modified by the notoriously ineffective campaign of external sanctions. Genuine apartheid with complete racial separation seems like a fanatical dream with little chance of realization, and integration on a level of equality certainly faces difficult hurdles.

In the meantime the government is combining conciliatory gestures with continued repression. Thus, integrated athletic contests may be permitted, African diplomats may be exempted from the segregative rules of apartheid, and their countries may be promised South African economic aid. Such concessions do indicate an interesting change in what had often been considered a completely inflexible regime, but it is hard to see that they offer much hope for an ultimate solution. One of the more interesting suggestions is that of partition, which would attempt to divide the territory into two nations, one white and the other black. It is difficult to see how satisfactory boundary lines could be drawn and the history of partition elsewhere is not encouraging. Nevertheless, it is one possible way of avoiding the seemingly inevitable holocaust and it may yet be tried.

PATTERNS OF SOUTH AFRICAN ETHNIC INTERACTION IN RELATION TO GENERALIZED INTERGROUP BEHAVIOR PATTERNS

South African pattern. The advance of industrialization has resulted in a gradual upgrading of some portions of the African labor force to-

[70] Marvin Howe, "Blacks in South Africa Developing a New Awareness," *New York Times,* July 12, 1970, p. 1.

gether with a growing demand for a reduction of restrictions on the use of labor by color.

Generalized pattern. Industrialization is inconsistent with a society in which occupation is assigned by ascription. Industrialization reduces the demand for unskilled labor and increases the need for semiskilled, skilled, and technical workers. The production of such workers will result in higher wages, a more competitive assignment of jobs, and pressure to remove ethnic limitations on social and geographic mobility of the work force.

South African pattern. South Africa's white population is a "settler" type with a permanent commitment to the land and a determination not to submit itself to the rule of an African majority.

Generalized pattern. Transient populations of officials, soldiers, and traders will rather easily give way in the face of nationalist demands for independence, while a fairly large, permanently rooted population will fight desperately to maintain its dominance.

South African pattern. The racially bigoted Boers engaged in widespread miscegenation, while the comparatively liberal British were more nearly racially endogamous.

Generalized pattern. The degree of racial prejudice bears little relationship to miscegenation, which may, in fact, be a symbol of the subordinate status of the minority group.

South African pattern. The urbanized African population has a high incidence of crime, alcoholism, and family disorganization.

Generalized pattern. A nation which destroys or greatly weakens the culture of a subordinate group without allowing assimilation may expect to see a high degree of social disorganization resulting.

South African pattern. International boycotts have been ineffective and the South African economy has continued its growth.

Generalized pattern. International relationships are usually not determined by approval or disapproval of internal ethnic policies.

South African pattern. The efforts to restrict Africans have also resulted in laws and administrative practices which restrict the freedom of white politicians, academics, clergymen, and businessmen.

Generalized pattern. Freedom is indivisible, and it is not possible to maintain a society in which a subordinate group is heavily restricted without applying some of these restrictions to members of the dominant group as well.

South African pattern. The "Coloured" population tends to identify culturally with the whites in spite of many rebuffs.

Generalized pattern. Biologically mixed populations will identify with the more prestigious element of their ancestry if given any opportunity at all to separate themselves from a denigrated ethnic group.

South African pattern. Under the auspices of apartheid, the Bantu are discouraged from what is considered "European imitation" and encouraged to develop a culture and a language separate from those of the Europeans. To the extent that this policy is carried out, the effect is to restrict the Bantu prospects for social mobility in South African society.

Generalized pattern. Efforts to retain a nativistic style of culture will be a handicap in the competition for advancement in an industrialized society.

South African pattern. The white population comprise about one fifth of the total and is too small to operate the country's industries by itself and yet is large enough to resist the type of efforts which have led to the end of European rule in most of the rest of Africa.

Generalized pattern. Demographic patterns play a major role in shaping the pattern of intergroup relations. Even if it has wealth and technological superiority, a small minority will usually soon be overthrown by a majority. A larger minority may not be overthrown for a considerable time, but the legitimacy of its rule will become increasingly suspect, and eventually it will reach the stage where its position can be maintained only by naked force.

QUESTIONS

1. Why do the "settler" type of colonies tend to be the most resistant to the end of white rule?
2. What is the difference between the Portuguese and the South African attitude toward blacks? Why might blacks find the Portuguese attitude unsatisfactory?
3. What was the nature and cause of the "trek"? What effect did the trek have on race relationships?
4. What is the difference between Boers and British on race relations? Why did the British lose dominance after their success in the Boer war?
5. Why was miscegenation between whites and Bantu higher during the period of slavery than later?
6. How do you explain the difference in the status of the Coloured in South Africa and the mestizo in in Latin America?
7. What are the similarities and differences in black-white relationships between the Republic of South Africa and the United States of America?

8. Is black separatism in the United States similar to the apartheid program for blacks in South Africa?
9. How does economic development threaten apartheid?
10. Assuming that the vigorous enforcement of a boycott is possible, would this persuade the South African whites to modify apartheid? Explain your answer.
11. How do you explain the fact that some African states have begun to have friendlier relations with the Republic of South Africa? What does this indicate about the relation between ethnic policies and international relations?
12. What is the situation of the Indians in South Africa?
13. Given the hostility of whites to all large nonwhite groups, why did the African National Congress exclude the Indians and the Coloured?
14. Do you think there is any chance that the Bantustans will enable the objectives of apartheid to be achieved?
15. On what basis are both the defenders and the critics of apartheid able to cite Christianity as a justification for their beliefs?
16. Why was it deemed necessary to establish racial classification boards? What does the existence of such boards indicate about the racial composition of the people of South Africa?
17. Most white workers are for racial discrimination in jobs, while many industrialists would like to upgrade African workers. What does this indicate about the Communist theory that racial conflict is due to capitalism?
18. Since South Africa was already a white-dominated society, how would you explain the movement to more rigid segregation and discrimination since 1948?
19. Do you think the whites in South Africa will be able to maintain their dominance indefinitely? Would partition be the road to racial peace in this area?

Chapter 7

Political integration of overseas territories: Martinique and Guadeloupe

Since the 20th century has seen the breakup of empires and the near elimination of colonialism, it is often assumed that detached overseas territories are necessarily headed for independence. This notion is challenged by a number of distant territories which have voluntarily maintained their relationship with a larger country. Sometimes their action is inexplicable to outsiders, as in the case of Puerto Rico. To the United Nations' Committee on colonialism it seemed obvious that Puerto Rico was being held in colonial status by the United States. However, in an election which occurred in 1972 a few weeks after the U.N. committee's statement, the main division came between Puerto Ricans supporting the Commonwealth regime and those seeking statehood, with less than four percent of the voters supporting the Independence Party.

American readers will also think of Hawaii, 3,000 miles from the nearest United States mainland, which received the status of statehood without major internal opposition or agitation for independence. Hawaii has a largely Oriental population which has generally assimilated American culture, while, in Puerto Rico, Spanish culture is still strong and Spanish is the major language. The fact that two territories, so different both from the mainland and from each other, could each welcome an American governmental link indicates that a variety of circumstances may lead overseas territories to reject separation from a mainland power.

While an extensive analysis of the relation of the United States with overseas territories would make an interesting story, this is not the major concern of this chapter. Instead we have turned to former French possessions, since of all former colonial powers it is the French who were the strongest assimilationists and had the greatest hopes for the continued association of the overseas territories with the "mother country."

The focus of this chapter will be on Guadeloupe and Martinique, two territories located in the West Indies and commonly included under the term French Antilles.[1] In our discussion of these two territories we advance the following generalizations of intergroup relations: (1) tendencies toward political separatism often vary directly with the degree of ethnic economic competition, (2) there is an inverse relationship between the intensity of ethnic conflict and the number of ethnically distinct groups, and (3) the viability of a group's original culture often determines the extent to which it can be influenced by another culture.

These territories, which seem relatively content with their status as departments of France, will be contrasted with two other areas in which continued association with a stronger power was rejected. One of these areas consists of various territories in the former British West Indies and the other is the African country of Senegal. The point at issue is why Guadeloupe and Martinique cherished the ties with the one time imperial power when the other territories opted for independence. The British West Indies were selected for comparison because in size, socioeconomic development, and, geographical location they are similar to the French Antilles. Senegal was also selected for comparison because it is often cited as one of the countries in which the French gave most support to the ideal of assimilation. Now let us take a closer look at the French Antilles.

Martinique and Guadeloupe each have a population of around 300,000; Martinique, with an area of 425 square miles, had a population density in 1966 of some 766 per square mile and Guadeloupe, with a slightly larger area, of 686 square miles, had a population density of 487. In relation to arable land these population densities are among the highest in the Caribbean. Martinique is 40 miles long and 21 miles wide at its broadest point, and about two thirds of the land is mountainous territory. Guadeloupe consists of two major islands and a number of little ones. One of the main islands, Basse-Terre, is flat and well adapted to sugar growing.

Since 1946, Martinique and Guadeloupe have been departments of France. In this status, their government is exactly like that of French departments on the Continent. They vote for members of the French Chamber of Deputies, they are governed entirely by French law, and some of

---

[1] French Guiana and such islands as St. Pierre and Miquelon are also included under the rubric French Antilles. They are excluded from this discussion: Guiana because of its extremely underdeveloped character, and the islands because of their small size.

the officials in the territory are selected directly by Paris. There have been occasional agitation for independence and a few minor riots which seem to have an anti-French character, but, in general, while the inhabitants may have specific grievances, they seem to look forward to a continued relationship within the French nation.

The words of a recent French writer gave a picture which is often presented as the dominant reaction in this area. "The Antilles cannot and do not want to be anything other than French," states a Martinican, "they are French in spirit, in heart, in blood."[2]

EARLY HISTORY

Martinique and Guadeloupe were first occupied by the French in 1635. An early interest in the role of the islands as fishery bases soon gave way to realization of their potential value in sugar production. The islands were sparsely inhabited by the Carib Indians. The Caribs were soon eliminated, in part through warfare and the disruption of their economic life and, in part through interbreeding with the French and with African slaves brought to the islands as a labor force for sugar cultivation. Thus the indigenous inhabitants have completely disappeared as an identifiable group, although they have contributed some of their physical characteristics to the general population. The islands were subject to occasional attacks by the English and the Dutch, but except for short intervals, French hegemony has been maintained since the date of first settlement.

African slaves were effectively cut off from contact with African culture and, while a number of East Indians were brought over as laborers on sugar plantations in the early part of the 20th century, their number has been too small to enable them to have a decisive impact on the general population. Ethnic statistics are not available. The usual estimate is that about 5 percent of the population are French whites, another 5 percent are Indian, 10 to 20 percent are "mixed bloods" who are classified as colored, and the balance are Negro who have little or no ancestry other than African.

The early history of the French Antilles saw slave revolts which were brutally suppressed and the emancipation from slavery which was revoked by Napoleon I, followed by a subsequent emancipation which became effective in 1840. From the time of the second emancipation of the slaves, there was a gradually growing effort to extend the rights of French citizens to all the inhabitants of the islands. Thus, racial discrimination and segregation are not recognized in the formal law and universal suffrage has prevailed since 1871.

---

[2] Victor Sable, *La Transformation des îles d'Amerique en departements francais* (Paris, 1955), p. 176.

During most of World War II, the islands were ruled by Admiral Robert in the name of the collaborationist Vichy government. He brought to the island 10,000 French sailors who were unwilling residents of a place they considered one of exile and who took few pains to conceal frankly racist attitudes. Britain and the United States imposed a blockade on the islands which brought commercial activity to a halt and caused real hardship to the residents. The blockade was lifted after the "Free French" took over the area.

When the Free French, as the followers of de Gaulle were termed, took over the island, they were greeted with great enthusiasm by the bulk of the population. The Free French were regarded as representatives of the "true" France who embodied the paternalistic type of concern which was presumed to prevail in relations between the colonies and the mother country. Thus the World War II experience, which brought disruption and nationalism to many territories, served to reinforce the ties between the metropolitan French government and the French Antilles.

General de Gaulle himself was apparently even more of a charismatic figure in the Antilles than he was in mainland France and in elections on a national basis de Gaullist parties usually received 90 percent of the vote cast. The extent of de Gaulle's popularity is indicated by the *New York Times* story on a visit by the General in 1964:

> The tour has had considerable effect on General de Gaulle himself, enhancing, if possible, his confidence in the mission of France and himself.
>
> The general has been delighted by the evident loyalty of the people of the three departments. "Mon Dieu, Mon Dieu," he told a crowd yesterday, "how French you are."[3]

ECONOMIC PATTERNS

The economic development of the islands followed a typical colonial pattern in the local production of raw materials and the purchase of manufactured products from the mainland country. Trade has been primarily with France although, in recent years, efforts have been made to attract American and British capital. In 1969, 93 percent of the exports were represented by sugar, bananas, and pineapples. The sugar plantations are handicapped by the mountainous contour of the islands, which makes large-scale cultivation difficult and by general technological backwardness. Sugar, the main crop, would not be economically viable on the world market and survives only because of a French preference which affords a price not only higher than that in world trade, but 20 percent higher than the preferential price given by the United States to its favored sugar suppliers. Land ownership is heavily concentrated and it is reported that

---

[3] *The New York Times,* Tuesday, March 24, 1964, p. 8, col. 4.

ten *Beke* (whites born in the islands) families own 80 percent of the arable land in Martinique.

However, the rather dismal poverty which would be assumed in such a system is moderated by very heavy expenditures by the French national government. Martinique and Guadeloupe receive more government money per inhabitant than any of the other 89 French departments and, in spite of heavy unemployment, have an average per capita income of about $500 per year.[4] It is estimated that direct government aid and investment from France, which was $106,000,000 in 1966, amounts to about two thirds of the combined gross product of the departments. French minimum wage schedules apply, French social security payments, including family allocations, prevail, although some of the family benefits have been diverted to educational expenditures. Immigration to the French mainland is permitted and about 5,000 islanders a year leave to search for work in France.[5]

Thus, while there is uncertainty of income for many people and real poverty for some, many of the islanders are working at jobs paying far above the average in the Caribbean and there is a growing array of housing projects, roads, airports, schools, hospitals, and electric power grids. The system may support a privileged position for the white elite, but it also gives real benefits to the bulk of the population.

The economic dependency of the departments upon mainland France is so obvious that few of the island leaders contemplate a separate economy. Murch, in a survey of 60 of the leaders of Martinique and Guadeloupe, found that 87 percent believed that economic reasons rendered independence unfeasible.[6]

RACIAL PATTERNS

Racial patterns throughout the Caribbean contrast rather sharply with the dichotomous distinctions between white and Negro which have been maintained in the southern part of the United States. This is not to say that whites in the Caribbean have been free of prejudice or are egalitarian in their attitudes. Rather, because of a combination of cultural and demographic factors, "race" is viewed as a continuum represented by several shades of skin color in which the dominant position is held by the "pure white" and the lowest rank by "pure black."

The dominant economic group are the whites, who have lived for several generations in the islands and constitute the landowning group.

---

[4] Barry Lando, "de Gaulle's Outpost in the Caribbean," *The Reporter* (March 7, 1968), p. 31.

[5] Ibid., p. 32.

[6] Alvin W. Murch, "Political Integration as an Alternative to Independence in the French Antilles," *American Sociological Review* 33 (September 1968), p. 549.

As a small minority, they take pains both to safeguard family lines ("racial purity") and to avoid public expression of racial attitudes which would be objectionable to a majority of the population. Intermarriage between the Bekes and the nonwhite population is almost unknown, and the occasional participants in such mixed unions usually find life so uncomfortable that they leave the islands. However, public behavior such as participation in religious, governmental, or commercial activities is carried on without open reference to color lines. The behavior of the indigenous whites contrasts with that of representatives from metropolitan France in that the former both have a greater ease of association with the colored population, as a result of long years of experience, and also are more determined to maintain a color line in the sphere of private relations.

Illicit relationships have long been common between male Bekes and colored females, and occasional intermarriage takes place between whites born in metropolitan France and the colored Martinicans but not between the latter and the indigenous whites. People of all shades mix at religious and civic events, with the Bekes maintaining a fairly complete segregation at private social events.

Tensions which might be expected from such a policy are deflected by the presence of a group of mixed racial ancestry which acts as a buffer between the Bekes and the darker-hued inhabitants. While there is no perfect correspondence between color and economic status, the lighter-colored group has benefited more from education than has the darker-skinned element, is more likely to be found in commercial and governmental positions, and has some representation in landholding. The colored group strives to maintain a distinction between itself and the black majority, while the blacks, in turn, tend to stress any possible claim to identification with mixed ancestry.[7] So much is this true that the claim is sometimes made that the whole thrust of social aspiration is a claim to a light skin.

> Similarly in Guadeloupe *mulatre* is used less to refer to a person of half-white and half-black ancestry than to a fair-skinned quadroon or octaroon with straight or wavy hair . . . Martinicans claim that they have no 'pure' Negroes at all—that they all have at least one white ancestor . . .
>
> In . . . Martinique today the whole population is visibly light-skinned.[8]

The darker-skinned populace is more heavily represented among agricultural workers and, where an occasional black is economically successful, the tendency is to classify him also as mulatto. The obviously mixed part of a population, while it may be jealous to some degree of the Bekes, is more

---

[7] Charles Wagely and Marvin Harris, *Minorities in the New World* (New York, Columbia University Press), pp. 109–18.

[8] David Lowenthal, "Race and Color in West Indies," *Daedalus* 96 (Winter-Spring 1967): 580.

directly in competition with the darker-skinned inhabitants. The result is a symbiotic relationship in which the Bekes and the colored part of the population work together to reinforce mutual privilege and to keep the darker-skinned inhabitants in their place. Friction, in turn, comes primarily between the obviously dark-skinned people of low economic status and the mulatto elements from whom most of the island leaders have been drawn: "If the interests of the white plutocracy and the people . . . . clash outright," writes an observer on Martinique, "the mulatto has no doubts as to where he stands, he is on the side of the whites."[9]

One of the best general description of racial relationships in the French Antilles has been made by Leiris. The following summary of his statements is by Hoetink.

> Among mulattoes, as among the native whites, class and racial considerations coincide in the determination of social status. The higher the economic level of the coloured family, the more important racial considerations seem to be. Thus in families of the *haute bourgeoisie mulatre* contempt for the Negro appears to be greatest, even more than among the white aristocracy. In these circles it is certainly regarded as desirable to have a more caucasoid partner in marriage, *pour sauver la couleur,* as the phrase is in Martinique.
>
> In spite of this strict exclusiveness pursued by the white group, some members of these groups are barely distinguishable from the very light-coloured mulattoes (*mulatres blancs*). Such marginal physical types are classified on the basis of their genealogies, which are generally known in these small islands; he is a white who is by descent 'in principle' exclusively white, and he is coloured who is of 'double' descent.
>
> The dividing line between Negroes and coloureds is vague. Coloured marriages sometimes result in very dark coloured offspring; the poor mulatto is little superior or different from the Negro; and the well-to-do Negro, an exception, may without great difficulty join the intermediate category and is then called ironically, *gros-mulatre.*[10]

Since the dominant whites maintain endogamy as well as the exercise of economic privilege, it might be thought that there is really little difference between race relations in the Caribbean and in the continental United States. While the objective variation in racial practice between the American and the French approach may be slight, the variation in psychological result is very great indeed. It has often been remarked that West Indians in the United States are especially upset by the tendency to classify them as Negro and therefore definitely in the most subordinate category. Lighter-

---

[9] Daniel Guerin, *The West Indies and Their Future* (London, D. Dobson, 1961), p. 75.

[10] H. Hoetink: *The Two Variants in Caribbean Race Relations,* published for the Institute of Race Relations, London, by the Oxford University Press, New York, 1967, p. 42. Based on M. Leiris, *Contacts de civilizations en Martinique et en Guadeloupe* (Paris, UNESCO 1955), pp. 122 ff. Copyright by Institute of Race Relations, 1967.

skinned people in the West Indies would never face such indignity, since their mixed characteristics would give them an intermediate position. One with a darker skin would find his sense of injustice kindled to an even sharper degree as he observed the open discrimination against those labeled Negro in the United States.

Thus it is not surprising that some of the most militant leaders of American Negro protest have been migrants of West Indian origin, such as Marcus Garvey, who launched the back to Africa movement in the 1920s, and Stokeley Carmichael, who has been identified with "Black Power."

Much has been written to proclaim the theory that the racial attitudes of those of Latin background are more benign than the attitudes of the Anglo-Saxon. The nature of the difference between Latin and American attitudes is aptly summarized by Cahnman, who, while commenting on the book *Negroes in Brazil,* by Pierson, points out that the main practical difference between Anglo-Saxon and Latin-American racial practice is found with the mulatto rather than the Negro.[11]

Classifying racial groups into multiple categories with intermediate privileges and status, rather than simply white and Negro, tends to blur racial distinctions rather than to sharpen them. Since the light-skinned are "almost white" they may avoid a feeling of frustration and sustain their ego by contrasting their own situation with that of the "lowly" black. He, in turn, may find justification for considering himself "practically mulatto" in a self-identification process which diminishes a recognition of physical traits associated with low status. If the acknowledgement of his blackness and hence of low position is inescapable, then his rage is more easily kindled against the uppity mulatto than against the white man from whom he is more distant both in physical appearance and in social position. Classification by fine points of appearance and ancestry may indicate more rather than less racial consciousness, but by fragmenting the nonwhite group it avoids a complete polarization and thereby produces a society which is more tolerable psychologically for many of the nonwhites.

CONTRAST WITH BRITISH WEST INDIES

The islands in the British West Indies, of which Jamaica, Barbados, and Trinidad are the largest, are nearly identical in their economic resources with the French Antilles. Both areas are primarily producers of tropical raw materials and consumers of industrial goods produced by the metropolitan society. While neither area could be classed as developed, the British West Indies are less backward in the technology used in sugar plantations and have attracted a rather considerable tourist trade.

---

[11] W. J. Cahnman, "The Mediterranean and Caribbean Regions: A Comparison in Race and Culture Contacts," *Social Forces* 22 (October 1943–May 1944): 210.

Although reference is sometimes made to an allegedly more permissive social relationship between racial groups in the French Antilles, this is hard to document and the differences, if any, are slight. Slavery was a brutal affair in both regions, with final emancipation coming at about the same time in each (1838 in Jamaica and 1841 in Martinique). Americans have long been impressed with the apparent lack of racial social distance in Jamaica. Broom cites an 1851 statement by John Bigelow as a case in point:

> . . . one accustomed to the proscribed condition of the free black in the United States will constantly be startled at the diminished importance attached here to the matter of complexion. Intermarriages are constantly occurring between the white and colored people, their families associate together within the ranks to which by wealth and color they respectively belong, and public opinion does not recognize any distinctions based on color.[12]

For a more recent analysis of racial interaction in the West Indies, we turn to a discussion of ethnic stratification in Trinidad by Lloyd Braithwaite.[13] His analysis is strikingly similar to the pattern which Leiris described as prevalent in Martinique (see page 213). Thus both Braithwaite and Leiris write of distinctions on the basis of fine shades of color, the relations between color and social class, and the endogamy of the Creoles (whites born in the country).

As similar as the British West Indies and the French Antilles may be in economic structure and racial attitudes, they diverge sharply in politics. The British Islands opted for independence, but the French Antilles sought only a better status within the French nation. Five reasons are adduced for this difference in viewpoint: (1) the influence of French assimilationist policy, (2) the greater homogeneity of the French Antilles, (3) the attraction of French romanticism, (4) the extension of social services by the French on a scale comparable to that in the metropolitan area,[14] and (5) a French colonial policy of democratic centralism as contrasted to the British trend toward island oligarchies.

While the British Commonwealth may seem as attractive to former colonies as the French Union, it is formed on a different basis. The British saw their empire, not as an extension of Britain, but as complementary control over inherently and permanently different areas which had a symbiotic relationship with the mother country. Although educational experience at Oxford and Cambridge or at the military school at Sandhurst might

---

[12] John Bigelow, *Jamaica in 1851*, cited in Leonard Broom, "The Social Differentiation of Jamaica," *American Sociological Review* 10 (April 1954): 18, 119.

[13] Lloyd Braithwaite, "Social Stratification in Trinidad," *Social and Economic Studies in the Caribbean,"* Vol. 2 and 3 (October 1953), pp. 90–98.

[14] These factors are based on Charles C. Moskos, *The Sociology of Political Independence: A Study of Nationalist Attitudes among West Indian Leaders* (Cambridge, Mass., Schenkman, 1967), pp. 548, 562.

produce common cultural bonds, this was an incidental result rather than a main concern. The British Empire, and later the Commonwealth, existed not so much because of a common culture as because historical accident and present interests brought a measure of cooperation in economic and political areas.

The "civilizing mission of France," on the other hand, was seen as the beneficent extension of French culture to the underdeveloped areas under French influence. While racial traits often coincided with cultural orientation and racial prejudice was evident, it was still a way of life rather than ancestry which was regarded as the ultimate criterion of French nationality. Similarly no nonsense about cultural pluralism or self-determinism was allowed to dull dedication to the proposition that French culture represented the highest level man could attain.

Rupert Emerson expresses this distinction cogently:

> By native inclination the French have always tended to find the true inspiration for assimilation . . . the ideal of the French colonial vocation is to bring less fortunate peoples within the fold of French culture and a single all-embracing France . . . It has fitted the French genius in the past to assume that the people of their colonies could become Frenchmen and to aim at their integration into the homogeneous society of a single greater France revolving around Paris. The British on the other hand work toward the creation of a looser Commonwealth made up of diverse and independent peoples.[15]

The assimilation policy in the French Antilles was aided by the comparative homogeneity of the population, consisting mainly of French and Africans, with only a small minority of East Indians, and little influence from other European nations. The British colonies, on the other hand, were imposed on regimes already established by Spain or Holland and had a larger East Indian and Chinese population; Trinidad, for instance, is over one-third East Indian in population.

Along with limited ethnic variation a common religious institution was also an assimilating factor. Catholicism in the French Antillies, nominally at least, embraced practically all the population. In the British West Indies the sizeable Indian population was a formidable barrier to the spread of Christianity. Mission work was split between the Anglicans, and Roman Catholics and the Free Churches (mostly Methodist and Baptist). British institutions did have a major influence, especially on the culture of the middle and upper class groups, but ethnic and religious diversity with concessions to local autonomy, limited their impact.[16]

British and French practice in the extension of social services reflected

---

[15] Rupert Emerson, *From Empire to Nation: The Rise to Self Government of Asian and African Peoples* (Cambridge, Mass., Harvard University Press, 1960), p. 69.

[16] Murch, "Political Integration as an Alternative to Independence in the French Antilles," pp. 553–56.

their differing views on assimilation. While British trade unionism seems to be an export item, general social legislation was framed in terms of Caribbean conditions without any effort to make wage scales or welfare payments follow British models. Similarly, educational policy sought to provide a trained elite and a literate group of trained workers but sharply restricted secondary and higher education while leaving a large part of the population outside of the school system entirely. The French applied metropolitan standards of social legislation, sought universal literacy and supported a comparatively large program of secondary and higher education.

TABLE 7–1

A Comparison of School Attendance at the Primary, Secondary and University Levels in the French Antilles (1966) and in Jamaica (1960)

Level of education	*French Antilles*	*Jamaica*
Total primary school age population (7 to 14 yrs.)	138,249	307,222
Percent of total attending primary school	96	60
Total secondary school age population (10.5 to 19)	113,514	310,003
Percent of total attending secondary school	31	5
Number of students attending universities	3,038	4,021
Ratio of students to total population	.0048	.0025

Source: Alvin W. Murch, "Political Integration as an Alternative to Independence in the French Antilles," *American Sociological Review* 33 (September 1968), p. 549.

Perhaps the major difference lies in governmental policies. The French granted universal suffrage to Martinique in 1870, while the British did not adopt a similar policy in Jamaica until 1944. For the French, political development meant increasing participation in the affairs of France itself: representatives of the Antilles were members of the Chamber of Deputies and local officials were appointed from Paris. For the British, political development was seen as increasing local self-rule. First, a shift from crown colonies with direction from London to semiautonomous units dominated by a local oligarchy of white and colored, then a wider suffrage and greater power exercised by the blacks, and finally independence. The French policy of democratic centralism meant that greater democracy resulted in more participation in the French nation, while, with the British policy, greater democracy led to greater absorption in local affairs.

Perhaps a logical culmination of these trends was a decision in 1968 by the British government that Commonwealth migration must be curtailed, while France continued to welcome migrants from the Antilles. If a romantic attitude toward metropolitan French dominated the thinking of the inhabitants of Martinique and Guadeloupe, this is an understandable consequence of a chain of circumstances which led to the strengthening of the tie between Paris and the West Indian islands. If the inhabitants of the French West Indies felt that economic ties bound them to Paris and made independence unfeasible, this conviction was related to French subsidies and the inclusion of the Antilles in French social legislation.

A rather elaborate study of the basis for different political attitudes in French and British West Indian areas has been made by Murch. He interviewed a sample of 62 Antillean leaders and compared their attitudes with a similar group of leaders interviewed by Bell and Moskos in the British West Indies, as shown in Table 7–2.

TABLE 7–2

Leaders' Attitudes toward Political Independence in the French Antilles, 1966, and the British West Indies, 1961–62 (percentages)

	French Antilles dimension of attitude			*British West Indies dimension of attitude*	
Status desired:	*Ideal status*	*Best possible status*	*Status desired:*	*Ideal status*	*Possible status*
Independence	70	2	Independence	50	53
Other	76	98	Other	50	47
Autonomy	10	19		—	—
Adapted Department	48	61	Total	100	100
Status Quo	18	18	(N)	(112)	(112)
Total	100	100			
(N)	(62)	(62)			

Source: Alvin W. Murch, "Political Integration as an Alternative to Independence in the French Antilles," *American Sociological Review* 33 (September 1968): 550.

Murch also found that there was no relation between degree of enlightenment (commitment to egalitarian viewpoint) and desire for independence in the French Antilles, while in the British West Indies the most "enlightened" leaders were almost invariably the most desirous of independence. This led him to the conclusion that in the British West Indies the search for a better life led to a demand for independence, whereas in the French Antilles human betterment and attachment to metropolitan France were seen as compatible. In brief, not only was the desire for independence a small minority viewpoint in the French Antilles but independence was seldom seen as an essential step in a wider social program.[17]

[17] Ibid., pp. 559–60.

NEGRITUDE IN THE CARIBBEAN AND IN AFRICA

What has been said about the general acceptance of the prestige of a light complexion and of metropolitan France as a frame of reference may seem rather odd in view of the fact that the poet Aimé Césaire, who is one of the fathers of the concept of negritude, was a resident of Martinique, and Frantz Fanon, whose writings on the Algerian situation sparked a general wave of color consciousness, spent his early manhood on the island of Martinique.

Fanon traces his own awakening to his experience in Martinique during World War II, when the Vichy forces under Admiral Robert held sway in the island and French sailors expressed their uninhibited scorn of everything of local origin.[18] Later, Fanon practiced as a psychiatrist in Algeria and he came to believe that nothing white or French could be trusted and that only in an absolute, brutal, and violent repudiation of colonial heritage could the man of color find his self esteem.

For others who remained in the West Indies and did not participate in the Algerian struggle, it was easier to assume that the Vichy regime was a perversion of the true France, which had a benevolent concern for the welfare of the inhabitants of the French Antilles whatever their color. Césaire was not bemused by French paternalism, but his political career has been characterized by a plea for autonomy rather than a demand for independence. Césaire and Léopold Sédar Senghor, first president of Senegal, were students together in Paris and are both associated with the literary formulation of the concept of negritude. With both men, negritude involved an exaltation of Negroes and the culture associated with them and a rejection of the superiority of whites and the culture associated with them. Between Césaire and Senghor, however, there are subtle but important differences, which to some extent, foreshadowed the differences in their political careers.

Césaire's negritude is less a glorification of the Negro past in Africa or of its potential contribution than it is an unabashed acceptance of the current posture of the black man in the French Antilles and his life in a society which, however assimilative its ideals, is still perceived as racist. As Reed and Wake point out, Césaire's negritude was "at origin an existential act of self-affirmation, a decision to affirm and take pride in those things for which the Negro has been despised . . . principally and symbolically, in his black skin, but aslo in his uninventiveness, his irresponsible gaiety before life. Césaire accepts the white man's myths about the Negro and glories in them."[19]

---

[18] Frantz Fanon: *Toward the African Revolution,* translated by Haakon Chevalier (New York, Grove Press, 1967), pp. 22, 23.

[19] John Reed and Clive Wake, *Senghor Prose and Poetry* (London, Oxford University Press, 1965), p. 10.

I know my crimes; there is nothing to be said in my defense. Dances. Idols. Backsliding. Me too.

. . . .

I have assassinated God with my laziness with my words with my gestures with my obscene songs.

. . . .

I have exhausted the patience of the missionaries, insulted the benefactors of humanity.

. . . .

My negritude is neither a tower nor a cathedral

. . . .

it digs under the opaque dejections of its rightful patience

. . . .

Eia for the royal Kailcedrat!
Eia for those who invented nothing
for those who have never discovered
for those who have never conquered
but, struck, deliver themselves to the essence of all things, ignorant of surfaces, but taken by the very movement of things not caring to conquer, but playing the game of the world.[20]

Césaire became a political leader, which indicates that, however little his poetry may be understood by the masses, his demand for an acceptance of Negro dignity registered. He at first was a Communist and as such was elected both to the French Chamber of Deputies and as mayor of Fort-de-France, capital of Martinique. After breaking with the Communist Party, he was again returned to office by an overwhelming vote. He has not demanded independence, but rather has asked for a stronger type of autonomy within the French union, comparable to that of Puerto Rico's status as a Commonwealth associated with the United States. Even this demand does not seem to have been pressed, and the survey by Murch indicates that most leaders in Martinique are satisfied with department status.[21]

Senghor makes little effort to defend the African proletariat. His main theme is the merit of both traditional and current African culture and its potential contribution to the total society. Senghor's affirmation of the worth of African culture is far more pertinent to the type of cultural myth needed by an independent state than is Césaire's paean to the existential personality traits of black individuals living in a white-dominated society.

---

[20] These extracts are taken from Aimé Césaire's *Return to My Native Land* (*Cahier d'un retour au pays natal*), translated by Emile Snyder (Paris, Présence Africaine, 1968), pp. 59, 101–3.

[21] Murch, "Political Integration as an Alternative to Independence in the French Antilles," p. 554.

Contrast for instance this 1950 statement by Senghor with the verses of Césaire:

Negritude is the awareness, defence and development of African cultural values . . . However the struggle for negritude must not be a negation but an affirmation. It must be a contribution from us to the people of sub-saharan Africa, to the growth of Africanity and beyond that to the building of the civilization of the universal.[22]

While Senghor's writings support a tradition which can be the basis for a separate national culture, this was not at first realized by Senghor himself. Wake and Reed describe his sentiments as follows:

Senghor himself does not praise his people for what they have not done. Nor does he characteristically justify the African by the glories of a past . . . Senghor is concerned less with what the African has lost than with what he still has . . . This idea of a contribution, that the African not only has something of his which is not to be found elsewhere but something which he can offer to others, is fundamental to Senghor's thinking. The French policy of assimilation, although it was in reaction against this that African self-assertion springs up, profoundly influenced the reaction against itself. Senghor's answer to the French policy of turning Africans into Frenchmen was not to stress the eternal and unabridgeable differences between African and French culture, but to say "assimilate, but don't be assimilated". . . African culture is not then an end in itself. Its ultimate justification is the contribution it can make, what it can give to the rest of the world.[23]

THE SENEGALESE EXPERIENCE

One might well ask why Senegal is taken as a point of comparison in view of many obvious differences from the Antilles. From the standpoint of the economy, natural resources, and geographic situation the island of Madagascar (name changed to Malagasy after independence), for instance, would seem far more comparable. The answer is that, while the French professed the ideal of integration in all their colonies, it was in Senegal and in the Antilles that the most vigorous steps were taken to implement this ideal, while in other colonies racial segregation was allowed to develop fairly freely in spite of formal policies of assimilation.[24] Hence

---

[22] *Chants pour Naett* (Seghers, Paris, 1950) excerpted in Léopold Sédar Senghor, *Prose and Poetry*—translated and edited by John Reed and Clive Wake (London, Oxford University Press, 1965), p. 97.

[23] Ibid., p. 11.

[24] Paul Alduy, "La naissance du nationalisme outremer," in *Principles and Methods of Colonial Administration.* (London, Butterworths, 1950), p. 127. Translated and summarized in Harold Mitchell, *Europe in the Caribbean* (London, W. & R. Chambers Ltd., 1963), p. 34.

Senegal and the Antilles afford a case study of two French colonies in which the policies were uniquely comparable.

The first European outposts in Senegal were established by the Portuguese in 1445, and it was 185 years later when the French set up their first trading post at the mouth of the Senegal river. For some time conflict with the British prevented much interior penetration, and it was not until 1783 that the French cleared the area of British occupation.

After the turbulent period with Britain was over and troubles at home subsided, the French set out to promulgate throughout Senegal a policy of assimilation. Assimilation did not mean a bilateral approximation of the fusion of the indigenous culture with that of metropolitan France, which would imply that the indigenous culture of the African in Senegal was equal to that of France or at least had some traits worthy of acceptance. Instead, assimilation as practiced by the French was for the most part a coercive process whereby the indigenous population accepted the "superior" French culture—politically, economically, and educationally. In many ways the fruition of this policy is seen in the capital city, Dakar.

Dakar, the capital of Senegal, presents to the incoming visitor very much the image of a modern European city. Such features as an elaborate airport, with direct flights to Brazil, the port with many ships, and skyscraper office buildings, give every impression of a community which is completely dominated by European culture. This European appearance is not surprising, since it is estimated that in 1962 over 60,000 French and other foreigners lived in this country whose population was little more than 3 million. Most Europeans lived in the city of Dakar and constituted at least 10 percent of that city's population,[25] making it, next to Abidjan in the Ivory Coast, the largest French community in Africa.

One who came to Dakar would be surprised to see the extent to which many of what the British call the "subaltern" types of positions were still occupied by Europeans. If he were attending a conference of the type which it has been popular to hold in Dakar for some time, he hight join the delegates at a party at the presidential palace, where he would be served cocktails by a French barman. He would find French stenographers, French clerks in the bank, even French waitresses and French taxi drivers. In the high ranks of government he would learn that two of the Senegalese officials were men who were French by birth, but Senegalese by naturalization, and hence, at least temporarily immune from the Africanization laws. In the heart of the city he would find stores and apartments which bear much more resemblance to a French provincial town than to any architecture of African origin.

---

[25] Michael Crowder, *Senegal: A Study of French Assimilation Policy* 2d. Ed. (London, Methuen & Co., 1967), p. 82.

The bulk of the inhabitants of Dakar and of Senegal are, of course, Africans native to the country. Like all African communities, it has internal cleavages, with the Wolofs the most numerous grouping, accounting for about 35 percent of the population. Observers feel that tribal rivalries are less virulent than in most African nations and that the major divisions in the Senegalese population are those between town and country residents and between members of different castes. Looking first at the caste system, we find this is comprised of several strata ranging from nobles to liberated slaves, with artisans as an intermediate group and with the *griots* or minstrels in a position close to slaves. Castes are endogamous and most of the political elite come from the two top castes.[26] Quarrels between castes occasionally involve mob violence, but relations are usually amicable and the claim is made that caste consciousness is decreasing among the younger generation.[27]

Perhaps even more difficult to overcome than the cleavage between castes is that between town and country. In the cities one finds both the intellectuals, impatient for modernization, and an urban proletariat working for wages in the factories and warehouses of a commercial city. The population of the countryside has entirely different interests. It tends to be traditional in outlook, it is largely illiterate and is practically untouched by wage employment. Europeans are rare and the facade of modernization found in Dakar and other cities is almost completely absent. The peasant is not protected by wage laws or by labor unions and must gain his living from the sale of groundnuts whose price is dictated by world markets (although the French support it a bit) and, which as a main export crop, has to bear the bulk of expenses for the urban sector of society. These mixed modern and traditional characteristics of Senegal may give some clue, both as to the progress of assimilation with the French nation, and its ultimate failure in social policy.

ASSIMILATION POLICIES

Whether history is the story of great men who act as catalysts to bring to fruition the possibilities of their times, or whether the supposedly great men are themselves simply creatures of circumstances, is a perennial topic of academic discussion. Whatever the inclination of the reader on this question, there is no doubt that some individuals stand out as apparently personifying the trends of their era. For Senegal, under French auspices, the

[26] Richard Adloff, *West Africa: The French Speaking Nations* (New York, Holt, Rinehart and Winston, 1964), pp. 34, 64. C. Wesley Johnson, Jr., *The Emergence of Black Politics in Senegal,* published for Hoover Institution on War, Revolution and Peace by Stanford University Press, Stanford, Calif., 1971, pp. 13–17.

[27] Crowder, *Senegal,* pp. 110–11.

ethos of colonialism was represented best by Governor Faidherbe, who took office in 1852.[28]

Faidherbe not only extended the military domination of the French into the hinterland; he also laid the basis for much of the institutional development that was to follow in later years. He began the work which was to make the city of Dakar one of Africa's leading ports. He established banks, schools, and even a newspaper. He promoted the cultivation of groundnuts, which were to become the principal export crop and the mainstay of the economy. In the cities, he accepted local autonomy and worked with those of African background. In the rural areas, he used forced labor and authoritarian rule to bring about the changes which he felt were essential. He has often been compared to Lord Lugard, who brought Northern Nigeria under the sway of the British. Like Lugard, he relied on an alliance with the chiefs, based on a respect for Islamic institutions, as a mainstay of his rule. During his administration the decision was made against European agricultural settlement. Faidherbe certainly represents the epitome of the "civilizing mission of France," and his decision against agricultural settlement meant that this civilizing function was not going to involve a large and socially indigestible mass of French citizens with a permanent attachment to the land.

In 1871, after the close of Faidherbe's regime and the end of the second empire in France, the right of Senegal to send a representative to the French Chamber of Deputies was reaffirmed, and, while there were many arguments within metropolitan France, this right remained valid except during the short-lived Vichy regime from 1940 to 1943.

While governmental relationships are important, they operate in a social environment which does much to determine their effectiveness. A policy of assimilation on the governmental level is more effective when it is promoted by activities on the interpersonal level which are compatible. These include a type of personal relationships which promotes amalgamation, a religious network which gives the two peoples a scheme of shared values, educational progress which produces common ways of looking at life, and economic integration which gives a vested interest to all groups in the continued association and assimilation of the peoples involved. It is to these topics which we now turn.

Personal relationships

The early French settlers, government officials and soldiers found a tremendous cultural gulf between themselves and the indigenous population which rendered a relationship with any degree of equality seemingly impossible—with one exception. This exception, as might be assumed, was a

---

[28] Richard Adloff and Virginia Thompson, *French West Africa* (Stanford, Stanford University Press, 1957), p. 20.

type of relationship based on sexual needs. The first Frenchmen remained in the colonies for many years, and came to Africa without their wives. The inevitable result was a considerable number of unions with African mistresses (*signaries*) which resulted in the production of a small mulatto (*Metis*) population. For a time, many of these relationships had a somewhat permanent character, and becoming a mistress of a Frenchman was for the Senegalese girl a realistic road toward social mobility and eventual assimilation. Hargreaves describes the early 18th century situation as follows:

> Since white women were virtually unknown in the eighteenth century (though one Director General brought his wife and children out in 1731), mulatto children soon began to appear. Some French authorities in Senegal (though not their superiors in France) were glad to encourage inter-racial menages as likely to produce a more stable community; French men provided with comforts were less likely to desert and set up as private traders. So, when marriage according to Catholic rites was not possible or expedient, unions *à la mode du pays* were celebrated with some formality, constituting family relationships of recognized status which often endured happily until the man returned to Europe. The children were usually educated, sometimes in France, and provided with career opportunities within the settlement. Their mothers also acquired something of the wealth and social status of their consorts; *signares,* as the often formidable women were called, acquired property, entered trade, and became respected members of the community. In 1786 Governor de Boufflers, an aristocratic litterateur, gave a ball for the ladies of Goree; it is doubtful whether any of them had been born in Europe.[29]

This somewhat idyllic pattern proved to be short-lived. As the French interests in Senegal expanded, the total French population, including women, increased, and terms of service became shorter. The result was that sexual unions became transitory affairs, in which, oftentimes, the Frenchman took little responsibility for the support and education of the offspring. A *Metis* population did emerge which provided some of the assimilated leaders in Senegal society, but the numbers involved were always small and there is little indication that this group came to be regarded by either Frenchmen or Africans as essentially a bridge between the two. Rather than being a bridge of marginal men engaged in the transaction of interpreting Africa to France and France to Africa, it was more nearly an outcropping of one group of Africans of mixed background who had somewhat greater access than the average to French culture. Thus the *Metis* did provide a number of auxiliaries for the work of French colonial development without any major change in the French-African relationship.[30]

---

[29] John D. Hargreaves, "Assimilation in Eighteenth-Century Senegal," *Journal of African History* 6 (1965): 177–84.

[30] Johnson, *The Emergence of Black Politics in Senegal,* pp. 106–23, 196–212, describes the elimination of the *Metis* as a political force in Senegal.

Crowder remarked in 1967 that the relationships between French and Africans in Dakar were "negatively good."[31] By this he meant that there was little evidence of open friction, and no official policy of segregation, but also there was little personal mixing between African and French personnel except on the official plane. The French personnel were frequently assigned to Senegal for a period of five years or less and had annual summer vacations in France. They brought their families with them and, while in Senegal, they associated primarily with members of the European community. Illicit sexual relationships were probably less common than in earlier days and, although marriages were occasionally contracted between French girls and Senegalese students in Paris, their number was small. The restaurants and clubs of the cities were theoretically open to all, but limitations of African income and variations in taste limited the participation of Africans in these activities. The French population included a number of the *petit blancs* (poor whites) who were holding laboring or clerical jobs to which the upwardly mobile Africans might easily aspire. Between this group and the Africans was a rather considerable bitterness which was only partly masked by the official policy of equality. In general, one would conclude that the relationships were formally equal and socially stratified, officially friendly, but seldom intimate.

Religious development

While French colonial rule brought the introduction of Christian missions, especially Roman Catholic, their work had only a limited influence. The activities of Catholic missionaries were largely restricted to educational and philanthropic services, so that the number of actual converts was small. Islam offers obvious obstacles to conversion, and the French government has frequently been anticlerical, with the result that the proselyting activities of missionaries have never had full support. Some converts have been made, and many of these have played a leading role in Senegalese political, educational, and economic development, but the total number is small and the country remains overwhelmingly Muslim.

Probably the French rule actually did more to expand the sway of Islam than to extend Christianity: it facilitated the conversion by the Muslims of a considerable portion of the pagan population. French rule improved communication and thereby Islamic propaganda, and the official recognition given to Islamic law and Muslim dignitaries served to convince the pagans that Islam was an important religion and therefore a profitable path to follow.

---

[31] Crowder, *Senegal,* p. 83.

Not only did the persistence of Islam mean that a unified religious outlook could not be a basis for assimilation, but a distinctive Muslim culture limited the degree to which many Africans were willing to accept French standards. Thus, the inhabitants of the four communes who were granted French citizenship were also given the *Statut Personnel,* which allowed them to follow Muslim practices of polygamy, informal divorce, and equal division of inheritance.[32] Unlike the situation in the Spanish areas in South America or in the French West Indies, Catholicism has been simply a factor in the education and conversion of a few of the elite rather than a widespread popular religion.

Education

Education was seen by the French as the main vehicle of the policy of assimilation and, for the most part, was as faithful as possible a copy of the French educational system. The teachers were either French or Africans trained in French schools; the curriculum followed that of metropolitan France, gave little attention to African traditions, and sought not only to give literacy in the French language, but also to justify the French policy in Africa. In addition, some Senegalese students found their way to higher education in France. By 1939, only about 17,000 students, overwhelmingly males, were enrolled in school.[33] While after independence this number sharply increased, illiteracy is still widely prevalent, and the effect of French education has been to provide an elite group rather than to penetrate the mass of the population with French culture.

Economics

The groundnut cultivation encouraged by Faidherbe has continued to increase and groundnuts remain the principal export of the country, but they are subject to price fluctuation which makes the income of the growers something less than certain. In addition, the port of Dakar has flourished as an *entrepot* (distributing and warehousing) center, and there is the beginning of some manufacturing. As in all former French colonies, French aid in the forms of roads, schools, and medical service has been generous, and, in recent years, French industrial investments have been increasing.

The modern sector of the economy is largely operated by the French, with the Lebanese serving as the shopkeepers and commercial middlemen. To date, the educated Africans have been fairly well absorbed in government and in the operation of the schools with relatively little entrance into business. Economic activity in the modern sector is dependent to a

---

[32] Phillip Neres, *French Speaking West Africa* (London, Oxford University Press, 1962), p. 22.

[33] Crowder, *Senegal,* p. 34.

great degree on relations with France without being interlocked in a way that the individual Senegalese can interpret as having a direct effect on his own pocketbook. In recent years, non-French capital has also been welcome and efforts have been made to interest the industrialists of other nations in economic development, although industry and commerce remain overwhelmingly French.

Political development

The coastal cities were the first points of intensive French settlement and were also the first points where Senegalese participation in the Western type of political bodies became apparent. In 1831, the free inhabitants of the communes were granted French citizenship, and the right of municipal rule, as well as the right to vote for a delegate to the Chamber of Deputies. Later a grand council for the country was established which had limited financial powers, although many of the expenditures were regarded as mandatory and, therefore, beyond the power of the legislature to control. While French colonial policy in general gives considerable weight to the value of assimilation, Senegal was unique in African countries in this respect. French citizenship was theoretically open to all Africans, but, in 1936, Senegal had 78,000 French citizens as compared to only 2,400 in all the rest of Africa.[34] Other French African colonies were not given the right to send deputies until a much later date, and municipal self-rule was practically unknown.

Assimilation was always a somewhat controversial policy. On practical grounds, it brought obvious difficulties to the French colonial officials who, even though they frequently controlled the municipal and national councils, still felt constrained by the necessity to gain Senegalese consent for their measures. On the other hand, assimilation was defended as a means of enlisting the loyalty and facilitating the cooperation of Senegalese people with France. On the ideological plane, there is also a controversy which is represented by the perennial split in France between the ideals of the French Revolution and of an authoritarian paternalistic regime which has never accepted the legitimacy of the norms that the Revolution sought to establish. Policies have wavered at various times; assimilation received its chief setbacks during the Second Empire, 1852–1870, and during the Vichy regime, 1940–1944. With these exceptions, however, it is still true that measures for Senegalese participation in political life have been maintained and gradually extended. The Vichy regime scrapped all elective institutions in Senegal, and, even though it followed a paternalistic and benevolent policy toward individual Senegalese, did so on a basis of segregation. The postwar period, however, saw the end of forced labor and the extension of the franchise.[35]

---

[34] Ibid., p. 34.

[35] Ibid., pp. 47, 48.

One major step which was not taken was the application of the French social security system to Senegal. This would have meant that welfare standards would have been identical in the much poorer African territory and in metropolitan France, a measure which would have involved enormous cost to the French taxpayer and was never seriously considered by the French Chamber of Deputies.

In the 1930s, debate within France over the desirability of assimilation was also matched by a growing uncertainty among the Senegalese themselves. This questioning of assimilation came among the very Senegalese who had been most exposed to French culture, among whom was the historian Cheikh Anta Diop, who gave an extremely idealistic picture of Africa's contribution to world situation, claiming that Pharonic Egypt was essentially a Negro civilization and, therefore, that the world owed the same debt to Negro peoples that it did the Graeco-Latin cultures. Diop also stressed the essential unity of black Africa and thus helped to give birth to the concept of Pan-Africanism.[36] He was joined in this by Léopold Sédar Senghor, who contributed especially the idea that the African personality and outlook on life was one that was holistic rather than fragmented, and, therefore, distinct from that of the West and was one of unique value.

For the French, doubts about the feasibility of assimilation gave rise to the idea of "association." This was to be a system whereby French and colonials worked together in a cooperative relationship without trying to repress ethnic differences or to insist that French practices be the invariable norm throughout the French-controlled portions of Africa and Asia. The direction to which the Senegalese intellectuals were turning in their rejection of assimilation was somewhat less certain. They, themselves, were the most Gallicized of their nation, and had no desire to cut the ties with France. They seemed to be groping for a basis on which they could accept both French and indigenous culture and to be insisting upon a more nearly equal relationship in which the value of African cultural contributions was given equal weight with the "civilizing mission" of France. From the beginning of French colonial occupation, to the middle 1950s, there was a steadily increasing participation of Senegalese in local political decision–making; conversely, a steadily decreasing weight was being given to French authority itself, and, therefore, there was a waning pattern of political integration.

In retrospect, the obstacles to assimilation seem to be quite evident. Intimate personal relationships were decreasing, and no large group of mixed bloods emerged which blurred the distinction between French and Senegalese ethnic identity. Religion failed to be a basis of unity, while religious distinctions preserved barriers in customs and legal interpretations. Education was too restricted to bring the bulk of the population

[36] Ibid., p. 55.

under the influence of the French culture, and, while the economy was closely linked with that of France, the individual African did not see his immediate income as dependent upon his ties with the French metropolitan area.

Although by the middle of the 1950s there had been complete participation by the Senegalese in French institutions nationally, as well as in their own local government, this participation had come so much by fits and starts that it had aroused irritation and resentment which led to the questioning of the sincerity of French intentions. On the other hand, none of these difficulties in the path of assimilation were necessarily insuperable, and it is possible to argue that, had the course of history been more favorable, the dream of assimilating at least the Senegalese portion of French Africa to the French nation might have materialized. Probably its failure was due less to the defects of the basic structural pattern of assimilation than to the pattern of events which promoted the growth of nationalism in French colonies during the decade of the 1950s.

THE FAILURE OF ASSIMILATION AND INTEGRATION

Many of these events can be summed up in the life of Léopold Sédar Senghor, professor, poet, grammarian, and first president of the Republic of Senegal. Turning again to the great man theory of history, it is certainly no exaggeration to say that Senghor played as important a role in Senegalese independence as Faidherbe did in its colonial development. Senghor was born in 1906 in Joal, a small town south of Dakar. He was a member of a minority tribe, the Serer, which had accepted Christianity. Senghor attended a Catholic elementary school and eventually finished a university education in Paris. He became a member of the French Chamber of Deputies and was renowned for his intellectual as well as his political accomplishments. His writings in poetry and prose, largely in defense of negritude, have acquired a world fame; he is a member of the French Academy, and at one time was the official grammarian, solving questions of language usage for the Chamber of Deputies. He was a member of the French army during World War II, was taken prisoner by the Germans, was released, and later became a member of the resistance movement. His first wife was the daughter of Felix Eboue, a Negro native of French Guiana, who became governor-general of French Africa.[37] Later he married a French woman, the former Collette Hubert. He spent many of his adult years in France, and, even as Senegalese President, made a practice of taking his summer vacations at his residence in Normandy.

It might be argued that the necessity of reconciling the African and the French aspects of his background forced Senghor to a rejection of assimi-

[37] Reed and Wake, *Senghor Prose and Poetry*, pp. 3–5, 14.

lation; it might also be argued that perhaps it was the exigencies of political life which compelled him to differentiate his own stand from that of his French mentors. Whatever the case may be, Senghor has had a variety of attitudes and expressions toward assimilation. From first being the eager schoolboy, he became a bitter critic of things French and, in his own words, says, "As Negro students in the years 1930–1934, I admit that we were racialist: we were intoxicated by the banner of negritude. At that time, no intercourse was possible with Europeans."[38] This completely negative phase was apparently a passing element in Senghor's life, and later he came to speak of assimilation as something that was essentially bilateral, involving the acceptance of both African and French culture. He was not an early advocate of independence, and, even when he criticized French actions, he proclaimed the unity of French and African peoples, saying, "The peoples of Africa do not intend to cut themselves off from metropolitan France: they want to be able to construct side by side with her their own buildings which will construct and extend French territory."[39]

Senghor's dream of co-assimilation and integration of African and French nationality was based on the idea of a West African federation, embracing a population of 20 million people, which would be an equal partner with metropolitan France. West African politics in the 1950s was largely the story of the wreckage of that dream. It floundered on French ambivalence toward a large federation as a part of the French nation, the ambitions of particular African territories, and vendettas by one political leader against another.

To understand the effect of French vacillation and African leadership rivalries, it is necessary first to look at some aspects of the political picture. As in every emerging country, the competition for political power in Senegal was intense. One of the earliest opponents of Senghor was Lamine Gueye, who was a leader of the Socialist Party branch in Senegal. Senghor effectively broke Gueye's power by leaving the Socialist Party and charging it with being concerned only with metropolitan France and ignoring the real needs of Senegal. In this way, he consolidated the support of tribesmen outside of the cities and their traditional leaders, a base of operations on which he relied from that time on.[40] However, when the *Loi Cadre,* giving a universal franchise to Africans and a major degree of self-government in internal affairs, was passed, it did not provide for an effective West African Federation with its own executive. There were two reasons why the federal dream of Senghor was frustrated at this particular

---

[38] Crowder, *Senegal,* p. 49.

[39] Michael Crowder, *Senegal: A Study in French Assimilation Policy* (London, Oxford University Press, 1962), p. 51.

[40] Reed and Wake, Translation of Senghor, *Prose and Poetry,* pp. 16, 17.

time. One was that his opponent, as a leading member of the Socialist Party, was able to persuade the French members of that party that federalism would give an undeserved boost to Senghor, who had been their opponent. Another reason is that the French, themselves, were uneasy about what would happen in metropolitan France if 20 million Africans were to have a proportionate say in French politics. In any event, the passing of the *Loi Cadre* without making provision for an effective West African Federation indicated that the tide was running against the formation of a strong, united French West Africa.

The dream of federalism, however, was still not dead, and Senghor continued to proclaim its necessity. In this policy he came up against Houphouet-Boigny, a capable politician of the Ivory Coast, who felt that Federation would mean a drain on the resources of the wealthy Ivory Coast in favor of the poorer nations, and, at the same time, was able to outmaneuver Senghor for political support within the Federation. His maneuvers were aided by the exigencies of French politics, which gave near independence to Togo in 1956, as a counterweight to the grant of independence made by the British to Ghana, at the same time.[41] When de Gaulle in 1958 decided on a new policy for the French, he indicated that national autonomy for the French African territories was to be given more weight than the strengthening of the Federation.

Senghor thus saw his French Federation becoming a mere shadow, and also found himself outvoted in political maneuvering; his reaction was to withdraw from a dream of French West Africa and to unite in the only remaining possibility of federation, one with Mali. The Mali Federation itself was a short-lived situation. Sharp rivalry soon emerged between Mali and Senegal politicians, and it became apparent that the more Marxian and militant leaders of Mali would hardly go along with the Gallicized leaders of Senegal.[42] Consequently, Senghor ended the Mali Federation and proclaimed Senegal an independent nation, thus tolling the death knell to the dreams of a West African federation, as well as marking the end of centuries of attempted assimilation and integration between Senegal and metropolitan France.

In the early days of Senegalese independence the influence of French culture within Senegal seemed unchallenged, but later developments indicate that this, too, is under question. A student strike which closed the University of Dakar in 1969 demanded the Africanization of both cur-

---

[41] The analysis of the demise of the idea of The French West African Federation is based largely on Crowder, *Senegal,* pp. 65–74, and John D. Hargreaves, *West Africa: The Former French States* (Englewood Cliffs, N. J., Prentice Hall, Inc., 1967), pp. 155–59.

[42] Richard Folz, *From French West Africa to the Mali Federation* (New Haven, Conn., Yale University Press, 1965), pp. 184–85.

riculum and staff:[43] Obviously French cultural influence in some form will survive the passing of the dream of political union between France and its African possessions, but even among the elite we may expect to see a greater divergence from the pattern indicated by the mission *civilisatrice*.

CONCLUSIONS

Any type of political prediction is dangerous, and it is quite possible that the trends depicted as operational in the Antilles and in Senegal may be reversed. It seems unlikely that Senegal will ever become an integral unit of France as part of a West African federation, but such a development is not inconceivable. It is far more probable that changes in the Antilles may lead to a greater separation from metropolitan France. Problems of employment and economic development still remain, and some of the younger generation of intellectuals no longer find French nationality a satisfactory form of cultural identity. It is by no means impossible that either Césaire or one of his intellectual heirs may yet emerge as the leader of a successful movement for independence in the Antilles.

Pattern in Senegal and the French Antilles. History has no examples of permanent political structures but, regardless of how transient the Senegalese and Antillean situations may be, their differences still offer some intriguing hypotheses in the field of intergroup relations. Perhaps the first and most obvious hypothesis is derived from a general comparison of the formal French policy of assimilation with policies of a more pluralistic nature. The professed objectives and methods of the British made it impossible for integration to be accepted by their Caribbean or African colonies. Similarly, the American discouragement of statehood aspirations in the Philippines made ultimate independence of that country a certainty, while the opposite policy allowed Hawaii to become fully integrated with the mainland United States. Vacillation between assimilation and pluralism in Puerto Rico has favored the emergence of an intermediate type of policy in the form of the Commonwealth government. A formal policy of assimilation may fail to reach its objectives, but without it the triumph of separatist tendencies appears inevitable.

General pattern. Centrifrugal tendencies often lead to segmentation along ethnic lines unless countered by a manifest policy of assimilation.

Pattern in Senegal and the French Antilles. Closely related to the effectiveness of assimilationist policy is the extent to which such policies actually provide a common situation for two or more ethnic groups rather than being an invitation to different groups to accept a common allegiance

[43] "Senghor's Emergency," *West Africa*, June 14, 1969, p. 666.

on the basis of unequal privileges. In Senegal assimilation was primarily a matter of rhetoric, marginal cultural activity and political participation. In the Antilles, assimilationist policies led to the extension of French social security benefits to residents of the Antilles, heavy French expenditures for welfare purposes, and commitment to a common pay scale for natives and migrants from metropolitan France in comparable positions. Economically, the status of the Antilles was guaranteed by its relation to a relatively prosperous France while the Senegalese economy was subsidized rather than guaranteed and the individual Senegalese had no claim on the French treasury. The average man in the Antilles found his total life situation directly affected by his residence in a French department; for the Senegalese, French sovereignty had only a peripheral relationship and French subsidies were actually greater after independence than before.

General pattern. The effectiveness of assimilationist policies varies directly with the proportion of the total life situation they encompass.

Pattern in Senegal and the French Antilles. Another fairly obvious factor is that cultural similarity between the minority and majority ethnic groups facilitates political integration. Again, similarity by itself does not guarantee successful political integration, as can be seen by one of the first colonial revolutions, that of the United States against a culturally similar Britain. Before allowing the American example to vitiate this hypothesis, however, we would remember that the British rule of the colonies lasted for over 150 years, that there was much disagreement in the 13 colonies about the revolution, and, that when independence finally came, several thousand loyalists left the country. Insofar as cultural homogeneity is helpful, it is certainly a trait which applied more to the Antilles than to Senegal or to the British colonies in the Caribbean. In the Antilles French was practically the only language used, Catholicism was the religion of the bulk of the inhabitants, the monogamous family was accepted by all as the ideal pattern, and nearly universal education of a French character had provided a common life view for most of the inhabitants.

General pattern. Acceptance of political integration varies directly with the degree that cultural homogeneity allows the government to be a symbol of shared values.

Pattern in Senegal and the French Antilles. Since, by definition, some differences will exist between ethnic groups, the character of their relationships determines whether these differences will be considered variation on a common theme or a focal point for tensions. Here we would observe that cooperation promotes unity, while competition may lead to conflict. As long as the relationship between two ethnic groups is a symbiotic one, with each group performing generally acceptable yet noncompetitive roles, unity is enhanced. When the roles become competitive, especially when total opportunity is limited, conflict may result.

Frequently the basis for conflict is competition between colored citizens and "poor whites" for jobs with an intermediate prestige ranking. In the Caribbean the migration back to the homeland of many of the descendants of the white settlers left a vacuum in this area which was filled by the people of mixed ancestry. In Senegal, on the other hand, the importation of Frenchmen as laborers and clerks led to competition with literate Senegalese and to an advocacy of independence as a means of "Africanization." The *petit blancs* were perceived as occupying the rungs on the occupational ladder to which Senegalese might aspire, and hence their presence was viewed as a barrier to Senegalese social mobility.

General pattern. Tendencies toward political separatism vary directly with the degree of ethnic economic competition.

Pattern in Senegal and the French Antilles. A major factor in the intensity of ethnic conflict is whether cleavages are seen as dichotomous or multiple. When they are seen as essentially polarized, there is little doubt that eventually the majority group will view a dominant minority as the enemy. All the Caribbean countries tended toward a multiple classification of color differences which avoided a simple black versus white confrontation. In Senegal, however, the *Metis* became a small separate group rather than a bridge between Europeans and the Africans. Their existence blurred the sharpness of color identification, but did not alter the essential division of interests along lines of African versus Europeans.

General pattern. The intensity of ethnic conflict varies inversely with the number of groups classified as ethnically distinct.

Pattern in Senegal and the French Antilles. The attraction of acculturation is affected by the value given competing alternatives. In Senegal the non-European looked at Christianity and French culture from the vantage point of Islam and a cohesive tribal culture. In the Antilles, only vestiges of tribal culture and animistic religion remained, and the non-European had no apparent alternative to the religion and culture proffered by the French. It is easier to maintain an ethnic identity than to construct one; hence individuals separated from their cultural tradition are far more open to acculturation and assimilation than those whose links with a cultural background are unbroken.

General pattern. The appeal of another culture varies inversely with the viability of the original culture.

Pattern in Senegal and the French Antilles. One reason the wave of nationalism passed relatively lightly over the Antilles is the comparative isolation of the area, another situation shared by Hawaii. Senegal was so close to nationalistic African states that it would have had difficulty in remaining a French enclave even if other circumstances had been more propitious. By contrast, the non-Europeans in the French Antilles were separated from similar groups in the Caribbean by language and from Africans by both culture and distance.

General pattern. The probability of integration with a larger political unit comprised primarily of another ethnic group varies directly with the social and geographic distance from other members of the original ethnic group.

All of these various propositions relate to the extent of the benefits the integrative situation offers to the minority group as contrasted to the disabilities involved and the alternatives available. This does not mean that the terms of national identity are achieved in some sort of sum—zero calculation, or, if so, that the variables involved are easily calculated. The salience of various factors is often as emotional as rational and as frequently affected by chance events as by an inevitable logic of history. Without the charisma of a de Gaulle the French Antilles might still have gone the way of other colonies, and if Senghor had been on better terms with other African leaders a French West Africa domain might have been constructed. The variables described in our sundry propositions indicate the ground of combat, but the issue of the battle is still determined by the men in the fray.

QUESTIONS

1. What are the political arrangements of Martinique and Guadeloupe with France and how are they regarded by the inhabitants of the two islands?
2. What is the ethnic composition of the French Antilles and what role did the Free French play in cementing the ties between France and the islanders?
3. To what extent are the inhabitants of the Antilles economically dependent upon France? Could this be a factor which makes independence undesirable?
4. Is there any association at all between skin color and socioeconomic status among the populace of Antilles?
5. What role does the mulatto play in the scheme of race relations in the French Antilles and, should a clash occur, which side is the mulatto most likely to be on? Why?
6. Why does racial blurring tend to occur in a society when racial groups are classified in multiple categories with intermediate privileges and status? What are some of the psychological implications of this process?

7. Compare and contrast the economic and political arrangements between the British West Indies and the French Antilles?
8. How does the French view of assimilation and of their "civilizing mission" differ from that of Britain?
9. How do you account for the fact that in the British West Indies independence is viewed as necessary for human progress but for the Antillians attachment to metropolitan France seems essential for human betterment?
10. What, if any, differences are found in race relations between the British West Indies and the French Antilles?
11. What are the important differences between Césaire's and Senghor's concept of negritude?
12. Briefly describe what a visitor would find upon arrival in Dakar. What major cleavages must Senegal overcome in the future?
13. What factors were responsible for the emergence of a small mulatto (*Metis*) population in Senegal and what role, if any, did it assume in the assimilation process?
14. How would you characterize the relationships between the poor whites and blacks in Senegal?
15. Why were the Christian missions unsuccessful in achieving a stronghold in Senegal? In what way did Islam impede assimilation?
16. In what sense was it true that education was the main vehicle of the French assimilation policy in Senegal?
17. What suggestions would you make to improve the economy of Senegal?
18. What were the important points of contention during the 1930s debate which increased the uncertainty over the desirability of assimilation in Senegal?
19. How would you account for the fact that by the mid-1950s it was evident that the French assimilation policy in Senegal was doomed to failure?
20. Do you think that, had Senghor been able to realize his dream of federalism, this would have significantly altered the socioeconomic conditions of Senegal? Defend your answers.

Chapter 8

Minorities in Islamic States

When the armies of the followers of Mohammed advanced through the Arabian Peninsula, the Middle East, northern Africa, and parts of the Far East, they encountered people foreign to them in both ethnicity and religion. The promises of Allah were open to all and a large part of the population became converted to Islam. However, Christians and Jews, as those already "people of the book," were resistant to conversion and many so-called pagans also clung to the ancestral faith.

While the ideal situation was one in which all inhabitants of the state were Muslim and hence equally under the rule of a common religion, Islam was not unprepared for minority problems. The teachings of the Koran and the pronouncements of early Islamic theologians dealt frequently with this topic. The result was that a definite body of principles was developed to govern the relations of the faithful with the infidels.

Like other groups, Muslims have not always lived up to their professed ideals and the formal pattern was occasionally marred by massacres, riots, and persecutions. Nevertheless, the Islamic treatment of minorities compares favorably with the record of other groups. Islamic culture has endured for centuries and has enabled people of distinct identities to live together in a relatively peaceful atmosphere. Some of the policies adopted by Islamic societies were conditioned by particular circumstances, but others reflect enduring aspects of the relationships of different peoples inhabiting a common territory. Certainly the student of intergroup contacts cannot ignore the Muslim experience. In this chapter, then, we offer the following generalizations of interethnic relations: (1) the existence of several ethnic groups within a given political regime will be accepted if defined in ways which avoid a clash between political loyalties and ethnic identities, (2) it is difficult for a minority with an invidious status to gain acceptance through participation in nationalist activities, (3) the gulf between minorities and the majority group is often widened when a minority receives foreign protection, (4) the degree of discrimination against minorities tends to vary directly with the scope and nature of activity by the state, and (5) cohesion in a multi-ethnic state requires the acceptance of the dominance of an ethnic group or of an ideology.

IMPACT OF RELIGIOUS PRINCIPLES

The simplicity and directness of Islamic monotheism has produced an attitude toward minorities which is more definite and more consistent than that found among groups with other religious affiliations. Allah is the one true God and no other deities are allowed to share in his glory. Mohammed is the prophet of Allah and other prophets only proclaim truth when their teachings are interpreted in harmony with those of Mohammed, although Christians and Jews, as people of a partial revelation, may be tolerated under certain conditions. No being, either human or supernatural, shares in the divine charisma, and there is no official religious hierarchy, although individual religious teachers, the *ulami*, may at times have significant prestige and influence.

Along with the proclamation of the one true God, the principal teaching of Mohammed was the Law of God. The duty of the faithful is to learn and observe the law, and the state exists to enforce the Islamic law and expand its sway. The law makes definite provision for the treatment of various categories of unbelievers, and the minority policy of the state is to enforce, so far as circumstances permit, the minority policies proclaimed in the Koran and elaborated by later sages in the *Hadith*. Reciprocal obligations, such as between master and slave, teacher and pupil, one who has seen the light and one who has not, form the major content of the *Hadith*.

State and church in the Middle East are intertwined to a degree which seems almost incomprehensible to a western observer. The following statement by an Arab writer gives some idea of the nature of the situation: "Islam is not merely a body of religious doctrine and practice; it is also a form of social and political organization . . . Most of the Christian sects

. . . are also governed by religious law. In the Middle East there is no clear distinction between religious and secular life.[1]

Since law had a religious basis, the minority communities could not be expected to be governed by the law of Islam but by their own religious law. Thus the very philosophy which gave a prominent place to Islamic law (with concessions to the customary law of the locality) also supported the maintenance of other religiously based legal systems applying to the various Christian and Jewish settlements. The fact that the enforcement of the law was a major Islamic justification of political organization does not mean that all—or even most—Islamic states were theocracies. In spite of the ideal tenets, the same variations existed in practice that are found in states with Christian religious affiliations. At times religious and political leadership were merged, and something close to a general theocracy developed. At other times secular considerations were paramount, and the supposedly Islamic states were as free from specifically religious controls as their Christian neighbors. Nevertheless, the primacy of the Islamic law is a recurring theme with an attraction for the faithful, even if not always followed by the rulers.

Since the main function of the state was to enforce the Islamic law, the most salient characteristic of minorities was their rejection of the principle which was considered absolute truth by the state. Hence the question as to how deviant religious groups might be treated was the main issue in determining minority policy. Minorities were classified in two types, "People of the Book" and "pagans." The pagans were entirely outside of the true faith and as idol worshippers deserved no consideration from the Islamic authorities except that which their military power might dictate. Christians and Jews as People of the Book shared in part in the revelation of religious truth. However, they have rejected the supreme prophet Mohammed, and Christians are guilty of committing the sin of "association," which means that through acknowledging the divinity of Christ they had associated another figure with that of Allah.[2]

Another classification was made on the basis of the nature of the capitulation of the minority to the Islamic state. If the capitulation had been a surrender which avoided a test of arms, the lives of the minority could be spared. If, however, dominance had been won in actual combat, it was the duty of the Muslim to put the enemies of the Faith to death. These precepts, like all principles, were difficult to observe in complete purity. Either the power of the minority groups or the laxness and loss of will of the Islamic rulers might force the acceptance of a compromise situation.

---

[1] Ibrahim Abdulla Muhy, "Women in the Middle East," *Journal of Social Issues* 15 (1959): 51.

[2] Pierre Rondot, "Islam, Christianity and the Modern State," *Middle Eastern Affairs* 5 (November 1954): 341.

Under extreme conditions it might even be necessary for an Islamic minority to live under the rule of the infidels as in the Philippine Islands, Yugoslavia, and Kenya today, and this was true even for majorities in much of the Islamic world during the colonial period in the Middle East following World War I. Usually, though, the Islamic group was dominant in the state and, according to the degree of its power and its doctrinal purity, fashioned the government after Islamic tenets. One practice was practically inconceivable, that religious affiliation might be disregarded so that nonbelievers and Muslims could participate in the state on equal terms.

MILLET SYSTEM OF THE OTTOMAN EMPIRE

The system reached its most perfect expression during the days when the Ottoman Caliphate dominated the Middle East, including considerable portions of North Africa and Europe. The Ottoman Caliph not only was a Turkish Sultan, but he also claimed to be the Defender of Islam and the Ottoman Caliphate was the governmental organization of the faithful. The Empire had included, from the time of its origin in 1231 until its demise in 1924, a fair proportion of minorities. These minorities had two distinctive, frequently overlapping attributes, religion and a sense of nationality. The Islamic community was identified with the sovereign state and, as Hourani expressed it, not only was the dominant element Muslim, it was this element alone which constituted the political community.[3] The Empire was the community of believers living in common under the authority of the sacred law; and the Sultan's role was to administer the law, to extend its sway in the world, and to protect the Muslim community from external dangers.

The minority religious groups were organized into communities of their own, or millets. Each millet regulated its life according to the terms of its own religious law under the authority of its supreme religious leaders, a patriarch in the case of Christian groups or a Grand Rabbi for the Jews. Thus the Islamic viewpoint dictated not only the essential nature of sovereignty but also the type of adjustment which minority religious groups made. While the organization of millets did provide a certain security for minority religious entities, it in no way implied equality. Rondot delineates the subordinate-superordinate relationship of the Muslims and the Infidels in the millet system.

> The most characteristic features of this structure are the following: a member of a non-Muslim community may always be converted to Islam, but a Muslim may not, on pain of death, embrace a new faith; Muslims maintain their form

---

[3] A. H. Hourani, *Minorities in the Arab World* (London, Oxford University Press, 1947), p. 17.

of worship and may proselytize; not so Christians and Jews, whose places of worship must not open into public thoroughfares and whose ritual must be subdued; Christians and Jews may not erect new sanctuaries or repair old ones without special permission; in matters of personal status (concerning marriage, divorce, inheritance, etc.) Christians and Jews are ruled by their own religious law, but they may always change over into the sphere of Muslim law; they may not exercise functions of authority in the state; a Muslim may marry a Christian or Jewish woman, but a Christian or Jew may not marry a Muslim woman.

Thus, tolerance is early identified in Islam with a system of separation and subordination of non-Muslim communities under the "protection" of Islam, while the latter, fusing the spiritual and temporal, permeates the state. Step by step, humiliating measures (prohibition of floating garments, introduction of a distinctive badge, etc.) crystallized and reinforced this system of inequality which, by its very foundation, is devoid of any possibility of evolution.[4]

RELIGION AND ETHNICITY

While religion was the essential basis for the organization of the millets, ethnicity could not be ignored. Ethnic tensions came about in three ways: (1) not all of the Muslims themselves were of the same ethnic background; (2) the religious groups tended to become not so much communities of "believers" as ethnic groups whose ancestors had at a previous time held a common faith; (3) within the Christian group there was a struggle for supremacy of one or another ethnic group both within and between the various Christian denominations.

The Ottoman Empire itself, while in one sense a manifestation of the universal Caliphate, in another sense was regarded as simply the Turkish state. The Arabs, although they were the ones to whom Mohammed came first and therefore in a certain sense were a people "set apart," were nevertheless, a subject people within the Ottoman Empire. Their rights were not curtailed, but elections were practically unknown and the major officials were chosen by the Turkish government. Similarly, the Kurds felt they too were a suppressed minority without a national state of their own. As the bounds of the Ottoman Empire shrank in the last days of the "sick man of Europe," Muslim minorities, which at one time had been loyal, manifested the same nationalistic urges as the Christians. The Albanians, for instance, who had long been a pillar of the empire, sought and obtained their independence in 1912. Distinctions between Islamic sects also, at times, played a role in the ethnic relations between Muslims. Thus the other Muslim empire, the Persian, adhered to the Shi'i sect, while the Turks were Sunni.

In this delineation of relationship between Muslim peoples, it should

[4] Rondot, "Islam, Christianity and the Modern State," pp. 215–16.

be emphasized that no Muslim peoples as such were regarded as subordinate. Rather, the government was autocratic and the government within the Ottoman Empire was Turkish; therefore the leading officials were usually Turkish, or at least responsible to a Turkish Sultan. Tensions between Muslims came to the ultimate point during World War I, when the Arab-speaking world sided with the Christian French and English against the Muslim Caliph of the Ottoman Empire in a successful push for freedom from Turkish rule.

Within the Christian communities millets were divided along nationality as well as along religious lines. Roman Catholics, Orthodox, and Protestants competed for the adherence of the Armenians and the Greeks, and a variety of other nationalities. Within the Orthodox hierarchy each group preferred to be represented by its own patriarch, although the prestige of the Greeks gave them almost exclusive control for a time and the Greek Patriarch in Constantinople became the leading Christian prelate in Muslim areas. Hourani summarizes the situation as follows:

> The religious communities were shut off from one another on the levels of belief, personal law, and close personal relations, but on that of economic life they were closely intertwined. There were no legal restrictions on movement within the Empire; even before it came into existence the greater part of its territory had formed a single trading unit for hundreds of years; and its religious sects had grown up within a community which was already united, and of which the constituent elements were already inextricably mixed. For all these reasons, the different religious and racial communities were not sharply divided from one another geographically. Some of them (for example, the Arabs) were compact, possessing some region in which they formed the vast majority; others (for example, the Armenians) were in a minority in all their regions of settlement.[5]

Spiritual and temporal duties and privileges of the patriarchs were so intertwined that it was difficult to distinguish their religious and secular functions. The patriarchs were interpreters of the law and religious celebrants, but the religious law embraced civil concerns and the act of worship was also a manifestation of community patriotism. Perhaps the recent role of the Greek Orthodox Patriarch, Makarios of Cyprus, as political leader of the nation may illustrate the double scope of community religious leaders within the old Ottoman empire. Religion had become largely a matter of ancestry rather than of personal conviction. The Christain or Jew lived in a particular millet and was governed by its rules; he might or might not have a firm conviction of the validity of the articles of his faith.

Frequently a double religious and nationality tag was required for

---

[5] A. H. Hourani, "Race and Related Ideas in the Near East," in Andrew W. Lind (ed.), *Race Relations in World Perspective* (Honolulu, University of Hawaii Press, 1955), p. 121.

identification. Thus a sharp line was drawn between Christian and Muslim Arabs. When the young Turks decided to eliminate the Armenians, this decision applied to those of Orthodox faith and exempted Protestants and Catholics, who evidently were not considered true Armenians. In the exchange of populations in 1925 between Greece and Turkey, the Turkish-speaking person living in Greece who was a member of the Orthodox Church was not sent back to Turkey, whereas if he had been a Muslim, transfer would have been automatic. Similarly, in Asia Minor, Greeks who were of Protestant or Catholic affiliation were not included in the exchange, although those of Orthodox faith were deported in wholesale fashion.[6]

MINORITY TENSIONS IN THE OTTOMAN EMPIRE

For many years the essentially symbolic nature of the relationship between minority and majority operated to relieve tension and to promote cooperation. The various millets as well as the Muslim minority groups and the ruling class in the empire were separated by the type of law, a high degree of marital endogamy, differential rights as citizens, and differences of religious beliefs. However, their economic activities were inextricably intertwined. Most peasants as well as military[7] and political officers were Muslims of Turkish background, while Christians and Jews were disproportionately active in commerce and in the professions. Some ethnic groups lived in relatively compact geographical regions; others were scattered throughout the Empire; and at times even villages might be mixed in their religious and nationality composition. While the Ottoman Empire usually required taxation of the minorities greater than that imposed on the dominant group, there were compensations such as the exemption from military service for Christians and Jews.

The Ottoman Empire lasted for nearly 700 years and during that time maintained a degree of peace between the various Muslim groups, between Arab and Jew and between Christian and Muslim. This is no mean achievement, especially when considered in the light of the internal feuds and the ethnic quarrels which have pervaded the Middle East in recent years. Nevertheless, it would be a mistake to view the Ottoman Empire as an idyllic period of contentment in which the military dominance of the Turks brought to their unwilling subjects an era of peace and tranquility.

---

[6] Ibid., p. 30.

[7] Occasionally individual Christians or Jews were trusted with high office on the assumption that they would be less inclined to intrigue against the Sultan than his fellow Muslims. For a time the elite corps of the Ottoman army, the Jannissaries were recruited from Christians. The Jannissaries were eliminated after an unsuccessful revolt in 1826. See Lewis A. Coser, "The Alien as a Servant of Power: Court Jews and Christian Renegades," *American Sociological Review* 37 (October 1972): 578–81.

The maintenance of order was marred by massacres, and even in peaceful years the minorities experienced discrimination.[8]

One of the indications of difficulty is found in the existence of groups known as crypto-Christians. These were people who espoused a double faith, being openly Muslim and yet secretly of Christian persuasion. They came from both Orthodox and Roman Catholic wings of Christianity and were found throughout the Ottoman realms. Apparently, the motivation was a desire to cling to Christian beliefs while gaining privileges reserved for Muslims. In periods of stress and persecution the number of crypto-Christians increased, while in periods of relatively calm tolerance they declined, although the Islamic rule against conversion from Islam to any other religion made it difficult for the crypto-Christians to formally admit their Christian beliefs.

In lands which were only tributary to the Ottoman Empire there was relatively little pressure against nonbelievers, but when these areas were incorporated into direct rule, the pressure was likely to become intense and the growth of crypto-Christianity proceeded. Since Christians and Muslims have a common heritage in their respect for considerable portions of the Old and New Testament and have lived together for many years, it was not unnatural that certain elements should have passed through religious boundaries. Perhaps an extreme example of this type of accommodation is in the case of the Vallakhads, a Greek group living near Gervena, among whom were persons who actually espoused both faiths without concealment, including individuals who might go to the mosque on Friday and Church on Sunday.[9] Other groups which include a mixture of Christian and Muslim elements in their faith would include the Druzes in Lebanon and Syria and the Subbah in southern Iraq. Lines of doctrinal separation are not always as clear to the laity as the clergy might wish and it is not surprising that, where differential privilege was accorded religious affiliation, conversion for convenience might occur.

As the Ottoman Empire declined and strong nation states emerged in Europe, Christian nations tended to assume the role of protectors of the various millets. The ultimate consequence of this intervention was independence; for Serbia, Greece, Bulgaria, and Roumania, this arrived in the 19th century.

Berkes describes the Christian intervention in the millet system:

Two great contending forces (the Western powers and Russia) had become intensely interested in the question not only in respect to their relations with the Ottoman Empire but also in respect to their relations with each other on every

[8] Cecil Roth, "Jews in the Arab World," *Near East Report* (August 1967), pp. B–17, B–20.

[9] Stravo Skend, "Crypto-Christianity in the Balkan Area under the Ottomans," *Slavic Review* 26 (June 1967): 226–46.

front. Furthermore both religion (Catholicism and Orthodoxy) and race or nationality (in consequence of the French revolution and the rise of Russian pan-Slavism) had become complicating factors. And there was a third factor newly entering upon the scene—the emerging British Near Eastern diplomacy with its Protestant coloring as personified in the Ambassador Stratford Canning. The millet system began to emerge in international diplomacy as an inviolate system that was no longer a unilateral grant of status and privilege to non-Muslim communities; they were seen as having rights as *nationalities* guaranteed by the Christian powers of Europe.[10]

The most severe examples of minority dissatisfaction were found in the experience of the Greeks and the Armenians. A growing nationalism in Greece eventually led to the formation of a separate Greek kingdom but this did not settle the issue, since both Greeks and Turks had a claim to Asia Minor and Constantinople (Istanbul). The resulting war in 1921–1924 ended in a Turkish victory and an agreement that populations would be exchanged. Those identified as Greeks but living in Asia Minor were to be returned to the Kingdom of Greece, and those identified as Turks but living in European Greece were to be returned to Turkey, with Constantinople and Asia Minor remaining under the rule of the Turks. In this fashion people were forced to leave homes which their ancestors had inhabited for centuries.

The geographical dispersion of the Greeks meant that their problems were not solved by the formation of a Greek nation. The dispersion of the Armenians and their division into a number of competing religious groups meant that neither the millet system nor national independence was a feasible solution to their relationship to the Turks:

In the Ottoman system, the Armenians constituted a millet that did not have a territorial base and was, therefore, incapable of being transformed into a nation state. In addition, the schismatic struggles since 1847 among the Gregorian, Catholic and Protestant churches not only shattered the Armenian millet but also severed it from its traditional status in the Ottoman system. The desire of the Armenian nationalists to establish an independent Armenia was frustrated hopelessly by the conflicts among the churches, the geographical and occupational distribution of the Armenians within the Ottoman Empire, and also the rivalries between Russia and Great Britain, who alternately supported and dropped the Armenian nationalist aspirations.[11]

The case of the Armenians was especially tragic because the reforming zeal of the young Turks led to an effort to "purify" the Turkish nation by the elimination of these "troublesome outsiders"; through civil conflicts,

---

[10] Niyazi Berkes, *The Development of Secularism in Turkey* (Montreal, McGill University Press, 1964), p. 96.

[11] Ibid., p. 318.

massacres, and deportations, the Turks practically destroyed the Armenian population of Asia Minor between the years of 1894 and 1922.[12]

In general it may be said that any period of stress for the Ottoman Empire was a period of difficulty for minorities, since they were suspected of involvement with similar religious or nationality elements in other countries and thus were regarded as an internal force subversive to the Empire. When the Turks were in their full vigor the system of millets continued on a tolerable basis, but when the Ottoman Empire became a declining power every move to extend its life seemed to result in some type of minority repression.

BEYOND AND AFTER THE OTTOMAN EMPIRE

The defeat of Turkey in World War I led to the end of the Ottoman Caliphate even inside Turkey itself. For a brief period most of the Middle East was a colonial area under the domination of Western powers who endeavored to apply the rule of secular law on an approximately equal basis to all the people in their possessions. This colonial era, however, was destined to be short lived, and by the end of the decade of the 60s all of the Muslim territories had been liberated from colonial rule,[13] although the Arab world was divided into many different states, some of which were comparable to feudal principalities.

The newly independent countries inherited the communal institutions of the millet, but the spirit of the new nationalism was hardly compatible with the pluralistic tolerance of the old empire. Some of the leaders of the newly independent Muslim states were essentially traditional princes who regarded the Islamic law as a bulwark of their regimes. Other rulers were modern nationalistic leaders who were thoroughly secular in their viewpoint and who saw Islamic law more as an obstacle than a bulwark. Their regimes stressed modernization and national loyalty rather than religious uniformity but, while sometimes eliminating traditional discrimination against minorities, they also attacked the communal system. Perhaps the prototype of such nationalist leaders was Mustafa Kemal Ataturk, who sought the modernization of Turkey. Muller describes his program as follows:

> Thus he did away with the 6000-year-old sultanate, in its stead establishing a republic. With it and the caliphate he scrapped the Sacred Law of Islam, substituting the Swiss civil code. While beginning to modernize the economy, he forced Turks to learn how to manage the commerce and industry that had been

---

[12] Robert H. Hewsen, "The Armenians in the Middle East," *Viewpoints* 6 (Aug.–Sept. 1966): 3–10.

[13] For a description of postcolonial developments from a Christian point of view see Max Warren, "Christian Minorities in Muslim Countries," *Race* 6 (July 1964): 41–51.

left to Greeks and Armenians. He started a system of public schools to provide a purely secular education. He replaced the Arabic by the Latin script, changed the alphabet, and began purging the Turkish language of many Arabic and Persian words. Likewise he replaced the Islamic by the Gregorian calendar and made Sunday the day of rest. He put his people into Western clothes, requiring men to wear hats instead of fezzes. He conferred complete equality upon women, including the rights to vote and to divorce; long degraded as women had been in no other civilization, they soon had proportionately more representatives in the Grand National Assembly than American women have in Congress today. And so it went—on every social front, all within half a generation.[14]

His attack on Islamic social controls made it necessary to shift from identification as a Muslim to identification as a Turk, and the new order was even harsher on minorities than the old. Most minorities were deported at the end of the Turko-Grecian war in 1925, and those who remained found their privileges steadily eroding as non-Muslims came to be regarded as non-Turks and hence as aliens to be eliminated from profitable business activities.

No other Muslim nationalist leaders have been quite so ruthless in their attack on Islamic customs, but most of them have tried to enhance the power of the secularly based state apparatus and have interpreted nationalism as implying control of economic enterprise by those regarded as nationals. The result has been both a curtailment of the power of Islamic law and a restriction of self-rule by the religious officials of minority communities. Members of religious minorities were thus deprived of communal protection and subjected to the civil rule of those who regarded non-Muslims as being close to nonnationals. A decline of the observance of rigid Islamic law has meant an erosion of minority safeguards rather than a liberation from discrimination.

With the new nationalism came the question of what it meant to be a national of a given country. The answer to this was not just a matter of judicial procedure, birth in a particular area, or habitation within national boundaries; rather it was a question of whether one "belonged" to the nation. "Belonging" was established by ties both of nationality and of religion. The man who claimed identity with the national state but came from a different nationality background or a minority religious creed was one of doubtful loyalty who might easily be suspected of collaboration with a foreign power whose religious or national background was similar to his own. Further, the minority was also a convenient scapegoat for nationalistic governments which were long on promises and short on performance.

The breakup of the Ottoman Empire produced a need for boundaries of the new states and provoked a series of quarrels between the Muslim

---

[14] Herbert J. Muller, *Freedom in the Modern World* (New York, Harper & Row, 1966), pp. 463–64.

states themselves as well as between individual states and the great powers. Frontier questions, however, proved to be more amenable to solution than relations with non-Muslim groups within the newly independent states.

There remained the question of minorities. While in a supranational Empire several ethnic groups could live side by side in the same territory without asking whose it was, once the nation-state was set up, those who did not belong to the nation in whose name the state was established also did not belong in the full sense to the political community. However long their ancestors had lived there, they were now regarded as strangers. At best they lived on sufferance; at worst they might be looked on as economic rivals by the new indigenous bourgeoisie, or as potential traitors by the new government, dangerous either because of their own strength or else through the use to which they might be put by a Great Power.[15]

THE EXODUS OF THE JEWS

Among the areas ruled for centuries by the Ottoman Empire was the land of Palestine, which was sacred soil both to Jew and to Muslim. The end of empire signaled a fresh opportunity for national states to be developed by Arabs, but it also brought encouragement to Jewish Zionists, who had long been talking about a "national home." Palestine at the end of World War I was less than ten percent Jewish, but it occupied a pivotal point in Zionist thinking and it seemed the logical location for some type of national Jewish state. Hitler's persecution of the Jews in Europe, which sent approximately 4.5 million out of 7 million European Jews to their death,[16] stimulated Zionist sentiment. A Jewish state had been considered by many Jews as the messianic dream of an extremist minority; now it was seen as essential to Jewish physical survival.

When the Turks left Palestine the country was taken over by Great Britain under a mandate from the League of Nations to prepare it for self-government. The British strove to discover a formula under which Jews and Arabs could live together but finally gave up the task and left in 1948 without having reached a settlement, and the United Nations recognized partition of the area between Jordan and the newly created state of Israel. The result was a short-lived war in which the Arabs, who hoped to liquidate the state of Israel, were defeated.

The establishment of a Jewish state provided a place of refuge for Jews throughout the world who now had a homeland which could speak for

[15] Hourani, "Race and Related Ideas in the Near East," p. 128.

[16] Gerald Reitlinger, *The Final Solution* (South Brunswick, N. Y., Thomas Yoselof, 1968), p. 546. At an earlier date the figure of six million was often given. Reitlinger, on the basis of a thorough analysis of more complete data, feels the 4.5 million estimate is more accurate. Needless to say, either figure is a shocking indication of the depths of human depravity.

Jews in international organizations and which could offer asylum to Jewish refugees. It also meant the exodus of about 900,000 Arabs, who had left the area which became Israel during the time of war and who neither desired to come back under a Jewish state nor were welcomed by the Israeli authorities. This situation quickly led to an informal exchange of populations in which the Arab refugees became a semipermanent ward of the United Nations, living in the districts surrounding the state of Israel, while in turn over 600,000 Jews fled from Arab lands where they and their ancestors had been living for centuries.[17] In some cases Jews were forcibly expelled; in most, they fled, fearing renewed discrimination and more oppressive burdens, but in all Arab countries the Jewish community was reduced to a tiny fraction of that which had existed in previous years. Jewish and Arab nationalism had brought to an end a type of coexistence which had existed for hundreds of years. It was a coexistence which was not altogether satisfactory from either standpoint and one which denied the Jews full freedom of movement or full status of citizens, but it had proved both more tolerable and more durable than the situation of Jews in most countries in the West.

In all Arab countries the situation of the small Jewish community which remained has become precarious at best. In spite of resolutions against Zionism and protestations of loyalty to the Arab cause, they continue to be objects of suspicion. Iraq's large Jewish community has shrunk to 3,000, mostly elderly people. These live under a cloud of suspicion and are required to carry identity cards; several have been arrested and a few hanged as alleged spies. Life for the approximately 7,000 Jews still remaining in Syria, Egypt, and Libyia is nearly as severe as in Iraq. Whereas in Saudi Arabia and Jordan all Jews have left, in Morocco, Lebanon, Algeria, and Tunisia open persecution is rare and life, at last report, was still fairly tolerable. About 75,000 Jews still remain in Arab lands as contrasted to nearly 600,000 before the creation of the state of Israel. In some countries life is relatively calm; in others it is a constant nightmare, and, in all Arab lands, Jews live in constant fear that the next crisis may bring intensified persecution.[18] In general, only a vestigial remnant of once flourishing Jewish communities remain and even this remnant lives under the constant harassment and the constant fear of extermination. The creation of the state of Israel furnished a haven for European Jewish refugees, most of whom had no other place to turn, but it also meant the creation of a very large population of Middle East refugees, both Jewish and Arab.

---

[17] To Israel 498,677 Jews immigrated from Europe between 1948 and 1963, while 618,763 came from Asia and Africa in the same period. Israel Office of Information, *Facts about Israel* (Jerusalem, 1967).

[18] "Jews in Arab Lands," *Near East Report* (August 1967), pp. 15–16; "The Other Victims in the Middle East's Long War," *Economist* 230 (Feb. 1969): 21; "Jews in the Arab World," *Time* (Feb. 7, 1969), p. 23.

SOCIALISM AND MINORITIES

In the 18th and 19th centuries nationalism was usually seen as the establishment of a political government controlled by residents of a particular territory. In the 20th century, nationalism has been joined by socialism, and programs for group advancement and development have largely replaced demands for individual freedom. This means that a nationalist movement goes far beyond the establishment of a particular form of government and seeks to alter the economic relationships of groups within the political state in a way more favorable to those who are considered genuine members of the national group.

Socialism offers an obvious tool, and private enterprise, a hindrance for this type of process. If economic activities are left to the determination of the market, nationality is of little consequence and success will go to those who have most developed the qualities which make for vigorous competition and the type of capital goods and strategic trading positions which are useful in commerce.

Since commerce by its very nature is a risky proposition, it tends to be shunned by those who have any traditional claim to status. In the days before socialism, this traditional claim to a livelihood found expression in land ownership or in a claim to government positions. The socialist replacement of the free market, however, makes it possible to reap the rewards of commerce and still avoid the threats of bankruptcy, since the government treasury provides a bulwark against losses resulting from incompetence, corruption, or miscalculation.

In the free market, minorities frequently come to the fore. In a socialist economy, where the government rations goods and decides which individuals are to be active in economic enterprises, minorities at best are rationed according to their proportion of the population and at worst are excluded completely. The best possible treatment, proportionate quotas, is difficult for minorities, since usually they have been excluded from other aspects of the economy and a proportionate quota may mean that only a fraction of the group will be able to make a living in the occupations which had supported many in previous years.

THE EGYPTIAN COPTIC CHRISTIANS

The Coptic Christians in Egypt may be taken as a prime example of the plight of a minority group in a country committed to nationalism and socialism. Copts were residents of Egypt for centuries before the Muslim era, and the term Coptic itself has been taken as equivalent to Egyptian. Copts have served in high government office and have been prominent in the nationalist movements. They have many customs in common with the Muslims; they observe a taboo on the eating of pork, follow the practice of circumcising their sons, and usually veil their women in areas where this is the Muslim practice. In fact, the similarity between the Copts and the Muslims appeared so great that to Lord Cromer they seemed essentially different sides of the same coin.

> The only difference between Copt and Muslim is that the former is an Egyptian who worships in a Christian church, whilst the latter is an Egyptian who worships in a Mohammedan mosque.[19]

To be a Copt in the early part of the 20th century in Egypt meant that one was an Egyptian who shared the traditions of his Muslim fellow citizens but whose aspirations for upward mobility, devotion to education, and activity in business were far above the average. As a result, many Copts were found in the employ of foreign businesses, a larger number were rural land owners and the government bureaucracy was at least 45 percent Coptic.

Socialism led to an expropriation of the large agricultural estates and foreign businesses as well as large domestic concerns, so that for most educated Egyptians the only possible type of occupation was government employment. At the same time, a growing nationalism tended to equate Muslim with Egyptian and to demand that Muslim citizens have their proportionate share of government employment. As early as 1937 the proportion of Copts in the Egyptian civil service had dropped to about 9.1 percent and new appointments are usually made on a Muslim-Copt ratio of about nine to one. Many Copts thus find their fortunes have been confiscated and their career avenues closed. Egyptian census figures state that Copts are about 7.1 percent of the population of Egypt, but the Copts feel that these figures are biased, that their actual representation is 16–20 percent of the population and that a nine to one quota is grossly unfair.

At the same time, the Coptic community is under threat from a nationalism which clothes itself in terms of a secular state and, on this basis, is steadily eliminating all privileges of separate religious communities. Thus the Coptic courts have lost most of their power and the minority must turn to the civil courts where they face Muslim judges. Similarly, the Coptic community has lost the lands the rent from which once gave substantial support to religious and charitable enterprises. The Copt is thus deprived of the protection of his special community status and governed in all the details of his life by a state which is primarily committed to the welfare of the Muslim group. In these circumstances, it is perhaps not surprising that the current Patriarch has apparently turned from a concern for the Coptic community to an effort at reinvigorating the Coptic church in a struggle to make religious faith a vital matter at a time when the re-

[19] Earl of Cromer, *Modern Egypt* (London, 1908), Vol. 5, II, pp. 295–96, cited in G. Baer, *Population and Society in the Arab East* (New York, Praeger, 1960), p. 98.

ligious community is losing its power and cohesion. The success of this effort is still in doubt, although it appears that even if the church becomes a more committed type of fellowship, it is likely to be smaller in numbers, since it is estimated that about 5,000 Copts per year are converting to Islam.[20]

Minority groups tend to have more difficulty when frustrations develop in the country in which they live and the 1972 reports on the situation of the Copts bear out this assumption. It is probably more than a coincidence that as the Egyptian government and people find it difficult to fight Israel, the lot of the Copts appears to be worsening. Press reports list the burning of a Coptic church in Khanka together with a riot in that city after Coptic protests.[21] The Khanka incident is the eleventh such incident during 1972 and Copts are understandably nervous. The current head of the Coptic church, Pope Shenouda, is credited with an activist attitude and, in addition to trying to revive Coptic religious zeal, also seeks greater employment of Copts in government positions. The government is apparently trying to maintain order and protect minorities, but may find this difficult in a time when a frustrated nationalism is seeking scapegoats.

COLORED AND PAGAN MINORITIES

When Malcom X, a black militant leader in America, visited Mecca in 1965 he was somewhat shaken in his racial views. In Mecca he observed what was truly a case of racial integration in which men of all shades of color mingled together in the pilgrimage to the holy places of Islam. Contrary to the teachings of the Black Muslims in America, which he had embraced at an earlier stage, he realized that Islam embraced white as well as black and was truly a religion which stood above human divisions both in its formal teachings and in the nature of its membership.[22] Christian observers might say that the same impression could have been gained by a visit to the World Council of Churches, The Vatican Council, or other international Christian gatherings, but there is still no religious activity in the world involving as large and diversified a group of people as the Muslim pilgrimage.

The major interracial contact of Islam along white and black lines has come in North and East Africa as the Arab traders and their converts have gradually moved north of the Sahara Desert. Usually, when we think

---

[20] Edward Wakin, "The Copts in Egypt," *Middle Eastern Affairs* 12 (Aug.–Sept. 1961): 198–208; also his book, *A Lonely Minority: The Modern Story of the Egyptian Copts* (New York, William Morrow, 1963).

[21] "Copts and Moslems," *Newsweek*, Dec. 4, 1972, p. 47.

[22] Malcolm Little, *The Autobiography of Malcolm X* (New York, Grove Press, 1965), pp. 367–68.

of the white population of Africa, we are considering scattered groups of visiting experts in various countries and the settler populations in South Africa and Rhodesia. Actually, approximately one person in five in Africa is "white," and most of this white population is represented by the Arabs north of the Sahara in the area that the French refer to as *Afrique Blanche.*[23] This region has been the scene of constant exchange between Europe, Africa, and the Asian Middle East since before the time of the Roman Empire and, consequently, has long been an area of interracial contact.

Formal doctrines of integration or exclusion certainly affect the course of such a relationship, but equally important is the nature of the specific contacts. In this case, the contact was frequently between conqueror and conquered and between slave trader and slave. Further, the contact was not between Muslims and other "Peoples of the Book" but between Muslims and pagans. Slave raiding and trading was conducted by the Arabs in East North and Central Africa before the demand for slaves arose on the American continent and continued after the end of slavery in the Western World. Slaves moved in one direction across the Sahara in great caravans, while cargos of salt and textiles moved in another. Although slaves were used in the salt beds and in other forms of public works, their major work was as household servants. Hence there was intimacy, and frequently interbreeding, which made this slavery assume a somewhat different character from that of the plantation slavery in the New World. Notwithstanding the more personal character of this relationship, a dark skin still became a stigma of inferiority. Miner's description of attitudes in the ancient city of Timbuktu would apply to some degree in much of Northern Africa.

> Men in Timbuktu feel that lighter skinned women are more attractive. Aesthetic values, as always, are status linked. Light skin color is associated with the high status groups—Tuareg nobles, Arma, and Arabs. Conversely, the slaves are the darkest skinned and the serfs—Daga and Gabibi—are intermediate. While there may be a few Negroid persons of status, slaves almost never show Caucasoid traits.[24]

Muslim principles dictate that children of Muslim fathers should be accepted with full rights of inheritance regardless of the race or religion of the mother. In Timbuktu, this type of marriage seems to be the occasion for cultural conflict in which the children of a mixed union were often rejected by their siblings who came from a pure Arabic type of parentage and the legal rights of darker skinned children were sometimes not honored in practice.[25] Arabic and Islamic culture tolerated intermarriage between

---

[23] Leon Carl Brown, "Color in Northern Africa," *Daedalus* 96 (Spring 1967): 465.

[24] Horace Miner, "The Primitive City of Timbuctoo," *Memoirs of the American Philosophical Society* 32 (1953). Published for the American Philosophical Society by the Princeton University Press; Copyright by the American Philosophical Society.

[25] Ibid., p. 265.

those of different color and allowed an intimate relation between master and slaves. It also produced, to some degree, the usual type of color consciousness, even though this was not followed by practices of segregation or legalized discrimination.

One reaction to the Arab invasion was for the black Africans to flee further south, and in this manner, most of the Sahara and northward gradually became a white, Arab type of country. However, flight was not always possible and many black groups went through an experience of defeat and subsequent Islamic conversion. In this manner, the Hausa and Fulani became dark-skinned converts to the Islamic Creed and their loyalty in many cases was as staunch as that of their Arab tutors.

INTERACTION BETWEEN MUSLIM AND NON-MUSLIM BLACKS

The contacts of the black Muslims were not so much with the Christians and Jews as with pagan tribes. Since there was no religious basis for the toleration of the pagan group, the Islamic obligation was simply one of conversion in which the might of the sword and the usual techniques of propaganda were equally acceptable. On the other hand, the pagan tribes were frequently too strong to be overcome by Muslim military strength; thus an uneasy period of coexistence emerged which was not sanctioned by any of the norms in Muslim society but was made necessary by a relative balance of power.

It was in this kind of situation that Uthman dan Fodio became both a preacher and a military leader in the area now known as Northern Nigeria. More than a century after Cromwell had engaged in a similar purification of allegedly decadent practices in England, Uthman dan Fodio sought to purify, strengthen, and enlarge Islamic conformity among his people. Not only had the coexistence of many of the pagan tribes been tolerated but this toleration had had the inevitable effect of "contaminating" the Muslims themselves. Some of the chiefs would take more than the allotted four wives; the laws of inheritance were disregarded and a favored son might receive the entire estate in an effort to keep holdings intact; women went around without any type of facial coverings; and prohibitions against usury or excessive prices in the market place were disregarded.

Uthman dan Fodio first gained renown as a preacher and teacher and collected about him a number of other *Ulami* (teachers of Islamic law) to expound the true tenets of Islam and to urge a vigorous adherence regardless of the cost to the privileges of the powerful. This type of teaching naturally aroused the resentment of those who profited from the existing order. The new leader soon found himself the object of military attack. He responded by calling for a jihad (holy war) against both infidels and renegade Muslims. He had such military and political success that the formal structure of societies in this part of Africa became that of the Islamic state.[26] The leading chieftains were defenders of the Faithful who governed according to Islamic law, a pattern so well established that when the English conquered the area in 1900 they continued to utilize these governmental structures through the technique of indirect rule.

As is usually the case, the later followers of the charismatic leader—Uthman dan Fodio—were less concerned with living up to his ideals than they were with maintaining their privileges. The jihad lapsed and the pagan tribes, which today make up perhaps 30 percent of the population of Northern Nigeria, were allowed to exist under the rule of their own chieftains but without any direct political power in the larger state. With the coming of British rule they joined the larger nation of Nigeria, in which a secular state dominated the political order.

In this situation, a pattern of forced tolerance has developed and the law is a mixture of Islamic code, an English type of legislation, and pagan customary law, administered by judges according to the type of situation covered and the religion of those involved. This practice has been generally accepted by the more modern of the Muslim leaders, and yet the Muslim who perhaps was the most influential in recent years, the Sardauna of Sokoto, Sir Ahmadu Bello, launched a vigorous Islamization campaign. In this campaign, he spoke to tremendous rallies in which he pledged himself to give a *riga* ("cloak") and five pounds to any man who converted to Islam as well as to shake his hand personally. In spite of these promises, coming from a man with the prestige of the Premier of Northern Nigeria, the crusade had only limited success and his successors seem more likely to settle for coexistence than to maintain an apparently futile effort to restore a dominance, which, in any event, had never been complete.

Northern Nigeria contrasts with Africa further south of the Sahara, since, in this part of Nigeria, blacks developed Islamic states which, under secular auspices, are still carriers of Muslim culture. It is also an area in which Muslims have learned to coexist with other beliefs, first with pagans and later with Christians as well. Uthman dan Fodio's jihad did not exterminate either paganism or heresy, but it did lay a basis for Muslim influence in this part of Africa.

EPILOGUE

The post–World-War-II era has seen the end of colonialism in Muslim countries and also the continual decay of the historic pattern of majority-minority relationships. The end of western colonialism has not brought either the revival of the Caliphate or the formation of an effective Muslim or Arab federation. Rather, there has been the establishment of small national states whose rulers strive to incorporate the institutional practices

---

[26] Thomas Hodgkin, "Uthman dan Fodio," *Nigeria Magazine* 9 (October 1960): 129–36.

of the West even as they turn out propaganda against its alleged iniquities. The propaganda is not so much directed against Christians or Jews as against capitalists, Zionists, and imperialists. The leaders of the new states are usually Muslim by background, but they have no desire to establish an Islamic state in the traditional sense and regard the most fervent Muslims as reactionaries who are a barrier to modernization. Thus Indonesia and Egypt proclaim themselves to be secular governments although each has a heavy Muslim majority. Even countries such as Pakistan, which do claim to be Islamic states, provide for formal freedom and equality of all citizens regardless of religious adherence.

The extent to which the secularism of the leaders is shared by the masses is difficult to determine. The fact that today's leaders avoid the frontal attack of Mustafa Kemal Ataturk and praise Islam in rhetoric, while curtailing it in practice, indicates a belief that popular religious loyalty is still strong. On the other hand, nationalistic and socialistic beliefs exercise popular passions more frequently than religious dogmas. Likewise, militant right-wing Muslim movements such as Dar ul Islam in Indonesia or the Muslim Brotherhoods in Egypt seem to have been contained fairly easily. It still remains true, however, that a westernized dictator always faces the possibility of a Muslim reaction and hence tends to avoid, if at all possible, a direct confrontation with traditional Islam.

The nature of the Islamic legacy which remains seems to depend upon the type of interaction between religion and nationalism that is taking place in various countries. As far as Jews are concerned, there appears to be little variation in the Middle East and North Africa. The appearance of the state of Israel means that Jews are now not only unbelievers but also enemies of the national state and hence doubly despised. In other areas such as Africa south of the Sahara or the Far East, Jews are not numerous and the Israeli issue seems remote. In these circumstances, diplomatic relations may be maintained with Israel and Jews living in the nation are a tolerated and numerically insignificant minority.

Patterns of interaction with Christians and pagans are more diversified. In Sāudi Arabia, Islamic law is still maintained in the rigid austerity of its traditional interpretation and minorities have no rights except those granted by the indulgence of the majority. In Morocco, Algeria, and Tunis constant pressure is maintained against the rights supposedly granted to Christian minorities, and Christian missions are giving up landholdings and considering whether or not proseletyzing should be completely abandoned. Here the cry of the nationalists against western imperialism is joined by the traditionalists' fear of Christian influence or conversion.[27] Egypt is an avowedly secular state in which the cry of "Egypt for Egyp-

---

[27] Pierre Rondot, "Islam, Christianity and the Modern State," pp. 341–345. John K. Cooley, *Baal, Christ, and Mohammed: Religion and Revolution in North Africa* (New York, Holt, Rinehart and Winston, 1965).

tians" was first raised by a Christian journalist. In Egypt a secular government has formally abolished many of the privileges of religious communities while nationalizing business and regulating the civil service on a quota system. The result is that identity as a Muslim tends to be part of identity as an Egyptian and the Coptic minority is deprived of communal institutions while being subjected to civil authorities predominantly Muslim and being squeezed out of traditional occupations.

Let us now look again at the millet system as it developed under Arab and, later, the Ottoman empires. The millet was a communal organization in which identity was based on religious adherence and the community in turn was governed by the religious law of the group. This system is somewhat more adapted to the religious genius of Judaism, in which the law was the basic component of the faith, than to Christianity, in which, although canon law developed, legalism has always been somewhat suspect. Notwithstanding these difficulties, it did provide a system in which various groups could be ruled in most aspects of their lives by those with whom they shared common values.

Further the millet system institutionalized minority status in a tolerable even if not egalitarian manner. Minority identity was not threatened and the millet had rights which the majority group had obligated themselves to respect.

The effective operation of the millet system rested on four basic premises: (1) a state with limited powers which would allow minorities to make an economic adaptation on the basis of skill and interests, (2) the dominance of the territorial claims of the empire over those of individual nationalities, (3) priority for religious rather than racial or national identification, and (4) priority of Islam over other religious beliefs. To the extent that any of these were weakened the system was in jeopardy.

As long as religion was the major criterion of identity, Arabs, Albanians, Turks, and Kurds could dwell together under the same government. When the religious definition of the empire lost salience and the Sublime Porte (Ottoman Caliph) became a symbol of Turkish hegemony rather than Islamic unity, Arabs, Kurds, and Albanians became susceptible to nationalistic impulses. Likewise, when European powers began to assert the right to protect those associated in religion or nationality, the minority was seen as an actual or potential threat to the empire and often became a victim of persecution.

The acceptance of the dominance of Islam rendered the religious situation noncompetitive and therefore removed the fears of the majority group while it allowed minorities to trade an acknowledgement of subordination for the right to continue a separate existence. The Muslim might feel that the coexistence with a group of unbelievers was a compromise, but his society was secure because conversion of Muslims or even conspicuous minority religious activities were forbidden and his ego was salved by having certain privileges in government such as a lighter burden of taxation. On the other hand, members of minorities were free to pursue their own customs, maintain their own worship, operate their own schools, and try cases in their own religious courts.

When the nationalistic state succeeded the polyglot empire and a planned society with much government activity replaced a laissez faire economy, the millet system was doomed. Now only those who were "nationals" deserved the protection of the state and religion became identified with nationalism. Further, the national state was committed to improving the economic lot of its nationals and hence was obligated to displace aliens from positions they had won in a relatively free market economy.

Now that the empire is dead, nationalism triumphant, the free market subordinate to socialistic planning, and the autonomy of religious communities replaced by all-inclusive secular legislation, the millet system would seem to have lost every major item on which it depended for survival. It does have historical value as a demonstration that there is an alternative to nationalistic particularism and that different groups can live together in the same nation for centuries even though their experience may include occasional massacres and constant discrimination.

Some authorities feel that a modified millet system may be the only way to restore peace to one part of the old Ottoman Empire. Palestine has been the scene of three wars since 1948, based on the refusal of the Arabs to acknowledge partition and a separate Jewish state. Donald Grant suggests that an independent Arab state could be set up in Palestine which would share sovereignty of Jerusalem and would have trade ties with Israel and Jordan.[28] This would seem a far cry from the millets subordinate to the Ottoman Empire, but it does contain the idea of a certain amount of joint relationship together with separate communities under the rules sanctioned by their own culture. Ethnic loyalties are slow to fade whether under benign integration or brutal oppression, and it may be that some aspects of the millet idea will prove viable in the modern age.

The historic Muslim pattern of ethnic relationships was one of cultural pluralism in which the minority had to give definite acknowledgement of the rule of the majority. It flourished in an age when empires were able to contain nationalistic animosities, religious creeds were regarded as the basis for community government, and private enterprise allowed the individual to compete freely in the economic sphere regardless of his ethnic identity. The Muslim pattern of ethnic relations is obviously hard pressed in an age of rampant nationalism, increasing secularism, and expanding socialism. It had no acceptable criteria for dealing with pagans who were not People of the Book, and, even for those with whom kinship was recognized, its rule was often harsh. Notwithstanding these strictures, its sur-

[28] Donald Grant, "After Empires—What?" *Vista* 5 (July–August 1969): 42–49.

vival through the centuries testifies to the fact that a system can be devised under which different groups dwell in the same national territory. It may be that the millet idea is a historical relic, but its past is not without statesmanship and it may survive in altered form in the future as a recognition of the need for respect of subcultural identities within a larger national framework.

IMPLICATIONS FOR INTERGROUP RELATIONS

Certain trends in the Ottoman Empire and in the nations which emerged after its demise are significant for the general field of intergroup relationships. There follows a listing of these specific trends together with an interpretation of their more general application.

Muslim pattern. The Ottoman Empire could survive only as long as it was regarded as more a religious than a secular political regime. This statement is based on the premise that the non-Turkish Muslims would accept Ottoman rule only when the Sultan was viewed more as the Defender of the Faithful than as a Turkish monarch.

General pattern. A political regime which includes several ethnic groups will be accepted if defined in ways which avoid a clash between political loyalties and ethnic identities.

Muslim pattern. The Copts' effort to identify with Egyptian nationalism failed in spite of the fact that many Copts were active in nationalistic struggles. On this point Hourani observes:

> Egyptian nationalism had two faces. On the surface it was a lay movement which linked together Copts and Moslems and was much influenced by ideals of French liberalism . . . there was however a difference between the articulate leadership and the inarticulate spirit of the movement; the latter was much more Islamic than the former.[29]

In other words, the popular definition of Egyptian nationalism tended to exclude the Copts even though this was contrary to the statements of nationalist leaders. The Copts not only were a religious minority, but they also had a degree of social mobility which drew envy from other Egyptians, and it was this factor which made it most difficult for them to be accepted as genuine nationalists.

Generalized pattern. A minority regarded as having invidious status will not be able to gain acceptance through participation in nationalist activities.

Muslim pattern. Efforts by foreign countries to protect minorities in

---

[29] Hourani, *Minorities in the Arab World,* p. 32.

the Ottoman Empire had only temporary effect and frequently backfired by helping to stereotype the minorities as tools of foreign powers.

Generalized pattern. Foreign protection of minorities often deepens the gulf between them and the majority and its effect is proportionate to the power of the foreign government and the weakness of the majority ethnic group.

Muslim pattern. The millet system was based on a recognition of Muslim hegemony by the minorities. Since it is difficult to establish a regime in which each ethnic group has equal power, this leads to the following hypothesis:

General pattern. The functioning of a multiethnic society requires acceptance (whether by force or by inner conviction) of an ethnic group or an ideology as dominant in the society.

Muslim pattern. The expansion of state activity in the nations now occupying the territory of the former Ottoman Empire has threatened minority educational enterprises and economic activities. Any expansion of state functions obviously makes it more feasible for people to gain their ends through state action. Since one of these ends is preference for the ethnic majority, we make the following conclusion:

Generalized pattern. Discrimination against minorities tends to vary directly with the scope of activity by the state. This proposition applies particularly to economic successful minorities which fare well in the private sphere on a competitive basis. It does not apply so well to the proletarian type of submerged minority which has occupied the bottom rung of the competitive ladder. Thus expansion of state enterprise has been accomplished by a diminution of opportunity for the Copts of Egypt and the overseas Chinese in the Philippines and by a heavy onslaught on communal organizations in the case of the Jews of Russia. For the blacks of the United States, expanded enterprise has accompanied an expansion of opportunity and increased social mobility. Similarly, the expansion of state enterprise and concern has probably improved the position of the lower castes in India. We might conclude that the expansion of government roles will probably result in the restriction of a group characterized by a fair-sized successful middle class element but may enhance the position of groups with a large lower class element.

QUESTIONS

1. What was the millet system?
2. Why did the millet system invite intervention by foreign powers in the Ottoman Empire?

3. Why did either the millet system or national independence prove less of a solution for Armenians and Greeks than for other groups in the Ottoman Empire?
4. How did the jihad of Uthman dan Fodio enable the British to govern northern Nigeria by indirect rule? Was the Muslim character of this region an aid or hindrance to the ultimate formation of a Nigerian nation?
5. Was Malcom X correct in stating that Islam represented an interracial religion? How would you explain elements of racism which may be found in Islamic groups?
6. Does the millet system offer any suggestions which may be applicable to the conflict between the state of Israel and the Arab nations?
7. Muslim hegemony was considered an essential part of the millet system. Is there any similarity between the function of Muslim hegemony and the function of Anglo-conformity in the United States?
8. Why would even a fairly administered quota system be regarded as detrimental to the Copts? Is there any alternative to quota systems in the maintenance of harmonious intergroup relations?
9. What were the four situations considered as prerequisites for the efficient functioning of the millet system? Do any of these apply to other patterns of intergroup relations?
10. What effect does socialism have on the welfare of ethnic minorities?

Chapter 9

Nigeria: Secession, civil war, and reunification in a multi-ethnic state

During the period 1968–1970 the mass media were featuring the story of the Nigerian civil war. The southeastern part of the country, taking the name "Biafra," tried to secede, while the Federal government strove to "Keep Nigeria One." The resulting warfare included savage battles and a campaign of attrition which reduced Biafra to near starvation before its final collapse. The Biafran suffering stimulated foreign interest and volunteers from many nations came to its aid, while American senators, McCarthy and Kennedy among others, proclaimed their sympathy for the secessionist regime. Even churches were involved as both Catholic and Protestant agencies organized airlifts to ward off Biafran starvation. Among the major powers, the United States and Great Britain tried to maintain a neutral stance while recognizing the Federal government. France was the principal support of the Biafrans. The Soviet Union became the chief arms supplier for the Federal government.

What was the cause of this bitter warfare in the country of Nigeria, which had seemed to have such a promising future at the time of its independence a few years before? Were the issues at stake unique to Nigeria, or are they found throughout the African continent? Was the struggle, with its numerous charges of atrocities, a case of good guys versus bad guys or was something else at stake? What are the problems of political unity which emerge as we examine the African scene?

ETHNICITY IN AFRICAN COUNTRIES

Most of the recently independent African countries are faced with the problem of welding together diverse peoples who had little or no sense of a common destiny before the colonial period. In many ways, Nigeria is well suited to serve as a case study of this type of multi-ethnic state. Nigeria, from a standpoint of population, is the largest country in Africa, having over 67 million people according to a 1970 estimate. Several countries cover a greater expanse of territory, but its area of 356,669 square miles gives it a respectable territory mass. It is made up of a considerable variety of ethnic units which vary in language, history, and economy. Although the bulk of the country's colonial experience has been with Great Britain, the British followed different policies in various parts of Nigeria, and thus a variety of colonial experiences further contributed to the diversity of the country. In addition to other types of diversity, the area has been a point of contention between two universalistic religions, Islam and Christianity, as well as a number of territorially based animistic faiths.

Especially in Africa, many countries face the task of welding into one nation a collection of peoples usually known as "tribes." Since the usage of the tribal designation has itself become controversial, it is perhaps worth while to look at this topic before plunging directly into the Nigerian situation. The term "tribe" is as vague and as subject to different types of definitions as any collective label. Groups classified as tribes may vary in size from a few hundred people to several million. Some of them have, at one time, been the masters of fair-sized empires with elaborate administrative structures, with a written history which recounts the glorious deeds of their ancestors. Others are small groups of illiterates whose time perspective is limited to the oral tradition conveyed by the elders. The formal definition used by the British administration in Nigeria presents an effort to formulate a statement sufficiently broad to cover the many meanings sometimes involved in tribal classification: ". . . one or more clans descended from one legendary ancestor, though the legend may have been lost; originally observing one common shrine, though the memory may have been lost; speaking one language, though perhaps not the same dialect, and enlarged by assimilated peoples."[1]

In this usage, there is no implication that the term "tribe" applies to any particular degree of cultural development. The British definition allows for the inclusion of groups of a wide variety of social and technological complexity. Nevertheless, the stereotype that "tribe" refers to primitive bands is still widely accepted. In this view, a "tribe" is a small relatively primi-

---

[1] James S. Coleman: *Nigeria: Background to Nationalism,* originally published by the University of California Press; reprinted by permission of the Regents of the University of California.

tive, very cohesive, band of relatives, while "nationality" or "people" refers to large, less cohesive, and more technologically advanced groupings.

Thus, it may be held to be a denigration of African society when Yoruba and Hausa are termed "tribes," while Flemish and Irish are described as "nations" or "peoples." Since words have only the meaning which people attach to them, it is futile to fight a popular stereotype, and in this discussion we will try to avoid the word "tribe" except when referring to literature or customary African practice which uses tribal terminology. In designating significantly differentiated territorially based groupings, we shall use the term "ethnic" as we do in other chapters. Also in this chapter we set forth several generalizations, among them are the following: (1) a solution for ethnic conflict is not solely found in the constitutional guarantees of individual rights, (2) the mere development of a democratic government does not mean that there will be an elimination of ethnically based conflicts, and (3) ethnic groups often question the legitimacy of rules, even supposedly universalistic ones, that are perceived to work against their welfare.

Now let us turn to the substantive problem of incorporating Nigeria ethnic groupings in a modern state. It is hardly fair to blame all of these problems on the British, but, in view of the fact that it is the British who brought Nigeria into being as a sovereign state, a brief discussion of Nigerian-British interaction is perhaps the place to start.

COLONIAL DEVELOPMENT AND REGIONAL DIVERSITY

British contact with the area which eventually became Nigeria dates back to 1553, when vessels under the command of Captain Windham visited Benin harbor.[2] In the 16th and 17th centuries, slaves became the main export of West Africa and the British eventually became the chief suppliers. In the 19th century, the British did an about-face, outlawed the slave trade, and attempted to suppress it through patrolling the coast and influencing African chiefs. Expanded trade in the interior became more feasible with the exploration of the Niger by Richard Lander in 1830. The initial efforts to establish stable relationships between the British traders and the African rulers were made by private trading companies, notably the United African Company and, later, the Royal Niger Company. These companies waged war, drew up treaties, and acted as veritable governments, but eventually surrendered their political functions to the British Crown.

Direct British control in Nigeria was expanded gradually over about a 60-year period. The first instance of governmental takeover occurred in

---

[2] T. O. Elias: *Nigeria: The Development of Its Laws and Constitution* (London, Stevens and Sons, 1967) p. 4.

1861, when Lagos was declared a British protectorate. Shortly thereafter, trading companies had contacts with the Yoruba-speaking people in the area which became known as Western Nigeria; contacts extended in the latter part of the 19th century and the early part of the 20th to the Ibo-speaking people in Eastern Nigeria. Finally, the northern portion of the country, which comprises more than two thirds of the land area, was brought under British control by the conquest by Lord Lugard around the turn of the century.

None of these various regions are entirely homogenous. The Hausa and Fulani are dominant in the Northern Region, and this area was known as the home of the six Hausa states, yet more than a third of the population do not speak Hausa as their native tongue. In the West, about three quarters of the population are Yoruba-speaking, and, in the East, about two thirds may be classified as Ibo-speaking. To some extent, Hausa, Ibo, and Yoruba are spreading as second languages; on the other hand, variations of dialect are sometimes so great as to make it difficult for people who speak the same basic language to communicate with each other. This is especially true in the Ibo-speaking regions.[3] Hausa, Yoruba, and Ibo have contended for influence in Nigeria and have also been plagued by problems concerning their relationship to minority peoples within the areas where they predominate. In the southern portions of the Northern Region is an area known as the "middle belt," whose ethnic groups include the Nupe, Tiv, Igala, and Idoma, along with a number of very small tribes; as contrasted to the Hausa and Fulani who are a majority in the rest of the old Northern Region. This so-called "middle belt" has also seen a much greater exposure to Christianity than have the Hausa-Fulani areas and thus represents a minority religious group within the North. In the Western Region, a feeling of distinction between Yorubas and such groups as the Bini, Ishan, and Ibos was strong enough to stimulate the creation of still another region, the Mid-West. Also major internal splits among the Yoruba sometimes made intragroup rivalry nearly as severe as that between ethnic groups. The Ibos, the smallest of the major ethnic groups, have been forced to deal with a number of smaller groups who, in a sense, form a minority within a minority. Thus, the North, the West, the East and later, the Mid-West, frequently conceived of themselves as distinct regional groupings which were contending for power, but each of these was riven by divisions within its own borders. It is estimated that there are approximately 248 distinct languages within Nigeria, most of them spoken by small tribes, but a few by several million people. Although the Hausa-Fulani are the largest ethnic grouping, they do not comprise

---

[3] K. M. Buchanan and J. C. Pugh, *Land and People in Nigeria* (London, University of London Press, 1965), p. 94.

more than a third of the Nigerian population and there is no "majority" group.[4]

Having looked briefly at the ethnic composition of the regions let us now turn back to the topic of British penetration. The annexation of Lagos served as a stimulus to further expansion of British governmental control. Lagos had been depicted as a stronghold for slave holding and slave trading which the British were committed to suppress. It was also extremely important as a shipping center for other types of commerce. British annexation of Lagos thus served a dual function of helping to suppress the slave trade and, at the same time, of protecting British commerce. British commerce soon demanded expansion of government protection into the interior of the country. British Consuls were established in various places and, in 1885, the British established the Oil Rivers Protectorate, which in 1893 was changed to become the Niger Coast Protectorate and eventually became the Protectorate of Southern Nigeria, after the charter of the Royal Niger Company was revoked.

In the meantime, the British traders had been penetrating into northern Nigeria, but were finding resistance from native chiefs as well as competition by French trading companies. British control moved north in 1900, when Sir Frederick Lugard, after defeating the Sultan of Sokoto, proclaimed the protectorate of Northern Nigeria. In 1906, the Protectorate of Lagos was amalgamated with the Southern provinces and, in 1914, for the first time, the North and South were amalgamated under a common administration. This common administration still kept two lieutenant governors, one responsible for the North and one for the South, and did not end the separate development of the Northern and Southern areas.

The last two areas to come under British rule were the North and Iboland. The North was late in coming under British influence because British traders at first worked through African middlemen in the Niger Delta rather than penetrating the region themselves and also because a string of fairly substantial monarchies constituted a seemingly formidable barrier to British incursion. The Ibos in the Southeast had been on the periphery of British influence until trade expansion pushed in their direc-

[4] The following estimate of regions and tribes in 1963 was made by Robin Luckham, *The Nigerian Military: A Sociological Analysis of Authority and Revolt 1960–1967* (London, Cambridge University Press, 1971), p. 208.

Region	*Population (millions)*	*Major constituents (millions)*
North	29.8	Hausa-Fulani, 16,
East	12.4	Ibo, 10
Mid-West	2.5	
West	10.3	Yoruba, 9, plus
Lagos	7.0	Northern Yoruba, 1.9

tion. Their incorporation in the British domain was delayed for exactly the opposite reason of that of the North; they had no large kingdoms and, hence, no leaders with whom the British could make treaties and thus bring large areas under their domain. The result was a gradual extension of British rule, village by village, until it was firmly established by the end of World War I.

British Rule in the North

Looking first at the Northern invasion, we find Lord Lugard racing with the French to establish contacts for trade in this area in the 1890s and finally, without the formal approval of the British colonial office, waging a war against the Sultan of Sokoto which had the effect of bringing the whole Northern area under the British domain. It was in the North that Lugard established his famous principle of governing by "indirect rule." It was his policy, while bringing in the "Pax Britannica," to rule through the traditional authorities. The Sultan of Sokoto and the leading Emirs were provided with British advisors who were charged with the twofold duty of maintaining a respect for the authority of the local rulers on the one hand and establishing a regime safe for British commerce on the other. The two duties were not regarded as incompatible and in a very short time, the British came to be regarded as bulwarks of the native aristocracy. In fact, in 1907, a revolt against the British was crushed with the aid of the Sultan of Sokoto.

Not only did the British respect the governmental system of the North; they also strove to leave the social life and customs of the people as untouched as possible. Some change was unavoidable, however, when the extension of commerce in the North led to the planting of groundnuts and cotton and their shipment to southern ports. This required the aid of a small army of middlemen whose services were necessary but not rewarding enough to justify the importation of a sufficient number of British.

The need for middlemen, clerks, and semiskilled laborers was met, to a great extent, by southern Nigerians who migrated north. The usual pattern of residence in Nigerian cities was for migrants who were not of the local ethnic group to live in quarters on the periphery of the old city, known as *Sabon Gari* (or simply *Sabo* in the South) which means literally "new city." The migrants could thus maintain their own customs, and even have their own "chiefs," while at the same time they interacted economically with the total community. This residential segregation was seen as a device whereby the group could retain its own culture and be a member of the host society in only a symbiotic sense. It was occasionally breached in practice, and people who had long been in residence in the area or whose culture resembled that of the local majority might live in the nuclear city. Both Ibos and Yoruba were found in the *Sabon Garis,* but the Muslim Yoruba occasionally lived in the old city.

This pattern was thought to facilitate the existence of migrants in all regions. In the North, it promoted economic development (and at the same time exacerbated ethnic jealousies) by bringing in from the South, Nigerians who had acquired a European type of education. In this fashion, northern economic development took place without a massive expansion of European-style educational facilities.

The lack of educational progress in the North did not particularly distress the British administrators. Indeed, Lugard regarded the rapid expansion of education in English as being a threat to colonial rule: ". . . the premature teaching of English . . . inevitably leads to utter disrespect for British and native ideals alike, and to a denationalized and disorganized population."[5]

Lugard's reluctance to make provision for a western type of education was aided by the Muslim character of the Northern Region. In his communication to the traditional Muslim rulers, Lugard promised that the government would not force the introduction of Christian missions upon them. Since at that time the great bulk of educational activity was carried on by missions, a ban on missions meant in effect a ban on the Western type of education. There were two exceptions to Lugard's anti-missionary policy which did allow the growth of a small number of educated men in the Northern Region without altering the essential character of the area. Missionaries were allowed to work among the pagan tribes of the North, and several missions of this type were established. They were also allowed to come in under specific invitation by one of the Emirs, which happened in at least two places. However, the general barrier to missionary advance was strong enough that when the Western Region proclaimed universal primary schooling in the 1950s (universal schooling was more a formal aim than a real condition, but the gap between West and North was still tremendous) the North had only about six percent of its children in some type of school, although, by that time, missions had been expanded and government schools had been opened as well.

British colonial rule in Northern Nigeria had meant the building of roads and railways, the suppression of wars between local chiefs, an increase in agricultural production, and an expansion of commerce. None of this development involved a violent break with Islamic or tribal customs. The Emirs still kept their palaces and the right to hold court, including imposition of the death sentence. The predominant mode of education remained the Koranic schools in which a small proportion of the children of the area absorbed enough Arabic to enable them to participate in Islamic services. Most of the elements of commerce were carried on either by aliens, or by Nigerians from other parts of the country, and, although

---

[5] F. D. Lugard, *Annual Reports, Northern Nigeria, 1900–1911,* cited in Coleman, *Nigeria,* p. 137.

groundnuts, cotton, and tobacco provided cash crops, the life of most of the Hausa and Fulani went on pretty much the same after the entry of the British as it had before. The alliance between the British colonial authorities and the traditional rulers seemed to be strengthened by all these developments. British rule increased the security of the rulers' realms and the receipts of his tax collectors. If it also meant the erosion of the Emir's power, this was so gradual a process, and the interim benefits were so great, that little protest was aroused. The limitation of education meant that there was no clamorous group of natives with a western education who were frustrated by a lack of opportunity; rather, the few educated Northerners were quickly absorbed in positions in government. The British were not only the strongest power, to whom no viable alternative was seen; they were also protectors of the North against the South. On occasion, this was quite frankly acknowledged as in the statement attributed to one Emir to the effect that he greatly preferred the white Britons as teachers and government servants to southern Nigerians.[6]

Northern traditionalism did not make fertile ground for the spread of nationalist sentiment. This came out very clearly in 1953 when the Northern delegates to the Nigerian Parliament refused to support a request to the British to establish a definite date for the granting of independence. The reason for the Northern attitude was a fear that the departure of the British might simply lead to the domination of the North by the South. It was taken for granted that an independent government required an educated personnel to carry out government activities. Since the North lacked an educated personnel large enough to staff government offices, this was interpreted as meaning that, in the words of Coleman, "in a self-governing Nigeria the North would, in effect, be a backward protectorate governed by Southerners."[7] The editor of the Hausa paper *Gaskiya Ta Fi Kwabo* expressed the situation thus:

> . . . Southerners will take the places of the Europeans in the North. What is there to stop them? They look and see it is thus at the present time. There are Europeans but, undoubtedly, it is the Southerner who has the power in the North. They have control of the railway stations; of the Post Offices; of Government Hospitals; of the canteens; the majority employed in the Kaduna Secretariat and in the Public Works Department are all Southerners; in all the different departments of Government it is the Southerner who has the power.[8]

In summary, a half century of British occupation had left the Northern part of Nigeria peaceful and commercially developed to the extent of maintaining an export agriculture. The region had a government which

---

[6] Coleman, *Nigeria,* p. 360.

[7] Ibid., p. 361.

[8] *Gaskiya Ta Fi Kwabo,* Feb. 18, 1950, cited in *Report on the Kano Disturbances,* p. 45, and in Coleman, *Nigeria,* p. 362.

was an efficient agency for maintaining order, raising taxes, and operating a nucleus of schools and social services. At the same time, the core Hausa-Fulani society was only lightly touched by westernization. Through support of the traditional rulers, the British had obtained the support of the Northern area, and by the same policies had fostered, often unwittingly, a policy which lent itself to a maximum of suspicion between the North and the South. The British policy had, it is true, brought in a nation which had not previously existed, but for the North, the price of any degree of cooperation in national affairs was a jealous insistence on its own autonomy as well as a veto power in all national decisions. The history of the period before and immediately after independence is very largely the story of the struggle of the North to protect itself against feared Southern domination and the effort of the South to win a greater degree of control of governmental machinery.

DEVELOPMENT OF THE IBOS

In many ways, social conditions in the Ibo district were exactly the opposite of those in the Northern areas. While much of the North was uncultivated; the Ibos had one of the most densely populated rural areas of any place in the world; meaning that, as Ibo population increased, it was more and more difficult for the sons to earn a living on the farms which had occupied their fathers. The North was characterized by strong hierarchial regimes, the Ibo territory by smaller, mostly village types of governments in which there was no chief in the sense of one who had recognized authority over his people, but a variety of more democratic types of decision making. The Ibos were regarded as individualistic and competitive; the Northerners as regimented and cooperative. Although the Hausa traders linked Nigeria with northern Africa and the "cattle Fulani" would drive their herds 500 miles to Southern ports, the bulk of the Northerners found it possible to earn a living within their ancestral villages. For the Ibo, even subsistence status often meant moving away from his traditional area. The North thus provided a relatively stable type of social system offering a fairly satisfactory life to its inhabitants, while for the Ibos mere survival, not to speak of improvement, necessitated either a change in occupation or a movement to a new area.

The Ibos relation to Christian missions helps to pinpoint this type of difference. While the Ibos had oracles whose fame spread over a considerable region, the bulk of their religious practices consisted of animistic ceremonies which varied from village to village and which did not have the effect of imposing a common religious loyalty over a large area. Christian missions in Iboland had to compete with traditional beliefs, but they were competing with a fragmented type of native religion which could not boast of a systematic type of theology comparable to either Islam or

Christianity. Further, the schools offered by the Christian missions were not seen as a threat to the society, but as a means of social mobility. The Ibos responded eagerly to the approach of Christian missions and were converted in large numbers, so that, within a short time, the East had the highest percentage of Christians of any area in Nigeria.

Not only did strong Christian institutions develop rapidly in the Eastern region, the homeland of the Ibos, but frequently both Protestant and Catholic churches in the Northern areas were primarily supported by Ibo adherents. The acceptance of Christianity, was, of course, coupled with an acceptance of the western mode of education. While the Yorubas had the most extensive early contacts with the British and therefore were, for a long time, the leaders in English literacy, the Ibos rapidly closed the gap, and, by the time of independence in 1960, had probably exceeded the Yorubas in the proportion of educated persons. Their relation with the Yorubas was a highly competitive one as they each sought places in the government bureaucracy and in the school systems.

Although the Ibos have been characterized as competitive, they have also developed certain means of tribal cooperation. These included the formation of age groups, which were especially effective in binding the young men together in various types of voluntary societies, and an elaborate development of markets. This type of voluntary group and trading relationships gave rise to complaints among other Nigerians that the Ibos were clannish people who worked together for their interests. In contrast, the Yorubas were notorious for intragroup quarreling.

The achievement ethic of the Ibos has been documented in a rather unusual way by LeVine,[9] who used the analysis of patterns found in schoolboy dreams to supplement data gained from public opinion polls. The public opinion polls showed that on such questions as desire for self-government and commitment to progress through technological advance, the Ibos were the most achievement-oriented, with the Hausa last and the Yorubas in an intermediate position. On the other hand, a questionnaire designed to test social compliance and obedience, which would presumably indicate acceptance of traditional status, showed Hausas first, Ibos last, and the Yorubas again in an intermediate position.

This is a type of result that even a casual observer might expect if one assumes any relation at all between achievement motivation and social mobility. The sample was chosen in such a way that it might easily have exaggerated the extent of achievement motivation among the Hausa, since school attendance might be assumed to represent more of a mobility orientation than is present in the general population. However, the findings showed the greatest amount of achievement imagery in dreams among the

---

[9] Robert A. LeVine, *Dreams and Deeds: Achievement and Motivation in Nigeria* (Chicago, University of Chicago Press, 1966).

Ibos, with the southern Yorubas, northern Yorubas and Hausa following in that order.[10]

This achievement ideology had some political repercussions, since it served to condemn the non-Ibo part of the population as backward people needing some drastic type of reconstruction. Thus Chike Obi, an Ibo university lecturer and politician, writes in favor of military dictatorship in 1962 because it would: "succeed in persuading the illiterate, ignorant, lazy, individualistic and undisciplined natives of Nigeria to make great physical and mental sacrifice . . . for the defense of their country and for the common good."[11]

The Ibos and the Yorubas occupied a similar position in the Nigerian social structure. Both of them were found in rather large numbers in Northern cities, where they served as mechanics, merchants, and clerks for government and business. Both were regarded by the Northerners as somewhat exploitive outsiders; the Ibos were recipients of the greater degree of animosity as a conspicious group which had most recently moved into the area. Many of the Yorubas were Muslim, which may have lessened Hausa hostility.

Certainly the evidence from riots bears out the idea that greater hostility was expressed against the Ibos. One of the first examples was the Kano riot in 1953.[12] At this time Southern-Northern relations were extremely tense because of political controversies which included the refusal of Northern representatives to endorse a request that the British establish Nigerian independence in 1956. It is especially significant that all the dead and most of the injured were Ibos, since the riot was touched off by reports that a Yoruba political leader was going to speak in Kano. Kano was the largest city in the Northern region, and the Yoruba leader had denounced Northern representatives as "despots and British stooges." The speech was cancelled at the request of the British resident, but resentment still touched off a riot in which Ibos were the principal victims. This pattern of greater Ibo vulnerability also held in the riots in 1966, when the victims were Easterners, mostly, but not exclusively, Ibo.[13] In fact Yorubas were even able to move into jobs in the North which had been vacated by fleeing Ibos.[14] This immunity of the Yorubas from Hausa-Fulani pres-

---

[10] Ibid., p. 78.

[11] Chike Obi, *Our Struggle* (Yaba, Pacific Printers, 1962), cited in LeVine, *Dreams and Deeds*, p. 76.

[12] John N. Paden, "Communal Competition, Conflict and Violence in Kano," in Robert Melson and Howard Wolpe (eds.) *Nigeria: Modernization and the Politics of Communalism* (Lansing, Mich., State University Press, 1971), p. 132. Michael Crowder. *A Short History of Nigeria* (New York, Frederick A. Praeger, 1966), p. 284.

[13] Luckham, *The Nigerian Military*, p. 272.

[14] Stanley Meisler, "The Nigeria Which Is Not at War," *Africa Report* 15 (January 1970): 16–17; reprinted under title "Report From the Federal Side," in Nancy L. Hoepl (ed.), *West Africa Today* (New York, H. W. Wilson, 1971), p. 83.

sure was neither secure nor complete, and after the Ibos had been expelled from the North, especially during the civil war, rivalry between the northern Yorubas and other Northerners increased. In the competition for civil service or university positions, for instance, northern Yorubas were preferred to Nigerians outside the region, but had little chance in competition with non-Yoruba Northerners. On occasion, Yorubas would be passed over and positions left vacant in the hope that non-Yoruba Northerners would soon become eligible. As the war progressed, there were even rumors of further riots in which the northern Yorubas might be the next victims:

> A year ago rumors swept through Kano and Kaduna that the Hausas intended to slaughter the Yorubas just as the Ibos were slaughtered three years ago. Firm talk by the emirs and the military governors, however calmed the Hausas, and the massacre never materialized.[15]

THE MINORITIES COMMISSION

From a chronological viewpoint we have jumped ahead of the script, since we have left the colonial period and followed interethnic relations in the North into the period of independence and civil war. Perhaps we should now turn back again to the British period and assess ethnic relationships at the time when the British were getting ready to abandon their suzerainty. Warfare had been a rather constant feature in precolonial Nigeria and its enforced cessation during the colonial period is often referred to as the "Pax Britannica." The British had indeed prevented traditional rivalries from flaring into open warfare, and they had also maintained freedom of movement throughout the territory and had inaugurated a national administration which gave those living in the territory some sense of common status.

On the other hand, the regions corresponded, in some degree, to ethnic divisions, and democratic politics often exploited ethnic rivalries and fears. Further, the economic development induced by the British brought new struggles for a favorable position in the modern economy. In 1957, three years before independence, ethnic antagonisms were sufficiently intense that the British organized a Minorities Commission to see what could be done to allay fears of ethnic groups who anticipated trouble once the British had withdrawn.

One of the first issues the Commission faced was the demand that the existing regions be divided into smaller units. This demand was based on the belief that the ability of one major ethnic group to dominate each region stimulated ethnic conflict. It was argued that this occurred because the ability of the Ibos, Hausa-Fulani, and Yoruba to dominate their re-

---

[15] Ibid., p. 84.

spective regions both crushed the smaller ethnic groups and increased the influence of the major ones. The creation of additional and, therefore, of smaller regions would both provide a shelter for some of the smaller minorities and also be a way of limiting the voice of the larger groups in the national government.

The Minorities Commission recognized that some of the fears of the smaller minorities were justified, but refused to recommend the creation of additional regions; rather they proposed that human rights clauses be inserted in the constitution so that members of minority groups would be protected by guarantees affirming the rights of individual citizens.

The Minorities Commission drew on the United Nations Convention on Human Rights. The following excerpt dealing with discrimination is interesting, since the note concerning the Northern Region indicates that even drawing up general principles for the Nigerian situation was not a simple matter. The proviso referred to was to allow a period of grace for the Northern Region's policy of "northernization" under which Nigerians from other areas were discriminated against in government jobs. This was a relatively minor issue at the time but one which foreshadowed increased tensions still to come.

Group E. Discrimination

(14) The Enjoyment of Fundamental Rights without Discrimination

The enjoyment of the fundamental rights set forth in the Convention shall be secured without discrimination on any ground such as sex, race, colour, language, religion, political or other opinion, national or social origin, association with a national minority, property, birth or other status . . .

Note: It may be necessary to make provision for an exception in times of war or other public emergency.

(15) Protection against Discrimination

(i) No enactment of any Legislature in Nigeria, and no instrument or executive or administrative action of any Government in Nigeria shall (either expressly or in its practical application)

(a) subject persons of any community, tribe, place of origin, religion or political opinion to disabilities or restrictions of which persons of other communities, tribes, places of origin, religions or political opinions are not made subject;
or

(b) confer on persons of any community, tribe, place or origin, religion or political opinion any privilege or advantage which is not conferred on persons of other communities, tribes, places of origin, religions or political opinions.

(ii) Nothing in this provision shall prevent the prescription of proper qualifications for the public service.

Note: It may be that in the Northern Region some proviso to the prohibition[16] *in this clause may be necessary for a limited period.*

The commission evidently proceeded by analogy with the American and the British practice which was to guarantee not group rights, but individual rights, on the theory that a government committed to the protection of individual rights would also be committed to the protection of minorities.

The recommendations of the Minorities Commission did influence the framers of the Nigerian Constitution, and a whole chapter of that document is devoted to a bill of rights. These are taken from the United Nations Universal Declaration of Human Rights. Not only are such rights listed but machinery is provided for their enforcement through appeal to the regional High Courts.[17]

These provisions have been criticized[18] on the grounds that they exempt prevailing practices such as employment preference within regions for natives of those regions and the use of caning (beating) as criminal punishment in the North. There is also criticism that the social rights of the Universal Declaration of Human Rights, such as the right to education and the right to work, were excluded. Finally, in addition to specific exceptions, most of the the rights listed are followed by wording which provides, "Nothing in this section shall invalidate any law that is reasonably justified in a democratic society."[19]

The preceding criticisms of the constitutional provisions for human rights should not be exaggerated. Indeed, they do not even touch on the principal defect of this type of approach to minority protection. The chief difficulty was not of wording or of subject matter, but rather that no kind of constitutional guarantee of individual rights could have protected minority individuals in the face of constantly mounting civil strife. No constitutional guarantees would have enabled a weak government to maintain domestic tranquility when confronted with growing ethnic tensions expressed in riots, massacres, and expulsion. In effect, the Minorities Commission sought to protect Nigeria from the slashing wounds of ethnic conflict by applying the Band-Aid of constitutional guarantees of individual rights. It was a remedy directed to individual privileges when major

---

[16] Henry Willinck, Gordon Hadow, Philip Mason, J. B. Shearer, *Report of the Commission Appointed to Enquire into the Fears of Minorities and the Means of Allaying Them* (London, Her Majesty's Stationery Office, 1958), p. 102.

[17] Oluwole Idowu Odumosu, "Constitutional Development," in L. Franklin Blitz (ed.), *The Politics and Administration of Nigerian Government* (London, Sweet and Maxwell, Ltd., and Lagos, African Universities Press for the Institute of Administration, Zaria, Nigeria, 1965), p. 54.

[18] Obafemi Awolowo, *Thoughts on Nigerian Constitution* (Ibadan, Oxford University Press, 1966), pp. 120–22.

[19] Ibid., p. 121.

structural changes in the government were required. Such criticism is easy to make in retrospect, but in all fairness, it must be added that there is no assurance that recommendations for structural change would have been adopted by the Nigerians or that they would have been successful if put to the test. In fact, ethnic cleavages were so deep, and support for a united Nigeria so limited that it is doubtful if any specific changes could have prevented the eventual civil war.

REGIONAL POLITICS AFTER INDEPENDENCE

Nigerian nationalists were often torn by the question whether nationalism meant a concern for ethnic identity and regional independence or for a united Nigeria in which their region would share sovereignty with several others. There were obvious advantages to being a part of a larger country, and Nigerians could not escape the pressure toward nation building which was manifested in other parts of the continent. Nevertheless, they were painfully aware of the fact that the creation of Nigeria had been much more the result of British than of Nigerian efforts. Perhaps the extreme form of the statement along this line is the utterance in 1947 of Obafemi Awolowo, a leading politician of Yoruba background: "Nigeria is not a nation. It is a mere geographical expression. There are no "Nigerians" in the same sense as there are "English," "Welsh," or "French." The word "Nigerian" is merely a distinctive appelation to distinguish those who live within the boundaries of Nigeria from those who do not."[20]

Nevertheless, in spite of all the reservations felt by politicians, independence did come to a united Nigeria in 1960. The pattern was one in which the North, by virtue of its dominance, with respect to population, was given (in practice) control of the House of Representatives and, therefore, the government. On the other hand, the three regions, with the Midwest added later, were given a high degree of autonomy relative to the federal authority. They had a major voice in education, agricultural policies and health services and kept "residual control" of all powers not specifically given to the federal government. They had the right to levy their own taxes and to share in those collected by the federal regime.

The federal government was given some taxing power, control of foreign relations, and the right to maintain an army. So powerful were the individual regions that they were sometimes each represented by individual missions abroad. For instance, all of the regions maintained offices in London for the hiring of expatriate personnel who, at this time, were still considered essential for the manning of Nigerian business and governmental institutions.

---

[20] Obafemi Awolowo, *Path to Nigerian Freedom* (London, Faber and Faber, 1947), pp. 47–48.

Whatever the difficulties ahead it looked as though Nigeria could expect a bright future. Its government was a democratic organization bringing together the largest number of people of any country in Africa. Independence had come with the blessing of the British and the promise of substantial aid, which was augmented by the United States International Aid Program, as well. The first years of independence saw a rapid expansion of education and transportation facilities along with a minor beginning of industrialization and the discovery of large supplies of oil. In spite of reports of widespread corruption and inefficiency, there was an undoubted quickening of economic life and there was much to be said for the viewpoint that Nigeria represented a dynamic and democratic type of state which in many ways might be setting a pattern for Africa.

The other side of the coin was that the political parties soon found that they were primarily based on regional support. There were essentially one Northern party and two Southern parties, one of which was stronger with the Ibos and the other with the Yorubas. The Northern party governed the nation with the aid of one of the Southern parties amid constant complaints of regional and ethnic discrimination. At the same time, the ostentatious living of the leaders of government, the padding of government payrolls which increased many fold from the time of British suzerainty, and the generally accepted practice of adding 10 percent to all contracts to provide loot for prominent officials, brought the government into disrepute. Numerous crises arose, and in the fifth year of independence, in 1964, indications of coercion and fraud in the election were so evident that the President of the Republic was reluctant to accept the election figures as the basis for a new government. The first five years of Nigerian independence produced some degree of progress, but they also saw the increase of ethnic animosities and a general decline of faith held by the educated portions of the Nigerian public in leading government figures.

The escalation of regional and tribal animosities and the loss of confidence in political leaders soon led to the overthrow of the civilian government. Coup was followed by counter coup and then by the Biafran attempt at secession. Since the military played a major role in these events, we now turn to a discussion of the armed forces in relation to ethnic conflict.

THE MILITARY

To a great extent, it might be said that the more slowly the British handed over a part of the governmental apparatus to Nigerian control, the greater was the national influence and the less the regional. This was because Nigerian control invariably meant the emergence of regional rivalries which the British held in check as long as they were in power. The army was one of the last departments of government to become free of

British control. Probably this was because a colonial government fears that its authority would be threatened if the armed forces came under indigenous authority and therefore hangs on to the armed forces until the eve of independence. Even under British control, regional rivalries, although suppressed, were nonetheless present. With Nigerian control, these rivalries became a major problem for the army.

Under British control, the regional and tribal composition of the armed forces could be disregarded because the ultimate authority was so obviously removed from ethnic intrigue. When the military came under Nigerian authority, however, the potential role of the armed forces in ethnic rivalry was so great that carefully developed plans to keep the military removed from ethnic conflict proved ineffectual.

When, in 1958, the army finally came under Nigerian authority, most of the commissioned and noncommissioned officers were British, a majority of the enlisted men were of Northern origin, and the few indigenous officers were mostly from the South.[21] The events between 1958 and 1965 saw the complete replacement of British officers by Nigerians and an effort to equalize regional distribution both in the enlisted and in the officer ranks. Supposedly, both for officers and enlisted men, recruitment was to proceed on a basis of 50 percent from the North and 25 percent from each of the Southern regions. Exact information on the composition of the enlisted personnel is not available except that the Western region was quite underrepresented, with only 700 soldiers at the end of 1966, while the North continued to have a predominance in the number of common soldiers. Information on the officer ranks reveals a gradual shift from South to North with a continuing majority of Southern officers as seen in Table 9–1.

The question whether or not the army was really national in character depends upon attitudes as well as upon the composition of various ethnic groups. In this respect, it is significant that a Northern prime minister appointed General Ironsi, an Ibo, as the first Nigerian general to replace the British commander who left at the end of 1964. Ironsi's appointment was not recommended by the departing British commander and might easily have been avoided if the prime minister had desired to do so. Apparently, however, the prime minister felt that passing over an Ibo officer's claim to seniority would promote friction and insecurity among Ibo officers and thus undermine army cohesion. The army also followed a policy of frequent transfer of both enlisted men and officers from one region of the country to another, partially to prevent the cementing of local and, therefore inevitably, tribal ties.

The size of the army was felt to be an insurance that it would be the defender rather than the master of the country. Since the army comprised

[21] Discussion in this section is heavily indebted to Robin Luckham, *The Nigerian Military*.

only 7,000 at the time of independence and by 1965 had increased only to 10,000, it was thought that the threat of a coup by so small a group in so large a country would be minimal. At the same time, the pay of both soldiers and officers was approximately doubled between 1958 and 1960 so that it could be regarded as being at least the equivalent of the pay of other government employees.

TABLE 9–1

Regional/Ethnic Composition of Officers Commissioned 1958–61 (combat officers only)

Year of commission	*North*	*Yoruba*	*Ibo*	*Other from South*	*Percent Northern*
Before 1958	5	6	11	5	20.0
1958	1	0	6	1	12.5
1959	0	3	9	1	0.0
1960	4	3	8	4	21.0
1961	16	9	14	3	36.0

Sources: *Federation of Nigeria, Official Gazette,* plus estimates of ethnic/regional distribution as given in Chapter 9, subject to small margin of error. Luckham, *The Nigerian Military,* p. 245.

One feature which made the national image of the army somewhat difficult to preserve was its involvement in essentially political disputes in the first five years of independence. These included intratribal conflicts among the Tivs, a middle belt group; in 1960 and 1964, an internal political crisis of the Action Group in the Western Region of Nigeria in 1962 and conflict over the election in same region in 1965. Even the participation of Nigerian troops in the United Nations Congo operation in 1961 seemed to many Nigerians essentially a political type of operation. In the federal election crisis in 1964, the use of troops was considered, but was decided against on the ground that it would encourage politicization of the army, although earlier, during that year, the army had been utilized in an attempt to maintain some essential services during a general strike. Luckham summarizes the impact of political concern on the army as follows:

> After one major political crisis occurred in Nigeria after another from the suppression of the Action Group in the Western Region in 1962 onwards, the talk in officers messes became increasingly political. By 1964 at the latest several groups of officers thought military intervention "to stop the political mess" was likely, though this is not to say they necessarily thought then of staging a coup themselves. Major General Gowon says that he twice had occasion to warn military colleagues (then at the Lt. Colonel level) to desist from talking about the seizure of political power.[22]

[22] Robin Luckham, "The Nigerian Military: A Case Study in Institutional Breakdown" (Ph.D. Dissertation, University of Chicago, 1969), p. 119.

The concern of army officers for essentially political issues does not mean that their attitudes were ethnic rather than national; rather, it indicates that in any discussion of Nigerian politics, national and ethnic concerns become intermingled, both in the eyes of the participants themselves and in the appraisals which others make of their action. Perhaps this interplay of ethnic and nationality sentiments is best seen in the military coup which ended the first civilian Nigerian government on January 15, 1966. This was a coup which proclaimed the death knell of tribalism[23] and yet was later alleged to be an Ibo attempt to take over the government for ethnic aggrandizement.

BACKGROUND OF THE COUP

Tranquillity and unity in a democratic state depend on the willingness of contending forces to accept the results of the election process even if this means their removal from seats of power. In Nigeria, the enmity between the leading ethnic groups was so strong that it was not possible for them to take this view of the electoral process. Instead, every election was fought as though it was setting the terms of political life for eternity and every aspect of the process was questioned. Even the allocation of seats in the legislature on the basis of population became an issue almost impossible to resolve. Charges of fraud in the census in 1962 were so widespread that the census was never officially sanctioned and another census was taken in 1963. This census was not accepted by all the government officials, it was also widely regarded as designed to artificially boost the supremacy of the North, and its legitimacy was never accepted by the Southerners.

Charges of fraud in the counting of votes or in the certifying of candidates were so serious that the Eastern Region refused to participate in the 1964 election and the government was formed without its votes.[24] The president of Nigeria, Dr. Nmandi Azikiwe, an Ibo, asked for army support to annul the results of the election and order new polls. This army support was refused by the expatriate commanding officer, Major General Welby-Everard, on the grounds that the powers of the president were formal in nature and only the prime minister had the kind of authority which the president had attempted to assume. The prime minister was a Northerner and in sympathy with the results of the election, and hence no action was taken.

In the fall of 1965, another electoral crisis erupted in the Western Re-

---

[23] Based on initial proclamation of the coup leaders, cited in S. K. Panter-Brick (ed.), *Nigerian Politics and Military Rule: Prelude to the Civil War* (London, Ahlone Press, 1970), pp. 184–86.

[24] Polls were eventually held in the East early in 1965, so that it finally did have an influence on the federal government, although the abstention from voting of Ibos in other regions caused the defeat of some candidates.

gion. At this time, Chief Akintola, an ally of the leading Northern politicians, was attempting to maintain the position of the newly established NNDP party and therefore his position as premier of the Western Region. Charges were made that boxes were stuffed with fraudulent votes, that the votes were miscounted, and that opposition candidates were not allowed to run. Although Chief Akintola's party supposedly received a heavy majority, resentment was so great that widespread rioting ensued in the Western Region. The rioting was beyond the power of the police to suppress and it seemed that restoration of peace in the West required either a political compromise or the restoration of order by the action of the Nigerian army. A political compromise would have been considered a defeat, both for Chief Akintola and for his Northern supporters. They were reluctant to call in the army and not altogether certain of its reliability, but rumor had it that this step was under consideration in January 1966.

By November 1965, there were many rumors of possible attempts at a coup by discontented officers who felt that only decisive action by the army could end what they felt had become a scandal of political corruption and ineffectiveness; such reports were apparently ignored, possibly because there were so many of them. Luckham[25] asserts that there may have been as many as four different hypothetical plots reported.

At least one of these plots was far from hypothetical. A group of army officers, mostly majors and mostly of Ibo origin, who had come to know each other through association as students in training schools and in the sharing of posts in the army, had been making definite plans for a drastic move. Three of the officers most active in the coup occupied highly strategic positions. Major Nzeogwu was small arms instructor at the military academy in Kaduna, the capital of the Northern Region, Major Ifeajuna was Brigade Major of the Second Brigade, stationed at Apapa near Lagos, and Major Okafor was commander of the Federal Guard in Lagos, which was charged with the responsibility for the defense of officials of the federal government. These men, together with several other majors and some lower officers, and with the possible tacit collusion of one or two higher officers, had been planning a coup for some time and anticipated that it would take place in February 1966.

However, it seemed to them, in mid-January, that there were two factors which favored the immediate launching of the attempt. First was the fear that a strong military intervention in the Western Region might make it difficult for their coup to succeed. Second, on January 15, a combination of circumstances called many of the men who might have been their opponents away from their posts. The president of Nigeria was in London. Several leading officers were either on leave or in Lagos for a conference, and two battalions lacked commanders because of changes in post-

[25] Luckham, *The Nigerian Military*, p. 19.

ings. Thus it was that most of the combat units of the Nigerian army either were not under the direct control of their designated commanders or were under the command of men sympathetic to the coup. Therefore January 15 seemed to be an ideal time to eliminate the entire upper echelon of political and military leadership in Nigeria in a clean sweep of the elements that were alleged to have corrupted the country. Preparations were hasty, but first reports indicated that the coup was a success. The leading politician of the North, the Sardauna of Sokoto, Sir Ahamadu Bello, had just returned from Mecca and was killed in his official residence by Major Nzeogwu. Meantime, in the South, other conspirators had captured and later killed the federal prime minister and the finance minister, the premier of the Western Region, and a number of the senior army officers.

Plans for a total liquidation of the country's leading politicians did not completely succeed. The premiers of the Middle-West and the East were not assassinated but merely held as captive, and the general of the Nigerian army, Ironsi, and one of his chief assistants, Lieutenant Colonel Gowon, managed to escape. The result was that, although the conspirators had indeed altered the government beyond recognition through the slaughter of many of the leading officials, in the final analysis they failed to obtain control of the country. General Ironsi and Colonel Gowon managed to rally the armed forces, and a council of the remaining ministers of the republic authorized General Ironsi to form a military government. Seeing that he had failed to destroy the command structure of the army, Major Nzeogwu agreed to surrender on promise that his life would be spared, while Major Ifeajuna fled to Ghana, returning later to face arrest and imprisonment. Thus, the conspiratorial majors ended the period of civilian rule in Nigeria, but were forced to hand over rule to a group of officers not involved in the plot.

RATIONALE OF THE COUP

The leaders of the attempted coup proclaimed that their motives were a desire for the regeneration of Nigeria, the ending of unrest in the West and other regions, the elimination of imperialist influence, and the purging of the country of such social evils as "bribery, tribalism, bureaucracy, nepotism, and feudalism."[26] Their opponents charged that this was a conspiracy by a group of Ibo officers to seize control of their country for sectional and personal motives. The fact that men who proclaimed their opposition to tribalism should themselves be accused of tribalistic tendencies is paradoxical, to say the least. An understanding of this paradox will do much to illuminate the nature of Nigerian ethnic conflict.

---

[26] Arthur Agwuncha Nwankwo and Samuel Udochukwu Ifejika, *The Making of a Nation: (Biafra)* (London, C. Hurstin Co., 1969), p. 137.

First, a look at the ethnic origin of the officers most actively involved in the revolt leaves no doubt of the Ibo influence. Six of the seven majors involved were Ibo, and 19 out of 23 of the other active participants as well. None of the active participants were Northerners, although some Northern noncommissioned officers had supported the revolt under orders from superior officers. One prominent Northerner, Lieutenant Colonel Hassan Katsina (then a major) cooperated with the conspirators, apparently under coercion. In these circumstances, it is easy to conclude that the attempted coup was an Ibo conspiracy and that the broader objectives proclaimed by its leaders were mere window dressing. It seems, however, that the real explanation is not quite this simple.

The seeming paradox between the common ethnic identity of these coup leaders and their condemnation of Nigerian tribalism may be resolved by an appreciation of the meaning which tribalism held for different sectors. For the North, tribalism appeared as a threat by Southern Nigerians to utilize their superiority in educational and economic attainments to make the North a sort of Southern colony. According to this view, the insistence upon the "northernisation" of personnel in the Northern region, and to a significant extent in the federal government, was not tribalism. Rather, it was a defense against exploitation of the North by other elements.

To the Southerners, and especially to the Ibos, the definition of the situation was entirely different. First, it was in the South that radical intellectuals were developing an ideology which was a compound of Marxism and nationalism that called for radical reconstruction of the government. They saw their principles in opposition to the program coming from the power of the North, which, as they saw it, not only promoted Northern ethnic interests, but also opposed radical, political reconstruction. The North tended to be friendly to private enterprise and suspicious of socialism. Most of the leaders in the North were friendly to the British and trusted them to a far greater extent than they did any stripe of Southern politician. Finally, the social structure of the North had been preserved with relatively little change over a period of at least a hundred years and Northern leaders saw their sectional interests and the retention of much of the traditional structure as being entirely compatible.

It is extremely difficult to sort out Ibo self-interest from adherence to a modernizing, political ideology. Overpopulation in the Eastern Region meant that sectionalism alone would not protect the interest of the Ibos. For their own survival and prosperity, they needed the opportunity to work and live in other areas. Further, they did not need any particular kind of quota preference in the process. The superior education of the Ibos, their openness to modernizing ideas, and their acceptance of the achievement ethic made them formidable competitors in the race for prestige. A Nigerian nation in which there was no formal recognition of ethnic identities and in which all Nigerians were able to move freely and to work freely with equal rights in all regions was one friendly to Ibo aspirations. On this basis, Ibos became the most fervent nationalists in the country and the strongest advocates of a united nation. At times they frankly linked the situation of Ibo advance and a united Nigeria as in a politically unfortunate statement in 1949 by Azikiwe:

> . . . it would appear that the God of Africa has specially created the Ibo nation to lead the children of Africa from the bondage of the ages. The martial prowess of the Ibo nation at all stages of human history has enabled them not only to conquer others but also to adapt themselves to the role of preserver. . . . The Ibo nation cannot shirk its responsibilities.[27]

While the chief conspirators in the January coup did not hold power for more than a few hours and never formulated a coherent political program, it is impossible to accuse them of any desire for secession. In fact, even after the outbreak of the Nigerian civil war, Major Nzeogwu wrote a letter published in a Nigerian paper in which he deplored the failure of efforts to build a united nation.[28] There is some evidence that Nzeogwu and two other leaders of the conspiracy who eventually joined the Biafran armed forces found the Biafran devotion to the breakup of Nigeria an uncongenial viewpoint. Nzeogwu was killed in rather strange circumstances which indicated a possibility that he might have been considering defection to the federal army. Two other officers who had participated in the coup, Lieutenant Colonel Banjo and Major Ifeajuna, were executed by the Biafran authorities on the charge that they had been conspiring against the Biafran leader, Lieutenant Colonel Ojukwu, and plotting a surrender of Biafra. It was, indeed, a curious set of circumstances which led them into a coup designed to forge a more united country but which eventually paved the way for an attempt at secession in which some of the chief conspirators of the coup were, in turn, killed by soldiers from their own region. Their difficulties probably followed from the problems of a mobilized minority that was attempting to become the chief support for a united nation. Many of these problems became highlighted in the brief regime of General Ironsi which followed the coup.

THE IRONSI REGIME

There is considerable discussion as to whether General Ironsi, after his almost miraculous escape from assassination, seized power or had it thrust upon him. Those who accused him of ambition argued that the correct course would then have been for him to have supported the appointment

---

[27] *West African Pilot,* July 6, 1949, cited in Coleman, *Nigeria,* p. 347.

[28] *Advance: The Nigerian Worker's Own Newspaper,* Aug. 13, 1967. Cited in Luckham, "The Nigerian Military," p. 40.

of a civilian prime minister and to have used his authority to maintain a civilian government. On the other side, the argument may be made that the armed forces had become so disillusioned with the civilian government that they would have refused to follow their commander in chief in this kind of effort and that only an assertion of the dominance of the army could have united the military forces of the country. At any rate, this seems to have been the rationale upon which Ironsi relied when he formed a government of national unity with the military in power. As commander in chief, he himself was also supreme leader and essentially dictator of the nation, and he appointed military governors to be the supreme authority in each of the regions. Although Ironsi himself was an Ibo, most of his staff were not. Another Ibo, Lieutenant Colonel Ojukwu, was named as military governor of the East, but the command in other regions was given to non-Ibos.

One of the most perplexing questions faced by Ironsi, the punishment of those responsible for the attempted coup, was never clearly faced. The culprits were removed from military command and held in protective custody but were never prosecuted. Not only was there a failure of prosecution but the lack of publicity on the detailed events of the coup led to all sorts of rumors and speculation; presumably pressure from radical intellectuals in the East and the West on the one hand, and from Northerners on the other, made it impossible to arrive at a clear-cut decision on this matter. Discontent at the vacillation of the government in dealing with the leaders of the January coup was aggravated by the fact that Ibo officers in many cases had moved into the vacancies left by the killings of the senior military commanders.

Ironsi, on the other hand, expressed himself publicly as being thoroughly committed to a government in which there was no recognition of tribe on any basis. He proclaimed tribalism as a deadly sin and his famous "decree 34," which abolished the regions and the federation, declared that only a united Nigeria existed, and created a group of provinces.

As might have been expected, Ironsi's unification decrees did not bring tranquillity, but a resurgence of ethnic suspicion and animosity. Riots broke out in Northern cities in May 1966, and many Ibos were beaten or killed by Northern mobs. Military authorities attempted to pacify the situation but unrest remained. In July, another coup broke out, this time led by Northerners, and General Ironsi was seized by Northern soldiers and shot. Another coup had taken place, the unity of the army and the government had again been shattered, and the question came, what next for Nigeria?

PREPARATION FOR SECESSION

The senior army officer, Brigadier Ogundipe, a Yoruba, would seemingly have been the logical person to have assumed control. Apparently he doubted his ability to unify dissident elements of the army, and Colonel Gowon, who had been Ironsi's chief of staff, was sent to negotiate with the rebels. Gowon was a member of a small minority tribe from the middle belt. He was identified as a Northerner, but was not a Hausa or Fulani and was a Christian. Thus, he embodied in his own person identification with the Northern Region on the one hand, and a minority tribe and the Christian faith on the other, a combination of traits which tended to make him acceptable to more different ethnic groups than might have been true of most of the other officers.

Gowon's own career may indicate the basis for his emergence as a leader of Nigerian unity. As a non-Southerner, he could hardly have been expected to be sympathetic toward an ideal of Nigerian unity which, in practice, seemed to mean Ibo domination. By the same token, he would not have shared the bitterness and frustration of Ibos who saw their dream of leadership of a Nigerian nation fading away. On the other hand, there would probably have been no place for a Christian minority tribesman in a separatist North.

It is apparently true that some of the Northern military leaders, in their resentment at Ironsi, desired to withdraw from the federation and hoped that Gowon would be their leader in this move. Nwanko credits Gowon's change from separatism to unity to the influence of foreign advisors who feared the effect of a divided Nigeria on the stability and security of foreign interests.[29] It seems likely that other considerations were more influential. These would include his awareness of the fact that it was only in a united country that members of small minorities could find a scope for action on the national scene. This feeling was supported by the Tivs, who made up a large percentage of the enlisted men of the Nigerian army. The Tivs, a middle belt group, were a minority in the Northern region and had no enthusiasm for a Northern secession which would doom them to minority status without any redress from a supraregional source. Finally, one should not discount Gowon's sense of loyalty and obligation as an officer of the Nigerian army.

In any event, Gowon sought to assemble a government of reconciliation which would make unity possible in spite of the many conflicts which had occurred. His dream of reconciliation was rather rudely shattered by new disturbances in the North and West which led to the slaughter of 6,000–8,000 Ibos living in those areas[30] and the expulsion of between one and two million Ibos from Northern and Western areas where many of them had lived for a generation or longer.

---

[29] Nwanko and Ifejika, *The Making of a Nation,* p. 161.

[30] There is a controversy about the actual number, varying from a police figure of 3,300 to a maximum Ibo claim of 30,000. The 6,000–8,000 figure is the estimate of Professor O'Connell, and is based on "careful interviewing and some knowledge of the police reports." James O'Connell, "Authority and Community in Nigeria," in Melson and Wolpe, *Nigeria,* p. 672.

This expulsion apparently ended, for many, the association between Ibo identity and Nigerian nationalism. The massacres were widespread and featured an almost casual type of brutality. Prominent Ibos were tortured and humiliated before being slain, hospital patients were killed in their beds, and refugees were pulled from trains as they were fleeing. For a period of a few days, the worst phases of mob violence had complete expression. In Kano, elements of the Nigerian army killed fleeing Ibos.

The riots were deplored by all the leaders of the country including Northerners, but, to many Ibos, it seemed that the only place of security for them was in the confines of their own region. Ojukwu, who had become the head of the Eastern Region military government, welcomed back the refugee Ibos and then made every effort to make the Eastern Region a viable, separate establishment. There were many attempts at conciliation between the regions, and one of these, the ill-fated conference at Aburi, Ghana, in January 1967, led to supposed agreement. The agreement, however, which would have provided practically complete autonomy for the regions with an extremely weak central government, was never carried into practice.

Subsequent efforts at conciliation failed because of seemingly irreconcilable differences. Ojukwu was unwilling to come to any kind of agreement which would not allow the existence of the Eastern Region as a virtually independent nation, and Gowon was unwilling to commit himself to a program which would make the federal government completely dependent upon unanimous agreement of the regions. At the urging of Awolowo, the Yoruba leader, Gowon agreed to a peace formula under which all the measures the federal government had taken against the East were withdrawn. Even this measure failed to appease the East; the two sides gradually consolidated their forces and drew further apart. In May 1967 Gowon, in exasperation, decided to force the pace by changing the composition of Nigeria from four regions to twelve states in which the "minority tribes" were no longer under the control of either the Ibos in the East or the Hausas in the North. This was interpreted as a move to weaken Ojukwu's control in the Eastern Region, and almost immediately the latter region proclaimed its independence as the nation of Biafra. Six weeks later, after claims and counterclaims as to which side was shooting, federal forces attacked the border towns and the civil war was under way.

THE COURSE OF THE WAR

The onset of the war saw a peculiar reversal in regional attitudes. The East, which had been the home of Nigerian nationalism, was leading the forces of secession. The North, which frequently had threatened secession and had tried to shut itself off from national influence, proclaimed its determination to "Keep Nigeria One." Gowon had followed a policy of conciliation toward Awolowo and other Yoruba leaders which kept that section of the country safely on the federal side. From the standpoint of population, there were up to 40 million people on the federal side and not more than 16 million in Biafra, including five million non-Ibos of very doubtful loyalty to Biafra. From a standpoint of economic resources, the picture was more mixed. Oil had been discovered, mostly within the Biafran territory, and offered an enormous boon to that region. The Ibos were confident that the oil resources, their own human resources in trained personnel, and the sympathy of much of the world would allow Biafra to become a viable, economic unit. From a military standpoint, there seemed to be few outstanding advantages for either Biafra or the federal government. Neither side had a large stockpile of arms. The Biafrans profited from the high proportion of Ibos in the officer corps of the army, while the majority of the enlisted men were from the North. At the time the conflict began, there were probably 10,000 soldiers in the federal army and probably a slightly smaller number on the Biafran side. It was a small-scale affair from any perspective, and it seemed quite possible that the conflict might end in a standstill. The long military campaign saw occasional Biafran victories, but more meaningful was a steady buildup of federal strength to the point where, at the end of the war, Biafran forces were compressed in a territory hardly a tenth the size of that nation at the beginning of the struggle.

One of the most interesting features of the war was the propaganda campaign between Biafra and Nigeria for world sympathy. The Biafrans claimed that their secession was the exercise of self-determination by a nationality which had in reality been cruelly expelled from the rest of Nigeria and could hope for nothing in the future in union with that country. Biafra was proclaimed as the home of Christian, progressive peoples who were resisting the tyranny of the fanatical Muslim emirs who sought to extend their domination.[31] The efforts of the federal government to suppress secession were described as cruel repression. Claims were made that the federal government sought to exterminate all Ibos through a process of starvation and bombardment. Biafra was portrayed, by talented publicity men, as a gallant struggling little nation fighting to save the lives of its people from genocide practiced by Nigeria.

General Gowon strove to suppress any anti-Ibo elements in the propaganda of the Nigerian government. He proclaimed that the war was not being waged against any particular tribes and announced that the Ibos could expect good treatment if they rejoined the union. Ibos who had remained in Lagos and were federal employees retained their jobs and were personally secure during the war. As soon as the first bit of territory was wrested from Biafra, an Ibo, loyal to Nigeria, was appointed governor

---

[31] "Dateline Africa," *West Africa* (June 7, 1969), p. 661.

of the region and Ibo refugees from Biafra were welcomed. Further, the Nigerian government restructure, in which 12 states replaced the four regions which had comprised the nation previously, meant that the North was broken up into six states whose diversity in ethnic composition would probably cause them difficulty in presenting a united front; thus the spectre of domination by a monolithic Northern area was eliminated. The East was also broken up into three states, which was a clever bid for support of minority groups in that region. Ibos would be the dominant element in the East Central State, but the other two Eastern states were formed in such a way that non-Ibo elements would probably have control. The Lagos area became a state, as well as the West and the Mid-West. By these measures, General Gowon was able to present Nigeria to the world as a country which guaranteed the rights of all peoples and which had been structured to make the continued domination by any one group more difficult than had been true in the previous regime.

Gowon's efforts to present the federal government as a humanitarian regime concerned for Nigerian unity but anxious to protect the individual Ibos were partially nullified by the memories of the massacre of Ibos in 1966 and by occasional outbursts of cruelty during the war. Federal troops were under order to protect Ibo civilians, and the ultimate surrender of Biafra did not lead to a blood bath. However, feelings were high and federal troops did not always follow the orders of the supreme commanding officer. One example of such difficulty took place in the reoccupation of the city of Benin in the Midwestern area by federal troops. This area had been captured only six weeks before by Biafran forces in a ruthless surprise attack which involved the defection of several federal officials of Ibo background. When Benin was retaken by federal troops reporters in the Midwestern capital counted 989 Ibo corpses.[32] *Time* reports the incident as follows:

> Benin's non-Ibo residents went on a rampage, looting and wrecking businesses owned or managed by Ibos. Many Ibo civilians were handed over to Northern soldiers, who competed with each other for the fun of shooting them. Hundreds of Ibo bodies, many stripped and full of holes, were scooped into dump trucks and carted off to common graves, or to the nearby Benin river. Others were left to rot in the blistering sun.[33]

The federal forces were also accused of attempting to starve the Biafrans. The Biafran region had been a food-importing area and the exigencies of wartime made food production even more difficult than before. The consequent result was much hunger and malnutrition, if not actual famine. The Nigerian government, on the other hand, may claim credit for being

---

[32] *International Herald Tribune*, Oct. 23, 1967.

[33] *Time*, Oct. 6, 1967. Reprinted by permission from TIME, The Weekly Newsmagazine; Copyright by Time Inc., 1967.

one of the first wartime governments in history to allow food to go to a hostile region. In principle, the Nigerian government favored sending relief supplies to Biafra, but formal agreement on the circumstances in which relief could be sent proved to be difficult. The Biafrans, while sending out horror stories of the extent of malnutrition and kwashiokor, a debilitating disease especially affecting children, were reluctant to allow any restrictions on the shipments of relief which might affect their military advantages. Planes which brought relief were subject to taxation, and any efforts to inspect relief shipments to insure that munitions were not also included were bitterly resisted. The suffering of the Biafran people became, in effect, a military weapon, which could be used to gain sympathy and support from the rest of the world.

The Biafran tactics seemed to be successful in the publicity sphere. Biafran relief efforts raised an enormous amount of money, some of which was apparently channeled into nonrelief expenditures. Many foreign statesmen criticized Nigerian policy and urged help for the suffering Biafrans. In response to the appeal to end suffering, aid was organized under both Protestant and Catholic auspices; at times, as many as 50 planes a day came into Biafran airports laden with supplies.

The Biafrans had also hoped for recognition, along with diplomatic, and possibly military, support from foreign countries. But this did not come, at least not in the form which they had expected. For a period of several months, no foreign government extended diplomatic recognition to Biafra. The American government maintained recognition of the Nigerian government but refused to sell arms to either side. The British, after some vacillation and much debate in the House of Commons, continued recognition of the Nigerian government and allowed a small quantity of armaments to be shipped. Nigerian needs for armaments were met to a great extent by the Russian government, which gave wholehearted support to Nigeria and which provided, on a cash basis, the bulk of Nigerian armament.[34]

Biafra, at first, had sympathy from several quarters without official recognition from any. Eventually, recognition came from two countries in French West Africa, the Ivory Coast and Gabon. Later, these countries were joined by Tanzania, Zambia, and Haiti. These five nations were the only ones to extend recognition. Toward the end of the war, Biafrans received effective aid from the French, who, while not affording diplomatic recognition, proclaimed their sympathy with Biafra and shipped substantial amounts of arms via former French colonies. A varied group of foreigners, including Frenchmen, South Africans, Swedes, and others, at one time or another fought with the Biafran forces. Rallies, to express sym-

---

[34] For an authoritative discussion of the role of various countries in supplying arms to both sides see *The Arms Trade with the Third World* (New York, Humanities Press, Stockholm Int. Peace Institute, 1972), pp. 630–32.

pathy, to raise funds, and to denounce the alleged cruelties of the Nigerian army, were staged in many countries. The international efforts provided some help for Biafra but failed to tip the military balance. The Biafrans won the war in the newspapers but lost it on the battlefields, an indication that it is not true in all cases that the pen is mightier than the sword.

Sympathy for Biafrans on humanitarian grounds and a tendency to identify with the underdog were countered by many other factors. As far as Great Britain was concerned, it would be difficult for a country which had literally created the nation of Nigeria to give official support to those who sought its breakup. The United States followed an ambivalent policy which brought criticism from both sides, but it was reluctant to take a position which would be seen either as threatening African unity or as completely yielding influence in Nigeria to the Russians. The African nations themselves were also ambivalent. Many of them had, no doubt, been jealous of Nigeria and had feared its power. Others were horrified by the bloodbath which seemed to be involved in the civil war and were inclined to interpret the insistence on continued Nigerian unity as a vestigial remnant of imperialism.

However, every African nation was aware that it, too, was made up of a variety of ethnic units and, therefore, was vulnerable to the same divisive forces which had brought about the Nigerian civil war. As sympathetic as they might be to the claims of the Biafrans, they could not ignore the fact that each nation had many potential Biafras within itself. The fear was continually expressed that success for Biafra might be the key to the disintegration of other African nations. The Organization for African Unity made many attempts to end the conflict, but told the Biafrans that the only way they were authorized to mediate was on the basis of preserving Nigerian unity. In summation, the suffering of Biafran civilians brought world sympathy, and the courage of its soldiers evoked admiration, while the skill of its public relations, and the clumsiness of Nigerian efforts of the same type, limited the effects of Gowon's conciliatory moves. On the other hand, even though the world might be swayed by Biafran propaganda, most nations were reluctant to take any step which might be seen as encouraging secession and thereby promoting the further fragmentation of a continent which had already been divided into far more nations than could be justified on an economic basis.

The war did not end on the basis of negotiation, which General Gowon had frequently offered, but by the flight of Ojukwu and the surrender of the Biafran military. The guerilla resistance, which many people had predicted, failed to develop and the Ibos were gradually incorporated in the nation of Nigeria. The immediate postwar policies of the Nigerian government are portrayed in an article in *West Africa* under the title "Reconciliation in Nigeria!"

With astonishing resilience the Ibos are now applying themselves to the task of becoming Nigerians again. Many hundreds have remained Nigerians all the time; millions more, when they came under Mr. Asika's administration, learned long before the collapse of the rebellion the falsity of their leaders' propaganda against the Federation. That falsity is now completely exposed, not only because there has been no murder of civilians or destruction of the Ibo community, but also because the Federal Government is carrying out its pledges to the people of the East-Central State.

They are being reinstated in the public services, rehabilitation of their education is being planned, their property abandoned elsewhere in the Federation has been looked after and money due to them has been desposited in banks. The Federal army, in which misbehaviour has been speedily restrained, so far from engaging in massacre is assisting relief. The Nigerian police are re-establishing an all-Ibo force in the state, and Mr. Asika's administration for the State, again all-Ibo, is being expanded and is recruiting officials of the former secessionist regime. No wonder that in the worthless "debate" in the House of Commons this week (Mr. Hornby, the Conservative former Minister, commented aptly: "We should congratulate General Gowon on his magnanimity and beyond that mind our own business.") turned into a chorus of praise for the almost unparalleled generosity of the Federal leader.[35]

Many problems, of course, will remain for a long time, but there are also many assets. The oil discovered in Nigeria has become a major source of revenue and is helping to relieve the economic strains and inflation produced by the war. The government, which continues to be a military regime, at least until 1976, has been able to maintain order, and Ibos have begun again to move to the parts of Nigeria from which they were expelled in the massacre of 1966. The reintegration of Ibos into the Nigerian nation is not a simple process, since many of them had been replaced in their jobs and businesses by other Nigerians and certainly the feelings of tension stimulated by the war cannot be immediately quieted. Nevertheless, the issue seems to be settled that, in spite of ethnic conflict, secession is not a viable alternative and that Nigeria, for the indefinite future, will be a united nation. Not only is this outcome significant in Nigeria but it may also be taken as possibly a turning point from the tendency which had prevailed throughout much of the world since the end of World War I to break up larger nations into smaller entities on the grounds of self-determination. It appears that the already tiny states of Africa will not be again fragmented and that, on one basis or another, people from numerous ethnic backgrounds and speaking different tongues will continue living in the same national boundaries.

In Nigeria, the abolition of the regions and the creation of twelve states have created a different pattern of ethnic relationships. On the one hand, the defeat of the Biafrans in the civil war and the abolition of the

[35] "Reconciliation in Nigeria," *West Africa* (Jan. 31, 1970), p. 125.

regions have eliminated the principal challenges to the idea of Nigeria as a unified sovereign state. On the other hand, ethnic rivalries are by no means over and the replacement of regions by states in some ways intensifies the conflict. Tribes which were too small to hope for major influence in a region may seek power in one of the states. Conversely, the larger groups which still had to compromise in the region may be able to dominate a state with few concessions to those outside the ethnic fold. Presumably, both a greater loyalty to Nigeria as a sovereign state and the stronger powers of the federal government should help to reduce ethnic discrimination. In the meantime, effort to reintegrate the Ibos into all sections of the country is at least mitigating some of the wartime hostilities. The future will not be free of ethnic problems but does offer hope that a system will emerge which combines features of cultural pluralism with a common Nigerian loyalty.

SUMMARY

Nigeria was a collection of diverse ethnic groups brought into being as a state by the fiat of the colonial power. The ethnic differences were exacerbated by unequal development in the various regions of the country which produced a significant differential in modernization. In the Northern section illiteracy and a traditional society were the norm, while other sections of Nigeria were moving into a literate, modern type of social organization. The removal of colonial rule set the stage for increasing ethnic conflicts through democratic processes which were badly subverted in practice. Later, competition in the political arena was abandoned for the attempt at secession, leading to a triumph of the forces favoring a continuation of a united Nigeria on a stronger basis than before the war began. The story of Nigeria illustrates both the tensions which can develop in ethnic adjustments and some of the possible avenues for amelioration.

CONCLUSIONS

Nigerian pattern. The formula of the 1957 Minority Commission, one which totally failed in practice, was a reliance on the protection of the rights of individuals. As long as large and bitterly antagonistic ethnic groups were unrestrained, it was futile to expect the constitutional guarantee of individual rights to have a significant effect.

Generalized pattern. Constitutional guarantees of individual rights are not by themselves a solution for ethnic conflict.

Nigerian pattern. National unity and a disregard of tribal origins favored Ibo mobility at the expense of gains by other Nigerians. Such a situation means that ethnic feelings are directed against the national entity as well as against competing groups. It is natural that a modernized minority should be attracted to the idea of a strong national government in a pluralistic state. Such a minority, however, will have to give convincing evidence of its willingness to share with other groups the gains which come from national unity if it is to achieve a national consensus.

Generalized pattern. Pleas for national unity may be considered simply a mask for strengthening exploitation when national unity is viewed as a device to facilitate the dominance of a particular ethnic group.

Nigerian pattern. The theory of the small army is that it would be unable to maintain its rule over a large population. The difficulty with this theory is that as long as any group has a virtual monopoly of force, the smallness of its numbers is not an appreciable factor. On the other hand, a small army is easily subject to conspiracy, since the removal of a comparatively small number of officers will change the power structure of the military forces.

Generalized pattern. Limiting the size of the army does not guarantee civilian control.

Nigerian pattern. Through decisions made on the criteria of education, achievement, and test performance, Ibos in Nigeria were getting a disproportionate quota of positions in academia, business, and government. To the minority, this procedure seems to be only fair, to the excluded majority, it seemed to be a technique by which their efforts at advancement were frustrated. Thus, we may expect any group handicapped in open competition to insist on quotas or similar devices, to assure its members what is considered a proper share of the rewards.

Generalized pattern. Ethnic groups will not accept the legitimacy of supposedly universalistic rules which appear to work to their disadvantage.

Nigerian pattern. The experience of Nigeria and many other African states has indicated that the politician seeking office may find that the best political base is ethnic affiliation. Thus, it is possible that modernization and democratic government may actually intensify ethnic loyalties and tribal identification rather than lead to their demise. The natural process of evolution cannot be expected to end tribalism, at least not within a short time. Multi-ethnic states will have to deliberately foster areas of cooperation which cross ethnic lines and afford new methods of identification.

Generalized pattern. Ethnically based conflict does not necessarily diminish with development of democratic government.

Nigerian pattern. At the time of independence Nigeria was divided into three regions, each of which was dominated by one ethnic group. Later one additional region was added, and shortly before the civil war the regional divisions were scrapped in favor of a twelve-state arrangement. The regional arrangement increased the power of major ethnic groups because control of the region increased their influence on the federal government. It also meant that smaller ethnic groups were minorities on both the regional and the national scene. The Hausa-Fulani-dominated North, for instance, comprised more than half of both the population and the land area of the country. It included sizable minority tribes who had little influence on either the regional or the federal government. Breaking up this region into six states meant that at least two of the states would not have a Hausa-Fulani majority and thus would be controlled by those with another ethnic affiliation. Similarly, since it would be hard for the Hausa-Fulani to dominate more than four of the states, they would probably have less influence on the federal government. The Eastern Region, which had been dominated by Ibos, was divided into three states, only one of which had an Ibo majority. Presumably this will mean less Ibo control in this area and less Ibo influence on the federal government. The three states created from the Mid-West, the West, and Lagos may not directly decrease Yoruba influence at either level, since they represent a less drastic change from the earlier pattern than the division of the other regions into states.

All the new states are large enough to be respectable territorial units while small enough to enable some hitherto powerless ethnic groups to have a major voice at the state level. Likewise, the division of the North will make it impossible for the Hausa-Fulani to rule the country on their own through supposedly democratic processes. It is hoped that this will mean an end to the North-South dichotomy, which has so long bedeviled Nigeria politics and will lessen the likelihood of a two-way struggle for power. Earlier politics did involve coalitions, but the new state system should require a winning political party to be a still more inclusive organization which minimizes its identification with any one ethnic group.

General pattern. Territorial arrangements which limit the power of the major ethnic groups force broader coalition politics and decrease the likelihood of violent confrontation between the major groups while giving more expression to the desires of the smaller minorities.

QUESTIONS

1. What is meant by "indirect rule"? Why was this more feasible in the North than in the East?
2. Why did Lord Lugard feel that it was disastrous for Nigerians to learn English "prematurely"?
3. Why were the Ibos at first more ardent nationalists than the other tribes?
4. When the other regions wanted to ask the English to set a definite date for

Nigerian independence the Northern region blocked this action. How do you explain the Northern attitude?

5. The Minorities Commission recommended that individual rights be protected by constitutional guarantees. Why did these guarantees fail to protect minorities?
6. Was the action of Lord Lugard in agreeing to restrict the entry of missionaries in the North beneficial or harmful to that section of the country?
7. Why did the Ibos switch from support of a strong Nigerian nation to secession?
8. Is *tribe* a legitimate term for Nigerian ethnic groups? Why might some people object to it? Do you have a better category?
9. What is the danger of using the army to suppress disturbances which are the result of political controversies?
10. Which is the greater threat to democratic government, a small army or a medium-sized one? Explain your answer.
11. Was it correct to regard the Nigerian Civil War as a Muslim-Christian conflict?
12. Will the creation of 12 states rather than four regions make it easier to deal with ethnic conflict in Nigeria? Why could not this step have been taken earlier by a civilian regime?
13. Was it neocolonialism to insist that Nigeria remain a united nation after the British withdrawal?
14. Why did the ably conducted public relations campaign of the Biafran government fail to win stronger support?
15. Was the United States wise in trying to remain neutral during the Nigerian conflict? How would you explain the Soviet action in supporting the federal government?

Chapter 10

Non-European minorities in France and Britain

Elsewhere in this book, we discussed the treatment of the natives in countries which were colonized by whites coming from France and Britain. We noted the attempt to assimilate the Senegalese and the Martinicans to the colonizer's way of life and we looked at the British role in South Africa and in Southern Rhodesia. Throughout this discussion it is evident that the French and British always established themselves as the dominant group and the indigenous people were placed in a subordinate position where their labor and natural resources could be exploited by the imperial power. In tracing these patterns, we saw how the French and British went about the process of governing their vast possessions, most of which are now independent and in the process of throwing off the last vestiges of colonial rule.

In this chapter we are interested in a reverse flow; the non-European immigrants who have come, on either a temporary or a permanent basis, to metropolitan France and Britain. With respect to this situation, then, we advance the following generalizations of interethnic relations: (1) major political conflicts combined with salient cultural differences may generate more antagonism between groups of similar physical appearance than exists between groups that are differentiated phenotypically, (2) the greatest endorsement of ethnic egalitarianism is most likely to be found among those in closest contact with agencies of communication and education, (3) low-status minorities seeking social mobility are most likely to meet with native resistance, (4) the rejection of minorities tends to be less severe in industrialized countries than in developing ones, and (5) the development of racist actions is not prevented by sentimental ties or legal guarantees.

What are the attitudes of the natives toward these outsiders? To what degree have they been accepted by the host societies? What success have the non-European minorities had in finding employment, securing housing, and educating their children? How do the non-European minorities respond to their treatment by the indigenous population of the host society? In general, what patterns of behavior have developed? What are the prospects for the future of these minorities who have taken up residence in the colonial mother country? Before we attempt to answer these questions, let us look briefly at the countries and groups involved.

Whereas France and Great Britain underwent colonial expansion at about the same time for about the same reasons, there are differences as well as similarities in their experiences. The French, with an empire much smaller in population, although possibly equal in area, were committed to the assimilation of their subject peoples. Their long-term objective was to incorporate the colonial territories into the French union on an equal basis. The British disdained long-term objectives and acquired a reputation for "muddling through." At first they regarded the empire as likely to remain on a colonial basis for the indefinite future. Later, the British accepted the inevitability of nationalist development and came to regard themselves as trustees who were preparing their colonial wards for self-government.

It is primarily because Arabs from northern Africa formed a high proportion of the migrants to France that we have used the term non-European rather than colored. The Arabs are sharply differentiated from the French in culture, but in physical appearance there is probably no more difference between Arabs and the average Frenchman than between those of darker and lighter complexion among the European French. Indeed, the French often speak of the Arab areas of Africa as *Afrique Blanche* ("White Africa"). There is no hard-and-fast color criterion for race, but the color contrast between Arabs and Europeans is so much less than between blacks and Europeans that it seemed unwise to lump them in the same color category. *Non-European* is a term which is neutral in regard to color and refers to all peoples whose recent origin is outside of the European continent.

The contrast between the situation of non-Europeans in Britain and France and the situation of the French and British in their colonies is brought out quite eloquently by Edgar Thompson in a review of a book on the British situation.[1] His comments would apply equally well to the French experience:

> During recent years Britain has emerged as a minor but important race relations region. It is not a region such as is Northern Rhodesia exploiting native labor in huge mining industries. It is not a region such as the South where a master and a slave race together pushed the natives aside and occupied a territory by means of plantation settlement. It is not a region such as Hawaii where white capitalists imported one racial labor group after another for large-scale agricultural production. It is rather, a region where the "natives" are highly civilized people. It is a "mother" country, and not a frontier as we have understood frontiers. It is a mother country to which her colonial and cultural children of color have been returning from imperial possessions. It is a race relations region at the very center of what has been an expanding world community. If the migratory movements which brought race contacts in the past have been centrifugal in character, this one is centripetal.

Most examples of racial contacts examined in this book have come about because of the migration of Europeans to other continents. The two instances we are now reviewing, occur because of the migration of Africans and Asians to Europe. The European migrants were usually able to enforce the submission of the native peoples. The Asian and African migrants find the natives difficult and must assume a subordinate rather than a dominant status, although their subordination is modified by legal systems which seek to guarantee the rights of all individuals regardless of race. Thus the migration of the non-Europeans to France and Britain turns the previous patterns topsy-turvy and affords an example of intergroup relations in which the natives are more powerful than the migrants.

THE BRITISH EXPERIENCE

This chapter will treat separately the question of colonial immigrant adjustment in France and Britain, but some similarities are worth noting. Both France and Britain had a long-time colonial experience which involved intimate relationships between a small number of Europeans and a great number and variety of other peoples. In both countries, the striking thing about large-scale migration to the empire homeland is that it was so late in beginning; neither country saw very large immigration until after World War II.

The British had been the rulers of the world's largest empire, one in which the number of colonials far exceeded the number of native Britons. As the seat of power of the world's largest and most diverse empire, Great

---

[1] Edgar T. Thompson, Review of Michael Banton, (*White and Colored: The Behavior of British People towards Coloured Immigrants*), in *Social Forces* 40 (October 1961): 94–95.

Britain, in general, and London, in particular, might have been expected to become a cosmopolitan mixture of peoples. Actually the picture is quite the reverse. It is true that the Soho district of London supports many foreign restaurants and that a collection of foreign students, diplomats, and traders has added diversity to London society. On the whole, however, Britain has been a remarkably homogeneous society with relatively little immigration from any quarter, and even that immigration represented people who usually have been assimilated in the society on a basis of "Anglo-conformity." As Michael Banton has said, "Britain is such a homogeneous society that it seems to rely heavily upon implicit norms and tacit modes of instruction."[2] This long tradition of homogeneity means that there is an intense suspicion of the stranger and that, since everybody is expected to pick up the social cues for proper behavior as a result of long exposure, there is no formal machinery for socializing newcomers in the society. It also means that, whatever success long-term assimilation may allow them to achieve, the initial role of newcomers is likely to be difficult. A comparison with some European immigration groups may be relevant at this point.

EUROPEAN IMMIGRANTS

Previous immigrants would include the Irish, who have been the principal source of immigration to the British Isles, Jews fleeing from the pogroms that occurred between 1880 and 1945, Huguenots seeking security and religious freedom, and many peoples displaced by the forces of World War II. The reaction to some of this early migration may be seen in a statement in a Tory election leaflet for 1900:

> The Radicals by their obstruction to the Aliens Bill, are evidently glad to see all foreigners who are criminals; who suffer from loathsome diseases; who are turned out in disgrace by their fellow-countrymen; who are paupers; who fill our streets with profligacy and disorder. The Unionist Government wants to keep these creatures out of Great Britain.[3]

Huguenots have assimilated to the point of disappearance as a recognizable group. Jews have been prominent in British life and have supposedly been almost completely anglicized, but there was still enough anti-Semitism in the country in the 1940s that agitators such as Sir Oswald Mosley could get a considerable following on the basis of anti-Semitism.

Although the Irish have been the most numerous immigrants to Great Britain and have amalgamated to a great extent through intermarriage,

---

[2] Michael Banton, *Race Relations* (New York, Basic Books, 1967), p. 371.

[3] Conservative Central Office, "Notes for Speakers, No. 325," cited in David Steel, *No Entry: The Background and Implications of the Commonwealth Immigrants Act, 1968* (London, C. Hurst and Company, 1969), p. 15.

their history has been one of considerable friction. Controversies over Irish independence affected relations between English and Irish, as did the Roman Catholic religious affiliation of the majority of Irishmen, although the major difficulty seems to have been contrasting life styles. In 1821 an English writer on moral and political problems expressed the sentiment that the effect of the Irish was definitely inimical to the British pattern of life. "Ireland, whose population, unless some other outlet be opened to them, must shortly fill every vacuum in England or Scotland, and reduce the labouring classes to a uniform state of degradation and misery."[4]

Occasional riots marred the relations between the British and the Irish and the naive and rural-oriented Irishman with his clay pipe became a stereotype of vaudeville humor on the British stage. In recent years open expression of hostility and prejudice has diminished, but the Chairman of the London Sessions in 1957 proclaimed "this court is infested with Irishmen who come here to commit offences and the more that can be persuaded to go back the better.[5]

The discussion of prejudice against the Irish should not lead to an exaggeration of their difficulties in Great Britain. The fact that heavy Irish immigration to Great Britain continued while the American quota of 19,000 Irish immigrants per year went for several years without being completely filled indicates that most Irishmen must have found the total picture in Britain attractive in spite of any discrimination which they may have faced. However, the fact that people with such a long relationship as the Irish and British, and with such a similarity in culture, could encounter this type of friction does underline the difficulty of immigrant adjustment to Great Britain.

COLONIAL IMMIGRATION

Large scale colonial immigration of permanent residents is usually dated from the arrival of the Empire Windship, which sailed from Kingston, Jamaica, in 1948 with 400 West Indian passengers. This immigration was regarded at first as being an isolated incident, but the new arrivals increased in volume until, in 1961, more than 66,000 West Indians arrived in Great Britain. During the same year, over 40,000 Indians and Pakistanis arrived. The numerical situation as of 1967 was summarized by Daniel as follows:

---

[4] R. Southey: *Essays Moral and Political* 2 (London, 1832): 275; reprinted in John Archer Jackson, *The Irish in Britain* (London, Routledge and Kegan Paul, 1963), p. 153.

[5] *The Manchester Guardian,* May 4, 1957, London; reprinted in Jackson, *The Irish in Britain,* p. 157.

Today, the total Commonwealth coloured immigrant population in Britain is estimated by the Home Secretary to be slightly over 1 million—or about 2 percent of the total British population of nearly 55 million. They include, according to the Ministry of Health, roughly 525,000 West Indians, 200,000 Indians, 125,000 Pakistanis, and 150,000 from Africa and other parts of the Commonwealth.[6]

The extent to which the non-European minorities in Great Britain will increase is dependent both on natural increase and immigration. Either of these may change, but the immigrant population is fairly young and in its home countries had a high birth rate. Immigration of adult workers has been sharply restricted, but the admission of dependents will bring in about 50,000 persons a year for the next few years unless this category too is further restricted. The British ministry of health in 1967 estimated that the non-European minorities might reach 3.5 million by 1985, which would make it about six percent of the population.[7] Such a prediction is probably high in view of the 1968 immigration restrictions, but there is no doubt that the non-European population will be more significant in size than in earlier years.

All the populations we have designated as colonials had a badge of color which distinguished them from the British. They had, however, rather considerable differences from each other. The colonials could be divided into three main groupings: the West Indians, the Asians, and the Africans. The West Indians, mostly from Jamaica and Trinidad, came from a society in which any indigenous cultural elements had been pretty well destroyed. Their language was English and their religion was similar to that of the British Christian churches. For them, England was much more the "mother country" and less the colonial overlord than for other groups. Their culture was a local variant of the culture which was best exemplified in the British Isles. Hence the West Indians came to Great Britain expecting assimilation and acceptance even though, for the most part, they regarded their sojourn as temporary and hoped to be able to accumulate capital and return to the Caribbean area.

The Asians were at the opposite end of the pole. Many of them were not English-speaking, their religion, Islam or Hinduism, separated them sharply from the British, and their mode of dress and ideals of family life were molded in a different culture. The Indians sought economic opportunity and access to public facilities, but it is doubtful that they either expected or desired assimilation.

Midway between these two groups were the West Africans. Most of the West Africans had had some exposure to a British system of education and

---

[6] W. W. Daniel, *Racial Discrimination in England* (London, Penguin Books, 1968), p. 9.

[7] Ibid., p. 10.

had at least a rudimentary grasp of the English language. However, they came from countries in which tribal society was still strong and in which British culture was an additional item rather than the basic ingredient of the life style. Religiously, many of the West Africans had moved toward the acceptance of a form of Christianity, although this had been a more recent, and therefore a more ambivalent, type of decision than was true with the West Indians.

Most of the colonials were poor and by British standards, inadequately educated. This does not mean that they formed a homogeneous social stratum, since they included over 70,000 Commonwealth students attending British universities, together with a considerable number of physicians, nurses, and businessmen. Kingsley Martin puts both the quality and the quantity of immigration into perspective with the following statement:

> This inevitable increase of the coloured population will not be composed of immigrants but of British citizens, educated and often born in this country, who are for the most part treated as equals in schools, only to discover to their resentment when they are adolescent that they are second-class citizens. Actually, those who now come into this country are trained, professional people who are essential to our economy. They provide a high proportion of our nursing staff and nearly half the hospital doctors. How many people know that coloured immigrants—foreign and commonwealth—represent only a third of Britain's total immigrant population, that there are slightly fewer of them than there are Irish immigrants and considerably fewer than the total number of white immigrants from commonwealth and foreign countries?[8]

The non-European immigrants were primarily male and their traditional family pattern varied from British monogamy. The man who had left a wife at home might take a temporary mate and establish a family in Britain. When the Indian or Pakistani wife arrived, she usually retained her traditional sari and was often expected to observe purdah. The maintenance of traditional dress is, of course, visible evidence of her rejection of one aspect of British culture, and the effort to observe purdah necessarily limited her contacts with the British population, since purdah, by definition, is the restriction of women to the house. Immigrants tended to send for their relatives, and the flow of immigration, in recent years about 40,000–50,000, has consisted very largely of dependents.

The colonial immigration was not promoted by a deliberate government policy, and there were no plans set afoot by the national authorities to help the immigrants to adjust to their new environment. Some local authorities attempted to offer English-language classes or to foster interaction between the colored immigrants and the rest of the community, but their efforts were, for the most part, sporadic and ineffectual. The formal

---

[8] Kingsley Martin, "What Could Happen Here," *New Statesman* 75 (June 7, 1968), p. 759.

position of British mores was that, although the immigrants were strangers and hence somewhat ignorant of British customs, there was no need to treat them any differently from the native born white British. In any event, acquiring a real understanding of British culture was, as we mentioned earlier, thought to come about through informal rather than formal mechanisms and was not regarded as something to be accomplished by deliberate indoctrination.

PREJUDICE AND DISCRIMINATION

As the number of colonial immigrants increased and as various forms of tension occurred, considerable interest developed concerning the extent of prejudice and discrimination. A number of surveys were made which indicated that Britons were almost equally unwilling to admit to bigoted attitudes or to accept the colonial immigrants in what might be construed as intimate relations. The results of a series of attitude questions indicated a high degree of verbal tolerance as shown in Table 10–1.

TABLE 10–1

British racial attitudes

	Percent
Highly prejudiced	10
Prejudice inclined	17
Tolerance inclined	38
Tolerant	35

Source: Mark Abrams, "Attitudes of Whites towards Blacks," *The Listener* (Nov. 6, 1969), p. 623.

The expressions of prejudice did not seem to vary by proximity to the immigrant population and were approximately the same throughout the country. Generally the more prejudiced types were those who, because of age or social isolation, might be expected to have a more authoritarian view of life. Prejudice was lower among the better educated and among the youth. This tendency toward a greater tolerance among the youthful could be interpreted as a hopeful sign, but some observers have pointed out that the greater tendency toward violence among youth might counteract their lesser attraction to racial prejudice.[9] This means that, even though virulent racial prejudice might apply to only a small portion of the youth population, the youth so inclined might be disposed to enter into violent riots which in turn exacerbate the conflict and increase prejudice.

When one turns from the question of prejudice to that of discrimination the picture changes sharply. Discrimination included higher fees for auto-

[9] "Race and Generation Gaps," *The Economist* 233 (Dec. 27, 1969), pp. 11, 12.

mobile insurance, difficulty in securing housing, snubs and poor service from merchants, and bias in hiring. The flavor of discriminatory situations can be conveyed by the impressions of a white British girl who worked in a social research project concerning colonial immigrants in 1966:

> Apart from the question of discrimination, we have managed to get some idea of what it is like to be a coloured person in Moss Side. The majority when asked say that they are treated well, or more commonly that they "keep themselves to themselves." But my impression is that this is a front. Sometimes they say something like "It is a bit difficult but you get used to it," and it seems that after a time people do become almost immune to snubs. But occasionally we hear things like "You have no idea how bad it is to be black in this country," and we hear about people cutting them dead in the streets, serving white people before them in shops, refusing to sit next to them in the bus, and hundreds of petty little incidents that build up to make life unpleasant for people.[10]

It would be a mistake to conclude that every colored person is a victim of either overt or covert prejudice even though occasional examples can be cited. One of the authors chanced to talk with a neighbor of Emperor Hailie Selassie of Ethiopia during that monarch's World War II exile in London and was informed that his majesty's residence was regarded as "lowering the tone of the neighborhood!" However, the more highly placed colonial tends to be surrounded by people who seldom let raw prejudice come through. Kenneth Little's description of colonial professional men is to the point:

> The latter families generally have plenty of friends and acquaintances, and there is no apparent restraint on the grounds of color in this middle and upper-middle-class section of society. Contacts are made and friendships established through membership in various leftwing associations opposed to South African *apartheid* or in the course of professional work. In other cases, the white and the colored individuals concerned have met while the former was employed as a civil servant or as a university teacher in the latter's country. In social groups of this kind, use of the term "colored" is eschewed. Non-European people as well as non-European personalities are referred to as far as possible by their nationality. Although the parties concerned probably share a number of certain personal and intellectual interests, this practice implies a consciousness where "race" and "color" are concerned.[11]

DISCRIMINATION IN PRACTICE

Employment is a particularly controversial field. On the one hand, there were many British industries which were unable to attract white

---

[10] Dipak Nandy, *Race and Community* (Canterbury, University of Kent, 1968), p. 11.

[11] Kenneth Little: "Some Aspects of Color, Class and Culture in Britain," *Daedalus* 96 (Spring, 1967): 522–23.

workers for their jobs, and oftentimes textile mills, hospitals, and bus transportation were kept in operation only because of the work of colonial immigrants. While most of these colonials were in low status jobs, this fact is not unrelated to their qualifications, since many of them came from rural backgrounds with no experience in an industrial society, had very inadequate command of English, and had only a limited education. On the other hand, British workers were very afraid of competition with any kind of colonial workers. Employers expected colonials to be less stable and more difficult to supervise and there is little doubt that the colonials, for the most part, had to start at the bottom of the ladder and found social mobility far from easy.

> This occupational structure is not atypical of the situation as a whole. By and large the immigrants have found ready employment whenever there has been a call for labor in semiskilled and unskilled capacities; professional and white-collar employment, however, tends to be another matter. . . . Some firms would take exceptional individuals; others, more liberal, were cutting back to stiffer quotas because they were being saturated with colored applicants and were afraid of getting a name as a "colored shop," still others were staffing whole departments, usually those with the heaviest and dirtiest jobs, with the colored workers.[12]

One of the best documented types of discrimination occurred in the purchase of insurance for automobiles. Some 20 insurance companies were visited by West Indian, Hungarian, and British researchers. They found that only three of the 20 firms gave the same terms to the West Indian as to the Hungarian or the British. There were three firms which refused to insure the West Indian at all, and the remaining 14 firms offered service but at sharply higher rates. There was relatively little difference between the terms offered the Hungarian and the Briton, although there were four firms which asked slightly higher rates from the Hungarian than from the Briton.[13] In defense of the insurance company practices, it should be mentioned that the West Indian did not have a proof of a record as a policyholder. Regardless of whether or not this might have justified the insurance company's hesitancy, there is no question how this treatment appeared to the colonials.

The housing pattern for colonials is somewhat different from that experienced by minorities in other countries. It is true that the colonials usually lived in the less favored sections of the town and that they occupied older houses under more crowded conditions than was true of the British generally. On the other hand, there were no solid ghettos, since there were few districts of any kind which had more than 50 percent of colonial

---

[12] Ibid., pp. 512–22.

[13] Daniel, *Racial Discrimination in England,* pp. 201–3.

population, and evidence between 1961 and 1966 showed some dispersal away from the central areas. A most peculiar feature of the situation is that the proportion of the colonials owning property actually appeared to be higher than for the British. Jamaicans, in central London, for instance, were three times as likely to be owner occupiers as were the natives[14] and a majority of the landlords brought up for housing code violations in cases involving colonials were colonials themselves.[15]

The explanation for the greater degree of home ownership is not the prosperity of the colonials, but discrimination against them in rental property. Most of the rental property (except furnished rooms) has simply not been available to colored or colonials, or not available except on exorbitant terms. This is especially true of public housing Council property in which British applications are usually filled before the colonials are even considered. Faced with this situation, many of the colonials have bought houses, and, in turn, financed them by overcrowding them with fellow colonials.

Education has also brought difficulties. The children of colonials are subject to the compulsory education laws applying to other residents of the British Isles and thus have the opportunity of public education available. They meet with hostility on occasion, however, from white Britons who feel that the presence of immigrant children lowers the quality of school work. This fear of the white Englishmen that the colonial children lower school performance may be exaggerated, since at least one analysis found that at the 11 plus stage there was no significant difference between them and the other pupils.[16] Most studies do not show such a result and whatever the long-term outcome, there are real problems for colonial children and the fears of British parents are at least understandable.

The British policy has been one of integration, and liberals tend to minimize the differences between colonial and native children. Whether this attitude is realistic, given the language and learning handicaps of the immigrant children, is questionable. Even the West Indians, who in many ways regard themselves as British, have language difficulties. On this topic Bell remarks:

> Many West Indians especially those from country areas, speak a Creole which is admittedly based on English, but is not merely a dialect of it as say Liverpudlian or "broad Norfolk" are. It is a discrete language which varies from the

---

[14] Nicholas Deakin, "Race and Human Rights in the City," *Urban Studies* (November 1969), p. 394.

[15] Nicholas Deakin, "Residential Segregation in Britain: A Comparative Note," *Race* 6 (July 1964), p. 23.

[16] "The Education of Immigrant Pupils in Primary Schools," L.L.E.A. Report no. 959, December 1967, cited in Nandy *Race and Community*, p. 9.

standard English not only in accent but also in vocabulary and grammar. It is so deviant that it is now unintelligible to English people.[17]

Placing the colonial children in a standard British classroom means that they are simply bewildered, and, faced with academic defeat, are likely to become behavior problems and disturb school discipline. Thus there is a tendency to provide "reception classes" in which the colonial children can spend at least a part of the day in a class designed for their linguistic situation. Schools are also likely to assign colonial children to classes for retarded children in a pathetic confusion of cultural and genetic problems. Education authorities have stressed techniques for teaching English as a foreign language and have provided extra clerical and welfare staff for schools with a large proportion of colonial children.[18] Such efforts are no doubt helpful, but the fact remains that the entry of a large number of children whose English is either limited or nonexistent places major strains on the schools and educational difficulties become one of the more difficult aspects of race relations.

TABLE 10–2

British housing tenure by ethnic group (percentages)

:thnic :tegory	*Owner-occupiers*	*Renting furnished*	*Renting unfurnished*	*Council renting*	*Other*	*Number of households*
nglish	3	7	53	24	3	9,604*
maican	25	61	12	1	1	7,597
ther Caribbean	9	75	14	1	1	5,211
dian	16	48	26	7	3	2,190
kistani	18	58	16	5	3	269
lish	33	18	35	13	1	3,793
sh	8	34	40	15	3	13,914
ypriot	34	28	30	6	2	1,891

* 1 in 25 sample of English households.

Source: Full Census analysis cited in R. B. Davison: *Black British: Immigrants to England* (London, Ox-d University Press, 1966), p. 53.

Language difficulty inevitably brings problems to the schools. Even Nandy, in arguing that these problems are exaggerated, asserts that 49 percent of immigrant children in British schools had no language difficulties. This is hardly a reassuring statement to anxious parents, since it means that at least half of the immigrant children did have some type of language difficulty and could be expected, therefore, to produce problems of communication in the school room.[19]

[17] Roger T. Bell, "Education," *Fabian Research Series 262: Policies for Racial Equality* (July 1967), p. 10.

[18] Henry Miller, "Race Relations and the Schools in Great Britain," *Phylon* 27 (Fall 1966): 254–55.

[19] Nandy, *Race and Community*, p. 9.

There are, of course, individual immigrant children who are good students and the average performance improves with the period of time in the country. Even with the passage of time, though, the average performance by native British children is still superior, and for the recent immigrant the difference is great indeed. Whatever the long-term adjustment, there can be no doubt that the initial school experience of immigrant children is traumatic for them and also disturbing to native children who are in the same classes. Table 10–3, based on a survey of 52 British schools, summarizes the situation.

TABLE 10–3

Achievement of Native and Immigrant Children in London Primary Schools

	Percentages in groups 1 & 2 (high)			
	Immigrants			
	Recent	*Long Stay*	*Native*	*All*
English	1–6	13	23	25
Verbal reasoning	1–9	12	25	25
Mathematics	2–3	14	24	25

	Percentages in groups 3, 4, 5, (medium)			
	Immigrants			
	Recent	*Long Stay*	*Native*	*All*
English	23–3	50	52	50
Verbal reasoning	19–7	45	48	50
Mathematics	23–3	47	50	50

	Percentages in groups 6 & 7 (low)			
	Immigrants			
	Recent	*Long Stay*	*Native*	*All*
English	75–1	38	24	25
Verbal reasoning	78–4	42	27	25
Mathematics	74–4	40	27	25

Source: Alan Little, Christine Mabey, and Graham Whitaker, "The Education of Immigrant Pupils in Inner London Primary Schools," *Race* 9 (April 1968) p. 452. Published for the Institute of Race Relations, London, by the Oxford University Press, Copyright by Institute of Race Relations, 1968.

EFFECTS OF THE KENYAN CRISIS

Racial difficulties within Britain were compounded by the effect of racial difficulties in Kenya, a former British colony. The difficulty in Kenya concerned the relations between Africans and Indians after the independence of the country in 1963. The Indians, for the most part, were descendents of railway workers who came in 1895 to help the British build the Uganda Railway. They comprised only two percent of the population, but they formed the middle class between the British and the Africans and were far more important in an economic sense than their numbers would indicate. For instance, at the time of independence, 695 of the 750 physicians practicing in Kenya were of Asian origin.[20] Their proportions in other fields were not as high, but they formed a considerable section of the government employees and of the commercial middle class.

British policies provided for a differential pay scale in governmental and commercial jobs, with Indians receiving about two thirds of the European salary but still more than twice the stipend given to Africans. A few of the Indians operated substantial businesses and had become wealthy. The Indian contribution to Kenya was recognized as early as 1908 by Winston Churchill, who wrote:

> It is the Indian trader who, penetrating and maintaining himself in all sorts of places to which no white man would go, or in which no white man could earn a living, has more than anyone else developed the early beginnings of trade and opened up the first slender means of communication. It was by Indian labour that the one vital railway on which everything else depends was constructed. It is the Indian banker who supplies perhaps the largest part of the capital yet available for business and enterprise, and to whom the white settlers have not hesitated to recur for financial aid.[21]

One might argue that the Indians formed a valuable and practically indispensable element of the Kenyan population. They provided expertise, capital, and enterprise in a country in which these factors were in short supply. Although uncertain about the effect of independence on their status, they had, for the most part, not opposed the nationalist movement and frequently had been at odds with the British. The Indians were criticized for social exclusiveness, a superiority complex, and a reluctance to place Africans in management positions in their firms. Some effort had been made by Indians to be conciliatory on these points, but they were not convincing to the African masses or politicians.

To the Africans, the Indians did not appear as a population making a contribution, but as aliens occupying an economic niche which otherwise

---

[20] Steele, *No Entry*, p. 134.

[21] Sir Winston Churchill, *My African Journey* (London, Holland Press, 1964), pp. 33–34.

might be available to Africans. Consequently, disillusionment with the fact that independence failed to bring in the promised economic benefits for Africans stimulated hostility toward the Indian minority. Indian shopkeepers were blamed for rising prices and Indian civil servants were accused of holding jobs which might belong to Africans. The result was a policy of "Africanization" under which aliens had to receive specific government sanction to hold jobs or to engage in business. At the same time, if they wished to leave the country, they were restricted in the amount of capital which they might take with them.

The Indians were all classified as British subjects and holders of British passports. They were given an opportunity at the time of independence to opt for Kenyan citizenship if they so desired. Many of the Indians, however, felt that Kenyan citizenship would probably not protect them against discriminatory treatment and would deprive them of the one refuge to which they might look—escape to Great Britain. Others who did apply found that the process of gaining citizenship was unexpectedly slow and that years might pass before action was taken on a citizenship application. In the summer of 1967, the screws began to be tightened; permits for employment were frequently given for periods of only three to six months' time, schools were often unavailable for Indian children, and the slowness and uncertainty of action by the Kenyan government on Indian citizenship applications added to the confusion.

Immigration to Britain had begun to be noticeable at the time of independence in 1963; by the summer of 1967 it had reached 1,000 a month and, in September, had reached 2,631. In January 1966, the Kenya cabinet decided that the process of Africanization had been too slow and designated another 20,000 jobs held by Indians which were to be opened up to Africans. Job permits were restricted to three months, by the end of which time individuals were expected to be ready to leave the country, and a bond of 150 pounds was required to pay for deportation costs in case that should be necessary.

Within Britain itself, the arrival of the Kenyan Asians stimulated anxiety about the size and nature of the colonial immigration. Enoch Powell estimated that 200,000 Indians might come from Kenya to the United Kingdom, an estimate which most authorities felt was 150,000 too great.[22] He and many other leaders called for an end to all colored immigration into the United Kingdom. Both the Tory party and the Labour government bore responsibility for the situation which had allowed the Indians to have British passports originally, but both began to give in to the agitation. Evidence that changes in the Immigration Act might take place stimulated panic among Indian Kenyans who, in February 1968, began to leave

[22] Martin Ennals, "U.K. Citizens of Asian Origin in Kenya," in Steele, *No Entry*, pp. 248–51.

Kenya at the rate of 750 a day. Elaborate plans were under way to "beat the ban" and get to Britain by chartering flights and arranging mass exits. The plans did not materialize in many cases, and there were hysterical mob scenes at the Nairobi airport as thousands of Indians clamoured for passage. In the last week before the passage of the restrictive bill, some 10,000 Indians did succeed in leaving Kenya and arriving in Britain.

LEGISLATION

Framing a bill to discourage immigration of the Kenyan immigrants was a difficult job, since it meant the abandonment of promises made by the British government at an earlier date and the devaluation of British citizenship. Further, it was essentially a racist type of bill which had to be framed without racist designation. The problem was solved by special provisions referring to citizens of the United Kingdom and the colonies who desired to enter the United Kingdom without voucher or special permits. According to the law, this could only be done by those who themselves or whose fathers or grandfathers were either born in the United Kingdom or had become naturalized in the United Kingdom itself. For others entry was restricted to a limit of 1,500 heads of households and their dependents per year. Thus approximately 350,000 people who thought they held British passports became essentially stateless persons who had only very limited possibility of admission to Britain and who were fast losing any rights at all in the countries in which they lived.

The British passion for "fairness" meant that some gesture had to be undertaken to make amends for the restrictive immigration law. This measure was found in a 1968 Race Relations Act which was modeled after the civil rights laws in the United States. It established a Race Relations Board empowered to deal with discrimination in housing, public accommodations, and employment. Apparently the premise of the bill was that, while immigration restrictions prevented Britain from being overwhelmed by a tide of colonial immigrants, there was still need for efforts to improve relationships between the immigrants already in the country and the rest of the population. The bill places a heavy reliance on conciliation, especially the voluntary conciliation of employment complaints by industry. In the first year of its life, it received 1,562 complaints, which was about twice the number that the framers of the law had expected.[23] This act has removed such racial irritants as advertisements indicating that "no colored need apply," and should protect the colonial immigrants from the most overt types of discrimination. Obviously the act does little by itself to deal with tensions arising from different social customs or with poverty associated with limited education and a lack of systematic work habits. Per-

[23] "A Year's Law," *The Economist* (Nov. 29, 1969): 223–34.

haps the main value of the law is in a symbolic affirmation that the colonial immigrants do have the same rights as if born in the United Kingdom and that black or brown Britons must be regarded as first-class citizens.

FUTURE PROSPECTS

Probably the major question in looking at the future prospects of intergroup relations in the United Kingdom is in the definition of the situation. At least two interpretations are possible. One is that the difficulties of the colonial immigrants are comparable to those of the Irish and other minorities in the past and foreshadow a time of eventual assimilation and acceptance. Another viewpoint is that the United Kingdom has a race relations situation which is not going to lead to assimilation, but to a continuing pluralistic society. Arguments for the development of a pluralistic society included the feeling that the badge of color makes it impossible for non-Europeans to lose their ethnic identity, that the growing third world consciousness leads to a conscious resistance to assimilation and that communication with the home communities is strong enough to keep alive distinct cultural interests. On the other hand, it is argued that the Race Relations Act will reduce discrimination and that with the passage of time the immigrant will absorb the local culture and become a "black Englishman." Further, the number of immigrants is too small to keep alive a vigorous ethnic community. There is no absolute figure which must be reached to maintain a separate community, but this is obviously easier with a large growing minority population. The non-Europeans now comprise only a small proportion of the population, and it seems unlikely that they will ever become more than six percent of the total. Birth rates, which are now high, are expected to level off and the restrictions on immigration limit that source of increase.

Any weakening of the immigration ban seems to be exceedingly unlikely, since the response to the demands by Enoch Powell for a "Keep Britain White" policy was far too strong to be ignored. In fact, a public opinion poll, taken shortly after his speech in April 1968, found that 75 percent of Britons were in favor of stricter curbs on immigration and 71 percent were afraid of racial violence of the type seen in the United States.[24] Certainly, it seems unlikely that the United Kingdom in the foreseeable future will adopt a more open immigration policy or that the colored population will exceed six percent of the total, even at the most generous estimates.

One major aspect concerning the future of assimilation in Great Britain concerns the attitude of the younger generation. At present, most of the colonial immigrants are adults, but a generation of children are growing

---

[24] "Now: Mounting Racial Trouble in Britain," *U.S. News and World Report* (May 6, 1968), p. 64.

up who will have been reared and educated in the United Kingdom. One possibility for their behavior is that they will repeat the second generation's syndome which has characterized many American immigrants and will react against the parental culture in an effort to secure complete identification with British society. As Banton suggests, if the major conflict becomes one between the immigrant fathers trying to hold onto the culture of the country of their origin and their children attempting to become more British, this conflict will probably weaken second generation demands for acceptance and give the British a little longer period in which to come to terms with the minorities in their midst.[25] Such a situation might most easily come to pass with the children of Indian and Pakistani immigrants, who have a rather cohesive and closely structured ethnic community in Britain against which they may revolt.

For the West Indian and African children, the prospects of this second generation revolt are more remote simply because their parents have not offered them a type of culture which contrasts sharply with that dominant in British society, and hence, for this group, there is little conflict between home and assimilation. It is also entirely possible that all groups may be influenced by "third world" demands for cultural recognition and rejection of the West as a model. Nor can we be sure that the Race Relations Act and similar reform measures will lead to an easy accommodation. Experience of the United States would indicate that, whereas discrimination and repression led to resentment and revolt, rapid social mobility may have the same effect. Rapid social mobility usually stimulates increased expectations, and these expectations are always in excess of actual attainments. In the interpretation of social phenomena there is very frequently the attitude which Banton defines as "majoritarian" and "minoritarian."[26] The majoritarian usually has a fairly comfortable conscience because he is a relativist. He tends to take a historical viewpoint and he can see an improvement over a period of time against which the remaining obstacles or inequities seem relatively trivial. The minoritarian, on the other hand, tends to be an absolutist. He does not compare the society in which he lives against the much more imperfect society of the past, but against a type of utopia in which there is no disparity between the real and the ideal. Thus the same society which seems to the majoritarian, progressive, and friendly to minority relations will, to the minoritarian, seen unjust, discriminatory, and racist.

So far the "black power" type of organizations which proclaim an allegiance to separatism and a distrust of white cooperation have been comparatively powerless in the United Kingdom. However, every speech by Enoch Powell concerning the menace of the colored immigrant pro-

---

[25] Banton, *Race Relations,* p. 392.

[26] Ibid., p. 388.

motes a counter truculence among at least some of the colonial immigrant population. As yet the number of militants is small, but the existence of even such a minority indicates the potential of this kind of reaction. Perhaps more to the point than occasional shrill statements from small groups, which may not have more than a dozen members, is the continued vitality of minority expression. This minority cultural expression indicates that the process of assimilation is far from rapid and the older loyalties are slow to die. Gordon Lewis describes the cultural scene as follows:

> There are the novels of Andrew Salkey that document the idiocies of English social snobbery. There are the musical forms—the Jamaican "sound-beat," Trinidad calypsos, the Indian ceremonial dirges—that sustain the separate immigrant life-styles. There is the ghetto life, more psychological than physical in character, that builds up defence-mechanisms against the alien English influence; indeed, it is only in the last few years that the West Indian-Somali-Cypriot life of Tiger Bay, cut off from the Cardiff white citizenry by its railway barrier, has given way to assimilative processes precipitated by slum clearance measures. There is, finally, the intimate tie with the homeland, marked even in the most pro-English group, the West Indians, as the continuing open sale of the Jamaican paper, the *Daily Gleaner*, in the West Indian areas shows.[27]

In today's world, with the strident insistence on a separate identity by many peoples and tribes, the conventional theories of the social status of the colonial immigrants seem unsatisfactory. It is doubtful that the color-class theory of the British Communist party is sufficient to explain all ethnic differences, and it would be utopian indeed to argue that social mobility among the immigrant population and the elimination of alleged capitalist exploitation would lead to assimilation. Neither is the concept of the colored immigrant as the "archetypal stranger" altogether satisfactory. Indeed, it is possible that those experiencing social mobility will also be exposed to rising expectations which will increase social discontent. Further, it is possible that the increased association which diminishes the feeling of strangeness may also increase the competitive struggle, which can easily be defined in ethnic terms.

The United Kingdom is thus a country without a strong tradition of open racial discrimination, in which no major group espoused a racist ideology and which some of the colored immigrants regarded as their cultural homeland. Nevertheless, the ethnic conflicts and adjustments which have taken place appear strikingly similar to those in countries which have known a history of slavery and a racist ideology. The problems of ethnic adjustment seem strikingly similar regardless of the disparity of historical background.

---

[27] Gordon K. Lewis, "Protest Among the Immigrants: the Dilemma of Minority Culture," *The Political Quarterly* 40 (October 1969): 434–35.

The restriction of immigration may lessen the fears of the majority, while the increasing assimilation of the minority may make them seem less "strange" and therefore more capable of being accepted as an integral part of British society. On the other hand, the presence of over one million colored people, probably destined to increase to three million before the figure stabilizes, furnishes a recognizable and obvious scapegoat for all the ills of British society. Nor is it true that the problems of assimilation are altogether due to British resistance. The Third World has its own siren call which appears increasingly attractive to the young seeking recognition and impatient with the slow rate of progress in Western society.

NON-EUROPEAN MINORITIES IN FRANCE

While both France and Great Britain had colonial empires there were many differences in their racial attitudes and policies. Assimilation, which, to the British, was irrelevant, became a major theme of French colonial policy, although practiced more often in theory than in reality. The civilizing mission of France was not simply to spread French culture, but to bring the colonial peoples to the point of development at which they were worthy of full status as French citizens. French assimilation policy was never carried through consistently by the French Colonial office and, in the end, was rejected by many of the colonial peoples themselves, as we indicated in our discussion of Senegal; but, nevertheless, it left a residue of acceptance. The participation of a few black politicians in the Chamber of Deputies in their capacity as citizens of the French Union is a symbol of a degree of acceptance of men in spite of racial background. Between the French and the British Empires, there were differences in size as well as philosophy, since the French empire at its height probably numbered no more than 30 million people. It lacked such colossal populations as those of India, and the French had little fear that they would eventually be overwhelmed by the sheer number of the colonial subjects.

The similarities between France and Britain, however, may be even more striking. Both of them sought, for a time, to guarantee freedom of immigration between their past or present colonies and the metropolitan area, and neither of them experienced any large influx of non-European immigrants until after World War II. In spite of the allegedly greater tolerance of the French, the same complaints are made by non-European immigrants in France that have appeared in Britain, and the same kinds of tensions between the aliens and the French population have arisen.

One major difference when looking at the non-European minorities is that those who came to France include something over one-half million Arabs from Algeria, who come from what the French refer to as *Afrique blanche,* meaning that many of the Arabs are not recognizably darker than the Frenchman and that there is more difference between the Arabs and the African blacks than there is between Arabs and French in physical appearance.

Immigrant workers began coming into France when the reconstruction needs after World War II indicated the need for foreign labor. The greatest number of these came from Europe; mostly from Italy, but with considerable numbers from Spain, Poland, and Belgium, along with a few from Germany and Switzerland.

The Algerians formed the second largest group of migratory workers, next to the Italians. There were only 50,000 Algerians in France in 1947, but their population had increased to 400,000 by 1960.[28] French industry has been expanding faster than the increase in French population has produced new workers, and it is estimated that, in time, France could absorb as many people as the 1960 population of Algeria (8,000,000).[29] While the Algerian workers come from a country which has been under French rule for more than a century, most of them are illiterate and unskilled and occupy the lowest rungs of the French occupational structure. Like the non-European minorities in Britain, the Algerians for the most part came to France without families, regarding their stay as temporary, sending back the equivalent of a $100,000,000 a year to Algeria in remittances and hoping someday to return to the homeland. Unlike the British immigrants, few of them have sent for their families or give indication of a permanent residence. They are described as making "minimum demands on accommodations," and perhaps too typical is the following description of a hotel just outside of Paris:

> A long filthy corridor has on either side rooms in which the beds are run up the walls. These three-bunk-high rooms are just large enough for a pile of bunks against each wall, with room to walk between. The rooms are dark; between the rows of bunks the men's washing hangs from a string. A sink for hand and face washing, a kitchen for elementary cooking, and extremely primitive lavatories are crammed in the yard outside.
>
> The man who runs this "hotel" is an African, from Mali. He claims that he in his turn is exploited by the French owner of the building. He and his brother have three establishments, totalling a thousand beds, between them . . .[30]

That this situation was not unusual is indicated in an article by Marlene Tuninga, in which she states that it was not unusual to pack ten men into a single room and that cellars, attics, or old factories are frequently used

---

[28] Vernon Waughray, "The French Racial Scene: North African Immigrants in France," *Race* 2 (November 1960): 64.

[29] Ibid., p. 61.

[30] "The Black Side of Paris," *The Economist* 216 (July 3, 1965): 20.

as dormitories. Her estimate is that not even a fourth of the non-European workers had accommodations which could be said to even approximate decent housing.[31]

The situation of the Algerians in France was complicated by the revolt in Algeria which eventually resulted in independence for that country. This movement for Algerian independence was resisted bitterly by the French, since over 1,000,000 French *colons*, or "settlers," lived in Algeria and many French statesmen proclaimed proudly that "Algeria is France." The period of struggle did not leave the Algerians resident in France untouched, and there were frequent riots between rival factions of Algerian parties represented among those living in France. This, in turn, resulted in curfew restrictions for the Algerians by the French government, mass protest by the Algerians, savage repression of demonstrations by the police, and a general feeling of tension between the Algerians and many of the French population. The grant of independence to Algeria has minimized the political differences, but leaves many problems unsolved. Unemployment in Algeria is still very high, resulting in continuing migration from Algeria to France in search of jobs. The French and the Algerian government in 1964 reached an agreement to limit the Algerians to those workers who had been given a work permit, and who had passed a medical examination. This had the temporary effect of reducing the flow of migration. However, this measure soon became ineffective, since Algerians found they could get around the law by simply stating that they were coming to France as "tourists." Thus the migration continued unchecked at an increment of about 50,000 a year.

There were in 1965 perhaps 160,000 black non-European immigrants in France, including those from French West Africa and from the French departments of Martinique, Guadeloupe, and Reunion.[32] These latter areas, which are now departments of France, have unrestricted immigration privileges, but since their total population is small the number of immigrants they can send out is obviously restricted.

PREJUDICE: BLACK AND WHITE

It is perhaps both the comparatively small number of blacks eligible for migration to France and the bitter experience with Algerians during the revolt which have produced attitudes in France apparently unrelated to color. A survey in 1967 on the attitudes of the French toward blacks,

---

[31] Marlene Tuninga, "African New Wave in France," *Institute of Race Relations Newsletter* (September 1964), p. 12.

[32] John Guynn, "French without Tears," *Institute of Race Relations Newsletter* (November 1965), p. 16.

Arabs, and Jews found that, with various criteria combined, 34 percent of a sample of men holding professional positions in Paris were prejudiced against Jews, 52 percent against blacks, and 65 percent against Arabs. As in the United Kingdom, prejudice was less marked among the younger people and those with more education and higher incomes. Table 10–4

TABLE 10–4

Degrees of prejudice against Jews, Negroes, and Arabs (percent)*

Having as a professional colleague:	*Jew(s)*	*Negro(s)*	*Arab(s)*
Situations			
Happy	22	22	15
Indifferent	67	69	52
Rather discontented	4	5	17
Very discontented	7	4	16
Having as a personal friend:			
Happy	26	26	18
Indifferent	65	66	57
Rather discontented	4	5	12
Very discontented	5	3	13
Having as a son-in-law:			
Happy	14	9	7
Indifferent	54	40	29
Rather discontented	18	26	26
Very discontented	14	25	38
Attributes of the prejudiced			
Age:			
20–29	25	36	51
30–39	30	49	62
40–49	36	62	72
50+	47	62	75
Salary:			
Up to Fr. 1,000	42	47	68
Fr. 1,000–Fr. 2,000	35	53	65
Fr. 2,001–Fr. 3,000	28	55	62
Fr. 3,000+	35	56	62
Education:			
Primary	41	54	70
Technical	26	53	64
Secondary	30	52	64
Higher	26	42	52
Religion:			
Catholic	40	58	73
Non-Catholic	19	33	43
Political affiliation:			
Extreme left	22	38	50
Left	28	48	62
Center	43	65	75
Right	53	73	82
Extreme right	48	55	81
Marais ("At sea")	37	52	65

Source: *Institute of Race Relations Newsletter*, N. S. vol. 2 (January 1968), p. 35.
* Based on sample survey of French men.

gives a summary of French attitudes which would seem to belie the stereotype that the French are relatively unprejudiced.

FUTURE PROSPECTS

It seems unlikely that the French will follow the British lead in sharply restricting immigration from Africa and from the remaining French departments outside of Europe. In part, this is because the populations, only about 1 million in the departments, 20 million in West Africa, and 8 million in Algeria, did not offer the potential immigration which was true of the former British possessions. It also appears to be unlikely because of a continuing need for immigration to France, which is probably threatened by industrial development in Spain, Italy, and Portugal, the prime sources of manpower in the past.

The French seem to have a higher proportion of temporary workers who leave their families in Algeria and return home after two or three years than has been true of the British. Temporary workers do not seek complete incorporation in the nation and are more willing to accept a relatively segregated type of social life. It may be that, in the future, an increasing number of these workers will remain in metropolitan France and that the problem of their identity as Arabs, blacks, or Frenchmen will become more pressing and will put to an increasingly severe test the viability of the French devotion to the principle of assimilation. So far the total number involved are relatively small and the majority of workers still leave their families in their original habitat. In the meantime the need for additional labor continues and migration is unimpeded. There will probably be an increasing struggle to maintain an identity which is at once French and something more; but it is doubtful whether the struggle will reach the pitch it has attained in Britain, where a group of permanent non-European residents waver between assimilation in Britain and identification with a homeland which has several times the population of the British Isles.

FRANCO-BRITISH NON-EUROPEAN MINORITY PATTERNS IN RELATION TO GENERALIZED INTERGROUP BEHAVIOR PATTERNS

French pattern. Verbal indications of prejudice showed a greater rejection of Arabs than of blacks.

Generalized pattern. Sharp political conflict combined with cultural differences may produce more antagonism between groups of similar physical appearance than exists between groups of more sharply differentiated physical appearance but less salient political conflict. In other words, in some circumstances, hostility against those of the same color can be greater than against those of a different color.

Franco-British pattern. The young, the better educated, and the more wealthy showed less verbal indication of ethnic prejudice than the aged, the poor, and the uneducated.

Generalized pattern. When the respectable morality endorses ethnic egalitarianism, this will be accepted most by those in greatest contact with agencies of communication and education.

Franco-British pattern. Professionals from former colonies were drawn to work in France and Britain, and found fairly good social acceptance.

Generalized pattern. High-status individuals, not regarded as too competitive by their local counterparts, are usually favorably received.

Franco-British pattern. The bulk of non-European immigrants are welcomed in low-status jobs but meet discrimination when they attempt to find better positions.

Generalized pattern. Efforts toward social mobility made by low-status minorities meet native resistance. Current patterns of development in the more industrialized nations lead to a demand for social mobility which makes nationals unwilling to take low-status jobs. Immigrants are welcomed for these positions but meet discrimination when their push for better positions makes them competitive with majority group citizens.

British-Kenyan pattern. Kenya has taken discriminatory measures which have caused large numbers of Indians to leave the country. Great Britain has passed legislation to protect minorities against discrimination and, even with the immigration restriction, still allows a small number of non-Europeans to enter the country.

Generalized pattern. Rejection of minorities tends to be more severe in developing countries than in those already industrialized. While industrialized countries are worried by prospects of mass immigration, they can usually tolerate an existing minority population. Developing areas, however, tend to regard all permanent aliens as competing with nationals and to drive aliens out of the economy and thereby out of the country.

British pattern. Despite a desire to maintain Commonwealth ties and despite the fact that some potential non-European immigrants held British passports, their entry into Great Britain was heavily restricted.

Generalized pattern. Neither sentimental ties nor legal guarantees are adequate protection against the development of racist actions when the minority is regarded as a threat to the majority.

Franco-British pattern. Despite the small size of the non-European minorities a few militant separatist groups existed.

Generalized pattern. When identity as a member of the host community is blocked or accorded on a subordinate basis, the minority, if it regards itself as permanent or long-term residents, will demand recognition as a separate entity. Since assimilation is seldom complete, some degree of separatist activity is probably to be expected in most mixed ethnic situations.

British pattern. Although the British have not discriminated against non-Europeans in the provision of school facilities, there is much criticism of the schools by both the majority and the minority group.

Generalized pattern. School achievement reflects the motivation and the home culture of the student as well as the quality of education facilities provided. Educational facilities which are "fair" or "equal" but which fail to take account of minority backgrounds will usually lead to disappointing results. The minority students fail to learn at the expected pace and their frustration leads to conduct which limits the usefulness of the classroom for all students. Highly motivated children from groups with a great respect for education, such as Jews or Asian Indians, may overcome these obstacles and make good academic progress. In most groups, however, the first or even second generation to be exposed to the American-European type of educational process will include a high proportion of low achievers. Whether efforts to adapt the school to minority culture will improve the learning process still remains to be demonstrated.

Franco-British pattern. The tendency was for non-European migrants to rent quarters owned by landlords of their own race. The rents charged were sometimes exorbitant in terms of prices which had existed before the migrants entered the district, and the accommodations were frequently overcrowded and lacking in sanitary facilities.

Generalized pattern. The rate charged for the provision of goods and services is determined by market conditions regardless of the ethnic relationship of parties involved. The rent charged for housing is not determined by considerations of ethnic solidarity or differences but by the supply and demand forces operating in the market. The native landlord will not be able to raise rents if the supply of housing is surplus; on the other hand, the landlord who is of the same ethnic group as his tenants is not likely to overlook a chance for higher rent when a short supply of housing tilts the demand-supply situation. In any economic situation, one can best make an analysis, not by knowing the ethnic background of contending parties, but simply by being aware of the forces which affect supply and demand. Frequently minority entrepreneurs may be accused of exploiting their own ethnic group. Whether the charge of exploitation is justified or not is doubtful, since they are providing a service which other businessmen have failed to provide. In any event, the minority person looking about for profit-making opportunities is likely to see those affecting his own people first. On the other hand, the needs of minority peoples are not as likely to be brought to the attention of the majority group of businessmen. Thus we find that the provision of services is often for the minority by their own members and at a rate which may seem excessive in terms of prices charged before a minority influx increased the demand.

British pattern. Housing surveys indicate that only about one to three percent of most of the non-European minorities have been able to find "Council" housing. This is government housing provided at a low cost by the municipal authorities. The presumed explanation of this situation is that there is a long list of applicants for housing and that they are selected in order of application. In addition, there are other requirements such as seniority in terms of residence in the area, in which migrants stand rather low. Supposedly, the lack of non-European minority representation in Council housing is simply a result of the impact of impartial regulations, but such a conclusion overlooks the fact that local administrative bodies usually find a way to favor the majority local group. John Rex of the Fabian Society concludes as follows:

> There can be little doubt that there is systematic discrimination against immigrants in local authority housing, though it rarely occurs in the form of an explicit policy excluding colored people from housing. What is the case is that a system which does and must discriminate between one applicant and another is used in practice to discriminate against colored applicants.[33]

The mechanics of such discrimination may or may not result from the letter of the law. The refusal to consider the special needs of minorities or to change regulations to meet these needs simply underlines the fact that, whenever there is a restricted supply, the outsiders tend to find little help from local authorities.

Generalized pattern. Goods and services provided by local governmental units often discriminate against minorities. The very fact that the local government unit is close to the people and responsive to their needs and demands enables it to take somewhat narrow policies of group favoritism. This practice is more difficult on a national level, where rules and policies are usually framed in universalistic terms, and national bodies are reluctant to give overt expression to discriminatory attitudes. Another example of such a situation can be found in the relationship of American Indians to the federal government. While the Indians are frequently disappointed in their relationship with the federal government, they have learned to expect the worst possible outcome in their relationships with state and local governments, where rules of universalistic policy are much less binding. Consequently, American Indians have usually fought any

---

[33] John Rex, "Housing," *Fabian Research Series 262: Policies for Racial Equality* (London, Fabian Society, July 1967), p. 22.

attempt to reduce their rights as "wards" and place them under the control of state governments. There are, no doubt, exceptions, but, in general, minorities are likely to get greater consideration from national bodies operating on universalistic standards than from local authorities directly responsible to a vested local interest.

British pattern. A British politician, Enoch Powell, was able to attract a large following for a platform barring colored immigration in spite of ideological opposition from both major parties.

Although Britain had always been slow to accept strangers, there were no formal norms of ethnic discrimination or segregation. When the non-European population was extremely small, minority problems of education, housing, or employment simply did not arise on a noticeable scale. The British prided themselves on following the principle of fair play and thought that racial discrimination, prejudice, or conflict were phenomena of less enlightened breeds. The entry of over a million non-European immigrants in two decades' time, and the prospect of a still larger number yet to come, changed this situation and the British viewpoint. In the changed situation, the British perceived the new migrant as a noisy and unsanitary neighbor, a problem in the school, and a competitor in the labor market. In this set of circumstances, the older set of norms, in the opinion of many British, became irrelevant. As they viewed it, the non-European influx was a threat to the British way of life and the Enoch Powell proposals to end immigration, and even to deport non-Europeans currently in the country, found acceptance by a significant number of British.

Generalized pattern. A sudden change or threat of change in the pattern of intergroup relationships leads to defensive reaction in behalf of the older patterns. Changes in the population composition due to immigration are a prime example of this pattern. When Jewish immigration to Palestine threatened the position of Arabs, hostility increased to the point where some Arab leaders were threatening to drive the Jews out of the country. The initial acceptance of immigration restriction in the United States in 1920 also seems to have been based on a fear that the immigration of southern Europeans was threatening the continued dominance of a basically Anglo-Saxon type of culture. The old majority group may eventually decide that it has no choice except to come to terms with the newcomers, but some attempts to restore the *status quo ante* are likely to occur. Previous norms of egalitarianism or tolerance tend to be ineffective in meeting new intergroup situations.

QUESTIONS

1. Which is the more racist policy, Kenyan laws which forced Indians out of the country or British restriction of immigration? Defend your answer.

2. Some writers on French minority policy lump Arabs and blacks together as a "colored" group, while others distinguish between "colored" and Arabs. How would you explain this discrepancy?
3. On the basis of opinion polls, which are the most prejudiced, French or British?
4. Is fair play and nondiscrimination the answer to minority problems? If not, why are these inadequate?
5. Some small groups of non-European immigrants in both France and Britain reject assimilation. Can such a group maintain itself over a long period?
6. Is color the main criterion for sharp ethnic distinction? How do you explain the indications of greater French prejudice against Arabs than against blacks?
7. Can the civil rights legislation be expected to end friction between white Britons and the non-European minority?
8. Will the second generation of colonials born and educated in France or Britain make an easier adjustment? What factors might still generate friction?
9. Is the best answer to minority educational problems to be found in integration or in separate schools specifically adapted to minority needs? Can the two ideas be harmonized?
10. Youth is usually less inclined to express prejudiced opinions than older age groups. Does this indicate that there will be less ethnic conflict in the future?
11. Did the actions of the Kenyan government which forced many Indians out of the country help or hurt the prosperity of African Kenyans? If all the Kenyan Indians had opted for Kenyan citizenship immediately would this have solved the problem?
12. Will the long-term effect of the reduction of non-European immigration to Britain make for racial harmony or for increased conflict?
13. Both the Conservative and the Labour party in England have been accused of being false to their ideals in restricting the immigration of colonials with British citizenship. What would have been the result if the leadership of the two parties had stood firm and refused to restrict immigration?
14. Employment tension between non-European and others seems to increase as the non-Europeans seek better jobs. What is the best way to alleviate tension of this kind?
15. The landlords accused of "exploiting" non-Europeans are often of the same nationality as their tenants. What does this prove about the ethnic basis of such exploitation? Would the non-Europeans have fared better in a state in which all housing was government-owned?
16. Metropolitan France and Britain have never had the slaveholding system which characterized the United States. What difference has that made in current relations between non-European immigrants and the natives?
17. Would increased travel by French and British contribute to an improvement in relationships between natives and non-European immigrants?
18. In the past, highly trained professionals have been welcomed in France and Britain as well as in the United States. Do actions of this kind have

any effect on relationships between the natives and lower-class non-Europeans?

19. Would you expect France or Britain to have the most difficulty in assimilating non-Europeans?
20. Are the British simply repeating a cycle which has involved the initial rejection and ultimate assimilation of immigrant groups? State arguments on both sides of this issue.

Chapter 11

Black America at the crossroads

At one time or another the relations of blacks and whites in the United States have been shaped by each of the three major patterns of segregation, integration, and cultural pluralism. The first 60 years of black and white contact were a time of uncertainty and tentativeness which eventually led to the enslavement of the majority of American blacks, along with the existence of a number of "free Negroes" of rather marginal status. The period of slavery was one which combined the greatest possible degree of intimacy between races with the greatest possible degree of subordination of blacks to whites. This was a period in which miscegenation was widespread and, at the same time, one in which the slaves were "chattels" who were not regarded as having legal rights at all as persons.

The end of slavery introduced a brief effort at integration and "reconstruction," followed by a period of segregation and discrimination which might be dated roughly from the Hayes-Tilden presidential election controversy of 1876 until the school desegregation decision of the U.S. Supreme Court in 1954. The school desegregation decision marked the acceptance of integration as an official government policy. This acceptance of integration was a high point in a long struggle by blacks and white liberals and, supposedly, was resisted only by the segregationist whites.

By 1966, however, a number of spokesmen in the black community questioned whether integration was a feasible, or even a desirable, goal for American blacks and proposed various types of separatism or cultural pluralism. The emergence of a militant separatist black group was confusing both to integrationist blacks, who felt they were leading the wave of the future into a color-blind society, and to whites of almost all persuasions. Liberal whites who had been cooperating in the move toward integration now suddenly found themselves damned as enemies by the new separatists. Segregationist whites, on the other hand, found that some of the most militant blacks were suddenly speaking a language which sounded very similar to that of segregation.

The American racial picture in the 1970s suggests that, as far as blacks and whites are concerned, the old-style type of segregation is dead or dying. Whether the new pattern will be integration, cultural pluralism, or some relationship (autonomy, liberation, nationalism, etc.) to which these labels cannot be profitably applied, remains to be seen. At this juncture in the development of race relations in the United States, many black Americans find themselves at the crossroads wondering which way to go. Which will provide a richer and less oppressive life, the road of social integration or cultural assimilation, or the path leading toward separatism? Cultural pluralism has proved to be a viable alternative in places like Switzerland, but will it work for black Americans? Is black America's best solution one of voluntary segregation within the context of the larger American society, accompanied by fuller control by black people of the various institutions found in the black community? These are some of the major questions facing black America in its search for freedom, equality, and liberation.

The crucial issue of whether black Americans should move toward a new definition of integration, separation, or liberation cannot be fully understood without some knowledge of the historical developments and persistent problems that have brought them to this particular crossroad. Therefore, we shall provide a brief account of the black man's arrival in this country and his subsequent struggle for liberation. The following generalizations were derived from our discussion of this quest: (1) in a complex, modern society the chances of a cohesive, united front against oppression are hampered by intragroup cleavages, (2) often the culture of a subordinated minority is denigrated and the dominant group tends to force its culture on minority group members, (3) a desire for the elimination of socio-economic disparities tends to be greater after a subordinated minority has already experienced some measure of improvement, and (4) substantial change without complete success often creates a sense of alienation that undermines the likelihood that further change will occur through orderly procedures.

PRE-CIVIL WAR EXPERIENCE

The pattern of slavery in the United States proved to be an institution centered almost altogether in the South, with slave labor utilized mostly in plantation agriculture. The slaves had come from several different West African areas, and they varied in tribal affiliation, customs, and even, to some extent, physical appearance. They were scattered widely throughout the United States in such a fashion that they usually could communicate with other slaves only by means of the English language; except for a few vestigial remnants, African culture was almost totally destroyed. The slavery pattern was somewhat slow to emerge, though, and the first 60 years of experience in the United States witnessed a much more fluid pattern of racial relationships. In fact, the first blacks to be introduced to that part of the New World evidently were not perceived as lifetime slaves:

> Even the first Negroes in the colonies, who happened to land in Virginia, were not treated as slaves, though they had been purchased from a Dutch man-of-war that had taken them off a captured Portuguese slaver. Possibly because English law did not cover slavery, possibly because they were Christians, these twenty Negroes appear to have enjoyed a status similar to that of indentured servants. Moreover, many of the other Negroes in Virginia during the next several decades had a similar status. After a stipulated number of years of service, they received their freedom as well as land and a few implements. Some even became masters of other men, even white men.[1]

The fact that the first blacks in America were at least potentially free men does not mean that they were accepted on a basis equal to whites. Even before the rise of a large-scale slave trade and the establishment of a definite system of slavery on the American soil, it was apparent that men of color were perceived as being different from those of white skin and therefore inferior. While this belief served later as a rationalization to justify the eventual slave status, it appears to have emerged even before such a status had crystalized. Thus Quarles states:

> For, while it is true that slavery had its root in economics, it must not be overlooked that discrimination against the Negro antedated the need for his labor. In the early years of Virginia, the Negro population grew slowly, in 1648 numbering around 300 in a population of some 15,000 and in 1671 numbering 2,000 out of a population of 40,000. It was not until the turn of the century that Virginia's Negro population took a sharp rise. But long before that time, the distinction between the white and the black servant had become marked. From

---

[1] Eli Ginzberg and Alfred S. Eichner, *The Troublesome Presence—American Democracy and the Negro* (New York, Mentor Books, New American Library, 1966), p. 23. Copyright 1964 by The Free Press of Glencoe, a division of the Macmillan Company. Reprinted by permission.

the beginning Negroes were thought not to be assimilable; they were not considered fellow parishioners in the church or even fellow roisterers at the tavern.[2]

Such a statement should not be taken to indicate that a segregated social pattern emerged immediately. There was a period of discussion and gradual change in the legal and religious status of the black population. For instance, did they have the same rights in court as white men or were these rights to be modified in some fashion? Were they eligible for baptism as Christians and, if baptized, could they still be held as slaves? The settlement of these and other issues required a period of perhaps nearly a century and was never completely uniform in all areas, with blacks, and even slaves, having somewhat greater rights in New England than in the deep South.

Slavery itself was some time in emerging as a major issue. Many of the early settlers of North America were bondsmen of one type or another, and it is estimated that close to 80 percent of the colonists arrived under some form of servitude.[3] The most common form of servitude was that of the indentured servant who, voluntarily or otherwise, had agreed to serve his master without pay for a period of years in return for his passage to the New World. Both whites and blacks were classed as indentured servants, and many members of each race eventually found their freedom and became respected members of the community. The black indentured servant, however, tended to find that obstacles were placed in the way of his eventual freedom, and his position tended to merge with that of other blacks who had been bought or captured from Portuguese or Dutch traders and whose status was that of lifetime slaves. Eventually the category of indentured servant fell into disuse, and the population became divided into whites, all of whom were free men, and blacks, some of whom were free, but most of whom were lifetime slaves.

Two factors seem to have accelerated the trend toward the establishment of a definite slave system. One was the decision in 1698 by the British Parliament that threw the slave trade open to British subjects. The other was the perception by settlers in Virginia and elsewhere of the economic possibilities of the cultivation of tobacco. The expansion of tobacco cultivation produced a demand for labor which the indentured servant system could not satisfy, nor could adequate labor be secured by a straight wage payment. Indentured white servants were likely to flee before their period of service was over, and wage laborers were likely to leave their employment for independent farming or for businesses of their own. Slave labor might have many drawbacks, but at least it offered the planter a fairly permanent type of work force. Benjamin Franklin, for

---

[2] Benjamin Quarles, *The Negro in the Making of America* (New York, Macmillan Co., 1969), pp. 37–38. Copyright 1964, 1969, by The Macmillan Company.

[3] Ginzberg and Eichner, *The Troublesome Presence*, p. 22.

instance, found that slavery was a cumbersome and costly type of labor but admitted its advantages: "Why then will *Americans* purchase slaves? he asked. Because Slaves may be kept as long as a Man pleases, or has Occasion for his Labour; while hired Men are continually leaving their Masters (often in the midst of his Business) and setting up for them selves."[4]

By the time of the American Revolution, slaves comprised approximately 20 percent of the population. By this time the best tobacco lands had begun to wear out and the economic advantages of slavery had begun to come into question. The ethics of slavery were freely discussed, and slavery was openly condemned by many leading statesmen. The adoption of the American Constitution stimulated a debate between those who wished to abolish slavery completely and the interests which wished the constitution to protect slavery from any government interference at all. Eventually a compromise was reached which recognized the existence of slavery but provided that the slave trade could be outlawed after 20 years' time.

One of the arguments used by opponents of slavery to justify this compromise was the opinion that slavery was proving economically unprofitable and soon would be as rare in the South as it was in New England. This sentiment was typified by the statement of Oliver Ellsworth of Connecticut during the constitutional debates: "Let us not intermeddle. As population increases, poor laborers will be so plenty as to render slaves useless. Slavery in time will not be a speck in our country."[5]

There were many factors which supported the idea that slavery was a dying institution. In the areas of the South which had been settled earliest, tobacco was less profitable as the soil had apparently been exhausted. In newer areas, wheat and other cereals, which were less adapted to slave labor, seemed to be the most profitable crops. The price of slaves had fallen so low that many planters found it actually profitable to give them away, and between 1790 and 1820 the number of "free Negroes" in the South increased more than threefold.[6] There were a number of antislavery societies in the South, and it was not uncommon for Southern clergymen, journalists, and politicians to denounce slavery as an immoral and unprofitable institution.

Most of this was to change, however, as Eli Whitney's cotton gin, invented in 1794, came into wider use. The cotton gin broke a bottleneck in agricultural development, since it separated the seeds from the cotton fiber in an economical manner. As soon as the utility of the cotton gin

---

[4] Leonard W. Labaree (ed.), *The Papers of Benjamin Franklin* (New Haven, Conn., Yale University Press, 1959), Vol. 4, p. 230.

[5] Max Farrand (ed.), *The Records of the Federal Convention of 1787* (New Haven, Conn., Yale University Press, 1937), Vol. 2, p. 369.

[6] Ginzberg and Eichner, *The Troublesome Presence*, p. 83.

was perceived, cotton became regarded as the most profitable crop and slavery was viewed as essential to provide the labor supply which made southern prosperity possible. By 1830 the South had become substantially unified in its defense of slavery and had silenced or expelled the critics in its midst. From that time on, slavery became a sectional issue, with the South committed to its support and the North either indifferent or hostile.

The favorite picture portrayed by the writers of the ante bellum South is of a paternalistic regime with happy slaves and indulgent masters. Supposedly an accommodation had been reached by which the slaves accepted their servitude in return for the security and protection afforded by paternalistic masters. There can be little doubt that frequently both slaves and masters regarded slavery as the only possible type of system and proceeded to make the best of the situation. There undoubtedly were many cases of real affection between slaves and owners, and there were many stories told of the faithful household servant or the "old Negro mammy" who had faithfully reared the children of her white master. Resentment against the system was apparently neither so deep nor so widespread that it became unbearably expensive to keep a slave force intact and, even during the Civil War, it appeared that most slaves continued to perform their customary duties.

On the other hand, this supposedly idyllic state was not so universal as to prevent the emergence of occasional slave revolts. There is disagreement as to the type of incident which should be classified as simply a normal altercation between master and slave rather than a planned revolt. The estimate by Aptheker that there were over 250 conspiracies and revolts may be an overstatement; however, there is no doubt that many such revolts did occur and that their prevention or suppression was a fairly constant concern of the slave owners. Perhaps the best known revolts are those of Nat Turner, Denmark Vesey, and Gabriel Prosser.[7] Prosser led over 1,000 blacks in an effort to attack the city of Richmond. Denmark Vesey had similar designs on Charleston, South Carolina, and was frustrated because whites were alerted by a fellow slave. Probably the most spectacular revolt was one in South Hampton County, Virginia, led by Nat Turner. This revolt led to the killing of 55 whites in the first day of Turner's activities. Two months later he was captured and executed but not until his revolt had stimulated an almost paranoid type of anxiety among the slave owners which led to the killing of hundreds of slaves and even some free blacks.

The fact that the majority of blacks labored faithfully without planning revolts does not indicate that they accepted the status of slavery joyfully. In addition to revolts, there were also efforts to escape which led to the

[7] For description of these revolts see Thomas W. Higginson, *Black Rebellion* (New York, Arno Press and the *New York Times,* 1969).

establishment of the famous "underground railroads," consisting of a network of friendly whites and free blacks who would guide the escaped slaves from Southern plantations to safety in Canada. However benign the paternalism of the slave owner or however terrible his means of repression, the slaves never abandoned the dream of freedom.

THE AFTERMATH OF EMANCIPATION

When freedom finally came to the American slaves, it was as a result of a costly war which lasted for almost five years and nearly led to the demise of the American nation. Not only did the Civil War lead to emancipation, but the freed slaves were also given the right to vote, and their privileges in society as free American citizens were guaranteed by a variety of new federal civil rights laws prohibiting racial discrimination.

Immediately after the end of the Civil War, those active in support of the Confederacy were disenfranchised and the Republican Party, with the aid of both whites and freed slaves, captured the legislatures of most of the Southern states. In most of these states blacks were a minority among officeholders, but there were many blacks in state legislatures and a few were elected to the Congress, both in the House and in the United States Senate. The legislatures undertook the reconstruction of the South and endeavored to set up educational and governmental services which would enable the freed slaves to take a successful role in Southern society.

This activity was considered an outrage by most of the white Southerners and could only be supported as long as federal troops remained stationed in the South. Eventually, a rising Southern white resistance and a loss of interest on the part of the North led to the withdrawal of troops and the collapse of the Republican regimes. The political maneuvers involved were complicated, but it is perhaps sufficient to say that by 1876, after little more than a decade of effort at reconstruction, the Northern troops were withdrawn and the blacks were abandoned to the discriminatory rule of the Southern whites.

The Southern whites were compelled to accept the finality of emancipation but sought to restore a system which, as far as possible, would assure a permanent supply of cheap black labor. Their efforts to do this led to a system of segregation[8] which remained unchallenged in the South for many years and, to some extent, affected the North as well. Under this system of segregation, the rule was separate facilities in practically all walks of life. As far as government was concerned, black participation was completely excluded and, for the most part, blacks were prevented

---

[8] For a discussion of the development of segregation—a post–Civil-War phenomenon—see C. Vann Woodward, *The Strange Career of Jim Crow* (Fair Lawn, N. J., Oxford University Press, 1957).

from even voting. For schools, libraries, prisons, and practically all government services, separate, and usually inferior, facilities were set up for blacks. In the private sphere, the operators of hotels, restaurants, and transportation enterprises were legally prohibited from mixing blacks and whites in the same accommodation.

In economic life, the tendency was to classify all work as either white men's jobs or black men's jobs. By and large, the black men's jobs were those which were so poorly paid or so lacking in prestige that no white man desired to occupy them. The only exceptions were provided by the existence of black-operated private businesses and by the acceptance of black professionals for the service of a black clientele. Blacks were given a monopoly as clergymen in black churches, or as teachers and administrators in black schools. They were allowed to operate private enterprises with some degree of freedom, and there were occasional cases of blacks who became successful businessmen or large landholders. For the most part, however, segregation meant that politically the black was powerless, and socially and economically he was restricted to the least desirable aspects of society.

Changes in economic conditions have usually brought a change in the reaction to racial patterns, and the first major change to threaten the pattern of segregation was the labor shortage of World War I, which increased the demand for factory workers at the same time that it shut off the supply of European immigrants. As a result, hundreds of thousands of blacks left agricultural employment in the South for industrial jobs in the North. In the North, the black migrant found both opportunity and problems. The opportunity consisted of jobs which paid a much higher compensation than agricultural or service work in the South and of access to public facilities, such as education, without a color tag. The problems came from the difficulty of adjusting to a new and harsh environment and from the resentment felt by white workmen who feared competition for their jobs and by white householders who regarded their new neighbors as a threat to the community.

Labor agents were sent to the South to spread the news of opportunities in the North but, at the same time, the new migrant often found himself in the midst of riots that wrecked many Northern cities in the years from 1917 to 1920. The pace of the black migration North slackened briefly after the end of the war, but picked up again in the economic prosperity of the 1920s. By 1930, millions of blacks had moved from Southern plantations to Northern cities. Most of them occupied unskilled or, at best semi-skilled jobs, but the general level of living was considerably higher than that provided by Southern agriculture, and at least a few of the group had begun to make their way into more rewarding types of occupations.

The dream of advancement which the wartime and 1920 migration had brought on was rudely shattered by the depression of the 1930s. This brought about mass unemployment that affected, in many areas, as much as a third of the working force. Blacks, as the last hired were often the first to be fired and the population movement from the South to the North almost ceased. A large part of the black population was enabled to survive at all only by the emergence of federal welfare measures.

The next change came with World War II, which produced an even greater demand for soldiers and industrial laborers than World War I. Wartime demands enabled migration from South to North to begin again; only this time the destination was Southern cities as well as the Northern metropolis. Blacks moved from service occupation to factory labor and, under the exigencies of wartime pressures, a small number of higher status jobs were open to black applicants. Again, there was a question as to black status after the end of the war, but the expected depression did not come and the prosperity which continued into the 1950s and mushroomed into dramatic growth in the 1960s provided for a substantial upgrading of large numbers of the black population. At the same time, Southern agriculture found less need for unskilled black labor because the tractor and the cotton picker enabled a farmer with two or three hired hands to cultivate as much land as had been worked by 20 sharecropper families two decades before.

Thus the growing demand for labor in the cities was matched by a decreasing need for labor in the part of the South which had insisted on the most rigid pattern of segregated race relations. The strong pressure to do away with enforced segregation was given legal recognition in 1954, when the Supreme Court declared that legal requirements for segregated education were a violation of the constitutional provision for the equal protection of all U.S. citizens. The court decrees were followed by state and national legislative enactments which have outlawed discrimination in employment, housing, government, and public accommodations.

In brief, the reconstruction civil rights measures which were passed at the end of the Civil War were revived again in the two decades following the end of World War II. The legal basis of segregation had been completely destroyed, the population distribution had changed from a picture of 90 percent of blacks living in the South in 1900 to a nearly equal distribution between the South and other sections in 1970, and, however much they disagreed on its meaning, the goal of equality of opportunity had received assent from a major proportion of the American people.

The spirit of the period was perhaps best exemplified by a biracial march on Washington led by the Reverend Martin Luther King, Jr., which brought over 200,000 people to a fervent pitch of excitement in an affirmation of interracial brotherhood. Admittedly, there were barriers which remained in the path of black social mobility, and different interpretations of the period soon began to emerge. To white liberals and integrationist blacks, the civil rights period was one of rapid progress which pointed the way toward a society in which whites and blacks would be able to coexist on an equal basis. To critics, the period was one in which results had not lived up to promises and in which the black man was asked to trade his racial identity for a largely formal, and partly fictitious, equality as an assimilated American.

INTEGRATION AND PROGRESS

Any evaluation of the impact of the period since the end of World War II will be likely to reflect the influence of what Banton has described as the "majoritarian and minoritarian" viewpoint.[9] The majoritarian tends to look back at the past to describe the changes which have taken place and to conclude that satisfactory progress is being made. The minoritarian, on the other hand, does not use his past status as a frame of reference. Rather, he will compare himself either with an ideal standard or with the most favored group in the society. He then describes the disparity between his present status and his ideal and decides that progress has been negligible and that the society is essentially unfriendly to his aspirations. Both the majoritarians and the minoritarians can find data in the American scene to support their conclusions. The majoritarian will point to both absolute and relative improvement in the education, health, and economic well-being of blacks; while the minoritarian will point to the disparity which still exists between whites and blacks.

For the most part, those who are impressed by the progress of the last two decades of American interracial relationships tend to take the viewpoint that integration is a realizable ideal and that steps in this direction have already brought significant gains to American blacks. Those who might be classed as separatists tend to deny that any effective integration has taken place and to minimize the extent of any economic gains which may have occurred.

It is doubtful whether any discussion of trends will be satisfactory to all, but a factual analysis will at least illustrate the basis for different contentions. On the legal front, there would seem to be little room for argument on the changes in an integrative direction. The laws in the Southern states which once forbade intermarriage, on the one hand, and required a segregation of all types of facilities on the other, have been rendered inoperative. A vast apparatus of laws and commissions has been created whose objective is to see that no American is penalized because of race in his search for education, housing, or employment. Further, the right to vote has been safeguarded so that millions of blacks now vote in the South where only a few thousand voted before 1960, and blacks have begun to

---

[9] Michael Banton, *Race Relations* (New York, Basic Books Inc., 1967), p. 388. Compare the use of this concept in Chapter 10 pages 316–18.

hold political office in significant numbers. A black man sat in President Johnson's cabinet, another black man, Thurgood Marshall, was appointed as a justice of the Supreme Court and, in Massachusetts, a black politician, Senator Brooke, was elected to office in a state where blacks are a very small minority of the total population. In addition, there are more than a dozen black Congressmen and hundreds of blacks occupying appointive and elective positions in city and state governments. In federal employment, it is estimated that 15 percent of federal jobs may be held by blacks as compared to an overall proportion of 11 per cent of blacks in the total population. The United States Army, which, as recently as World War II, was openly and completely segregated, has now abolished all formal racial distinctions; the number of black noncommissioned officers is higher than the proportion of blacks in the army, and they are represented (although less than proportionately) in the upper ranks of the officers' corps.[10]

The state of Michigan furnishes several striking illustrations of black political advance. In 1972, in addition to holding two seats in Congress, blacks had won positions in statewide elections even though they are only ten percent of the state population. Black educators are in demand at predominantly white universities, and Michigan State University, in 1971, selected a black man, Clifford Wharton, as its president.

Critics of integration would contend that such examples are exceptional. They would point out that black office holders in government still represent less than one percent of the total of elected officials and that even in areas such as federal employment or the army, where numbers of blacks are close to their proportion of the population, they are underrepresented in the top spots. They would further contend that blacks in prominent positions have to conform to "white middle-class norms" and thus cannot really represent the black population.

Education is a field in which the black advance has been little short of spectacular. During the 1960s, the proportion of blacks in the 25–34 age bracket who had graduated from college increased more than 50 percent and the differential in average education completed by blacks and whites dropped from 3.5 years in 1959 to 1.1 years in 1969.[11] The elimination of segregative requirements has opened up all institutions of higher education to qualified blacks and, in addition, there has been a pronounced move toward lower entrance requirements and financial subsidy for members of minority groups.

In schools below the college level, the de jure integration orders were countered by a massive movement of blacks into the cities and of whites

---

[10] Charles C. Moskos, "Racial Integration in the Armed Forces," *The American Journal of Sociology* 72 (September 1966): 132–48.

[11] For source of statements on black socio-economic status see Tables 11–1 and 11–2.

TABLE 11–1

Black and white progress

Category	*Year*	*Blacks*	*Whites*
Percent above poverty level	1959	43.8	81.9
($3,743 in 1969)	1969	69.0	90.5
Median black income as	1965	54	
percent of white income	1969	64	
Family income $10,000 and	1947	3	11
over (1968 dollars)	1960	8	24
	1968	21	42
Families under $3,000	1947	60	23
income (1968 dollars)	1960	41	16
	1968	23	9
Unemployment rates	1969	6.5	3.2
Median years of school	1959	8.6	12.1
completed	1969	11.3	12.4
Percent 25–35 years old	1960	4.3	11.7
completed college	1966	5.7	14.6
	1969	6.6	16.2
Single-parent families	1960	25	8
(either male or female head)	1969	31	9

Sources: Bulletin No. 1511, *The Negroes in The United States: Their Economic and Social Situation,* U.S. Dept. of Labor, June 1966; Charles E. Silberman, "Negro Economic Gains Impressive but Precarious," *Fortune* 82 (July 1970): 74–78. U.S. Census Bureau Special Report, 1970, *Current Population Reports,* Series P-23, No. 29, BLS Report No. 375.

to the suburbs which left the actual proportion of blacks in predominantly black schools in the North greater than before the Supreme Court decision, and in the South provided only for small change. In the 1970s there has been a spate of court-ordered busing which has avoided the limitations of residential segregation and has drastically increased the proportion of students in schools which are racially "balanced" on about the same basis as the ratio in the surrounding population. Busing has aroused consternation among whites who fear the destruction of the neighborhood school and the lowering of academic standards. At the same time, there is little evidence of support from black parents, many of whom fear that their children may be placed in an unfriendly and harshly competitive atmosphere. Whether a large-scale busing program will survive is uncertain, but it certainly has been a major step in the desegregation of the common schools.

The attack from the other side is not so much on the reality of integration as it is on the nature of the education offered to black students. The claim is made that the schools, whether integrated or segregated, are creatures of a white society which does not recognize the ethnic needs of black students. Teachers are charged with being "racist" in failing to understand black students and in using methods and standards which make it difficult for the students to find relevance in education. Curricula have been modified to provide for the introduction of black history and similar subjects, but black students continue to have an average achievement rate in academic subjects about two years below that of the white average and to have a larger dropout rate.[12]

It was once assumed that desegregation would bring closer contact and therefore a greater degree of friendly understanding between black and white students. In recent years, however, desegregated schools have been the scenes of many battles along racial lines, often with an increase in suspicion among both blacks and whites.

Probably the crucial test of the degree of progress in recent years is seen in changes in economic status. There is no doubt that there has been an absolute improvement in the economic circumstances of blacks and also that there has been a relative improvement in comparison with whites. The grounds for dispute are whether such changes are mere tokenism or whether they indicate a major shift in the nature of black economic participation. The number of black families living in poverty has decreased and the number living in affluence has increased. In comparing the years 1947 and 1968, one finds that, in 1947, 60 percent of black families were living in poverty (defined as $3,000 in 1968 dollars) and that, in 1968, this had declined to 23 percent, which was the proportion of white families that lived in poverty in 1947. Taking an income of $10,000 a year or more in terms of dollars with the 1968 purchasing power as an index of affluence, the number of black families in this level is almost twice the proportion of white families in 1947—21 percent as compared to 11 percent—and represents a sevenfold increase in the proportion of black families above that level since 1947.

Naturally, the longer the period of years, the greater the degree of change, but even comparisions within the decade of the 60s show rather sharp and favorable changes. The greatest relative changes have come in the ranks of young families, which might be taken to indicate a trend which will eventually be more pervasive. For instance, in 1959 the median income of young black husband-and-wife families in the northern and western parts of the United States, with both mates working, was only 64 percent of similar white families; it had risen to 104 percent in 1970.[13] On an overall basis, the median income of black families, which was only 51 percent of that of white families in 1959, had risen to 59 percent in 1972.

---

[12] James S. Coleman, et al., *Equality of Educational Opportunity*, (Washington, D.C., Office of Education, U.S. Dept. of Health, Education and Welfare, 1969), pp. 274, 454–56.

[13] Department of Commerce, Bureau of the Census, *The Social and Economic Status of the Black Population in the United States, 1971* (Washington, D.C., United States Government Printing Office, 1972), Table 21, p. 34.

In the South, the black family had 55 percent of the white family income and in the North and the West, 68 percent.[14]

Looking at the other interpretation, there are obviously continuing problems for blacks and continuing disparities between black and whites. In 1968, there were still 2.5 times the proportion of blacks who lived in poverty as compared to whites, while whites had twice the proportion living in affluence.

TABLE 11–2

Median income for families with head under 35 years of age, by region, in 1959 and 1969

	1959				*1969*			
Area and type of family	*Black*	*White*	*Differ-ence*	*Black as a per-cent of white*	*Black*	*White*	*Differ-ence*	*Black as a per-cent of white*
United States	$	$	$		$	$	$	
All families	2,972	5,535	2,563	54	6,001	9,032	3,031	66
Husband-wife families	3,534	5,658	2,124	62	7,488	9,384	1,896	80
North and West								
All families	3,913	5,778	1,865	68	6,938	9,330	2,392	74
Husband-wife families	4,594	5,897	1,303	78	8,859	9,703	844	91
South								
All families	2,423	4,839	2,416	50	5,146	8,367	3,211	62
Husband-wife families	2,735	4,987	2,252	55	6,286	8,649	2,363	73

Source: U.S. Department of Commerce, Bureau of the Census from Monograph, *The Social and Economic Status of Negroes in the United States, 1970* (Washington, D.C., Bureau of the Census, July, 1971).

A major distinction along economic lines is in the impact of unemployment, which for several years has run about twice as high among blacks as among whites. The minoritarians would argue that such figures would indicate that in a time of enormous prosperity blacks have received only a few crumbs and that the relative condition of blacks has not really altered in an appreciable fashion. The majoritarian would argue that it is impossible to alter the economic position of a group completely in a few years' time and that blacks have done very well in recent years if their progress is compared with that of such groups as the more recent

[14] U.S. Dept. of Commerce, Bureau of the Census, The Social and Economic Status of the Black Population of the United States, 1972, Series P–23, No. 46. p. 17.

immigrants, who have also been moving from a low-status position to that more nearly equal to the median of the population.

They would also argue that some of the apparent inequities are due to special circumstances for which there is no immediate and simple correction. Thus a large number of the black families living in poverty, probably at least 66 percent, are families that have only a female parent living in the home.[15] Since the 1973 rate for the family with a female head was 35 percent for blacks as compared to nine percent for whites,[16] it may be argued that this aspect of poverty is related to a particular type of family life rather than to any general racial discrimination. Further, the increase in unemployment may be taken in some ways as a measure of progress rather than the reverse. There was relatively little unemployment when most blacks were engaged in agricultural or in service occupations. Since blacks have entered industry and have turned away from the service type of position, they are more subject to industrial fluctuations without having had time to gain the seniority which has partially protected white workers against this difficulty.

Compared to any previous decades, the period of the 1960s has afforded a time of economic progress among the blacks which is probably unmatched in the world's history for any group of any ethnic background. This statement does not, of course, mean that people will be convinced that such progress indicates the essential soundness of the integrative procedures which have been followed and that the future should be more of the same. The militant is likely to argue that past injustices have been so great that readjustment should be more rapid and more massive than has taken place. He would further argue that we cannot rely on the techniques fashioned in the civil rights controversy and in the war on poverty and must look to some new kind of structuring of society.

Several questions arise in predicting the effects of more drastic governmental efforts to equalize the racial income balance. One is the simple matter of feasibility. In the past, the greatest minority gains have come as general prosperity has increased the demand for labor, while, on the other hand, the returns from specific reform programs have been somewhat disappointing. Apparently, as the economic system now operates, blacks receive an increasing share of the economic gains of the whole society as national income increases. If there is a method by which more rapid proportionate gains can be made for blacks than occurred in the 60s, this method has not yet been demonstrated. Another problem is that, since blacks are a minority, comprising around 11 percent of the population, it is necessary to avoid programs which would cause a white backlash. Whites who are content to see black progress come through economic

[15] Ibid., p. 12.

[16] Ibid., p. 100.

growth might be quite hostile to programs in which black gains were perceived as white losses.

THE BLACK COMMUNITY

One of the very difficult policy questions is how to deal with the malaise of black communities as represented by unstable family life, drug use of almost epidemic proportions, and a high crime rate. The psychological cost of living in the black community has risen appreciably in the last few years, especially from the time that the drug problem assumed gigantic proportions. Many blacks, both men and women, are afraid to walk the streets at night for fear of being robbed and injured. One of the features of black crime is that, for the most part, it is likely to be directed against blacks rather than against whites. It is the black person who is the victim of a homicide rate much higher than that of whites. It is the black householder whose property is lost through theft, the black woman who is molested by rapists, and, to a great extent, the black youth who is demoralized by the drugs offered by the pusher.

In spite of the suffering of the black community from crime, there is a tendency to look upon the police as an outside agency representing a repressive power structure. The white policeman is often criticized as insensitive and brutal, and black police do not escape such criticism, either. Further, the poor image of police in black communities makes it difficult to recruit black policemen, since they are often regarded by fellow blacks as those who have "sold out to whitey." Police have often been criticized for a tendency to ignore criminal behavior or minimize their attention to it when both the criminal and the victim were blacks. However, attempts of police to engage in a closer surveillance of black criminals frequently bring community resentment. Thus departments are criticized because they do not send sufficient police into black communities, but are also criticized for excessive concentrations of police and harassment of black individuals. Crime is often attributed to institutional racism and to poverty, but recent years have seen an increasing attack on behavior which could be called racist and a mounting scale of material well-being, accompanied by a rising crime rate.

Apparently there is a major need for community cooperation with the police. Whether this can be brought about by "community control" of police forces or by more effective and wholehearted acceptance of blacks in the larger society remains a question. Banfield, for one, observes that similar phenomena occurred in immigrant colonies in the United States and that the situation did not improve until there was a substantial movement of these ethnic groups toward middle-class status.[17]

---

[17] Edward C. Banfield, *The Unheavenly City* (Boston, Little Brown & Co., 1968), p. 170.

Closely related to the crime situation is the difficulty of maintaining stable black families. Illegitimacy and divorce rates have been rising for both races. Although the illegitimacy rates for whites recently have shown a greater proportionate change than for blacks, there is still a significantly higher percentage of black families without a male parent in the household. This phenomenon is frequently attributed to the matriarchal pattern established in slavery, when the slave owner was often unconcerned about maintaining the family unit. This explanation, though, is hardly applicable to the present situation, since the number of families headed by women has been growing rapidly in recent years, rising from 17.6 percent in 1950 to 35 percent in 1973. Apparently the single-parent unit represents an adjustment to lower-class urban life rather than simply a hangover from days of slavery.

Not only is there a high percentage of single-parent families at any given time, but apparently a frequent reshuffling of mates through divorce and remarriage affects a much larger percentage of families sometime during their existence. For instance, in 1965, the proportion of blacks on Aid for Families with Dependent Children (AFDC) was 14 percent, but the probabilities were that 56 percent of black children would be in an AFDC family sometime during the childhood period.[18] Black families have many strengths including a resilience and a cooperation which has enabled them to meet difficult conditions. However, it seems hard to argue that the one-parent family is not handicapped both economically and in child discipline and that family instability is a part of the black community problem. The Black Muslims have opted for a strong patriarchial family pattern with an emphasis on male responsibility and female subordination. It might also be argued that the increase in the size of the black middle class would lead toward a more stable family life. The difficulty with this argument is that the white middle-class family is showing signs of increasing instability although at a considerably lesser rate than the black family.

BLACK REACTION TO SOCIAL CHANGE

Black reactions to social change in the United States may be said to have had three major components: (1) integration on an equal basis in the total society; (2) some type of separate development within the United States, and (3) the attraction of Africa. The latter alternative came to the fore relatively early with the formation of the African Colonization Society in 1816, which was a device to settle freed slaves on the African

[18] *The Negro Family: The Case for National Action* (Washington, D.C., Office of Policy Planning and Research, United States Department of Labor, March 1965), p. 12.

continent. It led to the development of the country of Liberia and the resettlement of a few thousand freed American slaves, who in turn became the aristocracy of the new country. However, the appeal of the Colonization Society was short-lived. The freed slaves protested that the United States was their true home and, meanwhile, the expansion of the cotton-growing area produced a demand for labor which made slave owners reluctant to see their slaves leave. The movement emerged again in substantial force after World War I under the leadership of Marcus Garvey. He was criticized by most of the intellectuals but drew an enthusiastic response from the black masses. His movement attracted immense crowds of followers until it foundered on the rocks of government hostility, fiscal difficulty, and internal rivalry.

A genuine "back to Africa" movement has not yet reasserted itself, but the 1960s saw a fascination with African culture and a growing interest in the newly independent African states. More militant blacks felt that wearing dashikis, learning to speak Swahili, and wearing the massive "Afro-American" hairdo were all a sign of black nationalism. Further, Africa was part of the "third world," which, it was assumed, would side with American blacks in their struggle for greater status.

One of the first separatist leaders, Booker T. Washington, emerged to prominence at a time when the blacks had lost all political power and an extreme segregation was unquestioned in the Southern part of the United States. Washington abjured the desire for social equality or political participation and proclaimed that by the acquisition of economic skills the black man could develop in a way advantageous both to the white South and to himself.

Washington was challenged by W. E. Burghardt DuBois, who deplored Washington's preference for vocational education and called for political action and first-class citizenship for blacks. Washington was accused frequently of being an accommodating "Uncle Tom" type of leader, while the activities of DuBois led eventually to the formation of the National Association for the Advancement of Colored People and a vigorous push for integration of blacks in American life.

In the 1930s, the integrationist leaders were able to forge an alliance with the liberal Democrats which paid off in a Democratic commitment to the abolition of segregation through administrative and legislative support for civil rights. Men like Whitney Young of the Urban League, Bayard Rustin, who had close connections with the labor movement, and Roy Wilkins of the NAACP, stood high in the councils of government and were able to secure a considerable measure of support, not only from liberal Democrats, but also from circles in business and in organized labor. However, in the mid-1960s, their analysis of the situation was challenged by another group of leaders, who not only were contemptuous of the progress made toward integration, but discarded it as a goal of black Americans. Since policy preference is related to one's view of the nature of American life, let us now turn to that topic.

MODELS OF SOCIAL CHANGE

This search for alternative ways to explain blacks in the American setting gave rise to at least two separate but related radical models: the marginal working class and the internal colony models. Many scholars view blacks as an underclass or a marginal working class that has been exploited for the benefit of the ruling elite. This exploitation came into existence during the "capitalism of slavery" and has been perpetuated until the present time by the "exploitive capitalists." During slavery the accumulation of wealth was achieved by exploiting some of the best human specimens produced in Africa. After slavery there has been a systematic attempt to keep black people in a low socio-economic status. According to Sidney Wilhelm:

> Some writers attribute the perpetuation of racism directly to the ruling stratum seeking to restrain wages, by instilling in white workers a racial prejudice against Negroes, the latter remain vulnerable to brutal exploitation while the former are rendered less competitive because they strive against the slave wages of blacks. In this manner, the ruling elite derives cheap labor from both black and white.[19]

Along the same lines, William K. Tabb states:

> If one group of workers are able to command higher pay, to exclude others from work, and if other groups of workers are limited in their employment opportunities to the worst jobs and lowest pay, then a marginal working class has been created which benefits the labor aristocracy and to an even greater extent the capitalist class.[20]

There is little question about the accuracy of such an interpretation for the period of slavery, but its usefulness as a model for race relations in the 20th century is more doubtful. For instance, an argument can be made that business has frequently operated in a manner which increased black opportunity. Thus, the Rosenwald Foundation was a principal proponent of the improvement of public education for blacks in the American South and Henry Ford was instrumental in introducing blacks to factory labor in Northern cities. Many businessmen either have contributed philan-

---

[19] Sidney M. Wilhelm, *Who Needs the Negro?* (Garden City, New York, Doubleday, 1971), p. 170.

[20] William K. Tabb, "Race Relations Models and Social Change," *Social Problems,* 18 (Spring 1971), p. 438. Published for The Society for the Study of Social Problems; Copyright 1971. Reprinted by permission.

thropic support to black movements or have pressed for the introduction of black labor in areas of employment which previously had been white preserves.

The thesis that the situation of the American black is really a form of colonialism is perhaps best articulated by Robert Blauner, who writes, "the essential condition for both American slavery and European colonialism was the power domination and the technological superiority of the Western world in its relation to peoples of the non-Western and nonwhite origins.[21]

The colonial argument implies that blacks are kept as a permanently subjugated group which is denied both cultural autonomy and individual advancement. Unlike other Americans they came to the United States involuntarily and are really subjects rather than citizens. Hence, the model which they should adopt for planning strategy is not the other ethnic groups that have been assimilated in American society, but the people in underdeveloped countries who find political and economic freedom by separating themselves from the oppressive rule of the imperialist state.

A cogent counter argument to the colonial model as a proper fit has been made by Nathan Glazer, who acknowledges that the "ethnic group model" is on the decline but, upon examination of residential, economic, and political data, asserts that scholars like Blauner have exaggerated the differences between black and white ethnic groups.[22] Glazer states:

> Blauner has argued for understanding black development in terms of internal colonialism, while white ethnic group development is to be interpreted in completely different terms. However, in the Northern cities, differences between black and white ethnic group development are not as sharp as he believes, where we examine residential segregation, economic development, and political development. In the South, the internal colonialism model fits the evidence better. In the North, blacks have a choice as to whether they interpret their experience by the internal colonialism or the white ethnic group model. The choice will have political consequences.[23]

Strong support for the ethnic group model also comes from Edward C. Banfield in his analysis of urban America, *The Unheavenly City*. Banfield maintains that most of the behavior patterns which are considered racial

---

[21] Robert Blauner, "Internal Colonialism and Ghetto Revolt," in James A. Geschwender (ed.), *The Black Revolt* (Englewood Cliffs, New Jersey, Prentice-Hall, 1971), p. 236.

[22] For a fuller statement of this argument see Nathan Glazer, "Blacks and Ethnic Groups: The Difference, and the Political Difference It Makes," *Social Problems*, 18 (Spring 1971): 444–61.

[23] Nathan Glazer, "Blacks and Ethnic Groups: The Difference and the Political Difference It Makes," *Social Problems*, 18 (Spring), p. 444. Published for The Society for the Study of Social Problems; copyright 1971. Reprinted by permission.

could better be explained in terms of social class. His thesis is that just as the European migrants to America were primarily lower class and manifested such lower-class behavior as higher crime rates, more unstable families, and inadequate school performance, so blacks are migrants from the rural South to the urban North and manifest the same behavior.[24] His argument is that blacks are going through the same sort of transition to higher-class status as the European migrants, and that this is a perennial type of process, beginning afresh with each new group to enter the city. One of the points which may be taken as backing his viewpoint is that the assumption that blacks always moved into the central city while whites moved to the suburbs is now being questioned. Each year since 1964, an average of 85,000 blacks have moved from the central city to the suburbs. In many cases, this may mean that they are moving toward predominantly black suburbs and do not escape segregation, but it is hard to deny the conclusion of Reynolds Farley of the University of Michigan, "Negroes, similar to European ethnic groups, are becoming more decentralized throughout the metropolitan area after they have been in the city for some time and improve their economic status."[25]

The debate between the proponents of the internal colonialism model and those of the ethnic group model cannot be resolved, because it is possible to marshall evidence to support either position. Perhaps a resolution is not the most important aspect of the debate, but rather a consideration of how these perspectives influence the outlook of black people and their leaders. Tersely, the consequences of the colonial model will not be the same as those of the ethnic group model because the latter assumes that, although there are black-white disparities, blacks can and will eventually overcome the structural barriers as the white ethnic groups have. Therefore, the strategies and tactics for social change will differ markedly from those called for in the internal colony model. It appears that the strategies and tactics in the internal colony perspective would lead in the direction of complete separation (a new nation) or to internal separatism. Parenthetically, there is evidence that both have caught the imagination of a significant proportion of today's black youth, as has a call for the suburban blacks to move back into the inner city to help in the development of the slums. In this call there is the notion of decolonization; of achieving political and economic control over the community.

Stokely Carmichael was speaking to this issue when he said:

> The colonies of the United States—and this includes the black ghettos within its borders, north and south—must be liberated . . . the form of exploitation varies from area to area but the essential result has been the same—a powerful few

---

[24] Banfield, *The Unheavenly City*, pp. 66–87.

[25] *New York Times* (July 11, 1970), p. 221.

have been maintained and enriched at the expense of the poor and voiceless colored masses. . . . For racism to die, a totally different America must be born.[26]

THE RACIAL TOWER OF BABEL: A CONFUSION OF VOICES

Thus far we have discussed only two perspectives, and one should not assume that these are the only viewpoints that are having an impact on the racial scene. If they are to play an important role in the development of Black America, they have to successfully compete with traditional as well as emergent models. Therefore, by looking at the various groups and organizations involved in the black movement, we are better able to understand that, at this juncture, no one perspective has gained the full endorsement and support from the black community. As a matter of fact, in the past few years, the newer perspectives have not caused a major shift of opinion among blacks with regard to the various black organizations. According to a recent Harris survey,[27] 73 percent of the rank and file of blacks have a "great deal" of respect for the NAACP, the Congress of Racial Equality (CORE) got 43 percent, and the Black Panthers received 23 percent from those surveyed. All the traditional civil rights organizations were respected by at least 50 percent of the blacks in the cross-sectional survey.

The new perspectives and new groups which grew out of the chaos created by the Black Power slogan have to compete with the established organizations for black members; new ideas must compete with old ideas; radical perspectives must struggle against traditional ones. Tersely, this has functioned to intensify intragroup friction and conflict. To provide a clearer picture of what is involved in this development, we have provided an arbitrary scheme which takes into account the major groups and their orientations. We realize that there are dangers in any attempt to develop a typology of black organizations, but we do so in hopes of providing some meaningful way of specifying the various strident voices in the black community. The discussion which follows should be regarded as more illustrative and descriptive than analytic, since the latter seems a hopeless task at the present time.

The major black organizations may be viewed on an integrationist-separatist continuum, with the National Association for the Advancement of Colored People (NAACP), the Southern Christian Leadership Conference (SCLC), and the National Urban League representing the integrationist end of the continuum, while the Black Muslims and the Republic of New Africa are at the separatist end. Groups like the Black Panther Party, CORE, Student Nonviolent Coordinating Committee (SNCC), and

---

[26] Quoted by Sidney Wilhelm, *Who Needs the Negro?*, p. 170.

[27] *Kalamazoo Gazette* (Thursday, Jan. 13, 1972), Section A, p. 4.

the Black Liberationist would fall some place in between the two poles (see below).

Separatist/Integrationist Continuum

Separatist tendency		*Integrationist tendency*
Republic of New Africa	SNCC	National Urban League
	CORE	
Black Muslims		SCLC
	Black Panthers	NAACP
	Black Liberationist	

INTEGRATIONIST-REFORMIST TENDENCY

Although some significant shifts have occurred in the last few years, the integrationists essentially take the position that integration has been and still is the most viable goal for black Americans. They operate on the basic premise that it is still possible to transform the American system into one in which peoples of all hues can live harmoniously under the American flag. Once white racism and its various debilitating manifestations have been controlled, genuine integration is possible. Hence the integrationists are not attempting to bring about the total destruction of the American system, but rather the aim is to change particular aspects of it.

Roy Wilkins of the NAACP stated that "the overwhelming majority of the Negro-American population, ranging as high as 95 percent and as low as 78 percent, choose integration," and that "the anti-integrationists have forgotten that the siren song of separatism has fallen flat several times before in the history of American black-white relations."[28] He argues that integration is not the same as assimilation, in which the cultural heritage of black people is rejected for that of whites. Moreover, Wilkins sees America as the home for black people because they have no other place to go, and therefore feels that separatism should be ruled out as a viable alternative.

The late Whitney Young, Jr., of the Urban League, saw the tendency toward separatism as an attempt "for relief from the 'grueling struggle' with American racism" and claims that "there are no virtues to be found in segregation, whether imposed by white racists or sought out by ourselves."[29] Not unlike Wilkins, Young did not view integration as a process whereby blacks reject their blackness. For Young there was a "need for an

---

[28] *Ebony*, 25 (August 1970), p. 55.

[29] Ibid., p. 90.

integrated society, not because of association with whites is, of itself, a good thing, but because it is through participation in the mainstream that full equality can be won."[30] Today many integrationists have embraced the concept of Black Power as a viable and relevant concept. Young's thinking is representative of other organizations of this tendency in the sense that "Black power can be—and should be—interpreted to mean the development of black pride and self-determination. It means that black people must control their own destiny and their communities. It means the mobilization of black political and economic strength to win complete equality."[31]

CORE and SNCC made a more drastic shift in their thinking and orientations than the NAACP, the SCLC, or the Urban League. In particular, CORE has remained basically a reformist organization rather than the champion of a revolutionary version of black separatism and feels that, at least for the moment, integration is irrelevant and meaningless. Therefore, for CORE, separatist programs are essential for the development of black progress and to any long-range plans for genuine integration. Greater control of the black community and its institutions is the drive behind the present plans of CORE.

SNCC broke with the traditional integrationist-reformist tendency and for a very brief time formed an alliance with the Black Panthers. After a power struggle in SNCC, Stokely Carmichael became the party's prime minister and, along with other members from the leadership of SNCC, helped the new group to get established on the West Coast. SNCC has failed to establish a national black political party and, according to Robert Allen, "thought the Black Panthers could become such a party . . . but this alliance was short-lived, if it ever really existed, and ended a few months later in angry verbal exchanges and near-violence."[32]

The SNCC emphasis was on self-determination, revolution, and anti-capitalism. It did not rule out alliances with any oppressed minority and also welcomed potential allies coming from the white population—the young white radicals with sufficient revolutionary zeal to help change the system. But with the ousting of Carmichael and his subsequent departure from the country, and with the loss of other national leaders, SNCC rapidly lost the attention it had in the late 60s. Before the decline in power, SNCC leaders, especially Carmichael, encouraged blacks to get guns and become prepared for the second American revolution.[33]

---

[30] Ibid., p. 94.

[31] Whitney M. Young, Jr., *Beyond Racism: Building an Open Society* (New York: McGraw-Hill, 1971), p. 238.

[32] Robert L. Allen, *Black Awakening in Capitalist America* (New York: Doubleday, 1970), p. 263.

[33] For a more comprehensive statement on Carmichael see Robert Allen, *Black Awakening in Capitalist America,* pp. 247–256.

BLACK NATIONALISM

The ideology and programs of the black nationalists are in direct opposition to those of the integrationists, but this schism is an old issue. For example, Martin Delaney in the mid-1800s espoused a brand of black nationalism (Africa for Africans) which was contrary to the thinking of Frederick Douglass, the abolitionist-integrationist. Thus, the integrationist-nationalist controversy is not a recent phenomenon on the American scene. What is basically a contemporary situation, however, is revolutionary nationalism, whose emergence comes out of a new interpretation of black-white relations nationally and internationally. Black nationalism, within the American context, is a drive for self-determination—a mechanism through which a new ethos and a sense of peoplehood can be sufficiently manifested. It is opposed to assimilation or any other process that threatens to weaken black solidarity and black culture.

At the moment, black nationalists view the white American society as a fossilized nation that is spiritually bankrupt and morally corrupted and whose institutions are without any redeeming features. Therefore, the nationalists accept as their task the creation of a social system that is not a replica of the white system.

In their drive for nationhood the black nationalists are forced to view those of the integrationist tendency as enemies who must be defeated if they are to attain their goal. They allege continued failures of the integrationists to achieve any major victories for the masses of black people; they charge that integrationists are unable to relate to the demands of blacks; and they declare it is impossible to eliminate racism and oppression by merely seeking to reform certain aspects of the American system. They claim that the black integrationists, especially the bourgeoise variety, are the only ones who have benefited from the system, not the masses. Even those few blacks who have made some economic gains are still exploited because of race; hence so-called progress is an illusion and therefore the integrationists, not unlike the white liberals, tend to block true black liberation.

BLACK NATIONALISM: FOUR TYPES

Strongly opposed to integration are four expressions of black nationalism: (1) black cultural nationalism, (2) black revolutionary nationalism, (3) black separatism, and (4) black liberationism. Each group advocates a drastic revision of the American system, although their strategies and tactics differ markedly, a situation which makes them both compatriots and rivals.

The several cultural nationalist groups are perhaps best represented by such national spokesmen as Maulana Ron Karenga and Imamu Amiri

Baraka, the former LeRoi Jones. At this stage in the development of Black America, revolution is not feasible and, according to the cultural nationalist, there are certain logical prerequisites that black people must achieve before they can realistically entertain thoughts of revolution. Accordingly, the cultural nationalists place primary emphasis on the development of black cultural art forms as a mechanism of black liberation. Karenga and Baraka argue that there is a need for a cultural revolution before one may entertain the notion of a political revolution. In essence, black people must be culturally free before they can be politically free. Nationalism, then, is viewed in terms of a black cultural nation, since black people share a common past, a common present, and a common future based on their blackness. Accordingly blacks should be concerned with self-determination, race pride, and the pursuit of blackness.[34]

Through black culture, the collective consciousness of black people can be aroused to challenge the "decadent culture of the oppressor." Moreover, and perhaps more importantly, a revolutionary black culture can function to specify the plan that will bring about the demise of black oppression.

As mentioned above, there is disagreement between the integrationists and black nationalists, there is also a cleavage between the various brands of nationalism, especially on how to achieve the goal of mass liberation. The main controversy between the revolutionary and cultural nationalists is over emphasis and strategy. The former (revolutionary nationalists) agree that the development of black culture is necessary but not sufficient; rather the attainment or seizure of power is more important. The cultural nationalists disagree and place strong emphasis on the cultural aspect of the struggle as a necessary adjunct of revolutionary nationalism.

The separatist nationalists, best represented by the Black Muslims and the Republic of New Africa, seek to set themselves physically apart from the larger white society. The Republic of New Africa wants to take over five Southern states and build a black nation. They have attempted to set up a campaign, with Mississippi as a base, to organize and attract more blacks for the building of the nation.

The Muslims have expressed an interest in obtaining a state or a parcel of land which will enable them to escape the oppressive influence of the white man. To date, neither group has been able to separate completely from the larger society. The Muslims have increased their economic base in various cities, especially Chicago, and have purchased farm land in several states. Both groups depend on membership affiliation, but it is not possible to determine the size of either group. It is doubtful that either group has over 100,000 members, but one can surmise that the membership of the Muslims is far greater than that in the Republic of New Africa

---

[34] Allen, *Black Awakening in Capitalist America,* pp. 165–66.

because of the economic activities conducted by the Honorable Elijah Muhammad. The Black Muslims have been successful in recruiting new members over the years and, since criticism of integration is more prevalent in recent years, may have been able to increase their support.

Both groups call for the destruction of the American system, but they differ with respect to how this will be accomplished. For the Muslims, the demise of the white society will come through the intervention of Allah, and, according to the Honorable Elijah Muhammad, this downfall will take place within the next decade. The Republic of New Africa will use less mystical means to bring about the downfall of the system. With the help of Third World Allies they expect to wage a major battle against the United States.

Finally, there are the black liberationists, who advocate another direction for black America. Many of them see the need for a totally new social structure in which blacks and whites will cease to be enemies. One of the best articulated statements on this position has been made by Lerone Bennett, Jr., who cogently spells out some of the dilemmas confronting the integration-separation tendencies and clarifies some of the confusion surrounding such terms as *separation, segregation, integration, desegregation,* and *assimilation.*[35]

According to Bennett, when these terms are used the "standard reference is white, the orientation is white."[36] In such a context, then, *assimilation* implies absorption of blacks—culturally and physically—by white people; *integration* means interaction of blacks and whites within a context of white supremacy; *separation,* for many, remains the same as segregation and *desegregation* is often viewed as integration. But such connotations are not necessarily true if taken from a black perspective. This perspective suggests that *desegregation* is not the same as integration; *separation* does not mean *segregation; assimilation* does not mean the disappearance of black culture and physical traits; nor does *integration* mean the interaction of blacks with whites within a context of white supremacy.

To the liberationist, *integration* implies relating to another human being as a human being, regardless of color, race, nationality, religion, or culture. This relationship implies the absence of sub- and superordinate statuses. The argument is that desegregation cannot be viewed as integration because what is involved here is simply the elimination of structural barriers, legal and nonlegal, which heretofore prevented people from having equal access to public facilities and public transactions. Desegregation

---

[35] For a full statement on this position see Lerone Bennett, Jr., "Beyond Either-Or: A Philosophy of Liberation," in *The Challenge of Blackness,* copyright © 1972, Lerone Bennett, Jr., and Johnson Publishing Company, Chicago, Ill. pp. 293–312.

[36] Ibid.

may be a necessary first step, but it is not in itself integration. The fundamental difference between segregation and separation is that the former is forced while the latter is based on choice. So-called separatism in America, according to Bennett, "is not separation but regroupment. It is not separation for blacks to come together on matters of common policy. It is not separation for them to go on Sunday to a church which has never been closed to anyone. It is not separation for them to go into the closet and shut the door to hammer out a common policy."[37]

Bennett posits six major reasons why the either/or proposition of integration-separation is useless, namely:[38]

1. The proposition is irrelevant and immaterial because it confuses means and ends, strategy and tactics. It makes a fetish out of mere words and offers a predetermined response for every place and time.

2. The either/or proposition is irrelevant because it is based on false premises. It assumes that blacks are free to choose and that their only options are the two horns of a dilemma. . . . It ignores the infinite gradations between integration and separation and the fact that there is a third choice, pluralism, and beyond that a fourth, transformation.

3. The either/or proposition is false because it is based on a misunderstanding of the modern world which is grounded on power, group organization and group conflict.

4. The either/or proposition does not explicate the dialectics of development in which a negation is necessary for a synthesis; nor does it deal with American experience, which is an experience not of the melting pot but of fierce struggle for existence by organized national groups.

Bennett is suggesting that blacks must regroup (separate) to advance their own interests in the same way that other immigrant groups did when them came to America.

5. The either/or dilemma contains neither heat nor light for this situation; more importantly, it fails to meet the concrete questions and demands of the black masses who pay little or no attention to the either/or arguments.

6. Finally, the either/or dilemma is irrelevant and immaterial because it is a reaction instead of an action. As Robert Chrisman argued in a brilliant review of Harold Cruse's "The Crises of the Negro Intellectual" in *The Black Scholar* . . . "Neither truly challenges the racist structure of American society, instead, each accommodates it in different ways." Both integrationists and separationists are excessively preoccupied with the white man. The integrationists with sitting down with the white man; the separationist with the question of not sitting down with the white man. The liberationist says the presence or absence of the white man is irrelevant. What obsesses him is the liberation of black people.

---

[37] Ibid., p. 298.

[38] Ibid., pp. 298–307.

Accordingly, the liberationist calls for transcending the entrapments that currently plague those who advocate integration or separatism and to move toward transforming the total society into a system whereby racism, oppression, and exploitation will be eliminated. Achieving this goal calls for a critical appraisal of black-white institutional arrangements and the policies and practices that are used to govern them. It also calls for the formulation of new values and an advanced economic program which ensures a greater and more equitable distribution of wealth and power.

Bennett sees a role for whites in the liberation of black people, but the role will not be the traditional one in which the whites assumed the leadership roles. Whites can help by making financial contributions and by educating whites in their community about their prejudical attitudes, how they have benefited from a system that exploits and oppresses, and how they themselves are being exploited and oppressed by the same system. Finally, whites can help in the creation of a "new white consciousness"[39] that will facilitate transforming America into a society that is just for all peoples regardless of race, creed, or color.

CONCLUSIONS

In the foregoing paragraphs we have discussed the various groups and the historical background out of which they emerged. Because of the many factors involved it is difficult to predict accurately the road that the black masses will take toward liberation; therefore the following statements must be taken as being largely speculative.

Since the mid-60s there has been no absence of oratory and rhetoric about the plight of black people. Rhetoric extols the benefits of integration, internal separatism, complete independence, and the complete destruction of the American society by revolutionary means. Of the several alternatives, the last appears to be the least feasible because an attempt at armed revolution is most likely to meet with severe repressive measures. Many of the militant leaders of yesterday who called for an armed revolution have now begun to oppose it as a means, since the end results would be catastrophic for many blacks, urban guerilla warfare not withstanding.[40]

There are numerous factors that militate against a successful armed revolution: (1) black people are generally highly concentrated in central

---

[39] For an excellent statement on the creation of a "new white consciousness" see Robert W. Terry, *For Whites Only* (Grand Rapids, Mich., W. B. Eerdmans Publishing Co., 1970).

[40] A recent example of this shift in philosophy is seen in a newspaper report of how Huey P. Newton turns away from Eldridge Cleaver's "pick-up-the-gun-now" philosophy and advocates working within the system to advance the social status of black people. *Kalamazoo Gazette* (Monday, Jan. 31, 1972).

city's ghettos, and this makes them vulnerable to the retaliatory actions of whites; (2) the preponderance of military strength rests in the hands of the white power structure; (3) virtually all the black organizations, especially the militant variety, have been infiltrated by informants and/or government agents; and (4) the proportion of blacks willing to stage total warfare against the white society is undoubtedly negligible. If an insurrection were to start in the cities it would not be a protracted affair. What is most likely to happen is that the black community would be encircled by military personnel and martial law would be declared to prevent freedom of movement of black people outside of their communities. Undoubtedly, in such an instance the black community again would be the victim, as in the riots of the 60s, with little damage exacted upon the institutions whose destruction was sought. As a matter of fact, if an insurrection is actually attempted the likelihood is that racist structures will be strengthened and the government will become more repressive toward black people. A factor that cannot be overlooked is that various levels of government have formulated plans to quell any attempt to overthrow the government. The riots of the 60s served as an impetus for the government to be ready in case the black people decided to change things through violent means.

The separatist route is also fraught with many dangers and uncertainties. Although the Black Muslims are not advocating an armed or violent struggle, they envision that the white society will be destroyed by Allah. He will take care of the white man in his own way, and therefore the black need not be concerned about the white man because his "day" is coming and then the black man will be in complete control of his own destiny. In the meantime, they would like to have a separate state where they can develop in their own way. but since this is virtually impossible at the moment, the Black Muslims are concerned with the development of group solidarity and a strong economic base.[41]

What are the chances of a black group's gaining control of a state or several states where they can establish their own nation? The Republic of New Africa advocates taking over five Southern states. There is little chance that the government will turn over the several states, with the existing industries and business intact, to black people. This is too far-fetched to capture the imagination of any sizable number of blacks, regardless of their socioeconomic position. They feel strongly that, even in those states where there is a significant number of blacks, it would be impossible to take control of the state. This is suggested by the resistance to the acquisition of political and economic power by blacks in the South

---

[41] See Elijah Muhammad, "Message to the Black Man," in Arthur C. Littleton and Mary W. Burger (eds.), *Black Viewpoints* (New York, The New American Library, Inc., 1971), pp. 152–58.

through orderly and legal channels. The idea of a violent black secession is totally foreign and alien to the thinking of whites, therefore it seems axiomatic that pressures used to bring about an all-black state would meet effective resistance. Even the much milder program of the Black Muslims has stirred up local resistance to the expansion of their property holdings, and attempts at open secession would simply invite official repression.

Cultural nationalism, as an alternative, does not pose an immediate threat to the larger white society. Cultural nationalism is an attempt to bring about black consciousness. It might be said to be a mechanism to bring about a sense of peoplehood whereby black people recognize not only their shared common destiny, but also their cultural heritage. If blacks respond to this appeal, they would not be unlike other ethnic groups in this country who point with pride to their "home lands" and their cultural antecedents. Thus, like the Irish, Poles, Germans, Italians, and other groups, black Americans can benefit immensely from a cultural nationalism that will bring them to see themselves as psychological equals to others in the society. Perhaps from that position of strength they can chart out the direction in which they want to travel in the future. Cultural nationalism can be functional for black people to the extent that they and other Americans are able to see that black culture has made many contributions to the world in general and the United States in particular and will continue to do so. Within the black population resides the creative genius to move the country to a new level of awareness and existence. It has the potential power of bringing the dominant population to reevaluate and reassess many of the traditional myths about race and culture.

Partial evidence suggests that already black cultural nationalism is having some effect on white America. There is greater exposure of the black experience on television and in books and magazines, and the degree to which whites emulate the behavior and customs of blacks is in part a measure of the efficacy of cultural nationalism. Of course, another interpretation is that of exploitation, especially in the area of music, where whites have imitated the "soul sound" and have amassed a fortune while many black artists have remained obscure figures outside of the black community.

Cultural nationalism is not free of pitfalls and shortcomings, but the one that seems to stand out as the greatest impediment at the moment is that many young blacks appear too easily satisfied with the sheer superficialities of black cultural nationalism. More specifically, it appears that too frequently many black youth take black cultural nationalism to mean that they can ignore the forces and events of the larger white society. This can make them less effective in dealing with racism and at the same time more alienated and frustrated. To wear Afro garbs and Afro hairdos and to give the black power handshake and sign (clenched fist) is not enough.

These are outward signs of black pride and not ends in themselves. They should be seen as part of an essential strategy toward the eventual liberation of black people and only one aspect of a multifaceted orientation that blacks must adopt in order to change their status in the society. To withdraw into a shallow version of cultural nationalism will only impede the progress.

Black liberation philosophy holds great promise for moving blacks toward greater equality and freedom. It avoids many of the ideological shortcomings and pitfalls of the separatist tendency as well as those of the integrationist. Fundamentally, the real issue is the liberation of black people, not whether blacks are in the presence of whites. We would argue, however, that because of the magnitude and complexity of the race problems perhaps all the diverse groups are functional from a conflict model in the sense that a multifaceted approach may disrupt the equilibrium of a racist system sufficiently to bring about a new order—without exploitation, oppression, and racism—for all of the peoples regardless of race, creed, nationality, religion or color.

BLACK-WHITE INTERACTION PATTERNS IN THE UNITED STATES IN RELATION TO GENERALIZED PATTERNS

United States pattern. Until the mid-60s the overwhelming majority of black people were in favor of integration into the "main stream" of American culture. The freedom rides, the sit-in demonstrations, the March on Washington, and the rest, all were geared toward getting into the system. Congress passed many civil rights laws to ensure social equality, but there was a general recognition among blacks that there was little economic progress and that they were victimized by a racist society resistant to lowering the barriers for blacks. It appeared that the traditional methods of nonviolence were not achieving enough gains; thus more militant black groups came into existence in the hopes of waging a more successful battle against individual and institutional racism.

Generalized pattern. When the progress of a subordinated minority is constantly frustrated by opposition, militant groups will emerge and their goals and activities will be greater in comparison to previous groups.

United States pattern. In recent years there has been a greater sense of peoplehood among all blacks. Frazier's thesis that middle-class blacks did not identify with the black masses has been weakened by the trend for more and more blacks at all socioeconomic levels to realize their blackness and their common enemy—white racism. Yet there are cleavages among black people, especially when it comes to programs and methods to be used in overcoming racism.

Generalized pattern. Intragroup cleavages found among virtually any ethnic group will hamper that group in its struggle against the oppression of the dominant group.

United States pattern. In spite of the recent black cultural thrust there is a strong tendency in the United States for whites to view black culture as inferior to their own. It appears that, with the upsurge of ethnicity among many groups, more and more whites are resisting being "contaminated." It is not uncommon to hear whites say that blacks and other ethnic groups are going too far, and are forcing themselves on whites; that there is nothing wrong with white culture; that they are tired of white society being criticized by "those" ethnic groups; that if they do not like the country, they should leave it. As already mentioned, these attitudes have softened over the years, but they are prevalent and widespread enough to indicate that while "white ethnocentrism" may be on the wane it is far from dead.

Generalized pattern. The culture of a subordinated minority is usually denigrated and the dominant group tends to force its culture on minority group leaders.

United States pattern. Along with blacks, the Puerto Ricans, Indians, and Chicanos are keenly aware that, although some gains have been made in the past, relative gaps between themselves and whites are still substantial. The improvement which has come has stimulated the demand for further improvement.

Generalized pattern. Improvement among a subordinated minority tends to create a greater desire for the elimination of socioeconomic disparities.

United States pattern. Compared to the mid-60s the emphasis on black culture is very strong. When efforts to integrate into the white society were strongly resisted, blacks began to question the value of emulating white society, and to question why for many years they had rejected their blackness. Today, to deny one's blackness and culture is viewed as one of the most debilitating things that could happen to blacks. Most of the black man's African heritage was stripped away during slavery, but out of this experience and subsequent development has emerged a distinct black culture which has endured because attempts to integrate into white society were never successful. Had genuine integration occurred this distinct culture would never have arisen. Today blacks have turned inward for cultural expression and development.

Generalized pattern. When the subsystem of a subordinated minority is strong and the dominant group is strongly resistant to "genuine" integration, the tendency for retention of minority culture will be great.

United States pattern. Relative deprivation among blacks generated much of the frustration, anger and hostility that was manifested in the riots of the 60s. Negligible progress in employment, housing, politics, and so forth, leave black people with the feeling that the system is good at making promises, but most inept at making them a reality. Time and time again, high expectations have arisen that significant changes were going to take place only to be frustrated by a series of setbacks. Hence, many blacks, especially the youth, are unwilling to place their faith in the idea that meaningful changes will occur through the legal and orderly processes.

Generalized pattern. Substantial change without complete success often creates a sense of alienation and hopelessness that undermines the chance that change will occur through orderly procedures.

United States pattern. The Black Muslims and the Republic of New Africa are two groups advocating a complete separation from the white society. The Muslims have been harassed, threatened, and terrorized in their drive for independence. The chances for the success of the New Republic of Africa are not good at all within the political boundaries of the United States. Not too many whites take these groups seriously because the groups do not come into contact with them, but where the groups have had contact with whites they have encountered resistance. If they were to convince the white society that they stood a chance of being successful, the white power structure would devise a method to minimize or destroy their strength.

Generalized pattern. An attempt of a minority to achieve independence from the majority will not get the support of the majority but is most likely to be strongly resisted.

QUESTIONS

1. Why did the "indentured servant" classification fall into disuse and what important factors helped to accelerate the establishment of slavery as a definite system of forced labor?
2. How would you go about correcting the picture painted by some writers that during slavery an idyllic relationship existed between slaves and masters?
3. What important developments occurred near the end of the reconstruction period and what effect did they have on the subsequent progress of black people?
4. How would you characterize the status of black people in the South in post-Civil War years after the whites had regained control?
5. If you had to take a position on the progress black people have made in the United States would you take the majoritarian or the minoritarian viewpoint? Why? Defend fully.

6. Can you discern any historical factors that may help explain the malaise of black communities?
7. Why is there a need for greater community-police cooperation in the black communities? Do you think that "community control" of the police is a step toward the reduction of many of the problems plaguing black communities?
8. What factors are responsible for the strong black reaction against integration in recent years?
9. If you were asked to consider either the internal colonial model or the ethnic group model which would you defend as being a more accurate model to use in describing black America? Defend fully.
10. Do you see any inconsistencies in a position taken by a person who advocates integration and at the same time favors the concept of black power? Discuss fully.
11. In what sense did CORE and SNCC make a more drastic shift in their orientations than the NAACP or the National Urban League?
12. How do the black nationalist groups view white America and why are they opposed to the integrationist tendency?
13. Are there any salient differences between the four major expressions of black nationalism in the United States?
14. What does Lerone Bennett mean by the statement "the either/or proposition does not explicate the dialectics of development in which a negation is necessary for a synthesis?" Discuss fully.
15. Can you show, using a conflict model, how the various divergent black organizations may be functional to the progress of black people?
16. Are the chances for the integration of blacks in American society better or worse than the prospects of integration of the inhabitants of the French Antilles in the French Union? List the reasons for your viewpoint.
17. Do you think the black reaction along a more separatist line is a temporary or a long time trend? Will the majority of blacks eventually reject the integrationist organizations?
18. Is there an identity of interest between American blacks and the peoples of the third world?
19. Are the prospects for the elimination of racism better in the United States than in France or Britain? Why or why not?
20. Under ideal circumstances, what should be the direction of progress for American blacks; working toward a distinct and largely self-contained black community or toward complete assimilation and integration?

Chapter 12

The United States and Yugoslavia: Divergent approaches toward ethnicity

THE PARAMETERS OF COMPARISON

The United States and Yugoslavia follow contrasting patterns in both governmental organization and ethnic policies. These patterns, reflecting both past traditions and recent occurrences, can be discerned in the structure of governmental institutions, and point toward a preferred type of ethnic adjustment and institutional adaptation. The United States is a federation of individual states formed on the basis of territorial convenience rather than on the ethnic background of the inhabitants, while Yugoslavia developed into a federation based on the cultural differences of its peoples. Yugoslavia is a combination of several republics and provinces in which at least partially homogeneous populations have maintained a separate cultural identity for millennia. The memories of the glories of past kingdoms and the outrage at historic grievances combine to stimulate a jealous concern for the maintenance of cultural identity among its ethnically divergent populations.

In the United States ethnic groups can be classified according to their European or non-European heritage; the latter groups are sometimes referred to as different races and are composed of the indigenous American Indian population, the African and Asian populations, which were originally imported for labor, and those populations initially included in the United States by conquest, such as the Mexicans and Puerto Ricans.

In the United States the groups of non-European heritage have traditionally faced the greatest burdens of discrimination. They were economically and politically integrated into the larger community, which traced itself to a European background, but the occupations and political positions occupied by the groupings of non-European origin were generally low in status and in economic rewards.

The indigenous Indian populations of North and South America, the immigrant Asians, and the Africans could be easily identified by their physical appearance. Each of these groups has maintained an ethnic distinctiveness preserved in a pattern of separate communities. Nearly half of all American Indians live on reservations, the American Chinese commonly live in Chinatowns, the majority of urban American blacks reside in black ghettos, and the Spanish-speaking Mexican Americans and Puerto Ricans refer to their city quarters as *barrios.*

In the United States the major problem of intergroup relations is frequently seen as bringing the populations of non-European ancestry into the general pattern of assimilation, while, in Yugoslavia, the problem has been to guarantee an independent cultural identity to all groups in the face of major economic, educational, and social divergencies. Both Yugoslavia and the United States have a dominant ethnic group. In the United States it has been formed by the descendents of those Europeans who have most easily been assimilated to Anglo-Saxon culture and have established the pattern of living followed by the majority.[1] In Yugoslavia, the Serbs are the dominant nationality and represent nearly 40 percent of the population. Before World War II they contributed the ruling dynasty and held a majority of the important posts in government. In the United States, the dominance of the group sometimes characterized as white Anglo-Saxon Protestant has not been seriously questioned until recent years.

The civil rights movement, which reached its peak during the 1960s, marks an effort to destroy or, at least reduce, the barriers which have kept non-European groups, such as those of Mexican, Puerto Rican, American Indian, or black ancestry, from full participation in the American society and from full assimilation.

In Yugoslavia, similar changes took place in a much different manner as a result of World War II. The invasion of the country by the German armies forced the ruling dynasty into exile in 1941. Two guerrilla movements formed to resist the German occupiers: the Cetnik movement, led by General Draza Mihailovic, was composed entirely of Serbs and Montenegrins, while the Partisan movement led by Marshall Tito, appealed to

---

[1] Stewart G. Cole and Mildred Wiese Cole, *Minorities and the American Promise* (New York, Harper and Brothers, 1954), pp. 135–40.

all national groupings in Yugoslavia with a message of resistance and revolution. The forces of Tito were dominant over those of the Cetniks by the end of 1943, and the Partisans promised to found a new Yugoslavia which offered ethnic self-determination to all nationalities and minorities.

In the United States, the civil rights movement was supported by a democratic ideology, which proclaimed that all people had an equal right to participate in the society regardless of ethnic background. Socialism provided a somewhat similar egalitarian principle for Yugoslavia, since the formal aim of the government was cultural self-determination and the equalization of material conditions among all the peoples of Yugoslavia. The leadership of the Partisans stated that only the protection of minority rights could lead to full equality.[2]

It seemed for a time, in the United States, that the civil rights movement was eliminating the basis for racial conflict, while in Yugoslavia the government was establishing viable institutions based on cultural pluralism in that country. Both countries, however, have been disturbed by negative reactions to what promised to be a highly successful policy of intergroup adjustment. Both the United States and Yugoslavia have witnessed riots, assassinations, and other acts of lawlessness that resulted from ethnic alienation. Discontent in the United States is treated in Chapter 11. Before going into the details of ethnic conflict in Yugoslavia it is best to examine the intergroup relations in that country.

The following generalizations are stated at this point to help the reader more readily grasp the sociological relevance of the historical details as well as the subsequent ethnic relations: (1) a strong central government can either limit ethnic autonomy or promote economic equality among ethnic groups, and (2) the quest for justice in intergroup relations may move either from the individual to the group or vice versa.

POLITICAL ORGANIZATION AND ETHNICITY IN YUGOSLAVIA

The Socialist Federal Republic of Yugoslavia is a multinational state composed of five major nationalities, Serbs, Croats, Slovenes, Macedonians, and Montenegrins, and of more than nine other distinguishable ethnic minorities. The state is divided into six republics and two autonomous provinces. Five of the republics have a population primarily composed of one of the major nationalities. These five republics in order of size are

---

[2] The basic political principles had already been elaborated by the Communist Party of Yugoslavia in the prewar period, especially at its Fifth Conference in 1940. The principles are based on Lenin's premise that "the safeguarding of the rights of national minorities is indissolubly linked with the principle of full equality" from Lenin (Vladimir Ilyich Ulyanov), "Critical Notes on the National Question," quoted from Koča Jončič, *The Relations between Nationalities in Yugoslavia* (Beograd: Medunarodna Stampa, Interpress, 1967) p. 65.

Serbia, Croatia, Slovenia, Macedonia, and Montenegro. Montenegro is a republic, not because of a cultural distinctiveness, but rather because of the political traditions of this area; Montenegro was never really dominated by the Turks, and became the first independent state in the territories which comprise present-day Yugoslavia. The Montenegrins are culturally Serb. The sixth republic, Bosnia-Hercegovina, has a mixed population composed of Serbs, Croats, and Muslims, most of whom are culturally Slavic. Their ancestors were converted to Islam as a result of the special historical conditions under which the Ottoman Turks occupied the region in the 15th century.

The ethnic minorities which are not a majority in one of the republics were known, until 1971, as "national minorities." These "national minorities" constitute about one eighth of the population of Yugoslavia and will be referred to as "ethnic minorities" in this chapter. The nine largest minority populations in Yugoslavia include: the Albanians, Hungarians, Bulgarians, Rumanians, Slovaks, Czechs, Ruthenians, Italians, and Turks. Most of the ethnic minorities are culturally related to the populations of surrounding states.

The Socialist Republic of Serbia, which is the largest subdivision in Yugoslavia, contains 74.5 percent of the minority populations in Yugoslavia, and is further divided into the autonomous provinces of Vojvodina and Kossovo. The Vojvodina is the most ethnically mixed area in Yugoslavia; it contains mainly Hungarian, Slovak, Czech, Rumanian, Bulgarian, Serb, and Croat populations, all maintaining their national identities and living in close physical proximity. The Autonomous Province of Kossovo contains mainly Albanians and Serbs, with a small Turkish minority. Together, the Albanians and Turks comprise about 70 percent of the population in this province.[3]

Religion has played an important role in the divisions which have historically separated the peoples of Yugoslavia. The northern republics of Yugoslavia, Croatia, and Slovenia, were Hapsburg territories for many centuries. This historical inheritance meant that these two areas were Catholic in religion. The Austro-Hungarian Empire also carried with it a tradition of feudalism, the use of Latin as lingua franca, and the use of the Latin alphabet. The Hapsburg realms were a continuation of the Holy Roman Empire with its firm foundation of Roman and canon law, and this bestowed on these lands a political tradition which distinguished them sharply from the Orthodox Serbs.

---

[3] In 1971, Constitutional Amendment XX changed the term "national minorities" to "nationalities" with an English translation of "ethnic minorities." According to 1965 data, 40 of 84 communes in Serbia contain a majority of national minorities in the population. See Koča Jončič, *The Relations between Nationalities in Yugoslavia*, pp. 64, 68, 69, 70.

TABLE 12–1

Profile of Yugoslavia (population according to nationalities and national minorities [ethnic groups])

	Total
Serbs	7,806,213
Croats	4,293,860
Slovenes	1,589,192
Macedonians	1,045,530
Montenegrins	513,833
Moslems (ethnic)	972,954
Yugoslavs	317,125
Albanians	914,760
Hungarians	504,368
Turks	182,964
Slovaks	86,433
Bulgarians	62,624
Rumanians	60,862
Russniaks*	38,619
Italians	25,615
Czechs	30,331
Gypsies, Vlachs† and others	142,627
Total	18,549,291

* Russniaks includes Russians and Ukranians; another term used is Ruthenians.

† Gypsies and Vlachs claim a distinct minority culture not related to a national state.

Source: *Statisticki godisnjak Jugoslavije 1964* (Belgrade: Savezni zavod za statistiku, 1964). Figures are from 1961 statistics.

The Serbs were heir to the Byzantine tradition. This meant that they were Orthodox in religion and used the Cyrillic alphabet in writing. While one can argue that there are separate Croat and Serb languages there are no educated Croats or Serbs who do not understand the spoken language of the other. The linguistic difference between the Serbs and Croats is not nearly as important as their separate historical development and separate political traditions. These divergences are reinforced in both areas by the differing religious establishments.

The Muslims constitute the third largest religious grouping in Yugoslavia. The Muslims are essentially members of three ethnic strains; the Muslims of Bosnia-Hercegovina are largely Slavs who converted to Islam, the Muslims of Kossovo are Albanians who converted to Islam, and the sprinkling of Turks in all areas of Yugoslavia once ruled by the Ottoman Empire remain Muslims. Traditionally, the greatest separation between the Muslim and the Christian populations existed in Serbia; Serbia was occupied for 500 years by the Turks, and the Muslim faith is considered to this day as the by-product of Ottoman occupation and collaboration. This set the tone for the historical antagonisms in both Kossovo and Bosnia-Hercegovina.

This historical heterogeneity among the Yugoslavs leads to conflicts which are exacerbated by economic jealousies, since industrial development in the various regions is far from uniform. This type of ethnic diversification has long contributed to political instability in Europe. Instability and conflict characterized the area both when it was a part of the Hapsburg Empire and when it formed the pre–World-War-II Kingdom of Yugoslavia.

One of the principal platforms of the Partisans during World War II was an appeal for the equal treatment of all the ethnic components of Yugoslavia as well as a federalism based on nationality. Yugoslavia was to be reconstituted into a multinational federation after World War II. At the same time the Partisan movement was influenced by the Soviet Union, which had developed strong central organs which dominated the local levels of government by a highly centralized political and economic bureaucracy. After the political leadership consolidated its power and reconstructed the country in the immediate aftermath of the war, it rejected the relevance of the Soviet model for Yugoslavia. In the 1950s the Yugoslav leadership introduced a system of workers' self-management which in time decentralized the decision-making powers of the government.

THE POLITICS OF ETHNIC CONFLICT IN YUGOSLAVIA

The evolution of the workers' self-management system led to a predictable liberalization of the political atmosphere in Yugoslavia which affected all spheres of national life. During the 1960s the government gradually transferred powers of taxation to the republics and to local units of government. This reform gave these bodies an independent basis for existence and a chance to chart their own policies of economic development. It was only natural for the more prosperous republics and regions to try to retain the locally earned revenues at the expense of the less developed areas, which were short of tax revenues for the maintenance of public services and investment funds to equalize the great disparities in economic welfare which exist in Yugoslavia. Nevertheless, the liberalization policy continued of its own momentum because it had brought rapid economic growth which had benefited all of Yugoslavia even though unequally.

This inequality led to political consequences which are at the root of the contemporary political conflict in Yugoslavia. During the year 1964–1965 Yugoslavia required new credits for modernizing the railways and stabilizing the currency. The Western lenders made it clear that Yugoslavia would not be able to expect new funds unless it put its fiscal house "in order" by devaluing its currency and imposing reforms which would end the costly practice of subsidizing enterprises, railroads, and other activities which could not stand on their own economically. This policy was urged by most Croat leaders, the Slovenes, and the intellectual elements in the Serbian community.

There was also substantial opposition to these efforts to introduce "market socialism" to Yugoslavia. The elements which opposed this policy were centered in the southern underdeveloped regions of Yugoslavia, but they also included influential institutions within the society such as the army and the police establishments. In both of these, the Serbs and Montenegrins predominated. This coalition of interest viewed the entire trend toward decentralization with suspicion because they felt that it would benefit the already prosperous areas of Yugoslavia disproportionately and also would erode the Serbian dominance of some institutions within the state and the leading role of the League of Communists itself.[4] The opposition to the reforms of 1965 found its spiritual leadership in the person of Alexander Rankovic, Vice President of Yugoslavia and former Minister of Interior. In Yugoslavia, the Ministry of Interior directs the activities of the secret police. Rankovic considered himself next in line as the successor to Tito and took imprudent steps to put himself into the best strategic position. The combination of these factors led to his removal from all offices and his early retirement in June 1966.

Rankovic was viewed as the real power behind the secret police, and that institution came under examination as he fell from influence. There were many exposés of the misdeeds of the secret police which ultimately had the result of discrediting the institution itself. This led to a major reduction in force, and the secret police became merely another agency within the country which was accountable to the League and to the Government. This downgrading of the secret police led to a greater feeling of security on the part of the Yugoslav public that expressed itself in an increased willingness to register open criticism. Other major consequences were that elective bodies and representative organs, both in government and in the self-managerial economic enterprises, expanded their authority and jurisdiction in the absence of any of the restraints previously exercised by the secret police. The liberal wing of the League of Communists came fully into its own, since those elements which were associated with Rankovic had temporarily lost their power and voice. The position of the liberals was bolstered by the unprecedented growth of prosperity, particularly in the most developed parts of Yugoslavia. This created the atmosphere which revived the Serb-Croat rivalry as a political issue and led to the student eruptions in Serbia in 1968.

---

[4] The Communist Party of Yugoslavia is known as the League of Communists; this title change took place at the Sixth Party Congress of 1952.

In the period when Rankovic was head of the secret police any open manifestation of Serb–Croat conflict was ruthlessly suppressed as a threat to civil order and Yugoslav unity. This policy of suppression was supported by many of the older people, who remembered the bitter feuds and the atrocities which resulted from ethnic conflict prior to the end of World War II. The younger generation, however, had no personal memories of World War II, and to them warnings about the danger of ethnic conflict sounded like the irrelevant prattle of old men. One of the features of a more "liberal" atmosphere was that ethnic concerns could be openly expressed. It was such a "liberal" atmosphere which allowed the "linguistic dispute" to become a major issue; in the Rankovic era such dissension was not allowed to surface.

Oddly enough, it was the effort to heal ethnic dissension which gave rise to one of the major points in the "linguistic conflict." This was the effort to lessen controversy over language usage by the development of a Serbo-Croatian language. This move was eventually denounced by several prominent Croatians, many of whom were members of the Communist Party and as such were assumed to be amenable to party discipline in behalf of Yugoslav unity. These Croatian leaders claimed that Serbian predominated in the mixed language and asked that Croatian be recognized as an official language.

This move produced an immediate Serb reaction expressed in the demand by 45 prominent Serbian writers, in the Belgrade daily *Borba,* that 600,000 Serbs living in Croatia use the Cyrillic alphabet for teaching and writing. Interest in the discussion increased and what started out as a somewhat academic debate escalated into a serious controversy. Finally the leaders of governmental and League organizations, including Tito, demanded that the debate cease.

Although forced to desist from public expression, the participants in the debate were not severely punished. Some were forced to resign their membership in the League of Communists, but in Yugoslavia this does not threaten status to the extent that would have been true in other Communist states. The relatively mild reaction in this case demonstrated to the public that draconian measures would not be employed against protest and paved the way for the next expression of dissent, the student strike in 1968.

The student strike included most of the students of Belgrade University, a majority of whom had grown up in the post–World-War-II era and thus had been socialized in the atmosphere of communist Yugoslavia. The strike was not directed so much at academic grievances as at conditions in Yugoslav society as a whole. In the years of prosperity and decentralization disparities in income between individual Yugoslav citizens had steadily increased. The students, who had been brought up on the rhetoric of socialism, deplored the distance between governmentally stated goals and

Yugoslav reality. Moreover, the student protest was bound to reverberate on the larger Yugoslav scene as discrepancies in income between nationalities were even greater than discrepancies between individual incomes.

The student strike was settled by the self-criticism of President Tito, who acknowledged the justice of the students' grievances and promised change. This solution was bound to act as a stimulant to other dissatisfied groups and to aggravate national conflicts. The decisive issue for the future survival and well-being of the Yugoslav state is the Serb-Croat relationship, which once again came to the forefront.

The League leadership believed that it was possible to maintain a fair degree of national cohesion with the widest dispersion of economic responsibility. All its political measures were based on this fundamental faith. During the same three years the powers of the League and the government were thoroughly decentralized by the constitutional amendments of 1968 and 1971 and the revised party statutes of 1969. The triumph of the students was also a victory for the liberalizing elements within the League. This federalization of power led to the logical consequence of merging economic demands with the politics of local nationalism. During the fall of 1971 the government of the Republic of Croatia was undergoing internal struggles within its own ranks between the liberals and conservatives, and with the central government. The liberal wing did not mind availing itself of nationalistic elements, both within and outside the League of Communists, principally through the medium of an old cultural organization known as *Matica Hrvatska*,[5] which propagated Croat nationalism through its own media. These evidences of nationalism were then transformed into concrete demands and into pressure both on the more ideologically conservative elements within the Croat government, symbolized by the former head of the Croatian League of Communists, Vladimir Bakaric, and on the federal government. The main demands concerned an increase of investment in Croatia, including the retention of Croatia's foreign exchange earnings within the Republic.

The government struck at the moment when it perceived that Matica Hrvatska was transforming itself into a political party with the connivance of the liberal wing of the Croatian Communist League. The central League organs summarily removed the Croat League leadership and then started purging the League members who were involved in Matica Hrvatska. After the liberal leaders in the League were relieved, the students of Zagreb University participated in major demonstrations and disturbances during which many students were arrested; most of them were subsequently released. These demonstrations protested the summary removal of the Croat leaders and demanded the restoration of autonomy to the

---

[5] Matica Hrvatska is an old Croatian cultural organization with nationalist overtones.

Croat League and the return of the dismissed League leaders. The episode points up the brittleness of Yugoslav institutional arrangements. The federal intervention was not planned and had the support of many Slovene leaders who saw their role as fending off any threat to the unity of Yugoslavia.

ETHNIC ADJUSTMENT IN THE UNITED STATES AND YUGOSLAVIA

Historically, the United States and Yugoslavia evolved along different lines. Practically all the states which succeeded each other in the territories comprising present-day Yugoslavia accepted cultural divergence as a fact of life. This does not mean that the people of the Balkans escaped efforts by the Turks, Germans, Hungarians, Italians, and others to change the basic ethnic composition and national identification of the populations which inhabited these territories. Yet, from the very inception of Yugoslavia, progressive opinion, which would be described as liberal in the United States, identified with cultural self-determination for all ethnic groups represented in the country.

In the United States of America the trend might be justly labelled as the reverse; territorial autonomy and self-determination were discouraged and liberal opinion viewed integration, assimilation, and amalgamation as the *summum bonum* for American society. Integration was avidly pursued by most ethnic-racial groups.

The Anglo-Saxons and other English-speaking ethnic segments have been dominant in the United States since its inception. They established their ideas of legislation and judicial principles developed from an effort to harmonize the British stress on liberty with the French emphasis on equality. They addressed themselves to the establishment of a nonfeudal society in which commerce, the right to property, and individual civil liberties were highly protected, but ignored the rights of cultural groups, since American law acted essentially upon individuals, and not on groups. Some groups, such as the American blacks, the Chinese, and Indians, were excluded from legal definitions in theory and in practice by not being granted full status within the legal framework of the society.[6] The majority of Europeans who migrated and settled in the United States were gradually assimilated and denationalized. The thoroughness of the transi-

---

[6] In *People* vs. *Hall* (1854) Chief Justice of the California Supreme Court Hugh C. Murray declared the Chinese to be legally Indians, since both were presumed to have descended from the same Asiatic ancestor. In practice, the Chinese, the Indian, and also the Negro were prohibited from testifying in court for or against a white man. Although the ban was lifted against the Indian and Chinese in 1872, the practice itself continued. A more famous case, the Dred Scott decision, in 1857, ruled that Negroes did not have rights as citizens.

tion was more than the result of chance. With the establishment of public education, Americanization became one of the principal missions of the educational system. From that mission to the present day, public education still derives many of its traditions including the great emphasis on individual adjustment as opposed to concrete learning. Generations of immigrants accepted the cultural extinction of their ethnic or national identities for the benefits of their material betterment as individuals and also in the hopes of a better acceptance of their children. The social cost involved in this transformation was a frequent separation between generations in which children belittled their own parents and foreign backgrounds as a result of the competitive pulls between the home, on the one hand, and the school and the rest of the society, on the other. The entire weight of institutions was on the side of an Anglo-Saxon majority culture which pressed the immigrant into an American mold. The foreign-language schools seldom obtained public support, and even the Catholic parochial schools were primarily agencies of "Americanization" within a Catholic framework. As a result, the English-speaking school was the most available alternative, and it provided the assimilationist policy with substance. Foreign identification usually lasted through no more than three generations, and in the third generation it was, to say the least, marginal. In addition to an English-language school system, judicial proceedings also took place in English, without adequate protection to those who did not understand it.

The non-European minorities were also forced into an American mold. Spanish-speaking populations were assumed to use English as their primary language, and children from such families were punished by the school authorities for using Spanish as their native tongue in the school room or on the school grounds.[7] Tests were administered in English and graded on the same basis as for English-speaking students. It is not surprising that large numbers of Mexican-American children found themselves classified as mentally retarded when judged by such a testing system.[8] The American Indians found similar language problems in their schooling, compounded by efforts to acculturate them into the American way of life.[9]

---

[7] For a cogent study of every major bilingual school program in the Southwest United States, see Vera P. John and Vivian M. Horner, *Early Childhood Bilingual Education* (New York, Modern Language Association, 1971).

[8] The Department of Health, Education, and Welfare sent a memorandum to all school districts in the United States on May 25, 1970, to clarify the HEW policy relating to compliance with Title VI of the Civil Rights Act of 1964: "(2) School districts must not assign national origin minority group students to classes for the mentally retarded on criteria which measure English language, etc."

[9] The Navaho Indian leader, Robert Burnette, has recently commented on this policy: "Every Indian child knows, as I did when in school, that 'white was right,' and generations of Indian children underwent the brutal military training that aimed to

The contemporary Yugoslav federal system that took shape during World War II based its appeal on ideological premises by promising to build a postwar Yugoslavia in which all nationalities would be equal under a socialist government. No one was left in doubt by the Communist leadership that the future state would be based on an entirely new system. The prewar Yugoslav government had managed to antagonize wide segments of the public by its Serb nationalist policies and by an economic conservatism which favored the Serb establishment. The Serb Royal dynasty, maintained by a Serb civil service and a Serb military, did not permit those structural changes which would have been truly meaningful to the other nationalities to take place. The Partisan movement was able to build on the divisions resulting from Serb nationalism.

The federalism which was established in Yugoslavia was based on two major influences, each of which favored some degree of ethnic autonomy. The first flowed out of the very nature of Partisan warfare: as the Partisan movement spread the skein of resistance from the Austrian to the Greek borders, and as more nationalities were involved, the leadership had to delegate major decision-making powers to local commanders who knew their areas and could therefore adapt their appeals and tactics to suit local conditions. This was also necessitated by the generally poor communications between Partisan headquarters and the various regional branches of the movement. This led to a spontaneous growth of regional administrative units dominated by people from the locality, since the Partisans established an infrastructure of Partisan government in all territories under their control or influence. It was these local bodies, the national committees, which provided the Partisan leadership with the possibility for a smooth takeover after the termination of hostilities, and also provided continuity of personnel and administrative practice throughout the post–World-War-II era.

The second major influence on the Partisans was Soviet federalism and the attitudes of the Union of Soviet Socialist Republics toward nationality problems. The postwar Yugoslav Constitution of 1946 was closely patterned after the Soviet Constitution of 1936. It is generally agreed that these two documents were highly centralistic in administrative practice but they also provided the nationalities with substantial rights to preserve their separate cultural identities.[10] This meant that all groups could obtain

---

destroy the tiniest fragment of pride in one's identity as an Indian . . . the goal of the school system fostered by the Bureau of Indian Affairs is not education but acculturation." Quoted from Robert Burnette, *The Tortured Americans* (Englewood Cliffs, New Jersey: Prentice-Hall, 1971), p. 24.

[10] The Constitution of 1946, Article 13, stated that national minorities "shall enjoy the right to and protection of their cultural development and the free use of their language."

schooling in their respective languages and that free use of their language would extend to court proceedings and other official business. When proceedings could not be held in the language of the defendant, an interpreter would at least be provided. Even such small groups as the Slovaks and the Ruthenians were guaranteed their linguistic and legal rights as cultural entities.

In the immediate postwar period Soviet influence became paramount in Yugoslavia. The Yugoslav leadership, like that of other Soviet bloc states, tried to adapt Soviet practices and institutions to their own specific realities. This was frequently done by young administrators imbued with revolutionary spirit and with little administrative experience. The result of the Yugoslav effort to follow the Soviet example was the establishment of "administrative socialism" which allowed the ethnic groups cultural expression, but which vested all economic decisions in central bodies. The schools and other cultural organizations reflected the style and viewpoint of the ethnic groups involved, but economic decisions were made without much regard for ethnic autonomy. Decisions on prices, wages, and reinvestment policies were made by central government authorities, and the individual ethnic group was unable either to determine the economic policy within its own district or to influence it for the nation as a whole. Economic policy might involve either a shift in resources from a more developed to a less industrialized region or the increased investment in an already prosperous area which seemed likely to yield the greatest return in terms of increased production at relatively low cost. Whether the economic decision was to attempt a regional balance or to ignore balance in favor of maximizing the returns of investment, the specific nationality found itself at the mercy of the central authority, which assumed virtually complete power for the allocation of scarce resources.

This period was not conducive to an objective examination of the applicability of Soviet practices to the Yugoslav context. The Yugoslavs were not the pliant students the Soviet authorities in Yugoslavia expected. As a result, domestic criticisms accumulated, and the mounting grievances led the Soviet Union to support the expulsion of Yugoslavia from the Cominform, an organization of Soviet-sponsored Communist states. This ultimately caused the break between Yugoslavia and the Cominform bloc, in 1948. The grievances ranged from the behavior of Soviet representatives in Yugoslavia to such major issues as the Yugoslav right to sign separate treaties with the other Eastern bloc states. The Soviet suspicion that Yugoslavia wanted to become the leading state in a Balkan federation, and the open scorn in which Tito held Stalin, contributed to the break. The crux of the matter was that the Yugoslav leadership could not be considered a disciplined cog in the Soviet East European apparat.

This meant that the Yugoslav government could no longer count on Soviet power to underwrite its domestic or international policies, such as

Yugoslav claims to Trieste,[11] or such policies as agricultural collectivization. After the Cominform break, the Yugoslav leadership was forced to rely entirely on its national resources, since it was under a virtual economic and political blockade from the other East bloc states. This meant in practice that the Yugoslavs had to conciliate all those elements which had been antagonized by the centralism of the preceding three years. The centralistic phase of administrative socialism during 1945–1948 was now justified as having been necessary to mobilize the resources of the state for the massive reconstruction efforts necessitated by the destruction of World War II. The Yugoslav leadership claimed its right to govern on an ideological basis which was at variance with that of the Soviets. This marked the final break with the Soviet tradition of centralistic development.

WORKERS' SELF-MANAGEMENT AND ETHNICITY

In June 1950, when all hopes for reconciliation with the Cominform states had faded, Tito launched the workers' self-management movement which ultimately led to the decentralization of the entire system and the abolition of most central planning, with attendant shifts in personnel. The reforms were based on the premise that the Soviet state had developed into an overcentralized bureaucracy where the working class was more an object of manipulation than a dominant force. The Yugoslav system proposed to reverse this trend by making the workers in their enterprises the dominant force within society. Every enterprise and autonomous unit could be a decisive factor in decision-making through the worker-constituted organs. The decision-making powers could be transferred from the planning agencies to the centers of production and to local units of government. The Yugoslavs quickly discovered that, if they were serious about the implementation of these bold plans, they actually must curtail and abolish the central bureaucracies which had controlled all allocation of scarce resources during the period of administrative socialism. Without curtailment of the all-powerful central bureaucracy and the centrally directed organs of coercion, all efforts at dispersing the power of government would have failed.

The Fundamental Law of 1953 created a hierarchy of producers' councils which attempted to synchronize the activities of the Yugoslav economy at all levels, extending from the communes, which are the county-like basic units of Yugoslav local government, to the federal government. These were representative bodies delegated by the workers' councils that were elected in the individual enterprises throughout Yugoslavia, and they replaced the central planning organs which had formerly given coherence

---

[11] See A. E. Moodie, "The Cast Iron Curtain," *World Affairs*, 4 (July 1950), p. 305.

to the Yugoslav economy. After 1953, the central planning agencies were largely confined to the task of statistical analysis.

Yugoslavia moved steadily toward the implementation of the principles of workers' self-management between 1953 and 1966. All its reorganizations and constitutional reforms increasingly yielded more power to local government and enterprises, so that by 1960 Yugoslav politics no longer moved according to the laws of the monistic model associated with Communist systems, but had become pluralized with many local centers of decision-making. Most of the reform measures were not aimed at providing a greater voice to national groupings, but were intended to provide the greatest possible economic decision-making authority to enterprises and to local units of government. This is not meant to imply, however, that these developments did not have profound ethnic implications.

The Yugoslav move away from central administration and toward principles of workers' self-management and control of individual enterprises was motivated primarily by economic and political considerations. The political considerations were based on a desire to be free from the oppressive power of a cumbersome centralized bureaucracy which tended to stifle initiative in the name of discipline and conformity. The economic considerations were simply a search for a method by which labor, capital, management, and new technological processes could be harnessed together for economic improvement. The workers' self-management reforms have succeeded in many of these aims. The power of the bureaucracy has been greatly restrained, workers' participation in decision-making has been increased and economic production has moved forward. However, in terms of ethnic implications, serious questions have begun to be raised about the workers' self-management policies.

These policies provided that the workers in each plant would decide the allocation of monies between wages and capital and that they would, in turn, determine how capital accumulation by the enterprise was to be reinvested. Although all of this was done in the name of socialism, it had the effect of making the rich ethnic groups richer and increasing the income gap between various sections of the country. As in the United States, income was much higher in the industrialized northern section than in the agricultural southern section. Since wages were partially set by the decision of workers, those in the more prosperous north would be paid wages several times that of the agricultural laborers in the south.[12] The workers'

[12] Slovenia moved from a per capita national income of 1,280 dinars in 1947 to 3,780 dinars in 1964, while the poorer Kosmet (Kossovo-Metohija area) moved from 380 dinars in 1947 to 710 dinars in 1964. This illustrates a widening gap. Source: *Jugoslavia statisticki pregled: 1945–1964* (Beograde Socijalisticka Federativna Republika Jugoslavija, Savezni zavod za statistiku, 1965), p. 89. According to Fredy Perlman's unpublished doctoral dissertation, *Conditions for the Development of a Backward Region* (University of Belgrade, 1966), p. 40, this represents a 3.7 percent per year increase for Kosmet, and an 8.4 percent per year for Slovenia. All figures are reported in new dinars.

council decision-making machinery was an effective way to maintain economic privilege for workers in the more advanced areas of the country. In reinvestment they sought the best returns, and these could be realized in areas of the country where the industrial infrastructure was already well developed. Hence, capital raised in the prosperous north was devoted to making it a still more prosperous area.

PROBLEMS OF DIFFERENTIAL GROUP DEVELOPMENT

One of the historical problems with which Yugoslavia must struggle is the great disparity in levels of development between those ethnic groupings which were under the dominion of Austria-Hungary in the late 19th and early 20th centuries and those which remained under Turkish rule until the Balkan Wars of 1912–1913. The areas which were under Austro-Hungarian or Serbian administration before World War I developed public services and public systems of education, while the former Turkish districts were backward in these respects; the degree of educational development in the regions of Southern Serbia, Kossovo, and Macedonia make it evident that two different levels of cultural development persist within the state of Yugoslavia.[13] The Yugoslav government strove to remove the burdens of this historical heritage by a major educational effort in the aftermath of World War II. They were confronted by a largely politically apathetic rural population and a dearth of public school teachers and other agents of acculturation who were qualified to teach their own nationalities. The Albanian minority is a case in point; before World War II, this group had been subjected to forcible assimilation, and there was no teaching in the Albanian language throughout that area. The Albanian minority did not feel a great loyalty to Yugoslavia during World War II. They regarded the Serbs as another group in the long line of occupiers who had swept over the area, while the Albanians continued to live in the isolated compactness of their villages. Albanian units joined the Partisans only late in the war, when it became apparent that the Partisans had assumed different attitudes than the previous governments. They accepted the principle of national self-determination, and made a serious effort to establish schools based on instruction in the Albanian language.[14] All these agriculturally–

[13] Neither the Albanians nor the Macedonians were recognized as ethnic minorities by the Royal Yugoslav government during the 1920s and 1930s; they were not protected by the Minorities Treaties under the League of Nations and were not guaranteed the use of their own language and schools as were the recognized minorities. These populations still showed over 73 percent illiteracy in 1948, according to Gabor Janoši, *Education and Culture of Nationalities in Yugoslavia* (Beograd: Medunarodna Politka, 1965), p. 20.

[14] According to Koča Jončič, Director of the Research Program on the Relations Between Nationalities in Yugoslavia at the Institute of Social Sciences in Belgrade, "The principle of the equality of the languages of the peoples and national minorities

based minorities organized to pool their resources in the best fashion they could in an effort to educate their own people. Operating under the Directives for the Opening and Operation of Schools for the National Minorities, which were adopted in August 1945, each group worked toward building adequately staffed schools for instruction in the language of that nationality.

By American standards the provision of schools in which various ethnic groups could have their children educated in their own language would be a major concession to cultural pluralism. Indeed in Yugoslavia itself the "majoritarian"[15] view was that the society had done everything possible to assure the integrity and survival of ethnic groups and to end all efforts at assimilation to a type of "Serbian conformity." The "minoritarian" view, that of some of the non-Serb ethnic groups, was a bit different. If they were prosperous, they feared that Serbian influence might divert some of their gains to other territories. If the nationalities in question were less prosperous, they were also discontented and inclined to feel that the central government was not really taking effective measures to aid in their development. Many of these fears were exacerbated by changes in economic policies in 1965.

Prior to these reforms the Yugoslav economy was one in which the influence of supply and demand factors was greatly restricted. Goods were bought and sold, but the prices bore no exact relation to costs or market demands. Many industries were subsidized by the state and the currency was not freely convertible. The reforms sought to make the Yugoslav currency convertible on the international money markets and to end the subsidies so that prices were set by supply and demand. Inefficient or unprofitable industries might go out of existence, while more prosperous industries might make large profits. Private capital played little role in the economy and most industry was socialized, but it was now a "market socialism."

These economic reforms raised a host of political issues which affected the nationalities as collective entities. The principal problem was the disproportionately rapid economic growth in the north in contrast with the agricultural south. In the early postwar years, Slovenia and Croatia were slated for major industrial investment because it was believed that these areas would return the investments much faster as a result of their already developed infrastructure. As in other Communist states, the agricultural sector bore a disproportionate share of the burdens of development be-

---

has been confirmed and incorporated in all the constitutions and other important documents since the last war. An official 'state' language does not exist in Yugoslavia. The languages of all the Yugoslav peoples are equal, and in each republic the official language is that of the native population." Quoted from: Koča Jončič, *The Relations between Nationalities in Yugoslavia,* p. 59.

[15] See discussion of majoritarian and minoritarian viewpoints in Chapter 10 pp. 316–18 and Chapter 11 pages 337–44.

cause of the artificially low agricultural prices due to government policy. The representatives from the agricultural areas resented that the north had achieved much higher living levels at their expense and only then had raised the issue of local economic autonomy. The policy of local autonomy permitted the northern areas to retain their profits after they had reached a much higher level of development than the south and many prime agricultural regions.

Market socialism was introduced at a juncture when many elements in the political situation were changing. As stated earlier, a new generation had grown up in Yugoslavia which did not share the reticence of their elders in discussing nationality issues. The more nationalistically oriented elements could now propagate views which would have been unmentionable during an earlier period. Such undeveloped areas, as the Autonomous Province of Kossovo, were beginning to develop an urban intelligentsia because of investment in the area. To an extent the revival of the nationality problem was a measure of the progress and prosperity of the country and the liberalization of the political atmosphere. It was these processes which led to the polarization of Yugoslav politics in which Alexander Rankovic was the loser and the liberalizing elements emerged victorious. The liberal leadership, in its efforts to defeat Rankovic and to downgrade the secret police, aired all of its past misdeeds. Some of the most serious revelations pertained to the suppression of the Albanian minority in Kossovo.

The secret police had viewed the large Albanian minority in southern Serbia as being potential subversives in the Federal Socialist Republic of Yugoslavia. The Albanians were associated with a neighboring country which had maintained its allegiance to Moscow or Peking and had frequently been violently critical of the Yugoslav government. Most Yugoslavs were Christian, while a majority of the Albanians were Muslim. Acts of terrorism by the secret police, such as the public beating of suspects on suspicion of hiding guns, were not uncommon. The Albanian feeling of injustice was aggravated by the lack of adequate representation on local governing bodies and in the court system.

The open discussion of the topic and the official admission of the misdeeds brought forth an Albanian reaction in terms of immediate demands for the rectification of past ills. The grievances embraced a wide range of issues all hinging on the charges of political, economic, and cultural discrimination against the Albanian minority. The Albanians represent the fastest-growing nationality in Yugoslavia because of a burgeoning birth rate. They constitute a compact, non-Slav population settled in an area which has great historical and sentimental value to the Serbs.[16]

---

[16] This region was the center of the medieval Serbian Kingdom which was toppled by the Turks in the battle of Kossovo in 1389. The Serbs view the Albanians as an

The rapid expansion of the Albanian population in Kossovo places strain on the resident Serbs by putting them in a minority position. The presence of the secret police, who were almost entirely Serb, had redressed the balance until 1966. The curbing of the secret police increased Albanian agitation for equal treatment, finally culminating in the Albanian disturbances of 1968. The main object of the demonstrations was to demand that Kossovo be granted republic status within Yugoslavia, but, above all, that the Albanians be given the same rights of national self-determination as other nationalities in Yugoslavia. While the Yugoslav government responded by meting out fairly stiff jail sentences to the rioters, it also established positive incentives which went a long way toward alleviating the Albanian complaints. The position of the Albanians in the Autonomous Province of Kossovo was upgraded significantly; more economic investment was promised, and the status of the faculties of Belgrade University in the provincial capitol of Priština was changed from a branch to that of the independent University of Priština. The normalization of relations in Kossovo had also the effect of improving relations between Yugoslavia and Albania.

Another dimension of the Albanian problem is that the Albanians migrated to the more developed parts of Yugoslavia, frequently to earn "bride price," and there occupied the most menial positions in the urban Yugoslav labor market. The alien nature of their culture and religion, coupled with their illiteracy and poverty, causes discrimination against the Albanian minority. The attitudes of prejudice expressed by the "common man" against them would not sound alien to American ears. Similar attitudes also apply to portions of the Gypsy population, particularly in the northern areas of the state; in Serbia there are permanently settled communities of Gypsies which enjoy good relations with their neighbors.

Like the Albanians, the Macedonians are affected by international politics. In the case of the Macedonians, the international complication is with Bulgaria, which also has a large Macedonian population. Both Albania and Bulgaria have attempted to stimulate discontent among their conationals in Yugoslavia. This discontent has been reduced by the fact that Yugoslavia is a more prosperous country than either Albania or Bulgaria. The Macedonians are recognized as a separate nationality within the Macedonian Republic of Yugoslavia. The Bulgars, on the other hand, regard them as Macedo-Bulgars without any ethnic identity apart from the Bulgarian one, and at various times they have laid claim to the Macedonian

essentially alien nationality which settled in the area only as the result of the Ottoman occupation which favored the Moslem Albanians. The area was a Serbian *irredenta* until the Balkan Wars, 1912–1913. The Albanians claim residence in the area which predates the Serbs; they also claim participation in the armies which fought the Turks in the battle of Kossovo.

parts of Yugoslavia. Bulgaria has been a staunch follower of Soviet policies, and, whenever there is a Soviet-Yugoslav issue, Bulgaria uses it as an excuse to revive the Macedonian question, although to date without any great degree of success.

There are numerous other complex minority patterns within Yugoslavia, but the major contention has been between the Serbs and the Croats, and it is to this issue that we now turn. The continuing discord in the Serb–Croat relationship stem from the unavoidable reality that the Serbs are the preponderant nationality within the state, constituting nearly 46 percent of the population, and that the federal capital is located in Belgrade, which is also the capital of the Serb Republic. The Serbs have continued to occupy a disproportionately large share of the positions in the armed forces and within the security services. This is due not only to discrimination, but because of essentially the same patterns which are noticeable in the United States; namely, that the people from less developed areas of a state find these occupations attractive careers, while the Croats and Slovenes tend to shun them in favor of occupations affording higher status. The more cosmopolitan Belgrade, which has grown up in the last 50 years, has overshadowed Zagreb, the capital of Croatia, as the first city of Yugoslavia despite the fact that economic conditions in the urban areas of Croatia were in no way inferior to those of Serbia. This loss of preeminence has stirred jealousy and resentment among the Croats. The Croats have also the largest proportion of workers employed abroad, partially because Croats are reluctant to migrate to other parts of Yugoslavia where there might be a market for their skills, and partially because the expansion of the Croat industries has not kept pace with the demand for new positions. This combination of factors causes fairly wide discontent among one of the best educated populations in the Yugoslav state. Current sources of discontent are coupled with long historical memories dating back to prewar Yugoslavia. Since the Croats represent the greatest potential threat to Yugoslav unity, overt expressions of Croat nationalism cause far more concern in Yugoslavia than similar expressions from any other nationality.

The Slovenes, the third major nationality of Yugoslavia, are essentially content within the Yugoslav state. Their self-perception as a small nationality of two million persons leads them to the belief that they have no chances for an existence in another type of state in which they might preserve their national identity. They also reside in the most prosperous part of Yugoslavia. This leads their politicians to take balancing positions within the framework of the Yugoslav state.

The basic question which confronts Yugoslavia is whether interethnic relations can be successfully arbitrated by the group processes on which Yugoslav governmental practice is based. Some Yugoslavs feel that the present one-party system represents the only alternative to the creation of a divisive multiparty system based on nationality divisions similar to those which placed prewar Yugoslavia in a continual crisis. Others fear that the present system of self-government and decentralization has actually created a multiparty system based on ethnicity, since it is becoming quite clear that adherence to a common ideology does not prevent League of Communist members from being good local patriots who will push their own national group interests as avidly as representatives in a multiparty system. In the past, only the practice of Communist party discipline prevented the worst manifestations of ethnic particularism. Should this restraint be removed Yugoslavia might well face difficult days. The question is whether these relationships can be arbitrated through the constitutional processes of the political system instead of by League intervention through the medium of party discipline.

CULTURAL PLURALISM VERSUS INTEGRATION IN THE UNITED STATES

In the United States, the drive for civil rights culminated with demands, not only for individual members of minorities, but also for redress to entire groups of the population which had been burdened legally, politically, and economically. Demands for recognition of a separate identity come primarily from non-European groups. The combined weight of such groups in the United States census of 1970 was about 17 percent of the total population. The black Americans are officially listed as composing 11.1 percent of the population, a percentage which amounts to about 22,500,000 people. To this figure can be added the Spanish-speaking and Spanish-named population of 5.5 percent, which totals about 11,000,000 people, and the American Indian population of around 800,000. Orientals contribute nearly 2,000,000 persons, including the Chinese, Japanese, Filipino, and "others." These populations are dispersed geographically and are far from homogeneous in economic status or political outlook.

The problem is complicated by the differential treatment minorities have been accorded historically in America. The discrimination was always the worst in the areas where a group could be found that was sufficiently large to maintain a coherent ethnic identity and thus constitute a possible threat to majority control, whether this was among the Puerto Ricans of New York, blacks in the South, or the Indians of the Southwest United States. The United States government is now facing demands for the recognition of a special identity which these ethnic groups wish to perpetuate within the larger American culture. Since they have not been successfully assimilated into American society, they are, in effect, asking for recognition as special cultural minorities and as special entities by the political, social, and legal system of the United States.

American Indians have found a united expression for demanding group rights through organizations such as the National Congress of the American Indian and the American Indian Movement.

Such demands are being heard from Spanish-speaking Americans, many of whom now are united within the Chicano movement,[17] which again has political, economic, and cultural overtones. Some militant portions of the black movement are also opting for a cultural separateness and are, in fact, demanding that amends be made to the blacks, as a group, in recognition of the past wrongdoings visited upon them by the society.[18] The people who are most vocal are minorities within the ethnic groups. For example, the Black Panther organization represents a minor percentage of the black populace, but there are no doubt many more who sympathize with its aims.

However, the majority of black and white opinion in the United States supports the premise that integration is desirable because there are few areas in the United States where black and white can be totally separated economically or in terms of patterns of residence. It is true that Newark, N.J., Washington, D.C., and some other major urban areas have a majority of blacks in the inner cities, but, because these inner cities are symbiotic with their white suburbs, true separation is no more feasible than in South Africa, where the government lends all its power to the principle of separation. This is not the case in the United States and, therefore, opinion which regards itself as progressive supports integration. This is true in both white and black communities.[19] Institutions have, however, become increasingly sensitive to the need for black representation if they are to retain their legitimacy in the eyes of both black and white populations.

---

[17] The etymology of *Chicano* is not fully clear. Young Mexican Americans, however, have given the term a positive meaning and prefer it, as a label, to "Mexican American." In fact, in their eyes, whether or not one is willing to call himself Chicano is a test of cultural loyalty. Although the U.S. Bureau of the Census, prior to 1970, has listed the Mexican American as part of the "white" population, it is estimated that nearly 5,000,000 Mexican Americans live in the United States. Spanish-speaking groups include: Latin Americans, Cubans, Puerto Ricans, and Spanish in addition to Mexican Americans.

[18] For example, the Black Economic Conference has demanded $5,000,000 in reparations for past wrongdoings from the white-supported churches; the Black Muslims support economic ownership by Muslims and separate living locations from the white population; the Republic of New Africa favors the establishment of a separate political state in the southern part of the United States, with black control and ownership. "Economic Programs of Militant Separatists" in William L. Henderson and Larry C. Ledebur, *Economic Disparity* (New York: The Free Press, 1971), pp. 75–104.

[19] Peter Goldman, *Report from Black America* (New York: Simon and Schuster, 1971), quotes from surveys among blacks showing that 74 percent indicated a preference for living in a "mixed" neighborhood and 78 percent said "yes" when asked if they preferred to see the children in their family go to school with white children. For exact figures see p. 179 and p. 267, respectively.

CONTRASTING ROLES OF FEDERAL GOVERNMENT IN THE UNITED STATES AND YUGOSLAVIA

The state structures of both Yugoslavia and the United States are federally based. Both countries possess strongly entrenched republican-state structures and strongly entrenched local authorities. Both have populations which greatly prize the existence of decision-making bodies on the local level because such institutions are deemed to be closer to the people and to meet their needs more adequately. Much of Yugoslav history is a record of social conflicts between the diverse nationalities and a powerful central government; as a matter of fact, the creation of post–World-War-II Yugoslavia rested on the platform of the recognition of equality of all nationalities and ethnic minorities. The Yugoslav system of law has gone to amazing lengths to ensure the right of the separate identity of each group, such as the right of the minorities to fly the state flag of the nation with which they are culturally identified. The entire trend of Yugoslav politics essentially supports the position which can be found in the Tenth Amendment of the United States Constitution, namely, that the powers not delegated to the federal government are reserved to the states or to the people.[20]

Yet, in the instance of the United States, the minorities and the ethnic groups suffered the worst at the hands of the local authorities. Discriminatory practices against black Americans and Spanish-speaking Americans were always defended on the basis of "states rights" and the rights of the local people to decide local issues. The most pernicious practices of segregation and judicial violence rested in the hands of state, city, and county authorities.

It was not until the Supreme Court applied the Constitution to the states in a forceful and resolute manner that the states lost the legal basis on which they had applied discriminatory policies against ethnic minorities. The executive, legislative, and judicial branches of the federal government became the best guarantor of equal rights. The Supreme Court initiated this record through a series of decisions which reversed long-standing judicial doctrines, and eventually resulted in the erasure of the "separate but equal" doctrine on the basis that separate was not equal.[21] The President of the United States practiced direct intervention, including

---

[20] The Tenth Amendment reads: "The Powers not delegated to the United States by the Constitution, nor prohibited by it to the States, are reserved to the States respectively, or to the people."

[21] One series of cases, starting with *Gitlow* vs. *New York,* 268 U.S. 652, in 1925, extended the "due process of law" clause in the Fourteenth Amendment back to the First Amendment, and gradually extended the rights guaranteed in the Bill of Rights to those citizens deprived of them by state laws. This shifted the grip of states rights. *Brown* vs. *Board of Education,* 347 U.S. 483 (1954), reversed the "separate but equal" doctrine as not consistent with the equal protection of the law clause in the Fourteenth Amendment.

the use of federal troops, in order to enforce these court decisions. The executive branch became a model employer; both the armed forces and the civil service of the United States became places where blacks and other minorities encountered relative freedom from discrimination, and the government followed policies of promoting minority group members into responsible positions.

From 1964 onward, the federal authorities started paying increased attention to the situation of de facto segregation in the North. Here, the major effort was the integration of housing and the integration of school systems, which in many instances are as rigidly segregated as those in the South. Segregation in the North rested on the compact patterns of residence which had developed around blacks and other racial-ethnic groups in the urban areas.[22] Some of it was voluntary, but much of it was involuntary. This problem has no ready analogy to any situation existing in Yugoslavia except to illustrate again the differential thrust in both societies in solving problems of ethnicity. The American thrust was entirely in the direction of integration. The effort was directed at integrating all groups, even those which resisted this effort and claimed the right to secure their national identity by voluntary isolation. Members of minorities, such as the black and Chinese groups, frequently saw the legal efforts of integration as a means to eradicate that which was distinctive in the black or Chinese culture. The law of the United States was again essentially blind to cultural collectivities and held that individual rights could best be safeguarded by equal treatment of individuals rather than by the recognition of the rights of groups as in Yugoslavia.

This basic formulation bedeviled judicial and administrative authorities from the beginning of the efforts to bring greater justice to minority and ethnic groups in the United States. The program began with the integration of the armed services by Executive Order 9981 in 1948. The remaining all-black units of the United States Army were dissolved, and their personnel were distributed among the existing white organizations. The assignment of personnel was no longer to be permitted along racial or ethnic lines but purely around the rank and Military Occupation Specialty (MOS), and the assigning authorities were ordered to be blind to such matters as the racial or ethnic origins of the soldiers involved. This transition to an integrated army was fairly smooth, where white and black units were involved, but the problems were infinitely greater in the case of the Spanish-speaking soldiers when the separate Puerto Rican units were dis-

---

[22] The Introduction to the Report of the National Advisory Commission on Civil Disorders says it better: "What white Americans have never fully understood—and what the Negro can never forget—is that white society is deeply implicated in the ghetto. White institutions created it, white institutions maintain it, and white society condones it." *Report of the National Advisory Commission on Civil Disorders* (New York: Bantam Books, 1968), p. vii.

solved. In the instance of the Puerto Ricans, the authorities attempted to enforce equality on a group which was culturally different from the majority. This resulted in frequent breakdowns in communication between officers and men, who simply did not understand each other's language, and in a major morale problem among both the Spanish-speaking soldiers and the army authorities who were attempting to make the army fairer by making no allowances for the de facto situation of the Spanish-speaking soldiers and officers.

The Yugoslav army has been used as an agency for ethnic acculturation. It has an explicit policy of sending Slovenes and Croats to underdeveloped parts of Yugoslavia, and Macedonians and Serbs to Slovenia and Croatia. Besides, it teaches urban living skills to soldiers who come from rural areas. In many instances, army service is the only link that citizens have with ethnic groupings other than their own.

In the United States, the laws and government are virtually blind to groups which have a strong drive to preserve their cultural integrity. The American constitution does not guarantee anything to such groups, whereas the Yugoslav Constitution of 1963, in Article 40, states, "Citizens are guaranteed the freedom to express their nationality and culture, and the freedom to use their own language." In the United States, the general policy of integration is supported by law which deals only with individuals, and may threaten entire groups with cultural extinction. This policy actually threatens all groups which try to preserve some modicum of special ethnic identity. An especially dramatic example of this policy, when carried to its final phase, is shown by the "termination" of Indian reservations in order to bring the Indians into the larger American society as integrated members. For instance the Menominee Indians of Wisconsin woke up one morning in 1961 to find that their reservation had been abolished, and that all of the special protections and provisions promised them by earlier treaties had disappeared.[23] It was further provided that no more Menominee Indians would be legally recognized after the present generation.

In Yugoslavia, the guarantee for use of the group culture and language extends into the schools, where instruction is available for any nationality in the mother tongue, wherever there are sufficient numbers of that group to warrant either a school or a class.[24] The guidelines for establishing the right to instruction in one's own language are federal, although each republic has instituted its own detailed plan. In Serbia, the Law of the Or-

---

[23] In 1954, five bills passed both houses of Congress which effectively terminated the tribal status of 8,000 North American Indians. This was known as the "termination policy." Gary Orfield, *A Study of the Termination Policy* (Denver, Colorado, National Congress of American Indians, 1965). President Nixon spoke against this policy in an official address on July 8, 1970.

[24] "General Law on the School System," *Official Gazette of the SFRY*, No. 4, Jan. 22, 1964.

ganization of Schools with Instruction in Languages of National Minorities in the Peoples' Republic of Serbia[25] guarantees lessons in the mother tongue wherever there are 15 students of the same nationality, while the Law on Bilingual Schools and Those in the Language of the National Minorities in Slovenia[26] provides for either bilingual schools for the nationalities, in which both Slovenian and another national language are used for instruction, or schools for nationalities in which only students are present who belong to a minority. The increase in the number of schools identified with a specific national minority is a strong indicator of the progress made toward establishing separate schools for different ethnic groups. The number of elementary and secondary schools in the languages of the nine minorities increased, between 1939 and 1964, from 271 to 1,506. Nearly half of these groups were not entitled to schools in their mother tongue before the war. Table 12–2 illustrates this point.

In the United States, minority groups usually have to resort to an en-

TABLE 12–2

Elementary and Secondary Schools in Languages of the Nationalities (A comparative survey: 1938/1939 and 1963/1964)

Nationality	*Year*	*Elementary*	*Secondary*	
			Vocational	*high school*
Total	1938/39	266	1	4
	1963/64	1,419	56	31
Bulgarian	1938/39	—	—	—
	1963/64	87	—	1
Czechoslovakian	1938/39	42*	—	—
	1963/64	12	—	—
Italian	1938/39	—	—	—
	1963/64	133	1	5
Hungarian	1938/39	183	1	2
	1963/64	230	23	7
Rumanian	1938/39	33	—	1
	1963/64	34	1	1
Ruthenian	1938/39	3	—	—
	1963/64	4	—	—
Slovak	1938/39	42*	—	1
	1963/64	32	1	1
Albanian	1938/39	—	—	—
	1963/64	917	30	13
Turk	1938/39	—	—	—
	1963/64	60	—	3

* Czech and Slovak statistics for elementary school combined.

Sources: *Statistical Yearbook* (Beograd, 1964), p. 314; *Preliminary Data of the Federal Institute for Statistics*, 1965.

25 *Official Gazette of the Peoples' Republic of Serbia* (Beograd No. 29, 1960).

26 *People's Assembly of Slovenia, Executive Council* (Ljubljana, No. 61–2, April 9, 1962).

tirely privately financed system if they wish to maintain their distinct schools. Even such a system has to meet the high standards of the public schools if its students are to be certified for admission to colleges or universities or as transfer students. Needless to say, this is a very expensive method of educating cultural entities. Since 1967, experimental programs in bilingual instruction and community control in public city schools, located in ethnic locales, indicate some rethinking in this area.

ETHNICITY AND THE LAW

Since the American legal system deals with individual rights and not with the rights of groups, it is difficult to deal with libel and legal assault on the status and rights of entire groups. Any legislation dealing with the denial of rights of groups or libel against groups would run afoul of the First Amendment of the United States Constitution. There is no United States equivalent of the Yugoslav proscription against the dissemination of national hatred and overt discrimination as specified in the Constitution of the Socialist Federal Republic of Yugoslavia. Article 41 of that constitution states the official position most clearly in paragraph 3: "Spreading or practicing national inequality, and any incitement to national, racial or religious hatred or intolerance, is unconstitutional and punishable."

Any such provision in the Constitution of the United States of America would be against the entire tradition of Anglo-Saxon jurisprudence, which elevates the right of freedom of speech above the protection of groups from slander and libel. Such provisions may be difficult to enforce in any instance. The relative scarcity of prosecution under the provisions of the law in Yugoslavia attests to this. In both countries the amelioration of such problems is entrusted to the political process rather than to litigation. The United States Civil Rights Acts of 1957, 1960, and 1964[27] were a long step toward recognition that specified groups of the population might be injured by the discriminatory treatment of racial or minority groups. These laws were largely directed against state and local authorities which had traditionally taken a very cavalier attitude toward those rights which were already enunciated in the United States Constitution and in many Supreme Court decisions. As in Yugoslavia, the provisions of this law have been applied rarely and usually in the most flagrant cases.

---

[27] The Civil Rights Act of 1957 set up the Federal Civil Rights Commission. It is a temporary agency charged to investigate complaints alleging that citizens are being deprived of their right to vote by reason of their race, color, religion, or national origin or by reason of fraudulent practice, to study and collect information concerning legal developments constituting a denial of equal protection of the laws under the Constitution, to appraise Federal laws and policies with respect to equal protection of the laws, and to serve as a national clearinghouse for information in respect to denials of equal protection of the laws.

In Yugoslavia, all federal institutions have been organized on the principle of equal representation for the several nationalities as a constitutional right, since the Constitutional Amendments of December 1968. This principle is followed by both the government and the League of Communists. For example, the main legislative chamber is the Chamber of Nationalities, which is composed of 20 delegates from each republic and ten from each autonomous province. This organizing principle also prevails on the Federal Executive Council. The other five chambers, even though they are functional, reflect a somewhat proportional representation of the nationalities in Yugoslavia. The same reforms apply to the Presidential Council and to the major institutions of the League. These institutions have been under constant reorganization for the past 20 years. During the various changes, one tendency that remains constant is to give equal representation to the nationalities within the ruling councils of goverment and party. Before the reforms of 1968, the Serb and Montenegrin elements were heavily overrepresented in both party and government bodies.[28]

On the republic and provincial levels, the governments and party organizations are again composed in such a way as to give representation to the ethnic minorities within the republican, provincial, and communal territories. This applies to the institutions of both the government and the League. In highly mixed areas, such as the Province of Vojvodina, this constitutes a particularly difficult problem. According to official statistics for 1963, however, the communal councils within Yugoslavia showed a pattern of ethnic representation that was quite similar to the ethnic composition of the total population.[29]

Another important step in the same direction was the reorganization of the Yugoslav army in which a portion of the Yugoslav armed forces were placed under republican commands to organize the defense of their respective republican areas. This was done to reinforce the concept of territorial warfare which was always the dominant strategy of the Yugoslav military leadership, but also to circumscribe the powers of an officers' corps in which the Serbs and Montenegrins had a decisive majority.

Since the Yugoslav republics represent, to a large extent, different ethnic groups, the changes toward reducing the power of the central government and increasing the power of the republics also increase the autonomy of ethnic groups. The increased privileges of the Albanian minority indi-

---

[28] Paul Shoup, *Communism and the Yugoslav National Question* (New York: Columbia University Press, 1968), Appendix D, p. 274. Before the reforms of 1968 Serb and Montenegrin elements were heavily overrepresented in both party and governmental bodies.

[29] Statistics for the communal councils included 4.9 percent Albanians (against their 4.9 percent of the total Yugoslav population), 2.3 percent Hungarianrs (2.7 percent), 0.5 percent Slovaks (0.47 percent), 0.4 percent Bulgarians (0.34 percent), etc. Koča Jončič, *The Relations between Nationalities in Yugoslavia*, p. 70.

cate that Yugoslav leaders were indeed desirous of increasing ethnic self-determination. However, the removal of the Croatian League leadership indicates that the Yugoslav leaders are determined to maintain some degree of unity in the federation and will not willingly permit the development of secessionist trends. Since the break with the Soviet Union in 1948, Yugoslavia has moved steadily toward limiting the power of the federation and increasing the autonomy of the constituent units. Whether the removal of the Croat leaders represents an isolated reaction to an extreme challenge to the integrity of the state or is the beginning of a reversal of the policy which increased the authority of the republics and local government remains to be seen.

The minority groups within the United States are not territorially based, and the population is usually dispersed and unable to elect sufficient numbers of its group for adequate representation in a legislative body. This is especially true of the smaller minority groups in America. The black American, on the other hand, has developed an effective pattern of bloc voting among urban-based black populations and has elected black representatives to county, state, and federal offices. Indeed, in 1972 the number of black state legislators approached the black proportion of the population in Michigan, Alaska, Arizona, Colorado, Ohio, and Oklahoma, which is one effect of an increase in black-elected officials since 1967. In spite of this rise, studies show that in May 1972 the proportion of black elected officials has reached only 0.43 percent of the total number of elected officials in the country.[30] While minorities may be too dispersed to make bloc voting effective for national office, state and local office can be won by candidates operating from a small base of minority votes. Examples of this can be found in towns populated by a majority of Mexican-Americans, such as Crystal City, Texas, where the political party, La Raza Unida of Texas, was active and gained control of the school board and city council for the first time in 1970, or from among large concentrations of Indians, such as the Navaho of Arizona and New Mexico, who elected two of their numbers to the state legislature in 1964. After the 1966 elections, 15 Indians held seats in six legislatures of Western States by utilizing an untapped Indian vote for the first time. Coalitions between more than one minority group or between black and white groups have been successful in some cases, such as the election of the first black Newark mayor through a joint effort by blacks and Puerto Ricans in that city, or such as the election of the first black Cleveland mayor through a joint effort of committed black and white voters. In addition to these examples, minority individuals may be elected in districts not controlled by their group, as in the case of a Mexican-American, Joseph Montoya, United States Senator from New

---

[30] Research Bulletin, Joint Committee on Political Studies, (May 1972), p. 6.

Mexico, or a black American, Edward Brooke, United States Senator from Massachusetts. Government appointments also reflect a deliberate effort to recognize individuals from minority groups and to increase their numbers in office; this effort is closely associated with a recent pattern of setting up special government offices on minority affairs, such as the Office of Minority Business Enterprise in the Department of Commerce or the Office for Spanish-Speaking American Affairs in the Department of Health, Education and Welfare, and staffing them with members of the concerned group. An effort has also been made by both the public and private sector to recognize the achievement of individuals on their merits despite a minority ethnic status.

PROGRAMS TO SECURE FULL PARTICIPATION OF ETHNIC AND RACIAL GROUPS

Both Yugoslavia and the United States are saddled with a heritage which created great inequalities amongst segments of the population. In Yugoslavia these are largely regional and are the result of the differing historical experience of the nationalities which comprise today's Yugoslavia. The program of socialist development in Yugoslavia was partially aimed at the eradication of gross economic discrepancies between ethnic groupings. In the United States the problem is at least partially geographic as well. The Southern population included a large proportion of blacks in a section of the country which was disadvantaged by a low level of industrialization.[31] A handicapped black minority resided in an agricultural part of the United States which lagged behind national income averages. The same observation could be made of the Spanish-speaking population of the Southwestern states or of the American Indians. The government viewed the ethnic problem, at least partially, as an expression of the economic situation in which the minorities found themselves, whether interspersed among the general population of the poor or in compact regional settlements. In Yugoslavia, the analysis of retarded development rests on the foundations of Marxist philosophy. Yet the attack on the problem in the United States was quite consonant with Marxist thinking because it was aimed at altering the occupational structure of the minorities in the belief that altering the material basis of groups will also alter the social structure and abolish the condition of poverty.

The contrast in methods used to redress minority grievances points up the essential difference in the Yugoslav and the United States approach. In

---

[31] The black population varied considerably in the South. For example, in the 1960 census, nearly one fourth of all counties in Mississippi had a black majority, but in no state did the black population exceed that of the white population. Louis Lomax, *The Negro Revolt* (New York: Signet Books, 1962), pp. 251, 266–67.

Yugoslavia, minorities were included on a group basis in representation by constitutional right. In the United States, individual rights are constitutionally guaranteed, and groups would be protected when the rights of individuals who made up the group were protected. In Yugoslavia, individuals would find access to social participation through the legal guarantees of their nationality group, while in the United States, treating an individual on the basis of ethnic group membership was considered discriminating behavior. Thus, the civil rights movement in the United States sought to remove ethnic classification as a basis for discrimination in the assignment of social rewards, while the Yugoslavs moved to give equal weight to both majority and minority ethnic categories. In short, this points up a fundamental difference in the ways in which the United States and Yugoslavia address themselves to individual and group grievances. The United States ignored ethnic groups and sought to protect the rights of individuals, while Yugoslavia sought to establish equality between ethnic groups as such. However, affirmative action programs and goals for ethnic representation in employment and education have brought the United States practices closer to the Yugoslav concept of group rights.

THE POLITICS OF INTEGRATION

There is little question that a powerful central government can implement many policies for the redistribution of income to poor areas. The central government can play this role only at the expense of local decision-making powers. This basic equation applies to any state, whether it be the United States or Yugoslavia. Political conflicts result from this basic fact of life in both societies. Yugoslavia, like the United States, has its agricultural underdeveloped areas in the south, and these areas are vitally interested in the redistribution of national wealth through the intermediacy of the federal government. In the United States, this demand has a somewhat paradoxical twist insofar as the greatest advocacy for states' rights also originates in the South.

In the United States, the white South has traditionally fought for the right to discriminate against nonwhite citizens by hoisting the banner of the right to local self-government. In the 1960s, when the civil rights movement began to agitate for black rights on the basis that such rights were guaranteed by the Constitution and other legal documents, the Southern resistance centered entirely on the issue of states' rights. Yet it can be amply demonstrated that states' rights to the South meant purely the privilege of racial discrimination. On the other issues which confronted the South, the elected representatives were among the most vocal backers of federal intervention because it meant essentially the redistribution of federal funds into such southern projects as education, highway construction, health services, and flood control. The voting record of the Southern

Congressmen and Senators was by and large fairly consistently on the side of the economic programs which enhanced federal power. The analogies to the Yugoslav case are more than superficially obvious. In Yugoslavia, the American equivalent of states' rights is a platform of those regions which are most prosperous, while those who seek increments in federal power tend to represent the poorer areas of the country for the same economic reasons as in the United States.

Nevertheless, Yugoslavia and the United States are moving from a platform of very different experience. In the United States, the forces which perceive themselves as being progressive by and large advocate an increase in federal power because they see local government as the seat of racial discrimination, corruption, and inefficiency. The higher standards of conduct in the civil service in the United States can be no doubt found in the federal government. The entire past history of the United States was a gradual buildup of these powers, which took a significant quantum jump in the 20th century and particularly under the administration of Franklin D. Roosevelt. Therefore the image of federal power tied to his stellar personality symbolized constructive change and progress. The Johnson administration finally federalized enforcement of voting rights and other civil rights which had been long denied by local powers.

The European experience in general, and the Yugoslav experience in particular, have been different from the American one. Europe evolved from feudal concepts of absolutism which made the individual subject to the exercise of governmental power, and much of the European struggle for civil rights or democracy has been against all-powerful central authorities which yielded their powers most reluctantly. This was certainly true of the absolutist traditions of the Hapsburg Monarchy or the Ottoman Empire. The entire interwar period in Yugoslavia was a record of struggle against the centralizing tendencies of the royal government and the Serb majority on which it rested. In the circumstances, it is not surprising that one can find many echoes of this historical development in present-day Yugoslavia.

SUMMARY

The ultimate solution to the problems outlined in this chapter, if there is an ultimate solution, can be found only in consonance with the political processes in the two countries under discussion. Historically, political processes have created many of the burdens with which the two states are saddled, whether these were 500 years of Turkish occupation in Yugoslavia or slavery in the United States. From a historical viewpoint, one cannot escape the conclusion that both states have taken vast strides in the last 30 years toward the alleviation of the inequities among their diverse populations.

The paths taken differed markedly. Yugoslavia restructured radically the entire constitutional framework of the state to satisfy the demands for equal rights among all the Yugoslav nationalities. The main thrust of the United States is still toward integration and freedom from individual discrimination. In the process of the political struggle which took place in the United States, largely during the past two decades, there is an increasing awareness that the goal of full integration may bring with it the denial of a separate identity which some groups strive toward.

In the very act of emancipating minority groups from discrimination there is an awareness that portions of the Indian and the Spanish-speaking populations would like to maintain their cultural identity, and this may in time be recognized at the programatic level. Congress has already recognized this need by setting up pilot projects, in 1967, under Title VII, the Bilingual Education Program, of the Elementary and Secondary Education Act of 1965.[32] The very fact that the Office of Education in the Department of Health, Education and Welfare has established entire bureaucratic structures to deal with problems of divergent ethnic and racial groups shows an increased awareness that these are group problems and not individual ones. The establishment of such organizations is increasingly found on the state and local levels. Institutions and businesses have become increasingly aware of the proportion of minority group members on their staff, and in some instances have set explicit quotas for minorities.

One could, perhaps, hypothesize about the emergence of a convergence pattern in which the United States is traveling more and more in the direction of the Yugoslav model for the treatment of minority problems with a distinct recognition that cultural divergencies may be a permanent factor in a complex multinational society. By the same token, Yugoslavia's experience of the last 20 years sets its course in the direction of greater individual rights as well as increased economic individualism. Both states firmly reject the notion that national and ethnic divergencies should be the source of discriminatory treatment for their respective citizens.

One of the paradoxes of United States and Yugoslav developments is that, while both governments framed major policies to insure the rights of their respective citizens, the approaches used were almost diametrically opposed. In the United States the federal government launched major efforts through the federal authorities as the only means of gaining redress for the minorities which suffered under the grip of vested local elites which controlled the economy and law enforcement. In Yugoslavia, the path

---

[32] Congress expressed concern over the inadequacy of language training in schools attended by non–English-speaking children by amending the Elementary and Secondary Education Act (1965) in the form of Title VII, the Bilingual Education Program, which provided for demonstration and pilot programs. These are primarily found in schools with Spanish-speaking children, and in a few Indian schools.

traveled was from central control to greater local control and therefore to more autonomy for ethnic groups. In the immediate postwar period, the Yugoslav government was not ethnically discriminatory, but implemented the revolution through rigid central control. It was only in the 1960s, with the rise of the workers' self-management movement, that substance was given to true self-government among the Yugoslav nationalities and national minorities. The question that remains is where the federal-local relationship will find its balance point. In the ultimate analysis, this basic question is the key to the success of the ethnic policies in both societies.

PATTERNS OF INTERGROUP BEHAVIOR

An inquiry into intergroup policies in Yugoslavia and the United States affords a comparison between a country with a group-centered polity and one with an individual-centered polity, between a country with a predominantly socialist economy and one with a predominantly capitalist economic system, and between a country with territorially based ethnic enclaves and one with relatively dispersed ethnic groups. Finally, practically all the Yugoslav population have an European–Near-Eastern background, while in the United States nearly a fifth of the population is of African, Latin American, Indian, or Oriental ancestry. These differences make even more significant any common factors which may appear in the delineation of intergroup relationships in the two countries.

Yugoslav-United States pattern. Disparities in the socioeconomic status of ethnic and regional groups exist in both countries. In Yugoslavia and in the United States there is a north-south differential in income and also a differential between ethnic groups, with blacks receiving less than whites in the United States and Albanians with only a fraction of the per capita income of the Slovenes in Yugoslavia.

Generalized pattern. Variations in natural resources of various regions and in the education and life styles of ethnic groups produce variations in the average income of group members which are difficult to equalize in either a socialist or a capitalist economic system.

Yugoslav-United States pattern. In Yugoslavia, power was transferred from the central government to local units, partially in an effort to give greater autonomy to ethnic groups in local territories. In the United States power was centralized, partially to protect ethnic minorities from discrimination by local elites. The American centralized support of integration has been attacked as hostile to cultural pluralism, while Yugoslav decentralization has been attacked as a device to perpetuate economic inequalities between ethnically distinct regions.

Generalized pattern. A powerful central government may limit ethnic autonomy, but only a strong central government can promote economic equality among ethnic groups.

Yugoslav-United States pattern. Both Yugoslavia and the United States have moved away from a situation in which majority ethnic status conferred special privilege. The Yugoslavs are working through group guarantees which attempt to insure cultural survival and proportionate representation of ethnic groups in governmental bodies. The United States has sought to achieve a situation in which ethnicity is unrelated to social, economic, or political participation and people are appraised on their individual merit.

Generalized pattern. The quest for justice in intergroup relations may move either from the group to the individual or vice versa. If the emphasis is on group parity, individual freedom is necessarily curtailed and many social classifications must be made on the basis of ethnicity rather than on individual qualities. If the emphasis is on individual rights, cultural groups may decay or disappear even though individuals associated historically with such groups advance in socioeconomic status.

QUESTIONS

1. Are there any fundamental differences in the manner in which the United States and Yugoslavia provide for the achievement of equality among their respective minority groups? Discuss fully.
2. How do you account for the fact that turmoil erupted in the United States and in Yugoslavia during the time when there was an increase in prosperity and liberalization? Defend your answer.
3. What evidence can you marshall to show that both the United States and Yugoslavia are moving into a period in which ethnic feelings are being revitalized and forcing changes in the two systems?
4. Historically, religion played an important role in keeping the peoples separated in Yugoslavia; what factor or factors played a similar role in the divisiveness of the American people?
5. What important developments are responsible for the emergence of the contemporary federal system in Yugoslavia and how does this new system favor ethnic autonomy?
6. How do you account for the fact that governmental reforms in Yugoslavia have not resulted in greater economic parity among the various minority groups? Discuss this fully.
7. What recommendations would you offer to bring about economic parity of the majority-minority groups in the United States? Could the same recommendations be applied toward the elimination of economic disparities in Yugoslavia? Defend your answer.
8. To what extent have the economic reforms and the decentralization of the government been detrimental to the bases of a socialist egalitarianism in Yugoslavia?

9. What events led to the eventual expulsion of Yugoslavia from the Cominform, and has this expulsion been detrimental to the economic development of Yugoslavia? Defend your answer.
10. What major factors help to explain the treatment of the Albanians and what has happened to them under the new regime in Yugoslavia?
11. How could you account for the continued discord between the Serbs and the Croats and what steps could the government take to improve the relations between these two groups?
12. What minority groups in the United States, not unlike the Albanians, have members who are demanding that their groups be recognized as special cultural minorities? Do you think that they will be as successful as the Albanians in their drive for special recognition? Defend your answer.
13. Contrast the current legal approaches used by the United States and Yugoslavia in their attempt to solve interethnic group problems. In your opinion which legal approach seems most likely to succeed? Defend your answer.
14. What do you think would be some of the major consequences if the United States adapted a minority policy like that of Yugoslavia, where the various minority groups are guaranteed the freedom to express their own culture and nationality? Would such a policy call for a redistribution of the population in the United States?
15. Is there any evidence that the United States is moving in the direction of Yugoslavia in recognition and treatment of minority groups? If yes, how far do you think this trend will go and what are some of the major forces that would strongly oppose it?

Chapter 13

The Peace Corps: A case of temporary minority adjustment

The Peace Corps and the people they served differed on many important social and cultural traits. The Peace Corps Volunteers were a fair cross section of educated American youth. This meant that the sexes were about equally represented, that most were white, and that, although some were Catholic, the majority came from Protestant or Jewish backgrounds. In Africa, this meant that a mostly white group was serving blacks. In the Philippines and Latin America, it meant that a mostly non-Catholic group was serving a predominantly Catholic population. In all cases, the Peace Corps enterprise involved Americans serving those of other nationalities, and citizens of a wealthy country serving those living in underdeveloped areas. Since many of these countries to which the Peace Corps was assigned had a strong tradition of male dominance, the Peace Corps situation often included women occupying roles usually reserved for men.

To be sure, the two-year period of Peace Corps service made the volunteers a highly transient minority, and transient minorities do have some privileges as contrasted with long-term residents. For one thing, since the period of residence is short, any threat of competition is only temporary. Nor are the Volunteers likely to be viewed as a political bloc, since both alien status and short tenure make normal political activity impossible. Pressures for assimilation are low, since it is assumed that sojourners will inevitably retain their alien culture. On the other hand, the success of the Peace Corps mission required a high degree of interaction between the Volunteers and citizens of the host country and the period during which this could take place was short.

The situation of temporary minority status is one that the Peace Corps shares with many other groups. Governmental technical experts, members of the armed forces, businessmen, missionaries, and diplomats have faced the problem of this kind of adjustment for many years. Their conditions of service, however, are sharply different from those of the Peace Corps Volunteers. With the exception of the military and the missionary, the financial remuneration of the ordinary United States citizen serving abroad is not only in excess of that received by natives of the country but usually in excess of that received by comparable fellow nationals in the United States. This differential is justified on the basis of the labor market, since most people are reluctant to leave their own country unless additional compensation is involved. Also, "hardship pay" is rationalized on the ground that tariffs and transportation costs may push the prices of Westernized types of products 25 percent to 100 percent above the level in the United States or a European country.

Neither the armed forces[1] nor the missionary societies use financial differentials as a recruitment device, and soldiers and missionaries usually receive less compensation than men in comparable occupations on the home base. In the case of the army, however, the element of compulsion comes into foreign duty, and in the case of missionaries, a service motive replaces the "hardship compensation." However, the compensation of both missionaries and soldiers is usually well above the income of the average native in the host country, even above that of the soldier or the clergyman with whom they might be most directly compared.

The Peace Corps Volunteer, on the other hand, sought to live in a manner typical of the people of the country and was employed at a compensation comparable to that of his native counterpart. The Peace Corps Volunteers were given adequate medical care and, if necessary, were furnished with transportation, but otherwise their intention was to live on an economic level which would not inhibit interaction with the populace. Rather than insulating the Volunteers from contact, the Peace Corps sought living conditions which would immerse them in the indigenous society.

Most transitory minority groups have made an adjustment through three types of escape mechanisms: enclave living, elite interaction, and task-oriented acculturation. Many examples of enclave living may be

---

[1] The military do receive a small overseas bonus, but are classed with missionaries on the grounds that, even with this bonus, military pay is usually less than that of comparable civilians in the home country.

found, such as the mission compound, the army base, the diplomatic quarters, the residences built by business concerns for their employees, and the special housing set up by the governments of developing countries for visiting Western experts. This type of enclave housing tends to minimize the interaction of the alien minority with the host nationals, since for their off-duty time they are located in a "gilded ghetto," in which the only nationals present are servants, or visitors who come by invitation. Usually the enclave is served by Western-type stores and amusements, worship facilities and schools, which provide a "little America," or whatever country is involved.

Enclave living cannot lead to complete isolation, or else the whole point of the individual's mission would be lost. The usual adjustment is to promote interaction with nationals of the host country who are intimately involved with the work in which the visiting minority is interested. Thus, there is exchange of hospitality between businessmen, government officials, military officers, missionaries and native clergy, etc. This close elite interaction is coupled with an isolation from the rest of the population except for the occasional servant, who frequently becomes not only a relief from the tedium of manual labor, but also an informant on the local culture and the channel through which the foreigner finds at least partial entry into the mysterious society in which he lives.

Like interaction, acculturation is also a task-oriented phenomenon which is restricted to those elements of the culture which impinge most directly on the individual's vocational role performance. He will probably pick up a few words of the native lagnuage, but most of his day-by-day contact will be with national counterparts or servants who are English-speaking. He will, perhaps, learn to eat a few of the better known items of food, but he will arrange for his own theaters, golf courses, clubs, swimming pools, and other types of social gatherings. Thus, he may live a reasonably comfortable life and be reasonably effective in his work performance, and yet come to know relatively little of either the values or the customs of the society in which he lives.

PEACE CORPS ADJUSTMENT TECHNIQUES

For the Peace Corps, task-oriented acculturation, elite interaction, and enclave ghetto living were contrary to two of its three directives, which were to help the people served to gain a better understanding of the American people and to promote a better understanding of other peoples on the part of the American people, as well as to meet "the needs for trained manpower."[2] Peace Corps Volunteers were engaged in specific functional

[2] Public Law 87–293, 87th Congress, Sept. 22, 1961, Section 2.

activities, but they were also in a real sense ambassadors of America, who were charged with a mission of becoming agents of understanding. As a result, their living arrangements were ideally those which placed them in a maximum of degree of contact with the native peoples, their interaction was on a broad scale, not restricted to a small elite, and their acculturation was of a type which would bring an insight into the general nature of the society.

Arriving at a suitable plane of living often represented a considerable problem for the Volunteer. There was no doubt that, compared to other Americans abroad, he was poor, but the idea that he should live as his local counterpart did not necessarily mean that no barriers of living standards existed to separate him from the bulk of the indigenous population. In the Philippines, most Volunteers lived in modest homes not too different from the bulk of the town population and scattered throughout the area. In most districts in Africa, however, teachers, like other government servants, had housing provided for them and lived in Western-style domiciles on the school campus, complete with all modern conveniences.

Such housing implied both a physical and a social separation from the African populace, even though the housing was shared by African teachers. Some Volunteers have forsaken the teacher's compound for life in a mud hut in the African quarters—an action which provokes a mixed type of reaction. Other teachers, either African or expatriate, were apt to feel that leaving the compound was an action which lowered standards and threatened the prerogatives of all teachers. Critics added that the only single women whom Africans are used to see living alone are prostitutes and that the female volunteer who leaves the teacher's enclave risked this kind of misinterpretation. Still other critics charged that the difficulty of housekeeping and the problems of sanitation reduced the individual's efficiency on the job. Perhaps the unkindest cut of all was the possibility that the individual who sought native quarters might face a suspicion of engaging in espionage.

On the other hand, Africans have remarked appreciatively that the Volunteers are almost the only foreigners who have voluntarily sought to live among the people with whom they work. Problems of convenience and sanitation have not been overwhelming, and Volunteers have been able to maintain a modest degree of comfort while living in traditional African housing. The experience certainly produced a cultural insight over and above that obtainable from study or observation. Occasionally, at least, it did produce a degree of sympathetic response from the neighbors. Thus one Nigerian government official, commenting on the Peace Corps, remarked that the Volunteers living in Zaria were the first white men for more than half a century who had lived in the old city and had really become friends and neighbors rather than aloof foreign experts.

Debate, however, continues on the proper course to follow with the bulk of the Volunteers accepting the housing provided by government for those engaged in their type of work. Housing, of course, is only one indication that the African secondary school teacher is part of a privileged sector of the population whose salary and fringe benefits enable him to drive a car, to eat imported food, and, in general, to live on a plane far above that of the majority. Many African schools are staffed largely by foreigners who view as an economic opportunity the position which the Volunteer has chosen on a service motivation. The African teacher himself is definitely one who has begun to "make good" and jealously guards the privileges which accompany his hard won social mobility. The Volunteer finds that smooth relations with his non–Peace-Corps counterparts are essential to his success and yet identifying with his vocational peers places him in an elitist position.

One instance in which the Volunteer gives in to the pattern established by other expatriates is in the matter of servants. To an American in the 1970s, a household servant seems like the epitome of privilege; a status distinction reserved for the very rich. When he finds that servants may be hired at a wage varying between three and eight dollars a week, this seems like the grossest sort of exploitation even though it may be an attractive wage to many of the inhabitants. The Volunteer may resolve that he would never be a "master" with a domestic subordinate, but this resolve quickly melts when he is confronted by the amount of work involved in shopping, washing clothes, and maintaining a minimal standard of sanitation. Further, the need for a trusted go-between to serve as a link between himself and the populace whose customs still baffle him and whose language he speaks very imperfectly leads to a reliance on servants.

To most foreigners serving in developing countries, the Volunteer appears either crazy or noble (according to the value judgment) in accepting a scale of material rewards far below that commanded by other resident aliens. To the indigenous populace the matter is not so clear. The Volunteer often shares some of the privileges provided for others in his vocational position, and even if his living quarters are those typical of the society, this is not regarded as hardship. Even the possession of a regular cash income, however modest, places one in a privileged position in most developing societies. On the other hand, the Volunteer is one who manifests an interest in local customs, tries to become acquainted with ordinary people, and foregoes at least some of the usual symbols of status. Barriers of economic privilege do remain, but at least they have been minimized to the point where social interaction on a partially egalitarian plane is not impossible.

The goal of the Peace Corps may be identified as "acceptance;" acceptance by the society of the Volunteer as one who is sympathetic and regards himself as being on the level of equality, and acceptance by the Volunteer of the worth and validity of the people and the culture in which he works. There is no clear criterion for measuring acceptance, but the Volunteer who is considered a friend and counselor by the people, who lives among the people and who spends much of his leisure time in recreational pursuits with the nationals of the area, would seem to have gone a long way.

The suggestion is made that perhaps intermarriage may be considered an index to the degree of acceptance and this would seem to have some validity. The rate of intermarriage is highest in places like the Philippines, where there are many common elements in the two cultures. However, it would certainly be a mistake to assume that the person who intermarries has accepted the culture, or that the person who does not find a mate among the nationals of the country is one who has failed to become *simpatico.*

Accepting the culture does not mean approving of all the goals and values of the country; neither does it mean that the Peace Corps Volunteer has been "de-tribalized" in the sense that he turns his back on American standards and ideals. Rather, it indicates that he has been able to accept the cultural matrix sufficiently, that he is at ease in his living situation, and that he can work constructively within the boundaries set by local customs and traditions.

WITHDRAWAL AND RETURN

The typical Peace Corps Volunteer has been heavily indoctrinated with the idea of cultural relativism during the training session, has usually begun to disdain the habits and way of life of the "enclave" Americans, and has made a solemn resolve that he himself is going to be an "acceptor." This, however, is a type of step which requires more than resolution, and it is common for many Volunteers to have a "withdrawal stage" in which they seek to find a type of retreat which, for a longer or shorter period, removes them from the necessity of contact with the national culture. Most reports of Peace Corps activities indicate that a weekend retreat in which Peace Corps Volunteers will visit each other, travel to the nearest city and engage primarily in interaction with fellow nationals is a common part of the Peace Corps experience and is described by many as being the only thing which makes it possible for them to stick out the trials of living during the week in surroundings where the familiar cultural cues fail to work. This weekly excursion routine represents a rhythmic pattern of withdrawal and return in which the Volunteer battles for five days with the task of cultural adjustment and then withdraws to more familiar haunts, only to resume the struggle the following week. It is hardly the optimum type of acceptance but it is a viable compromise which enables the Volunteer to function on the job and still obtain intermittent relief from cultural strain.

CULTURE FATIGUE AND CULTURE SHOCK

Even the minimum acceptance of the culture necessary for the performance of duties may be difficult for the Volunteer to achieve. Sometimes, the initial efforts of the Peace Corps Volunteer are rejected by the very people he desires to serve and the result is a kind of despondency illustrated in the following statement by a Volunteer in Colombia.

> I began to develop a grudge against La Union and to make wild generalizations in my mind about the town and the people in it. I pretty much decided that I really didn't like the people and that it would be impossible to work with them. About the only adult I had met for whom I had any feelings of friendship at all was a young shoemaker who worked in a kiosk by the bus stop, an Indian from the Sierra who had dared to move down into the tropics. And God knows he wasn't really an adult at fifteen.
>
> When I seriously thought about what I was going to do in this unrewarding spot for eighteen more months, it sent me spinning into a real depression. I locked myself in my room for three days and read Ian Fleming novels and drank about five gallons of coffee. In the afternoons when the little kids knocked at the door, I held my breath until they went away. I had thought that I could move into a completely different culture and, if not love, at least accept it enough that I could do the job I had been trained for. It came as an ego-shriveling shock to discover after the first month that I wasn't doing much of anything but reacting naively and emotionally to the poverty around me.[3]

The foregoing incident would be described as a case of cultural shock —a phenomenon which usually occurs in the early stages of contact. It is a situation much like homesickness, in which the absence of familiar customs and the inability to anticipate responses is so frustrating that the individual simply withdraws from interaction. Usually it is a malady from which the individual recovers in a few days; he is then able to face life in this strange new world which has become the scene of operation.

Cultural fatigue, by contrast, appears later in the individual's experience and may accompany a seemingly successful experience. One former Volunteer describes it as follows:

> Cultural fatigue is the physical and emotional exhaustion that almost invariably results from the infinite series of minute adjustments required for long-term survival in an alien culture. Living and working overseas generally required that one must suspend his automatic evaluations and judgments; that he must apply new interpretations to seemingly familiar behavior; and that he must demand of himself constant alterations in the style and content of his activity. Whether the process is conscious or unconscious, successful or unsuc-

[3] Moritz Thomsen, *Living Poor* (Seattle, University of Washington Press, 1969), pp. 35–36.

cessful, it consumes an enormous amount of energy, leaving the individual decidedly fatigued.[4]

The Peace Corps policy of repudiating "enclave living" and encouraging maximum participation in the host society probably maximizes the prospect of both cultural shock and cultural fatigue. Occasionally individuals who appear to be outstandingly successful in bringing about constructive innovation fall victims to cultural fatigue and have to be shipped home, although the number of Volunteers who have been sent home for any reason is amazingly low. Eventually, intimate participation in an alien society brings a degree of understanding and familiarity which lessens emotional strain, but, in the short run, high expectations of social involvement may run the risk of a greater probability of culture shock and cultural fatigue.

Cultural differences are frequently regarded as matters of taste and custom, important to understanding but relatively superficial. Variations in clothes, diet, family practices, language usage, methods of greeting, and types of recreation are puzzling at first but with a bit of effort can be learned. Even concern for items high in American esteem such as sanitation can be minimized in behalf of intergroup amity. The really distressing intergroup differences are not variation in customary ways of life but different standards of value.

Even though intellectually they may be cautious in their claims, a belief in progress is implicit in the rapid change which all adult Americans have witnessed in their own lifetimes. Whatever their misgivings about the ultimate direction of history or even their ability to handle difficult day-by-day problems, Americans have a manipulative attitude toward their world. Fundamentally, the direct, vigorous, forthright approach is expected to yield the answer.

As one former Volunteer describes the American attitude:

There is an enormous cultural gap between industrialized countries and the preindustrial (ascending or developing) nations of the world. The host countries where the Peace Corps Volunteers are assigned have complex problems of population growth, nutrition, regional factionalism and leadership. The young American PCV enters the culture of the host country often without even having clearly defined the society of which he is a product. One might define the American culture briefly as: time-oriented, productive, qualitative, mechanical, organized, institution-oriented, wealthy, wasteful, violent, peace-seeking, educated and charitable. To this list a host national might add that Americans are insensitive, frank, exploitive, impersonal, generous, glamorous, ill-mannered and independent. Whether these behavioral characteristics do indeed describe

---

[4] David Szanton, "Cultural Configuration in the Philippines," in Robert B. Textor (ed.), *Cultural Frontiers of the Peace Corps,* (Cambridge, Mass., the M.I.T. Press, 1966), pp. 48–49.

Americans is not the point of importance. However, the existence of this stereotype in the minds of a great many of the peoples around the world is of enormous importance.[5]

Developing countries have seen change, but more frequently the change is seen as an erosion of ancient security and less frequently as a triumphant manipulation of nature for man's needs. Skepticism about the prospects of any quick change for the better leads to suspicion of the change advocate and a tendency to question his motives. Indirection is the way social disagreements are handled and elaborate subterfuges may be used to mask disagreement.

The following description of Philippine-American value differences would find an echo in most developing countries:

1. The PCV who is "perfectly frank" with a Filipino, who expresses criticism openly, does so at considerable risk. In the Philippines such behavior can lead to painful embarrassment, loss of face, and shame—indeed to a sudden and severe denial of the social support needed to maintain the individual's psychological equilibrium. The forthrightly frank American is likely to evoke a reaction of hostility, or even possibly violence.

2. A related fact is that the Filipinos place great stress on "Smooth Interpersonal Relations," or "SIR." They handle potential disagreements by ignoring them, by pretending that they do not exist, or by designating intermediaries to conduct negotiations between the parties involved. American directness and "sincerity" are hence quite out of place.

3. Filipinos develop long-lasting mutual assistance alliances based on reciprocal obligations, which often override personal consequences, and often "get in the way" of accomplishing specific technological or managerial tasks. Americans, by contrast, tend toward more short-range, impersonal, contractual, functionally specific relationships.

4. Open striving for power and prestige is socially acceptable (and expected) for individuals and families in the Philippines. Middle-class Americans tend to mask or deny their power drives.

5. The Philippine kinship system gives greater prominence to relatives whom Americans consider distant. A Filipino's efforts and savings are hence likely to be "drained off" to the benefit of these "distant" relatives, rather than devoted to economic and technological investments.

6. Deference to persons of higher status, including elderly people, is a much more pronounced feature of life in the Philippines than it is in egalitarian America.[6]

The work assignment of the Volunteer may act either to insulate him from the nationals of the area or to bring him into heightened interaction.

---

[5] Peter Limburg, Student Paper, used by permission.

[6] Szanton, "Cultural Configuration in the Philippines," pp. 43–44.

Occasionally, there is a Peace Corps job such as draftsman, which, by its very nature, tends to isolate the volunteer during working hours and also offers little stimulus to direct him toward off-duty contacts. A school assignment, and this is probably the most frequent type of duty, would seem to automatically involve a tremendous amount of interaction. Although there is, indeed, much interaction with students, it is highly structured and usually is confined to the classroom. To a lesser extent, the Volunteer interacts with non–Peace-Corps teachers. Sometimes this teacher interaction is intense in the school and carries over into community social life. In many situations the school interaction is formal and limited, with no shared activities outside of the school setting. The school assignment itself is a tremendously demanding and even exhausting type of experience and it is not uncommon for volunteers to find that the daily preparation of lessons and conduct of the classroom exhausts both their energies and their interests.

Community interaction may be either an extension of the Volunteer's official role or an escape from an unsatisfactory type of assignment. Most teaching Volunteers find their way into the community through their school contacts, but this is not the only route. In fact, an unsatisfactory school environment may actually push the Volunteer into seeking compensatory community contacts. In the Philippines, for instance, where an assignment as "teacher's aide" proved to be rather difficult to work out in practice, leaving many of the Volunteers suspended more or less in limbo, this was actually an inducement to community exploration. The Volunteer, finding his school duties light and not especially rewarding, rechanneled his efforts toward contact with the community and involvement with community enterprises.[7] Other assignments, such as community development work, are impossible to carry out without maximum interaction with the nationals of the area. To some extent work always offers a bridge, but it may also offer a refuge from less structured and more uncertain types of contacts.

The mutuality of interest between the Volunteers and the indigenous teachers is not always as great as might be expected. True, they are both engaged in the teaching process, but the indigenous teacher tends to develop bureaucratic security-oriented attitudes, while the Volunteer is anxious for quick results in the form of student improvement. The extent to which indigenous and Volunteer attitudes may diverge emerges quite sharply in the following letter of suggestions from a Volunteer to an Ethiopian educational official.

Provincial Education Officer
Ministry of Education
Asmara. Eritrea, Ethiopia

---

[7] Ibid., p. 41.

Dear ———

The following is an attempt to answer the question you put forth . . . : "How can we make education more meaningful for our students, and our schools more efficient?"

1. A fact which I find abhorring is that teachers are impersonal to students and students are usually impersonal among themselves. An indication of this is the attendance record book which has only the student's number. The most important thing and sometimes the only thing they have is their name; as teachers, the least we can do is to learn it and use it. A reason for this impersonal attitude is probably the teaching method employed; i.e., the teacher enters the room and writes something on the blackboard; the student proceeds to copy it for later memorization. There is never any give and take between teacher and student. Never anything which requires listening and thought—memorization suffices. To break this vicious cycle and give man the dignity he deserves, I suggest a new method of teaching which takes into account the fact that students now possess text books.

2. If Ethiopia at present needs an educated nucleus from which to build, tougher criteria for promotion must be adopted. It is my belief that every student deserves the opportunity to fail. According to a list of rules circulated by the Ministry of Education, "promotion should be automatic." A rule which works against the purpose of education must be invalidated. The prevailing culture is one which emphasizes "helping my brother," even to pass a test; put more simply, cheating! Not only among students, but teachers also "help" students. This "help" only serves to promote the incompetent; this developing country can ill afford any more incompetent officials. A basic change in cultural patterns is called for, but an immediate remedy to keep those who are not ready for promotion from being promoted is to have General Exams proctored by PCV's.

3. Many teachers sincerely believe that they and their salaries are the "reasons for our schools." To say they are "misinformed" is a grave understatement. An idea to be drilled into all teachers is: Since education is the hope of our country's future, the welfare of all students is to be given priority. To be more specific: Teachers love to play soccer and basketball, but I believe it should be forbidden if it necessitates the teacher's absence from school so he can travel to the game site. Also, I believe it would be desirable in teaching the idea that our schools are for the learning of the students if it was made mandatory for a student team to accompany and play the other town on the same date as the faculty team.

4. A top priority step in making our schools more efficient would be to make a "duties list" for each member of the staff (headmaster, classmaster, teacher, secretary, sportsmaster and custodians); e.g., our school has few windows, but have the custodians ever cleaned them? No, instead they have been known to walk into my room while class is in session and question my decision as a teacher. At least the non-teaching staff should be informed that their purpose is to support the teachers. Maybe the secretary could even relieve the classroom teacher of the tedious job of filling out report cards.

5. The threat of student strikes is ridiculous and the students' power to do such must be broken. This could be done by giving headmasters instructions that

they are running their school and not the students, plus full authority to expel any and all rebellious students.

6. To facilitate learning, it is believed that a short test each week in each subject would keep the students' efforts and thoughts directed more properly than one or two tests a semester.

7. Exercises and questions should be used in all subjects which require the students thought process. A person who can't think has not been educated, and the biggest fool is one who memorizes facts obtainable in an *Almanac!* To decrease memorization, it might be advisable for less emphasis to be placed on the General Exam. Especially since math is the best subject for developing thought, its teachers should be advised never to give problems on a test which the students have previously worked and memorized.

8. Students and teachers are lazy. I believe an outgrowth of this is the tendency that they all demonstrate as being hypochondriacs. In the hope that students do follow their teachers' example, teacher absenteeism must be stopped. Since medical permission for even an imagined headache is presently a good reason for many days' absence without any penalty, I recommend a rule of 5 days absence per year be established and every day thereafter be deducted from the offender's salary. Also, "permission" for the student must be made harder to obtain, along with the policy of expelling students who have an excessive number (possibly 10) of unjustified absences.

9. Textbooks are of poor quality and circulated in a worse fashion. A student's mind is capable of grasping much more than these books disclose. Also, paperbound books are doing well if they last one year. Why not pay twice as much for books which are cloth bound and last 5 years?

Finally, it is simply amazing what can be accomplished by "trying"! It should become an official educational policy neither to accept nor offer excuses, but give an effort. If this idea is successfully ingrained in the minds of all of us connected with our schools, the amount of progress made will be unbelievable.

Professionally,
Edward A. Sullivan, P.C.V.[8]

The issues mentioned in Sullivan's letter are almost inevitable in the relationship between American Volunteers and the salaried officials of developing countries. The Volunteer is anxious to bring about change, the official either fears change or feels the situation is hopeless. The Volunteer is distrustful of any kind of bureaucratic process and presses for results; the official fears that an emphasis on results will bring his job into question. The Volunteer at home may have had the attitude that the important thing was to get through the system, i.e., finish school by the easiest possible route. Abroad, he sees the school in terms of what students learn and feels that an unearned diploma is of no value to the country and of no service to the individual. The official may endure shortages, since they are not his responsibility and he will not be blamed. The Volunteer is upset by any

[8] Excerpts from letter written by a P.C.V. in Ethiopia, the name Edward A. Sullivan is a pseudonym. Used by permission.

handicap to his mission and takes responsibility for seeing that these are remedied. The official is usually one with many interests besides his salaried position and feels that he has found a comfortable niche which does not require too much of his time and energy. The Volunteer has few other interests, feels the call of service, and must "prove" himself by some significant accomplishment. The resulting interaction may open new understanding to both the official and the Volunteer but is likely to be a bit traumatic for each.

RELATIONS WITH OTHER WESTERNERS

One of the complexities of the Peace Corps operation is that the Volunteer has to adjust not only to nationals of a developing country but, frequently, also to the individuals and the practices left by the colonial power, often Great Britain, which was previously the ruler of the area. Even with the best of good will, it is hard to avoid some sense of competition between the British, who were the representatives of Western civilization in the district for the previous hundred or more years, and the Americans who have just arrived with all of the confidence of people who are new to the scene and who have avoided the disillusionment which comes with experience.

Apart from actual competition there is frequently a difference between British and American folkways which is especially disturbing, since, on a superficial basis, the two cultures seem very similar. This difference in British and American practice shows up in a number of ways. In education, for instance, both British and Americans tend to be suspicious of the others' qualifications. The British tend to have a feeling that American education is superficial, while Americans are surprised to find that very few British secondary school teachers are graduates of institutions which would seem to approximate the American teachers' college, most of them having left school at the end of the sixth form, which Americans are apt to identify as the junior college level. The formality with which the British tend to cloak governmental concerns and the social distance which they tend to maintain from past or present subject peoples is another type of cultural difference which may be even harder for Americans to adjust to than the more obviously different customs of the indigenous population.

One example of the difficulties of British-American cooperation comes from the case of nurses in Malaya. The Peace Corps nurses were shocked by what they perceived as the attitude of the British that emergencies were situations which simply did not arise and that, therefore, plans for immediate adjustment to a crisis situation were unnecessary. Further, they were surprised by the strict social distance which marked off the hierarchies within the nursing profession and which separated nurses from other members of the medical services. On the other hand, the British were surprised that the American Peace Corps nurses were not trained in midwifery, since they tend to look upon this as an essential part of the nurse's equipment.[9]

On the whole, relations between British and Americans have been tolerable and difficulties are usually worked out over a period of time, but the process may involve more effort and more conscious adjustment than are anticipated. Even in matters of speech there are frequently differences in pronunciation and the use of words which give some strength to the old proverb that the "British and Americans are two people separated by a common language." Cowan's description of the Nigerian situation is a good summary of problems which arose between Volunteers and representatives of the ex–colonial power.

It should be added that not infrequently the problems of the Volunteers outside their specific job situation stemmed more from members of the expatriate community than from Nigerians. Both in ex-British and ex-French countries of West Africa, expatriates have frequently regarded the members of Peace Corps as the vanguard of American influence seeking to take over where the influence of former colonial power has begun to wane after independence. Perceiving a threat to their prestige and positions, these expatriates frequently voice criticism of the PVC's. This criticism, of course, must be expressed in terms that do not seem too transparently self-seeking. At its most convincing, it takes the form of pointing out how ill-prepared some of the PCV's are in a professional sense. Other criticism points to the Volunteers' youth and to their desire to help the African community apart from the purely formal instruction given in the classroom. The Volunteer, faced with this continuous criticism in the close contact of the day-to-day school situation and confronting resistance on the part of the African community toward his efforts at closer contact, found himself almost unconsciously absorbing the viewpoint of the colonial civil servant. By far the bulk of the Volunteers in Nigeria, however, were aware of this dilemma and made successful efforts to escape from it—sometimes at the cost of difficult personal relations with their European colleagues.[10]

While ideology may divide the Volunteers and the expatriates, their similarity in culture and color tends to draw them into a common classification. Color differences are, of course, immediately apparent and, while colonial powers in their later years tend to play down color discrimination, the memory of earlier days when the white face was frankly the badge of privilege is still present, along with continual tales of discrimination and racial strife coming from the United States. Usually the nationals of the country have had relatively little experience with American discrimination themselves, but they are quite aware of the stories that have circulated

[9] William H. Friedland, "Nurses in Tanganyika," in Textor, *Cultural Frontiers of the Peace Corps*, pp. 148–49.

[10] Gray L. Cowan, "The Nigerian Experience and Career Reorientation," in Textor, *Cultural Frontiers of the Peace Corps*, p. 163.

about the United States and as a result have a somewhat ambivalent attitude both toward American culture and toward the Volunteer, who, to some extent, is supposed to represent that culture. The words of a student from Ghana express quite well the twin attitudes of attraction and repulsion which occur.

> In my opinion, the United States is one of the most developed countries in the world, but in spite of its civilization, there exists one of the most shameful acts in the world today, namely, racial discrimination . . .
>
> Whites and blacks have separate schools, and they do not mix in cafes, restaurants and cinema places. If a black enters a "white" cafe by mistake, he is fought; a white will not go into a "black" cafe because it "degrades" him. In the combined parts of the cities, there are no fights but there is that old polite "they live their lives and we live ours" attitude between whites and blacks . . .
>
> Racial discrimination spoils the good name of the United States. In spite of this, it must be a wonderful country to live in for it has many modern facilities. I'll prefer studying there to any other country. . . .[11]

If color represents somewhat of a hurdle of distrust and prejudice for the white Volunteers, its meaning for the black Volunteer is still more complex. It is hardly a carryover of the American position, for abroad he is at once a black man and an American. As an American, he is expected to be a representative of his country's viewpoints and the attitudes which are identified with Americans in general; as a black man he is expected to regard Africa, for instance, as his homeland. The more sophisticated Africans were often critical of the "Uncle Tom" type of mentality which they associated with the assimilated American Negroes; the black power approach, on the other hand, seemed to be something peculiarly American with very little relevance in Africa, where the black man was so obviously dominant that there seemed to be little point to elaborating the virtues of a reverse racism. The American black would find both a sense of continuity and also a sense of estrangement as he realized how drastic were the cultural differences which separated him from his African friends.

On the other hand, for at least a few of the black Volunteers this was an opportunity to establish identity, since this was a time when the black could return to his land of origin, could place his feet on the soil of his ancestors and yet at the same time was fully identified as an American. Hence, he had a twin identity, both black and American, and could face the future with a greater knowledge of his real roots than he had ever had before.

American racial concepts were not always applicable. Especially in countries outside of Africa, it was frequently true that gradations of color

---

[11] Arnold Zeitlin, *To the Peace Corps with Love* (Garden City, New York, Doubleday and Company, 1965), p. 98. Copyright 1965 by Arnold Zeitlin and Marion Zeitlin. Reprinted by permission of Doubleday & Company, Inc.

consciousness were so finely drawn that the simple black-white dichotomy expected in the American culture did not seem to apply. The experiences of a rather light-complexioned Negro in Colombia are a case in point.

The Negro volunteer's second assignment was in a site on the west coast of Colombia, where he did an amazing job. Someone who visited his site several months after he left found he was remembered with great respect and admiration. The community was largely Negro; the conclusion might be drawn that part of the reason the volunteer was so effective was that he, too, was Negro. However, inquiries among the people on this point elicited the response that, because of his light color, they did not regard this volunteer as Negro—an indication of how fine such distinctions may be in a country where minor gradations in skin color are directly related to social status.[12]

In almost every area, divisions within the society complicated the desire of the Peace Corps Volunteer to identify with the local inhabitants. In Southeast Asia, if he associated with the overseas Chinese he ran the risk that the dominant nationality groups might feel rejected. In Africa, friendship for one tribal group might increase suspicion from other tribes. In Latin America, the division between mestizos and Indians was often a complicating factor.

The mestizo-Indian divide was an especially difficult one for the Volunteer to bridge. In most cases he had, with difficulty, learned a smattering of Spanish, but he was totally unprepared for the task of tackling Indian dialects. The mestizo group were often officials with whom the Peace Corps had to work and their greater cultural similarity eased contacts. To associate with the mestizos was a move which came naturally, while the development of contact with the Indians required a special effort in which language ignorance was a serious handicap. On the other hand, Indians made up a large part of the population and any suspicion that the Peace Corps was in league with the mestizos produced an opposition from the Indians.

SEXUAL ROLES

In many countries, stereotypes about the proper role of the sexes presented almost as much of a problem as color. In the Philippines, women entered freely into most vocational fields, but a tradition of the social chaperonage of single women made it difficult for female Volunteers to move about freely without criticism. In other locations, such as Northern Nigeria, for instance, the pattern of female subordination was so strong that it was unusual for a woman to hold any type of salaried position. As aliens, the female Volunteers were partially exempted from local expecta-

---

[12] Morris L. Stein, *Volunteers for Peace* (New York, John Wiley and Sons, Copyright 1966), p. 9. Used by permission of John Wiley and Sons, Inc.

tions, but their deviation from the usual feminine roles still produced some consternation. The comments which Sullivan makes on the difficulties of the acceptance of feminine Peace Corps teachers in Ethiopia would apply in a great many places.

> In a country where the role of the woman has traditionally been one of subservience, the acceptance of women as teachers has been mixed. Older staff members, particularly, have been slow to take to the idea of women instructors. One bright young girl, fresh from volunteer training, arrived in Addis Ababa to be told she had four distinct disadvantages; first, she was new; second, she was young; third, she was a woman; fourth, she was attractive. For many girl volunteer teachers, adaptability is a prime talent.[13]

COMMUNIST ATTACKS

It is perhaps a testimony to the effectiveness to which the Peace Corps won friends in the underdeveloped countries that it always became a marked target of Communist opposition. It was alleged that the Peace Corps representatives were associated with the CIA and that they were part of an imperialist plot to destroy the local culture as well as to carry back intelligence to the United States. As one former Peace Corps Volunteer in Liberia analyzes the situation:

> Quite naturally the host country people will be suspicious of the "stranger" in their midst. They will often ask, "Why did you come here? Why did you leave your home? Can't you find work in your own country?" Accusations are sometimes made that the volunteer is a neocolonialist, imperialist, or C.I.A. agent.[14]

In Nigeria, during the days of the civil war, there were times when the suspicion of the Peace Corps as potential spies became so intense that it was difficult to even hold a meeting of Volunteers without facing accusations that some kind of espionage was being planned. In fact, the very effort of the Peace Corps to become friends with people in the locality and to penetrate the local culture in a manner which was not typical of expatriates in general, lent credence to the suspicion that here was a new and potentially effective type of spy. At times, even intermarriage has been described as a method of gaining entry into the local society for subversive purposes. If the Peace Corps Volunteer is withdrawn, he can be accused of being aloof and disdainful of the local society. If he participates actively, he is trying to capture control.

If the Volunteer is at all indiscreet in the remarks he makes about sanitation or the government administration, he is open to attack as one who is

---

[13] George Sullivan, *The Story of the Peace Corps* (New York, copyright by Fleet Press Corporation, 1964), p. 115.

[14] Joan Eileen Gay in a student paper.

insulting the country. The classic blunder of the Peace Corps girl in Nigeria who was indiscreet enough to write some critical comments about toilet customs on a postcard is a case in point. The postcard was intercepted by students on a Nigerian campus who immediately circulated it in a way which made these comments a cause celebre. The writer of the card had to be returned home, and for a while it seemed as though the entire Peace Corps effort in Nigeria had been placed in jeopardy. The changing winds of local politics have occasionally resulted in an entire Peace Corps contingent's being sent home, although usually a succeeding government will ask that the contract be renewed.

The Volunteer himself was frequently confused by this kind of warfare. He was reluctant to view himself as a participant in the cold war and considered himself engaged in a nonpolitical enterprise. He had been exposed to some lectures on the nature of Communism during the training program, lectures which he was inclined to disregard on the theory that this was some type of brainwashing attempt by the government. The mounting storm of criticism and disquiet over the United States role in Viet Nam did not exempt the Peace Corps, whose members shared the pattern of sentiments which were typical of many younger Americans. Thus, the Peace Corps Volunteer who was accused, however unjustly, of being an American spy may himself have suffered from guilt feelings, since he too may have been critical of American foreign policy.

Usually, the most effective answer to Communist propaganda has not been counterpropaganda but simply the evidence that the Peace Corps Volunteer was doing a job and that his efforts at friendliness and communication were sincere and rooted in a desire for helpfulness. In spite of a series of pamphlets, newspaper articles, and radio attacks inspired from Communist sources, the Peace Corps image has been surprisingly persistent. It is probably true that the example of rather attractive young men and women living seemingly selfless lives has been effective as "propaganda of the deed" for a favorable American image.

URBAN AND RURAL INTERACTION

One of the differences between the Peace Corps Volunteer and most of the people with whom he works is the extent of urban experience. Since farmers comprise only six percent of the American population, and since farm youth have been underrepresented among Peace Corps Volunteers, it is inevitable that most Volunteers come from an urban background. But the countries in which they work are primarily rural. Not only are the countries rural, but the rural areas are far more lacking in amenities than is usually the case in the United States, and the Volunteer in the rural area will find that he is a long way from the type of shopping center and recreational complex to which he has been accustomed.

It would seem that the isolation from Western-oriented facilities and people would place unbearable strain on the Peace Corps Volunteer and would lead to great difficulty in making adjustment. Quite the contrary seems to take place; various authorities have stated that there seems to be evidence that the adjustment of the Peace Corps Volunteer has been better in the rural areas,[15] and that the Peace Corps Volunteer is more nearly accepted and interacts to a greater extent in the countryside than he does in the urban center. This seemingly contradictory result may be explained by the comparative openness of rural society in an underdeveloped area. The Peace Corps Volunteer is necessarily known to people over a rather wide area and the custom of casual visiting is widespread, although patterns of formal hospitality may not be the ones expected by the Volunteer. The very fact that there is no European enclave to which he can resort and that commercial entertainment is nonexistent impels a Volunteer to seek to make friends and to immerse himself in community activities. Perhaps it is also true that the Peace Corps training has assisted in this kind of adjustment, since it has tended to romanticize life in the grass hut or the mud compound and has tried to prepare the Peace Corps volunteers to regard a rural assignment as an opportunity to demonstrate the extent of their dedication. On the other hand, the urban area offers many opportunities for escape from interaction and the generally impersonal type of environment means that contacts with the indigenous population are probably somewhat more difficult to establish and to maintain.

EQUALITY AND DIFFERENCES

The Volunteer tends to leave the Peace Corp training camp with a strong belief in the equality, and therefore the similarity, of people throughout the world. True, he has been exposed to many lectures on differences in culture, but these seem to be rather academic when placed beside the basic belief that all human beings must be essentially the same. This belief in the sameness of human beings breaks down in day-by-day contact with people who do not respond to the cultural cues with which he is familiar. When he finds that a clenched fist may be a sign of welcome, offers of hospitality may be ignored, that patterns of family relationship he has regarded as sacred may be completely disregarded, that values he assumed were self-evident are denied, the Volunteer becomes aware of the fact that people are different. The next question he faces is that if people really are different, if they have different standards, if they respond to different values, can he also hold to the feeling that people are equal?

---

[15] Gerald S. Maryanov, "The Representative Staff as Intercultural Mediators in Malaya," in Textor, *Cultural Frontiers of the Peace Corps*, p. 77, and Allen E. Guskin, "Tradition and Change in a Thai University," ibid., p. 99.

Perhaps the ultimate in acceptance comes when the Peace Corps Volunteer realizes that people are not similar in basic tastes and values and therefore equal, but different in tastes and values and still equal in their diverse representation of a common humanity.

CONCLUSIONS

Even though the Peace Corps did achieve both popularity with Congress and imitation by foreign countries, the long-term future of its programs is difficult to predict. Widespread distrust of the "establishment" among American youth tends to eliminate some idealistic young people who were anxious to flock to the banner during the Kennedy era. International opinion is subject to frequent shifts and the future may produce an atmosphere in which the Peace Corps may either be welcomed as representatives of a one-world philosophy or scorned as agents of American imperialism. Whatever the long run outlook, though, the experience of the Peace Corps offers some valuable insight into the nature of intergroup relations.

There are many types of personnel who share with the Peace Corps the aspect of temporary minority status, but there are few whose objectives and approach produce so sharp a variation from the usual practice. All such temporary minority migrants share in the experience of culture shock and culture fatigue and have worked out adjustments. The usual pattern is one of enclave living and elite interaction, with acculturation limited to the minimum required by the work role. This procedure offers the temporary minority a familiar cultural base with "their own kind of people" and just enough variation from the home country to provide a degree of the exotic. Some contact must take place with representatives of the indigenous culture but such interaction is usually limited in duration and confined to the most westernized part of the populace. Although diplomats, businessmen, and sometimes missionaries have operated fairly successfully on this basis for many years, the relationships do involve all the hazards we have reviewed in examining the experience of the Peace Corps.

Some people find even the minimal amount of intercultural cooperation necessary to their job too difficult to undertake and withdraw completely, others succumb to cultural shock and fatigue in spite of the relative insulation of their ethnic compound. Perhaps the most serious problem is that the degree of cross-cultural understanding generated in such a milieu is far less than might have been desired. The foreign minority and the indigenous population see each other only in segmented roles which reveal only a part of their outlook. Those who observe the "enclave American" abroad gain only a fragmented picture of American life, and Americans, in turn, learn only limited parts of the local culture. In this setting, cultural misunderstanding is easy and the so-called international experts of both countries have only a limited insight into other cultures.

In this chapter we will abandon the practice followed in the rest of the book of compiling a list of specific practices with the general notions that they seem to imply. Many of the experiences of the Peace Corps Volunteers reflect some of the patterns we have previously listed, but the main impact of the Peace Corps on intergroup relations is its method of relating people from an industrialized country to people whose countries are just beginning the process we rather arrogantly term "modernization." This relationship involves the transmission of ideas and methods, but the Peace Corps experience indicates that it may also involve the growth of mutual understanding.

The Peace Corps objectives were not limited to job performance but rather called both for exporting an understanding of America and for gaining an insight into other cultures. No one would maintain that these objectives have been completely met, but representatives of many countries have stated that the Peace Corps brought an image of America which had been only dimly perceived before their presence. At the same time, many Volunteers have found their cultural horizons expanded. Perhaps the most important lesson which emerges from this experience is that cultural acceptance can be substituted for cultural withdrawal as an antidote to cultural shock and fatigue. In the words of a returned Peace Corps Volunteer:

> The glaring implication which comes from this experience is that it is possible for the representatives of two cultures to meet without recourse to oppression, physical violence, or the maintenance of social distance; through understanding and accepting cultural differences both parties can grow and lead richer lives. Indeed the evidence tends to show that ethnocentrism with its concomitant racism and oppression which inhibit mutual acceptance, is merely a weak cultural factor which can be superseded with proper guidance, understanding and tolerance.[16]

Cultural acceptance implies a high degree of acculturation. Language learning is a must, the local foods will be explored, living quarters will be located in a setting which encourages interaction with a cross section of the indigenous population, and the standard of living will approximate that which is generally available in the locality.

The Peace Corps Volunteers survived a rigid "selecting out" process which was designed to weed out those whose personality framework would not allow them to make necessary adjustments; in addition a small number of Volunteers had to be sent back to the United States before their tour was completed. Further, most Volunteers are in their early 20s without family

---

[16] Student paper submitted by John L. Longman, former Peace Corps Volunteer in Ethiopia. Used by permission.

responsibilities and might be said to constitute a peculiarly adaptable group. In addition, some Volunteers chose to avail themselves of the support of enclave living, as a partial withdrawal from the host society, except for necessary work commitments; and most Volunteers perfected the ritual of weekend retreat to surroundings with less cultural strain.

With all these qualifications, there still remains a striking difference between the situation of many Volunteers and the typical temporary foreign minority. All of the difficulties of racial suspicion, ideological opposition, nationality conflict, and different interpretations of sex roles, which plague other groups are also problems for the Peace Corps. The difference is in the way in which such problems have been met. Rather than being given salaries that compete with United States pay scales, the Volunteers are placed on a stipend which approximates their native counterparts; rather than living in a protected milieu, they are encouraged to move into the community, and instead of retreating to an English-language enclave, they study local languages to the extent that many reach a substantial degree of fluency in their two-year assignment.

The most impressive aspect of the program is not that some Volunteers have failed and that others have evaded the program of cultural acceptance, but that so many have succeeded. Other agencies dealing with different types of personnel may not be able to follow the Peace Corps pattern completely, but many of them are giving a similar type of training to their recruits and stressing the rewards of cultural acceptance rather than the possibilities of cultural withdrawal. The idea that noncompetitive equal-status interaction holds at least the possibility of greater understanding is one of the findings of sociology which have been documented several times,[17] and the Peace Corps has demonstrated that the generalization applies in this particular type of intergroup relations.

The Peace Corps has been responsible for the instruction of thousands of students, the initiating and carrying on of community development programs, the mapping of uncharted districts, the provision of nursing services, and countless other activities. All these functions are important, but it is probable that the historians will conclude that its greatest contribution consisted in the pioneering application of a new brand of human

---

[17] Robin Williams, for instance, has made an analysis of the effect of intergroup contacts on prejudice in *Strangers Next Door: Ethnic Relations in American Communities* (New York, Prentice Hall, 1964), pp. 142–222. He finds that change is more likely to occur in the work context than in any other type of relationship. He also finds that change is especially likely when a person moves into a new community or group where the norms are different from those previously experienced. For the Peace Corps Volunteer both situations apply, i.e., he meets people from another group in the work context and he is confronting a community with different norms; hence one would prognosticate that a change in attitude is likely. For the people he meets change is less likely, but possible, since they are meeting Americans in a new context and hence must reformulate their role definitions.

relations in which sympathetic participation replaces detachment and cultural acceptance becomes the antidote for problems which other agencies have met by partial cultural withdrawal.

For a final word on the nature of the Peace Corps contribution we turn to an incisive statement by Lawrence Fuchs:

> The Peace Corps is not the answer to what the rest of the world needs most. It is an answer to what Americans need most: to learn how to relate sensitively and empathetically with each other and with persons in other cultures and to learn how to ask assumption-challenging questions which break through the ethnocentrism in which nearly all of us are raised and bound.[18]

QUESTIONS

1. In terms of intergroup relations what is the difference between temporary and permanent migrants? Would the Peace Corps type of adjustment apply equally well to both classifications?
2. What is the basic principle underlying the techniques of enclave living, elite interaction, and vocationally oriented acculturation? How does the Peace Corps mode of adjustment differ?
3. Does an acceptance of a foreign culture imply the rejection of the culture of one's homeland?
4. Distinguish between culture fatigue and culture shock.
5. Is the weekend withdrawal pattern an aid to adjustment or a sabotage of the pattern of cultural participation?
6. To what extent is the Peace Corps adjustment pattern suitable for other types of temporary migrants?
7. Is there any way in which the Peace Corps could have avoided charges of espionage? Should Peace Corps Volunteers be allowed to demonstrate against United States foreign policy?
8. Would a group of Volunteers under the auspices of the United Nations be able to avoid the type of suspicions aroused by a United States Peace Corps? Why or why not?
9. How do you account for the fact that Volunteers from urban backgrounds seemed to adjust better to rural than to urban assignments?
10. What are the comparative merits of cultural acceptance versus enclave living as an antidote to cultural shock and fatigue? What are the implications of this issue for the assimilation of rural-urban migrants within a country?

---

[18] Lawrence H. Fuchs, "Inside Other Cultures," *Peace Corps Volunteer*, 6 (June 1968), p. 9.

Chapter 14

Persistent problems and future prospects

In reading this brief description of ethnic interaction in many countries of the world, the student may well wonder from time to time what there is in common between areas so diverse in custom, geography, and ethnic composition. We have looked at a variety of religious, economic, and political entities covering all the continents of the earth except South America and Australia. We have looked at newly independent countries and those that have been self-governing for centuries, at countries slowly emerging into industrialism and at others where the problems of affluence seem as apparent as those of scarcity.

The common element in all of these case studies is that they are attempts to deal with ethnic diversity. These attempts may be classified into two broad categories. One is the effort to secure a homogeneous population and thereby limit the extent of the ethnic diversity with which the society must deal. The other category consists of societies which have accepted ethnic heterogeneity as an inevitable condition and have developed patterns by which people with different ethnic identities live together in a common framework.

METHODS OF LIMITING ETHNIC HETEROGENEITY

Attempts to secure an ethnically unified population run along three lines. The minority group may be eliminated by slaughter or expulsion, the territory may be divided in an effort to make national boundary lines coincide with ethnic distribution, or there may be a mixture of the populations so that the original lines of ethnic identity become blurred. In the last case a new composite society will emerge with a basic common identity for all. Slaughter or expulsion seemingly represents the triumph of ethnic hostility over any type of accommodation, since each method demonstrates a conviction that there is no way that different ethnic groups can live in the traditional territory. The next technique considered is that of partition, in which territories are divided and boundaries redrawn in an effort to attain ethnic homogeneity. Partition is a device adopted in the hope of avoiding ethnic conflict. Hostile ethnic groups may be allowed to remain in the same traditional geographic area, but the effort to retain a common government is abandoned and the new boundary lines attempt to eliminate most interethnic association. There are also other forms of separation and boundary changing, such as secession or annexation, which serve a similar function. The final method of attaining ethnic homogeneity is through amalgamation, in which a biological intermixture takes place, and assimilation, which is a blending of cultures. Amalgamation and assimilation are seldom the result of formal governmental policy and more frequently occur as a result of unplanned situations which promote interethnic contacts.

SLAUGHTER AND EXPULSION

We have not dealt with cases of slaughter, but the nearly successful attempt of Adolph Hitler to "solve the Jewish question" by the mass murder of European Jews is an event of recent history. There have been other massacres, and the 1972 and 1973 killing of the Hutus by the Watutsis in Burundi was apparently systematically conducted by the government authorities. However, the Hutu killings apparently were an effort to eliminate the educated elite rather than extermination of the entire tribe. In any event these and other massacres give somber evidence of the extremes to which ethnic conflict can be pushed.

Nor have we examined efforts to expel an entire people, although the policies toward Indians in Kenya may be a step in that direction—a step which Uganda has taken a bit further by the expulsion of all noncitizen Asians. For more thoroughgoing examples one could cite the expulsion of German nationals from surrounding countries after the end of World War II and the exchange of populations by Greece and Turkey after the end of their warfare in 1924. Similarly the flight of Jews from Arab countries and of Arabs from Israel has greatly changed population composition in these countries. Certainly mass expulsion has occurred in the past, is being approximated today, and could conceivably reappear in wholesale fashion if present trends continue.

PARTITION

We have cited two examples of partition; the creation of Northern Ireland and the Irish Free State and the separation of Belgium from the Netherlands. Our discussion also considered the decision of the British West Indies to separate themselves from Great Britain, and of Senegal to declare its independence from France as well as from other states in the area that might have become a French West African Federation.

Senegal and France were two nations which had never really merged; hence their separation might perhaps better be described as the breakup of a casual union rather than a divorce of married partners. Senegal had a veneer of French culture and there was a good deal of talk about assimilation. However, neither cultural diffusion nor political, educational, religious, and economic integration ever affected the majority of the Senegalese people. A small proportion of the elite attended French schools, became Catholic, participated in French political life, and were employed in France or in French-controlled enterprises. The majority of the Senegalese, however, continued to live in the pattern of their traditional societies, experiencing only indirect effects of the relationship with France. French economic policies might support the price of groundnuts, but French social security systems or labor unions were not extended to Senegal. Neither were the traditional tribal, religious, or communal customs greatly modified. In these circumstances, an initial inclination toward organic union with France quickly dissolved when a wave of independence spread through the rest of Africa. Senegal itself might be viewed as an artificial creation, since no nation by that name had ever existed before the French established it as an administrative unit. However, the precedent of the territorial lines established by the French gave rise to a number of vested interests and, in the absence of a strong push for consolidation, separate national independence seemed to be the easiest way out. Probably the basic conclusion to emerge from the Senegalese experience is that a long-term merger between two peoples requires a major degree of association and common enterprises involving the bulk of the population.

The British West Indies are somewhat different, since in these countries only vestiges of indigenous culture were left. The economic customs, the political forms and ideals, the language, the religion, and other basic patterns of social life were British. True, these were British patterns which had developed in an area separated by many miles from the British Isles and varying in many details; yet, certainly, the basic theme of the culture of these countries was far more British than African or Latin, as the case may be, if one chooses to refer to the ancestral land of origin or to countries in closest geographic proximity. In the historical development of government in the islands, one can observe a definite centrifugal tendency. As the islands developed and grew in population and commerce, the influence of the islanders was not expressed by participation in the British parliament, but in a greater separation from the British affairs and greater involvement in local government. This local government at first was restricted to the British settlers, but, once the pattern of local control was begun, the only question was who in the locality was going to exercise power. The pattern of relationship to Britain had been set. Unlike the French colonies that participated in the Chamber of Deputies, the British colonies turned more and more to their own concerns. As the non-European population gained greater power, they viewed independence as the logical end of the cycle—a step which probably would have been taken even if those in control had been of direct British ancestry.

The British West Indies nations are small countries greatly dependent on other powers for trade and protection. They might logically and economically benefit from incorporation in a greater union. In many ways, they were culturally similar to Britain, but it appears that distant areas will separate from the mother country unless intensive policies involving two-way influence are followed. In the absence of such policies, the separation of the British West Indies islands was unavoidable.

The various types of partition are a different type of development from the attainment of independence. Partition involves peoples who have been intimately associated for many years, but who have maintained a separate identity and have found themselves in severe conflict. In both cases of partition, the same difficulty emerged. That is to say partition, while it seemed to solve one type of problem, developed new problems which seemed to be equally severe. These new problems arose because the new territories were still not ethnically homogeneous and because the ethnic divisions heavily overlapped with socioeconomic or "class" differences. The Belgians had separated from the Dutch, but the differences between Walloons and Flemish remained to perplex and divide the nation. The Protestants in Northern Ireland protected themselves from the dominance of the Catholic majority in the Irish Free State, but found themselves contending with a militant and discontented Catholic minority within their own zone.

Partition frequently seems to be the only solution in a country with violently antagonistic ethnic groups, but convincing evidence of its success is scarce. Apparently, in the modern world, it is next to impossible to carve out a territory which is both ethnically pure and economically viable. The search for a land which is peopled by only one ethnic group appears to be a futile quest which may limit the area of national territory without ending the rivalry between conflicting ethnic groups.

AMALGAMATION AND ASSIMILATION

Two countries in this category are Mexico and the United States. In Mexico, the creation of a common (socially categorized) mestizo physical type went hand in hand with assimilation to the Spanish culture. In the

United States, assimilation to a culture of Anglo-conformity blurred the sense of separate national identification of European immigrants, while the failure of racial amalgamation left various groups, of which the blacks are the largest, in a somewhat marginal position. The Indian in Mexico who leaves his ancestral village to take up employment in a factory finds that neither cultural distinctiveness nor physical type separates him from the bulk of the Mexican population. A part of moving to town is the acquisition of a variant of Spanish culture developed in the Mexican setting, while biological intermixture has made the mestizo classification one which can cover a wide range of color and physical types. Thus one does not find two sharply contrasting groups of Indian and Spanish ancestry, but rather finds that, for the most part, both of these, as well as the blacks who were brought into the country as slaves, have blended into the mestizo category. Two exceptions may be noted to this general picture of the homogenization of the population. One is that of the Indians, who still cling to a distinctive life style, and the other consists of aliens not recognized as either Spanish or Indian. About ten percent of the Mexicans are still identified as Indians and maintain traditional ways of life and ancient Indian languages. Mexico has not had the variety of immigration which the United States has seen, and those immigrants who are sharply different from either Spanish or Indians, such as the Chinese, have faced discrimination and prejudice.

To the degree to which Mexico has become the home of an ethnically unified people, the usual problems of intergroup hostility have been controlled if not completely eliminated. Such a development, however, was not the outcome of deliberate planning. The Spanish conquerors were as ethnocentric as any other invading group in any country of the world. Their eventual amalgamation with the Indian and black population seems to have been based, on the one hand, on a sex ratio in which Spanish females were in short supply, and, on the other, on a system of ethnic classification representing categories of ancestry which was so elaborate that it could not be carried out. Thus the processes of amalgamation and assimilation in Mexico, the merger of the Indian and the Spanish into one people, constitute a classic case of unplanned social development.

In the United States the various European immigrants found that the dominance of the English language in business, state, and school, together with the lack of permanent territorial enclaves, made assimilation on the basis of Anglo-conformity an expedient form of adjustment. Once the Europeans had become assimilated to Anglo culture, there was no longer a basis for a sharp differentiation, either in their own minds or in those of the older settlers, and the sharp divisions which had divided Europe into warring camps diminished almost to the point of disappearance. A similar process of assimilation took place for the Africans who were brought to the United States as slaves. In their case, the assimilation, however, was carried on primarily in the southern part of the country and in lower-class circumstances. The process of miscegenation during slavery and immediately thereafter gave many Americans a degree of racial intermixture and allowed some of the light-skinned mulattoes to "pass" into the white category. For the most part, however, blacks and whites were categorized as biologically separate, and, while the blacks' African culture had been destroyed almost totally, their Anglo-conformity was so conditioned by regional location and economic status that cultural distinctions remained.

When the barriers of open segregation and discrimination were lowered, blacks were appalled and indignant at the enormous handicaps which their historical development had placed on them in comparison with white Americans. Today, white Americans, with some recalcitrant exceptions, are trying to adjust to a situation in which blacks are no longer subordinate. Blacks themselves are uncertain of the type of relationship which they can or should attain in American society. The black separatists are driven by both racial pride and white rejection to develop, as far as possible, an enclave type of living which limits their interaction with white Americans even though they must remain a part of the same economic and social system. Other blacks feel that they must follow the pattern of European minorities into fairly complete integration in American life. Even while the conflict rages, still other voices urge the consideration of adjustments which will avoid a polarization between separatism and integration while every avenue toward liberation and development is sought. In the meantime, many whites are dismayed that changes made in the name of civil rights have led to rising expectations and increasing demands rather than gratitude and social peace. Hence, the United States is another example of the tendency of ethnic groups to resist complete incorporation in the national framework as long as they feel they are not wholeheartedly accepted.

The situation of blacks in the United States is, in many ways, unique. Blacks have kept their ethnic identity by virtue of a distinctive physical appearance, and yet the culture of black Americans is clearly a part of the composite American culture. Many of the distinctive characteristics of black culture have been affected by regional influences in the southern part of the United States and by low income and social status. Other distinctive qualities have been shaped by common experience as black people in a "white" society. One could argue that, on this basis, a separate culture is developing which sharply separates blacks from the pattern of Anglo-conformity which may be said to characterize white middle-class culture.

On the other hand, the movement of blacks from the South to the North, the growth of standardized mass communication such as television and radio, the increase in formal education of blacks, and the expansion of the black middle class are factors which might be expected to reduce cultural differences. Whites in the United States have been divided between a segregationist wing which wishes to stigmatize and isolate the black minority and an integrationist wing which seeks to remove color identification as a factor in social participation. In recent years, the integrationist wing has been gaining power among whites, but its program is meeting with some questioning from blacks. Blacks question both whether integration is possible, and, if possible, whether the sacrifice of black ethnicity which it involves is desirable. The nature of the controversy is indicated by the differences between the slogans, "Black is beautiful" and "Opportunity is color blind."

While strident voices are raised advocating extremes in either direction, such a choice is difficult for black Americans. On the one hand, they are brought into the general American culture by the fact that their period of residence in North America is longer than that of most Caucasian groups and hence their identification with American culture is close. Further, the greatest economic opportunities lie in a society which is not bounded by color restrictions. On the other hand, black suspicion, white rejection, the appeal of the Third World, and the possibility of gains from black pressure groups, all militate against an unquestioning acceptance of integration. The old segregated society is definitely on the way out, but the pattern of the new society is still not clearly discerned.

Neither Mexico nor the United States is a utopia with an absence of intergroup conflict. Both of them, though, demonstrate that ethnic divisions are not necessarily permanent and may yield to new and more inclusive types of identification. Future trends in relations between the American whites and blacks, as well as with Mexican Americans, Indians, and others, are uncertain. On the one hand, there is evidence of discontent, conflict, misunderstanding, and claims of grievances. On the other, there is a deliberate effort, unparalleled in most other countries of the world, to try to work out a modus vivendi between groups that find themselves part of a common society despite deep historical differences.

METHODS OF COPING WITH ETHNIC HETEROGENEITY

For many countries of the world, the social structure of various groups is so nearly complete and their relationships with other ethnic groups are so tangential that any type of merger through amalgamation or assimilation appears to be, at best, a matter of the remote future. Such societies must accept the fact of continuing diversity and develop some manner of meeting it. Various patterns have emerged in this process. The most prominent is cultural pluralism, which recognizes the legitimacy of the persistence of separate ethnic identity. Usually this has been the outcome of a relationship of peoples that has extended over many centuries. At other times, it may have occurred because of relatively recent movements of population in what had previously been comparatively homogeneous areas.

An example of this latter trend is the movement of non-European immigrants to France and Britain, bringing diverse languages, religions, and family customs into areas which previously had known only relatively minor regional variation. Another form of cultural pluralism develops when onetime colonies choose to unite with the former imperial country, rather than opting for independence, as in the case of Martinique and Guadeloupe. European imperialism is also responsible for other forms of ethnic diversity as, for instance, when nations were established in Africa made up of a number of tribes many of whom had a strong sense of distinct identity. Still another example of the influence of imperialism, seen both in Asia and Africa, is the bringing in, by an imperial power, of an alien working population which ultimately became the economic middle class of the country. This meant that the new element added to existing diversity was one whose marginal economic position made it a vulnerable and symbolically appropriate point of attack when the African or Asian nations reached the stage of independence and self-government. A final category is comprised of transient aliens who face the problem of temporary adjustment in a country of which they will never become a permanent part. In an interdependent modern world, there will be many people moving about for greater or longer periods, and the Peace Corps is cited as one pattern of such temporary accommodation.

CLASSIC CULTURAL PLURALISM

Four distinct examples of what might be called classic cultural pluralism have been considered. They include Swiss federalism, the Islamic millet system and the kinds of cultural pluralism recognized in the structure of the Union of Soviet Socialist Republics and Yugoslavia. The Swiss are unique because neither language differences nor religious cleavages have threatened a common loyalty to the Swiss nation. This unity is based upon a federal system in which comparative ethnic homogeneity in local districts gives an assurance of ethnic self-determinism, while a heterogeneous nation provides the advantage of cooperation with those of different ethnic background. The Islamic millet system was one in which community autonomy existed along with an acknowledgement of Islamic hegemony. It was a system which provided a degree of peace and security for many years, but has been threatened or superseded at present by the rise of states based on ethnic nationalism, using socialist enterprise to improve the economic fortune of the majority ethnic group while restricting the trading activities of minorities. The Soviet pattern is an attempt to avoid the ethnic rivalries which plagued the Czarist empire. Through the recognition of the languages and general culture of a variety of ethnic groups that make up about half of the population, the Union of Soviet Socialist Republics hopes to establish a federal system which is "nationalist in form and socialist in content." In addition to lingering suspicions between ethnic groups and the difficulty of dealing with "nationalities" like the Jews, which lack a territorial base, the basic question in the Soviet Union is whether a totalitarian, Communist system is compatible in the long run with cultural pluralism.

The Yugoslavian effort to carry out a scheme of cultural pluralism has seen a reaction against Soviet centralism. Rather than allowing some cultural freedom to ethnic groups while keeping all essential decisions in the hands of the federal government, the Yugoslavs decentralized decision making in the economic sphere to a considerable degree. Yugoslavia has great economic disparities between regions in which the peoples are separated by religious and language differences. The decentralization of decision making led to rapid economic progress in the more advanced areas, while the less developed regions felt neglected. Decentralization thus tended to increase the gap between the rich and poor regions and to intensify ethnic rivalries. At the same time regional power groups found their appetite for ethnic-regional nationalism growing with increased autonomy.

In the Yugoslavian pattern two problems emerged. First is the usual difficulty of reconciling regional-ethnic loyalty with allegiance to a superordinate federal government. Next is the task of maintaining enough federal control to move capital from the richer to the poorer regions without slowing down total economic development by less advantageous use of capital and burdening the economy with a cumbersome centralized decision-making apparatus. In the United States, a neglect of "group rights" has led to ethnic discontent, while in Yugoslavia an effort to give the greatest possible protection to ethnic regional groupings threatens the viability of the federal government.

Each of these three types of cultural pluralism has seen a period of comparative success and each faces difficulties in today's world. Swiss federalism may be foundering from the stress of migrations which are destroying the ethnic homogeneity of its local units. The Islamic millet system seems anachronistic in a world in which nationalistic states increasingly use political power in a totalitarian fashion that is hardly friendly to the existence of minority ethnic enclaves. Similarly, the hostility of Communism to religious institutions and voluntary associations which carry the culture of ethnic groups strikes at the very basis of the survival of the ethnic groups. Likewise, the insistence on industrialization under Communist auspices eliminates the economic functions unique to various ethnic groups and brings about a mixture of population in the industrialization process. Swiss federalism is based on a type of local ethnic territorialism which is rare in other countries and which may be passing in Switzerland. The Islamic and Communist patterns of cultural pluralism demonstrate that complete equality is probably impossible and that the existence of a pluralist society usually depends upon the acceptance of the domination of one ethnic group or, at least, of a particular social pattern. It is doubtful whether any pluralistic society can exist when the various ethnic groups do not recognize some type of control which transcends the ethnic groups themselves.

OTHER MULTI-ETHNIC COUNTRIES

The entry of non-European migrants into France and Britain is a new chapter in the history of developed and less developed countries. Previously, these contacts had been based on the compulsory type of relationship associated with the importation of slaves or the imposition of foreign rule by virtue of colonial conquest. The new non-European migrants are people leaving their homes in a preindustrial society and moving voluntarily into two of the world's most advanced industrialized societies. They are moving into societies which, at least in their homelands, do not have a tradition of segregation and discrimination or a permanent ascribed role for minorities.

Experience to date indicates that proclamations of formal equality or even attempts to enforce such equality through a civil rights commission are not an adequate answer to the problems of adjustment faced by this type of immigrant. Such policies do not assure satisfactory social mobility in the new country nor do they relieve the immigrant's anxiety, based on a fear of cultural denigration. In a free market, non-European immigrants will still probably be found heavily concentrated in the least rewarding occupations and crowded into the most unsatisfactory housing. When their children are welcomed in schools identical with those provided for native Britons or Frenchmen, the onetime colonial immigrants will probably find that their children fail to learn at the expected rate and will become bitter because the schools are not the avenues of opportunity which they expect. Natives living in school districts with immigrant children also become disillusioned. They find that, not infrequently, clashes develop between immigrant and native children and that, if the schools make a real effort to adjust to the immigrant children's needs, this results in a slowing down of instruction for the natives and a lowering of standards.

One viewpoint is that school assimilation is something which is seldom accomplished in one generation and that in two or three generations, when the bulk of the immigrants have ascended the economic scale at least to the level of the upper lower class, and have assimilated French or British culture, the problem will largely disappear. This certainly has been the case for other groups of immigrants and the logic may apply to those of non-European background as well. On the other hand, the differences of language, family life, and religion are far greater than they were for groups of immigrants of European background. This difference is accentuated by a Third World ideology which criticizes assimilation as a type of cultural imperialism. This Third World ideology is strengthened both by the extension of independence to non-European areas and by the difficulties which the immigrants face in adjustment to a European society.

In France, the fears of the natives that they are receiving a nonassimilable group of immigrants have been lessened because the largest single group, the Algerians, are mostly single men who leave their families in Algeria and whose residence in France is apparently one of a temporary nature. The United Kingdom seems to have attracted a more permanent type of immigrant, and the British have reacted against their fear of loss of cultural homogeneity by erecting rigid immigration restrictions which exclude even Commonwealth citizens. Both the extent of cultural differences and the British resistance to newcomers have made Anglo-conformity a difficult goal to achieve. Finding that assimilation was doubtful, the British have reacted by trying to limit the extent of the inevitable cultural enclaves which seem to be developing. No society in history has welcomed a deliberate shift from cultural homogeneity to cultural pluralism, and it is not surprising that the British, as they see it, are trying to limit the extent of the problem.

Still another situation is found in the French Antilles. Here, people with dark pigmentation speak the French language, practice the Roman Catholic religion, admire French culture, and journey freely back and forth between the Antilles and metropolitan France. In a time when the outlying possessions in general have been opting for independence, the French Antilles, like Hawaii and Puerto Rico, have chosen a continued identification with the onetime colonial power. This French identification runs squarely against the trend in other Third World countries and meets a degree of criticism from intellectuals within Martinque and Guadeloupe.

How long such a union between France and the French West Indies will persist is debatable, but, in the meantime, many of the French West Indians feel that they have the best of both worlds. Since they have a considerable degree of local autonomy, they can run their own show, and can avoid most of the stigmas of inferiority. On the other hand, they benefit from the French social security system, from the possibility of open immigration to France, and from their opportunity to play a role in the total French society. For the moment, at least, the French Antilles have been able to achieve considerable cultural homogeneity in spite of ethnic difference and to secure the loyalty of a people of distinct physical appearance through rather wholehearted inclusion in the total French nation. Like Mexico, the French Antilles is an area in which the effort to maintain an elaborate scheme of racial classification has led to a blurring of the distinction between white and colored and has placed a large part of the population in intermediate categories. This blurring of racial distinctions, in turn, dulls the edge of racial animosity and makes the association of European Frenchmen and French citizens of the West Indies an easier relationship.

One of the major questions of ethnic policy is whether the new African countries can achieve a sense of national unity in the face of ethnic or tribal diversity. The "tribe," which may vary from a few hundred to several million members, is not only the traditional form of social organization, but is a pattern which survives in modern democratic society. As traditional forms of organization have been modified or dissolved, the tribe often becomes a more diffuse collectivity, approaching the character of ethnic groupings in industrialized societies. Tribal or ethnic blocs form natural units for the support of political parties in a democratic state. Tribes usually have had an unequal exposure to European types of civilization and hence differ in their ability to compete in an industrial society. The resulting situation is one in which indivdual frustraton may frequently kindle ethnic animosity and sharpen the tendency to define fellow Africans by tribe rather than by membership in the same nation.

The recent civil war in Nigeria is an understandable outcome of such a situation. One reason why the seceding Biafrans got little support from other African countries is that they too recognized the possibilities of disintegration from ethnic conflicts within their own borders. It is possible that the defeat of Biafra may have been as significant for the future of Africa as the American Civil War was for North America. Just as the defeat of the Confederacy indicated that the different regions of the United States were destined to continue in a common country, so the defeat of Biafra implies that secession will not be the answer to ethnic differences either in Nigeria or in other African countries.

One of the aspects of this situation is a search for a lingua franca which can be a means of cross-ethnic communication without raising the question of the priority of tribal languages. In East Africa, this lingua franca is now being sought in Swahili, and in North Africa, it is Arabic. In the rest of Africa, the independent nations have tended to retain either French or English as a national language.

If other ethnic questions are clouded, the future of the marginal trading class minorities in Africa and Asia seems to be distressingly clear. It seems obvious that, despite the cost in economic development and the embarrassment which may result from a denial of privileges which presumably were legally guaranteed, such groups are in for a difficult experience. The Chinese in the Philippines find that as Chinese they are subject to increasingly severe discrimination in the economic area and, at the same time, their securing Philippine citizenship becomes a more difficult process. Likewise the Indian population in Kenya has found that a solid type of guarantee is afforded neither, by their claim to a British passport nor by Kenyan citizenship. The United Kingdom refused to honor their passports when confronted with what were viewed as a flood of colored immigrants, and the Kenyan Africans have not hesitated to discriminate against Kenyan citizens of Indian background.

In the Philippines, a long history of assimilation and amalgamation of Chinese and Filipinos, together with the cessation of immigration, may make it possible for the Chinese minority to be absorbed into the mainstream of the Philippine population. Such a solution will not arrive easily or immediately, however, and, for a long time to come, one can picture a marginal group identified as ethnically Chinese which will have an increasingly difficult milieu in which to work. For the Indians in Kenya, the outlook is even more dismal. Sharp differences in physical appearance and in culture have limited assimilation and amalgamation. The restrictions against the Indians have been even more severe than those against the Chinese in the Philippines. Indians not only have been denied jobs and business opportunities, but have actually been deported from the country. Indications are that such repression will be more severe in the future than it has been in the past. New leaders will not share the charismatic prestige which Kenyatta received from his identification with independence. They will have to prove their nationalism, and the easiest way to do this is by stepping up discrimination against the Indian minority.

The situation of the citizens classified as alien by virtue of being in the marginal middle class contrasts with the position of those who came as citizens of the former imperial power. The British have found it possible to live and work in Kenya since independence, although not without rather severe adjustment. The Kenyan government has welcomed their capital and expertise and has even endeavoured to give some degree of security to the settler class of British farmers. The result is that, in recent years, the British migration into Kenya has actually exceeded the number of Britons leaving. In the Kenyan mind, the British appear as an asset to national development and the Indians as a threat.

In the Philippines, the situation is more complex. For many years the image of the exploitative Chinese contrasted with that of the benevolent American. Just as animosity toward the Chinese was high, so friendship and identification with the United States as the mother country and with Americans as individuals was a dominant trend. In recent years, this trend has been challenged by intellectuals who fear that the example of capitalist America threatens the acceptance of socialism and that American culture stifles the revival of indigenous Philippine culture. By contrast, Chinese are seen as a part of Asia and hence to some extent, as collaborators rather than opponents.

Anti-Americanism is still a minority feeling in the Philippines and far more prevalent among intellectuals than among the common people. During colonial days, anti-Chinese activities were held in check by the American insistence on an equality of treatment for all inhabitants of the country.

At the current point in Philippine development, it may be that pressure on the Chinese will be relieved by the acceptance of the Americans as the new scapegoat who can be held responsible for the country's ills. If this latter tendency continues to develop, it may be that pressure will slacken against the Chinese and that they will have a greater degree of acceptance as fellow Asians.

The development of such marginal trading minorities as the Indians in Kenya and the Chinese in the Philippines was encouraged by colonialism and the future of these minorities now depends to a great extent on how Kenya and the Philippines define their relationships to the former imperial power. It is indeed a grim prospect when hatred for one group can only be relieved by finding an alternate target for national animosities.

Trends in Rhodesia and the Republic of South Africa are directly opposite those in most of the rest of the world. These are countries in which a European minority, rather than yielding rule to the native majority, is becoming more intransigent than ever. They are countries with a permanent "settler" population in which the Europeans are unwilling either to leave the area or to submit to rule of the majority. The usual diagnosis of the situation has been that European domination would probably continue until African development made armed resistance possible. When this stage was reached, European domination would be ended in a blood bath which would wreck what had been the most highly economically developed countries in Africa. In recent years, moderates have been losing out and extremists winning among both Africans and Europeans. The liberals in South Africa and Rhodesia have been defeated by the extreme white segregationists. The moderates among the Africans, such as the late chief, Luthuli, have been rejected both by the whites and by the more revolutionary Africans. In this setting, the possibility of an ultimate holocaust can certainly not be dismissed, but neither is it necessarily inevitable.

Both countries have defied efforts to maintain worldwide trade boycotts, but, at the same time, they have some degree of sensitivity to world opinion and they are dependent on world trade. Rhodesia has been affected more by a liberal British tradition and is apparently willing to make a greater effort to reach some kind of accommodation with the African majority. Whether such an effort will be successful is certainly difficult to say, but the efforts to give guarantees to Africans which would justify British recognition of Rhodesia are one indication of this tendency.

Some of the possible nuances of South African policy were indicated in the brief emergence of a policy of *verligtheid*, or "enlightenment," which offered a slightly more liberal image of the South African government. Apparently this policy produced both more ferment on the left, and more antigovernment reaction on the right, than the regime was able to handle. The abandonment of the policy followed, but the fact that an apartheid government was able to move even briefly in a more permissive direction indicates that there may be more room for maneuver and compromise than many critics had assumed. The movement back to a more repressive regime may dampen any easy optimism, but the fact that *verligtheid* could emerge at all offers some hope that even the Nationalist Party may seek to avoid a seemingly inevitable polarization and the consequent all-out conflict. First attempts at reform often fail, but they do serve to render the concept less novel and therefore less suspect.

In the meantime, the economic basis of the existing policy is being questioned. Because South Africa is rapidly industrializing, the need is not so much for cheap unskilled labor as for skilled and technical workers, and many industrialists are now demanding freedom to upgrade African workers. This upgrading of African workers is resisted both by apartheid philosophy and by trade unions, which have designated practically all of the desirable economic slots as "white men's jobs." It is already true that, even though Africans live on a fraction of the white per capita income, their economic situation compares favorably with that of the people in the independent nations of Africa. It may well be that the logic of industrial advance will bring about further readjustment in the status of African workers with a consequent change in total social relationships.

These developments offer interesting possibilities which had hardly been foreseen at all by earlier observers. It is still difficult to conceive of a situation in which an African majority would allow the white population to keep their present privileges or in which the white population would trust African rule in any circumstances. One possible way out of the dilemma is the suggestion that, as futile as it has proved elsewhere, some type of partition may yet be a road to a peaceful solution of the South African question.

TEMPORARY ETHNIC MINORITIES

The ethnic situations which we have discussed previously are those dealing with relatively permanent aggregations of population. The world today witnesses two types of opposing trends. On the one hand, practically all countries are tightening up on immigration and restricting the possibilities of permanent change of residence. At the same time, increased ease of travel and communication and increased economic interdependence have brought about a substantial movement of people on a temporary basis. Businessmen, educators, diplomats, clergymen, and many types of skilled workers find themselves in foreign lands for limited periods.

The case of the Peace Corps has been included because it has developed a unique pattern of adjustment for such temporary foreign residence. Rather than seeking to isolate themselves from the natives and to preserve an ethnic enclave, the Peace Corps Volunteers have sought what might be called "short-time immersion." The have accepted a monetary compensation which places them on a standard of living similar to that of their native counterparts, they have learned the language of the people, and they have sought to understand its culture as completely as possible. Through the technique of almost total acceptance and understanding, they have sought to overcome the cultural shock and fatigue which tend to limit the effectiveness of the temporary worker. This pattern has had some degree of success in the Peace Corps, and it may offer some suggestions applicable to more permanent patterns of ethnic relations as well.

CRESCIVE INFLUENCES IN INTERGROUP RELATIONS

One of the most perplexing aspects of ethnic relations is the distortion or transformation of deliberately adopted ethnic policies by unplanned crescive developments. Sometimes ethnic policies have results quite the opposite of that which was intended, and, at other times, they are completely ineffective in the face of a general situation of a different tenor. An example of the first tendency is found in the fate of the elaborate Spanish socio-racial classification. This classification, which included from ten to 46 categories, according to the time and place involved, was the outcome of a desire to make exact lines of ancestry or descent the major aspect of social status.

Actually, the elaborate nature of the policy made this goal impossible to achieve. The gradations between categories were so slight that it was easy for individuals to shift from one category to the next. Since the details of the scheme were impossible to enforce, the whole plan became ineffective. Rather than being the major determinant of social status, racial category, or physical ancestry, became subordinate to cultural factors and the mixed (mestizo) classification became practically synonymous with "Mexican" as an ethnic category. Similar results have been observed in other areas of Spanish, French, or Portuguese influence, as contrasted with the two-category classification prevalent in Anglo-Saxon areas.

Conflict between specific ethnic policies and general trends in the society is a fairly common occurrence. One example of this is the effect of the invention of the cotton gin in the United States on the movement for the abolition or limitation of slavery. The cotton gin made the expansion of cotton production possible, thereby increasing the demand for labor and reinforcing the strength of the slavery pattern. Exactly the opposite kind of trend took place in the United States in the 1930s, when Southern support for segregation was rendered less effective by the impact of labor-saving devices such as the widespread use of tractors and cotton pickers, which reduced the need for labor and facilitated the exodus of millions of blacks from Southern plantations, where they had been subject to rigid white control. A similar example is found in the Republic of South Africa, in which an ideological commitment to apartheid and to African subordination conflicts with the need of an expanding industrialism for more skilled labor.

These observations do not indicate that deliberate planning in the ethnic sphere is ineffective. They do illustrate the point that ethnic relations cannot be viewed as something separate and apart but must be seen in the context of the total society. Where ethnic policies conflict with general social trends, some type of adjustment is bound to take place. Usually the ethnic policies are discovered to be a dependent, rather than an independent variable, and will conform to the prevailing trends in the total society.

Another instance of the limitations of deliberately designed ethnic policies is seen in the failure of written guarantees to protect the rights of ethnic minorities. The reactions of both Kenya and Great Britain toward the Indian population of Kenya illustrate this pattern. Indians who opted for Kenyan citizenship found that this did not protect them from a policy of "Africanization" which often made it difficult for them to earn a living. Likewise, Indians who had rejected Kenyan citizenship and kept their British passports found that the right of immigration was shut off at the time of greatest need. Still another example is found in the civil rights legislation passed during the reconstruction period of the United States after the Civil War. This legislation proved to be completely ineffective when Northern troops withdrew and political control passed to the white Southerners. In general, it may be said that written guarantees are effective only when the majority group of the society feels it is in their interest to carry them out. This conclusion is also supported by the failure of human rights guarantees to protect the Ibos in Nigeria against aggression from other Nigerian ethnic groups.

FREEDOM FOR THE INDIVIDUAL AND FOR THE GROUP

The ideal of perfection would seem to warrant both the right of the ethnic group to maintain its cultural distinctiveness and the right of the individual, regardless of ethnicity, to have complete freedom in determining his own life style. Unfortunately, these two rights often appear to be in conflict. If there is a rigid maintenance of the link between social participation and ethnic identity, then individual freedom is automatically diminished. On the other hand, if individual freedom leads a large number to deviate from loyalty to ethnically dictated standards, the group itself is in danger of disappearance.

Usually the society based on cultural pluralism gives a greater attention to the right of the ethnic group to preserve its identity, while the integrationist society is more concerned with the rights of the individuals. Thus, the American constitution and, to a considerable extent, American practice, give no protection at all to any inherent rights of ethnic groups, and, indeed, many such groups have disappeared as significant entities in American life. On the other hand, in Canada, both law and practice give substantial support to the maintenance of ethnic divisions.

The operation of ethnically related voluntary activities would seem to be a fairly clear-cut case, at least outside of the Communist orbit. In the Communist countries, voluntary activities of any type are under suspicion and the organizational support for ethnicity suffers accordingly. In countries where the state is less monolithic in its pretensions there would seem to be no reason for state interference with ethnic groups which wish to carry on cultural, welfare or recreational activities. This principle might also extend to the schools as long as they are privately supported and provide the student with the subject matter and the quality of instruction considered essential in the publicly supported curricula. There have been criticisms of the Chinese schools in the Philippines and of religious parochial schools in the United States as being possibly divisive. Actually, such schools tend to become mechanisms through which the minority can become assimilated to the majority culture in a more sympathic milieu than in the general public institution. If the minority is sufficiently convinced of the value of its own school system to engage in financial support, there would seem to be no reason for the state to object.

The more difficult issue concerns the government support of ethnically focused activities. If this principle is accepted, ethnicity is guaranteed a longer life than it might have on the basis of strictly voluntary activities. Voluntary support will probably be forthcoming at a time when ethnic attachment is high and will dwindle as and if assimilation takes place. This provides for a recognition of ethnicity which is not based on some arbitrary assessment of its value, but on the actual sentiments of those who are involved. It further avoids the possibility that, with public support, individuals will be arbitrarily shunted to the institutions pertaining to their ethnic group as was the case in the southern part of the United States in the days of segregation, or that their personal freedom will be sacrificed to a rule for an entire district as is true of Flemish or Walloon districts in Belgium at the present time.[1] When people are free to support or abandon ethnic institutions, then the topic is removed from the sphere of political debate and ceases to be a politically divisive issue. Social peace would seem to require that society recognize the right of individuals to organize along ethnic lines and, at the same time, the right of individuals to engage in social participation independently of their ethnic classification.

---

[1] The principle of voluntary support for ethnically oriented schools is obviously difficult to apply in a country where, as in Belgium, groups are very nearly evenly divided. In such countries it may be wise for the state to provide different language schools in mixed areas and let individuals decide which school to attend.

SOCIAL UNITY AND ETHNIC DIVERSITY

Most of the discussion of ethnic relationships concerns the rights of ethnic minorities to self-determination. Relatively little attention is given to an equally important topic, namely, how enough unity can be secured to assure the support of a multinational state. Obviously, ethnic loyalty in itself does not necessarily lead to loyalty to the country and, in many cases, may work against it. Yet our examinaton of cases of partition indicates that it is practically impossible to secure a territory of significant size which is ethnically homogeneous. So the problem of maintaining national unity ranks at least equally with the problem of how to assure the freedom of individual ethnic groups.

What is needed is adherence to a formula which transcends loyalty to the particular ethnic structure. An example of the difficulties involved in this process is indicated by Philip Mason in his discussion of the adjustment of non-European minorities in France and Britain. In this discussion, he suggests that the problem is not only how to treat the minorities, but how to find a basis for the unity of the total British society. The previous basis was destroyed or at least greatly weakened with the destruction of the empire. Now that the empire is gone, this raises the question of the relationships not only of non-European ethnic peoples, but of all the peoples who might be included in the United Kingdom:

> In both France and Britain people from former colonial territories are present in considerable numbers. The old imperial dilemma takes a new form; the problem had been how to reconcile the denial of democracy to colonial peoples. A nation-state with a strong sense of identity and some degree of internal democracy had ruled very diverse peoples autocratically. Now the question is how to transform what was once an essentially homogeneous nation-state into a society in which a variety of different groups can live side by side. The old nation had been united by a common culture, a language, a pride in past achievement, a sense of imperial power; also by the operation of a disciplined hierarchical system widely accepted, to which the opposite pole was a sturdy individualism, an admiration for individual initiative and individual craftsmanship. Regional and ethnic differences had been forgotten in the aura of the successful nation-state but today they revive; if the colonies are independent—ask the regions—why are not we? At the same time, authority is questioned, discipline decried, and individual initiative often resented.[2]

For Switzerland, the operating principle was a combination of diversity at the federal level and homogeneity at the communal and canton level; a very rare type of division which is both imperfect and apparently fading in Switzerland and which is not found elsewhere to anywhere near the

---

[2] Philip Mason, *Patterns of Dominance* (London, Institute of Race Relations, Oxford University Press, 1970), p. 330.

same degree. The Muslim millet was based on a recognition of the hegemony of Islam; French culture was the basic ingredient which bound the inhabitants of Martinique and Guadeloupe to France, just as Anglo-conformity is the assimilative process through which various European groups in the United States have minimized their ancient grievances. The dominance of Communism in the Soviet Union's version of cultural pluralism is quite obviously expressed in the slogan "National in form, socialist in content." This superordinate position of a particular culture, group, or ideology is often denounced as tyranny and, indeed, it may be carried to an oppressive extent. However, it is difficult to see how any type of plural society can exist without acknowledging the dominance of some unifying factor.

MAJORITARIAN AND MINORITARIAN PERSPECTIVES

One of the widely prevalent illusions in ethnic relations is the notion that a realization of the "facts" of the situation will bring interethnic peace and understanding. Not only are the facts often difficult to secure, but even when there is little argument as to their veracity, there may be a wide difference of interpretation of their meaning. This difference of interpretation usually runs along the line of majoritarian or minoritarian perspectives.[3]

Even when the facts are not in dispute, a change that is considered significant and important by observers from the majority group may be considered trivial and inconsequential by minority analysts. Since the majority spokesmen feel they have some responsibility for the society, they are likely to interpret any indication of minority progress as indicating the essential justice of the existing order. The minority spokesmen, on the other hand, secure their legitimacy by taking the role of leaders of an oppressed group. Any indication of progress under the existing system threatens both their individual status as spokesmen and the validity or need for having any minority spokesmen at all. Therefore, the minority spokesmen are impelled to belittle and minimize any gains which their group have made.

Apart from leaders, the ordinary members of majority and minority groups will also differ in their interpretation of a given rate of change. The majority group member, anxious to quiet both his own conscience and the protests of the minority, may be inclined to inflate the importance of a few exceptional people in the minority group who have achieved social mobility. The minority, on the other hand, are influenced by the principle of rising expectations. As their level of living increases, their standards and hopes also increase, so that however great real progress has been, the obvious moral is that still more change is needed.

---

[3] Michael Banton, *Race Relations* (New York, Basic Books, Inc., 1967), p. 388.

While this tendency toward a difference in interpretation according to majoritarian or minoritarian view is pervasive, it does not completely determine the issue. Societies will persist as long as the individuals who make up the different ethnic groups feel that there is a significant chance of reaching their individual goals within the society. The residents of the French Antilles, for instance, seem to be convinced that their best chance for personal and social improvement lies in keeping their status as citizens of the French union. Likewise, European immigrants to the United States have forsaken Old World customs in a belief that assimilation to an Anglo-conformity standard was a means of reaching their deepest aspirations. Interpretations of change are bound to vary with group perspective, but the maintenance of unity in a pluralist society depends on its ability to convince people in all groups that they have a chance for improvement within the common framework.

OUTLOOK FOR THE FUTURE

Much of our discussion has concerned either efforts of ethnic groups to break away from a larger national territory or friction between ethnic groups within a territory. This does not mean that national unity requires the complete abandonment of ethnic loyalty. Just as it is necessary for one to accept and to have a degree of pride in one's ancestors, so it is desirable to draw strength from association with an ethnic group whose traditions add richness to life. This does not mean that ethnic groups are immortal; they have changed and disappeared in the past and are in the process of changing and perhaps disappearing today. It does mean that they are persistent, that they cannot be ignored and must be dealt with constructively, if our world is to live in peace.

Axiomatically, racial and ethnic conflicts would be nonexistent in today's world had men who differed historically been satisfied to live apart from one another in self-sufficient communities. Obviously, man has not been content to live in a community of his own kind and, motivated and driven by many factors, has moved across the face of the globe, where he has come into contact with other peoples who differed in cultures or in physical appearance, or in both. These contacts, and the subsequent use of symbols to differentiate one group from another, formed the basis for much of the conflict that has occurred throughout the world. This is not meant to imply that contact inevitably leads to conflict, but that conflict is so pervasive that instances where it did not occur are indeed infrequent.

Robert Park, W. O. Brown, Clarence Glick, and other scholars concerned with race and ethnic cycles saw conflict as one of the phases that occur when two different groups come into contact with one another.[4] The

---

[4] Robert E. Park, *Race and Culture* (Glencoe, N. Y., The Free Press, 1949); W. O. Brown, "Culture Contact and Race Conflict, in E. B. Reuter (ed.), *Race and Culture*

nature of ethnic conflict will vary with the situation, and a policy that appears oppressive to one group may be desired by another. For instance, compare the relations of Jews and other nationalities in the Soviet Union with the relations of whites and blacks in South Africa. Jews are disturbed about the preservation of their cultural heritage in a society which appears determined to absorb them into a common culture. In South Africa, on the other hand, the dominant society is using a technique of segregation to encourage blacks to keep an indigenous culture and to limit their acquisition of European culture, as a means of assuring black subjugation. In the one case, assimilation was a cause of protest; in the other case, its enforced prohibition is considered an example of oppression.

It is also an axiom that virtually all groups are ethnocentric and want to preserve their own style of life when contact is made with "outsiders," but, at the same time, contact seems to make demands that are incompatible with this tendency. Certain concessions and compromises are essential in order for the two groups to sustain any long-term interaction, short of open warfare. Accordingly, contact often results in the breakdown of ethnocentrism to such an extent that ethnic differences may cease to be barriers to harmonious interethnic relations. Shibutani and Kwan write, " in all probability, then, human beings throughout the world will eventually acknowledge that they are fundamentally alike, descended from common ancestors in the remote past and that ethnic identity is a matter of little importance."[5] Moreover:

> In spite of these seemingly insurmountable difficulties, the long-run prognosis for interethnic contacts is the termination of strife. The development of the media of mass communication is likely to break down the walls of ethnocentrism. The increasing availability of translated novels and of foreign motion pictures and television programs should facilitate the establishment of identification, for these channels enable audiences to participate vicariously in the lives of outsiders. As they become better able to understand the lives of people whose cultures are different, they will be able to appreciate that most of their preoccupations and motives are the same. If human nature is indeed universal, more efficient communication will eventually break down ethnic barriers.[6]

It should be emphasized that the realization of universality of a common human nature is not something which comes by ignoring human ethnic differences, but by exploring them. Our common humanity is almost

---

Contacts (New York, McGraw-Hill Book Company, 1934); Clarence Glick, "Social Roles and Types in Race Relations," in Andrew W. Lind, *Race Relation in World Perspective* (Honolulu, University of Hawaii Press, 1955), pp. 239–62.

[5] Tamotsu Shibutani and Kian M. Kwan, *Ethnic Stratification: A Comparative Approach* (New York, The Macmillan Company, 1965), p. 589. Copyright, The Macmillan Company, 1965. Reprinted by permission.

[6] Ibid., p. 588.

infinite in its capacity for variation, and we realize our essential similarity as we probe the nature of our differences. Human understanding is ill served either by the bigot who notices that people are in some ways different from himself and thereby condemns them, or by a bland, insensitive, determination to ignore differences on the grounds that all humans are essentially the same. Human ethnicity provides a rich variety of attitudes and traditions without which our world would be much the poorer.

We have explored some of the patterns upon which ethnic relations are constructed and examined the types of practices which determine the viability of the various systems. However, by their very definition, social systems are not impersonal mechanisms. They are carried on by human beings, and even the best designed will falter without adequate personal commitment. That personal commitment is best obtained, not by an ethnocentric blindness, but by an open determination to establish the basis for our common humanity through a more complete realization of the nature of the ethnic processes which have produced the various peoples of our world.

QUESTIONS

1. Other than those already discussed can you think of any case where the deliberate policy was one of assimilation and amalgamation? If so, how successful was it? Can you discern any crescive developments that either impeded or enhanced the chances of success?
2. Is there any reason to think that two groups that differed both racially and culturally would have a greater preference for partition as compared to two groups that differed only racially or culturally? Discuss the implications fully.
3. Why do you suppose some Indians in Mexico continue to resist being incorporated into the national framework of the society? Is it possible that they, not unlike black Americans, feel that they are not wholeheartedly accepted?
4. What factors seem to be a threat to the continued success of cultural pluralism in Switzerland, in Russia, and in the Islamic millet system?
5. Both France and England are resisting cultural pluralism. Since both countries are receiving non-European immigrants, why is England's task of limiting the extent of cultural pluralism more difficult than that of France?
6. Why does it appear that the existence of an ethnically pure and economically viable territory is virtually impossible in the modern world?
7. Are ethnic rivalries in the newly African countries a result of colonialism or was their emergence inevitable?
8. Are there any viable alternatives for the marginal trading-class minorities in Africa and Asia either in their present country of residence or in some new country? Discuss this fully.

9. If you had the power to restructure the Republic of South Africa, what would you do to make it a just and equitable society for all of the peoples?
10. Does the Peace Corps provide any lessons of intergroup relations that may be used to bring about a viable solution to the problems of the marginal trading-class minorities in Africa and India?
11. Can you think of any illustrations or examples in the United States where deliberately adopted ethnic policies have been either distorted or transformed by unplanned crescive developments? What was the outcome?
12. In what sense may a black American experience conflict between his role as a member of the black group and his role as an individual trying to establish his own life style?
13. What real or potential problems are created by a society that gives greater attention to the right of the ethnic group as opposed to one that gives greater attention to the individual? Which emphasis is more likely to encourage and foster assimilation?
14. Can you think of a situation in which the members of various ethnic groups had to abandon their ethnic loyalty in order for the society to achieve national unity?
15. In what sense may "ethnocentric blindness" be both functional and dysfunctional for both the ethnic group and for the society?
16. Should the government support schools which maintain the culture of minority ethnic groups? Is this policy compatible with school integration?
17. How would acceptance of the majoritarian or the minoritarian perspective affect the evaluation of Flemish progress in Belgium? Of black progress in the United States?
18. Is the struggle in Northern Ireland a religious or an ethnic conflict? Can the two be separated?
19. Should government policy promote the mixing of population in a way which provides interpersonal contacts leading to intermarriage? Would such a policy be a greater threat to the survival of the majority or the minority?
20. As a long-term policy, should nations strive to cope with ethnic differences or to eliminate them? Defend your answer.

Bibliography: Books and Articles

Abbott, Simon. "Profile of Kenyan Asians," *Institute of Race Relations Newsletter,* no. 1 (February 1958): 125–29.

Abrams, Mark. "Attitudes of Whites towards Blacks," *The Listener* (Nov. 6, 1969).

Adolff, Richard. *West Africa: The French Speaking Nations.* New York: Holt, Rinehart and Winston, 1964.

Adolff, Richard, and Thompson, Virginia. *French West Africa,* Stanford: Stanford University Press, 1957.

Allen, Robert L. *Black Awakening in Capitalist America.* New York: Doubleday, 1970.

Amber Paul. "Modernisation and Political Disintegration: Nigeria and the Ibos," *Journal of Modern African Studies* (September 1967): 163–79.

Awolowo, Obafemi. *Path to Nigerian Freedom.* London: Faber and Faber, 1947.

Baer, G. *Population and Society in the Arab East.* New York: Praeger, 1960.

Banfield, Edward C. *The Unheavenly City.* Boston: Little, Brown and Company, 1968.

Banton, Michael P. *The Coloured Quarter: Negro Immigrants in an English City.* London: Jonathan Cape, 1955.

———. *Race Relations.* New York: Basic Books, 1967.

———. *White and Coloured: The Behaviour of British toward Coloured Immigrants.* London: Jonathan Cape, 1959.

Baker, Pauline. "The Politics of Nigerian Military Rule," *Africa Reports,* 16 (February 1971): 18–21.

———. "The Emergence of Biafra: Balkanization or Nation-Building?" *Orbis,* 12 (Summer 1968): 518–33.

Beal, Ralph L. "Social Stratification in Latin America," *American Journal of Sociology,* 58 (January 1953): 327–39.

Bergson, Abram. *The Economics of Soviet Planning.* New Haven: Yale University Press, 1964.

Berger, Monroe. *The Arab World Today.* New York: Doubleday, 1962.

Bonjour, Edgar. *Swiss Neutrality: Its History and Meaning.* London: George Allen and Unwin Ltd., 1946.

Braithwaite, Lloyd. "Social Stratification in Trinidad," *Social and Economic Studies in the Caribbean,* 2 and 3 (October 1953): 90–98.

Bretton, Henry. *Power and Stability in Nigeria: The Politics of Decolonization.* New York: Praeger, 1962.

Bohannan, Paul and Curtin, Philip. *Africa and Africans.* New York: Doubleday, 1971.

Brooks, Robert C. *Civic Training in Switzerland.* Chicago: University of Chicago Press, 1930.

Brown, Leon Carl. "Color in Northern Africa," *Daedalus,* 96 (Winter-Spring 1967): 464–82.

Bryce, James. *Modern Democracies.* 2 vols., New York: The MacMillan Company, 1921.

Buchanan, K. M. and Pugh, J. C. *Land and People in Nigeria.* London: University of London Press, 1956.

Calley, Malcolm J. C. *God's People: West Indian Pentecostal Sects in England.* London: Oxford University Press, 1965.

Cantu, Caesar C. *Cortes and the Fall of the Aztec Empire.* Los Angeles: Modern World Publishing Company, 1966.

Churchill, Winston. *My African Journey.* London: Holland Press, 1964.

Cline, Howard F. *Mexico.* New York: Oxford University Press, 1963.

Coleman, James S. *Nigeria: Background to Nationalism.* Berkeley: University of California Press, 1965.

Coleman, James S., et al., *Equality of Educational Opportunity,* Office of Education, U.S. Dept. of Health, Education and Welfare, Washington, D.C., 1966.

Collins, Sydney. *Coloured Minorities in Britain.* London: Lutterworth, 1957.

Conant, James Bryan. *Slums and Suburbs.* New York: McGraw Hill Book Company, 1961

Conquest, Robert. *The Nation Killers: The Soviet Deportation of Nationalities.* New York: MacMillan, 1960.

Crowder, Michael. *Senegal: A Study of French Assimilation Policy.* London: Oxford University Press, 1967.

Crowder, Michael. *A Short History of Nigeria.* New York: Frederick A. Praeger, 1956.

Cumberland, Charles C. "The Sonora Chinese and the Mexican Revolution," *Hispanic American Historical Review,* 40 (May 1960): 191–211.

Daniel, W. W. *Racial Discrimination in England.* London: Penguin Books, 1968.

Davison, R. B. *Black British: Immigrants to England.* London: Oxford University Press, 1966.

Deakin, Nicholas. "Residential Segregation in Britain: A Comparative Note," *Race,* 11 (July 1964): 18–26.

DeKiewitt, Cornelius W. *A History of South Africa.* Oxford: Clarendon Press, 1941.

Dent, Martin. "Nigeria After the War," *World Today* 26 (March 1970): 103–9.

Desai, Rashmi. *Indian Immigrants in Britain.* London: Oxford University Press, 1963.

Duffy, James and Manners, Robert A. (eds.). *Africa Speaks.* Princeton: Van Nostrand, 1961.

Emerson, Rupert. *From Empire to Nation: The Rise to Self Government of Asians and African Peoples.* Cambridge, Mass.: Harvard University Press, 1960.

Epstein, Arnold L. *Politics in an Urban African Community.* Manchester, England: Manchester University Press, 1958.

Espiritu, Socorro C. and Hunt, Chester L. *Social Foundations of Community Development, Readings on the Philippines.* Manila: Garcia Publishing House, 1964.

Fanon, Frantz. *Toward the African Revolution.* Translated by Haakon Chevalier. New York: Grove Press, 1967.

Feuer, Lewis S. "Problems and Unproblems in Soviet Social Theory," *Slavic Review* 33 (March 1964): 117–28.

Folz, Richard. *From French West Africa to the Mali Federation.* New Haven: Yale University Press, 1965.

Fuchs, Lawrence H. "Inside Other Cultures," *Peace Corps Volunteer,* 6 (June 1968): 9–11.

Gann, L. N. *A History of Southern Rhodesia.* London: Chatto and Windus, 1965.

Gibson, Charles, *The Aztecs Under Spanish Rule.* Stanford: Stanford University Press, 1964.

Ginzberg, Eli, and Eichner, Alfred S. *The Troublesome Presence: American Democracy and the Negro.* New York: Mentor Book, New American Library, 1966.

Glazer, Nathan, et al. *Perspectives on Soviet Jewry.* New York: Ktav Publishing Company, 1971.

Goldhagen, Erich (ed.). *Ethnic Minorities in the Soviet Union.* New York: Frederick A. Praeger, 1968.

Gott, Richard. *Guerrilla Movements in Latin America.* New York: Doubleday, 1971.

Grant, Donald. "After Empires—What?" *Vista,* 5 (July–August 1969): 42–49.

Gruening, Ernest. *Mexico and Its Heritage.* New York: Greenwood Press, 1968.

Hargreaves, John D. "Assimilation in Eighteenth Century Senegal," *Journal of African History* 6 (1956): 529–36.

Harriman, Averell W. *America and Russia in a Changing World.* New York: Doubleday, 1971.

Harris, Marvin. "The Assimilation System in Portugese Mozambique," *African Special Report* 3 (November 1958): 7–12.

Hewsen, Robert H. "The Armenians in the Middle East," *Viewpoints* 6 (August–September 1966): 3–10.

Hill, Christopher R. *Bantustans: The Fragmentation of South Africa.* London: Oxford University Press, 1964.

Hodgkin, Thomas. "Uthman dan Fodio," *Nigeria Magazine* 9 (October 1960): 129–36.

Hoetink, H. *The Two Variants in Caribbean Race Relations.* New York: Oxford University Press, 1967.

Horowitz, Michael M. (ed.). *Peoples and Cultures of the Caribbean.* New York: Doubleday, 1971.

Hourani, A. H. *Minorities in the Arab World.* London: Oxford University Press, 1947.

Iwanska, Alicja. "The Mexican Indian: Image and Identity," *Journal of Inter-American Studies* 6 (October 1964): 529–36.

Johnson, William Weber. *Heroic Mexico: The Violent Emergence of a Modern Nation.* New York: Doubleday, 1968.

Jackson, John Archer. *The Irish in Britain.* London: Routledge and Kegan Paul, 1963.

Juviler, Peter H., and Morton, Henry W. (eds.). *Soviet Policy-Making.* New York: Praeger, 1967.

Kirk-Greene, A. H. M. *Crisis and Conflict in Nigeria: A Documentary Sourcebook.* 2 vols. London: Oxford University Press, 1971.

Kann, Robert A. *The Multi-National Empire.* 2 vols. New York: Columbia University Press, 1950.

Kochan, Lionel (ed.). *The Jews in Soviet Russia since 1917.* London: Oxford University Press, 1970.

Kuper, Leo, Watts, Hilstan, and Davies, Ronald. *Durban: A Study in Racial Ecology.* New York: Columbia University Press, 1958.

Kohn, Hans. *Nationalism and Liberty: The Swiss Example.* London: George Allen and Unwin Ltd., 1956.

Kolarz, Walter. *The Peoples of the Soviet Far East.* New York: Frederick A. Praeger, 1954.

Legum, Colin and Drysdale, John. *African Contemporary Record: Annual Survey and Documents—1968–69.* London: African Research Limited, 1969.

Lewis, Gordon K. "Protest Among the Immigrants: The Dilemma of Minority Culture," *Race* 20 (April 1970): 434–35.

Leys, Colin, *European Politics in Southern Rhodesia.* Oxford: Clarendon Press, 1959.

LeVine, Robert A. *Dreams and Deeds: Achievement and Motivation in Nigeria.* Chicago: University of Chicago Press, 1966.

Lind, Andrew W. *Race Relation in World Perspective.* Honolulu: University of Hawaii Press, 1955.

Little, Alan, Mabey, Christine, and Whitaker, Graham. "The Education of Immigrant Pupils in Inner London Primary Schools," *Race* 9 (April 1968): 439–52.

Little, Kenneth. "Some Aspects of Color, Class and Culture in Britain," *Daedalus* 96 (Winter-Spring 1967): 512–26.

Little, Malcolm. *The Autobiography of Malcolm X.* New York: Grove Press, 1965.

Littleton, Arthur C., and Burger, Mary W. (eds.), *Black Viewpoints.* New York: The New American Library, Inc., 1971.

Lorwin, Val R. "Segmented Pluralism: Ideological Cleavages and Political Cohesion in the Smaller European Democracies," *Comparative Politics* 3 (January 1971): 141–75.

Lowenthal, David. "Race and Color in West Indies," *Daedalus* 96 (Winter–Spring 1967): 580–626.

Luckham, Robin. *The Nigerian Military: A Sociological Analysis of Authority and Revolt, 1960–67.* London: Cambridge University Press, 1971.

Mead, Margaret. *Soviet Attitudes Toward Authority: An Interdisciplinary Approach to Problems of Soviet Character.* New York: Schocken, 1967.

Manuel, Arsenio E. *Chinese Words in the Tagalog Language.* Manila: Philippiniana Publications, 1948.

Mboya, Tom. *Freedom and After.* Boston, Mass: Little, Brown and Company, 1963.

McPhee, Marshall A. *Kenya,* New York: Frederick A. Praeger, 1968.

Marais, J. S. *The Cape Colored People, 1652 to 1937.* London: Longman, 1939.

Mason, Philip. *Patterns of Dominance.* London: (Institute of Race Relations) Oxford University Press, 1970.

Mayer, Kurt B. "Cultural Pluralism and Linguistic Equilibrium in Switzerland," *American Sociological Review* 16 (April 1951): 157–630.

———. "The Jura Problem: Ethnic Conflict in Switzerland," *Social Research,* 35 (1968): 727–41.

———. "Migration, Cultural Tensions and Foreign Relations: Switzerland," *Journal of Conflict Resolution* 11, (January 1967): 139–52.

[Medina], Belen Tan-Gatue. "The Social Background of Thirty Chinese-Filipino Marriages," *Philippine Sociological Review* 3 (July 1955): 3–13.

Melson, Robert and Wolpe, Howard (eds.). *Nigeria: Modernization and the Politics of Communalism.* East Lansing, Michigan State University Press, 1971.

Miller, Henry. "Race Relations and the Schools in Great Britain," *Phylon* 27 (Fall, 1966): 254–55.

Miner, Horace. *The Primitive City of Timbuctoo.* Princeton: Published for the American Philosophical Society by the Princeton Press, 1953.

Moritz, Thomsen. *Living Poor.* Seattle, Washington: University of Washington Press, 1969.

Morner, Magnus (ed.). *Race and Class in Latin America.* New York: Columbia University Press, 1970.

———. *Race Mixture in the History of Latin America.* Boston: Little, Brown and Company, 1967.

Moskos, Charles C. "Racial Integration in the Armed Forces," *The American Journal of Sociology* 72 (September 1966): 132–48.

Murch, Alvin W. "Political Integration as an Alternative to Independence in the French Antilles," *American Sociological Review* 33 (August 1968): 544–62.

Nalbandian, Louise. *The Armenian Revolutionary Movement.* Berkeley: University of California Press, 1963.

Neres, Phillip. *French Speaking West Africa.* London: Oxford University Press, 1962.

Nicholson, Irene. *The X in Mexico: Growth within Tradition.* New York: Doubleday, 1965.

Nodel, Emanuel. *Estonia: Nation on the Anvil.* London: Bookman Associates, 1963.

Nwankwo, Arthur Agwuncha, and Ifejika, Samuel Udochukwu. *The Making of a Nation: Biafra.* London: C. Hurst and Company, 1969.

Okpaku, Joseph (ed.). *Nigeria: Dilemma of Nationhood: An African Analysis of the Biafran Conflict.* New York: Third Press, 1972.

Olorunsola, Victor A. (ed.). *The Politics of Cultural Sub-Nationalism in Africa.* New York: Doubleday, 1971.

Osborn, Robert J. *Soviet Social Policies: Welfare, Equality, and Community.* Homewood, Illinois: The Dorsey Press, 1970.

Panter-Brick, S. K. (ed.). *Nigerian Political and Military Rule: Prelude to the Civil War.* London: Ahlone Press, 1970.

Park, Robert E. *Race and Culture.* New York: The Free Press, 1949.

Paton, Allan. *Hope for South Africa.* New York: Frederick A. Praeger, 1958.

Peck, Cornelius J. "Nationalism, 'Race' and Developments in the Philippine Law of Citizenship," *Journal of Asian and African Studies* 2 (January and April 1967): 128–43.

Pettigrew, T. F. *A Profile of the American Negro.* Princeton, New Jersey: Van Nostrand, 1964.

Quarles, Benjamin. *The Negro in the Making of America.* New York: MacMillan Company, 1969.

Record, Wilson. *The Negro and the Communist Party.* Chapel Hill: The University of North Carolina Press, 1951.

Reed, Alma M. *The Ancient Past of Mexico.* New York: Crown Publishers, 1966.

Reynolds, Hubert. "Overseas Chinese College Students in the Philippines: A Case Study," *Philippine Sociological Review* 5 (July–October 1968): 132–34.

Schubert, C. C. Liao. (ed.). *Chinese Participation in Philippine Culture and Economy.* Manila: Brookman Inc., 1964.

Shibutani, Tamotsu and Kwan, Kian M. *Ethnic Stratification: A Comparative Approach.* New York: The MacMillan Company, 1965.

Smal-Stocki, Roman. *The Captive Nations: Nationalism of the Non-Russian Nations in the Soviet Union.* New York: Bookman Associates, 1960.

Spores, Ronald. *Mixtec Kings and Their People.* Norman: University of Oklahoma Press, 1967.

Stalin, Joseph. *Marxism and the National and Colonial Question.* London: Lawrence and Wishart, 1936.

Steel, David. *No Entry: The Background and Implications of the Commonwealth Immigrants Act, 1968.* London: C. Hurst and Company, 1969.

Stein, Morris I. *Volunteers for Peace.* New York: John Wiley and Sons, 1966.

Strong, Anna Louise. *Peoples of the USSR.* New York: MacMillan Company, 1945.

Sullivan, George. *The Story of the Peace Corps.* New York: Fleet Press Corporation, 1964.

Tamune, Tekena. "Separatist Agitations in Nigeria Since 1914," *Journal of Modern African Studies* 8 (December 1970): 563–84.

Textor, Robert B. (ed.). *Cultural Frontiers of the Peace Corps.* Cambridge, Mass.: The M.I.T. Press, 1966.

Tiryakian, Edward A. "Sociological Realism: Partition for South Africa," *Social Forces* 46 (December 1967): 209–21.

Van Den Berghe, Pierre L. *Race and Ethnicity.* New York: Basic Books, 1970.

———. *South Africa: A Study in Conflict.* Berkeley: University of California Press, 1963.

Vardys, Stanley. "The Partisan Movement in Postwar Lithuania," *Slavic Review,* 22 (September 1963): 499–522.

Verschoyle, Vindes F. *Cecil Rhodes: Political Life and Speeches, 1881–1899.* London: Chapman and Hall, 1900.

Vucinich. Alexander, "Soviet Ethnographic Studies of Cultural Change," *American Anthropologist* 62 (October 1960): 867–77.

Wagely, Charles, and Harris, Marvin. *Minorities in the New World.* New York: Columbia University Press, 1958.

Wakin, Edward. "The Copts in Egypt," *Middle Eastern Affairs,* 12 (August–September 1961): 198–208.

———. *A Lonely Minority: The Modern Story of the Egyptian Copts.* New York: William Morrow, 1963.

Warren, Max. "Christian Minorities in Muslim Countries," *Race* 6 (July 1964): 41–51.

Wickberg, Edgar. *The Chinese in Philippines Life.* New Haven: Yale University Press 1965.

Wilhelm, Sidney M. *Who Needs the Negro.* New York: Doubleday, 1971.

Wilink, Henry, et. al. *Report of the Commission Appointed to Enquire into the Fears of Minorities and the Means of Allaying Them.* London: Her Majesty's Stationery Office, 1958.

Wilkie, James W. *Revolution in Mexico: Years of Upheaval, 1910–40.* New York: Doubleday, 1969.

Wolheim, O. D. "The Coloured People of South Africa," *Race* 5 (October 1963): 25–41.

Young, Jr., Whitney M. *Beyond Racism: Building An Open Society.* New York: McGraw-Hill, 1971.

Zeitlin, Arnold. *To the Peace Corps with Love.* New York: Doubleday, 1965.

Name index

K

L

M

N

O

P

Subject index

F

G–H

I

J–K

This book has been set in 10 and 9 point Caledonia, leaded 2 points. Chapter numbers and titles are in 30 point Venus Bold Extended and 16 point Venus Medium Extended. The size of the type page is 27 x 45½ picas.